BISMARCK · WERKE IN AUSWAHL
SECHSTER BAND

OTTO VON BISMARCK

WERKE IN AUSWAHL

ACHT BÄNDE

JAHRHUNDERTAUSGABE
ZUM 23. SEPTEMBER 1862

Herausgegeben von
Gustav Adolf Rein, Wilhelm Schüßler †,
Eberhard Scheler, Alfred Milatz, Rudolf Buchner

1976

W. KOHLHAMMER VERLAG
STUTTGART · BERLIN · KÖLN · MAINZ

OTTO VON BISMARCK

WERKE IN AUSWAHL

SECHSTER BAND

REICHSGESTALTUNG UND EUROPÄISCHE FRIEDENSWAHRUNG

ZWEITER TEIL: 1877–1882

Herausgegeben von
Alfred Milatz

1976
W. KOHLHAMMER VERLAG
STUTTGART · BERLIN · KÖLN · MAINZ

Satz: Maschinensetzerei Janß, Pfungstadt
Druck und Einband: Wissenschaftliche Buchgesellschaft, Darmstadt
Printed in Germany
Ausgabe des Verlags W. Kohlhammer · ISBN 3-17-002304-7

INHALTSVERZEICHNIS

VORBEMERKUNG ZU BAND VI

Auf die grundsätzliche Vorbemerkung zu den Bänden V—VII in Band V der Werk-Ausgabe darf der Benutzer auch dieses anschließenden die Jahre 1877 bis 1882 umfassenden Bandes verwiesen werden. Das dort zur Auswahltechnik und zu den Leitgedanken des Bearbeiters Gesagte hat auch hier ungeschmälerte Geltung. Betont werden muß nochmals, daß Beginn und Ende dieses vorliegenden Bandes keinerlei historische Zäsuren setzen, sondern lediglich nach äußeren Umständen gewählt werden mußten, die drei Bände V—VII, die Dokumente aus der Zeit von Bismarcks Reichskanzlerschaft, vielmehr eine innere Einheit bilden und nur in ihrem Gesamtzusammenhang betrachtet werden können.

Der Beginn der allmählichen innenpolitischen Wendung Bismarcks, die Abkehr von dem die Reichsgründung wesentlich tragenden nationalen Liberalismus, hatte sich bereits seit dem Jahre 1875 abgezeichnet. Die Hinwendung zu einem regenerierten Konservativismus wird das beherrschende Thema der Innenpolitik Bismarcks für das Ende der siebziger und den Beginn der achtziger Jahre. Damit verbunden ist der Übergang von der Freihandels- zur Schutzzollpolitik, bedingt auch durch den Bankrott der Gründerzeit und den sich anschließenden Konjunkturabschwung. Das dadurch in Bewegung geratene Parteienfeld führte zu immer stärker werdenden Friktionen des Kanzlers als dem alleinigen Chef der Exekutive mit der Volksvertretung, der „Kampf gegen den Reichstag“ wird für Bismarck zu einem beherrschenden Thema. Ihm sind auch das Sozialistengesetz von 1878, das weniger gegen eine „umstürzlerische“ Sozialdemokratie, sondern vor allem als gegen den Liberalismus gerichtet verstanden werden muß, die das Zentrum zumindest neutralisierende allmähliche Beilegung des Kulturkampfes und die Pläne für einen Volkswirtschaftsrat als „Ersatzparlament“ einzuordnen. Sowohl der „Kampf gegen den Reichstag“ als auch die Erkenntnis, daß der innere Aufbau des Reiches auf zu schwachen Füßen stand, waren Anlaß zu den Plänen und Maßnahmen, das Gewicht der Reichszentralgewalt zu verstärken: durch die Möglichkeit, zwischen den preußischen Ministerien und den Reichsämtern zur Überbrückung des Dualismus zwischen dem Reich und Preußen

Personalunionen zu schaffen, in der Frage der Stellvertretung des Reichskanzlers — diese auch als Gegengewicht zu der immer wieder vorgebrachten liberalen Forderung nach verantwortlichen Reichsministern — und nach einer durchgreifenden Reform des Zoll- und Steuersystems, um das Reich finanziell auf eigene Füße zu stellen. In vielen dieser Pläne ist Bismarck gescheitert, nur ein „System von Aushilfen" führte zu Teillösungen: der „Kampf gegen den Reichstag", das heißt gegen die blockierende bunt zusammengewürfelte Mehrheit aus Zentrum, Linksliberalen, Regional- und Minderheitengruppen blieb im Grunde unentschieden. Lediglich die auf des Kanzlers sozialkonservativer Ethik beruhende staatliche Sozialpolitik, deren Anfänge sich seit etwa 1880 abzuzeichnen begannen, die allerdings erst 1889 zum Abschluß kam, war letzten Endes erfolgreich, das Reich erhielt durch sie eine für die damalige Zeit vorbildliche Sozialversicherungsgesetzgebung, die sogar die Bismarck-Ära für Jahrzehnte überlebte. Die Außenpolitik dieser Jahre ist durch das deutsch-österreichische Bündnis von 1878, durch den Berliner Kongreß, der das Reich als Teilhaber der Weltpolitik, wenn auch mit problematischen Ergebnissen, die neue Friktionen im Gefolge hatten, bestätigte, und durch das Drei-Kaiser-Abkommen von 1881 als neuen Versuch einer europäischen Friedenswahrung gekennzeichnet. Im ganzen gesehen blieben aber trotz dieser außenpolitischen Augenblickserfolge die Jahre der Wende von den siebziger zu den achtziger Jahren solche der fortdauernden Spannungen, der Nichtauflösung von Gegensätzen und einer nichtausgewogenen, labilen Gesamtlage ohne echte Konsolidierung für den Reichskanzler und sein Reich.

Bonn, September 1976 *Alfred Milatz*

1. Privatbrief an Schweinitz—St. Petersburg: Kaiser Alexander und die russische Politik gegenüber Deutschland (Konzept)

GP 2, 125 ff., Nr. 273 = W 14/II, 881 ff., Nr. 1564.

Berlin, den 24. Januar 1877.

Nr. 88

Verehrter Freund!

Herr von Bülow hat Ihr Schreiben vom 18. d. Mts. Ihrem Wunsche gemäß mit mir besprochen. Nach Inhalt Ihres Privatbriefes [1] hatte ich befürchtet, daß der Bericht Schlimmeres melden würde, als er enthält. Sie selbst freilich sagen, daß Sie wesentlich gemildert haben; ich füge daher in meiner Voraussetzung demjenigen, was Sie schriftlich wiedergeben, noch die Eindrücke hinzu, mit welchen erregter Vortrag und schriftlich nicht wiedergegebene Ausdrücke die Szene haben verstärken können. Der Kaiser Alexander hat, wie Sie melden, am andern Tage selbst das Gefühl gehabt, zu weit gegangen zu sein, und das Bedürfnis, dieses wieder gutzumachen. Wir dürfen uns daher der Hoffnung hingeben, daß seine Auslassung sich in derselben Lebhaftigkeit nicht wiederholen wird, namentlich nicht vor Zeugen. Sollte diese Voraussetzung, wie ich nicht hoffe, irrtümlich sein, so wollen Ew. pp. in Ihrem persönlichen Verhalten sich zunächst die Vorstellung zur Richtschnur nehmen, als ob Sie durch unseren eigenen Souverän in dieselbe schwierige Lage gesetzt würden und genötigt wären, einen Ausbruch von Verstimmung anzuhören, der für Sie in dem Maße verletzend wäre, daß Sie sich Ihre weitere persönliche Entschließung vorbehalten müßten, ohne aber für den Augenblick in der Lage zu sein, Ihre persönliche Würde anders als etwa durch eine schweigende Verbeugung und nur im schlimmsten und ganz unerträglichen Fall

---

[1] Der Botschafter hatte am 17. Januar 1877 über zwei Unterredungen mit Kaiser Alexander unterrichtet, in denen sich dieser heftig über die mangelhafte Unterstützung Rußlands durch Deutschland auf der Botschafterkonferenz in Konstantinopel beklagte. Am 18. Januar hatte Schweinitz dann in einem Privatbrief an Staatssekretär von Bülow um Hinweis gebeten, wie er sich bei solchen „Szenen" künftig verhalten solle.

durch einen Rückzug aus eigener Initiative wahren zu können. Ein Monarch, und ein Seiner Majestät dem Kaiser, wie auch Ihnen selbst, so nahe stehender wie der Kaiser Alexander, bleibt Ihnen und mir gegenüber, um mich eines inkorrekten, aber verständlichen Ausdrucks zu bedienen, immer im Rechte einer Dame. Ihre Eigenschaft als Botschafter mildert meines Erachtens diese Auffassung nicht ab, sondern verstärkt sie: denn Sie sind als solcher noch weniger, wie als unbeamteter preußischer Kavalier oder General in der Lage, Ihren persönlichen Eindrücken Worte zu geben, weil Sie nur im Namen Ihres Kaisers sprechen und dessen Erwägung in betreff eines hochpolitischen Vorfalls nicht vorgreifen können. Ich habe in der Zeit, wo ich Gesandter in Petersburg war, und namentlich während des italienischen Krieges, analoge Vorgänge erfahren, über die ich nach sorgfältiger Erwägung vorgezogen habe, gar nicht zu berichten, weil ich mir sagte, daß persönliche und vorübergehende Aufwallungen eines absoluten Monarchen, insbesondere wenn schwierige Lage und körperliches Unwohlsein zusammentreffen, ein ganz unverhältnismäßiges Unheil anrichten können, wenn sie durch Bericht amtlich fixiert werden, während sie wirkungslos vorübergehen können, wenn man sie einfach ignoriert. Einige meiner glücklichsten politischen Erfolge verdanke ich dem Verschweigen solcher Vorkommnisse, indem ich dasselbe durch die Erkenntlichkeit des zu weit gegangenen Gegenredners später reichlich belohnt fand. Ich bitte Sie deshalb, in Petersburg die Fiktion aufrechtzuhalten, daß Sie über jene kaiserlichen Ausschreitungen gar nicht berichtet haben; obschon ich Ihnen dankbar bin, daß Sie es getan haben.

Auch abgesehen von dem von Ihnen gemeldeten Vorgange kann ich mich ja seit Jahr und Tag dem Eindrucke nicht verschließen, daß wir von dem amtlichen Rußland schlecht behandelt werden, und daß unsere Neigung, uns für die praktisch wertvollen Dienste Rußlands im Jahre 1870 dankbar zu erweisen, bei Rußland kein freundliches Entgegenkommen findet. Man akzeptiert unsere Gefälligkeiten wie eine Pflicht und verkehrt mit uns nicht auf dem Fuße gegenseitiger Gleichheit. Daß auch mein persönliches und staatliches Selbstgefühl durch dieses Verfahren verletzt wird, habe ich unserm allergnädigsten Herrn wiederholt auszusprechen gehabt. Es handelt sich aber nicht darum, berechtigte Empfindungen kundzugeben, sondern Politik zu treiben und die Arbeiten unserer politischen Gegner nach Möglichkeit unschädlich zu machen. In welcher Weise die politischen Verhältnisse in Verbindung mit dem Gesundheitszustande des Kaisers Alexander auf dessen Nerven einwirken, können Sie dort besser beurteilen, als wir hier. Meine gestrigen Unterredungen mit dem Großfürsten Wladimir und mit Herrn von Oubril ließen mich erkennen, daß beide das Bedürfnis hatten, durch Hervorheben der nervösen Stimmung des Kaisers etwaige hierhergelangte Eindrücke derselben abzumildern. Daß der Kaiser die Ursachen, durch welche seine Politik in die jetzige unerfreuliche Lage gebracht worden ist, lieber in der Politik anderer als in der eigenen zu suchen geneigt ist, bedarf menschlich keiner Erklärung. Es zeigt nur, wie sehr seine politische Auffassung unter dem Einflusse des Fürsten Gortschakow steht, wenn Seine Majestät nicht durch eigene Erwägung auf den Gedanken kommt, daß die unrichtige Politik seines Ministers mehr als das Verhalten fremder Mächte Rußland in seine heutige schwierige Situation geführt hat. Ich nehme dabei an, daß die Verantwortlichkeit des Fürsten Gortschakow die des Herrn Ignatiew[2] deckt, was vielleicht tatsächlich nicht ganz zutrifft. Der Vergleich zwischen der Stellung Rußlands zur Zeit der Berliner Konferenz mit der Stellung am Schlusse der Türkischen überhebt mich einer weiteren Ausführung. Wenn Rußland nicht die Absicht hatte, bei Ablehnung der Verschärfung, die Fürst Gortschakow in die Berliner Forderungen im Vergleich mit den Andrássyschen hineinbrachte, mit Waffengewalt einzuschreiten, dann war die damalige und die bis vor vier Wochen betriebene Politik Rußlands nicht richtig berechnet, namentlich aber die von und nach Livadia datierende Phase derselben. Wollte man nicht eventuell schlagen, so mußte Fürst Gortschakow die Sprache nicht führen, die er geführt hat. Die Durchführbarkeit derselben militärisch zu berechnen, war Aufgabe des leitenden Ministers, bevor er diese Sprache führte. Die Hoffnung, daß die durch R u ß l a n d s Sprache allein indizierten militärischen Leistungen den Russen zur Verfallzeit durch „E u r o p a" abgenommen werden würden, hat man in die politische Rechnung doch nicht aufnehmen können. Das Äußerste, was von andern Mächten erwartet werden konnte, war immer nur Neutralität, und nur von uns mit Sicherheit eine wohlwollende; die ganze Konferenz konnte meines Erachtens nur den Erfolg haben, für Rußland, wenn es selbständig einschritt, die Neutralität der andern Mächte nach Möglichkeit sicherzustellen. Eine der von Rußland öffentlich angenommenen Haltung entsprechende Nachgiebigkeit der Pforte, welche Rußland jeder kriegerischen Leistung überhoben hätte, war vielleicht zu gewärtigen, wenn die Pforte bis ans Ende an den Ernst der kriegerischen Absichten Rußlands geglaubt hätte. Lange vor der letzten Konferenzsitzung aber hatten die Türken durchfühlen können, daß jener Ernst zweifelhaft wurde, und diese Wahrnehmung hat wohl mehr zur

[2] Russischer Bevollmächtigter auf der Botschafterkonferenz in Konstantinopel, die sich am 20. Januar 1877 ergebnislos aufgelöst hatte.

Ermutigung der Pforte beigetragen als Elliot und Calice[3]. Für uns und für das ganze übrige Europa kann ja die einstweilige Erhaltung des Friedens nur erwünscht sein; wenn sie aber auf Kosten des Staatsgefühls einer so großen Nation, wie die russische es ist, erfolgt, so bleibt ein Krankheitsstoff in letzterer zurück, der früher oder später auf Kosten des europäischen Friedens Heilung suchen wird. Wir werden nach wie vor gern bereit sein, jeden Ausweg aus dieser Lage, sei es nach der Seite des Krieges oder des Friedens hin, für Rußland zu erleichtern, nur müssen wir klarer als bisher über das, was Rußland von uns erwartet und wünscht, in Kenntnis erhalten werden. Bisher haben wir die Empfindung, daß Fürst Gortschakow die aufrichtige und wirkliche Freundschaft, welche Deutschland, vom Kaiser bis in die liberalen Blätter hinein, für Rußland gegenwärtig hegt, kalt behandelte, wenn nicht zurückstieß, weil seine und des General Ignatiew persönliche Neigungen mehr nach Paris als nach Berlin gravitieren. Er kann damit uns wesentlich schaden, aber Rußland nicht nützen. Letzteres wird einen gleich starken und gleich ehrlichen Bundesgenossen, wie ihm Deutschland sein kann und sein will, in Frankreich niemals finden, und selbst wenn es der Fall wäre, scheint es mir politisch niemals richtig, einen wohlgesinnten, seit hundert Jahren erprobten und dabei augenblicklich vorwiegend mächtigen Bundesgenossen ohne alle Ursache durch schlechte Behandlung zu verletzen und abzustoßen.

In der ganzen Phase der Konferenz sind wir niemals einer eingehenden und rechtzeitigen Mitteilung über die Absichten Rußlands gewürdigt worden. Man hat in Konstantinopel den Mangel an Einsicht unseres dortigen Vertreters benutzt, um sich jeder Anfrage in Berlin zu überheben; die Verhandlungen sind mit England, was ich erklärlich finde, aber auch mit Frankreich und Italien in größerem Vertrauen geführt worden als mit uns, und wir haben die Nachrichten über das, was Rußland auf der Konferenz wollte und wozu es also unsere Mitwirkung wünschte, meistens über London, mitunter auch über Rom, sehr selten auch über Wien bekommen, ohne zu wissen, ob sie authentisch waren. Wie kann man unter solchen Umständen darüber klagen, daß Baron Werther nicht regelmäßig instruiert gewesen wäre? Der Anspruch, zu wissen, w a s man unterschreiben solle, ist doch der mäßigste, den eine gleichberechtigte Großmacht stellen kann.

Ich habe zu der ganzen schlechten Behandlung, die uns seit der Berliner Konferenz von dem russischen Kabinette zuteil geworden ist, nur eine

---

[3] Zweiter österreichisch-ungarischer Delegierter auf der Konferenz in Konstantinopel.

Erklärung, die auf zwei Erwägungen beruht. Einmal auf der russischen Annahme, als ob wir wegen der Leichtigkeit Rußlands, sich mit Frankreich zu verbünden, des russischen Wohlwollens in dem Maße bedürftig wären, daß wir uns gefallen lassen müßten, was immer uns von dort her zuteil werden mag. Wie irrtümlich diese Annahme ist, wissen Sie als preußischer Offizier, und meine ganze Politik seit 15 Jahren hat, wie ich glaube, bewiesen, daß wir auch den anscheinend ungleichsten Kampf einer unwürdigen Rolle vorziehen. Dieses Motiv allein würde aber nicht hinreichen, die Prüfungen zu erklären, welche Rußland unserem Selbstgefühl auferlegt; denn außer etwa der militärischen Lust zu fechten, ist gar kein Grund ersichtlich, welcher einen Kaiser von Rußland bestimmen könnte, das Bündnis mit der provisorischen Republik Frankreich der hundertjährigen Freundschaft mit dem zuverlässigen, in sich einigen und militärisch stärkeren Deutschen Reiche vorzuziehen. Die Staatsraison enthält für das russische Reich keinen Grund, das alte und von uns für die Zukunft angebotene Bündnis Deutschlands zurückzustoßen, wenn nicht das Element persönlicher Rankūne hinzutritt. Wenn es Gottes Wille ist, daß letzteres auf die Entschließung eines so mächtigen Monarchen, wie der Kaiser von Rußland, entscheidend einwirkt, so müssen wir, so gut wir können, einen schweren Kampf bestehen, den wir nicht suchen. Wir werden ihn ungern fechten, aber mit dem Gottvertrauen, welches ungerechte Angriffe dem davon Betroffenen zu verleihen pflegen; einschüchternd kann auch eine so bedauerliche und unseren Gefühlen so sehr widerstrebende Aussicht nicht auf uns wirken; um so weniger, je mehr man uns nötigt, ihr ins Auge zu blicken, und ich fürchte allerdings, daß es in Rußland einflußreiche Leute gibt, die lieber im Bunde mit der Pariser Regierung gegen Deutschland, als für die orientalischen Christen in der Türkei kämpfen möchten. Ich fürchte namentlich, daß das Bestreben des Fürsten Gortschakow dahin geht, die Sympathie des Kaisers Alexander für seinen Oheim und für Preußen zu zerstören, uns in unseren Verbindungen mit Österreich und England nach Kräften abzugraben und, vielleicht durch diplomatische Einwirkung in Wien, vielleicht durch Bedrohung Österreichs unter Erweckung von Mißtrauen gegen uns, die Andrássysche Regierung zu stürzen und einer solchen Platz zu machen, die sich zunächst zu einer diplomatischen antideutschen Koalition hergibt, welche durch den Beitritt Frankreichs an jedem Tage verstärkt werden könnte. Wie Ew. Exzellenz aus dem diesseitigen Erlaß vom 19. d. Mts. ersehen, haben wir auf dem Gebiete der Preßintrige ganz neue, aber unwiderlegliche Beweise dafür, daß die von der russischen Botschaft in Wien abhängigen Preßkräfte für die Verbreitung der Meinung tätig sind, als ob wir auf Österreich im antirussischen Sinne einwirken wollten. Die Tendenz dieser Entstellung scheint zunächst auf die russische öffentliche Meinung berechnet, um ihr Deutschland als den Reichsfeind zu bezeichnen. Das Zusammenstimmen der französischen Presse mit der russischen in dieser Richtung (*conf.* „Golos" und andre Blätter, namentlich auch die von Poggenpohl redigierte offiziöse „*Corr[espondance] russe*") ist ein vorübergehendes, aber immerhin bezeichnendes Symptom.

Sie können mir sagen, daß mein Mißtrauen gegen die Pläne des Fürsten Gortschakow und deren Unterstützung durch Ignatiew und den Fürsten Orlow vielleicht zu weit geht; aber wenn man für die Geschicke eines großen Reichs verantwortlich ist, so muß man auf die Symptome, welche Bedrohungen derselben andeuten, sehr aufmerksam sein und ihnen rechtzeitig entgegenarbeiten. Wenn wir uns unbedingt der russischen Politik hingäben, wie es bei gegenseitiger Ehrlichkeit meiner Meinung entsprechen würde, und uns darüber England, Österreich und andere Staaten definitiv entfremdeten, so müßten wir zur russischen Politik dasselbe Vertrauen haben, wie zu unserer eigenen. Wie soll ein solches aber, so solide es auch bei meiner Person war, sich erhalten, wenn wir sehen, daß Fürst Gortschakow, Ignatiew und andere aus ihrer Vorliebe für ein französisches Bündnis in vertrauten Auslassungen gar kein, und in öffentlichen kaum ein Hehl machen, und uns für alle treuen und aufrichtigen Dienste mit Vorwürfen und mit Geringschätzung belohnen? Ich würde meine Pflicht gegen mein Vaterland vernachlässigen, wenn ich solchen Symptomen gegenüber die guten Beziehungen zu anderen Staaten, deren wir vielleicht, wenn die Politik des Fürsten Gortschakow sich verwirklicht, sehr bedürftig werden können, geringschätzig behandeln wollte. Die Zweideutigkeit und die Unfreundlichkeit der Politik des Fürsten Gortschakow nötigt mich in dieser Beziehung zu einer Vorsicht, die weder meinen früheren Erwartungen, noch meiner persönlichen Neigung für den Kaiser Alexander und für das russische Bündnis entspricht.

Ich habe Ihnen, verehrter Freund, im engsten Vertrauen meine Auffassung in dieser Ausdehnung dargelegt, um Sie zu überzeugen, daß ich Ihre berechtigte Empfindlichkeit gegen russische Überhebung vollständig verstehe und teile. Dennoch aber halte ich für notwendig und bitte Sie darum, durch irgendwelche Kundgebung dieser Empfindungen nicht dem Fürsten Gortschakow sein Spiel gegen uns zu erleichtern. Die Aufregung des Kaisers gegen uns schreibe ich dem Fürsten und seinem natürlichen Bedürfnis, die Fehler seiner eigenen Politik zu verdecken, zu, und bitte Sie, wenn die Äußerungen dieser Erregung sich wiederholen sollten, derselben diejenige Passivität entgegenzusetzen, die man der üblen Laune eines hochgestellten und persönlich hochverehrten Freundes gegenüber zu betätigen pflegt. Ich werde dankbar sein, wenn Sie jedes Symptom der Art nach wie vor hierher melden, dort aber nicht einräumen, daß Sie das tun, sondern nur nach Umständen den Kaiser bitten, wenn er amtliche Antworten von uns verlangt, dieselben durch Herrn von Oubril zu erfordern. Es ist das der regelmäßige diplomatische Weg, und Sie kommen sonst nach Ihrer militärischen Stellung und nach Ihren langjährigen persönlichen Beziehungen zum Kaiser Alexander in eine schwierige Situation, ähnlich der, in welcher der General von Werder sich in Livadia befand, wenn Sie das regelmäßige Organ der Eröffnungen werden, die Rußland uns zu machen hat und dieselben vom Kaiser direkt empfingen. Ich werde deshalb auf Ihre letzte Mitteilung amtlich nur antworten, daß wir die verheißene Eröffnung durch Oubril erwarteten und im Sinne unserer freundschaftlichen Beziehung erwägen und beantworten würden. Dort aber bitte ich, die Erwartung nach Möglichkeit abzuschwächen, daß auf mündliche Mitteilungen, die Ihnen Seine Majestät der Kaiser macht, eine amtliche Antwort in Aussicht stehe, wenn nicht inzwischen amtliche Anfragen durch Oubril hier vorlägen. Diese prinzipielle Ablehnung ist natürlich von Ihnen nicht auszusprechen, sondern nur demgemäß tatsächlich zu verfahren, in der Form etwa, daß Sie, wenn Sie um eine Antwort gemahnt werden, erwidern, Sie glaubten, daß man in Berlin noch auf eine amtliche Formulierung der Frage warte. Es wird dahin zu streben sein, daß das persönliche Gewicht der Stimmungen des Kaisers Alexander den geschäftlichen Verhandlungen fern bleibe. Sie kennen selbst die Gewohnheiten unseres allergnädigsten Herrn genau genug, um zu wissen, daß wir das entsprechende Element des persönlichen Willens und der persönlichen Stimmung und Empfindlichkeiten unseres Kaisers nicht in die andere Schale der Wage zu werfen vermögen, weil Seine Majestät mit Recht abgeneigt ist, sich persönlich zum Organ der geschäftlichen Politik herzugeben. Deshalb aber müssen wir auch auf der anderen Seite das Gewicht der persönlichen Stimmung und Beredsamkeit des Kaisers Alexander, für welche bei unserem Herrn eine größere Eindrucksfähigkeit vorhanden ist als umgekehrt, aus dem ministeriellen Verkehr fernzuhalten suchen.

In der Hoffnung, daß es Ihnen gelingen wird, ohne Schädigung unserer guten Beziehungen und Ihrer persönlichen Stellung, sich dem autoritativen Eingreifen des verehrten Monarchen in unsere Geschäfte mit Liebenswürdigkeit zu entziehen, bin ich in freundschaftlicher Ergebenheit der Ihrige

v. Bismarck.

2. Immediatbericht[4]: Zur Frage der Aufhebung der Beschlagnahme des welfischen Vermögens (Konzept Tiedemann) W 6c, 76 f., Nr. 86.

Berlin, den 3. Februar 1877.

Ew. Kais. und Kgl. M. haben durch den Geheimen Kabinettsrat von Wilmowski eine Aeußerung des Staatsministeriums über den im Hannoverschen Provinziallandtag angenommenen Urantrag des Grafen zu Inn- und Knyphausen und Genossen um Aufhebung der Beschlagnahme des Vermögens des Königs Georg zu erfordern geruht. Wir verfehlen nicht, demgemäß nachstehendes ehrf. zu berichten:

Es herrscht im Staatsministerium darüber kein Zweifel, daß die Voraussetzungen, welche im Jahre 1868 für die Beschlagnahme des Vermögens des Königs Georg maßgebend waren, auch heute noch im vollen Umfange bestehen. Die Haltung des Königs Georg ist unverändert geblieben. Keine Erklärung, keine Handlung liegt vor, aus der sich folgern ließe, daß der König Georg das ihm angebotene Vermögen zu andern als feindlichen Zwecken verwenden werde. Nachdem derselbe schon einmal bei Abschluß eines Vertrages die Regeln der einfachsten Loyalität verletzt hat, dürfte nur mit der größten Vorsicht und jedenfalls nur dann wieder mit ihm anzuknüpfen sein, wenn seinerseits wirksame Garantien für seine Vertragstreue geboten werden, mit anderen Worten: wenn er allen Ansprüchen unzweideutig und rückhaltlos entsagt.

In welchem Maße ferner auch heute noch die Umtriebe der welfischen Partei in der Provinz Hannover sich geltend machen, wollen Ew. Kais. und Kgl. M. aus dem in Abschrift anliegenden Berichte huldr. ersehen, welcher eine Zusammenstellung von Aeußerungen welfischer Presseorgane aus den letzten Wochen enthält. Solange Tag für Tag von jener Partei die Losreißung Hannovers von Preußen offen gefordert wird, glauben wir nur mit Verletzung unserer Pflichten gegen Ew. Kais. und Kgl. M. und gegen den Preußischen Staat die uns jetzt gebotenen Mittel zur Bekämpfung jener der letztern selbst für Angriffszwecke ausliefern zu können.

Wir hoffen daher, uns in Uebereinstimmung mit den Intentionen Ew. Kais. und Kgl. M. zu befinden, wenn wir dem im Hannoverschen Provinziallandtage angenommenen Antrag keine Berücksichtigung gewähren und in diesem Sinne auch die im Herrenhause eingebrachte

[4] Der Bericht erging im Namen des Staatsministeriums, Bismarck zeichnete jedoch allein.

Interpellation des Grafen Schulenburg-Beetzendorf und Genossen beantworten [5].

3. Schreiben an Kaiser Wilhelm I.: Rußlands Absichten gegenüber der Türkei und Deutschlands Haltung (Ausfertigung) GP 2, 134 ff., Nr. 276.

Berlin, den 4. März 1877.

Nachdem der General Ignatiew [6] von 3½ Uhr bis jetzt, 10 Uhr, mit wenig Unterbrechungen mit mir konferiert hat, bitte ich Eure Kaiserliche und Königliche Majestät untertänigst, mich morgen um 2 Uhr oder zu einer andern von Eurer Majestät zu befehlenden Stunde zum Vortrag verstatten zu wollen.
Die Grundlage der russischen Absichten kann ich in flüchtigem Auszuge etwa in folgendem Eurer Majestät vorläufig melden. Rußland fühlt sich in der Notwendigkeit, in vier bis sechs Wochen entweder die Gewißheit gemeinsamer diplomatischer Aktion sämtlicher Mächte auf einer Basis zu gewinnen, welche dem russischen Nationalgefühl Genugtuung geben würde, oder wenn dies nicht tunlich sein sollte, militärisch vorzugehen, wenn auch als Programm festgehalten wird, daß Rußland die friedliche Erledigung der Sache vorziehe, soweit sie irgend mit der nationalen Würde verträglich sei. Um sein selbständiges militärisches Vorgehen zu unterlassen, würde Rußland vorzugsweise eine gemeinsame militärische Aktion gewünscht haben, die durch zwei oder drei Mächte mit europäischer Billigung vollzogen würde. Auf dieses Ziel wird verzichtet, weil es unerreichbar scheint. Demselben wird der Vorschlag substituiert — und dies erscheint als Hauptaufgabe der Mission des Generals — die Zustimmung aller sechs Mächte zu einer gemeinsamen Erklärung an die Pforte zu erlangen. Von dieser Erklärung werde Euer Majestät ich morgen Abschrift vorlegen können. Sie stellt im ganzen die ursprüng-

---

[5] Diese Erklärung wurde am 5. Februar 1877 durch Tiedemann im Herrenhause abgegeben.

[6] Der russische Bevollmächtigte auf der ergebnislosen Konstantinopler Konferenz befand sich in außerordentlicher Mission auf einer Rundreise, die ihn zuerst nach Berlin, dann nach Paris, wo er mit dem russischen Botschafter in London, Graf Schuwalow, zusammentraf, nach England zu einem Privatbesuch bei Lord Salisbury, erneut nach Paris und über Wien wieder nach Berlin führte.

lichen Forderungen der Konferenz ziemlich scharf akzentuiert zusammen als fortbestehendes Programm der sechs Mächte; und man könnte behaupten, daß sie in dieser Beziehung eine etwas schärfer ausgeprägte Paraphrase der Thronrede Eurer Majestät über die orientalische Frage wiedergeben. Nur schließt die Darlegung mit der Erklärung, daß, wenn die Türkei die Erwartungen der Mächte wiederum täuschen sollte, die letztern erwägen würden, *aviseront aux moyens*, wie sie künftige Verletzungen der Menschlichkeit und Störungen des europäischen Friedens zu verhüten haben würden. Es spricht sich indessen der Form nach keine Verpflichtung der Mächte zum Einschreiten aus, sondern nur die gegenseitige Verpflichtung zu überlegen, was zu tun wäre. Das Aktenstück macht mir nach der einmaligen Vorlesung den Eindruck, daß Eurer Majestät Interessen nicht verletzt würden, wenn wir mündlich erklärten, Eurer Majestät Politik sei bereit, vorbehaltlich genauerer Redaktion, auf das gewünschte Programm einzugehen, wenn dasselbe von allen sechs Mächten ohne Ausnahme geschehen würde. Daß letzteres der Fall sein werde, glaube ich nicht; namentlich vermute ich, daß England selbst diese lediglich moralische Verpflichtung nicht wird eingehen wollen. Jedenfalls ist es, meines untertänigsten Dafürhaltens nicht u n s e r e Aufgabe, zumal wir nach der Reiseroute Ignatiews die ersten sind, die sich vertraulich auszusprechen haben, durch eine Verneinung dessen, was wir in Konstantinopel gebilligt haben, dem Kaiser Alexander Opposition zu machen. Mein Gesamteindruck von der sehr langen und komplizierten Unterredung geht dahin, daß Rußland, ungeachtet der Versicherung, die friedliche Lösung vorzuziehen, schlagen will und eine allseitige Annahme der vorgelegten Redaktion kaum erwartet. Ich werde mir erlauben, die Gründe, welche meine Vermutung bestimmen, mündlich darzulegen. Auf eine weitere Kooperation unsererseits als die bisher in Aussicht stehende, nämlich wohlwollende Neutralität und Vermittlung bei Österreich behufs Innehaltung derselben Linie, scheint nicht gerechnet zu werden. Ich habe einstweilen alles *ad referendum* genommen und dem General versprochen, ihm morgen im Laufe des Nachmittags die Aufnahme mitzuteilen, welche seine Eröffnungen bei Eurer Majestät gefunden haben werden. Er hat mit seiner Gemahlin heute bei mir gegessen und bleibt bis zum Mittwoch hier. Aus allen seinen Äußerungen ging die Tendenz hervor, das unbedingte Zusammenhalten mit Eurer Majestät in die erste Linie der russischen Politik zu stellen, eine Tendenz, der ich ebenso entgegengekommen bin, wie sie vorgetragen wurde, da namentlich Zumutungen, welche über die von Eurer Majestät bisher gebilligte Linie hinausgingen, nicht beabsichtigt scheinen. v. Bismarck.

4. Rede in der 6. Sitzung des Deutschen Reichstags am 10. März 1877

W 11, 487 ff. = Kohl 7, 16 ff.

Die verspätete Einbringung des Etats wurde von den Abgg. Lasker (nationalliberal) und Richter (Fortschritt) scharf getadelt, Richter kritisierte ferner die finanzpolitischen Maßnahmen der Regierung. Beide fordern überdies die Einführung verantwortlicher Reichsminister. In seiner Entgegnung erläutert Bismarck seine Finanz- und Steuerpläne und seine Absicht, die Reichsämter und die preußischen Ministerien enger zu verbinden. Bemerkenswert ist die Rede ferner durch den offenen Angriff Bismarcks auf den Chef der Admiralität, General von Stosch, den er als Kanzlerkandidaten des Kronprinzen fürchtet. Stosch erbat nach dieser Rede seinen Abschied, der aber vom Kaiser verweigert wurde. Bismarcks Ausführungen:

Sie werden nicht von mir erwarten, meine Herren, daß ich auf alle Einzelheiten, die der Herr Vorredner berührt hat, eingehend erwidere; derselbe hat gewissermaßen die ganze Spezialdiskussion heute vorweggenommen. *(Sehr richtig!)*

Sollten wir auf dieses System eingehen, nämlich gleichzeitig sämtliche Artikel des Budgets in einer Sitzung zur Spezialdiskussion zu stellen, so würden allerdings alle Reden, die zu halten wären, sich zu derselben Länge ausdehnen müssen, wie die, die wir eben gehört haben, und ich glaube, ich würde Ihnen keinen Gefallen tun, wenn ich heute bei der vorgerückten Zeit in derselben Länge antworten wollte.

Ich will mich deshalb auf einige Andeutungen über die prinzipielle Stellung der verbündeten Regierungen zu einzelnen Punkten beschränken.

Eine der letzten Äußerungen des Herrn Vorredners gibt mir Gelegenheit, hier nochmals den Ausdruck des Bedauerns zu wiederholen, den der Herr Präsident des Reichskanzleramts in einer anderen Sitzung, wo ich verhindert war zu erscheinen, bereits ausgesprochen hat, über die verspätete Vorlage des Budgets. Wir haben darüber von dem Herrn Vorredner und seinen näheren politischen Freunden eine ziemlich scharfe Kritik hören müssen, eine Kritik, die, glaube ich, wenn sie persönlich höflicher gewesen wäre, dadurch an Würde nicht verloren hätte. Es ist uns Rücksichtslosigkeit, Mangel an Arbeitsfähigkeit vorgeworfen. *(Zuruf von links.)* Nun, Rücksichtslosigkeit ist, glaube ich, ein Ausdruck, der hier um deshalb nicht stattfindet, weil wir gearbeitet haben so viel wir konnten — *ultra posse nemo tenetur*, hat vorhin der Herr Vorredner gesagt — er soll mir denjenigen nachweisen unter uns, der träge am Werk gewesen ist, der nicht mit Einsetzung seiner ganzen Kraft, mit Zugrunderichtung seiner Gesundheit daran gearbeitet hat, die gestrengen Herren hier rechtzeitig zufriedenzustellen. Die Kritik darüber, daß das nicht gelungen ist, ist um so leichter für denjenigen, der nie versucht hat, ob er es in der Zeit hätte herstellen können, ob er in der kurzen Zeit mehrere Budgets hintereinander hätte leisten können. *(Zurufe.)*

Ich kann wohl sagen, gefeiert ist nicht worden, im Gegenteil.

Wenn Sie von mir Aufschluß darüber haben wollen, warum es so schwierig ist, das Budget rechtzeitig zu liefern, warum sich alle Jahre die Verspätung wiederholt, so ist es nicht Arbeitsscheu, auch nicht Rücksichtslosigkeit — diese Vorwürfe sind ungerecht; es ist im Gegenteil ein zu großer Drang zum Arbeiten. Der Kampf zwischen den verschiedenen Persönlichkeiten, Ressorts und Stellen, der jeder Feststellung des Budgets vorhergehen muß, ist so rasch unter deutschen Gemütern nicht zum Frieden und zum Ergebnis zu bringen. Es widerspricht dem berechtigten Selbstgefühl des Deutschen, die naheliegende Hilfe einer kanzlerischen Entscheidung zu fordern — es ist ein Vorzug der Reichsorganisation, daß die provisorisch, vorbehaltlich des Appells an Seine Majestät den Kaiser, gegeben werden kann, was beim preußischen Budget nicht der Fall ist. Dies widerspricht dem Selbstgefühl des Deutschen, er kämpft seine Sache allein durch. Ich habe in preußischen Verhältnissen bis zur Sextuplik und Septublik erlebt, die immer nur dieselben Gründe wiederholten. Wir sind in der Reichsverwaltung bis zur Triplik und Quadruplik auch schon gekommen, und ich habe meine ganz entschiedene Mißbilligung dieses Verfahrens ausgesprochen. Aber es ist nicht möglich, den alle unsere Verhältnisse, auch unsere parlamentarischen Debatten unter Umständen erfassenden *furor teutonicus* aus den Kämpfen der Ressorts untereinander vollständig auszuschließen. Und da hilft mir auch keine Verfügung, kein Befehl, es soll fertig sein — die Herren sind eben nicht einig. Jeder rechnet darauf, daß die Zeit, die nachher dem Bundesrat gelassen werden muß, die zur Drucklegung erforderlich ist, vielleicht eingeschränkt werden kann; aber keinesfalls gibt er nach ohne Entscheidung, ruft auch diese Entscheidung nicht an.

Wenn deshalb gesagt wurde, wir hätten unter diesen Umständen den Reichstag später berufen sollen, so würde der später berufene Reichstag nach meiner Erfahrung menschlicher Schwäche sich ganz in derselben Lage befunden haben. *(Heiterkeit.)* Das Budget ist nur dadurch bis zum 2. oder 3. März fertigzustellen gewesen, daß brennend zur Eile auffordernd an an der Wand geschrieben stand: am 22. Februar kommt der Reichstag! Wäre der Reichstag zum 2. oder 3. März einberufen worden, so gestehe ich nach meinen langjährigen amtlichen Erfahrungen: ich glaube, wir würden Ihnen vor dem 12. oder 15. März das Budget auch nicht haben vorlegen können. Und dabei behaupte ich doch, daß die Vorwürfe, die von dort und vorher noch mit zorniger Stimme unterbrechend wiederholt wurden, im höchsten Grade ungerechtfertigt sind, wenn sie von Rücksichtslosigkeit und Trägheit sprechen. Empfehlen Sie sämtlichen Bureaus eine größere Verträglichkeit untereinander und einen schnelleren Appell an die Entscheidung des Reichskanzlers über streitige Fragen, dann, glaube ich, werden wir schließlich zu einem rechtzeitigen Budget gelangen, und wenn Sie darüber einen Tadel ausgesprochen haben, so bin ich Ihnen dafür dankbar, er unterstützt mich in meiner Arbeit.

Der Herr Vorredner ist mit unserer Vorlage unzufrieden. Nun, meine Herren, darauf bin ich vollständig gefaßt gewesen. Er steht mir seit einem Jahrzehnt gegenüber; ich habe noch nie eine Regierungsvorlage gekannt, mit der er zufrieden gewesen wäre, und ich glaube, wenn wir es in dem Sinne gemacht hätten, wie er vorschlug, so würde doch der Fehler, daß es von der Regierungsseite kam, der Vorlage in der Weise angehangen haben, daß sie den Beifall nicht gefunden hätte.

Wir hatten ja die Absicht — wenigstens mein Herr Kollege, der Herr Präsident des Reichskanzleramts, und die Thronrede hat sich dahin ausgesprochen — zu hören, was gewünscht würde. Nun, wir haben ja von dem Herrn Vorredner im letzten Teil seiner Rede gehört, wie er wünscht, daß die Sache gemacht werden soll. Er hat uns im ersten Teil auf die Bahn verwiesen, die im vorigen Jahr und vor zwei Jahren bei den Reichstagsverhandlungen eingeschlagen wäre, und hat — ich glaube, er brauchte den Ausdruck — seinen Entschluß kundgegeben, „diese selbe Bahn scharf im Auge zu behalten". Nun, das ist eine Wendung, die ich aus dem administrativen Diktionnaire kenne. Wenn jemand noch nicht recht weiß, wie er es machen will, dann sagt er: ich werde die Sache im Auge behalten, und wenn Sie diese Vertröstung vom Regierungstisch mitunter auch gehört haben, so werden Sie danach das Maß dessen, was einer „im Auge behält", finden können. Ich möchte darauf lieber das Maß des anderen Sprichwortes anwenden, was eben sagt, daß man nicht viel im Auge behalten kann: es ist so wenig, daß man's „im Auge leiden" kann. So ist auch der Trost, den der Herr Vorredner für die Erfüllung der Reichsbedürfnisse im Auge behalten hat, so klein, daß man ihn allerdings im Auge leiden kann.

Er weist uns im wesentlichen an, auf die Bestände zurückzugreifen, d. h. vom Kapital zu zehren und die Wege zu betreten, die große und befreundete Nachbarreiche — ja, ich glaube, nicht zum dauernden Heil ihrer Finanzwirtschaft — betreten haben. Er hat sich in dieser Beziehung ermutigt gefühlt durch einen Erfolg, den er im vorigen Jahre auf dem Gebiete der Marineverwaltung mit großer Leichtigkeit, mit einer mich überraschenden Leichtigkeit erfochten hat. Da muß ich aber doch erwähnen, daß ich selbst einen ähnlichen Erfolg der Marineverwaltung gegenüber in den Monaten, die der Vorlage vorhergingen, vergeblich zu erstreiten versucht habe. *(Hört!)*

Ich muß ja den einzelnen Ressorts glauben — sie verstehen die Sache, ich kann sie nicht kontrollieren — daß die Forderungen, die sie stellen, berechtigt sind. Mit der Marineverwaltung habe ich im vorigen Jahre einen monatelangen und mit vielem dialektischen Aufwand geführten Kampf gehabt, um eine noch höhere Forderung, als die im Budget damals eingestellt gewesene, der Reichsfinanzverwaltung, dem Herrn Reichsfinanzminister gegenüber *(Heiterkeit)* — als solchen sehe ich den Herrn Präsidenten des Reichskanzleramts an — durchzusetzen. Ich habe zuletzt, vermöge der mir durch die Verfassung verliehenen Berechtigung, die Sache für die mindere Summe und gegen die Marineverwaltung entschieden und konnte deshalb nicht erwarten, daß die Autorität oder die Überredungsgabe des Herrn Richter (Hagen) um so viel stärker wie die meinige auf die Marineverwaltung wirken würden, daß bereits in der ersten Sitzung diese letztere Verwaltung einsah, daß sie mit einem noch geringeren Satz auskommen könnte, als dem von mir schließlich bewilligten und im Anfang bestrittenen.

Durch die Folgerungen, die der Herr Vorredner an dieses Erlebnis geknüpft hat, nötigt er mich gewissermaßen, Interna der Verwaltung hier klarzulegen, weil ich die Gefahren noch nicht beseitigt sehe, die sich daran knüpfen. Das nötigt mich zu meinem Bedauern, dieses damalige Verhältnis hier vorzutragen, wie es ist, um zu erklären, daß ich nicht glaube, daß sich solche Vorgänge wiederholen werden.

Der Herr Abgeordnete hat uns also zur Deckung auf unsere Bestände, auf unser Kapitalvermögen verwiesen und empfiehlt uns, das aus allen Ecken zusammenzukratzen und davon zu leben, nicht aber für dauernde Ausgaben, die sich wiederholen, dauernde Deckungsmittel zu beschaffen, sondern die Beschaffung dauernder Deckungsmittel aufzuschieben, bis wir unser Besitztum an Kapitalien aufgezehrt haben. Ich begreife eigentlich nicht, warum er dabei stehenbleibt, die Bestände, die eisernen und die anderen, und zunächst den Reichsinvalidenfonds, zu diesem Experiment zu empfehlen. Man kann ja auch noch sehr viel weitergehen. Wir werden einige Zeit lang gar keine Matrikularumlagen brauchen, wenn wir die Staatseisenbahnen zunächst, also von seiten des Reichs die Reichseisenbahnen, unter den Hammer bringen und diesen Kapitalsbestand, der uns wohl nicht so viel einbringt, wie er Privatleuten einbringen würde, veräußern, wenn wir demnächst den Staaten anheimstellen, diesen Weg weiterzugehen, ihre Domänen zu verkaufen, ihre Forsten zu verkaufen, ihre Betriebsfonds, wie der Herr Abgeordnete es empfiehlt, aufzuzehren *(sehr richtig!)*, kurz und gut, das ganze Nationalvermögen, das wir besitzen und zum Teil durch Gesetz gegründet haben, budgetmäßig aufbrauchen wie ein Verschwender, der vom Kapitale lebt und sagt: Ich werde nachher mit Bewilligungsanträgen kommen, wenn ich nichts mehr habe. Ich glaube, daß, wenn die österreichische Monarchie — nicht die jetzige Verwaltung, sondern die damalige, die das Geschäft des Verkaufs der Staatseisenbahnen an die französische Gesellschaft gemacht hat — dies rückgängig machen könnte, wenn dies Geschäft nicht nötig gewesen wäre und man sich an die Steuerkraft des Landes gewendet hätte, die österreichischen Verhältnisse, nicht nur die finanziellen, auch die wirtschaftlichen, auch die Verhältnisse des gegenseitigen Vertrauens in Geldsachen günstiger in Österreich lägen.

Der Reichsinvalidenfonds ist durch ein Gesetz zu einem bestimmten Zweck geschaffen, und ich bitte Sie dringend, seine Verwendung auf diesen Zweck zu beschränken und ihn dafür bestehen zu lassen sowohl für die gegenwärtigen als auch, was Gott verhüte, zukünftigen Invaliden, die uns etwa erwachsen könnten. Gönnen Sie dem Reiche dieses Kapitalvermögen. Es sind auch Kriege möglich, in denen man keine Kontributionen hat, und bei denen man auf das, was man hat, eben angewiesen bleibt. Wird das Gesetz auf gesetzmäßigem Wege geändert, so würde das natürlich seinen Lauf haben, ich kann nur erklären, daß ich mich, so viel in meinen schwachen Kräften liegt, dagegen wehren werde, daß auf diese Weise der erste, bereiteste Kapitalbestand des Reichs angegriffen werde, um laufende Ausgaben zu bestreiten. Stehen wir deshalb der Gefahr gegenüber, um dauernd unverhältnismäßig hohe Matrikularbeiträge zu erheben? Allerdings eine unbequeme Sache, wie ich ja sehr gern zugebe. Ich glaube es aber wirklich nicht. Wir haben mit Steuervorlagen keine ermutigenden Erfahrungen im Reichstage gemacht. Vielleicht haben wir ungeschickt ausgewählt, gewöhnlich aber ist uns der Satz entgegengetreten, welchen auch der Herr Vorredner vorhin wiederholt hat: Wir wollen keine Steuervermehrung, wir wollen eine Steuerreform.

Nun, meine Herren, diesen Satz unterschreibe ich von ganzem Herzen und kämpfe dafür, so viel meine Gesundheit und geringe Arbeitskraft, die mir nach einem mühevollen Leben geblieben ist, es mir gestattet. Aber es gibt auch noch andere Leute außer dem Herrn Vorredner, deren Einwilligung ich dazu gewinnen muß, namentlich, wenn ich deren tätige Mitwirkung dazu haben will. Ich allein kann dergleichen nicht machen und ausarbeiten, und außerdem brauche ich die verfassungsmäßige und gesetzmäßige Zustimmung anderer Faktoren. Nur weil ich das Reich und die verbündeten Regierungen außerstande sehe, jetzt in diesem Augenblick Ihnen einen vollen Reformplan für unsere Zoll- und Steuereinrichtungen vorzulegen, habe ich zu dem natürlichen Auskunftsmittel der Matrikularumlagen gegriffen. Infolgedessen hat man uns heute, seitdem ich hier bin und ehe ich hier war, vorgeworfen, wir hätten einen Mangel an Initiative bewiesen, und daraus den weiteren Schluß gezogen, daß die Verantwortlichkeit nicht richtig organisiert wäre.

Die Herren Redner [7] haben sich dabei auf den Geist des konstitutionellen Systems bezogen. Nun, meine Herren, mit so unbestimmten Größen habe ich nicht viel zu tun, ich betrachte sie als untergeordnet den ganz positiven Bestimmungen der Verfassung, unter der wir leben. Wenn ich in einer schwierigen politischen Lage mich befinde, so sehe ich zuerst die Reichsverfassung an, was sie mich anweist zu tun, und wenn ich an deren Hand mich bewege, glaube ich, mich immer auf sicherem Wege zu befinden. Sie sagt in ihrem Artikel 70 — Sie kennen ihn alle, er wird aber hier in der Debatte so totgeschwiegen, daß ich ihn nochmals vorlesen möchte *(Heiterkeit)*:

„Zur Bestreitung aller gemeinschaftlichen Ausgaben dienen zunächst die etwaigen Überschüsse der Vorjahre, sowie die aus den Zöllen, den gemeinschaftlichen Verbrauchssteuern und aus dem Post- und Telegraphenwesen fließenden gemeinschaftlichen Einnahmen. Insoweit dieselben durch diese Einnahmen nicht gedeckt werden, sind sie, solange Reichssteuern nicht eingeführt sind, durch Beiträge der einzelnen Bundesstaaten nach Maßgabe ihrer Bevölkerung aufzubringen, welche bis zur Höhe des budgetmäßigen Betrages durch den Reichskanzler ausgeschrieben werden."

Da liegt also ganz klar der Hinweis, was das Reich tun soll, wenn seine Geldmittel zur Deckung der Ausgaben nicht ausreichen — und daran muß ich mich halten. Ich weise ja die Aufgabe nicht von mir, darüber nachzudenken, was außerdem zu tun sei; im Gegenteil, ich bin meinerseits ganz entschlossen und habe das Resultat meines Nachdenkens schon gezogen (und will daran arbeiten, daß es möglich wäre), solche Reichseinnahmen, solche Reichssteuern, wie in der Verfassung gesagt ist, Ihnen vorzulegen, die Hoffnung auf Ihre Annahme haben — und diese Hoffnung knüpfe ich an den Plan, daß wir die Steuern in einer Weise kombinieren, die auf der einen Seite Erleichterung, auf der anderen Seite neue Einnahmequellen schafft, ohne das Bestreben, größere Einnahmen zu haben, als der Bedarf

---

7 Die Abgg. Eduard Lasker und Eugen Richter.

ist. Wozu sollte das führen? Was wollte man damit tun? Was helfen mir denn Überschüsse, die wir in den Kassen haben? — sie sind ganz erfreulich für den Finanzminister, der Ihnen sagen kann, soundsoviel Millionen haben wir in diesem Jahre übrig. Mir ist es immer etwas peinlich, wenn zu viel übrig ist; ich habe den Eindruck, daß die Gelder unzeitig deplaziert worden seien von der Stelle, wo sie sich ursprünglich befanden. *(Sehr richtig!)*

Ich erstrebe also in keiner Weise mehr, als notwendig gebraucht wird.

Was hilft es einem Staate, wenn seine Regierung reich ist? Was soll er mit dem Gelde machen? Wunderliche Luxusausgaben? Für diese ist unsere Zeit sehr wenig inkliniert.

Ich kann mit bestem Gewissen erklären, daß ich keinen Überschuß erstrebe, sondern nur die Deckung dessen, was uns fehlt, die Reduzierung der Matrikularumlagen; wenn es sein kann: gänzliche Abschaffung derselben; denn ich glaube nicht, daß Sie bloß um der parlamentarischen Machtfrage willen unbequeme Steuern behalten wollen. *(Sehr richtig!)*

Die parlamentarische Macht bleibt einer verfassungstreuen Regierung gegenüber durch das Ausgabenbewilligungsrecht gesichert, und einer der Verfassung nicht treuen Regierung gegenüber sind ebensowenig Bürgschaften zu finden, wie einer parlamentarischen Kammer gegenüber, die in ihren Beschlüssen sich an den Fortbestand des Reichs oder Staats nicht weiter kehren wollte, sondern daraufhin beschließen, bis er eben zugrunde ginge. Auf beiden Seiten muß man doch eine ehrliche, vernünftige, gesetzliche und verfassungstreue Gesinnung und Absicht voraussetzen, sonst kommt man ja überhaupt aus den Hemmnissen, aus dem gegenseitigen Mißtrauen, aus einem gewissen gegenseitigen Verschanzungskampfe und Ringen nach Macht im Innern gar nicht heraus und kommt über diese Streitigkeiten eben nicht dazu, zu erwägen, wie sitzt der schwere Steuerrock dem Volke am bequemsten, oder vielmehr, wie läßt er sich am bequemsten tragen; denn ganz bequem sitzt der Steuerrock niemals! Es ist immer besser, man hat keinen. *(Heiterkeit.)*

Nun bin ich außerstande gewesen — auch selbst, wenn ich ganz gesund wäre, so würde ich außerstande sein — bis jetzt die Friktion zu überwinden, die sich außerhalb dieses Hauses der Verständigung über den Entwurf einer Steuerreform entgegenstellt. Ich glaube, Sie unterschätzen überhaupt die Friktionen, unter denen ein Minister zu arbeiten hat, bevor er vor Sie treten kann und das erste Wort spricht. Ich weiß etwas davon, denn meine, wie ich glaube, ursprüngliche kräftige Konstitution ist dabei zugrundegegangen; meine Arbeitskraft ist aufgebraucht zum großen Teil. Ich müßte, wenn ich meiner Pflicht halbwegs genügen könnte, zehn bis

fünfzehn Stunden den Tag arbeiten können. Das habe ich lange Zeit getan; aber die Länge hat die Last, und jede Natur, sie mag noch so kräftig, noch so arbeitslustig sein, wird dabei aufgerieben, und namentlich die Herren, die einen so großen Anteil an dem unnützen Verbrauch ministerieller Kraft haben, sollten einem doch Mangel an Arbeitslust und Rücksichtslosigkeit nicht gerade vorwerfen. *(Heiterkeit.)*
Nun, ich erkläre also, daß wir vorderhand innerhalb des Reichskanzleramts und in den Behörden mit Zuziehung der preußischen Behörden, die uns ihren Beistand leihen, damit beschäftigt sind, eine Steuerreform vorzubereiten, daß ich die Hoffnung habe, daß Sie, und zwar in dem von dem Herrn Abgeordneten Richter getadelten Sinne, bei einer Verstärkung der indirekten Steuern uns zur Seite stehen werden. *(Bravo! rechts, Aha! links.)* Wir hoffen, sie Ihnen bei der nächsten Reichstagssession vorzulegen. Wenn dann der Gedanke des Herrn Abgeordneten Richter die Oberhand gewinnt, daß die indirekten Steuern vorzugsweise den Armen belasten und den Reichen frei lassen, wenn das wirklich ein richtiger wirtschaftlicher Satz ist, dann werden Sie ja diese Sache ablehnen, und wir werden dann wieder von vorn anfangen müssen, respektive zu einer Reichseinkommensteuer oder zu anderen direkten Steuern kommen; — wir werden dann also in der Lage sein, den Einwohnern der großen Städte, die ja die Mahl- und Schlachtsteuer bereitwillig abgeschafft haben und sich davon goldene Berge versprachen, und die jetzt an der Aufgabe laborieren, durch direkte Klassensteuern mit Exekution für Ausfälle von minimen Beträgen das aufzubringen, was bei der Mahl- und Schlachtsteuer mit Leichtigkeit getragen wurde . . . *(sehr richtig! rechts)* das Brot ist nicht um ein Haar wohlfeiler geworden; das Fleisch ist nicht billiger geworden; — etwas weniger gut ist es geworden *(große Heiterkeit)*, aber wohlfeiler durchaus nicht; und dabei sind die Preise auf dem Lande im Einkauf nicht teurer wie früher. Ich frage also, wo bleibt der Ausfall, der dabei eintritt? Es werden ja sachkundige Herren dies ermitteln und der Herr Abgeordnete Richter mit Sicherheit dartun, daß er es ganz genau weiß, sonst würde er so bestimmt nicht behaupten, daß die indirekten Steuern eben an und für sich verwerflich sind, indem sie nur den Armen treffen. Ich habe den Eindruck, daß der Arme unter dem Regime der indirekten Steuern sich wohler befand. Worin das liegt, weiß ich nicht; da appelliere ich wieder an die Sachkunde des Herrn Abgeordneten Richter — der weiß es! *(Heiterkeit.)*
In dem Sinne einer Erhöhung der Zölle und Steuern auf nicht absolut notwendige, auf entbehrliche Artikel, Tabak in erster Linie, Bier — nun, ich will nicht wieder die Kritik herausrufen, indem ich namentlich aufzähle, was — ich habe den Vorwurf des Dilettantismus oft genug hören

müssen in diesen Punkten, aber wenn der Dilettant nicht an dergleichen arbeitet, die Fachmänner, die tun es nicht, die gehen ungern aus dem Geleise heraus, an das sie einmal gewöhnt sind, sie müssen also die Hilfe des Dilettanten in dieser Richtung schon annehmen *(Heiterkeit)*, der sich hinter den Wagen stellt und schiebt, wie er kann.

War es nun möglich, Ihnen eine systematisch geordnete Steuerreform zu diesem Reichstage vorzulegen, unmittelbar nachdem wir unter drei Budgetgültigkeiten innerhalb eines Zeitraumes von vier bis fünf Monaten zu verwalten hatten? Das kann ich mit bestem Gewissen verneinen, wir konnten das nicht leisten.

Es ist ja die Frage aufgeworfen worden, ob es zweckmäßig gewesen wäre, eine einzelne Steuer, also namentlich eine Steuer auf Tabak, Ihnen jetzt zu bringen, um die Einnahmen zu erhöhen — ein Defizit kann ich nicht zugeben, das Reich hat kein Defizit, der Artikel 70 schützt es absolut vor einem Defizit *(sehr richtig)* — also Ihnen als Ersatz für einen Teil der Matrikularumlagen eine Tabakssteuer, die auf den anschlagsmäßigen Ertrag von vielleicht 22 Millionen sich bezifferte, vorzulegen. Die Sache hat ihr Für und Wider gehabt. Ich räume offen ein, daß ich mich dawider erklärt habe und lieber die Unannehmlichkeit zu hoher Matrikularumlagen ein Jahr hindurch, ein Budget hindurch, einmal tragen will, als die Steuerreform dadurch schädigen, daß man einen der besten und wesentlichsten Artikel, von dessen Schwimmkraft ich erwarte, daß er andere vielleicht mittragen werde, vorwegnehme, für den ein Provisorium einführe, was uns nachher abhalten würde, eine gründliche Reform, von deren Notwendigkeit ich so überzeugt bin, wie irgendeiner von Ihnen, vorzunehmen, uns die Möglichkeit, einer solchen Reform näherzutreten, zu erschweren, und deshalb habe ich mich gegen diese Steuer in diesem Augenblicke erklärt. Der durchschlagende Grund, der meine Herren Kollegen zu meiner Meinung gebracht hat, muß ich sagen, war allerdings ein ziemlich äußerlicher. Ich sagte, ich bin positiv überzeugt, der Reichstag lehnt ab *(Heiterkeit)*, und diese Überzeugung hat sich bei mir auch festgesetzt, daß wir Ihnen mit einer einzelnen Steuer ohne eine Reform nicht mehr kommen dürfen. *(Sehr richtig! links.)*

Sollte ich mich darin irren, ja, dann ist der Moment, daß der Reichstag vielleicht eine Resolution dahin faßt: die Regierungen sind über unsere Stimmung und über die Stimmung des Volkes, das wir vertreten, im Irrtum, wir würden auch eine einzelne Steuer bewilligen. Zu einer solchen Initiative will ich Ihnen ja gar nicht die Verpflichtung für immer zuschieben, aber Ihr Recht ist ganz unbedingt die Initiative, und wenn Sie von diesem Recht Gebrauch machen, so ist das ein sehr einfaches Mittel. Deshalb brauchen wir noch nicht die sämtlichen Kräfte des Finanzministeriums zur Verfügung der Budgetkommission zu stellen, sondern 15 Abgeordnete unterschreiben einen Antrag, er findet Unterstützung, und die Resolution kann in sehr kurzer Zeit angenommen werden.

Es ist eine große Übertreibung, wenn man uns vorwirft, wir schöben hiermit sämtliche Initiative in der Steuerreform auf die Landtage. Wenn man mir vorwirft, ich wünschte bei der Steuerreform die Initiative etwas mehr auf die einzelnen Regierungen zu schieben, das wäre vielleicht eher berechtigt, und ich wünschte allerdings eine lebhaftere Unterstützung von den einzelnen Regierungen, ein lebhafteres Mitarbeiten; denn mit den geringen Kräften, die in der Reichsfinanzverwaltung sich befinden — es befinden sich darunter ausgezeichnete Männer in ihrer Art, aber zu wenig zahlreich —, können wir solche Reformarbeiten nicht bewältigen, und wir können auch mit Zerren und Schieben nicht die *iners moles* aller derer, die uns dabei helfen sollten, in Bewegung bringen. Wir brauchen eine freiwillige, überzeugte Unterstützung, die uns mitschiebt und trägt. Das Zerren und Schieben derer, von denen wir eine Unterstützung, eine Förderung, eine Erleichterung zu erwarten berechtigt sind, das hat mich zugrunde gerichtet, das bin ich müde; also, wenn wir da nicht Beistand haben, so werden wir passiv verharren. Die Reichsverfassung gibt uns die Möglichkeit, es abzuwarten, indessen hoffe ich auf diesen Beistand, ich hoffe, daß die verbündeten Regierungen, auch die nicht gerade zu den kleineren und von Matrikularumlagen am meisten gedrückten gehören, mit uns einsehen werden, daß sie nach dieser Richtung hin die Reichsverwaltung fördern müssen, wenn sie sich konsolidieren soll, und daß wir auf ihren freiwilligen Beistand ein Recht haben, weil wir ohnedem eben nicht vorwärts können. Da versanden wir in partikularistischen Bestrebungen und bringen nichts zustande, am allerwenigsten dem preußischen Partikularismus, dem des größten Staates in Deutschland gegenüber.

Und da komme ich auf die Frage, die, wie ich höre, der Herr Abgeordnete Lasker vorher angeregt hat und auf die auch der letzte Herr Vorredner anspielte, daß der ganze Übelstand, daß Ihnen hier eine Erhöhung der Matrikularumlagen von 25 Millionen zugemutet wird, eigentlich seine Ursache darin hätte, daß wir keine Reichsministerien haben, daß wir keinen verantwortlichen Reichsfinanzminister haben, den würde man persönlich dafür ansehen können, daß er keine Vorlagen gemacht hat, und wenn er dieselben Gründe gehabt hätte, keine zu machen, wie der Herr Minister Hofmann und ich, nun, dann würde er eben einfach seiner Wege gehen müssen. Vorlagen würde auch er nicht machen können, namentlich, wenn er eben nur Reichsminister wäre.

Mit diesem Streben nach Reichsministerien irren Sie sich, glaube ich, in der Abschätzung der Bedeutung, die diese Ministerien auf die Dauer haben würden, Ministerien ohne materielle Macht, ohne Verwaltung hinter sich. Wir haben ein, ich möchte sagen, warnendes Beispiel gehabt am Reichseisenbahnamt *(Bewegung)*, wo eine hohe Reichsstelle geschaffen wurde mit großen Ansprüchen, sowohl solchen, die sie selbst zu machen berufen war, als solchen, die an sie gestellt wurden, aber ohne jegliche Macht, denen Nachdruck geben zu können; was dahin geführt hat, daß Arbeitsame und Beamte von Selbstgefühl in diesem Amte nicht ausharren wollen, und der bisherige Inhaber[8] der Stelle, der nicht bloß seinem Amte sehr gewachsen war und tüchtig darin, sondern auch mit Liebe zur Sache hineinging, hat mir nach zweijährigem Dienste gesagt: Schaffen Sie mir eine Stelle im preußischen Dienste, mag sie geringer besoldet sein als diese, es ist für mich ein zu niederdrückendes Gefühl, keinem der Ansprüche, die ich an mich selbst stelle und die Welt mit Recht an mich stellt, in dieser Hilflosigkeit gerecht werden zu können. *(Hört, hört!)* In einer ähnlichen Lage würden die Reichsministerien sein. Sie würden im Durchschnitt nur sein wie jene hochverehrten ostasiatischen Persönlichkeiten, die ein großes Ansehen äußerlich haben, äußerlich, aber keine Machtvollkommenheit; der Taikun würde immer in den Partikularstaaten stecken *(Heiterkeit)*; es würden eben Minister sein, die also in keinem Partikularstaat eine bestimmte Wurzel hätten, keinen bestimmten Vortrag bei dem Souverän, kein berechtigtes Mitvotieren bei allen materiellen Sachen, die in diesem Partikularstaate vorkommen, sondern sie würden ganz allein auf die Reichsgewalt in Berlin angewiesen sein, und das eigentlich praktische Leben würde außerhalb ihrer Beteiligung sich bewegen, und zwar, wie ich glaube, in rein partikularistischem Sinne. So würde dieser Reichsprätension gegenüber, die wurzellos in dem mächtigsten Partikularstaate sein würde, sich der Ring des Partikularismus ganz fest schließen, Preußen an der Spitze, und der erste und mächtigste Widersacher des Reichsministers würde der preußische Finanzminister sein. *(Zustimmung.)*

Meine Herren, in der Theorie kann man dergleichen ja sehr leicht besprechen. Ich spreche aber aus der Erfahrung einer ziemlich langjährigen Praxis auf diesem Gebiete, und diese Erfahrung hat mich dahin gebracht, daß ich gewünscht habe, daß die höheren Reichsbeamten, die Reichsminister, im preußischen Ministerium sitzen und stimmen, d. h. das aktive Recht des Mitredens bekommen, um gewissermaßen diesen Hauptparti-

---

[8] Maybach, später preußischer Eisenbahnminister.

kularisten für das Reich zu gewinnen, soweit es möglich ist, indem man den Stab über die Mauer wirft und gewissermaßen in Feindesland die Reichsfahne aufpflanzt — wenn ich mir erlauben darf, Feindesland ein Kollegium zu nennen, dessen Vorsitzender ich selbst bin *(Heiterkeit)* und in dem ich bisher der einzige bin, der den wirklichen Amtsberuf hatte, Reichsgedanken, Reichspolitik zu vertreten; die anderen Herren hatten ihr Ressort und, wenn es hoch kam, die preußischen Staatsinteressen amtlich zu vertreten — womit ich nicht sagen will, daß sie nicht in ihrem Herzen deutsche Patrioten waren, aber dem deutschen Beamten geht die Gewissenhaftigkeit über das Herz, und er treibt das, was seines Amtes ist und worauf er geschworen hat, zuerst, und wenn's Herz dabei auch bricht, das nationalgesinnte, ohne sich daran zu kehren; und nach unseren Gewohnheiten, da kann ein anderes Ressort sehr viel Schaden leiden, wenn das eigene nur mäßigen Nutzen davon hat. Aber auch das Reich ist doch für einen Minister, der nur ein preußischer ist — ich spreche immer, meine Herren, nur von Preußen, weil mir das niemand übelnehmen kann, da ich selbst dazu gehöre, ich könnte auch von anderen sprechen *(Heiterkeit)*, aber es würde mir da gesagt werden: Kritisieren Sie sich selbst erst und fangen Sie bei sich erst an, dergleichen zu tadeln, ehe Sie auf uns andere übergehen; nehmen Sie das nicht so streng, als wenn ich Preußen allein anklagen wollte *(Heiterkeit)*, ich fühle mich nur nach meiner peußischen Höflichkeitspflicht berechtigt, gegen die eigene Familie etwas gröber aufzutreten, wie gegen die weiteren Vettern.

Aber ganz gewiß ist nach meiner Überzeugung, daß ich den Haupteinfluß, den es mir gegönnt ist zu üben, bisher nicht in der kaiserlichen Macht, sondern in der königlich preußischen Macht gefunden habe. Ich habe versucht, ich habe eine Zeitlang aufgehört, preußischer Ministerpräsident zu sein, und habe mir gedacht, daß ich als Reichskanzler stark genug sei. Ich habe mich darin vollständig geirrt; nach einem Jahre bin ich reuevoll wiedergekommen und habe gesagt: Entweder will ich ganz abgehen, oder ich will im preußischen Ministerium das Präsidium wieder haben. Das war auch ganz richtig, aber es genügte nicht. Ich war die einzige Person darin, und der Beweis gegen die Theorie der Reichsministerien liegt schon darin. Aber schneiden Sie mir die preußische Wurzel ab, und machen Sie mich allein zum Reichsminister, so glaube ich, bin ich so einflußlos, wie ein anderer. Trennen Sie beides vollständig, also auch so, daß der Kaiser nicht gleichzeitig in seiner Eigenschaft als König von Preußen die obersten Beamten des Reichs in den Bundesrat ernennt: da würde die natürliche Folge schon sein, daß die Reichsbeamten überhaupt keine Möglichkeit haben, im Bundesrat zu sitzen. Was hat denn eigentlich der König von

Preußen für einen Beruf, dem Reichspostmeister, dem Chef der Abteilung für Elsaß-Lothringen und dem Chef des Reichsfinanzministeriums, des Reichskanzleramts, eine von den 17 preußischen Stimmen zu leihen, während eine Menge preußische Beamte sind, die vielleicht für rein preußische Interessen ganz nützlich im Bundesrate wären. Da aber der König von Preußen zugleich Kaiser, sein Ministerpräsident zugleich Reichskanzler ist, so hat sich das von selbst gemacht, und es ist niemandem aufgefallen, der nicht mitunter in schlaflosen Nächten über die Logik davon nachdenkt, daß die meisten preußischen Stimmen an hohe Reichsbeamte vergeben sind. Wenn Sie ein Reichsministerium sich denken — das hat gar kein Recht, im Bundesrat überhaupt Sitz zu nehmen. Ich bin in Verlegenheit gewesen, wie die Abteilung für Elsaß-Lothringen von dem Gros des Reichskanzleramts, soviel davon noch übrig ist, abgezweigt werden sollte. Der Name, der alles umfaßt, blieb ja übrig für die Finanzverwaltung und was das Handelsministerium sein könnte, aber noch nicht ist. Wie also das Reichskanzleramt für Elsaß-Lothringen abgetrennt wurde, so fand sich, daß der Unterstaatssekretär Herzog, der an der Spitze dieses Amtes steht, nicht Mitglied des Bundesrats war; also konnte er auch nicht den Vorsitz ausüben in dem Bundesratsausschusse für Elsaß-Lothringen, wo ja doch seine Sachkunde tagtäglich ganz unentbehrlich war. Es blieb also nichts anderes übrig, als daß ein preußischer Beamter bewogen wurde, zurückzutreten, und daß statt dessen dieser Reichsbeamte dafür eintrat.

Es hat ja das etwas Verführerisches, sich ein Reichsministerium zu denken, was im Reiche innerhalb der Grenzen und Kompetenzen, die die Verfassung dem Reiche zuweist, dieselbe Machtvollkommenheit ausüben und dieselbe Verantwortlichkeit dem Reichstage gegenüber tragen würde, wie ein Ministerium im Einzelstaate dies tut und trägt; aber ich glaube, Sie täuschen sich über die Entwicklung, die das nehmen würde. Die Macht der Stammeseinheit, der Strom des Partikularismus ist bei uns immer sehr stark geblieben; er hat an Stärke gewonnen, seitdem ruhige Zeiten eingetreten sind. Ich kann sagen, die Reichsflut ist rückläufig; wir gehen einer Ebbe darin entgegen. Ich weiß nicht, ob ich es tadeln soll, oder ob es ein gesunder, naturgemäßer Entwicklungsgang ist. Es wird auch die Reichsflut wieder steigen. Man muß nur nicht annehmen, daß in drei Jahren oder selbst in zehn Jahren alle diese Sachen fertiggemacht werden können. Überlassen Sie unseren Kindern auch noch eine Aufgabe; sie könnten sich sonst langweilen in der Welt, wenn gar nichts mehr für sie zu tun ist. *(Heiterkeit)* Man muß einer natürlichen, nationalen, organischen Entwicklung Zeit lassen, sich auszubilden, und nicht ungeduldig werden, wenn sie Stagnationen, ja selbst rückläufige Bewegung hat, und darf denen, die diese rückläufige Bewegung verursachen, das nicht so übel deuten. Die können sich doch nicht umformen und können nicht vollständig, wenn sie in bestimmten Richtungen der Politik aufgewachsen sind, wenn sie zeitlebens es als ihre höchste Ehre betrachtet haben, den Partikularinteressen zu dienen, nun mit einem Male dem Allgemeinen zum Opfer gebracht werden. Ja, der höhere, nationale Schwung, die Erziehung treibt dazu; ich bin überzeugt, unsere Kinder werden es viel natürlicher finden als unsere Greise. Aber darüber, daß ein gewisses Widerstreben stattfindet, daß nicht alles plötzlich einem entgegengebracht wird, wollen wir uns auch nicht zu sehr grämen und wollen deswegen auch nicht so schwarz in die Zukunft blicken, namentlich auch denen, die von ihrer Überzeugung nicht los können und doch zu den National- und Reichsgenossen gehören, es gar nicht übelnehmen, wenn ein alter Geist in ihnen noch fortgärt. Das erwähne ich nur in Paranthese. Die Hauptsache dieses Teils meiner Äußerungen bleibt immer, Sie zu bitten, daß Sie von Reichsministerien nicht zu viel erwarten. Sie müssen nicht glauben, daß dann sehr vieles leichter gehen würde, sondern im Gegenteil eine gewisse Scheu davor haben, die Reaktion des Partikularismus gegenüber diesen reinen Zentralbeamten zu kräftigen, und nach meiner Erfahrung würde sie ganz gewiß stärker werden, als sie bisher war.

Ich kann das Budget nur in seiner Gesamtheit Ihrer wohlwollenden Erwägung empfehlen. Ist die Mehrheit des Reichstages dafür, daß irgendeine provisorische vorübergehende Aushilfssteuer geschaffen werde, so würde ich dankbar sein, wenn sich dafür eine Resolution infolge eines Antrages entschiede. Ich bin persönlich nicht dafür und würde die Sache mit Gründen bekämpfen; würde sie aber beschlossen, so würde ich mich natürlich in diesen Geldfragen fügen, wie in den anderen. Aber ich gebe immerhin zu erwägen, daß Sie durch ein Herausreißen aus dem Gesamtmaterial, das der Reform unterliegen muß, wie das auch von allen Parteien anerkannt und in den öffentlichen Verhandlungen immer sehr richtig und mit einer großen Zustimmung hervorgehoben ist, die Reform, die wir erstreben, von der wir bisher die Überzeugung haben, daß ich, und wenn nicht ich, mein Nachfolger oder ein anderer im nächsten Winter sie Ihnen werde vorlegen können, nicht schädigen, indem Sie jetzt zu provisorischen und halben Maßregeln drängen, und nicht glauben, daß es jetzt ein Mangel an Initiative unsererseits ist, daß wir in Bezug auf die Steuerbewilligung die Flinte ins Korn werfen und sagen: Nun mag die Welt sich behelfen, nun mag der Reichstag und die Regierung Steuern beantragen, wir sind es müde, eine so herbe Kritik zu hören, nun laß andere einmal versuchen, was sie können, wir wollen uns auch einmal der Kritik ergeben — das ist es in keiner Weise, sondern wirklich: die Sache ist nicht fertig und hat mit menschlichen Kräften bis heute nicht fertiggestellt werden können. *(Bravo! rechts.)*

5. Rede in der 8. Sitzung des Deutschen Reichstags am 13. März 1877

W 11, 498 ff. = Kohl 7, 37 ff.

Bei der Spezialberatung des Etats wendet sich der Abg. Hänel dagegen, daß Bismarck im Reichstag seine preußischen Kollegen und Mitarbeiter angegriffen habe. Er fordert erneut die Einrichtung von Reichsministerien und meint, daß Bismarck selbst sein Werk in Gefahr bringe, wenn er nicht für eine auf normale Durchschnittsnachfolger berechnete Regierungsorganisation sorge. Hierauf antwortet der Kanzler:

Ich habe zuvörderst eine Auffassung des Herrn Vorredners zu berichtigen, die er am Schlusse aussprach, und ich habe die Überzeugung, daß diese Berichtigung ihm selbst nicht unangenehm sein wird. Er sprach die Befürchtung aus, daß ein von ihm ausgehendes Wort mir weniger Eindruck machen werde, als wenn es von anderer Seite fällt. Ich muß das bestreiten. Im Gegenteil, ich habe mich aufrichtig gefreut über die reichsfreundliche Strömung, die durch die ganze für mich sehr lehrreiche, wenn auch nicht in allen Punkten überzeugende Erörterung ging. Ich möchte vielmehr daran erinnern, daß ja auch vom Standpunkte einer höheren Gerechtigkeit mitunter über einen [Sünder] mehr Freude ist als über hundert Gerechte *(Heiterkeit)*, und insofern macht mir das Entgegenkommen, das ich in dem Herrn Vorredner persönlich und sachlich gefunden habe, sehr viel Freude. Ich werde mir deshalb auch erlauben, soweit ich habe folgen können, auf die einzelnen Punkte seiner Äußerung einzugehen, und kann nur wünschen, daß Sie alle diesem interessanten Gegenstande so viel Wohlwollen schenken, um nicht die Zeit zu bedauern, die ich Ihnen dadurch entziehe.
Ich kann zunächst den Anfang der Rede des Herrn Vorredners nicht für zutreffend halten, sondern muß sagen, darin stecke eine so fein zugespitzte Dialektik, wie sie sonst auf dem Boden seiner Fraktion nicht immer in Anwendung gebracht wird; sie schien mir exotisch nach ihrer Entstehung zu sein, nämlich, wo er nachzuweisen suchte, daß ich den hohen Reichstag lediglich als ein Pressionsmittel auf die Tätigkeit der Beamten hätte benutzen wollen.
Der Herr Vorredner hat selbst gesagt, daß bei der letzten Diskussion die Motive nicht erschöpft worden seien und die Diskussion nicht eine um-

fassende Entwicklung der Gründe gegeben habe, aus denen hier jeder handle. Ich habe die Wirkung der früheren Berufung keineswegs als ein Motiv angegeben, sondern ich habe nur tatsächlich angeführt, was die Folge zu sein pflege, und daß ohne Feststellung eines bestimmten Anfangstermins die Arbeit nicht in so kurzer Zeit fertig zu werden pflegt. Wenn der Herr Vorredner von mir die Angabe eines Motivs der früheren Berufung verlangt, welches mich veranlaßte, denen, die einen späteren Termin wollten, zu widersprechen, so war es der Umstand, daß ich es nicht für schicklich hielt, einer Versammlung, die einen Etat für ein ganzes Jahr beraten soll, dazu weniger verfassungsmäßig abgeschlossene Zeit zu lassen, als mindestens vier Wochen; ich meinte, wir könnten den Herren nicht zumuten, wenn wir bis 3. oder 4. März warteten, während Ostern auf den 1. April und Palmsonntag acht Tage früher fällt — in den alsdann nur noch verbleibenden etwa vierzehn Tagen ein Jahresbudget zu beraten. Man kann ja über die Berechtigung, über die logische Richtigkeit dieses Motivs mit mir streiten, aber das bitte ich Sie nicht zu glauben, daß in der ganzen Behandlung der Sache ein Mangel an Achtung und Rücksicht auf den Reichstag leitend gewesen wäre. Wir haben uns — ich will nicht sagen: Sie die Regierungen, aber die Regierungen haben den Reichstag zu notwendig, um die großen Schwierigkeiten, die in den Sachen selbst liegen, absichtlich und durch Mangel an Form wohlbedacht noch zu erschweren. Ich möchte also diesen Punkt damit für erledigt halten und zugleich um Absolution für die Zukunft bitten, wenn es mal wieder so kommen sollte; es soll nach Möglichkeit verhindert werden, aber ein Mangel an Achtung, an Rücksicht und Arbeitsamkeit ist ganz gewiß nicht dabei; ich will nicht wiederholen, was ich das letztemal darüber gesagt habe.

Der Herr Vorredner hat mir ferner vorgehalten, ich hätte in meinen Äußerungen über die Reichsministerien mehreremal gewechselt. Das ist ja wohl möglich. Ich will ihm sogar noch mehr zugeben, ich habe in meinen Ansichten darüber gewechselt. Ich bin niemals unbescheiden genug gewesen, mich mit jenem alten heidnischen Gotte zu vergleichen, aus dessen Kopfe eine Minerva vollständig geharnischt hervorsprang, und auch diejenigen, die mit mir an der Sache gearbeitet haben, haben die Prätension nicht haben können, daß die Sachen auf den ersten Wurf fertig wären, nicht einmal, daß sie — auf einem unbekannten Terrain, ohne den Weg zu übersehen und die Transportmittel, die dabei zur Anwendung kommen — ja daß sie das Ziel, das zu erreichen ist, in vollständig konkreter Form vor sich gehabt haben. Es ist möglich, daß es Leute von dieser hohen Begabung gibt, noch möglicher, daß es Leute gegeben hat, die mit dieser Begabung ausgerüstet zu sein glaubten; das hat uns die Geschichte gelehrt und namentlich im Jahre 1848 vorgeführt, wo gewissermaßen die Blüte der Nation, die gescheitesten, jedenfalls die gelehrtesten Männer versammelt waren. Es hatte damals jeder sein Ideal, wie die Sache werden sollte, im Kopfe; aber die Schluchten und Ströme, die zwischen ihm und diesem Ziele lagen, wie diese zu bewältigen seien, das überließ er anderen. Also ich betrachte dies nicht als eine Schande, wenn ich sage, daß ich auf dem Gebiete der Ausbildung unserer Verfassung mich als einen Schüler, mindestens als einen Schüler der Erfahrung betrachte, und daß ich den Eindrücken der Erfahrung nicht unzugänglich bin, wenn die Geschichte mich gelegentlich lehrt, daß ich mich geirrt habe, selbst in denjenigen Fällen, wo ich glaubte, meiner Sache ganz sicher zu sein. Wer mit einer größeren Dreistigkeit die Führung solcher Dinge übernimmt, der mag vielleicht schnellere Erfolge erreichen; aber es mag ihn dies auch sehr leicht in dieselben Klippen und Versandungen führen, in denen wir nach der großen Hoffnung von 1848 ein halbes Menschenalter gearbeitet haben, in denen wir uns nach dem Aufschwunge von 1813 ziemlich hilflos und aussichtslos für die Zukunft bewegt haben. — Ich habe aber doch, wie ich glaube, mit meiner Ansicht über die Möglichkeit, Reichsministerien einzurichten, nicht gewechselt; ich glaube, ich habe von Hause aus zugegeben, daß wir solche Einrichtungen brauchen. Man streitet da vielleicht mehr um die Bedeutung des Wortes; es fragt sich nur, mit welchen Attributionen sollen die Reichsminister ausgestattet sein — mit kurzen Worten gesagt: wollen Sie bei der einheitlichen Verantwortlichkeit eines Premierministers stehenbleiben, oder wollen Sie neben ihn drei bis vier andere Minister stellen, die der Herr Vorredner für die zunächstliegende Tätigkeit des Krieges und der Finanzen andeutete — wollen Sie also drei bis vier gleichberechtigte Minister nebeneinanderstellen, wie es im preußischen Ministerium der Fall ist, wo der Ministerpräsident nur das geschäftsleitende Mitglied unter gleichberechtigten Mitgliedern ist? Über diese Frage — wird mir der Herr Vorredner zugeben — habe ich in meiner Meinung niemals gewechselt. Ich habe stets an der einheitlichen Verantwortlichkeit eines Premierministers festgehalten, und ich glaube auch, daß diejenigen, welche diese Verantwortlichkeit in Anspruch nehmen können, also in erster Linie der Reichstag, in zweiter Linie das ganze Volk, dabei besser wegkommen. Ich halte eine Verantwortlichkeit, die auf Ministern ruht, welche sich gegenseitig mit Majorität und Minorität überstimmen, doch eigentlich für keine irgendwie faßliche. Wer trägt denn die Verantwortlichkeit für die Beschlüsse des Reichstags und jeder anderen parlamentarischen Versammlung? Können Sie den einzelnen dafür in Anspruch nehmen? Können Sie ihm die Verantwortlichkeit dafür aufbürden, wenn sie finden, daß die Beschlüsse des Reichstags dem, was sich verantworten läßt, nicht entsprechen? Der einzelne wird vielleicht sagen: Ich bin überstimmt worden, und wenn ich auch nicht in der einzelnen Frage überstimmt worden bin, so bin ich doch durch die Majorität gezwungen worden, im ganzen einen Weg zu gehen, den ich, wenn ich allein zu bestimmen hätte, nicht gegangen sein würde; auf diesem Wege habe ich nach meiner Ansicht konsequenter Weise so handeln müssen, wie ich gehandelt habe; hätte ich für mich allein einzustehen, so wäre es nicht geschehen. Ich weiß nicht, wie Sie von einem Ministerium, das in sich kollegialisch abstimmt, in höherem Maße eine Verantwortlichkeit verlangen wollen, als von einer parlamentarischen Versammlung, während Sie den einzelnen leitenden Minister, gegen dessen Willen wenigstens nichts geschehen kann, für das, was geschieht, immer verantwortlich machen können. Worin besteht denn diese Verantwortlichkeit überhaupt? Eine gerichtliche Verantwortlichkeit wird, glaube ich, doch nur sehr selten in Anspruch genommen werden, wenn sie nicht kompliziert ist mit Handlungen, die eben auch an sich, ohne Minister zu sein, ein gerichtliches Einschreiten zulassen. In der Politik besteht, meinem Gefühl nach, die Verantwortlichkeit wesentlich darin, ob jemand schließlich nach dem Urteil seiner Mitbürger sich blamiert in der Politik, die er macht, oder nicht, ob er — ich will den Erfolg gar nicht entscheidend sein lassen — ob er nach dem Urteil seiner Mitbürger und in erster Linie der Vertretung derselben die Geschäfte so geführt hat, wie man von einem zu dem Ministeramt hinreichend ausgestatteten und wählbaren Mann überhaupt verlangen kann, oder ob er sie leichtsinnig, ungerecht, parteileidenschaftlich geführt hat. Kurz, es wird darin seinen Abschluß finden — unter gewöhnlichen Verhältnissen, wo die Parteileidenschaften nicht entfesselt sind und sich gegenseitig mit Richtersprüchen und Verurteilungen bekämpfen, daß ein Minister auf den erkennbaren Wunsch der Mehrheit der Volksvertretung oder aus eigener Überzeugung zurücktritt und seine Amtsführung einer scharfen, und wenn er unrecht hat, berechtigten Kritik aussetzt. Dies wird gegen einen einzelnen oft ungerecht sein, wenn er Mitglied eines Ministeriums gewesen ist, in dem er überstimmt wurde. Hat er in dem Kollegium ein unbedingtes Veto gehabt, so wird man ihn mit Recht für das in Anspruch nehmen können, was dort geschehen ist. Wenn wir vor zehn Jahren, als der Norddeutsche Bund zuerst geschaffen wurde, sofort darauf eingegangen wären, oder bald auf die ersten Interpellationen — dieser Streit erneuerte sich ja ziemlich so oft wie die Diätenfrage — und wenn wir von Anfang an mehrere verantwortliche Minister in konkurrierender Stellung unter sich und zum Bundesrat, in konkurrierender Stellung zu den Landesministern eingesetzt hätten — ob wir dann so weit gekommen wären, wie wir jetzt sind, ist mir doch sehr fraglich. Blicken wir auch nur zwölf Jahre zurück, so werden Sie mir alle sagen, daß niemand damals auch nur die Hoffnung hegte oder wenigstens laut auszusprechen wagte, daß wir uns in zwölf Jahren in der Situation in Bezug auf den Fortschritt der deutschen Einheit und Verfassung befinden würden, wie heute. Wie alt ist denn das Deutsche Reich in seiner jetzigen Gestalt? Fünf Jahre! Ich glaube, Staaten wachsen langsamer als Menschen, fünf Jahre sind für einen Menschen ein Kindesalter. Ich traue unserer Verfassung eine Bildungsfähigkeit zu gerade auf ähnlichem Wege, wie die englische Verfassung sich gebildet hat, nicht durch theoretische Aufstellung eines Ideals, auf das man ohne Rücksicht auf die Hindernisse, die im Wege stehen, losstrebt, sondern durch organische Entwickelung des Bestehenden, indem man die Richtung nach vorwärts beibehält, in dieser Richtung jeden Schritt tut, der sich im Augenblick als möglich und unschädlich zeigt, so daß keine größeren Gefahren damit verbunden sind. Erinnern Sie sich, meine Herren, wie bin ich gedrängt worden zuzeiten, den Anschluß einzelner Staaten von Süddeutschland an Norddeutschland zu fördern, die sich bereitwillig uns darboten, also um es mit Namen zu nennen: Baden. Ich habe mir vielleicht damals die Zahl meiner Freunde nicht vermehrt, indem ich es bestimmt ablehnte; ich glaube aber kaum, daß wir heute in denselben guten Verhältnissen mit unseren übrigen süddeutschen Landsleuten ständen, wenn wir damals in den einseitigen Anschluß von Baden gewilligt hätten. Das verstehe ich unter Schritten, die uns zwar vorwärtsbringen, aber in anderer Beziehung mit größeren Nachteilen verbunden sind. Daß der Bundesrat zugunsten von solchen Reichsministern, wie sie vorschweben, Rechte aufgeben müßte, ist ja ganz klar; diese Rechte sind aber verfassungsmäßig verbürgt und können nur unter Zustimmung der Regierungen modifiziert werden. Ist diese Zustimmung wahrscheinlich zu erreichen? Sie wissen, daß vierzehn Stimmen im Bundesrat verfassungsmäßig dazu hinreichen, um eine Verfassungsänderung zu hindern. Man kann das beklagen, aber es ist Tatsache und verfassungsmäßiges Recht bei uns. Sie sind nicht alle überzeugt, daß diese vierzehn Stimmen zum Widerspruch gegen eine Einrichtung, durch welche der Einfluß der einzelnen Regierung wesentlich beeinträchtigt würde, sich so, wie die Sachen heute liegen, unbedingt finden würden? Ich bin davon überzeugt, und ich mag durch dieses Experiment diesen Widerspruch nicht auf die Probe stellen und ebenso, wie beispielsweise in der Eisenbahnfrage, mich jeder Verdächtigung, jedem irrtümlichen Mißtrauen des Partikularismus aussetzen, wenn ich verfassungsmäßige Dinge erstrebe, mir aber dabei Ziele untergeschoben werden, die das verfassungsmäßige Maß von Selbständigkeit der einzelnen Staaten einschränken. Sie haben erlebt, in welchem Maße es geschehen ist. Es gibt reichsfeindliche Parteien — in diesem Saale natürlich nicht, aber draußen sind sie täglich zu spüren *(Heiterkeit)* — von denen jede Maßregel der Art sofort zu Entstellungen, zum Beleben von Antipathien der zentrifugalen Neigungen benutzt wird. Das wissen Sie aus Erfahrung und man muß darin vorsichtig sein und denen, die Rechte aus der Verfassung haben, glaube ich, wenn man Politik treiben will, nicht in jedem Jahre wieder davon sprechen: Wir gehen darauf aus, dir die Rechte zu nehmen, die du hast, und dir nur einen Rock zu lassen nach dem Zuschnitt, wie er uns theoretisch vorschwebt!

Ich halte es überhaupt für gefährlich, obschon wir in unserem deutschen Nationalcharakter, der immer das Beste will und darüber das Gute oft verliert — unzertrennlich halte ich es davon, daß wir aus dem Verfassungmachen gar nicht herauskommen, daß wir der Verfassung, die ja unvollkommen ist und immer sein wird, nicht Zeit lassen, einmal zu Atem zu kommen und sich zu beruhigen auf einer immerhin unvollkommenen Etappe.

Halten Sie es meiner früheren Beschäftigung mit der Landwirtschaft zugute, wenn ich sage: es macht mir das den Eindruck eines Gutsbesitzers, der an seiner Wirtschaftsmethode in jedem Jahre zu ändern und zu modeln hat; er wird mit der alten Wirtschaftsmethode, wenn er an ihr festhält, wahrscheinlich weiterkommen, als wenn er in jedem Jahre die gesamte Fruchtfolge oder das gesamte Wirtschaftssystem neuen Proben oder fundamentalen Abänderungen unterzieht oder auch nur zu unterziehen sucht. Jede Erörterung darüber, soweit sie nicht in ihrer ganzen Tonart und in ihren Zielen berechtigten Besitz beunruhigt, ist ja lehrreich und zweckmäßig, und ich will gar nicht sagen, daß wir gut täten, diese Fragen unserer verfassungsmäßigen Zukunft totzuschweigen, als *noli me tangere* zu behandeln und besondere Strafartikel gegen den zu verhängen, der an der Verfassung rührt, wie das in alten Zeiten wohl geschehen ist, im klassischen und namentlich im griechischen Altertum. Aber ich möchte empfehlen, daß man weniger siegesgewiß über Rechte hinweggeht, die durch die Verfassung verbürgt sind. Ich wenigstens werde, so lange ich Reichskanzler bin, als meine erste Pflicht ansehen, genau die Reichsverfassung aufrechtzuerhalten, allen gegenüber, die bei ihrer Erhaltung interessiert sind — daß dies dem Reichstage gegenüber geschieht, darauf werden Sie schon selber halten — aber selbst den kleineren und weniger mächtigen Regierungen gegenüber. Und wir würden durch eine Übereilung auf dem Wege, der vor uns liegt, fürchte ich, an der Haltbarkeit des Gefährtes, auf dem wir uns vorwärtsbewegen, verlieren. Wir erzeugen durch übereilte Versuche Gegenversuche, Reaktionen im eigentlichen Sinne, ich möchte sagen im medizinischen Sinne, aber ungesunder Natur. Ich muß mich einstweilen in Bezug auf die Verfassung etwas an einen bekannten Ausspruch des Herzogs von Wellington halten. Der Herr Vorredner erklärt einiges, was in der Verfassung steht, in der Ausführung für unmöglich. Der Herzog gab einen Befehl, von dem der Untergebene sagte: Es ist nicht möglich. Der Herzog fragte: Steht es schon im Ordrebuch? — Ja. — Nun, dann ist es auch möglich. — So möchte ich auch sagen: Wenn es in der Verfassung steht, ist es einstweilen auch möglich, und es muß danach verfahren werden, und ich möchte das nicht aufkommen lassen, daß wir einen Teil der Verfassung für unmöglich halten, denn die Teile der Verfassung stehen alle gleich fest, sind alle unter derselben Bürgschaft, und das Rütteln an einem schadet der Festigkeit und dem Glauben der anderen.

Der Herr Vorredner meinte, es sei unter anderem nicht möglich, daß der Reichskanzler nicht zugleich die preußischen Stimmen führe. Ich halte das doch für möglich — ich halte es nicht für nützlich; der Reichskanzler braucht nach der Verfassung, wie ich glaube, gar nicht Mitglied des Bundesrats zu sein. Nach der Verfassung führt er den Vorsitz in demselben, und insoweit ein Vorsitz ohne Mitgliedschaft denkbar ist, wäre es auch möglich, daß er nicht Mitglied wäre. Ich würde es für unzweckmäßig halten, aber mir kommt es hier nur an auf die Theorie unserer Verfassung, so wie sie mir vorschwebt — ich kann mich in meiner juristischen Ausführung irren und erkenne darin die Überlegenheit der meisten unter Ihnen an, aber nach meinem Eindruck ist das so unbedingt nicht gesagt.

Wenn nun das Reichsministerium, wie es dem Herrn Vorredner vorschwebt, im Bundesrat Sitz und Stimme haben soll seiner Meinung nach, so kann es doch, wenn nicht eine volle Verfassungsänderung noch mehr Stimmrecht an Preußen gibt, überstimmt werden, ebensogut wie zum Beispiel in der Frage des Sitzes des Reichsgerichts Preußen überstimmt worden ist. Ein Ministerium ist dann noch in einer viel schwierigeren Lage, Ihnen gegenüber etwas zu vertreten, wofür es nicht gestimmt hat, weil es gerade das Ministerium ist. Wir kommen hier nur als Mitglieder des Bundesrats vor Sie; ob als Mitglieder der Minorität oder der Majorität, das ist dabei irrelevant, wenn dabei auch die Minorität das Recht hat, ihre Meinung zu vertreten — wie ich nicht zweifle, daß die preußische Regierung das in der Frage des Sitzes des obersten Reichsgerichts tun wird. *(Bewegung.)* Die Ministerien des Reichs – ich wüßte nicht, warum ich sie nicht so nennen sollte — wie sie jetzt bestehen, teilen sich ein in ein Auswärtiges Amt. Das wird wahrscheinlich immer das sein, dem der Kanzler am nächsten tritt, wo er dem Auswärtigen Minister — den wir unter dem Namen des Staatssekretärs, ähnlich wie in England, haben — ich möchte sagen, am meisten über die Schultern in das Papier sieht; oder es sei denn, daß sie nach mir einen Kanzler haben aus Züchtung des inneren Dienstes. *(Heiterkeit.)* Der wird vielleicht dem Herrn Präsidenten des Reichskanzleramts mehr in die Briefe hineinsehen, der ja, wie es heute liegt, das Finanzministerium und das Handelsministerium des Reichs in einer Person vertritt. Daß da in Zukunft noch eine Trennung möglich ist, gebe ich Ihnen zu.

Wie sehr ich mit Ihnen darin einverstanden bin, den Ministercharakter dieser höchsten Reichsbeamten heraustreten zu lassen, mögen Sie unter anderem daraus schließen, daß ich streng darauf halte, daß nicht mit dem anonymen Namen eines „Amtes" unterschrieben werde, sondern jedesmal mit einer Persönlichkeit, weil dadurch die Verantwortlichkeit der bestimmten Person für das, was über der Namensunterschrift steht, hervorgehoben wird; der anonyme Name Reichskanzleramt, Auswärtiges Amt, Ministerium des Innern, Finanzministerium, ist eben nur aus einer Abneigung gegen diese persönliche Verantwortlichkeit hervorgegangen und findet hauptsächlich da statt, wo die Minister, wie leider der Mißbrauch vielfach in Preußen und anderswo stattfinden soll, anstatt selbständig zu bestimmen, ihre Ministerialräte zusammentreten, Sitzung halten und *per majora* über Dinge abstimmen lassen, die der Minister entscheiden soll, und wo es dann heißt: „Das Ministerium hat beschlossen". Ich bekämpfe dieses Neutrum, diese Anonymität, und trete für die Persönlichkeit ein, eben weil ich eine ministerielle Verantwortlichkeit in erster Linie hinter der des Kanzlers zu beschaffen mich bemühe.

Nehmen Sie also an, daß neben dem Finanzminister, der jetzt als Präsident des Reichskanzleramts zeichnet — die Benennung ist einmal hergebracht, ich sehe nicht, warum wir sie ändern sollen — der Präsident eines Reichshandelsamts stände, so kann ich dabei gleich die Inkongruität berühren, die ich darin finde, daß ein preußisches Handelsministerium besteht. Es gibt meines Erachtens keinen preußischen Handel, keinen braunschweigischen, keinen weimarischen und keinen sächsischen vor dem Forum des Reichs und im Deutschen Reiche. Gerade der Handel ist etwas, was von der ganzen Nation in Gemeinschaft betrieben wird oder gar nicht.

Ich glaube also, daß diejenigen Attributionen — aber ich fürchte, meine Herren, ich nehme Ihre Zeit zu sehr in Anspruch *(Rufe: Bitte, bitte! Durchaus nicht!)* und komme in Details, die Sie vielleicht nicht interessieren *(Rufe: Doch! Fortfahren!)*; aber ich habe das Bedürfnis, daß sie einmal ausgesprochen werden — ich meine nämlich eine Kritik der jetzigen Lage, wie sie mir vorschwebt, ohne daß ich Ziele an die Wand zeichnen will; sie werden sich von selbst aus meiner Kritik ergeben.

Ich bin der Meinung, daß das preußische Handelsministerium an und für sich inkongruent zusammengesetzt ist. Es ist ganz unmöglich, daß ein und derselbe Minister die technischen Fragen des Bergbaus und der Fabrikation und die des Handels und des Verkehrs, die gewissermaßen mit dem Auswärtigen Amte, mit der handelspolitischen Abteilung des Auswärtigen Amtes in nächster Verwandtschaft stehen, in einer Person so beherrschen soll, wie es zu wünschen ist.

Es ist außerdem unnatürlich, daß der Handel, der mit dem Auslande in Beziehung steht, in dem größten Partikularstaate eine besondere Vertretung habe, in dem Staate, dessen König zugleich der deutsche Kaiser ist. Also in dem Ideal, in dessen Interesse ich kritisiere, müßte meines Erachtens das preußische Handelsministerium, es müßte auch das preußische Finanzministerium aufgelöst werden. Wenn ich von den übrigen Ministerien nicht spreche, so erklärt sich das — ich meine die außerpreußischen — von selber dadurch, daß keine anderen hier an Ort und Stelle sind, die dem Reiche hilfreiche Hand leisten können, und daß es ganz außerordentlich schwierig ist, daß ein und derselbe Monarch zwischen zwei verschiedenen Ministerialsystemen zwischen dem Reich und Preußen lediglich in Personalunion stehen sollte, wie Schweden und Norwegen. Ich glaube, Sie werden gezwungen, Sie mögen wollen oder nicht, in den höchsten Verwaltungszweigen die Stellen zu vermehren. Wir leben im Reich noch großenteils von Anlehen, die wir von Preußen an Arbeitskräften machen und die wir auch bei Gelegenheit an Arbeitskräften in anderen Staaten machen, nur daß hier die Entfernung schwer zu überwinden ist.

Ich meine also, daß das preußische Finanzministerium einer Teilung bedarf, nicht heute, und ich mit meinen ermüdeten Kräften werde schwerlich berufen sein, die letzte Hand an solche Einrichtungen zu legen, wenn sie überhaupt kommen; aber ich bin der Ansicht, daß es einer Teilung bedarf, einer Trennung in die eigentliche Finanzpartie und in die Partie der Steuerauflegung und die der Domanialverwaltung. Ich halte es nicht für richtig, nicht für psychologisch zweckmäßig, daß der steuerauflegende Minister allein der Finanzminister sei. Es wird das immer die notwendige Folge haben, daß die Steuern mehr vom Gesichtspunkte der Fiskalität und des hohen Ertrages als aus dem Gesichtspunkt der bequemen Tragbarkeit für Handel und Verkehr behandelt werden. Meines Erachtens soll die

Steuerauflegung nicht wesentlich ein Attribut des Finanzministers sein, obwohl er den Ertrag davon hat, sondern sie sollte nicht ohne Mitwirkung und mit vorwiegender Berücksichtigung der einzelnen Gewerbe gemacht werden. Deshalb muß es dem, der sie macht, nicht von erstem Interesse sein, daß der höchst herauszudrückende Ertrag in erster Linie stehe, und deshalb glaube ich, daß das Finanzministerium in ein steuerauflegendes und ein budgetverwaltendes geteilt werden sollte, welches die Verteilung unter den verschiedenen Kompetenzen und das Gleichgewicht zwischen Ausgaben und Einnahmen zu balancieren hat. Es ist überhaupt kein Unglück, wenn wir in Preußen und im Reiche mehr Minister bekommen. Wir haben zu wenig mit den acht Ministern in Preußen; es ist eine Täuschung, wenn man meint, daß immer Männer gefunden werden könnten, welche alle Branchen ihres Ministeriums, die von immer größeren Dimensionen werden, mit Sicherheit übersehen und beherrschen könnten.

Es wäre meine Ansicht, daß das preußische Staatseigentum, ich meine die Domänen, Forsten, Bergbau, Fabriken und alles, womit der Staat gewissermaßen als Gutsbesitzer belastet ist, aus der eigentlichen Steuer- und Finanzgesetzgebung auszuscheiden hätten, und daß dann der auf diese Weise übrigbleibende Stamm des Finanzministeriums in ein sehr viel näheres Verhältnis zu den Reichsfinanzen zu treten hätte, so daß auch auf diesem Gebiete die beiden großen Körper sich gegenseitig zu durchdringen hätten. Ich habe also nichts gegen eine nähere Verbindung der Finanzverwaltung mit unserem gegenwärtigen preußischen Ministerium. Wir haben bereits ein Reichsjustizministerium. Kann das in konkurrierender Weise mit dem preußischen Ministerium bestehen? Ich glaube, sehr wohl! Wir haben in Preußen sogar früher[9] zwei Justizministerien gehabt, wovon das eine besonders für die Gesetzgebung zu sorgen hatte, während dem anderen die eigentliche Verwaltung der Justiz oblag. Es ist sehr schwer, beide in einer Hand dauernd zu vereinigen, es ist eine ganz ungewöhnliche Arbeitskraft, die doch auch mit der Zeit darunter leidet, dazu erforderlich. Also auch dort könnte ein Reichsjustizminister und ein preußischer Justizminister in ein sehr nahes Verhältnis zueinander treten, sie könnten unter Umständen in einem und demselben Ministerkollegium sitzen, ohne sich gegenseitig in ihrem Betriebe zu hemmen. Daß dieses gerade ein Ideal sei, wie man es theoretisch machen könnte, will ich nicht behaupten, aber es ist etwas Erreichbares, während das rein losgelöste

[9] Unter Friedrich II.

Reichsministerium immer, wie ich fürchte, etwas in der Luft schweben wird. Nur in einem vollkommeneren Jenseits, möchte ich sagen, könnte ich mir ein solches Ministerium denken *(Heiterkeit)*, aber mit dem deutschen Blute, mit dem wir heute leben, fürchte ich, werden wir nicht damit auskommen; in dieser Generation nicht, es wird immer so theoretisch, ich möchte sagen, so ätherisch in seiner Ausbildung werden, daß es sich allmählich verflüchtigt.

Ich möchte nun bitten, daß die öffentliche Meinung nicht etwa in den Irrtum verfällt, daß die Skizze, die ich eben gegeben habe, mehr in Form einer Kritik von dem, was ich für fehlerhaft in der Existenz halte, als in der Form bestimmter Präzisierung dessen, was ich erstrebe, wieder die Meinung erzeugen könnte, ich dächte heute und morgen daran, diesen Plan zu realisieren. Ich halte es überhaupt nicht für möglich, schnell und energisch nach einer solchen Richtung vorwärts zu gehen, und ich möchte auch nicht, daß wir uns in der Diskussion zu sehr darüber vertiefen. Die Gegenwart gibt uns Stoff genug zu diskutieren, und wenn wir die Aufgabe der Zukunft, dessen, was übers Jahr vielleicht in der Steuerreform, noch später in der weiteren Ausbildung von Reichsministerien, aber von solchen, die durch kanzlerische Verantwortlichkeit gedeckt sind, geschehen kann, heute in der Diskussion vorwegnehmen, dann, meine Herren, werden wir nicht fertig.

Ich bin augenblicklich von keinem anderen Interesse beseelt, als bei dem uns vorliegenden Budget mit möglichst wenigen Abstrichen und möglichst hoher Zufriedenheit von seiten des Reichstags durchzudringen, und bin durch die Darlegung der Zukunftsgedanken — und nennen Sie das meinethalben Träumereien, ich habe das Recht zu träumen so gut, wie jeder andere — von dieser kompakten Aufgabe in keiner Weise abgekommen.

Ich glaube, ein Rückblick auf die Vergangenheit wird Ihnen zeigen, daß die junge deutsche Einheit in zehn Jahren, und namentlich in den fünf Jahren, seitdem wir das Reich in seiner Vollständigkeit haben, in ihrem Wachstum Fortschritte gemacht hat, auf die wir früher nicht gehofft haben. Verlassen wir nicht der Theorie zuliebe den Weg, der uns praktisch weitergeführt hat, und wollen wir schneller vorwärtskommen, so ist das beste Mittel dazu das Zusammenhalten und das einheitliche Wollen des Reichstages und der verbündeten Regierungen, auch das Zusammenhalten des Reichstages in sich, in höherem Maße, daß — wie ich ja im Willen von jedem überzeugt bin, aber der Zorn des Kampfes führt unter Umständen weiter — stets die Interessen für das Ganze über das Interesse der Verbände der Gesinnungsgenossen dominieren; und wenn dies geschieht und der Reichstag mit den verbündeten Regierungen oder doch wenigstens mit dem kaiserlichen Anteil innerhalb der Regierungssphäre einig ist, und die Führung vorsichtig vorwärtsgeht, dann, meine Herren, kommen wir zu einem Ziele, welches allen billigen und verständigen Wünschen unserer Mitbürger entsprechen wird. *(Bravo!)*

Auch der Abg. Lasker hält es für unmöglich, das Reich auf die Dauer der Verantwortlichkeit eines einzelnen zu unterstellen. Er begründet daher, bei Zubilligung einer Vorrangstellung für den Kanzler, die Notwendigkeit der Einführung von Reichsministerien. Darauf antwortet Bismarck:

Ich will zunächst mit dem Herrn Vorredner über das Maß der Arbeit, wie es zwischen uns verteilt ist, nicht rechten. Daß er seinerseits ein sehr leistungsfähiger Arbeiter war, das erkenne ich an den Schwierigkeiten, die er meiner Amtsführung seit zehn Jahren ab und zu gemacht hat, auch an der sehr wirksamen Unterstützung, die ich ab und zu von ihm empfangen habe. Ich will nur erfahrungsmäßig bemerken: das, was die Kräfte eines Mannes aufreibt, ist nicht gerade das einfache Arbeiten; es gibt auch Stellen als politischer Arbeiter, bei denen man achtzig Jahre alt wird, prosperiert und sich sehr wohl befindet. Was auf die Nerven abnutzend einwirkt, ist gerade das Gefühl der Verantwortlichkeit, über das Sie diskutieren, es ist das Gefühl der Verantwortlichkeit für das Wohl und Wehe, nicht bloß der eigenen Person und der eigenen Familie, sondern der Gesamtheit der Mitbürger, des Vaterlandes im ganzen; es ist gerade das Gefühl der Bitterkeit, daß man in dieser Richtung das zu leisten, was man für möglich und notwendig hält, verhindert wird durch Friktion der Kräfte, durch Mißverstand, ja mitunter auch durch Unverstand, wenn auch nicht hier, doch in den großen Massen, durch Unverstand — ich will es geradezu sagen: in der Presse, in Leitartikeln, in der Notwendigkeit, alle Tage etwas zu sagen über Dinge, die man nicht versteht.

Indes das war eigentlich nicht, was mich veranlaßt hat, um das Wort zu bitten. Der Herr Vorredner fürchtet einen Rückgang der nationalen Entwicklung, wenn wir uns mit den laufenden Arbeiten allein beschäftigen. Wenn das richtig wäre, was er sagt, dann müßte das Deutsche Reich — denn das nationale Streben wird nie vollständig befriedigt sein — dann müßte das Deutsche Reich in einer rastlosen Verfassungsarbeit seine Kraft suchen, wie der Kämpfer, der die Erde berührt, aus derselben neue Kraft saugt, sich immer von neuem mit Verfassungssachen zu beschäftigen.

Ich glaube gerade, daß die zu große Hast, die Unbeständigkeit, die unbestimmte Unruhe, die dadurch in unsere Verhältnisse gebracht wird, daß jedes Jahr Verfassungsfragen aufs Tapet gebracht werden, viel schwächender wirken, als wenn wir diese Seite der Sache einmal eine Zeitlang ruhen lassen. Es wäre sehr traurig, wenn unser nationales Gefühl verschwinden sollte, sobald es nicht immer durch verfassungmachende Tätigkeit gefördert wird. Diesen Weg können wir nicht immer gehen. Ich begegne dann bei dem Herrn Vorredner einem von den Hindernissen, die nicht zu sein brauchten, auf die ich vorher anspielte: wieviel Erschwerungen unserer Tätigkeit kommen daher, daß man sich die Tätigkeit der Regierung anders vorstellt, daß man sie ungern so sieht, wie sie ist, weil sie so vielleicht nicht in bestimmte Ideen paßt, indem die genaue Kenntnis schon jetzt den Beweis liefern würde, wenn man sie genau kennte, daß diese Ideen zum größten Teil erfüllt sind und uns auch nicht weiter glücklich machen.

Ich meine, daß der Herr Vorredner sich eine ganz falsche Vorstellung über die Art unserer Tätigkeit macht, wenn er sagt, ich hätte geklagt, mir fehlten die Menschen zu den Arbeiten. Das ist ein Mißverständnis. Etwas Derartiges habe ich in keiner Weise gesagt — die Menschen wären ja zu schaffen; im Gegenteil, die Menschen sind zu viel, mir fehlt die Zustimmung der Menschen, die da sind, und ohne deren Zustimmung ich nichts machen kann. Glauben Sie denn, daß ich mit dem Herrn Präsidenten das Reichskanzleramts so verfahren kann wie ein Abgeordneter, dem er nicht zu Dank spricht? Dann würde er sofort seiner Wege gehen! Er hat die Stellung eines Ministers, dessen Verantwortlichkeit nur in dem Falle, wo der Kanzler einschreitet, die seinige deckt, ebensogut wie das Staatsministerium in Preußen die Verantwortlichkeit, die Selbständigkeit eines einzelnen Ministers deckt, absorbiert und verschlingt. Eine andere Stellung hat der Reichskanzler auch nicht. Wenn wir nicht vorwärtskommen in Reformfragen, so ist das nicht, weil uns die Arbeitskräfte fehlen; — nein, es fehlt die Übereinstimmung! Die Reibung hinter den Kulissen, ehe ich ein Wort zu Ihnen sprechen kann, ist drei Viertel meiner Arbeit.

Dann hat der Vorredner den sogenannten Reichsministern eine subalterne Stellung zugewiesen; er hat selbst nötig gefunden, diesen Ausdruck zu erläutern. Ich will über den Ausdruck nicht mit ihm rechten, sondern über das, was er gemeint hat, daß die Herren mir gegenüber keinen eigenen Willen hätten. Er hat aber selbst gesagt, daß ich physisch in der Unmöglichkeit wäre, den Willen der Minister in allen Details zu beherrschen, weil ich sie nicht zu übersehen vermag. Das ist sehr richtig, aber ich bin außerdem nicht in der Möglichkeit; denn wenn die Herren ihren eigenen Willen in diesen Dingen ausüben wollen, so haben sie dazu gerade dasselbe Recht wie in Preußen, nicht um ein Haarbreit anders. Sie brauchen nichts zu tun, was der Kanzler ihnen etwa befehlen wollte, dazu sind sie nicht verpflichtet; sie sagen: Das ist gegen meine Verantwortung, und ich gehe ab. Hier ist der Kanzler wiederum nur genau in der Lage wie das Staatsministerium in Preußen als Kollegium jedem einzelnen Minister gegenüber. Es kommt *toto* vor, daß ein Minister einen Antrag stellt, auf den er viel hält; er bleibt im Staatsministerium mit zwei oder drei Stimmen in der Minorität, und es geschieht nicht — soll er jedesmal darum abgehen? So tritt das Staatsministerium in Preußen genau in dieselbe Stellung ein, wie der Kanzler im Reich, und wenn das nicht hilft, so tritt Seine Majestät der König von Preußen ein und sagt: Die Vorlage unterschreibe ich nicht. Ich sehe nicht ein, worin der Unterschied zwischen den Reichsministern und den preußischen Ministern liegen sollte; souverän sind sie alle nicht, die einen haben den Kaiser und den Kanzler, die anderen den König von Preußen und das Kollegium über sich, und das Kollegium wirkt sehr selten fördernd, animierend, aber sehr häufig negativ, abschneidend. Eine Initiative ist für das Kollegium schwer zu übernehmen. Ich glaube, daß, wenn alles genau erwogen wird, die Reichsminister, die durch die Verantwortung eines einzigen Kanzlers gedeckt sind, der mit sich reden läßt, viel freier und unabhängiger dastehen, als die preußischen Minister, die absorbiert werden durch die Beschlüsse eines Kollegiums, was nicht mit sich reden läßt, weil es einfach abstimmt und die Stimmen zählt.

Das ist also ein vollständiger Irrtum, und ich möchte doch den Herrn Vorredner bitten, nicht im Interesse der Theorien, die er vertreten will, die Stellung der Herren, die Reichsministerien innehaben, künstlich herunterzudrücken. Es stände dem absolut nichts entgegen, daß der Herr Finanzminister Camphausen heute Präsident des Reichskanzleramts würde und auf diese Weise beide Geschäfte vereinigte, ich würde in nicht höherem Maße mit ihm über die Sachen zu diskutieren haben, als ich jetzt mit Herrn Minister Hofmann darüber diskutiere. Ich weiß nicht, ob wir immer einerlei Meinung sein würden, das ist ja eine Frage für sich, aber einem solchen Verhältnis steht weiter gar nichts entgegen, als daß der Geschäftsumfang von einem Minister gar nicht zu übersehen war. Schon der jetzige Geschäftsumfang des Finanzministers — ich will auf die Diskussion nicht zurückgreifen — erfordert, daß der Herr so vielseitig ausgebildet sein sollte, wie überhaupt ein Mensch, der nicht Methusalems Alter erreicht, niemals sein kann. Aber daneben noch dem Bundesrat zu präsidieren in Verhinderung des Kanzlers, den Ausschüssen vorzusitzen — das kann er einfach nicht; nach der Würde seiner Stellung würde er es absolut können.

Der Hauptirrtum ist der, daß der Herr Vorredner überhaupt annimmt, der preußische Finanzminister würde jetzt nicht gefragt über die Vorlagen, die das Reich macht, und über die Beschlüsse des Reichs. Er ist Mitglied des Bundesrats, er hat einen erheblichen, einen wesentlichen Einfluß auf die Beschlüsse des preußischen Ministeriums. Wie kann ich denn als Reichskanzler im Bundesrat einen Gesetzentwurf oder irgendein Substrat einer Abstimmung einbringen, wenn ich nicht vorher sicher bin, daß die preußische Stimme auch für mich sein wird? Ich kann ja im preußischen Ministerium mit fünf Stimmen gegen vier mit Leichtigkeit überstimmt werden, es ist also für mich ganz notwendig, daß ich, ehe ich einen Schritt in den Bundesrat hineintue, mich versichere, ob meine preußischen Kollegen auch mit mir gehen. Ich kann nicht dort vor versammeltem Kriegsvolk eine Meinungsverschiedenheit ausfechten zwischen mir und dem preußischen Finanzministerium; die muß vorher ausgefochten werden. Es ist ein wesentliches Mißverständnis, in dem sich der Herr Vorredner befindet, wenn er annimmt, daß der preußische Finanzminister nicht seinen Teil an der Verantwortlichkeit für die Sachen trägt, die wir hier diskutieren. Ich werde nie ein Budget einbringen können, für das die preußische Stimme nicht gewonnen ist, und die preußische Stimme wird in Budgetsachen nie gegen den Finanzminister abgegeben werden. Wenn wir aber in solchen Irrtümern über die wirkliche Sachlage herumkämpfen, dann kommen wir zu ganz falschen Anschauungen, als ob die Reichsminister trotz ihrer Teilnahme am preußischen Ministerium Subalternstellungen wären und als ob die preußischen Minister in einer souveränen Herrlichkeit lebten! Das Beschlußrecht des Staatsministeriums, des Kollegiums, namentlich aber der Befehl Seiner Majestät des Königs macht die preußischen Minister gerade so abhängig, als die Reichsminister gegenwärtig sind. Die Stellung der Reichsminister ist im Gegenteil freier, als die der preußischen Minister, sie sind verantwortlich für alles dasjenige, wo sie nicht ausdrücklich nachweisen können, daß sie durch eine kanzlerische Verfügung gedeckt sind. Sie können jeden einzelnen verantwortlichen Reichsminister hier angreifen; zieht er eine Nachweisung aus der Tasche: Ich bin gegen meine bessere Überzeugung durch kanzlerische Anweisung dazu bestimmt worden — dann können Sie sagen: Heraus mit dem Kanzler, daß er sich verantworte, warum er diese Anweisung gegeben hat, da uns die Abstimmung des Ministers viel verständiger scheint.

Also was fehlt Ihnen noch? Sie haben das Bedürfnis, daß noch mehr fehle; sonst ist das nicht anwendbar, was Ihnen vorschwebt. Ich glaube aber, wenn Sie den Geschäftsgang, wie er praktisch ist, im einzelnen näher kennen würden, so würde ich nicht in die Lage kommen, von jemand, den ich mir zur Ehre schätze, als meinen politischen Freund anzuerkennen, solche verschiedene Ansichten über die Mängel, in denen wir leben, anhören zu müssen.

Ein für allemal stelle ich hiermit fest, daß ich Vorlagen, über die ich nicht der Zustimmung des preußischen Ministeriums sicher bin, wenn sie nicht auf Verfügungen des Bundesrats beruhen oder auf Requisition des Reichstags, überhaupt nicht einbringe, und in dem Falle doch auch nicht, ohne daß ich mich vorher im preußischen Ministerium versichert habe, daß die preußische Stimme nicht gegen mich sein wird. Wie sollte ich denn, wenn Sie etwas darüber nachdenken, mich dem aussetzen, daß ich nachher als preußischer Ministerpräsident in die Lage komme, daß mein Ministerium mich bei der Abstimmung im Stiche läßt und ich genötigt werde, *ex concluso collegii* gegen das zu stimmen, was ich selbst eingebracht habe! Das ist unmöglich. Sie unterschätzen doch den Mechanismus der Verfassung, wie er sich herausgebildet hat; er ist verwickelter und entwickelter, als Sie glauben.

6. Schreiben an Kaiser Wilhelm I.: Die englisch-russischen Verhandlungen in London über die Orientkrise (Ausfertigung) GP 2, 139 ff., Nr. 281.

Berlin, den 16. März 1877.

Eure Kaiserliche und Königliche Majestät wollen mir huldvoll gestatten, in Beantwortung der wieder beigefügten Allerhöchsten Randbemerkung zu dem Telegramm aus London Nr. 58 vom 13. d. Mts.[10], nachfolgende Erwägungen alleruntertänigst vorzutragen.

Bei der augenblicklichen Lage der orientalischen Angelegenheiten würde mir das direkte Eingreifen seitens Eurer Majestät, durch Erteilung bestimmter Ratschläge in St. Petersburg, unter allen Umständen gefährlich erscheinen, und ich mich daher für verpflichtet erachten, ehrfurchtsvollst

---

[10] Der deutsche Botschafter, Graf Münster, hatte berichtet, daß das englische Kabinett beschlossen habe, den russischen Protokollvorschlag unter der Voraussetzung einer sofortigen Demobilisierung Rußlands zu diskutieren. Der von General Ignatiew vorgelegte Entwurf fand dann aber nicht die englische Zustimmung. Sodann setzte der russische Botschafter in London, Graf Schuwalow, ohne Einverständnis mit St. Petersburg einen neuen Entwurf auf, der vom englischen Kabinett angenommen und am 31. März 1877 als „Londoner Protokoll" unterzeichnet wurde.

jedem solchen Schritte zu widerraten. Die bisher hier eingegangenen telegraphischen Meldungen genügen, meines alleruntertänigsten Dafürhaltens noch nicht, um den wirklichen Stand der Verhandlungen in London klar zu übersehen. Wir wissen nicht, in welchem Wortlaut die in Paris abgeänderten russischen Vorschläge dem englischen Kabinett vorgelegt worden sind, kennen nicht die Verabredungen zwischen General Ignatiew und Graf Schuwalow und erhalten ebensowenig aus dem Telegramm des Grafen zu Münster eine vollständige Anschauung von der bevorstehenden Antwort der englischen Regierung. Lord Derby selbst bezeichnet seine Mitteilung hierüber als „vorläufige Andeutung".

Aber selbst wenn über diese Punkte jetzt schon genügende Klarheit herrschte, würde ich nach pflichtgemäßem Ermessen nicht imstande sein, eine Einwirkung auf die Entschließungen Seiner Majestät des Kaisers Alexander zu versuchen, weil ich der Überzeugung bin, daß durch jeden solchen Versuch unter den gegenwärtigen Verhältnissen, die zukünftigen Beziehungen Deutschlands zu Rußland gefährdet werden würden.

Nach meiner Beurteilung der Lage werden sich in Rußland, falls die Regierung des Kaisers Alexander auf Grund der jetzt schwebenden Verhandlungen von der Aktion gegen die Türkei Abstand nimmt, sehr bald zwei Strömungen entwickeln: Die eine, welche die Regierung wegen ihrer Politik anklagen, und die andere, welche die gefaßten Entschlüsse zu vertreten und zu erklären haben wird. Dann werden aber, und zwar von beiden Seiten her, die Vorwürfe, Verdächtigungen und feindseligen Stimmungen gegen die fremden, wenn auch noch befreundeten Mächte sich richten, welche angeblich durch ihren Einfluß zum Verzicht auf eine für Rußland ehrenvollere und vorteilhaftere Politik beigetragen haben. Wie weit ich berechtigt bin, die Wahrscheinlichkeit eines solchen Verlaufes vorauszusetzen, wollen Eure Majestät huldvollst aus einer Mitteilung zu entnehmen geruhen, die mir General Ignatiew bei seiner jüngsten Anwesenheit in Berlin im engsten Vertrauen gemacht hat. Der General brachte die Rede auf das Telegramm Eurer Majestät an den Kaiser Alexander aus Anlaß des Georgsfestes und bemerkte dazu: Der Kaiser selbst habe diesen Ausdruck der Teilnahme seines erhabenen Verwandten ohne Empfindlichkeit entgegengenommen, die von so hoher militärischer Autorität kommende Warnung habe ihn aber bestimmt, den Plan zum Winterfeldzuge definitiv aufzugeben. Hierin werde von seiten der militärischen Kreise Rußlands eine wesentliche Schädigung der russischen Interessen gefunden. Der Winterfeldzug sei militärisch dem Kaiser dringend geraten gewesen, weil man darauf gerechnet habe, daß der russische Soldat, der Mehrzahl nach aus hartem Klima stammend, mit Pelzen,

Schuhzeug und Branntwein wohl versehen, im Winter wesentlich im Vorteil sein würde gegen die dürftig gekleideten, zum Teil aus warmen Ländern herbeigezogenen, der geistigen Getränke entbehrenden türkischen Truppen. Dazu sei im Winter das türkische Heer noch viel weniger zahlreich und schlechter gerüstet, seine Inferiorität im Vergleich mit dem russischen viel größer gewesen. Das Aufgeben der ursprünglichen Absicht und des damit zu erreichenden Vorteils habe nicht nur bei den höheren Offizieren, sondern auch in weiteren militärischen Kreisen, denen der Zusammenhang der kaiserlichen Entschließung mit Eurer Majestät Telegramm bekannt geworden, einen gegen Deutschland sehr verstimmenden Eindruck zurückgelassen. Man mache uns für diesen Nachteil verantwortlich.

Für die Richtigkeit dieser Erzählung des Generals Ignatiew muß ich allerdings demselben die Verantwortung überlassen. Ich habe es aber gewagt, dieselbe als einen Beweis dafür anzuführen, wie bei der jetzt in Rußland herrschenden Stimmung jeder von außen kommende, wenn auch von dem bewährtesten und selbstlosesten Wohlwollen eingegebene Rat der Mißdeutung sicher ist.

Eurer Majestät gestatte ich mir demnach, in Ehrfurcht die alleruntertänigste Bitte vorzulegen: daß Allerhöchstdieselben geruhen mögen, von einer Instruktionserteilung an General von Schweinitz im Sinne des Marginale zu dem Telegramm vom 13. d. Mts. huldreichst Abstand zu nehmen. v. Bismarck.

7. Gespräche mit Frau von Spitzemberg am 1. April 1877 in Berlin

Spitzemberg 163 = W 8, 198 ff., Nr. 159[11].

Carl und ich zu Bismarck, um zu gratulieren; dieses Jahr trafen wir den Fürsten und die ganze Familie; im Billardzimmer lag die übliche Flut von Blumensträußen, Delikatessen und sonstigen Liebesgaben, und die Kapelle des 2. Garderegimentes machte im chinesischen Saale ohrzerreißend laute Musik. Als wir eben am Frühstückstische Ostereier und Kuchen aßen, kam der Kronprinz und setzte sich zu uns. Der Fürst erzählte, Bleichröder habe durchaus von ihm heute wissen wollen, ob Krieg oder Frieden werde. „Die Wiener Ansicht kann ich Ihnen sagen“, *habe er geantwortet,* „die ist die, daß Rußland den Frieden will und alles tut, um ihn sich unmöglich zu machen, und die meine ist, daß es den Krieg will und alles

[11] In W 8 einige Abweichungen vom authentischen Text der Ausgabe Spitzemberg.

tut, um ihn nicht herbeizuführen." *Frau von Arnim bestätigte mir, daß der Fürst am 15. nach Kissingen gehe, um „nie mehr wieder zu kommen"* [12] *d. h. seinen Abschied zu nehmen! Ich kann noch nicht recht daran glauben — das neue Reich ohne Bismarck, die Wilhelmstraße 76 ohne ihn, man kann es sich nicht vorstellen, und doch sprach man dort schon vom Einpacken und Verschicken der Familienbilder nach Schönhausen! Das lautet doch sehr nach Wirklichkeit! Abends gingen wir nochmals hin und trafen die gewöhnliche große, fremde Geburtstagsgesellschaft: Hatzfeldt, Carolath, Maltzahn, die Fürstin Reuß geb. Prinzeß von Weimar, Radowitz, Dönhoff, Kurowsky, Stülpnagel mit seiner allerliebsten jungen Frau geb. von der Tann, den Feldmarschall Manteuffel und andere. Sehr freute ich mich des Wiedersehens mit Eugenie Thadden, der der Gram das Haar gebleicht hat. Mit dem Rücktritt in nächster Zeit hat es seine Richtigkeit: ich redete den Fürsten darauf an, der mir des langen seine Gründe auseinandersetzte und hinzufügte:* „Bringen Sie mir Augusta, Camphausen und Lasker nebst Anhang um, so kann ich das Amt weiterführen. Aber dieser ewige Widerstand, dieses ewige Prellkissensein reibt mich auf, und wenn ich den Hasen des Geschäfts immer einige hundert Schritte unerreichbar vor mir laufen sehe, weil ich die Kräfte zur Arbeit nicht habe, erfaßt mich auch der Widerwille an derselben immer unwiderstehlicher." *Auf mein Bemerken, daß, wenn er gehe, speziell die Süddeutschen keinerlei Schutz mehr hätten gegen die Anmaßungen des preußischen Partikularismus, sagte er:* „Ja, mit diesem und den preußischen Bürokraten bin ich nicht fertig geworden, und sollen sie es erst einmal selbst versuchen. Hofmann hat mir gesagt, er könne doch mit Camphausen nicht allein regieren; ich erwiderte ihm, sie sollen sich nur hübsch anfeinden, und ich hoffe nach Jahr und Tag nicht zwei Löwenschwänze, sondern einen recht fetten, starken Löwen übrig zu finden." *Meine ausgesprochene Hoffnung, daß er nach einigen Jahren Ruhe neugekräftigt zum Kampf antreten könne, bejahte er ausdrücklich. Dann wurde er weich und sagte, es falle ihm doch schwer, aus Haus und Amt zu gehen, da er heute seinen 15. Geburtstag* [13] *feiere, aber es gehe absolut nicht mehr. Dann faßte er meine Hand und sagte:* „Sie besuchen uns aber dann doch in Varzin, oder nicht?" — *„Oh gewiß, aber nur nicht diesen Sommer, und ich kann nicht einmal sagen 'leider'!"* — „Um Gottes Willen nicht, freuen Sie sich nur, und so viele freuen sich mit Ihnen; das gibt einen neuen Mitkämpfer!" *Wie liebenswürdig und gut und rührend war der große Mann, als er mit feuchten Augen so sprach und leise meine Hand streichelte; die meisten waren fort, uns ließ er immer wieder sitzen, er sei weder müde noch schläfrig, und so kämen wir so bald nicht mehr zusammen. — Ganz unverblümt sprach der Fürst heute von der Gewißheit seines Scheidens; viele hörens*

---

[12] Bismarck hatte am 27. März 1877 erneut ein Abschiedsgesuch eingereicht, das der Kaiser am 7. April mit dem berühmt gewordenen „Niemals" zurückwies. Statt dessen wurde dem Fürsten ein Urlaub auf unbestimmte Zeit bewilligt.

[13] Seit seiner Übernahme des preußischen Ministerpräsidiums am 22. September 1862.

und keiner hälts für Ernst, so unmöglich dünkt es jeden. Mich treibt die Sache ungeheuer um, denn wir verlieren unendlich viel an Bismarcks, gesellig, menschlich und auch an unserer Stellung, denn unsere vertraute Freundschaft mit ihnen hat uns vieles genützt und erleichtert, daraus habe ich mir nie ein Hehl gemacht; so wie ich da drüben seit 1863 in musterhafter Treue geehrt, geliebt, bewundert, gehätschelt worden bin, wird es mir von nirgends mehr zuteil werden. Ich kenne so gut ihrer aller große Schwächen, unsere Ansichten gehen oft himmelweit auseinander, aber wie lieb ich sie alle habe, wie dankbar und ergeben ich ihnen bin, das merke ich an der tiefen Wehmut, mit der mich ihr Scheiden erfüllt. Ich meine, es könne gar nicht sein! Seine Freundschaft tätig zu beweisen wird man, so fürchte ich, bald mehr denn genug Gelegenheit haben, denn das Geschmeiß seiner Feinde wird frech werden, sobald der Löwe den Rücken wendet — oh weh! das wird wieder hübsche Blicke in die Erbärmlichkeit der Menschen tun lassen!

8. Büroumlauf für das Preußische Staatsministerium: Teilnahme des Chefs der Admiralität an den Ministersitzungen (Konzept Tiedemann und Reinkonzept mit Korrekturen Bismarcks) Goldschmidt, 179 f., Nr. 32.

Berlin, 6. April 1877.

Bismarcks Neubearbeitung [14]	*Tiedemanns Entwurf*
Wie ich neuerdings erfahre, sind die an die Mitglieder des Staatsministeriums ergehenden Schreiben, Voten und vertraul. Mitteilungen auch an den Hr. Chef der Adm. gerichtet worden. Diese Praxis entspricht nicht der verfassungsmäßigen Stellung des Staatsministeriums und den Beziehungen in welchen der Chef der Adm. nach der allerh. Ordre vom 8. Jan. 1872 zu demselben steht[15].	Wie ich jetzt erst erfahren habe, sind dem Chef der Admiralität seither alle an die Mitglieder des Staatsministeriums gerichteten Schreiben, Voten usw. mitgeteilt worden. Diese Praxis entspricht nicht der verfassungsmäßigen Stellung der wirklichen Staatsminister, zu denen der Chef der Admiralität nicht gehört. Das Büro des Staatsministeriums wird daher angewiesen, die erwähnten Mitteilungen an den Chef der Admiralität in Zukunft zu unterlassen.

---

[14] Die von Bismarck geänderten Worte gesperrt.

[15] Sicherlich spielt bei diesem Erlaß auch die Aversion Bismarcks gegen den als potentiellen Nebenbuhler empfundenen Inhaber des Amtes, General von Stosch, eine erhebliche Rolle.

Das Büro des Staatsministeriums wird daher angewiesen, die Mittheilungen, welche für Mitglieder des St. Min. bestimmt sind, auf den Kreis derselben zu beschränken. Der Herr Chef der Admiralität ist nach Maßgabe der Allerh. Kabinettsordre vom 8. Jan. 1872 zur Teilnahme an den Sitzungen des Staatsministeriums nur für solche Verhandlungen einzuladen, welche Angelegenheiten des Deutschen Reichs betreffen. Welche Angelegenheiten als solche zu bezeichnen sind, wird in jedem einzelnen Falle durch den Vorsitzenden des Staatsministeriums bestimmt werden.

v. B.

Zugleich mache ich darauf aufmerksam, daß der Chef der Admiralität nach Maßgabe der allerh. Kabinettsordre vom 8. Jan. 1872 nur zu denjenigen Sitzungen des Staatsministeriums einzuladen ist, in welchen mit dem Deutschen Reich in Verbindung stehende Angelegenheiten zur Verhandlungen kommen. Welche Angelegenheiten als solche zu bezeichnen sind, wird in jedem einzelnen Falle durch den Vorsitzenden des Staatsministeriums bestimmt werden.

9. Immediatbericht: Zu den Streitigkeiten um die neue Verfassung der evangelischen Kirche (Konzept Tiedemann mit weitgehenden Korrekturen Bismarcks)
W 6c, 78 ff., Nr. 89.

Kissingen, den 31. Mai 1877.

Ew. M. allergn. Befehle gemäß habe ich von den hieneben zurückgehenden, das Entlassungsgesuch des Konsistorial-Präsidenten Hegel[16] betreffenden Aktenstücken Kenntnis genommen.

Ich enthalte mich des Eingehens auf den Fall der Zionskirche[17], da der-

---

[16] Der orthodoxe Präsident des Brandenburgischen Konsistoriums war wegen der neuen liberalen Kirchenverfassung mit dem Evangelischen Oberkirchenrat und dessen Präsidenten Herrmann in offenen Konflikt geraten und hatte am 27. Februar 1877 seinen Abschied eingereicht.

[17] Hier hatte sich der orthodoxe Prediger Kraft, von Hegel unterstützt, scharf gegen den freisinnigen Kirchenrat gestellt.

selbe die vorliegende prinzipielle Frage nicht deckt; letztere würde sich mit derselben Macht aufdrängen, wenn dieser Einzelfall gar nicht vorgekommen wäre, und wenn in ihm allein der Dissensus läge, so würde er sich wohl beilegen lassen. Ich würde dann nur das Bedürfnis fühlen, daß die Beteiligten darauf hingewiesen würden, wie auch in unserer evangelischen Kirche der christliche Geist des Friedens und der Demut von denen gewichen ist, die darin als Vorbild dienen sollten.

Der Zwiespalt liegt aber nach Ausweis der Akten leider sehr viel tiefer, und ich halte es für eine dankenswerte Wendung, daß das Abschiedsgesuch des Präsidenten Hegel eine Handhabe zu seiner Lösung bietet. Mein ehrfurchtsvoller Rat geht dahin, dasselbe in Gnaden zu bewilligen [18].

Nach der ganzen Haltung des Konsistorial-Präsidenten Hegel bei den Verhandlungen der außerordentlichen General-Synode, nach der Verbreitung, welche er seinem Abschiedsgesuche, bevor Ew. M. auf dasselbe entschieden haben, in metallographierten Abschriften gegeben hat, nach der offenen Mißbilligung, mit der er sich über bestehende Landesgesetze ausspricht, und die er, sich ganz auf den Standpunkt der katholischen Bischöfe stellend, so weit treibt, eine von Ew. M. sanktionierte gesetzliche Einrichtung als eine Heimsuchung des Herrn und ein Uebel zu bezeichnen, scheint mir sein Verbleiben im Amte mit einer geordneten Entwicklung der evangelischen Kirche und ihres Verhältnisses zum Staate unerträglich, und ich würde, selbst wenn er seinen Abschied nicht erbeten hätte, der ehrf. Ansicht sein, daß eine anderweitige Besetzung seines Amtes aus kirchenpolitischen Gründen geboten sei.

Der Standpunkt des Präsidenten Hegel ist mit dem Gesetze nicht verträglich. Nicht eine einzelne Verfügung des Evangelischen Ober-Kirchenrats, sondern die Lage unserer Gesetzgebung und seine Abneigung, sich ihr zu fügen, vertreibt ihn. Er sieht nur die Schattenseiten derselben und hat kein Verständnis für die evangelische Aufgabe, die dem kirchlichen Leben entfremdeten Elemente zunächst durch formale Beteiligung wiederzugewinnen; er gehört zu den eifrigen, aber kurzsichtigen Kämpfern, welche glauben, die evangelische Kirche auf Petri Schwert bauen zu können, und dadurch den Riß vertiefen, die Umkehr erschweren. Ihre katholisierende Unduldsamkeit wirkt mehr zerstörend als aufbauend, mehr zerstreuend als sammelnd, und sie verwechseln zwei wesentlich verschiedene Dinge: den christlichen Glauben und die Priesterherrschaft.

Um die evangelische Kirche zu regieren, ist ein stärkeres Element der

---

[18] Das Abschiedsgesuch war bereits von Kultusminister Falk befürwortet worden.

Duldung für die verschiedenen auf christlichen Boden möglichen Auffassungen erforderlich als zum Regimente der katholischen Kirche mit dem unfehlbaren Papst und den herrschenden Priestern. Ohne diese evangelische gegenseitige Duldung hätte die von Ew. M. hochseligem Herrn Vater geschaffene, von Ew. M. zu allen Zeiten geförderte Union der evangelischen Kirche nicht ins Leben treten können und wäre noch heute gefährdet. Wenn die evangelische Kirche ihre einzelnen Glieder dem Prinzipe einheitlicher Autorität in Glaubenssachen unterwerfen wollte, so wäre m. E. der Sieg Roms nur eine Frage der Zeit [19]. Im Kampfe eines evangelischen Glaubenszwanges gegen den römischen hat letzterer die stärkeren Mittel. Schon im Interesse der evangelischen Kirchenpolitik kann ich hiernach nur erf. wünschen, daß friedlose, unduldsame und herrschsüchtige Elemente aus der Leitung derselben ausscheiden.

Noch zweifelloser aber bin ich auf dem Gebiete der weltlichen Politik davon überzeugt, daß Ew. M. ich nur die Genehmigung des Entlassungsgesuches des pp. Hegel allerunt. anraten kann. Sein Fall hat, durch Hegels Behandlung desselben veranlaßt, ein wesentliches Aufsehen gemacht. Die öffentliche Meinung beurteilt Ew. M. Stellung zu allerh. Dienern und Ministern und namentlich Ew. M. Entschluß, die Gesetzgebung der letzten Jahre aufrechtzuerhalten, nach Symptomen, deren Bedeutung von den Feinden des Preußischen Staates gern übertrieben wird. Manche Erscheinungen an Ew. M. Hofe, manche einfache Ausdrücke persönlichen Allerh. Wohlwollens, wie Begnadigungen bekannter Gegner der Regierungs-Politik mit Strafnachlässen oder Auszeichnungen, sind von den Feinden der Regierung geschickt benutzt worden, um die Meinung zu verbreiten, als ob Ew. M. einer Aenderung der Politik, welche aus dem Kampfe für die Unabhängigkeit der Krone gegen die Anmaßung der römischen Priesterherrschaft hervorgegangen ist, zugänglich wären, und als ob ein Wechsel in dieser Politik nahe bevorstände. Ew. M. haben die Gnade gehabt, in dem an mich gerichteten eigenhändigen Schreiben selbst zu erklären, daß Allerhöchst Sie einen Systemwechsel in keinerlei Art beabsichtigen. Aber die erfolgreiche Durchführung des Systems ohne Wechsel wird uns durch solche scheinbaren Symptome einer möglichen Aenderung sehr erschwert, weil der Hinweis auf dieselben den Führern der Gegner dazu dient, die Massen, die ihnen folgen, zum Ausharren zu ermutigen.

---

[19] Bismarck stellt damit die Auseinandersetzungen in der evangelischen Kirche in einen unmittelbaren Zusammenhang mit dem Kulturkampf.

Ein gleichzeitiges Verbleiben der Mitglieder des Evangelischen Ober-Kirchenrats und des Präsidenten Hegel im Amte halte ich nicht für tunlich. Sollen die prinzipiellen Gründe, welche letzterer für seinen Abschied anführt, gehoben werden, so ist es kaum vermeidlich und nach allem, was ich höre, vorauszusehen, daß die hervorragendsten Mitglieder des Evangelischen Ober-Kirchenrats, namentlich Herrmann und Brückner, ihrerseits zurücktreten, und daß das Verbleiben des Ministers Falk in Frage gestellt wird, der in seinem Amte ohnehin infolge der persönlichen Anfeindungen ermüdet ist, denen er gleich mir sich ausgesetzt findet. Der Rücktritt Falks aber, und der Eindruck, den derselbe notwendig im Lande machen müßte, würde mit Sicherheit den ganzen Bestand des gegenwärtigen Ministeriums Ew. M. erschüttern. Ich weiß Ew. M. für Falk keinen Ersatz zu nennen, der den Verteidigungskampf des Staates gegen die Hierarchie mit gleicher Aussicht auf Erfolg weiterführen könnte. Ein Abbruch des Kampfes zum Nachteile des Staates und seiner Gesetze ist mit einem Verzichte auf die volle Unabhängigkeit der monarchischen Souveränität gleichbedeutend, und innerhalb der Kreise, welche die Rechte der Krone gegen die Hierarchie bisher vertreten, würden die Nachfolger der jetzigen Minister Ew. M. um so weniger gesucht werden können, je heftiger der Kampf der Priesterschaft gegen die weltliche gerade jetzt in allen Ländern geschürt wird. Als Ew. M. Minister und als gläubiger, der evangelischen Kirche treu ergebener Christ glaube Ew. M. ich daher ehrf. bitten zu müssen, dem Entlassungsgesuche des Konsistorial-Präsidenten Hegel die Allerhöchste Genehmigung erteilen zu wollen.

10. Immediatbericht: Weitere Streitigkeiten in der evangelischen Kirche (Ausfertigung) W 6c, 81 f., Nr. 90.

Kissingen, den 4. Juni 1877.

In ehrf. Erwiderung auf Ew. M. huldr. Schreiben vom 1. cr. kann ich mit Ew. M. die darin berührten Vorgänge und Zustände unserer evangelischen Kirche nur lebhaft beklagen. Sehr ungerecht aber würde es mir erscheinen, wenn man Ew. M. diese Erscheinungen ins Gewissen schieben und Allerhöchstdero jetziges Kirchenregiment dafür verantwortlich machen wollte. Die ungläubigen Prediger und ihre Wähler in den Gemeinden, die ungläubigen Familienväter, welche ihren Kindern die Taufe versagen, sind kein Produkt der Zeit, während welcher das jetzige Kirchenregiment im

Amt ist. Es handelt sich dabei mit sehr geringen Ausnahmen um Personen, welche über 30 Jahre alt und zum Teil viel älter sind; die Erziehung, welche diese Personen von der Kirche und der Schule erhalten haben, und welche bestimmend auf ihre glaubenslose Richtung gewirkt hat, fällt wesentlich in die Jahre 1840—63, spätestens in die Zeit des Ministers von Mühler. In dieser Epoche, welche uns eine Generation mit so viel ungläubigen Elementen hinterlassen hat, sind aber bekanntlich alle die Mittel zur Anwendung gekommen, welche der Staatsgewalt zur Erzwingung christlicher Erziehung zu Gebote stehen. Das Resultat davon zeigt sich heute in den Uebelständen, welche Ew. M. mit Recht betrüben. [a]Die neue Kirchenordnung hat diese Schäden nicht verursacht, sie hat nur die zunächst allerdings undankbare Aufgabe der Bloßlegung derselben erfüllt. Eine Heilung derselben erfordert Zeit[a]. Das Kirchenregiment und die gesamte Staatsgewalt verfügen meines ehrfurchtsvollen Dafürhaltens über keine Mittel, durch welche die zum Teil seit 100 Jahren, namentlich aber seit 1840 eingerissenen Schäden i n k u r z e r Z e i t beseitigt werden könnten. Daß der Kirchenpolitik, welche von dem Regierungsantritt des hochseligen Königs bis zum Rücktritt des Ministers von Mühler staatlich gehandhabt wurde, diese Heilung nicht gelungen ist, davon geben gerade die heutigen Zustände ein unwiderlegliches Zeugnis. Mit der neuen Kirchenordnung wird nun ein neuer Versuch gemacht, die Gleichgültigkeit der Massen gegen die Kirche dadurch zu überwinden, daß die Laien stärker als bisher an dem Kirchenregiment und seinen Geschäften beteiligt werden. [b]Ich hoffe zu Gott, daß dieser unter Ew. M. Auspicien unternommene Versuch a u f d i e D a u e r segensreiche Erfolge haben werde, wie solche fast überall dort zu spüren gewesen sind, wo schon länger ähnliche Einrichtungen bestanden haben, wie namentlich in den reformierten Kirchen aller Länder; dort hat die Gleichgültigkeit gegen das kirchliche Leben meines Wissens nirgend einen ähnlichen Grad erreicht wie stellenweis bei uns, namentlich in solchen Kreisen, wo ein höheres Maß wissenschaftlicher Bildung nicht das ausschließliche Eigentum der Geistlichen ist, die letzteren an Bildung gleichstehenden Laien sich aber von der Beteiligung an den Angelegenheiten ihrer Kirche ausgeschlossen finden[b].

[c]Gewiß ist auch unsere neue Kirchenordnung nicht vollkommen, aber daß sie in den drei Jahren ihrer Wirksamkeit die seit einem halben Jahrhun-

---

a–a Eigenhändige Korrektur Bismarcks im Konzept.

b–b Zahlreiche eigenhändige Korrekturen Bismarcks.

c–c Eigenhändiger Zusatz Bismarcks.

dert vorhandenen Schäden noch nicht hat abhelfen können, daraus kann man ihr nach der Natur der menschlichen Dinge wohl keinen Vorwurf machen — besonders wenn man erwägt, welche Schwierigkeiten ihr nicht nur von der kirchenfeindlichen Seite, sondern auch von den Gegnern, die auf der Generalsynode die Minorität bildeten und das Zustandekommen der neuen Ordnung zu hindern suchten, bei der praktischen Durchführung in den Weg gelegt worden sind.[c] Ich habe den guten Glauben, daß wir auf dem seit 1873 eingeschlagenen Wege von der Wirksamkeit des evangelischen Kirchenregiments bessere Früchte erwarten dürfen, als von dem früheren System.
Letzteres hat m. E. die Schäden der heutigen Zeit verschuldet und nur verhindert, daß die krankhaften Zustände öffentlich erkennbar wurden, in denen es die Ungläubigen zur Verheimlichung ihres Unglaubens und zur äußerlichen Beobachtung der christlichen Gebräuche nötigte, welche in Wahrheit Gegenstand ihres Spottes und ihrer Feindschaft waren. Daß die Bemäntelung der vorhandenen Schäden, daß der äußere Zwang zu einem unwahren Schein die evangelische Kirche gefördert habe, wage ich in Ehrfurcht zu bezweifeln. Ich hoffe eine solche Förderung vielmehr von der Bloslegung der Schäden, welche durch die neue Ordnung bewirkt wird.
In dieser meiner unvorgreiflichen Ueberzeugung möchte ich Ew. M. ehrf. bitten, den jetzigen Trägern unseres obersten Kirchenregimentes in Geduld und Nachsicht die Zeit zu lassen, welche erforderlich ist, um die neuen Einrichtungen zu praktischer Wirksamkeit zu bringen. Die erste Vorbedingung dieses Erfolges wird allerdings sein, daß Ew. M. den von Allerhöchstdenselben zur obersten Leitung berufenen Personen das Vertrauen nicht entziehen, in dessen Ausdruck sie von Allerhöchstdenselben in ihre jetzigen Aemter berufen sind [20].

---

[20] Der Bericht wurde von Wilhelm I. mit zahlreichen Marginalien versehen, die dessen Anteilnahme an dem Streit und einen anderen Standpunkt als den von Bismarck vorgetragenen beweisen.

11. Diktat zur Orientkrise: Die orientalische Frage als Problem der Sicherheit Deutschlands (Niederschrift Graf Herbert Bismarck) GP 2, 153 ff., Nr. 294.

Kissingen, den 15. Juni 1877.

Ich wünsche, daß wir, ohne es zu auffällig zu machen, doch die Engländer ermutigen, wenn sie Absichten auf Ägypten haben: ich halte es in unserem Interesse und für unsere Zukunft [für] eine nützliche Gestaltung, einen Ausgleich zwischen England und Rußland zu fördern, der ähnliche gute Beziehungen zwischen beiden, wie im Beginn dieses Jahrhunderts, und demnächst Freundschaft beider mit uns in Aussicht stellt. Ein solches Ziel bleibt vielleicht unerreicht, aber wissen kann man das auch nicht. Wenn England und Rußland auf der Basis, daß ersteres Ägypten, letzteres das Schwarze Meer hat, einig würden, so wären beide in der Lage, auf lange Zeit mit Erhaltung des status quo zufrieden zu sein, und doch wieder in ihren größten Interessen auf eine Rivalität angewiesen, die sie zur Teilnahme an Koalitionen gegen uns, abgesehen von den inneren Schwierigkeiten Englands für dergleichen, kaum fähig macht.

Ein französisches Blatt sagte neulich von mir, ich hätte *« le cauchemar des coalitions »*; diese Art Alp wird für einen deutschen Minister noch lange, und vielleicht immer, ein sehr berechtigter bleiben. Koalitionen gegen uns können auf westmächtlicher Basis mit Zutritt Österreichs sich bilden, gefährlicher vielleicht noch auf russisch-österreichisch-französischer; eine große Intimität zwischen zweien der drei letztgenannten Mächte würde der dritten unter ihnen jederzeit das Mittel zu einem sehr empfindlichen Drucke auf uns bieten. In der Sorge vor diesen Eventualitäten, nicht sofort, aber im Laufe der Jahre, würde ich als wünschenswerte Ergebnisse der orientalischen Krisis für uns ansehn: 1. Gravitierung der russischen und der österreichischen Interessen und gegenseitigen Rivalitäten nach Osten hin, 2. der Anlaß für Rußland, eine starke Defensivstellung im Orient und an seinen Küsten zu nehmen, und unseres Bündnisses zu bedürfen, 3. für England und Rußland ein befriedigender status quo, der ihnen dasselbe Interesse an Erhaltung des Bestehenden gibt, welches wir haben, 4. Loslösung Englands von dem uns feindlich bleibenden Frankreich wegen Ägyptens und des Mittelmeers, 5. Beziehungen zwischen Rußland und Österreich, welche es beiden schwierig machen, die antideutsche Konspiration gegen uns gemeinsam herzustellen, zu welcher zentralistische oder klerikale Elemente in Österreich etwa geneigt sein möchten.

Wenn ich arbeitsfähig wäre, könnte ich das Bild vervollständigen und feiner ausarbeiten, welches mir vorschwebt: nicht das irgend eines Ländererwerbes, sondern das einer politischen Gesamtsituation, in welcher alle Mächte außer Frankreich unser bedürfen, und von Koalitionen gegen uns durch ihre Beziehungen zueinander nach Möglichkeit abgehalten werden. Die Okkupation Ägyptens würde nach Englands Ansicht nicht hinreichen, um die Schwierigkeit wegen der Dardanellen zu heben: Das System des Doppelverschlusses mit den Dardanellen für England und den Bosporus für Rußland hat für England die Gefahr, daß seine Dardanellenbefestigungen unter Umständen durch Landtruppen leichter genommen als verteidigt werden können; das wird auch wohl die russische Mentalreservation dabei sein, und für ein Menschenalter sind sie vielleicht mit dem Schluß des Schwarzen Meeres zufrieden. Diese Frage bleibt Sache der Verhandlungen, und das Gesamtergebnis, wie es mir vorschwebt, könnte sich ebenso gut nach, wie vor den entscheidenden Schlachten dieses Krieges ausbilden. Ich würde es für uns als ein so wertvolles ansehen, daß es die damit wahrscheinlich verbundene Schädigung unserer Pontusinteressen überwiegen würde, abgesehen von der möglichen Sicherung der letzteren durch die Verträge. Auch wenn ein englisch-russischer Krieg sich nicht sollte verhüten lassen, würde meiner Meinung nach unser Ziel dasselbe bleiben, d. h. die Vermittlung eines beide auf Kosten der Türkei befriedigenden Friedens. pp.

12. Privatbrief an Camphausen (Konzept Graf Herbert Bismarck)

W 6c, 83 f., Nr. 91.

Bismarck hält die Mitwirkung des Hausministers von Schleinitz an die gegen ihn gerichteten Angriffe der „Reichsglocke" für erwiesen und wendet sich gegen Kompetenzüberschreitungen der durch den Minister vertretenen Hofkreise. Camphausen hatte im Staatsministerium gegen seine Kollegen den Standpunkt Bismarcks energisch vertreten.

Vertraulich.

Kissingen, den 28. Juni 1877.

[a] Verehrtester College! [a]

Tiedemann hat mich auf meinen Wunsch von dem weiteren Verlauf der Schleinitz-Angelegenheit im Staatsministerium in Kenntnis gehalten und

a–a Eigenhändiger Zusatz Bismarcks.

mir unter dem gestrigen Tage über die letzte Staatsministerial-Sitzung berichtet. Ich bin Ihnen vor allem dankbar für die Festigkeit, mit welcher Sie den Schleinitz'schen Anmaßungen entgegengetreten sind, und bedauere, daß Ihnen das Kollegium nicht zur Seite gestanden hat, [b]wie es m. E. für die Wahrung unsrer ministeriellen Stellung geboten ist[b]. Für mich hat diese Sache, welche Sie in so dankenswerter Weise aufgenommen haben, allerdings einen persönlicheren Charakter [c]als für die meisten andern Herrn. Herr von Schleinitz hat mir die Geschäfte, die er selbst nicht zu führen vermocht hatte, seit 15 Jahren durch seine Intriguen am Hofe erschwert, wie er konnte u. seine Beziehungen zu der verläumderischen Thätigkeit der Reichsglöckner sind für mich außer Zweifel[c]. Wenn einigen unserer Kollegen die Beziehungen zu Schleinitz näher stehen sollten wie die zu mir, [d]so ist das eine neue schmerzliche Erfahrung für mich[d], kann aber auf meine Stellung zu dieser Frage keinen Einfluß haben. Ich für mein Theil will es mir nicht gefallen lassen, von einem so dreisten und unfähigen Hofbeamten in meiner Stellung als Staatsminister solche Verweise zu erhalten, wie der Hausminister uns zu ertheilen im vorliegenden Falle sich herausgenommen hat. [e]Mein ministerielles Ehrgefühl erlaubt mir das nicht. Diejenigen Herren Minister, welche die Schleinitz'schen Anmaßungen „versöhnlich" behandeln wollen, erscheinen mir als freigebig auf fremde, d. h. auf meine Kosten, ihre Versöhnlichkeit gegen Schleinitz ist von Unfreundlichkeit gegen mich schwer freizuhalten. Ich habe bisher in allen Kämpfen und schwierigen Lagen fest zu meinen Kollegen gehalten, bei Hofe sowohl als auch sonst: das Gefühl der Kameradschaftlichkeit, welches mich dabei geleitet hat, beruht aber auf Gegenseitigkeit[e].

[f]Jedenfalls bin ich entschlossen, den Handschuh des Herrn von Schleinitz aufzunehmen, wenn das St[aats] Min[isterium] sich dazu nicht mit der Bestimmtheit entschließt, wie Sie, verehrter Freund, es beabsichtigt haben. Ich bin dazu um so mehr entschlossen, als ich persönlich die Anregung zum Abdruck seines Schreibens gegeben habe.

Ich hoffe, spätestens am Sonntag in Berlin zu sein, glaube mit den Wirkungen der Kur zufrieden sein zu können.

In freundschaftl. Ergebenheit.[f]

---

b–b Eigenhändiger Zusatz Bismarcks.

c–c Eigenhändiger Zusatz Bismarcks.

d–d Eigenhändiger Einschub Bismarcks.

e–e Mit eigenhändigen Korrekturen Bismarcks.

f–f Eigenhändiger Zusatz Bismarcks.

13. Privatschreiben an Hohenlohe — Paris W 14/II, 888 f., Nr. 1573.

Kissingen, den 29. Juni 1877.

Geheim.

Ew. Durchlaucht danke ich verbindlichst für das gefällige Schreiben vom 26. d. Mts. Wenn ich auch in dem meinigen vom 26. c., welches sich damit kreuzt, den Zweck schon näher bezeichnet habe, zu welchem ich hauptsächlich Ew. Durchlaucht Mitwirkung erbitte, so erlaube ich mir heute noch einige nähere Erläuterungen hinzuzufügen. So erwünscht auch ein Wechsel in der Person des französischen Botschafters[21] wäre, so liegt meiner Ansicht nach der Hauptschwerpunkt unserer gegenwärtigen politischen Aufgabe doch nicht in dieser Personenfrage. Wie Ew. Durchlaucht schon hervorheben, erledigt sich dieselbe ohne unser Zuthun, wenn die Wahlen ungünstig für das gegenwärtige Ministerium ausfallen. Diesem Ziele würden wir dadurch nicht näher kommen, daß uns die jetzige Regirung ihren Botschafter widerwillig opferte. Im Gegentheil, es würde uns dieß Opfer über seinen Werth hoch angerechnet werden, wie jeder Zeit in derartigen Personalfragen. Einer Regirung gegenüber, von der wir nicht erwarten können, daß sie jemals ehrlich unsre Freundin sein werde, ist es sogar vorzuziehen, daß sie bei uns durch einen Diplomaten vertreten sei, dessen politisches Ungeschick und feindliche Parteinahme uns zu berechtigten Beschwerden vielfach Anlaß geben. Wir müssen diese Beschwerden nicht sparen, die Forderung der Abberufung aber direct nicht stellen. Unsere Aussichten wären wenig gebessert, wenn uns Gontaut geopfert würde, der Sieg bei den Wahlen aber dem uns feindlichen Partei-Conglomerat des jetzigen Präsidenten und seiner Senats-Majorität verbliebe; nach menschlicher Voraussetzung muß meines Erachtens ein solches Ergebniß zu einer dictatorischen oder monarchischen Herrschaft uns feindlicher Elemente mit jesuitischem Uebergewicht führen, während wir Aussicht haben mit der Republik länger, vielleicht sehr lange in Frieden leben zu können. Ich sehe deshalb als unsere hauptsächliche Aufgabe an, durch unsere Haltung auf die Wahlen in der Richtung einzuwirken, daß der MacMahonsche Gewaltstreich womöglich mißlingt. Es hat den Anschein, daß dieß geschehen wird, wenn die Wähler überzeugt sind, daß die 363 den Frieden, die reactionäre Coalition den Krieg bedeute. Diese Ansicht dem jetzigen Cabinet gegenüber zu plädiren, kann uns wenig helfen; das letztere ist in der Unmöglichkeit umzukehren; wohl aber ist es wichtig, daß die einfluß-

---

[21] Bismarck wünschte die Ablösung des Vicomte de Gontaut-Biron.

reichen Staatsmänner und Leiter der Presse, welche noch nicht für die Regirung compromittirt sind, diese Ueberzeugung gewinnen und ihr entsprechend auf die Wahlen einwirken. Es liegt im Interesse des Friedens, daß dieß geschehe, womit ich nicht meine, daß wir, um das Gegentheil zu verhindern, Frankreich mit einem Angriff bedrohen sollten; wohl aber bin ich der Ueberzeugung, daß das Frankreich, welches hinter dem Gelingen des MacMahonschen Planes steht, den Krieg nicht wird vermeiden können. Es wird durch innere Nothwendigkeiten gezwungen sein, an Coalitionen gegen uns zu arbeiten, und mit oder ohne solche uns schließlich entweder angreifen, oder zu einem Defensiv-Vorstoß nötigen.
Wir können natürlich uns amtlich nicht in die innern Angelegenheiten Frankreichs mischen, gewiß aber sind wir vollkommen berechtigt, unsere Sympathien für diejenigen Personen und Einrichtungen auszusprechen, von denen wir die Erhaltung des Friedens erwarten, den wir wünschen. Soweit wir durch unsere Attitude zum Sieg derselben bei den Wahlen in erlaubter Weise beitragen können, ist das meines Erachtens durch die Pflichten gegen das eigene Land geboten.

14. Brief an König Ludwig II. W 14/II, 887 f., Nr. 1572.

Kissingen 29 Juni 1877.

Allerdurchlauchtigster König
Allergnädigster Herr
im Begriff Kissingen zu verlassen, erlaube ich mir Eurer Majestät meinen allerunterthänigsten Dank für die Beweise der Gnade und huldreichen Fürsorge zu Füßen zu legen, mit denen Allerhöchstdieselben mich auch während meines diesjährigen Aufenthaltes hier beehrt haben. Ich scheide um so dankbarer aus diesem gesegneten Lande, als ich hoffen darf ein günstiges Ergebniß der Kur mitzunehmen, welches nur durch die vielen Geschäfte die mir von Berlin folgten etwas beeinträchtigt sein wird. Es war das unvermeidlich, weil der Reichstag durch die Schwierigkeiten die er bezüglich meiner Vertretung machte, und gegen die aufzutreten ich damals nicht gesund genug war, mich nöthigte, die Contrasignaturen auch im Urlaub beizubehalten. Es war dieß eins der Mittel, durch welche die Mehrheit im Reichstage die Einführung jener Institution zu erkämpfen sucht, welche sie unter der Bezeichnung „verantwortlicher Reichsminister" versteht, und gegen die ich mich jederzeit abwehrend verhalte, nicht um der alleinige Minister zu bleiben, sondern um die verfassungsmäßigen

Rechte des Bundesrathes und seiner hohen Vollmachtgeber zu wahren. Nur auf Kosten der Letzteren könnten die erstrebten Reichsministerien geschäftlich dotiert werden, und damit würde ein Weg in der Richtung der Centralisirung eingeschlagen, in der wir das Heil der deutschen Zukunft wie ich glaube vergebens suchen würden. Es ist, meines unterthänigsten Dafürhaltens, nicht nur das verfassungsmäßige Recht, sondern auch die politische Aufgabe meiner außerpreußischen Collegen im Bundesrathe, mich in dem Kampfe gegen die Einführung solcher Reichsministerien offen zu unterstützen, dadurch klar zu stellen, daß ich bisher nicht für die ministerielle Alleinherrschaft des Kanzlers sondern für die Rechte der Bundesgenossen und für die ministeriellen Befugnisse des Bundesrathes eingetreten bin. Ich darf ehrfurchtsvoll annehmen, Eurer Majestät Intentionen entsprochen zu haben, wenn ich mich in diesem Sinne schon dem Minister von Pfretschner gegenüber ausgesprochen habe, und ich bin überzeugt, daß Eurer Majestät Vertreter im Bundesrathe, selbst und in Verbindung mit andern Collegen, mir einen Theil des Kampfes gegen das Drängen des Reichstages nach verantwortlichen Reichsministern, durch ihren Beistand abnehmen werden. Wenn, wie ich höre, Eurer Majestät Wahl auf Herrn von Rudhart[22] gefallen ist, so kann ich, nach Allem was ich durch Fürst Hohenlohe über ihn weiß, dafür ehrfurchtsvoll dankbar sein und voraussehn, daß ich nicht nur die innern, sondern auch die auswärtigen Geschäfte des Reiches ihm gegenüber mit der vertrauensvollen Offenheit werde besprechen können, die mir dem Vertreter Eurer Majestät gegenüber ein geschäftliches und ein persönliches Bedürfnis ist. Für den Augenblick ist unsre Stellung zum Auslande noch dieselbe wie während des ganzen Winters, und die Hoffnung, daß uns der Krieg nicht berühren werde, ungeschwächt. Das Vertrauen Rußlands auf die Zuverlässigkeit unsrer nachbarlichen Politik hat ersichtlich zugenommen, und damit auch die Aussicht, solche Entwicklungen zu verhüten, gegen welche Oestreich einzuschreiten durch seine Interessen genöthigt werden könnte. Die guten Beziehungen der beiden Kaiserreiche zu einander zu erhalten, blieben wir mit Erfolg bestrebt. Unsre Freundschaft mit England hat bisher darunter nicht gelitten, und auch die am dortigen Hofe durch politische Intriganten angebrachten Gerüchte, als könne Deutschland Absichten auf die Erwerbung von Holland haben, konnten nur in hohen Damenkreisen vorübergehend Anklang finden; die Verleumder werden nicht müde, aber die Gläubigen scheinen es endlich zu werden. Unter

---

[22] Dieser hatte den Bismarck nicht genehmen Freiherrn von Perglas ersetzt.

diesen Umständen ist die äußere Politik des Reiches im Stande, ihre Aufmerksamkeit ungeschwächt dem Vulkan im Westen zuzuwenden, der Deutschland seit 300 Jahren so oft mit seinen Ausbrüchen überschüttet hat. Ich traue den Versicherungen nicht, die wir von dort erhalten, kann aber doch dem Reiche keinen anderen Rath geben, als wohlgerüstet und Gewehr bei Fuß den etwaigen neuen Anfall abzuwarten.
In tiefster Ehrfurcht verharre ich Eurer Majestät allerunterthänigster Diener.

15. Gespräch mit dem Abg. Lucius am 30. Juni 1877 in der Eisenbahn zwischen Eisenach und Erfurt W 8, 210 f., Nr. 169 = Lucius 111 ff.

29. Juni erhielt ich in Ballhausen ein Telegramm von der Fürstin Bismarck, ob ich anwesend. Ich fuhr am 30. Juni mit meinen Söhnen Otto und Helmut bis Eisenach entgegen, wo ich die Familie in ihrem Salonwagen vereinigt fand, auf der Rückreise von Kissingen nach Berlin. Bismarck sah etwas erhitzt aus — es waren vierundzwanzig Grad Reaumur im Wagen — aber magerer, recht wohl. Er sprach lebhaft über alle ihn jetzt bewegenden Schwierigkeiten, die Orientfrage nur streifend.
„Wir tun alles mögliche, um den Frieden zu erhalten. Gontaut ist nur in Ems, um Seine Majestät zu unvorsichtigen Bemerkungen zu provozieren, wie in Metz auch. Wenn der Kaiser nur das ihm gesagt hat, was er mir selbst schrieb, so kommt das schon einer Konspiration gleich zugunsten MacMahons, zum Nachteil der Republik. Er hat ihm gesagt: 'Comme vieux monarque' sympathisiere er nicht mit der Republik. Die Verschwörung der Weiber an der Spitze ist wieder auf einem Höhepunkt; was mich verbraucht hat im letzten Jahre, sind diese Intrigen, man hat mich ärgern wollen und verschiedene Fürsten nehmen teil daran. Es gipfelte in der Ordensverleihung an Nesselrode und der Ernennung Gruners zur Exzellenz. Camphausen und Friedenthal haben sich in dieser Sache sehr stramm benommen, alle anderen unselbständig, auch Falk, mit welchem zu stehen und zu fallen in der Hegelschen Sache ich erklärt hatte. Hofmann vertritt mich nicht, er ist zu schwach für die Vertretung auch in seinem Fach.
Der österreichische Handelsvertrag kommt nicht zustande, sie wollen nicht einmal eine Verlängerung des bisherigen Vertrags zugestehen — angeblich, weil sie Rücksichten auf Ungarn in ihrer Zollpolitik zu nehmen haben. Huber und Michaelis wollen à tout prix Verträge schließen. Ich beherrsche diese Fragen nicht vollständig, allein ich würde Prolongation des bisherigen Vertrags auf ein Jahr vorziehen oder auch einen Hiatus nicht scheuen, um die Verhältnisse sich weiter klären zu lassen.
Dem König von Bayern habe ich einen dankbaren Brief geschrieben für die Abberufung Perglas'. Der betrachtete sich nicht als Bundesratsbevollmächtigter,

sondern als Diplomat einer ausländischen Großmacht. Er wohnte in einem Hause mit dem italienischen Botschafter und war der Mittelpunkt des Klatsches für die fremden Botschafter. Er lief schon morgens um acht Uhr auf der Straße herum und schnüffelte nach Neuigkeiten, welche er dann anderen weiter mitteilte. Ich habe dem König von Bayern gedankt, daß er Perglas durch einen Gesandten ersetzte, mit welchem zu verkehren ebensosehr im Interesse der Förderung der Geschäfte liegen, wie seinem Herzensbedürfnis befriedigend sein würde. Er habe ihm auch über die französischen Verhältnisse sein Herz ausgeschüttet. Wir haben Gewehr bei Fuß abzuwarten, welche Rauchwolken und Explosionen dieser Vulkan bringen wird. Eine Politik, wie Friedrich II. bei Beginn des Siebenjährigen Krieges machen wir nicht — den sich zum Angriff vorbereitenden Feind plötzlich zu überfallen. Es hieße auch in der Tat die Eier zerschlagen, aus welcher sehr gefährliche Küken kriechen könnten. Der Kaiser hat Gontaut gesagt, er fürchte einen neuen Krieg nicht, allein als achtzigjähriger Mann fürchtet er ihn wohl und hat selbst die Provinzialkorrespondenz chauvinistisch gefunden, weil sie vor den Folgen eines ultramontanen Staatsstreichs in Frankreich warnte. MacMahon ist — wie selbst so vorsichtige und wenig zu Kraftausdrücken geneigte Leute, wie der Pariser Rothschild, sagen — ein reines Rindvieh. Er kann nicht drei Worte zusammenhängend sprechen, läßt sich vorher aufschreiben, was er sagen soll, und kann das nicht richtig herausbringen. In den Zeitungen steht dann freilich das, was er hätte sagen sollen.

Unsere Zeitungen dürfen nicht drohen, aber sie sollen warnen, daß MacMahon die Monarchie, der Krieg, die Republik der Frieden für Europa sei. Graf Harry Arnim versteht meine Gegnerschaft gegen ihn immer noch nicht, weil er noch heute nicht weiß, daß mir der Kaiser den Inhalt aller seiner Konversationen mitgeteilt hat. Arnim hat Thiers beseitigt, weil er ihn in seinen Finanzoperationen störte, und weil er eine Stärkung des monarchistischen Prinzips sah in dem Umsturz der Republik. Wir haben uns gar nicht in die inneren Verhältnisse Frankreichs zu mischen, aber eine Monarchie wird allemal ihre Stütze in auswärtigen Komplikationen suchen. Wie viel patriotischer ist doch eine französische wie eine deutsche Kammer! Jene bewilligen vor der Auflösung selbst einem feindlichen Ministerium ohne weiteres das Militärbudget — bei uns hat von Unruh[23] in der Konfliktszeit gesagt: „Diesem Ministerium keinen Taler und wenn die Kroaten auf dem Kreuzberg stehen."

Die schlimmste der bösen Weiber, die Königin von Holland, ist jetzt gestorben — aber es sind doch noch mehr schlimme vorhanden.

Seine Majestät ist etwas schwach und gedächtnislos, hat sich aber in den letzten Schwierigkeiten besser benommen, wie ich erwartet hätte. Ich kehre möglichst spät nach Berlin zurück, um mich nicht wie im letzten Jahr zu früh zu verbrauchen. In Kissingen waren bayerische Herzöge, mit welchen ich auf einem höf-

---

[23] Irrtum Bismarcks, nicht Unruh, sondern Schulze-Delitzsch.

lichen Visitenfuß stand. Die Königin von Neapel hätte sich auf ihrem Thron behauptet, er ist aber ganz schwach und borniert."
Ich saß die meiste Zeit bis Erfurt mit dem Fürsten allein in seinem Arbeitskabinett, während die Jungen mit den Damen im Salon sich ganz lebhaft unterhielten.

16. Schreiben an den Reichstagsabgeordneten von Bennigsen[24]
W 14/II, 889, Nr. 1574 = Rothfels, Briefe, 394 f., Nr. 263.

Varzin, 9. July 1877

Verehrter Herr von Bennigsen
mit einer Bitte um Besuch auf dem Lande ist man etwas schüchtern, wenn man in einer so entlegenen Landschaft wie Hinterpommern wohnt. Aber in Ihrer und meiner Stellung zum Staate und zum Lande haben wir beiderseits so viel Anlaß Gegenwart und Zukunft zu besprechen, daß ich für meine Bitte nicht bloß die Freude an Ihrem Besuche, sondern auch die Interessen des vaterländischen Gemeinwesens geltend machen kann. Daraus schöpfe ich den Muth zu der Anfrage, ob Sie mir die Ehre erzeigen wollen, mich hier auf einige Tage zu besuchen und würde mich herzlich freuen, wenn Sie mir bejahend antworten. Für mich würde jeder Tag gleich angenehm sein, wenn Sie nur die Güte hätten, mich Morgens bei der Ausfahrt aus Berlin telegraphisch zu benachrichtigen, damit ich nicht etwa bei Ihrer Ankunft in fernen Wäldern gesucht werden muß. Wir leben hier ohne gesellschaftliche Ansprüche und ohne Frack, wohl aber ist ein fester Stiefel und ein winddichter Ueberzieher locales Bedürfniß. Der schnellste Zug hierher geht früh halb 9 aus Berlin, ist um 4 Uhr in Schlawe, wo Sie Pferde von mir finden, die Sie in zwei Stunden hierher bringen. Also für heutige Zustände eine lange Fahrt, über 9 Stunden, aber versagen Sie mir deshalb nicht eine freundliche und gewährende Antwort.
Der Ihrige. v. Bismarck.

---

[24] Diese Einladung nach Varzin ist der Beginn der Fühlungnahme mit Bennigsen, der an Stelle des Grafen Friedrich zu Eulenburg als preußischer Innenminister in Aussicht genommen war.

17. Schreiben an den Handelsminister von Achenbach: Industrieinteresse und soziale Lage der Arbeiter Poschinger, Wirtschaftspolitik I, 258 ff., Nr. 142.

[Varzin, den 10. August 1877.]

Bei meiner Anwesenheit auf dem Lande habe ich Gelegenheit gehabt, in benachbarten Fabriken die Thätigkeit der neu eingesetzten Fabrikinspektion zu beobachten und in Folge der dabei erhaltenen Eindrücke bei dem Fabrikinspektor der Provinz, Herrn Hertel, mir nähere Auskunft über seine Instruktionen und Vollmachten erbeten. Nach Kenntnißnahme von denselben glaube ich, daß das Institut der Fabrikinspektoren, so wie es augenblicklich organisirt ist, in seiner gesetzlichen Berechtigung zweifelhaft, in seiner praktischen Wirksamkeit aber nachtheilig für die Industrie wirken wird.

Ich weiß nicht, ob das Maß von diskretionärer Machtvollkommenheit, welches dem Fabrikinspektor beigelegt ist, den Intentionen Ew. Excellenz entspricht, glaube aber, daß derselbe nicht über die ihm ertheilten Dienstanweisungen hinausgeht und diese aufrichtig und mit Hingebung auszuführen sucht. Ew. Excellenz wollen aus den Anlagen das Nähere darüber entnehmen. Es geht aus denselben hervor, daß der Fabrikinspektor alle diejenigen Aenderungen und Einrichtungen, welche er im Sinne des §. 107 der Gewerbeordnung persönlich für nützlich hält, auf eigene Verantwortung anordnet, einen kurzen Termin zur Ausführung setzt und die Anzeige, daß seine Anordnungen vollzogen sind, bis zum 15. August, also in 14 Tagen, erwartet, daß es ferner, wie sein Schreiben vom 31. Juli zeigt, in seiner Macht steht, Remonstrationen gegenüber von seinem Einschreiten vorläufig abzusehen oder dabei zu beharren, ohne hierin durch eine gesetzliche Norm gebunden zu sein. Der §. 107 spricht von Einrichtungen, die „nothwendig" sind, sagt aber nicht, wer zu entscheiden hat, was „nothwendig" sei. Daß er diese Entscheidung in die Hand von Einzelbeamten von der Stellung und Vorbildung der Fabrikinspektoren hat legen wollen, zu der Annahme halte ich die Königliche Regierung nicht für berechtigt. Thatsächlich liegt es aber so. Wenn der Fabrikinhaber sich durch Anordnungen des Inspektors beschwert fühlt, so kann er zwar den Rekurs ergreifen, er wird sich in der Regel und erfahrungsmäßig aber hüten, dies zu thun; bei der großen diskretionären Gewalt des Fabrikinspektors liegt ihm viel mehr daran, sich dessen guten Willen zu erhalten, als die Kosten und die Unbequemlichkeiten zu vermeiden, welche die Ausführung unzweckmäßiger Anordnungen der Inspektion ihm auferlegt. Der Fabrikant sagt sich, daß, wenn er den Inspektor zu seinem Gegner macht, derselbe in dem Arsenal der Gesetzgebung die Mittel besitzt, ihm seinen Gewerbebetrieb wesentlich zu erschweren; er sagt sich, daß in den Rekursinstanzen das unantastbare technische Gutachten, welches die erste Instanz an Ort und Stelle abgegeben hat und aufrecht erhält, sich erfahrungsmäßig auch durch die späteren Instanzen siegreich durchschlägt; der Fabrikant hat ferner nicht immer die Zeit übrig, auch oft nicht die Geschäftskunde, welche erforderlich sind, um einen Streit den Behörden gegenüber im Schriftwechsel durchzuführen. Kurz, er fügt sich lieber auch gegen besseres Wissen und im Gefühl, Unrecht zu leiden; aber seine Verstimmung äußert sich bei den Wahlen und bei all' den Gelegenheiten, wo sein freundliches oder feindliches Urtheil über die Regierung Ausdruck finden kann. Ich vermag mir, nach meinen persönlichen Erfahrungen in den außeramtlichen Kreisen, vielfach Rechenschaft darüber zu geben, wie in den konservativsten, ruhigsten und sonst nicht unverständigen Kreisen der Wähler und der Zeitungsleser das unbestimmte Gefühl sich festgesetzt hat, daß man d i e Kandidaten und d i e Blätter fördern müsse, von welchen Schutz gegen die Regierung und ihre Beamten zu erhoffen sei. Die Empfindlichkeiten über Mißachtung persönlicher Rechte kommen allen Ressorts gegenüber vor; am häufigsten meiner Erfahrung nach aber in den Ew. Excellenz untergebenen technischen Fächern.

Ich bin in der Lage, die Wirkung unserer gesetzgeberischen und administrativen Arbeiten zu beobachten, weil ich nicht blos der regierenden und gesetzgebenden Klasse angehöre, sondern auch der regierten und selbst fühle, wie fehlerhafte Gesetze wirken. Wenn das Geschick einer so einflußreichen Klasse, wie die Fabrikbesitzer einer Provinz, von den individuellen technischen Ansichten und von der individuellen Gesetzauslegung eines einzelnen, gewiß wohlgesinnten, aber vielleicht enthusiastischen Beamten von lebhaftem Selbstgefühl abhängt, so liegt hierin eine bedeutende und unnöthige Erweiterung des Feldes, auf dem die Regierung sich Feinde macht und auf dem die Regierung auf ihre Kosten die Verantwortlichkeit für die Irrthümer und Uebertreibungen einzelner Beamten übernimmt.

Daß die Anordnungen eines wohlmeinenden Fabrikinspektors nicht immer zweckmäßig sind, liegt in der Natur der Sache, trägt aber wesentlich dazu bei, die Verstimmung über die Eingriffe in Privatrechte zu steigern.

Die Fabrikinspektoren sollen dem Vernehmen nach schon jetzt fast sämmtlich technisch gebildete Männer sein, aber in welchem Maße sind sie das? Sind sie es mit der Universalität, die für dieses Amt, wenn es isolirt und nach Willkür ausgeübt werden soll, verlangt werden müßte?

Haben sie, neben ihrer Eigenschaft als Techniker, das Maß von juristischer, politischer und sozialer Bildung, vor allem die Selbstbeherrschung, welche mit einer so eingreifenden Stellung nothwendig verbunden sein müßte? Mir liegt in dieser Beziehung die Erinnerung nahe an die Kreis-Baumeister, unter deren Aufsicht die Dampfkessel stehen, mitunter ohne daß dieselben die Zusammensetzung einer Dampfmaschine kennen. Nichtsdestoweniger besaßen und besitzen sie eine Machtvollkommenheit, die mitunter zu Erpressung, bei Halbgebildeten aber zur Bethätigung einer rechthaberischen Herrschsucht benutzt worden ist und benutzt wird. Ich fürchte, daß wir uns in dem Institute der Fabrikinspektoren auf einem etwas höheren Niveau eine ähnliche Gefahr schaffen. Ein Einzelbeamter mit einer so großen Machtvollkommenheit ist Versuchungen verschiedener Art ausgesetzt; er kann nicht geringen Schaden anrichten durch den unbedingten Glauben an die Ueberlegenheit eigner Einsicht, durch das Autoritätsbedürfnis, welches sich der besten Beamten in den mit dem Publikum in direkter Berührung stehenden Kategorien mitunter in krankhafter Weise bemächtigt, durch Rechthaberei, durch enthusiastischen Idealismus. — Der Vorrath, innerhalb dessen wir geeignete Persönlichkeiten zu einer solchen Stellung suchen können, ist ein beschränkter, und Ew. Excellenz werden mir darin Recht geben, daß wir Mangel an Beamten haben, deren Sachkunde und Zuverlässigkeit für derartige Anstellungen gleichmäßig verbürgt wären.

Der Ruf unserer Beamten ist in Bezug auf deren Integrität in allen den Fächern, in welchen er auch vor 1848 bestand, wie ich glaube, noch jetzt intakt, in anderen aber haben wir früher den Zuständen großer Nachbarreiche nicht viel vorzuwerfen gehabt; ich möchte nicht die Hand dazu bieten, den Gefahren nach dieser Richtung weitere Thore zu öffnen, und bin nicht bereit, die ministerielle Verantwortlichkeit für die Wirkungen zu theilen, welche das Institut der Fabrikinspektoren, wenn es in der bisherigen Richtung weiter ausgebildet wird, auf die Schädigung unserer Industrie und auf die berechtigte Unzufriedenheit der Regierten mit ihrer Regierung meines Erachtens haben kann. Wie weit in dieser Richtung die Aspirationen der in unserer Gesetzgebung mitwirkenden Faktoren bereits gehen, habe ich aus dem Gesetzentwurf entnommen, welcher mir unter dem Namen eines „Fabrikgesetzes" in diesen Tagen von dem Reichskanzler-Amt vorgelegt worden ist und welcher, wie ich wohl annehmen darf, seine Herstellung wesentlich der Thätigkeit der Beamten des Königlichen Handelsministeriums verdankt ...

Ich halte im Wesentlichen an dem prinzipiellen Theile meines Votums vom 30. September v. J. fest und betrachte es als eine Verirrung, in die wir auf

Grund vorgefaßter Meinungen einzelner Persönlichkeiten gerathen, wenn wir glauben, die Schwierigkeiten, welche das Verhältniß der Arbeitgeber und Arbeiter mit sich bringt, durch Schöpfung einer neuen Beamtenklasse zu lösen, welche alle Keime zur Vervielfältigung büreaukratischer Mißgriffe in sich trägt. Die Kämpfe der Arbeiter und Arbeitgeber drehen sich wesentlich um die Höhe des Antheils eines jeden am Gewinn und um die Höhe der Leistungen, welche vom Arbeiter verlangt werden darf, um Lohn und Arbeitszeit. Daß irgendwie die Punkte, welche der vorliegende Entwurf berührt, und namentlich die Sorge für körperliche Sicherheit der Arbeiter, für die Schonung der Jugend, für die Trennung der Geschlechter, für die Sonntagsheiligung — auch wenn diese Fragen viel befriedigender gelöst würden, als es der Entwurf beabsichtigt — daß die Steigerung der Macht der Staatsbeamten den Frieden der Arbeiter und der Patrone herstellen würde, ist nicht anzunehmen. Im Gegentheil, jede weitere Hemmung und künstliche Beschränkung im Fabrikbetriebe vermindert die Fähigkeit des Arbeitgebers zur Lohnzahlung.

Die Erschwerungen, welche Gesetzentwürfe wie die fraglichen der Industrie auferlegen, machen sich schon im Stadium der Fabrikanlagen geltend. Schon jetzt sind Konzessionen im Sinne der Gewerbeordnung bei der einfachsten Sachlage und bei Abwesenheit aller Proteste in vier bis fünf Monaten nicht leicht durch die amtlichen Stadien zu bringen, um wievielmehr werden diese Fristen sich verlängern, wenn auch der Fabrikinspektor mit seinen wohlmeinenden Uebertreibungen vorher gehört werden muß und die Friktion der Kompetenzen und der sich kreuzende Schriftwechsel dadurch vervielfältigt werden. Es hängt mit den besten Eigenschaften unserer Beamten zusammen, daß jeder die Ansprüche seines Ressorts übertreibt und sie erschöpfend erledigt sehen will, ehe er anderen Ressorts, namentlich aber ehe er den Interessen der Regierten ein Existenzrecht einräumt. Wenn von der Industrie alle Gefahren, mit denen sie die Sicherheit und die Gesundheit des Arbeiters bedrohen kann, fern gehalten werden sollen, so müßte den Pulver- und Dynamitfabriken, der Verarbeitung von giftigen Stoffen und den Anstrengungen, wie die der Glasfabrikation und andere, die eben nur eine kurze und hochbezahlte Periode eines Arbeiterlebens hindurch ertragen werden können, schon jedes Existenzrecht versagt werden, und zur Einrichtung der meisten übrigen Fabriken würden so umfangreiche und kostspielige Vorbedingungen gehören, daß sich nur selten und bei ungewöhnlichen Gewinnverhältnissen Unternehmer dazu finden würden. Schon jetzt hat die wohlwollende Sorge für jugendliche Arbeiter die Folge, daß die Arbeitgeber in der Regel Arbeiter unter 16 Jahren nicht annehmen, und daß die letzteren, verdienstlos und allen Gefahren des Müßiggangs ausgesetzt, ihren Eltern zur Last liegen.

Wenn der Entwurf an einer anderen Stelle glaubt, durch Trennung der Geschlechter in verschiedenen Arbeitsräumen die Sittlichkeit zu fördern, so meine ich, daß auch hier Anschauungen zu Grunde liegen, die dem praktischen Leben nicht entstammen. Während der Arbeit bietet sich zu unsittlicher Annäherung der Geschlechter kaum Gelegenheit und Muße, man müßte dann auch das gemeinsame Verlassen der Lokale beaufsichtigen und man hätte noch vielmehr Anlaß, in jeder Landwirtschaft die gemeinsamen Arbeiten beider Geschlechter in dunklen Scheunen und Heubodenräumen zu inhibiren und diese landwirthschaftlichen Thätigkeiten einer besonderen Inspektion zu unterziehen. Ob eine solche Trennung der Geschlechter eine Erschwerung resp. Hemmung der Thätigkeit der Fabrik mit sich führen soll, würde nach dem Entwurfe wesentlich von der persönlichen Auffassung des betreffenden Inspektors abhängen. Wenn derselbe jeden Raum, der nicht durch Wände und geschlossene Thüren getheilt ist, als einen einheitlichen auffaßt, so wird eben in jeder Industrie, welche ihrer Natur nach von einem großen schuppenartigen Raum umfaßt und gedeckt wird, nur eines der beiden Geschlechter verwendbar sein.

Ich habe kein rechtes Verständnis dafür — und ich glaube, auch Andere, die nicht gerade in engere Ideenkreise sich einseitig eingelebt haben, werden es nicht haben — warum unter allen Zweigen menschlicher Thätigkeit gerade bei den schwierigsten und von fremder Konkurrenz am meisten abhängigen die Bevormundung zur Verhütung einiger der Gefahren, die das menschliche Leben überall bedrohen, bis zu dem hier gewollten Maße getrieben werden soll. Wenn man die Liste der Unglücksfälle durchgeht, welche sich im Laufe der Jahre ereignen, so wird man finden, daß die Industrie bei Weitem nicht das stärkste Kontingent dazu liefert. Der Bergbau, der Eisenbahnbetrieb, namentlich aber die bauliche Thätigkeit stellen ein ebenso starkes, wenn nicht ein stärkeres Kontingent. Und warum sollte man nicht mit demselben Rechte, mit welchem man die Fabrikinspektoren zum Schutze der bedrohten Sicherheit der Arbeiter, unter Verletzung des Hausrechts, in geschlossene Fabrikräume eindringen läßt, auch Hausinspektoren anstellen, die sich überzeugen, ob geladene Gewehre und Dynamit-Patronen, Schwefelhölzer, ätzende Säuren und andere Gifte mit hinreichender Sorgfalt aufbewahrt werden und bei Erbauung der Häuser die Vorkehrungen für eine solche Sicherheit vor der Konzessionsertheilung getroffen worden sind? Die Zahl derer, die durch unvorsichtige Aufbewahrung und Handhabung von Schießgewehren, Zündhölzern, Giften und Petroleum oder durch Kohlenoxydgas bei mangelhaften Heizvorrichtungen verunglücken, würde, wenn man sie im Deutschen Reiche zusammenstellte, wahrscheinlich mehr als konkurrenzfähig mit derjenigen sein, welche durch die von den Fabrikinspektoren monirten, lokalen Einrichtungen der Fabriken zu Schaden kommen.

Es wäre vielleicht nützlicher, die Sicherheit unserer Bauvorrichtungen und unserer Bauten, die Gefahren unseres Bergbaubetriebes und nach den Erfahrungen neuester Zeit die Gefahren, denen Passagiere auf deutschen Schiffen ausgesetzt sind, auch die Verfälschung der Lebensmittel und die Vergiftung der Getränke zum Gegenstande besonderer Inspektionen und Spezialgesetze zu machen, als länger dem, durch stillschweigendes Uebereinkommen zugelassenen Irrthume zu dienen, als würden wir der Lösung der sozialen Frage auf dem Wege näher kommen, der mit den vorliegenden Gesetzentwürfen eingeschlagen worden ist. Als das wirksamste Schutzmittel in dieser Richtung betrachte ich vielmehr nur die Haftpflicht für Unfälle und wenn nöthig, eine Verschärfung und namentlich eine sorgfältigere Ueberwachung derselben, auch ihre mögliche Ausdehnung auf die Invalidität, die aus Erschöpfung durch Arbeit und aus Krankheit im Dienste hervorgeht.

Wenn Ew. Excellenz auf diesem Wege die nähere Ausbildung unserer Gesetzgebung in Angriff nehmen wollen, so werde ich dabei zu voller Mitwirkung gern bereit sein, auf dem der Prophylaxis durch Beamte aber nicht.

Für den gesetzlich bestehenden Schutz jugendlicher Arbeiter werden vielleicht auch Aufseher mit geringerer diskretionärer Machtvollkommenheit als die Fabrikinspektoren ausreichen. Soweit dieselben nöthig sind, wird ihr selbständiges Verfügungsrecht meines Erachtens beschränkt und der Kontrolle der Oeffentlichkeit und einer sachkundigen Kollegial-Entscheidung im Sinne der Gewerbegerichte unterstellt werden müssen. Ich behalte mir meine Anträge in dieser Beziehung vor, sobald ein juristisches Gutachten des Herrn Justizministers über die Gesetzmäßigkeit der faktisch gehandhabten Einrichtungen vorliegen wird, würde dieselben aber auch dann, wenn sie sich gesetzlich rechtfertigen lassen, aus dem Gesichtspunkte der politischen Angemessenheit anfechten und ihre Reform beantragen.

18. Gespräch mit Hohenlohe am 5. September 1877 in Gastein[25]

W 8, 212 f., Nr. 172 = Hohenlohe II, 219 ff.

Heute früh Besuch bei der Fürstin Bismarck. Um ein Uhr beim Reichskanzler, den ich sehr wohl und frisch fand. — Er bedauerte den Tod des alten Thiers[26], *glaubt, daß es ein großer Verlust für Frankreich sei, und fügte bei, daß Thiers der einzige Mann in Frankreich gewesen sei, der eine Allianz der Westmächte mit Oesterreich mit Erfolg hätte suchen können. Jetzt werde Frankreich noch uneiniger werden als bisher. Was die Allianz betrifft, so fürchtet sich Bismarck nicht, solange Andrássy bleibt. Aber auch ein feindliches Oesterreich sei in jener Allianz nicht zu fürchten, solange wir Rußland für uns haben. Im vergangenen Sommer habe Gortschakow darauf hingearbeitet, uns mit Oesterreich zu broullieren und Deutschland einen, wenn auch nur diplomatischen échec beizubringen. Das sei ihm nicht gelungen.*

Der Reichskanzler meint, daß Rußland keinen Frieden schließen könne, ehe es sein militärisches Prestige wiedergewonnen habe. Sei es genötigt, nach einer zweiten unglücklichen Kampagne Frieden zu schließen, so könnten innere Unruhen entstehen, und Rußland werde dann nach einigen Jahren wieder, etwa mit Oesterreich, Krieg anfangen müssen. Er hält es für möglich, daß Rußland doch noch siegt, wenn es die Sache nur etwas geschickter anfange. Die jetzige Niederlage verdanke es der schlechten Führung.

Bei Tisch sprachen wir über die französischen Dinge. Thiers' Tod bedauerte Bismarck. Wir tranken auf seine Aufforderung ein stilles Glas zu seinem Andenken. Von Gontaut sagte der Fürst, es sei unbegreiflich, wie man ihn, der mit Polen, Ultramontanen und anderen Reichsfeinden gegen die Reichsregierung intrigiere und konspiriere, in Berlin lassen könne. Er würde sich für die Anwesenheit des Duc de Chartres[27] *bei den Manövern erklärt haben, wenn nicht Gontaut in Berlin wäre. So aber habe er befürchten müssen, daß die Kaiserin die Anwesenheit des Prinzen benutze, um ihr Spiel weiterzuführen.*

Abends saß ich noch lange beim Fürsten. Er erzählte vom Besuch des Grafen von Paris[28] *beim Kronprinzen, und daß dieser sehr für den Grafen gewonnen sei. Mir schien der Reichskanzler milder gegenüber den Orleans gestimmt zu sein. Jedenfalls zieht er sie den Bonapartisten vor, die er für gefährlich hält, da sie Krieg führen müßten. Dem Kanzler liegt sehr an der Aufrechterhaltung guter Beziehungen zu Oesterreich. Die Einmischung Oesterreichs und Englands in den Krieg hält er für bedenklich. Er sagt übrigens, Oesterreich sei bereit gewesen, in Bosnien einzurücken, wenn die Russen gesiegt hätten. Bismarcks Plan ist jetzt,*

---

[25] Bismarck hielt sich dort vom 25. August bis 18. September 1877 zur Kur auf.

[26] Der frühere französische Präsident war am 3. September 1877 gestorben.

[27] Der orleanistische Thronprätendent.

[28] Der bourbonische Thronprätendent.

England und Rußland zu versöhnen, und dahin zu trachten, daß sie sich im Orient auf Kosten der Türkei verständigen. Frankreich will er bei allen Manipulationen der hohen Politik außer Betracht lassen und jede Annäherung vermeiden.

19. Gespräch mit Hohenlohe am 6. September 1877 in Gastein
W 8, 213 f., Nr. 173 = Hohenlohe II, 220 f.

Heute, vor meiner Abreise, als ich bei der Fürstin war, kam der Reichskanzler und lud mich ein, mit ihm einen Spaziergang zu machen. Ich hatte nur noch eine halbe Stunde und ließ den Wagen warten. Wir gingen auf die Kaiserpromenade. Zuerst sprachen wir noch von den französischen Wahlen, und Bismarck sagte, es werde nötig sein, während der Wahlen noch etwas bedrohlich aufzutreten. Das brauche aber nicht in Paris zu geschehen, sondern werde von Berlin aus in Szene gesetzt werden. Der Kaiser mache die Durchführung der Politik gegenüber Frankreich schwer, da er sich durch Gontaut immer bestimmen lasse, auf die „Solidarität" der konservativen Interessen, die alte Arnimsche Politik, Wert zu legen, statt darauf zu sehen, daß Frankreich allianzunfähig und uneinig bleibe. Er behauptete dann, die Metzer Reise Gontauts[29] *sei durch die Kaiserin veranlaßt worden, und der Kaiser sei nicht ohne Anteil an dem 16. Mai*[30]*, weil er in obigem Sinne mit Gontaut gesprochen habe. Der Reichskanzler sagte mir, Bleichröder bekomme Rothschildsche Nachrichten aus Paris, die ihm mitgeteilt würden, und die seinerzeit den 16. Mai voraussagten. Der Reichskanzler sagte, es sei eine starke Zumutung, ihn glauben machen zu wollen, daß die Kaiserin nicht Politik treibe, und nicht gegen ihn agitiere. Er finde die Kaiserin seit fünfzehn Jahren überall als Gegnerin. Sie lasse sich Korrespondenzen schreiben, die sie dann dem Kaiser vorlese, und zwar beim Frühstück, und immer nach dem Frühstück erhalte er unangenehme Handbillette des Kaisers. Der Kaiser sei im Prinzip mit der Kirchenpolitik einverstanden, im einzelnen mache er Schwierigkeiten, veranlaßt durch die Einmischung der Kaiserin. Schleinitz, Goltz, Nesselrode und andere arbeiteten gegen ihn mit der Kaiserin. Er könne es sich nicht gefallen lassen, daß man seine Feinde auszeichne. So habe Nesselrode einen Orden bekommen, obgleich er sich an der „Reichsglocke" beteiligt habe. Wenn das nicht aufhöre, werde er abgehen*

---

[29] Der französische Botschafter war Anfang Mai 1877, als sich Kaiser Wilhelm I. in Elsaß-Lothringen aufhielt, auf Veranlassung des französischen Präsidenten MacMahon zur offiziellen Begrüßung in Metz erschienen.

[30] Rücktritt des französischen Kabinetts Simon, dem dann zwei Tage später ein reaktionäres Ministerium unter dem Herzog von Broglie folgte. Lediglich der Außenminister Decazes blieb weiterhin im Amt.

und kein Blatt vor den Mund nehmen. Alles, was der Reichsregierung feindlich sei, werde von der Kaiserin unterstützt. Solange Gontaut in Berlin sei, bestehe eine Art Gegenministerium, mit dem er zu kämpfen habe. Von der Kronprinzessin sagte Bismarck, sie mische sich nicht in Politik, wenn sie auch Vergnügen daran finde, oppositionelle Elemente zu sich einzuladen. Wir trennten uns erst, als ich in den Wagen stieg.

20. Gespräch mit dem italienischen Kammerpräsidenten Francesco Crispi[31] am 17. September 1877 in Gastein W 8, 215 ff., Nr. 175 = Crispi 25 ff.

Fürst Bismarck sandte sofort seinen Sekretär und ließ sich entschuldigen, daß er seiner angegriffenen Gesundheit wegen nicht persönlich kommen könnte, daß er mich aber sofort empfangen würde.
Er wohnte rechts vom Flusse, in einem bescheidenen, dem Straubinger gehörigen Hause, das wir in wenigen Minuten erreichten. Ich mußte zum ersten Stockwerk hinaufsteigen. Der Fürst war in seinem Zimmerchen, dessen Tür nach dem Flur, der Treppe gegenüber liegt. Im Zimmer befanden sich einige Stühle, ein Tisch, ein herrlicher Kachelofen, und dicht neben seinem Herrn lag ausgestreckt ein prachtvoller Hund. Auf dem Tische eine kleine Pistole mit weißem Griff.
Als die Tür geöffnet wurde, erhob sich der Fürst, kam mir entgegen und bot mir die Hand. „Ich bin erfreut, Durchlaucht, Ihre persönliche Bekanntschaft zu machen.“ Er: „Wir kennen uns ja schon lange!“ *Ich: „Ja, Durchlaucht, aber heute habe ich zum erstenmal das Vergnügen, Sie zu sehen und Ihnen die Hand drücken zu können. Da ich in Deutschland bin, kann ich es nicht verlassen, ohne Ihnen die Grüße meines Königs zu übermitteln. Ich danke Ihnen herzlich für die Erlaubnis, Sie hier besuchen zu dürfen.“ Er:* „Welche Nachrichten bringen Sie aus Italien? Waren Sie in Frankreich? Was sagt man in Paris?“
Ich: „In Rom beschäftigt man sich mit der Möglichkeit eines Krieges, falls in Frankreich die reaktionäre Partei bei den nächsten politischen Wahlen siegt. Und dann ist man Oesterreichs nicht sicher, dessen Haltung unserer Regierung gegenüber wenig freundlich ist. — Sie haben uns durch Baron von Keudell sagen lassen, daß Sie die freundschaftlichen Bande mit uns immer fester knüpfen wollen. Ich

---

[31] Crispis Reise, die ihn bereits nach Paris und Berlin geführt hatte, diente offiziell dem Zweck, mit den Großmächten wegen der Übernahme des Artikels 3 des italienischen Gesetzbuches von 1865, nach dem auch Fremde die den Bürgern zuerteilten Zivilrechte genossen, in die Gesetzgebung anderer Staaten zu verhandeln. In geheimer Mission wünschte Crispi aber auch, und zwar im Einverständnis mit seinem König und dem italienischen Kabinettschef, bei Bismarck wegen eines deutsch-italienischen Bündnisses zu sondieren.

bin daher im Auftrag des Königs hier, um Verschiedenes mit Ihnen zu besprechen. Das erste ist für Italien und Deutschland von ganz besonderem Interesse, das andere betrifft internationale Fragen. Ich beginne mit dem, was uns und Sie angeht. Ich weiß nicht, ob es nötig ist, unseren Handelsvertrag vom Dezember 1865 noch einmal zu berühren. Doch bin ich überzeugt, daß mit der Eröffnung des Gotthard die Beziehungen zwischen unseren Ländern sich vielseitiger gestalten werden, und daß es folglich nützlich sein wird, die Bürger beider Länder vor Behinderungen im Handel und im öffentlichen Leben zu bewahren. Zu diesem Zwecke möchte meine Regierung, daß Euer Durchlaucht einen Vertrag annähmen, vermöge dessen die Deutschen in Italien und die Italiener in Deutschland vollkommene Gleichheit mit den Einheimischen in der Ausübung ihrer bürgerlichen Rechte fänden.

Wenden wir uns jetzt zu Argumenten von größerem Interesse, die ich mit wenigen Worten erklären darf. Ich bin beauftragt, Sie zu fragen, ob Sie geneigt sind, mit uns einen Bündnisvertrag für den Fall einzugehen, daß wir gezwungen wären, uns mit Frankreich und Oesterreich zu schlagen. — Außerdem möchte sich mein König über die Lösung der Orientfrage mit dem Kaiser auseinandersetzen."

Er: „Von ganzem Herzen nehme ich den Vorschlag zu einem Vertrage an, wonach die Italiener in Deutschland und die Deutschen in Italien mit den Einwohnern gleichgestellt würden und ihre bürgerlichen Rechte gleichmäßig ausüben könnten. Doch kann ich das nicht machen, bevor ich nicht mit meinen Kollegen gesprochen habe. Ein Vertrag dieser Art entspricht meinen Plänen, weil es ein öffentlicher Beweis unserer Uebereinstimmung mit Italien wäre. Nun zum Uebrigen: Sie kennen unsere Absichten. Würde Italien von Frankreich angegriffen, so würde sich Deutschland solidarisch erklären und sich mit Ihnen gegen den gemeinsamen Feind verbünden. Ueber einen Vertrag mit einem solchen Ziele könnten wir uns verständigen. Hoffen wir aber, daß es keinen Krieg geben wird, und daß wir den Frieden aufrecht erhalten können. In Frankreich kann die Republik nur gedeihen, wenn sie friedlich gesinnt ist; wäre sie es nicht, so liefe sie Gefahr, sich zu verderben. Meiner Meinung nach wäre ein Krieg nur möglich, falls die Monarchie wieder eingesetzt würde. In Frankreich müssen die Dynastien klerikal sein, weil dort die Geistlichkeit unruhig und mächtig ist, und weil die Herrscher, um das Volk zu täuschen, kriegerisch sein müssen; daher sind sie gezwungen, mit den Nachbarn Streit anzufangen. So war es zu allen Zeiten, und Sie finden ein Beispiel schon zu Beginn der Regierung Ludwigs XIV.

Oesterreich gegenüber liegt die Sache anders. Ich möchte den Fall gar nicht annehmen, daß es uns feindlich entgegentreten könnte; ja, ich will Ihnen sogar offen sagen, daß ich diese Möglichkeit nicht einmal hypothetisch voraussetzen möchte. Morgen kommt Graf Andrássy zu mir, und im Gespräch mit ihm will ich ihn auf mein Wort beruhigen, daß ich sein Freund bin, und daß ich mich keinem gegenüber verpflichtet habe.

Der russisch-türkische Krieg hat einen anderen Verlauf genommen, als wir annahmen und doch brauchte Oesterreich die Grenze nicht zu überschreiten. Ich hoffe, dies wird auch nicht notwendig werden, der Krieg sich vielmehr auf die beiden Kämpfenden beschränken und lokalisieren lassen. Es liegt uns daran, daß Oesterreich und Rußland befreundet sind, und wir suchen alles zu tun, daß sie es bleiben. Betreffs der Orientfrage wollen wir die verschiedenen Möglichkeiten für ihre Lösung besprechen und gewisse Grundsätze feststellen, um zu einer Uebereinstimmung zu gelangen. Jedoch muß man zugeben, daß das russische Heer bis heute kein Glück gehabt hat, und daß es unmöglich ist, das Ende des Krieges abzusehen. Der Zar muß große Anstrengungen machen. Wenn das russische Heer geschlagen zurückkehrt, könnte er zu Hause Unannehmlichkeiten bekommen. Doch wie dem auch sei, das ist seine Sache, und ich gestehe Ihnen, daß Deutschland gar kein Interesse an der Orientfrage hat, wir nehmen jede Lösung an, sobald sie nicht den europäischen Frieden stört."

Ich: „Ich bewundere Ihre Offenheit und bekenne: stünde ich an Ihrer Stelle, so würde ich nicht anders sprechen. Es bleibt also dabei, daß wir einen Vertrag schließen, der den Deutschen in Italien und den Italienern in Deutschland die Ausübung ihrer bürgerlichen Rechte zusichert, wie sie die Einheimischen genießen. Als Grundlage dieser Konvention könnte der Artikel 3 des italienischen bürgerlichen Gesetzbuches dienen, welcher dem Fremden diese Wohltat gewährt.

Was Frankreich anbetrifft, sind wir ebenfalls einig.

Im übrigen gestatten Sie mir, Ihnen einige Fragen zu unterbreiten: Glauben Sie, daß Oesterreich immer Ihr Freund bleiben wird? Jetzt braucht es Sie, um den 1866 erlittenen Schaden wieder gut zu machen, denn Sie allein können ihm den Frieden zusichern, ohne den es seine Finanzen nicht regeln, sein Heer nicht neu errichten kann. Aber Oesterreich kann weder die Vergangenheit vergessen, noch den neuen deutschen Kaiser mit freundlichem Auge anblicken. Sie sagen, Deutschland habe kein Interesse an der Orientfrage. Gut. Ich möchte Sie aber daran erinnern, daß die Donau hauptsächlich ein deutscher Fluß ist; sie fließt an Regensburg vorbei, und auf ihr gehen deutsche Waren bis zum Schwarzen Meer. Wir Italiener können auf alle Fälle an der Lösung der Orientfrage kein so geringes Interesse nehmen wie Sie.

Die umherschwirrenden Gerüchte erwecken die Befürchtung, daß wir geschädigt werden. Wenn sich die Großmächte dahin einigen, von jeder Eroberung in den Balkanprovinzen Abstand zu nehmen und das den Türken entrissene Land den Völkern des Orients zu überlassen, so haben wir nichts dagegen. Geschieht es aber, daß Rußland, um sich der Freundschaft Oesterreichs zu versichern, diesem Bosnien und die Herzegowina anbietet, so kann Italien nicht erlauben, daß Oesterreich diese Länder besetzt. Sie wissen: im Jahre 1866 blieb Italien ohne Grenzen nach den Ostalpen zu. Wenn Oesterreich neue Provinzen erhielte, die es im Adriatischen Meere verstärkten, bliebe unser Land wie in einer Zwangsjacke eingeengt und, so oft es dem Nachbarreiche gefiele, einer Invasion ausgesetzt. Hier müßten wir uns helfen. Wir sind den Verträgen getreu und wollen auch weiter nichts von den anderen. Sie müßten den Grafen Andrássy von jedem Verlangen nach einer Eroberung im ottomanischen Gebiet abbringen."

Er: „Oesterreich verfolgt eine gute Politik, und ich darf glauben, daß es dabei bleibt. Nur in einem Falle könnte jedes Band zwischen Oesterreich und Deutschland zerreißen, nämlich bei einem Zwist beider Länder in der Politik betreffs Polens. In Polen gibt es eigentlich zwei ‚Völker': Adel und Bauernschaft, von verschiedener Natur, Gewohnheit und verschiedenem Wesen. Der erstere ist unruhig, aufrührerisch, die letztere ist ruhig, arbeitsam, nüchtern. Oesterreich schmeichelt dem Adel. Wenn eine polnische Bewegung ausbräche und Oesterreich ihr hülfe, müßten wir uns dem entgegenstellen. Wir können an unseren Grenzen nicht die Wiederherstellung eines katholischen Reiches erlauben. Das wäre ein Frankreich im Norden. Heute haben wir e i n Frankreich, alsdann würden wir deren zwei haben, die natürlich verbündet sein würden, und wir würden zwischen zwei Feinden stehen. Auch aus anderen Gründen würde uns eine Erhebung in Polen schaden; denn sie würde unvermeidlich den Verlust eines Teils unseres Landes mit sich bringen. Wir können jetzt nicht mehr auf Posen und Danzig verzichten, da das Deutsche Reich nach der russischen Grenze zu offen bleibt und seine Flußmündungen im Baltischen Meer verlieren würde. Oesterreich weiß, daß es nicht rückwärts schreiten kann, und weiß, daß wir treue Freunde sind. Es befindet sich auf guten Wegen und hat kein Interesse, sie zu verlassen. Sollte es sich aber ändern und zum Schützer des Katholizismus aufwerfen, würden auch wir uns ändern und dann mit Italien gehen. Aber heute weist nichts darauf hin, daß dies eintritt, und wir dürfen durch Argwohn keinen Vorwand liefern, daß Oesterreich in seiner Politik umschlägt. Es wird immer noch Zeit sein, Vorkehrungen zu treffen. Die Donau geht uns nichts an. Sie wird erst von Belgrad an schiffbar, und in Regensburg liegen nur einige Flöße. Im Jahre 1856 ließ Oesterreich im Pariser Kongreß im eigenen Interesse die deutsche Konföderation in der Donaukommission außer acht, und das war wirklich nicht nötig. Oesterreich betreibt seinen Handel über Triest und Hamburg. Bosnien und die ganze Orientfrage berührt deutsche Interessen nicht. Es würde uns leid tun, wenn sie der Grund von Mißhelligkeiten zwischen Oesterreich und Italien würde, denn dann würden sich zwei Feinde bekämpfen, die wir in Frieden sehen möchten. — Uebrigens, wenn sich Oesterreich Bosnien nimmt, nimmt sich Italien Albanien oder ein anderes türkisches Gebiet am Adriatischen Meer.

Ich hoffe, daß die Beziehungen zwischen Ihrer und der Wiener Regierung freundschaftlich und mit der Zeit herzlich werden. Nichtsdestoweniger, wenn es mir leid tun würde, Sie mit Oesterreich engagiert zu sehen, einen Krieg würden wir darum nicht anfangen."

In diesem Augenblick öffnet sich die Tür, und Graf Herbert Bismarck tritt mit einem Bündel Telegramme ein. Er reicht sie dem Vater, der, nachdem er sie gelesen, die entsprechenden Antworten angibt, und Graf Herbert empfiehlt sich.

Fast unmittelbar darauf erscheint die Fürstin Bismarck, die ihrem Gatten eine Limonade bringt. Ich erhebe mich, und er sagt: „Meine Frau." *Ich bringe der Fürstin meine Huldigungen dar. Bismarck trinkt, und die Fürstin geht hinaus. Sobald wir allein sind, ergreife ich wieder das Wort: „Ich verstehe und achte Ihre Haltung dem Wiener Hof gegenüber. Gestatten Sie mir jedoch die Bemerkung, daß die deutsche Einheit noch nicht vollendet ist. Von 1866 bis 1870 haben Sie Wunder verrichtet, aber Sie haben außerhalb Deutschlands viele deutsche Stämme, die Sie früher oder später an sich ziehen werden. Die österreichische Landschaft mißfällt Ihnen nicht. Sie kommen jedes Jahr hierher, und Gastein, das die wahre Grenze Deutschlands in den Alpen darstellt, hat für mich eine Bedeutung; möchte es eine Verkündigung sein . . .“*

Er: „Nein, Sie irren. Ich kam schon vor 1866 hierher. — Hören Sie: Wir haben ein großes Reich zu regieren, ein Reich von vierzig Millionen Einwohnern, mit weitläufigen Grenzen. Es gibt uns viel zu tun, und wir wollen aus Ehrgeiz nicht das, was wir haben, aufs Spiel setzen. Das Werk, dem wir uns gewidmet haben, nimmt unsere ganze Zeit, unsere geistigen Kräfte vollkommen in Anspruch. Wir haben viele Schwierigkeiten zu überwinden. In seinem Alter kann der König keine starken Erschütterungen mehr vertragen. Er hat sehr viel für Deutschland getan und muß nun ausruhen. Wir haben in unserem Lande verschiedene katholische Fürsten, eine katholiken- und franzosenfreundliche Königin, einen unruhigen Klerus, den man durch besondere Gesetze in Ruhe halten muß. Wir haben ein Interesse an der Aufrechterhaltung des Friedens. Böte man uns eine katholische Provinz Oesterreichs an, wir würden sie zurückweisen. Es wird uns nachgesagt, daß wir Holland und Dänemark wollen. Aber ich bitte Sie, was sollen wir nur damit? Wir haben schon genug nichtdeutsche Nationen, um nicht noch nach anderen Verlangen zu tragen. Mit Holland stehen wir in gutem Einvernehmen, und mit Dänemark sind unsere Beziehungen nicht schlecht. Solange ich Minister bin, stehe ich auf Seiten Italiens, aber wenn ich auch Ihr Freund bin, mit Oesterreich will ich deshalb doch nicht brechen.

Im Jahre 1860 war ich in Petersburg, aber mein Herz war auf Ihrer Seite. Ich war sehr zufrieden über Ihre Erfolge; denn sie stimmten zu meinen Ideen. Nach allem möchte ich Ihnen wiederholen, daß wir wünschen, Sie möchten Oesterreichs Freunde werden. Man könnte einen Ausgleich in der Orientfrage finden, wenn Sie, sobald Oesterreich sich Bosnien aneignet, eine türkische Provinz an der Adria nehmen.“

Ich: „Eine Provinz an der Adria genügt uns nicht; wir wüßten nicht, was damit anfangen. — Nach Osten hin haben wir keine Grenzen; Oesterreich liegt jenseits der Alpen und kann einfallen, wann es ihm beliebt. Wir wollen nichts von den anderen; wir werden treu an den Verträgen halten, aber wir wollen uns zu Hause sicher fühlen: Sprechen Sie darüber mit dem Grafen Andrássy.“

Er: „Nein, ich will weder die bosnische Frage, und noch viel weniger die Ihrer Ostgrenzen berühren. Lassen wir sie jetzt. Ich möchte nichts berühren, was dem Grafen Andrássy mißfallen könnte: denn ich will ihn mir als Freund bewahren.“

Ich: „Gut, machen Sie, wie Sie es für richtig halten. Aber bitte sagen Sie mir, Ihnen liegt am Frieden und Sie hoffen, daß dieser andauern wird. Wir haben die Möglichkeit erwogen, daß in Frankreich die reaktionäre Partei siegt und die Monarchie wieder eingesetzt wird. Und wir sind übereingekommen, daß man diesem Ereignis vorbeugen muß. Stellen wir jetzt eine andere Hypothese auf: Wenn die Republikaner in Frankreich aus den allgemeinen Wahlen als Sieger hervorgingen, könnten Sie dann nicht ein Mittel der Verständigung finden? Ich richte diese Frage nicht zufällig an Sie. In Paris sah ich den Abgeordneten Gambetta, der großen

Einfluß in seinem Lande hat. Wir haben lange über die politische Lage Frankreichs und über die Notwendigkeit des europäischen Friedens auch zur Sicherung der Republik gesprochen. Ich verbarg ihm nicht, daß ich zu Ihnen ginge; dabei äußerte er den Wunsch einer Verständigung mit Ihnen und wollte, daß ich darüber mit Ihnen spräche. Ich verstehe wohl, daß ein Bündnis zwischen Frankreich und Deutschland noch nicht möglich ist; denn die Gemüter sind wegen der erlittenen Niederlagen noch zu sehr erbittert. Aber es gibt einen Punkt, über den Sie sich einigen könnten, und Italien würde Ihnen darin folgen; es ist der der Abrüstung."

Er: „Ein Bündnis mit dem republikanischen Frankreich wäre für uns zwecklos. Eine Abrüstung der beiden Länder wäre nicht möglich. Vor 1870 wurde diese Frage mit dem Kaiser Napoleon verhandelt, und nach langen Besprechungen wurde der Beweis geliefert, daß sich der Gedanke an die Abrüstung nicht in die Praxis umsetzen läßt. Im Wörterbuch finden Sie noch keine Vokabeln, welche die Grenzen zwischen Abrüstung und Rüstung festsetzen. Die militärischen Einrichtungen sind in jedem Staat verschieden. Wenn man die Heere auf Friedensfuß bringt, kann man nicht sagen, ob die Nationen, die sich zur Abrüstung bekannt haben, in der gleichen Lage von Offensive und Devensive sind. Ueberlassen wir diese Frage den Gesellschaften der Friedensfreunde."

Ich: „Beschränken wir uns also auf den Bündnisvertrag für den Fall, daß uns Frankreich angreift."

Er: „Ich werde die Befehle des Kaisers entgegennehmen und auf offiziellem Wege über ein mögliches Bündnis verhandeln."

Da die Stunde vorgerückt und die zu behandelnden Fragen erschöpft waren, erhob ich mich, um mich zu verabschieden. „Bleiben Sie noch in Gastein?" *fragte der Fürst. „Nein, Durchlaucht," antwortete ich, „jedes Verweilen an diesem Orte wäre unnötig. Ich habe meinen Namen weder in Salzburg, Hotel Europa, noch hier im Hotel Straubinger angegeben."* „Also dann auf Wiedersehen!" *„Auf Wiedersehen!"*

21. Gespräch mit dem italienischen Kammerpräsidenten Francesco Crispi am 24. September 1877 in Berlin W 8, 220 ff., Nr. 176 = Crispi 57 ff.

Um ein Uhr Besuch beim Fürsten Bismarck. Auf den Rat des Herrn von Holstein stieg ich zur Wohnung des Reichskanzlers hinauf. Kaum hatte ich die Schwelle berührt, da erhob sich der Fürst. Nachdem wir uns herzlich die Hand gedrückt, sagte ich: „Ich wollte Berlin nicht verlassen, ohne Sie noch einmal gesehen zu haben."

Er: „Und ich bin eigens nach Berlin gekommen[32], um Ihnen die versprochene Antwort zu geben. Wegen der Gegenseitigkeit des Genusses der bürgerlichen

[32] Bismarck war auf der Durchreise von Gastein nach Varzin.

Rechte in beiden Ländern sind wir bereit, auf der Grundlage des Artikels 3 Ihres Gesetzbuches den Vertrag abzuschließen. Senden Sie die regelrechten Vollmachten, und wir werden alles in Ordnung bringen."
Ich: „Aber dies ist es nicht allein, was ich wünsche und was mein König fordert. Was sagen Sie zu dem Allianzprojekt zwischen dem Königreich Italien und dem deutschen Kaiserreich im Falle, daß das eine oder das andere oder beide Länder von Frankreich angegriffen würden?"
Er: „Ich habe den König noch nicht gesehen, und schreiben kann ich ihm über solche Dinge nicht. Ich muß ihn selbst sprechen und mündlich seine Befehle entgegennehmen."
Ich: „Aber wer ist in Deuschland mächtiger als Bismarck? Wenn Sie entschlossen sind und das, was ich vorschlage, als nützlich für beide Länder ansehen, so hat der König keinen Grund, entgegengesetzter Meinung zu sein."
Er: „Ich bin zur Unterhandlung bereit. Lassen Sie sich Vollmacht geben, und wir werden uns über den Wortlaut des Vertrages einigen."
Ich: „Auf welchen Grundlagen? Wonach sollen sich die Prinzipien richten? Und was tun wir betreffs Oesterreichs?"
Er: „Ich sagte Ihnen, daß ich betreffs Frankreichs bereit bin, zu verhandeln, betreffs Oesterreichs nicht. Unsere Stellung beiden Ländern gegenüber ist nicht die gleiche. Frankreichs gegenwärtige Lage ist unsicher. Wir wissen nicht, wer aus dem Kampf zwischen MacMahon und dem Parlament als Sieger hervorgehen wird. Der Präsident-General hat sich mit seiner Wahlproklamation sehr viel vergeben, und wer weiß, ob aus den nächsten allgemeinen Wahlen nicht eine monarchische Kammer hervorgehen wird. Ein König könnte sich nur auf das Heer stützen, dieses würde die Revanche verlangen ..."
Ich: „Und ich sage Ihnen, daß er sich auch auf den Klerus stützen wird, der die Wiederherstellung der weltlichen Macht des Papstes verlangt ..."
Er: „Keine dieser Gefahren können wir von Oesterreich befürchten, und es ist wichtig für uns, dies Reich zum Freunde zu haben. Ich gehe noch weiter; ich will nicht einmal annehmen, daß es unser Feind werden könnte. Wir hätten übrigens, wenn es, was ich nicht glaube, seine Politik änderte, immer noch Zeit, uns zu verständigen."
Ich: „Beschränken wir uns also auf Frankreich ... Aber auf welchen Grundlagen soll unser Vertrag geschlossen werden?"
Er: „Das Bündnis wird sowohl ein defensives wie ein offensives sein müssen. Nicht weil ich den Krieg will, den zu vermeiden ich das möglichste tun werde, aber der Natur der Dinge selbst wegen. Stellen Sie sich zum Beispiel vor, die Franzosen zögen zweimalhunderttausend Mann in Lyon zusammen. Der Zweck ist sonnenklar. Sollen wir warten, bis sie uns angreifen?"
Ich: „Gut, ich werde dem König über Ihre Ideen berichten und wir werden die ordnungsmäßigen Vollmachten für die Abfassung der beiden Verträge senden."
Er: „Für den Vertrag über die Gegenseitigkeit des Genusses der bürgerlichen Rechte in unseren Ländern können Sie die Vollmachten an de Launay schicken; wegen des Bündnisses würde ich lieber mit Ihnen verhandeln."

Ich: „Sehr wohl. Ueber diesen Gegenstand werde ich mit Seiner Majestät dem Könige reden und seine Befehle entgegennehmen."

Er: „Ich habe mit Andrássy gesprochen und ihm gesagt, daß Sie bei mir wären, und daß die italienische Regierung in guter Freundschaft mit Oesterreich leben möchte. Er freute sich darüber und trug mir auf, Sie zu grüßen. — Gesprächsweise teilte ich ihm auch mit, daß Italien nicht wünschte, daß Oesterreich Bosnien und die Herzegowina annektiere. — Mit Rußland steht es schlecht, und für dieses Jahr ist der Feldzug zu Ende. Oesterreich hat durchaus keine Absicht, sich zu rühren. — Sie würden gut tun, wenn Sie Andrássy aufsuchten. Sie werden einen sehr guten Freund in ihm finden."

Ich: „Erlauben Sie mir, Durchlaucht, daß ich nun von einer Angelegenheit spreche, die von höchstem Interesse für Italien ist. Pius IX. ist alt, und es wird nicht lange mehr dauern, bis er diese Welt verläßt. Wir werden dann ein Konklave zur Ernennung seines Nachfolgers haben. Es ist ja wahr, daß Sie als protestantische Regierung sich nicht wie die katholischen um die zukünftige Wahl des römischen Pontifex zu kümmern brauchen, aber auch in Deutschland haben Sie katholische Bevölkerung und einen katholischen Klerus, und es kann nicht ohne Interesse für Sie sein, was sich im Vatikan ereignet."

Er: „Für mich hat es wenig zu bedeuten, wer der Nachfolger Pius IX. sein wird. Ein liberaler Papst würde vielleicht schlimmer sein als ein reaktionärer. Der Schaden liegt in der Konstitution. Die Persönlichkeit, wer sie auch sein möge, und welche Ansichten und Neigungen sie auch besitze, wird wenig oder gar keinen Einfluß auf die Haltung des Heiligen Stuhles haben. Wer im Vatikan herrscht, ist die Kurie."

Ich: „Das ist nur zu wahr, und Sie haben dies in dem herben Kampfe erprobt, den Sie von 1870 an mit dem katholischen Klerus ausfechten mußten. Wir Italiener sind Ihnen dankbar dafür."

Er: „Aber ich kann der italienischen Regierung nicht gleichermaßen dankbar sein: Sie haben den Papst in Watte gewickelt, und niemand kann ihn treffen. Seit dem März 1875 haben wir die italienische Regierung auf die Gefahren aufmerksam gemacht, die das Gesetz über die Garantien des Heiligen Stuhles für die anderen Mächte enthält. Die Frage ist offen geblieben."

Ich: „Sie werden wissen, daß ich dieses Gesetz bei seiner Diskussion im Parlamente bekämpfte."

Nachdem wir noch einige Ideen von geringerer Wichtigkeit ausgetauscht hatten, verabschiedeten wir uns in herzlicher Weise mit einem „Auf Wiedersehen".

22. Immediatbericht: Die Frage eines verfassungsmäßigen Initiativrechts des Kaisers in der Reichsgesetzgebung (Ausfertigung) W 6c, 84 f., Nr. 93.

Berlin, den 3. Oktober 1877.

Ew. M. verfehle ich nicht das vom Vorstande des Zentralverbandes deutscher Industrieller zur Beförderung und Wahrung nationaler Arbeit unter dem 12. Juli d. J. an Allerhöchstdieselben gerichtete Immediatgesuch, betreffend die Lage und die Bedürfnisse der vaterländischen Industrie, dem Allerhöchsten Befehle vom 6. August d. J. gemäß mit nachstehendem ehrfurchtsvollen Berichte allerunt. zurückzureichen.

Die Wünsche der Bittsteller gehen dahin, daß

1. sofort eine Enquete über die Lage und die Bedürfnisse der vaterländischen Industrie unter Zuziehung von Fachmännern angeordnet werde,
2. vor dem Abschlusse dieser Enquete neue Handelsverträge nicht abgeschlossen, neue Zollermäßigungen nicht angeordnet, neue Gesetze über das Gewerbewesen nicht erlassen,
3. die bis zum 31. Dezember 1876 in Kraft gewesenen Zollsätze, unter Vorbehalt ihrer Revision nach dem Ausfall der Enquete, wieder eingeführt werden.

Der Inhalt der Petition begründet die Annahme, daß die Bittsteller sich nicht ausschließlich an Ew. M. als Kaiser, sondern gleichzeitig an Ew. M. als König von Preußen gewendet haben. Es ist in der Petition ausdrücklich, und zwar in erster Linie auf die Staatsregierung neben der Reichsregierung Bezug genommen und gebeten, daß Ew. M. „den Ministern" die Veranstaltung der Enquete anbefehlen möchten.

Jedenfalls dürfte nach dem Inhalte der vorgetragenen Wünsche die auf dieselben zu erlassende Entscheidung als eine Angelegenheit zu betrachten sein, welche nicht ausschließlich zur Kompetenz des Reichs gehört, sondern zugleich der Mitwirkung der preußischen Staatsregierung bedarf.

In betreff des ersten Wunsches würde zwar die Anordnung einer Enquete innerhalb Ew. M. Kaiserlichen Prärogativen liegen, aber die Ausführung dieser Anordnung würde, wenn Mittel dazu nicht verfügbar sind, doch der finanziellen Mitwirkung des Bundesrats und des Reichstags nicht entbehren können. Was den zweiten Punkt anlagt, so ist der Abschluß von Handelsverträgen vorbehaltlich der Genehmigung des Bundesrats und des Reichstags zweifellos ein Kaiserliches Recht.

Die Bitte, daß Ew. M. dieses verfassungsmäßige Recht, sowie das Recht zur Publikation neuer Gesetze über das Gewerbewesen, falls solche inzwischen zustande kämen, durch Zusagen vinkulieren und an Bedingungen knüpfen möchten, erscheint aber zur Berücksichtigung nicht als geeignet. Außerhalb der Kaiserlichen Prärogative liegt endlich die selbständige Erfüllung des dritten Antrages der Bittsteller, welcher auf das Zustandebringen eines Gesetzes zum Zwecke der Wiedereinführung früher gültig gewesener, durch Reichsgesetz aufgehobener, Zollsätze gerichtet ist. Meines ehrf. Erachtens darf Allerhöchstdenselben nicht zugemutet werden, Zusicherungen öffentlich und amtlich zu erteilen oder zu versagen, deren Erfüllung verfassungsmäßig von dem Zusammenwirken sämtlicher Faktoren der Gesetzgebung abhängt. Auch selbst Zusicherungen in dem Sinne zu erteilen, daß Ew. M. dahin wirken wollten, Gesetze in einer bestimmten Richtung herbeizuführen, ist ohne Mitwirkung des Preußischen Staatsministeriums untunlich, weil Allerhöchstdieselben keine legislativen Maßregeln im Reiche werden anregen oder versprechen wollen, für welche das Preußische Votum nicht vorher gesichert wäre.

Ew M. gestatte ich mir deshalb den ehrf. Antrag alleruntertänigst zu unterbreiten, daß Allerhöchstdieselben geruhen wollen, über die vorliegende Bittschrift den Bericht Ew. M. Preußischen Staatsministeriums zu befehlen.

23. Immediattelegramm: Zum Rücktritt des preußischen Innenministers Graf Friedrich zu Eulenburg (Entzifferung) W 6c, 86, Nr. 94.

Stolp, den 14. Oktober 1877.

Ich fand Graf Eulenburg vor drei Wochen sehr angegriffen und willens zurückzutreten. Vor acht Tagen nahm ich an, daß er Rücktritt aufgegeben. Differenz mit mir war nur wegen seiner zu liberalen Städteordnung, die er aufgab. Sein jetziger Schritt überrascht mich. Stelle ehrf. anheim, wenn er wirklich nicht mehr kann, was wahrscheinlich, ihm Urlaub zu geben und Minister Friedenthal interimistisch mit Stellvertretung zu beauftragen, Camphausen aber telegraphisch um Eröffnungsrede zu mahnen. Aus Graf Eulenburgs Ressort sind neue Vorlagen nicht beabsichtigt.

24. Schreiben an das Preußische Staatsministerium: Zur Frage der Errichtung eines gemeinschaftlichen Oberlandesgerichts in Bremen (Kanzleikonzept nach Entwurf Friedbergs) W 6c, 86 ff., Nr. 95.

Varzin, den 15. November 1877.

Der Herr Justizminister hat mir mittels des in Abschrift beigefügten Schreibens vom 28. v. M. — I.3790 — die Mitteilung gemacht, daß das Kgl. Staatsministerium in seiner Sitzung vom 18. Oktober d. J. die Frage: „ob in Verhandlungen mit Bremen eingetreten werden solle, welche zur Voraussetzung haben, daß Teile der Provinz Hannover abgezweigt werden, um ein gemeinschaftliches Oberlandesgericht mit dem Sitze in Bremen zu errichten",
beraten und dieselbe verneinen zu müssen geglaubt habe.
An diese Mitteilung ist die Bemerkung geknüpft, daß der Herr Justizminister „durch diese Entscheidung des Kgl. Staatsministeriums die früherhin ausgesprochenen Wünsche nach Einleitung kommissarischer Verhandlungen über den beabsichtigten Anschluß an die preußischen Justizorganisationen bis auf etwaige weitere Anregung von Bremen für erledigt erachten zu sollen glaube".
Wenn ich nun auch nicht gemeint bin, gegen diesen Beschluß des Kgl. Staatsministeriums als Mitglied desselben ein Separatvotum abzugeben, so halte ich mich dagegen in meiner Eigenschaft als Reichskanzler verpflichtet, dem Kgl. Staatsministerium nachstehende ganz ergebenste Bemerkungen zu unterbreiten:
Artikel 17 der Reichsverfassung überträgt dem Kaiser die Ueberwachung der Ausführung der Reichsgesetze in den einzelnen Bundesstaaten; aus diesem Recht des Kaisers ergibt sich für den Reichskanzler, welcher verfassungsmäßig die Verantwortlichkeit für die Kais. Anordnungen zu tragen hat, die korrelate Pflicht, überall, wo sich die Ausführung eines Reichsgesetzes in einer dem Inhalt oder der Absicht desselben widerstreitenden Sinn bemerkbar macht, eine Remedur dagegen seitens des Reichs nachzusuchen.
Diese Initiative für eine solche Remedur wird, weil sie ein Ausfluß des verfassungsmäßig dem Kaiser gewährten Rechtes der Ueberwachung ist, folgerichtig durch den Reichskanzler namens des Kaisers im Bundesrate selbständig ergriffen werden dürfen.
Diesen, wie ich annehmen darf, unbestreitbaren Rechtssatz auf den vorliegenden Fall angewendet, ergibt für den Reichskanzler die Pflicht, [a]einen bezüglich der Ausführung der Reichsjustizgesetze in Preußen

gefaßten Beschluß der Prüfung vom Standpunkte des Reiches zu unterziehen[a], um sich unter Umständen die Möglichkeit einer Remedur desselben durch das Reich und dessen Gesetzgebung offen zu halten.

Denn der Beschluß des Kgl. Staatsministeriums, obgleich derselbe zunächst eine Frage preußischer Justizorganisation regelt, beruht auf dem Grunde eines Reichsgesetzes und ist dazu bestimmt, ein solches zur Ausführung zu bringen; die Lösung dieser Aufgabe darf nicht lediglich aus dem Gesichtspunkt der Interessen der einzelnen Staaten gesucht, sondern muß in einer Weise vorgenommen werden, welche geeignet ist, gleichzeitig die Interessen der deutschen Gerichtsorganisation überhaupt zu fördern, jedenfalls eine solche nicht zu beeinträchtigen.

Das Gerichtsverfassungsgesetz vom 27. Januar d. J. faßt nun seinem ganzen Geiste und Inhalt nach die Gestaltung der Gerichtsverfassung und Rechtspflege nicht von dem Gesichtspunkt der Territorialgrenzen der Einzelstaaten auf, sondern ist nach Tendenz und Inhalt darauf gerichtet, das Ziel einer deutschen Gerichtsorganisation und deutschen Rechtspflege unabhängig von den Territorialgrenzen zu erreichen.

Darum geht gleich der vom Richteramt handelnde erste Titel in seinen Bestimmungen davon aus, daß die Landesgrenzen fortan keine Schranke für die Befähigung zum Richteramt im Deutschen Reich mehr sein sollen — *cfr.* die §§ 3, 4, 5 — darum sind ferner diese Schranken vollständig in den für die Rechtshilfe gegebenen Vorschriften — *cfr.* §§ 157, 169 — aufgegeben; und ganz insbesondere endlich stellen die über die Einrichtung der Oberlandesgerichte in dem achten Titel enthaltenen Satzungen Anforderungen auf, welche klar erkennen lassen, daß der Gesetzgeber die kleineren Bundesstaaten von Hause aus darauf hat anweisen wollen: bei der Bildung von Oberlandesgerichten sich an andere größere Staaten anzulehnen oder andere Gerichtsgemeinschaften einzugehen — *cfr.* die §§ 120, 123, 124. Denn innerhalb ihrer eigenen Territorialgrenzen sind sie bei der geringen Zahl ihrer Eingesessenen, der Beschränktheit ihrer Mittel außerstande, den Anforderungen, welche das Gerichtsverfassungsgesetz für die Einrichtung und Besetzung ordentlicher Oberlandesgerichte aufstellt, zu genügen. In dieser Lage befindet sich Bremen, und deshalb wird es als eine Aufgabe Preußens erachtet werden dürfen, die Gerichtsorganisationen in dem eigenen Lande nicht in einer Weise zu vollziehen, welche

---

a–a Eigenhändiger Einschub Bismarcks.

Bremen die Organisation in Gemäßheit des Gesetzes unausführbar machen oder doch wesentlich erschweren muß.
Eine solche Erwägung war es auch, welche mich schon im Jahre 1876 auf die von seiten Bremens gegebene Anregung bestimmte, in einem an den Herrn Justizminister gerichteten Schreiben vom 15. April die Wünsche Bremens auf eine Gerichtsgemeinschaft mit Preußen zu befürworten und demnächst noch einmal in meinem Schreiben vom 18. Februar d. J. darauf zurückzukommen, indem ich insbesondere auch die großen politischen Vorteile darzulegen suchte, welche ich von der Errichtung eines preußisch-bremischen Kondominatsgerichtes mit dem Sitze in Bremen für die Reichsinteressen hoffen zu dürfen glaubte.[33]
Diese meine Ueberzeugung ist durch die in dem Antwortschreiben des Herrn Justizministers vom 17. Mai dagegen geltend gemachten Gründe nicht erschüttert worden, vielmehr glaube ich noch heute, daß mindestens ein Eintreten auf die bremischerseits erbetenen kommissarischen Verhandlungen wohl angezeigt wäre.
Die freie und Hansestadt Bremen ist trotz der ihr nach Inhalt des Sitzungsprotokolles zum Vorwurf gemachten Sonderstellung, welche sie im Reich auf einigen Gebieten allerdings noch einnimmt, immerhin ein wichtiges, bundesfreundliches und darum sehr wohl zu beachtendes Glied im Deutschen Reiche, und [b]ihre Bedeutung als Mittelpunkt des Verkehrs der deutschen Länder an der untern Weser kann vom Standpunkte des Deutschen Reiches aus durch die territorialen Gränzen nicht beeinträchtigt werden, durch welche sie zur Zeit des Verfalles des Reiches von den ihr benachbarten Landen abgeschnitten worden ist[b].
Bezüglich der angeblich in der Provinz Hannover zu befürchtenden Verstimmung hat der Herr Minister für die landwirtschaftlichen Angelegenheiten m. E. zutreffend hervorgehoben, daß es sehr zweifelhaft ist, ob in Hannover in der Tat eine particularistische Stimmung in dem Maße vorherrscht, daß die Durchführung deutscher Reichsinstitutionen auf rein nationaler Grundlage dort Anstoß erregen sollte.
Das Kgl. Staatsministerium wolle, wie ich mir zu wiederholen erlaube, in dieser meiner Erklärung nicht den Ausdruck eines gegen den gefaßten Beschluß abgegebenen Separatvotums erblicken, sondern nur darin meinen Wunsch erkennen, bei demselben darüber keinen Zweifel bestehen zu lassen, daß ich mich durch jenen Beschluß in meiner Eigenschaft als Reichs-

---

[33] Vgl. auch Goldschmidt 169 f., 177 ff., 181 ff. und 184 ff.

b–b Eigenhändiger Zusatz Bismarcks.

kanzler nicht [c]dergestalt für gebunden erachte, daß ich dem gefaßten Beschluß gegenüber auf die Wahrung der deutschen Gesamtinteressen im Wege der Reichsgesetzgebung zu verzichten bereit wäre[c].

25. Erlaß an die Chefs der Reichsämter: Keine legislativen Vorarbeiten ohne ausdrückliche Ermächtigung des Reichskanzlers (Eigenhändige Umarbeitung eines Konzepts Tiedemanns) W 6c, 88 f., Nr. 96.

Varzin, den 23. November 1877.

Zur Herbeiführung eines gleichmäßigen Verfahrens bei der Vorbereitung der Entwürfe von Gesetzen und Verordnungen ersuche ich alle diejenigen obersten Reichsbehörden, für deren Wirksamkeit der Reichskanzler nach der Verfassung verantwortlich ist, u[nd] deren unmittelbare Leitung nach dem allerh[öchsten] Erlaß vom 12. August 1867 wegen Bildung des R[eichs] K[anzler]-Amtes dem Kanzler obliegt, die nachstehenden Bestimmungen bei jeder Einleitung legislativer Arbeiten zu beobachten.
Entwürfe von Gesetzen u[nd] Verordnungen sind niemals in Arbeit zu nehmen oder zu geben, bevor nicht meine Ermächtigung dazu schriftlich vorliegt. In jedem Falle, wo letztre beantragt wird, ist mir gleichzeitig eine schriftliche Darlegung der Bedürfnißfrage u[nd] der Grundsätze einzureichen, welche für den Entwurf als Richtschnur dienen sollen. Erst nachdem ich mein Einverständnis mit demselben erklärt habe, ist mit der Ausarbeitung des Entwurfs zu beginnen. Nach erfolgter Ausarbeitung ist derselbe mir wiederum vorzulegen, damit ich entweder meine definitive Genehmigung erteilen oder bestimmen kann, ob der Entwurf dem Preußischen Staatsministerium resp. einer andern Bundesregirung mitzutheilen ist. Mündliche oder schriftliche Verhandlungen mit andern Reichsbehörden, mit Bundesregirungen, mit einzelnen Ministern der letztern oder mit dem Bundesrathe u[nd] dessen Ausschüssen haben nur mit meiner schriftlichen generellen oder speciellen Ermächtigung stattzufinden.

---

c–c Eigenhändige Korrektur Bismarcks.

26. Diktat für Staatssekretär von Bülow: Ministerverantwortlichkeit auch gegenüber dem König (Reinschrift Graf Herbert Bismarck) W 6c, 89 f., Nr. 97.

Varzin, den 1. Dezember 1877.

Ew. Exz. Brief vom 30. v. M. habe ich mit verbindlichstem Danke erhalten: zu gleicher Zeit ging mir die anliegende Mitteilung des Präsidenten Herrmann zu. Ich bin mit den beiden in Herrmanns Abschiedsgesuch[34] hervorgehobenen Hauptpunkten, — wegen der Laienbeteiligung und der Gefahr, welche die Unfehlbarkeit in der evangelischen Kirche für den Bestand derselben hat, — ganz einverstanden. Sein letztes Argument, ob gegen Hoßbach disziplinarisch nicht zu verfahren ist, kann ich nicht beurteilen, — aber was Falks Stellung dazu anlangt, so sehe ich doch nicht ein, weshalb er nicht, anstatt auch zu gehen, lieber mit uns zusammen für angemessene Wiederbesetzung im Falle des Abschiedes von Herrmann sorgen will. Gegen die autokratischen Eingriffe des von Dompriestern geleiteten Allerhöchsten Herrn ist passiver Widerstand vielleicht indicierter als Abschiedsgesuche: es ist nach der Natur des Menschen nicht ungewöhnlich, wenn in dem Herrn mit dem Alter die Jugend-Eindrücke wieder lebendiger werden und er die Verfassungszustände, in denen wir jetzt leben, wieder vergißt. Die Aufgabe, zugleich gehorsamer Diener des Königs und konstitutioneller Minister zu sein, mit dem Bedürfnis einer Landtagsmajorität, ist an sich eine unmögliche. Die Höflichkeit hat bei uns die Tradition des absolutistischen Gehorsams der Minister erhalten; diese Fiktion ist aber doch nur durchführbar, wenn der Monarch sie mit Maßhaltung ausführt, — sonst gerät der Minister in eine unmögliche Procrustes-Streckung zwischen König und Land. Ist es nun, wenn die zulässige Grenze erreicht ist, richtig, die Situation mit einem Abschiedsgesuch zu durchschneiden? — ist es nicht richtiger, Königlichen Handbillets, Marginalien und Ansprachen, wenn sie unmögliches zumuten, passiven Widerstand, resp. ausdrückliche Ablehnung entgegenzusetzen? — Einfach zu erklären, „ich spiele nicht mehr mit", liegt menschlich näher

---

[34] Der Präsident des Evangelischen Oberkirchenrats hatte wegen des anhaltenden Widerstandes Wilhelms I. gegen die Reform der Kirchenverfassung am 26. 11. 1877 sein Abschiedsgesuch vom Juni 1877 erneuert. Kultusminister Falk fühlte sich Herrmann und den Reformern verbunden und war entschlossen, die Entlassung nicht gegenzuzeichnen. Das war jedoch fast gleichbedeutend mit seinem eigenen Rücktritt. Hiergegen wendet sich Bismarck.

bei empfindlichen Leuten, aber die Pflichten, die der Besitz des Amtes dem Lande gegenüber gibt, kommen dabei leicht zu kurz; dieselben so lange auszuüben, bis der König die Initiative zur Entlassung nimmt, ist man um deswillen nicht geneigt, weil man die Entlassung lieber nimmt, als sich geben läßt: aber ich weiß nicht, ob das System des Bleibens und Widerstrebens gegen unannehmbare Forderungen praktisch nicht weiter führt. Nur gehört dazu allerdings ein festes Zusammenhalten des Ministeriums; und der Mangel daran resp. die Personalbeziehungen zu Camphausen, die Ihr Brief erwähnt, haben wohl wesentlichen Anteil an Falks Auffassungen. Eine Konsolidierung des Ministeriums durch Neubildung wäre ja auf dem Wege einer Krisis dem Kabinett gegenüber noch leichter erreichbar wie ohne dieselbe; aber diese Krisis gerade über dogmatische Fragen herbeizuführen, hat für ihre Rückwirkung im Lande wesentliche Bedenken. Das Verständnis der wählenden Massen reicht zum richtigen Urteil auf diesem Gebiete nicht aus, und ich möchte Falk dringend bitten, daß er dieses Schlachtfeld nicht wählt, — wenigstens nicht so, wie es heute liegt. Wenn er jetzt seinen Abschied nimmt, so wird auf der ganzen Linie der Ultramontanen ein Triumphgeschrei anheben und laut proklamiert werden, er hätte den Mut verloren und sich von der Unmöglichkeit, die übernommene Aufgabe auszuführen, überzeugen müssen: „er wäre zerschellt am Felsen Petri!" Ich glaube das ja nicht; — wenn die von Falk als zwingend angesehenen Gründe aber auch noch klarer lägen, als sie es tun, so wird es ihm doch nie gelingen, der Lüge, welche von den Ultramontanen der ganzen Welt an seinen Rücktritt geknüpft und mit allen Mitteln verbreitet werden würde: „daß er die Flinte ins Korn würfe", wirksam entgegenzutreten: Es wird bei Freund und Feind nur wenige geben, die es würden verstehen können, resp. wollen, daß Falk wegen d i e s e s Dissensus mit Sr. M. seinen Posten verläßt. — Daß die Stellung des Gesamtministeriums dem Lande gegenüber, sowie im Landtage durch Falks Abschied wesentlich erschwert, ja vielleicht unmöglich gemacht wird, so wie die Sachen jetzt stehen, liegt auf der Hand.
Mich werden die Eigenmächtigkeiten des Kaisers in elsaß-lothringischen Sachen und die Konspirationen Moellers auf dem Kamarilla-Gebiet zunächst in Kampf mit Sr. M. bringen, indem ich mein schon im vorigen Jahre gestelltes Enthebungsgesuch von den Elsasser Geschäften erneuern werde.

27. Gespräch mit Friedberg und Lucius am 8. Dezember 1877 in Varzin
W 8, 239, Nr. 187 = Lucius 115 f.

Gestern in Gesellschaft von Exzellenz Friedberg, Chef des Reichsjustizamts, hier in Varzin angekommen. Bismarck frisch und sehr herzlich.

„Falk sollte sich nicht mit Herrmann[35] identifizieren, welcher in einer unbotmäßigen Weise seinen Abschied gefordert hat. Falk ist zu empfindlich; von der Kaiserin mißhandelt, gefällt er sich darin, verletzt zu sein. Wenn Falk geht, muß ich auch meinen Abschied fordern, um zu konstatieren, daß er nicht wegen einer Differenz mit mir geht. Ich würde aber ein Schreiben beilegen, welches das erklärt."

Friedberg deutete an: Bismarck könne alle ihm nötig erscheinenden Personal- und Organisationsänderungen durchsetzen, wenn er sie dem Kaiser in Form eines neuen Dienstreglements vorschlüge.

Bismarck: „Ich kann noch nicht einmal durchsetzen, daß er Eulenburg seinen definitiven Abschied gibt. Auf meinen Vorschlag, ihn an irgendeinen Hof als Gesandter zu versetzen, meinte Seine Majestät früher: ‚Das ist unmöglich, wenn ich denke, wie er sich mit mir nach Tisch unterhält, und denke, er macht es so mit dem Kaiser von Rußland oder Oesterreich — das ist nicht möglich.'

Hofmann hat mir in den letzten Monaten mehr Verdruß gemacht, wie alle übrigen Minister zusammen. Der schlimmste Gegner des Reichs ist der preußische Partikularismus. Die einflußreichsten Reichsämter müßten mit preußischen Ministerien verbunden sein. Der Vizekanzler muß preußischer Vizepräsident sein. Das Reichskanzleramt in seiner jetzigen Stellung muß eingehen. Wohin mit Hofmann, ist schwierig."

28. Schreiben an Staatssekretär von Bülow: Entwicklung der Reichsbehörden und preußischer Partikularismus (Konzept Tiedemann)[36] W 6c, 91 f., Nr. 100.

Vertraulich. Varzin, den 15. Dezember 1877.

Ew. Exz. würde ich sehr dankbar sein, wenn Sie die Güte haben wollten, in meinem Namen den Herren Ministern für Finanzen und Handel[37] gegenüber mündlich noch folgende Gesichtspunkte geltend zu machen: Die außerpreußischen Staaten werden aus dem Reichseisenbahngesetz ein

---

[35] Präsident des Evangelischen Oberkirchenrats.

[36] Von Bismarck eigenhändig umgearbeitet und erweitert. Eine Gegenüberstellung von Konzept und Neubearbeitung bei Goldschmidt, 192 ff., Nr. 38.

[37] Camphausen und Achenbach.

Schutzmittel gegen das Reich — eine *magna charta* für den Partikularismus — zu machen versuchen. Sie werden hierbei Bundesgenossen finden nicht nur in den vom Abg. Richter vertretenen großen Privateisenbahngesellschaften, sondern auch in der partikularistischen Richtung der einzelnen Regierungen, einschließlich der unsrigen, in ihrer Eigenschaft als Bahnbesitzer. Die Vertretung dieser Richtung innerhalb der Leitung der preußischen Bahnen beruht menschlich natürlich auf der jetzt bestehenden Personaltrennung beider Mächte, des Reiches und Preußens. Mein Bestreben ist, da ich den idealeren Versuch einer selbständigen Reichsentwicklung für gescheitert ansehe, die bisher nur in Sr. M. dem Kaiser und König und im Kanzler bestehenden Personalunion zwischen dem Reich und Preußen auch auf andere Ressorts nach Möglichkeit auszudehnen und namentlich auf dem Gebiet der Eisenbahnaufsicht preußische Organe tätig zu machen und deren Befugnisse reichsgesetzlich zu begründen. Daß die Leitung des Reichseisenbahnamts nicht mit der der preußischen Bahnen identifiziert werden konnte, hat sich als ein Fehler der bisherigen Organisation gezeigt. Die Richtigstellung der Situation erfordert, daß der preußische Eisenbahnminister entweder direkt oder durch einen Vertreter auf das Reichseisenbahnamt mit Ausnahme der richterlichen Attributiven desselben den leitenden Einfluß übe.

Neben der Steuerreform und der Fertigstellung der im militärischen Interesse erforderlichen Eisenbahnen an der Westgrenze gehört die Verwirklichung der Reichsverfassung bezüglich des Eisenbahnwesens zu denjenigen Fragen, von deren Lösung ich meinen dauernden Wiedereintritt in die Geschäfte abhängig machen muß. Wenn die Ausführung des auf diesen Gebieten für notwendig Erkannten nicht durch ausreichende und s p o n t a n e Mitwirkung aller in Preußen dazu kompetenten Organe sichergestellt werden kann, so werde ich zwar, wenn meine Gesundheit es irgend gestattet, zum nächsten Reichstage erscheinen, aber nur um die Gründe meines definitiven Rücktritts öffentlich darlegen zu können. Ich werde dabei natürlich die Schwierigkeiten unberührt lassen müssen, die mir durch Hofverhältnisse und durch unberufene Einflüsse auf allerh. Entschließungen erwachsen. Aber ich werde nicht verschweigen können, daß ich keine Aussicht zu haben glaube, für die Behandlung der oben erwähnten Fragen in Preußen das Maß freiwilliger Mitwirkung zu finden, ohne welches ihre Lösung nicht möglich ist, und daß ich deshalb bei geschwächten Kräften die fernere Mitarbeit an den Geschäften ablehne, weil ich mich unvermögend fühle, sie bezüglich wichtiger Fragen in die Wege zu leiten, auf denen ich die Verantwortlichkeit für die Gesamtleitung zu tragen bereit wäre.

Ew. Exz. ersuche ich ganz erg., von vorstehenden Andeutungen auch S. M. gelegentlich sprechen zu wollen, namentlich um die von der Kreuzzeitung gebrachte Lüge zu widerlegen, als ob ich die Entlassung von Hofbeamten Sr. M. je zugemutet hätte. Ich habe fast nur Feinde am Hof, aber deshalb werde ich die Ehrerbietung gegen meinen allergn. Herrn nicht verletzen. Die Hauptsache für mich ist, daß ich im Staatsministerium Kollegen finde, welche die Maßregeln, die für die Sicherheit und die Interessen Preußens und des Reichs notwendig sind, energisch und freiwillig fördern. Diese Förderung durch Bitten und Ueberreden zu gewinnen, dazu reichen meine Kräfte nicht aus, und wenn ich Beschlüsse in dem erstrebten Sinne erreiche, so unterbleibt die Ausführung wie in der Frage der westlichen Militäreisenbahnen. Mit meinem Namen aber für das Gegenteil meiner Bestrebungen öffentlich einzustehen, kann von mir nicht verlangt werden.

29. Privatschreiben an Bülow: Vertretung des Reichskanzlers (Reinschrift Graf Herbert Bismarck) W 6c, 92 f., Nr. 101 = Goldschmidt, 196 f., Nr. 39.

Varzin, den 15. Dezember 1877.

Ich gebe Ihnen, verehrter Freund, das beigehende Material der Auffassung meiner Zukunft[38] hin, indem ich von Ihrer freundschaftlichen Gesinnung hoffe, daß Sie es mit Vorsicht verwerten werden, und Sie bitte, das Schreiben von Tiedemanns Hand den Kollegen nicht zur Einsicht zu geben. Unter Vorsicht meine ich, daß es mir nicht lieb sein würde, die Sache jetzt zu einer plötzlichen Krisis, etwa mit Camphausen's Abschiedsgesuch zu treiben: ich würde es überhaupt lieber sehen, wenn die Verwirklichung der gewünschten Reformen von den jetzigen Kollegen in Angriff genommen werden würde; mir liegt nicht am Personenwechsel, sondern an der Sache, wenn diese aber nicht ausführbar ist, so will ich gehen. Was ich in dem Schreiben von Tiedemanns Hand nicht erwähnt habe, ist der Gedanke, daß die Vertretung des Reichskanzlers, abzüglich der auswärtigen Geschäfte, jederzeit mit der Vertretung des Ministerpräsidenten identisch sein muß: die Hauptfehler der Situation haben zum

[38] Gemeint ist das offizielle Schreiben an Bülow vom gleichen Tage, hier wiedergegeben als Nr. 28.

Teil darin ihren Ursprung, daß Delbrück das Reichskanzleramt unabhängig und divergierend von der preußischen Regierung entwickelt und diese Entwicklung zu weit getrieben hat; dadurch sind die preußischen und demnächst auch die anderen Staatsminister aus dem Bundesrat vertrieben, und der Bundesrat ist trockengelegt, weil er von seinen Mitgliedern ersten Ranges garnicht mehr besucht wird. Dieser fehlerhafte Gang ist wesentlich schädlicher geworden dadurch, daß mein Vorschlag, durch Camphausen vertreten zu werden, die allerh. Genehmigung nicht fand; der Vizepräsident des Staatsministeriums muß auch in den inneren Angelegenheiten des Reichs das Vizepräsidium führen. Hofmann ist dazu leider bei allem persönlichen Wohlwollen, welches ich für ihn habe, nicht gewichtig genug, und wir sollten suchen, eine andere annehmbare Stellung für ihn zu finden. Ich hoffe auch in dieser Beziehung auf ihren freundlichen Beistand, indem Sie mir suchen helfen, resp. S. M. auf den Gedanken vorbereiten. Die Hofkabale gegen mich ist ja im höchsten Maße erbitternd und aufreibend, aber ich kann dem Kaiser auf diesem äußerlich rein persönlichen Gebiet unmöglich eine Bedingung stellen, ohne sein und mein eigenes Gefühl für monarchische Stellung zu verletzen.

Daß Eulenburg nicht wieder eintritt [39], nehme ich als sicher an, denn bei aller persönlichen Freundschaft hat dessen Tätigkeit und Untätigkeit das Geschäft wesentlich ruiniert. Sind die Ideen des Kaisers darüber Ihnen bekannt? Der Ihrige v. Bismarck.

30. Schreiben an Rudolf von Bennigsen W 14/II, 890 f., Nr. 1578.

Varzin, 17. Dec. 1877.

Verehrter Herr Präsident

in der Hoffnung, daß es mir möglich sein werde, mich an den Verhandlungen des bevorstehenden Reichstages eingehend zu betheiligen, beschäftige ich mich mit Plänen zu Vorlagen und Erörterungen, für welche ich die allerhöchste Ermächtigung erbitten möchte. Bevor ich dieses Stadium einer kanzlerischen Initiative amtlich beschreite, würde ich es dankbar erkennen, wenn Sie mir Gelegenheit geben wollten, meine Pläne nach Inhalt und Form mit Ihnen mündlich zu besprechen. Es handelt sich dabei um die

[39] Das offizielle Abschiedsgesuch des Innenministers erfolgte am 23. März 1878.

formale Möglichkeit der Vertretung des Reichskanzlers, die vielleicht nicht ohne Verfassungsänderung geschaffen werden kann, und um einige Modificationen in der Eintheilung der Reichsämter und ihrer Beziehung zu Preußischen Ministerien. Die jetzige durch die mächtige Persönlichkeit von Delbrück ins Leben gerufene Praxis, führte zu Delbrücks Zeit unüberwindliche Frictionen beider Elemente, später und jetzt, die Gefahr der Trockenlegung von Reich und Bundesrath durch den Particularstaat Preußen herbei. Ich suche das Heilmittel in Ausdehnung des Systems der Personal-Union, wie sie bisher im Monarchen, im Kanzler, im Kriegsminister und im Auswärtigen besteht. Wie Kanzler und Minister-Präsident, so sollte auch die Vertretung beider identisch sein. Neben diesem Thema habe ich das Bedürfniß, vor Schluß der nächsten Reichstagssitzung Klarheit über die Zukunft einer Zoll- und Steuer-Reform zu erlangen, und aus der falschen Stellung erlöst zu werden, in der ich mich bezüglich der Eisenbahnfrage zwischen Verfassung und Wirklichkeit befinde.
Ueber alle diese Fragen und ihre Consequenzen möchte ich mich mit Ihnen besprechen, bevor ich Sr. Majestät gegenüber bestimmte und schriftliche Aeußerungen thue; nicht in der Meinung und mit der Zumuthung, mir durch Ihren hervorragenden Einfluß im Reichstage sichre Bürgschaften für die Stimmung der Mehrheit zu schaffen, sondern um Ihren persönlichen Rath über Umfang, Form und Behandlung des Unternehmens zu erbitten. Die Gleichheit der Ziele die wir erstreben und der Hingebung mit der wir beide seit Jahren an ihrer Erreichung arbeiten, ermuthigt mich zu der Hoffnung, daß Sie eine Winterreise nach schwerer Landtagsarbeit auf sich nehmen, und mir in diesen Tagen die Ehre Ihres Besuchs zu gewähren geneigt sein wollen. In freundschaftlicher Verehrung der Ihrige.

31. Privatschreiben an Bülow: Die Friktionen von Reichs- und preußischen Behörden (Reinschrift Graf Herbert Bismarck)

W 6c, 94 ff., Nr. 103 = Goldschmidt 209 ff., Nr. 42.

Geheim. Varzin, den 21. Dezember 1877.

Verehrter Freund!
Mit verbindlichstem Danke habe ich Ihre Mitteilungen vom 18. und 19. cr. erhalten, und Sie werden den Fluch der guten Tat daran erkennen, daß Sie fortdauernde Bitten und Zumutungen gebiert. Mit derselben gewandten Vorsicht, mit der Sie dem Patienten die bisherigen Dosen

beigebracht haben, ohne ihn zu erzürnen, möchte ich Sie bitten, auf Grund nachstehender Erwägung die Behandlung desselben weiter übernehmen zu wollen.

Ich gehe nach der Reihenfolge Ihrer gütigen Mitteilungen vom 18.

Camphausen klagt über die Last des Vice, ohne das *beneficium* des Einflusses; hat denn nicht ein Preußischer Finanzminister an sich mehr Einfluß als ein Ministerpräsident? Letzterer hat die Last der Geschäfte und in keinem Ressort etwas zu sagen, nur zu bitten — kein Anstellungsrecht — kaum für Kanzleidiener — und eine Abhängigkeit und Ueberwachung von oben, wie kein anderer Minister. Einfluß habe ich höchstens im Auslande, wo Camphausen ihn nicht erstrebt: wenn letzterer zugibt, daß er sich durch sieben Jahre meines Vertrauens erfreut habe, so ist das richtig; ich aber habe das seinige nicht immer besessen; ich erinnere nur an die Städteordnung in der letzten Ministersitzung.

In bezug auf Falk bin ich ganz derselben Ansicht wie Camphausen, selbst bezüglich der evtl. Nachfolger; aber es bleibt immer eine Kalamität und ein papistischer Sieg, wenn Falk durch die Hof- und Domkabale ausgedrängt und nervös gemacht wird.

Ein neuer Handelsminister wird kaum nötig sein, wenn man das Ressort teilt und zunächst ein selbständiges Preußisches Eisenbahn-Ministerium schafft.

Der kritische Punkt der Gegenwart ist die Frage des Finanzprogramms. Da ist es eine vollständige Umkehr der Begriffe, wenn der Finanzminister von dem Präsidenten ein Programm für das Finanzressort erwartet, nach dessen Prüfung er sich die Kritik vorbehalten will; umgekehrt liegt die positive Leistung, die Herstellung eines diskutierbaren Programms dem Ressortminister ob. Ich bin als Präsident nicht berufen, Finanzprogramme zu erfinden oder zu vertreten, sondern nur dafür verantwortlich, daß der Posten des Finanzministers in einer der Gesamtpolitik des Ministeriums entsprechenden Weise besetzt sei und versehen werde. Der Beruf, Finanzprogramme selbst zu entwerfen und auf ihre Ausführung zu verzichten oder zurückzutreten, wenn der Finanzminister ihnen nicht zustimmt, liegt mir nicht ob. Das Mißverständnis, als ob derartiges zu meinen Aufgaben gehörte, entsteht vielleicht aus unrichtiger Behandlung und Auffassung der Reichsverhältnisse; es liegt ihm wohl die unrichtige Supposition zugrunde, als ob der Reichskanzler ein mit dem Preußischen konkurrierender Reichsfinanzminister wäre. Diese Vorstellung hat sich dadurch gebildet, daß Delbrück, wie C. mit Recht sagt, zuviel aus dem Reichskanzleramt gemacht hat, und zwar nicht zum Schaden Preußens, sondern zum Schaden des Reiches, dem er die Mitwirkung der Preußischen Minister entfremdet hat. Letztere fühlen sich zu gut, um selbst im Bundesrate mitzuarbeiten: die Präsenzlisten geben ein betrübendes Zeugnis dafür; sie lassen lieber die Reichseinrichtungen in Verfall geraten und ziehen die „schöne und unabhängige Stellung" eines Preußischen Ressortministers so ausschließlich in Betracht, daß die nationale deutsche Sache daneben nicht zur Erwägung kommt. Warum geht es mit der Doppelstellung des Preußischen Kriegsministers so gut und so glatt? Sachlich erscheint sie mir schwieriger noch als die der anderen Ressorts, und Roon war auch kein leicht zu lebender [!] Charakter. Sollte die nationale Gesinnung unserer Generale schärfer ausgeprägt sein als die unserer altkonstitutionellen Minister? Wenn unsere Preußischen Minister, die es doch bequemer haben, als die Bayrischen und Württembergischen, nicht zu vornehm wären, um sich selbst an den Reichsverhandlungen zu beteiligen, wenn sie nicht von Grund ihres Herzens aus Partikularisten wären, so würde Delbrück das Reichskanzleramt nicht zu einer Schöpfung haben aufblasen können, die weder verfassungsmäßig noch politisch möglich ist. Weder neben noch über dem Preußischen Staatsministerium hat ein derartiges anspruchsvolles Gebilde Platz; es kann nur die Friktion und Ressortrivalitäten verdoppeln, anstatt daß in dem Sinne, wie ich die Verfassung ursprünglich meinte, die Bundesratssitzungen in erster Linie preußische Ministerialsitzungen in nationaler Richtung, erweitert durch die Beteiligung andrer deutscher Minister, hätten werden sollen — gleichviel ob der Schwerpunkt gelegentlich mehr in die Ausschüsse oder mehr in das Plenum gelegt worden wäre. Zu einem Reichsfinanzministerium im Sinne des Preußischen fehlen dem Reichskanzleramt die Arbeitskräfte, wie schon der Vergleich der Kopfzahl beider Behörden ergibt. Der Gedanke, daß die Finanzabteilung des Kaisers, ohne verantwortliche Mitwirkung des Finanzministeriums desselben Herrn als Königs, Finanzvorlagen und Reformen herstellen würde, in bezug auf welche nicht nur der Bundesrat und der Reichstag, sondern auch das erwähnte Königl. Finanzministerium des Kaisers die Aufgabe der Kritik hätten, lag nicht in der Verfassung. Der Reichskanzler und sein „Amt" sind Beamte der Exekutiv-Gewalt des Reichs; ihre Mitwirkung bei der Legislative beschränkt sich nach Maßgabe der ihrem hohen Vollmachtgeber, dem Deutschen Kaiser, durch die Reichsverfassung beigelegten Rechte: die Frage, ob für den Jahresbedarf des Reiches Steuern auszuschreiben sind und welche, und wie die bestehenden zu reformieren sind, ist nach Artikel 69 und 70 der Verfassung keine dem Reichskanzler zugewiesene, und ich habe das, was in dieser Beziehung besteht oder mangelt, wohl als Preußischer Bevollmächtigter zum Bundesrate mit zu vertreten, aber nicht als Reichskanzler. Auch daß ich stimmführendes Mitglied des Bundesrates bin, legt mir für Finanzprogramme so wenig wie für andre Fragen eine andre Verantwortlichkeit auf als den übrigen Preußischen Staatsministern, durch deren Gesamtbeschluß die Abstimmungen und Anträge Preußens im Bundesrat geregelt werden. Nur der betreffende Ressortminister, also in diesem Falle der Finanzminister, wird für Finanzvorlagen ein höheres Maß von Verantwortlichkeit vor dem Reichstage zu tragen haben als seine Kollegen. Als Kanzler habe ich mich darauf zu beschränken, nach Artikel 70 am Schluß die Matrikularbeiträge, welche erforderlich sind, auszuschreiben; als Preußischer Ministerpräsident aber glaube ich, dafür verantwortlich zu sein, daß Preußen einen Finanzminister hat, der sich der Reichsfinanzen mit dem Bewußtsein annimmt, daß ihm in erster Linie unter allen Mitgliedern des Bundesrats die Verantwortlichkeit für dieselben obliegt, und namentlich die Herbeiführung derartiger Beschlüsse des Bundesrats auf dem Wege preußischer Anträge in betreff der Reichsfinanzen, wie sie Artikel 7 Nr. 1 der Reichsverfassung im Auge hat: Aufgabe des Reichskanzlers wird es dann sein, nach Artikel 15 die Geschäfte im Bundesrate bei den Beschlüssen über diesen Antrag zu leiten.

Ich glaube, wenn C. sich diese Situation vergegenwärtigt und dabei zugibt, daß wir 50 Millionen Mark mehr brauchen — wie ich glaubte auch wohl 100, was indessen nur er sachlich und amtlich beurteilen kann — so kann er darüber nicht zweifelhaft sein, daß es seine Aufgabe und nicht meine ist, ein Finanzreformprogramm vorzulegen und dasselbe verantwortlich vor dem Reichstage zu vertreten: daß ich ihm dabei, wenn ich gesund bin, nach Kräften assistieren werde, ist selbstverständlich, und um so mehr, wenn ich ihn etwa bei kollegialischer Verhandlung über seine Absichten zu Modifikationen seiner Vorschläge zu bewegen hätte. Sobald ich seine Reformpläne kenne, wird mein Votum über dieselben von dem Entgegenkommen geleitet sein, welches seine Sachkunde und mein kollegialisches Gefühl bedingen. Wenn aber ein solches Programm gar nicht oder nicht rechtzeitig zur Vorlage kommen sollte, so werde ich entweder den Ablauf meines Urlaubs ohne Beteiligung am Reichstage abwarten oder mich vor dem Reichstage unter Darlegung meiner vorstehenden Auffassung auf die Rolle beschränken, die Artikel 70 dem Reichskanzler zuweist.

[a] Ich muß für heut schließen, aber ich fürchte, die Fortsetzung wird folgen. — Frohes Fest wünschend der Ihrige von Bismarck.

---

a Von hier ab eigenhändig.

Vielleicht könnten Sie mir, etwa durch Holstein oder Tiedemann, eine Abschrift des Obigen machen lassen, damit ich mich bei Fortsetzung nicht wiederhole und Bennigsen gegenüber, der mich besuchen wird [40], den Faden genau festhalte.

32. Schreiben an Staatsminister Achenbach: Zur Frage des Eisenbahngesetzes (Abschrift) W 6c, 96, Nr. 104.

Varzin, den 23. Dezember 1877.

Mit verbindlichstem Danke habe ich Ihr gefälliges Schreiben vom 20. cr. heute erhalten.

Mit Rücksicht auf die im Reichseisenbahnamt vorhandenen Materialien gebe ich mich der Hoffnung hin, daß es möglich sein werde, einen Eisenbahngesetz-Entwurf rechtzeitig fertig zu stellen, um so mehr als eine alle Eventualitäten vorhandene [!] Fassung bei der Verhandlung, deren Gegenstand der Entwurf im Preußischen Staatsministerium sein wird, von Ew. Exz. immer noch nachgeholt werden kann. Auch ist es ja nicht erforderlich, daß der Entwurf am Tage der Eröffnung des Reichstages fertig sei, wenn er nur als Kontrolle und eventuell als Ersatz des erwarteten sächsischen Entwurfes dienen soll. Den Wortlaut des letzteren bin ich leider nicht imstande Ew. Exz. mitzuteilen. Wegen der vom Reich aufzustellenden Minimalforderungen habe ich volles Vertrauen zu den Vorschlägen, die Ew. Exz. der Herr Unterstaatssekretär Maybach machen wird, da ich mich mit letzterem zur Zeit seines Vorsitzes im Reichseisenbahnamt stets in voller Uebereinstimmung befand und meine Ansprüche im Sinne des Reiches keinesfalls weitergehen als die damals von Herrn Maybach vertretenen.

Wenn die von Ew. Exz. im Landtage vertretenen Bestrebungen wegen Ausdehnung des preußischen Staatsbahnnetzes von der „Staatsregierung“ nicht ernstlich und erfolgreich unterstützt werden sollten, so würde für mich darin eine der Erwägungen liegen, welche mich an der Fortsetzung

---

[40] Bismarck verhandelte nach der Einladung vom 17. Dezember am 26. bis 28. Dezember 1877 mit Bennigsen über dessen Eintritt in die Regierung. Er scheiterte dann an den Forderungen des nationalliberalen Parteiführers und an der ablehnenden Haltung Wilhelms I.

meiner amtlichen Tätigkeit hindern werden, und ich bitte Ew. Exz. in dieser Richtung, solange ich überhaupt Minister bleibe, und selbst wenn ich es nicht mehr wäre, meiner vollen und rückhaltlosen Unterstützung versichert zu sein. Ich würde weder als Minister, noch als Mitglied einer der parlamentarischen Versammlungen mit einer Regierung gehen können, welche in dieser Beziehung andere Wege einschlüge.

In gleichem Maße entscheidend ist aber für meine Stellung zur Regierung und für meine fernere Wirksamkeit als ein Mitglied derselben die Frage der schleunigen Herstellung derjenigen militärischen Bahnlinien im Westen, welche für die Schnelligkeit des Aufmarsches unserer Streitkräfte im Falle des Bedarfs von Wichtigkeit sind. Aus einer neuerlichen Mitteilung der militärischen Autoritäten habe ich ersehen, daß diese Angelegenheit, welche ich in diesem Frühjahr für geregelt hielt, seitdem ihrer Erledigung nicht näher getreten ist; ich bin durch diese Wahrnehmung in der Ueberzeugung bestärkt worden, daß ich auf die Vorgänge im Preußischen Staate nicht den Einfluß zu üben vermag, dessen ich m. E. bedarf, wenn ich die Verantwortlichkeit für unsere Gesamtpolitik und namentlich für die auswärtige tragen soll. Ich würde Ew. Exz. für eine Aufklärung und eine Beruhigung über diesen mit unserer Verteidigungsfähigkeit im Westen so eng zusammenhängenden Punkt um so dankbarer sein, als ich nicht glaube, meine amtliche Tätigkeit definitiv wieder aufnehmen zu können, wenn mir in dieser für die Sicherheit des Landes so wichtigen Frage nicht die Beruhigung zuteil wird, deren ich bedarf.

33. Schreiben an den Vizepräsidenten des Staatsministeriums Camphausen: Finanzielle Stärkung des Reiches (Konzept Graf Herbert Bismarck)

W 6c, 97 f., Nr. 105 = Goldschmidt 216 f., Nr. 45.

Varzin, den 31. Dezember 1877.

Ew. pp. geneigtes Schreiben vom 29. d. M. habe ich mit verbindlichstem Danke erhalten. Die darin in Aussicht genommenen Steuervorlagen werde ich, wie jede Vermehrung der eigenen Reichseinnahmen, als einen Uebergang zum Besseren gern willkommen heißen, würde das aber bei jeder noch weitergehenden Vorlage im höheren Maße tun. Die jetzt beabsichtigte Steigerung der Einnahmen des Reichs ist meiner Ansicht nach nicht ausreichend für die Möglichkeit, eine Erleichterung in direkten Steuern resp. ihre partielle Ueberweisung an die Provinzen eintreten zu lassen.

Ich glaube auch, daß im Reichstage eine größere und weitergehende Maßregel in der Richtung einer umfassenderen Steuerreform mehr Aussicht auf Erfolg haben würde; ohne mich deshalb dafür auszusprechen, daß wir lieber gar nichts als wenig fordern sollten!

Bei der Biersteuer scheint es mir für die zukünftige Entwicklung derselben richtig, den bayrischen Steuermodus einzuführen, wie das schon im Jahre 1873 erwogen wurde; eine Beibehaltung des bestehenden Steuermodus würde, um zur Gleichheit des Verfahrens in ganz Deutschland zu gelangen, in kurzem eine abermalige Aenderung notwendig machen.

Bei der Kürze der Zeit halte ich es für dringend wichtig, die Allerhöchste Genehmigung zur Stellung eines preußischen Antrages auf Vermehrung der Reichseinnahmen ohne Verzug einzuholen, damit der Bundesrat noch v o r Zusammentritt des Reichstages darüber verhandeln kann. Ich werde natürlich, solange ich preußischer Minister bin, jeden preußischen Antrag nach allen Kräften mitvertreten und halte nur die Vorbereitung neuer Finanzgesetze durch den Reichskanzler nicht für den geeigneten Weg; die zur Herstellung von Finanz- und Zollgesetzen erforderlichen Arbeitskräfte und Erfahrungen sind notwendig im Königlichen Finanzministerium in viel ausgedehnterem Maße vorhanden als in den unter dem Reichskanzler stehenden Ressorts; deshalb kann i c h derartige Ausarbeitungen nicht übernehmen, und halte das bisher in dieser Richtung beobachtete System dem Geiste der Reichsverfassung nicht entsprechend.

Das Ziel, welches ich als preußischer Minister des Deutschen Kaisers erstrebe, geht allerdings über eine Abminderung der Matrikularbeiträge um etwa 30 Prozent wesentlich hinaus: Zur Konsolidation des Reiches ist es meines Erachtens nützlich, die Reichseinnahmen nach Möglichkeit so hoch zu treiben, daß das Reich nach der Matrikel herauszahlt, anstatt zu fordern. [a] Jeden Fortschritt in dieser Richtung begrüße ich als eine willkommene Abschlagszahlung, wenn auch das genannte Ziel damit noch nicht erreicht wird [a].

a–a Eigenhändige Korrekturen Bismarcks.

34. Immediatbericht: Begleitschreiben zum Entwurf des Stellvertretungsgesetzes (Ausfertigung) W 6c, 98 f., Nr. 106.

Varzin, den 15. Januar 1878.

Die Verfassung des Deutschen Reichs erfordert im Artikel 17 zu den im Namen des Reichs zu erlassenden „Anordnungen und Verfügungen des Kaisers" die Gegenzeichnung des Reichskanzlers und überträgt dem letzteren dabei die Verantwortlichkeit für dieselben.
Hierdurch ist dem Reichskanzler verfassungsmäßig die Stellung als des einzigen, Kaiser und Reich verantwortlichen Reichsministers zugewiesen und damit die verantwortliche Leitung aller Reichsangelegenheiten, welche in der Kaiserlichen Regierungsgewalt Ew. M. liegen, übertragen, gleichviel welchem Geschäftsressort diese Angelegenheiten angehören.
In Ausführung dieses der Verfassung zugrunde liegenden staatsrechtlichen Prinzips haben viele einzelne Reichsgesetze dem Reichskanzler eine Reihe verschiedenartiger Obliegenheiten noch besonders übertragen.
Der Kreis dieser an die persönliche Leitung des Reichskanzlers geknüpften Obliegenheiten ist mit der Entwicklung des Reichs und seiner Gesetzgebung von Jahr zu Jahr größer geworden, und er wird sich auch in Zukunft immer mehr, und zwar in dem Maße erweitern, als die fortschreitende Stärkung des Reichs und die mit dieser Hand in Hand gehende Stärkung der Kaiserlichen Rechte an Ausdehnung gewinnen wird.
Damit tritt aber an die Gesetzgebung des Reichs die Notwendigkeit heran: Fürsorge dafür zu treffen, daß auch in Fällen einer persönlichen Verhinderung des Reichskanzlers zur Wahrnehmung seines Amtes die ihm übertragene Leitung der Reichsgeschäfte dennoch im geregelten Gang erhalten bleibe und eine Störung in der geordneten Ausübung der Kaiserlichen Regierungsrechte verhütet werde.
Die Zulässigkeit einer Vertretung des Reichskanzlers durch einen anderen ist bezüglich der Gegenzeichnung Allerhöchster Anordnungen in der Verfassungsurkunde nicht ausdrücklich ausgesprochen und bei Gelegenheit des von Ew. M. mir im vorigen Jahre allergn. bewilligten Urlaubs im Reichstag sogar ausdrücklich bestritten worden. (Stenographische Verhandlungen über die Sitzung vom 13. April, S. 420.)
Wenn nun auch die Praxis der verflossenen Jahre eine Anzahl von Fällen aufweist, in welchen Allerhöchste Anordnungen durch andere Reichsbeamte kontrasigniert worden sind, so muß doch anerkannt werden, daß die Zulässigkeit einer vollen Vertretung des Reichskanzlers nach den Bestimmungen der Verfassungsurkunde gewichtigen Bedenken unterliegt. Da

aber die Gewalt der Tatsachen auf die Notwendigkeit hinweist, gesetzlich die unbestrittene und auf Grund der Verfassung nicht bestreitbare Möglichkeit einer solchen Stellvertretung zu bieten, so wird die Gesetzgebung sich nicht länger der Aufgabe entziehen können, die erforderliche Abhilfe zu schaffen.

Der in der Anlage ehrfurchtsvoll überreichte Gesetzentwurf, betreffend die Stellvertretung des Reichskanzlers, will diese Abhilfe herbeiführen.

Er schließt sich an einen in der Reichsgesetzgebung bereits vorhandenen Vorgang, nämlich an das Bankgesetz vom 14. März 1875, Gesetzblatt Seite 177, an, welches in seinem § 26 lautet:

„Die dem Reiche zustehende Leitung der Bank wird vom Reichskanzler und unter diesem von dem Reichsbankdirektorium ausgeübt. In Behinderungsfällen des Reichskanzlers wird die Leitung durch einen vom Kaiser hierfür ernannten Stellvertreter wahrgenommen."

Dort ist also bereits, und zwar für einen sehr wichtigen Zweig der Leitung des Reichskanzlers, die Zulässigkeit seiner Stellvertretung gesetzlich anerkannt, und es ist somit nur ein organisches Fortschreiten auf dem Wege eines gesetzgeberischen Ausbaues des Verfassungsrechts, wenn der vorliegende Gesetzentwurf die Möglichkeit einer Vertretung des Reichskanzlers für Fälle der Behinderung desselben in der Gesamtheit seiner Obliegenheiten oder in den einzelnen Amtszweigen seines Kanzleramts einführt.

Dabei läßt der Gesetzentwurf die dem Reichskanzler durch Artikel 15 der Verfassung erteilte Befugnis: „sich im Vorsitz des Bundesrats und in der Leitung der Geschäfte durch jedes andere Mitglied vermöge schriftlicher Substitution vertreten zu lassen", unberührt, bestimmt aber, damit der notwendige Zusammenhang des Reichskanzlers mit dem Bundesrat auch in seinen Vertretern gewahrt und erkennbar bleibe, daß die von Ew. M. zu wählenden Stellvertreter nur aus dem Schoße des Bundesrats selbst hervorgehen dürfen.

Ew. M. bitte ich alleruntertänigst, durch huldreiche Vollziehung des anliegenden Erlasses mich zur Vorlage des Gesetzentwurfes, zu welchem ich mich der Zustimmung des Staatsministeriums vergewissert habe, an den Bundesrat [41] in Gnaden ermächtigen zu wollen.

---

[41] Der Entwurf wurde am 25. Januar 1878 dem Bundesrat vorgelegt und von diesem am 21. Februar mit Einschränkungen — Stellvertretung nicht für diejenigen Ämter, deren Geschäfte vorwiegend unter Aufsicht der Bundesstaaten stehen — angenommen. Die erste Lesung im Reichstag fand am 5. März 1878 statt (vgl. Nr. 47 dieses Bandes).

35. Immediatbericht: Zur Reorganisation des Reichskanzleramtes und der obersten Reichsbehörden (Konzept Tiedemann mit zahlreichen Korrekturen Bismarcks) Goldschmidt, 222 ff., Nr. 49.

Varzin, 22. Januar 1878.

Bisher durch Krankheit verhindert, vermag ich erst heute über die Reform in der Organisation der Reichsbehörden zu berichten, welche ich mir in meinem ehrfurchtsvollen Schreiben vom 30. v. Mts. als wünschenswert anzudeuten erlaubte.

Der Umfang der Reichsgeschäfte, welche die Tätigkeit des Kanzlers in Anspruch nehmen, war bei der Begründung des Norddeutschen Bundes ein sehr geringer im Vergleich mit dem jetzigen. Es lag damals nahe und war jedenfalls tunlich, die Gesamtheit der Geschäfte, welche 1867 dem Reichskanzler oblagen, unter dessen Leitung von einer einheitlichen Behörde, dem Reichskanzleramte, bearbeiten zu lassen. Die letztere war, wie E. M. aus dem . . . beigefügten Ministerial-Votum vom 18. Juni 1867 . . . entnehmen wollen, als eine Behörde von verhältnismäßig geringem Umfange und als eng verbunden mit E. M. preußische Ministerium gedacht. Der Umstand, daß das Präsidium dieser Behörde von einer so bedeutenden Persönlichkeit, wie der Minister Delbrück, übernommen wurde, führte tatsächlich und von Jahr zu Jahr mehr zur Verstärkung des Gewichtes derselben gegenüber den übrigen, zur Mitwirkung berufenen Elementen, namentlich den preußischen Ministerien. Die eminente Tatkraft des ersten Präsidenten des Reichskanzleramtes trug nicht minder wie die fortschreitende Entwicklung aller Reichsinstitutionen dazu bei, den Geschäftskreis des Reichskanzleramtes weit über das vorher in Aussicht genommene Maß auszudehnen. Das Zusammenhalten aller Geschäfte des Reichs unter der sachkundigen Leitung des Ministers Delbrück hat die Begründung der Entwicklung organischer Reichsinstitutionen wesentlich gefördert, die Pflanzschule gewährt, in welcher die Heranbildung der einzelnen obersten Reichsämter und ihres Personals ermöglicht wurde, und ist zugleich, wie ich annehme, das Mittel gewesen, den schöpferischen Arbeiten, welche zur Herstellung und Schulung der Organe des Reiches erforderlich waren, die schwer zu ersetzende Kraft des Ministers Delbrück so lange, wie geschehen, zu erhalten. Der Überzeugung aber, daß diese Phase in der Fortbildung der Reichsinstitutionen durch ein einheitliches und zentrales Reichskanzleramt nach den bestehenden Verhältnissen des Deutschen Reichs eine Grenze finden werde, an welcher sie durch ein anderes System zu ersetzen sei, habe ich mich seit Jahren nicht verschließen können. Für eine so mächtige Zentralbehörde, wie das Reichskanzleramt bei dauernder Zusammenhaltung werden mußte, ist in unsern deutschen Verhältnissen weder neben noch über den Landesregierungen, und namentlich der preußischen ein Platz vorhanden. Ein alle staatlichen Geschäfte des Reiches umfassendes Reichskanzleramt hätte nur dann eine Zukunft haben können, wenn es möglich wäre, ihm eine verfügende Stellung über sämtlichen Landesregierungen verfassungsmäßig zu gewinnen. Das liegt aber weder in dem ursprünglichen Gedanken der Bundes- und der deutschen Reichseinrichtungen, noch halte ich es für tatsächlich durchführbar. Ein als Zentralbehörde organisiertes Reichsministerium, welches als vorgesetzte Behörde Verfügungen an das preußische, bayrische, sächsische Staatsministerium im regelmäßigen, laufenden Dienst erlassen sollte, würde kaum für die kleinsten unter den Bundesstaaten eine annehmbare Einrichtung sein. Sollte aber das Reichskanzleramt als zentrales Reichsministerium nicht über, sondern neben den größeren Landesministerien fungieren, so wie es in der Tat teilweise und annähernd in den letzten Jahren der Fall gewesen ist, so würde es nur zu dem sehr verwickelten Räderwerk der deutschen Reichsmaschine noch ein die Bewegung aller übrigen kreuzendes Rad hinzufügen und dadurch die Friktion steigern und den Geschäftsbetrieb erschweren.

Das Reichskanzleramt in der Gestalt eines zentralisierten Reichsministeriums mit dem unabweislichen Streben, seinen Einfluß auf die ihm nicht untergeordneten Landesregierungen zu üben und zu verstärken, hat schon bisher periodisch in sehr fühlbarer Weise die Wirkung gehabt, daß die Minister der größeren Bundesstaaten und namentlich E. M. preußische Minister nur selten und mit Zurückhaltung an den Arbeiten des Bundesrates teilnahmen. Sie wurden davon und durch das nicht unnatürliche Widerstreben abgehalten, sich dem Vorsitze und der Führung des jüngeren Kollegen unterzuordnen, welcher im Besitze der Geschäftsleitung des Reichskanzleramtes, der Ausschüsse und des Bundesrats sich befand. Die Mitgliedschaft des Bundesrats ist zwar als Titel von E. M. höheren Beamten mit Vorliebe erstrebt, aber die Ausübung der damit verbundenen Funktionen in der Regel auf das Notdürftigste beschränkt worden. Die Beteiligung an den Arbeiten des Reiches verfiel in unseren ministeriellen Kreisen mehr und mehr der Kategorie derjenigen Dienstleistungen, zu welcher in militärischen Kreisen von unten auf berufen wird. E. M. preußische Minister haben es vorgezogen, ihre Tätigkeit auf das von ihnen in voller Unabhängigkeit beherrschte Gebiet des eigenen Ressorts zu konzentrieren, und ihre Haltung war, wie ich das menschlich erklärlich finde, dem Reiche gegenüber mehr eine abwehrende, auf Erhaltung der Unabhängigkeit des eigenen preußischen Ressorts gerichtete, mit anderen Worten: eine partikularistische, der Erstarkung des Deutschen Reiches abgeneigte geworden. Darunter leidet das Reich als eine neuere, noch wenig eingewurzelte von einer eigenen Regierungsgewalt nicht getragene und von sämtlichen partikularistischen Elementen ohnehin bekämpfte Staatenbildung; das Reich wird trocken gelegt, und zwar wesentlich dadurch, daß E. M. Kaisertum von den Kräften der Königlichen Regierung E. M. in der Regel nicht unterstützt, nicht selten durch aktiven und passiven Widerstand gehemmt wird. Ich brauche nur an die Eisenbahnfrage zu erinnern. Es ist nicht meine Absicht, damit eine Anklage gegen E. M. preußische Minister zu erheben. Ich suche die Schuld vielmehr in der Lage der Reichsinstitutionen, welche so beschaffen sein sollten, daß Kämpfe mit den bestehenden und berechtigten partikularistischen Kräften überhaupt vermindert, diejenigen mit dem Preußischen Staatsministerium aber nach Möglichkeit ganz aus der Welt geschafft würden. Dazu ist m. E. eine Rückkehr zu den engeren Beziehungen der Reichsbehörden zu Ew. M. preußischen Ministerium erforderlich, wie sie ursprünglich nach Einführung der Verfassung des Norddeutschen Bundes vorhanden war. Dieselbe ist in dem Kampfe zwischen einer gesondert gedachten Reichsministerialgewalt einerseits und dem hergebrachten Machtbesitz des Preußischen Staatsministeriums andererseits verloren gegangen. Beide staatlichen Organisationen haben schließlich, anstatt gemeinschaftlich zu wirken, rivalisierend sich gegenseitig Macht und Einfluß abzukämpfen und vorzuenthalten gesucht. Dieser Kampf wird solange fortdauern, als in dem Deutschen Reiche, abgesehen von allen kleineren zwei große ministerielle Behörden nebeneinander bestehen, von denen die eine, die preußische, im realen Vollbesitz der Regierung über die 25 Millionen Deutsche sich befindet, die andere aber eine ideale Regierungsgewalt über 40 Millionen Deutsche erstrebt und der bestehenden preußischen Regierung den Besitzstand abzugewinnen sucht. Das Streben nach Ausdehnung der Herrschaft wird in dem Reichskanzleramte nach unsern amtlichen Traditionen und Gewohnheiten niemals erlöschen, solange dasselbe seinen Namen und seine Organisation eines zentralen Reichsministeriums mit den sich daran knüpfenden Ansprüchen behält. Die letzteren mögen zeitweise schlummern, sie werden stets von neuem erwachen, sobald eine zu ihrer Durchführung geeignete Persönlichkeit Präsident des Reichskanzleramtes wird. Die Abhilfe liegt m. E. nur in der vollständigen Zerlegung dieser Behörde in einzelne Reichsämter. Der Anfang, welchen E. M. seit mehreren Jahren durch Herstellung der bestehenden Reichsämter gemacht haben, hat eine wesentliche Abhilfe gewährt, aber ich glaube auch, wenn bei dem Rücktritt des Ministers Delbrück andere Erwägung als die Rücksicht auf seine Gesundheit mitgewirkt haben, dieselben vielleicht auf diesem Gebiete der Verkleinerung des von ihm beherrschten Kreises suchen zu sollen. Auch er hat sich vielleicht der Überzeugung nicht verschlossen, daß der bisherige Weg nicht bis zum Ziele gangbar bleiben werde, und daß eine weitere Aufteilung des von ihm präsidierten Reichskanzleramtes mit der Zeit notwendig werden würde.

Die einzelnen Reichsämter, wie das Generalpostamt, das Reichsjustizamt und ähnliche, stehen nicht mit dem Anspruche einer ministeriellen und zentralen Reichsregierung den Landesregierungen gegenüber; sie sind in der Wahrnehmung ihrer Ressortgeschäfte für die Landesregierungen zugänglicher und auf Verständigung mit ihnen mehr angewiesen, wie eine der Abteilungen eines Reichsgesamtministeriums es sein kann, zu der keine andere Verbindung von außen her führt, als durch die Vermittlung des Präsidenten des Reichskanzleramts, der seinerseits das unsern Ministern natürliche Bestreben hat, fremde Einflüsse aus seiner Machtsphäre fern zu halten. Das Band, welches auch die Reichsämter in Gestalt der obersten Leitung des für sie alle verantwortlichen Kanzlers zusammenhält, ist wesentlich anderer Natur. Es berührt den laufenden Geschäftsgang der Reichsämter in der Regel nicht. Die Gesamtheit der dem Kanzler unterstellten Reichsämter bildet keine geschlossene Behörde, deren einzelne Abteilungen nur durch den gemeinsamen Chef zugänglich wären. Die Kontrolle des Reichskanzlers über die Reichsämter hindert die letzteren nicht daran, für sich und in Fühlung mit dem entsprechenden preußischen Ressort ihre Geschäfte wahrzunehmen. Der Reichskanzler kann niemals den Beruf haben, einzelne Ressorts in ihren Kämpfen um Macht und Einfluß speziell als die seinigen zu betrachten und zu vertreten, wie das für jeden Präsidenten des Reichskanzleramtes naheliegt. Der Reichskanzler, — und deshalb ist es indiziert, daß derselbe zugleich Preußischer Ministerpräsident ist — soll allen Ressorts gleichmäßig angehören, und seine Entschließungen niemals nach Ressortinteressen, sondern nur nach allgemeinen politischen Erwägungen fassen. Er ist deshalb nicht gleich dem Präsidenten des Reichskanzleramts der Versuchung ausgesetzt, irgendwelche, seiner Leitung speziell anvertraute Geschäftszweige gewissermaßen unter persönlichen Verschluß zu nehmen und im Interesse eigener Macht und Kompetenz die nützlichen Beziehungen und die erforderliche freie Bewegung der Spezialressorts hemmend zu kontrollieren.

Meine Arbeitskraft reicht noch nicht aus, alle Erwägungsgründe, welche für die weitere Zerlegung des Reichskanzleramtes sprechen, darzulegen und zu beleuchten, und ich kann nur ... bitten, daß E. M. meinem Urteile ... vertrauen wollen, wenn ich auf Grund zehnjähriger Erfahrung und Beobachtung des Ganges der Geschäfte die Überzeugung ausspreche, daß das Reichskanzleramt und die Triebkraft, welche der Minister Delbrück demselben eingeflößt hatte, für die Ausbildung der Reichsinstitutionen einen nützlichen und unentbehrlichen Durchgang gebildet hat, daß aber diese Behörde und insbesondere auch ihr zu Mißverständnissen Anlaß gebender Name gegenwärtig aus den Reichsinstitutionen verschwinden und zwei neuen, selbständigen Reichsämtern, einem Reichsschatzamte für die Finanzen und einem Verwaltungsamte für die übrigen Geschäfte, Platz machen sollte. Dem Reichsverwaltungsamt würde der Geschäftskreis zuzuweisen sein, welcher in Preußen dem Ressort des Ministeriums des Innern entsprach, bevor aus demselben das Kultus-, das Handels- und das Landwirtschaftsministerium ausgesondert wurden. Ob später ein eigenes Handelsamt daraus hervorgehen soll, kann künftiger Überlegung vorbehalten bleiben.

Als das hauptsächlichste Bedürfnis sehe ich für jetzt die Herstellung einer abgesonderten Reichsfinanzverwaltung in Gestalt des Reichsschatzamtes an, damit dieses Amt durch seine Unabhängigkeit von dem Verbande des Reichskanzleramtes in den Stand gesetzt werde, sich dauernd und regelmäßig in geschäftlicher Fühlung mit E. M. preußischem Finanzminister zu halten. Wenn das Aufsuchen dieser Fühlung bisher nur durch Vermittlung des Präsidenten des Reichskanzleramtes formell gestattet war, so konnte die dringend notwendige Übereinstimmung zwischen der Finanzpolitik Preußens und des Reiches nur durch ministerielle Verhandlung zwischen zwei gleichberechtigten Chefs gewonnen werden. Bedeutende Ergebnisse sind auf diesem Wege nicht erreicht worden. Die Verantwortlichkeit für dieses negative Resultat fällt schließlich keiner der beiden Finanzverwaltungen, sondern ungerechter Weise dem Reichskanzler zu, der angemessene Finanzgesetze nicht hat vorlegen können, weil zur Ausarbeitung solcher nur der preußische Finanzminister nach den ursprünglichen Intentionen der Verfassung den Beruf und nur dieser auch die erforderlichen, sachkundigen Arbeitskräfte zur Verfügung hat. Daß letztere im Reichskanzleramte fehlen, ist natürlich, weil das Reich keine eigene Zoll- und Steuerverwaltung besitzt, dieselbe vielmehr in den Händen des preußischen Finanzministers liegt. Wir brauchen meines ... Dafürhaltens notwendig eine gründliche Reform unseres Zoll- und Steuerwesens und vor allem sehr viel größere Erträge des letzteren. Wir sind in dieser Beziehung hinter allen anderen großen Mächten zurückgeblieben. Für Vorbereitung dieser Reformen finden sich an keiner anderen Stelle die notwendigen, technischen Kräfte als nur in E. M. Finanzministerium. Nur von diesem können daher die notwendigen Vorarbeiten und Entwürfe geliefert werden, und wenn dies nicht geschieht, so erfordert die Gerechtigkeit, daß auch die Stelle, von der es hätte geschehen können, vor E. M. und vor dem Reiche die Verantwortlichkeit für das Unterbleiben trägt. Bisher fällt dieselbe formell auf den Kanzler; ich würde aber nicht im Stande sein, sie ohne öffentliche Darlegung des wirklichen Verhältnisses vor dem Reichstage der immer schwieriger werdenden Finanzlage gegenüber fernerhin zu tragen, wenn der Minister Camphausen sich nicht entschließt, der unabweislichen Reform der letzteren in viel umfänglicherer und energischerer Weise näher zu treten als bisher. Der schüchterne Anfang, den die geringe Erhöhung der Tabaksteuer auf dem Wege dieser Reform jetzt machen wird, ist ungenügend, wenn er nicht eben den Übergang zu großartigen, systematisch vorbereiteten Reformen bilden soll. Es ist nach den früheren Reichstagsverhandlungen nicht unwahrscheinlich, daß ein großes, einen Mehrertrag von mindestens über 100 Millionen Mark ins Auge fassendes Reformsystem mehr Aussicht auf Annahme im Reichstage haben würde als die jetzt beabsichtigte, bescheidene Vorlage, welcher ich nur in der Meinung zugestimmt habe, daß ein geringer Fortschritt besser ist als keiner.

Diese Erwägung gehört streng genommen nicht in die Motivierung der von mir bei E. M. zu beantragenden Umgestaltung der Reichsbehörden. Ich suche aber im Augenblick nur die letztere von verschiedenen Seiten zu beleuchten, noch nicht einen präzisierten Antrag zu E. M. Entscheidung zu stellen.

Um das eventuell einzurichtende Reichsschatzamt mit E. M. preußischem Finanzminister in engere Beziehung zu setzen, bedarf es nicht notwendig eines Aktes der Gesetzgebung, noch weniger einer Verfassungsveränderung. Eine der schwierigsten Aufgaben der inneren Reichspolitik war es von Hause aus ohne Zweifel, einen annehmbaren *modus vivendi* im Reiche zwischen dem Reichskanzler und E. M. Kriegsminister zu finden. E. M. wollen sich ... erinnern, daß ich, um diese Schwierigkeiten zu umgehen, ... den Antrag unterbreitete, bestimmen zu wollen, daß alle das Heerwesen berührenden Immediatberichte und -entwürfe neben der verfassungsmäßig notwendigen Unterschrift des Reichskanzlers auch die Unterschrift des Kriegsministers tragen sollten. Durch dieses einfache Mittel, welches die Sicherheit gewährte, daß die Vorlagen vom Kriegsminister geprüft und gebilligt waren, ist bewirkt worden, daß unter allen Ressorts, welche in E. M. preußischem Ministerium vertreten sind, dasjenige des Krieges von unerfreulichen Erörterungen und Auseinandersetzungen mit der Reichsgewalt am meisten freigeblieben ist. Der Kriegsminister ist der einzige preußische Minister, welcher den Geschäften seines Ressorts im Bundesrate jederzeit seine volle und förderliche Mitwirkung gern gewährt hat, und die militärische Seite der Reichseinrichtungen hat sich einer lebendigen und fortschreitenden Entwicklung und ungetrübter, kollegialischer Beziehungen zu den Organen des Reiches erfreut. Und doch war gerade das Ressort des Kriegsministeriums eines der schwierigsten, umfänglichsten und selbständigsten, und hatte in dem Feldmarschall Grafen Roon einen sehr streng auf seine Prärogativen haltenden Chef. Ich kann mich daher der Hoffnung nicht verschließen, daß auch auf dem Gebiete der Finanzverwaltung die Lähmung, welche das Ergebnis der Friktion ist, einem lebendigeren Zusammenwirken Platz machen würde, wenn das mit dem Kriegsminister in Übung befindliche System auch auf die Beziehungen des Reichskanzlers zum Preußischen Finanzminister Anwendung fände. Letzterer würde dann für alle an E. M. gelangenden Finanzvorlagen der notwendige Korreferent des Kanzlers sein.

Für die Erleichterung der Arbeitslast des Kanzlers wäre dabei zu wünschen, daß auch ein Teil der Kontrasignaturen in den laufenden Geschäften auf den Chef des Reichsschatzamtes abgebürdet werden könnte; hierzu aber ist ein Akt der Gesetzgebung notwendig und derselbe in dem von E. M. genehmigten Stellvertretungsgesetze mit inbegriffen. Sollte dieser Teil des Gesetzes aber im Bundesrate oder Reichstage keine Annahme finden, so würde das Korreferat des Preußischen Finanzministers auch ohne Mitwirkung der gesetzgebenden Körperschaften von E. M. eingerichtet werden können. Daß der Preußische Finanzminister unter Berichte und Verordnungen in Reichssachen seinen Namen neben den des Kanzlers setzt, kann von keiner Seite her auf Grund der Verfassung angefochten werden, sobald E. M. es genehm halten, und der Kanzler diese Einschränkung seiner verfassungsmäßigen Attributionen nicht nur akzeptiert, sondern selbst beantragt, der betreffende preußische Finanzminister aber auch ohne gesetzliche Verpflichtung dazu bereit ist, E. M. gegenüber die Mitverantwortlichkeit für die von ihm zu vollziehenden Vorlagen zu übernehmen. Es wäre dies eine Bedingung, die E. M. zweifellos in der Lage sind, . . . dero Finanzminister zu stellen.

Bei den in Aussicht zu nehmenden Organisationsänderungen wird nur insofern eine Mitwirkung der gesetzgebenden Körperschaften eintreten müssen, als es sich darum handelt, das Gehalt eines Staatssekretärs für das Schatzamt im Etatsgesetz zum Ansatz zu bringen. Ich war zu meinem Bedauern zur Zeit, als der Etat fertig gestellt werden mußte, nicht hinreichend bei Kräften, um E. M. die hierfür notwendigen Vorschläge unterbreiten zu können und hatte darauf gerechnet, daß dies im Wege mündlichen Vortrages geschehen könne. Meine neue Erkrankung hat mich daran gehindert, und jetzt würde, wenn E. M. geneigt wären, auf meine Anträge einzugehen, eine ... Verordnung, welche scheinbar absichtlich vermiede, durch einen entsprechenden Ansatz im Budget Gelegenheit zur parlamentarischen Diskussion zu geben, einen unerwünschten Eindruck im Reichstage machen. Ich möchte daher um die Erlaubnis bitten, falls E. M. im Prinzipe die oben erwähnte Änderung der Behörden billigen, vor Erlaß einer ... Verordnung die Ansichten des Bundesrates und des Reichstages zum Ausdruck gelangen zu lassen, und erst, nachdem dies geschehen, die Vorlegung eines kleinen Nachtragsetats genehmigen zu wollen ...

36. Schreiben an Bülow: Stellvertretung des Kanzlers, aber keine Gegenzeichnung. Finanzreform (Ausfertigung Tiedemann) Goldschmidt, 230 ff., Nr. 50.

Varzin, 24. Januar 1878.

Bei der Schwierigkeit, sich zwischen Berlin und hier über Textfragen zu verständigen, ziehe ich vor, auf die Wirkungen, die ich mit meinen Motiven beabsichtigte, einstweilen ganz zu verzichten, weil ich heute ohne den Text nicht ermessen kann, wieweit einzelne Ausdrücke vielleicht das Ziel überschießen...

Eine gemeinschaftliche Kontrasignatur des Kanzlers mit den höchsten Reichsbeamten ist von mir nicht beabsichtigt, und mein Ausdruck unrichtig gewählt, wenn er so verstanden werden kann. Ich habe nur Vertretung, nicht Gemeinsamkeit im Sinn, Vertretung allerdings in einzelnen Geschäftszweigen auch dann, wenn die Behinderung des Kanzlers keine totale ist, sondern nur durch das Übermaß der Geschäftslast eine partielle Abbürdung notwendig wird, beispielsweise bezüglich ³/₄ aller Kontrasignaturen für Elsaß-Lothringen oder eines großen Teils der Unterschriften im Verkehr mit dem Bundesrat und den Landesregierungen. Zu einer gemeinsamen Kontrasignatur bedarf es gar keines Gesetzes; durch die Unterschrift des Kanzlers wird der Verfassung genügt, und die zusätzliche Unterschrift eines zum Ressort des Kanzlers gehörigen Reichsbeamten ist ein *superfluum*, aber nicht verfassungswidrig. Sie macht kein Aktenstück ungültig.

Von preußischen Ministern ist in der ganzen Eventualskizze doch nur Camphausen berührt, und dieser nur in der Weise, daß neue Ehrenrechte und Machtbefugnisse in reichem Maße über ihn ausgeschüttet werden sollen. Er kann freilich sagen: *beneficia non obtruduntur*, aber das Stadium, indem er sich aussprechen kann, bleibt ihm unverkümmert, und wenn je, so handelt es sich hier in der Vertretung um eine Frage, die zunächst letzteren allein angeht. Die Frage, ob ich auf Camphausens Unterstützung in dem Maße wie ein Reichskanzler derjenigen des Preußischen Finanzministers bedarf, werde rechnen können, wird sich meiner Ansicht nach nicht auf dem Gebiet der Stellvertretung resp. Mitunterzeichnung, sondern auf dem der Finanzreform entscheiden. Entscheiden aber muß sie sich, mag es auf dem einen oder dem anderen Felde sein.

Wenn der Bundesrat die Vorlage amendierte, so würde ich deshalb nicht sehr unglücklich sein; die Möglichkeit einer vollen Stellvertretung im Krankheitsfalle kann er nicht ablehnen, und tut er es doch, so würde ich mich auf die Behauptung zurückziehen, daß dieselbe schon jetzt nach Art. 15 zulässig sei, wie die bisherige Praxis in *possessorio* entschieden habe. Deshalb eben stieß ich mich an der zu scharfen juristischen Präzision, mit der Friedberg in s e i n e n Motiven hingestellt hatte, daß j e t z t die Vertretung in den Attributionen von Art. 15 unmöglich sei. Wenn aber der Bundesrat nur die Detailvertretung behufs Geschäftserleichterung nicht zugeben will, so ließe sich das wohl ertragen und hätte den Nutzen, daß der Reichstag daraus ersieht, wo die Grenze des Erreichbaren liegt, und daß der Bundesrat sie enger zieht als der Kanzler.

Eine Herreise Friedbergs und mündliche Besprechung verspätet die Einbringung in den Bundesrat zu sehr, und, wenn ich mich mit ihm einige, so ist er dermaßen *pater dubiorum*, daß er bei der Ausführung doch noch wieder Anstände entdecken würde, namentlich, da er im Grunde ein etwas anderes Ziel erstrebt wie ich. Sie ersehen hieraus, daß Vorstehendes für ihn nicht bestimmt, sondern nur zwischen uns beiden gesagt ist.

Ich bin ganz zufrieden, wenn der Text des Gesetzes nur schnell in den Geschäftsgang kommt mit i r g e n d w e l c h e n Motiven, nur daß sie die Situation im Fall der Ablehnung nicht durch nachteilige Auslegung der Verfassung präjudizieren dürfen. v. Bismarck.

37. Schreiben an Hofmann: Zur Stellvertretungsfrage (Konzept Tiedemann)
W 6 c, 99 f., Nr. 108.

Varzin, den 30. Januar 1878.

Ew. pp. äußern in Ihrem gefälligen Schreiben vom gestrigen Tage, daß es als eine Zurücksetzung Ihrer Person aufgefaßt und zur Erschwerung Ihrer Stellung beitragen werde, wenn der Vizepräsident des Preuß. Staatsministeriums mit der Vollmacht zur Eröffnung des Reichstags betraut werden sollte. Ich vermag diese Anschauung nicht zu teilen. [a] Wenn bei solchen Gelegenheiten überhaupt persönliche Interessen neben oder gar vor den sachlichen geltend gemacht werden könnten [a], so wäre m. E. eher eine Zurücksetzung aller älteren Mitglieder des Preuß. Staatsministeriums darin zu finden, daß ihr jüngster Kollege bei einem feierlichen Staatsakte den Vortritt vor ihnen erhält [b] u[nd] an der Spitze des am Throne versammelten Bundesrathes erscheint, in welchem sie als Mitglieder figuriren [b]. Die Wechselbeziehungen zwischen dem Reiche und dem Preußischen Staate, [c] welche ursprünglich der Verfassung entsprechen, u[nd] welche wieder zu beleben ich als Aufgabe der Reichspolitik betrachte, bringen es mit sich, daß der politische Erfahrungsgrundsatz, nach welchem die Aufgaben des Reichskanzlers u[nd] des Preuß. Minister-Präsidenten in Einer Hand sein müssen, auch bei öffentlicher Vertretung des Kanzlers zum Ausdruck kommen, u[nd] daß daher der Vizepräsident des Staats-Min[isteriums] an der Spitze des Bundesraths erscheine [c].
Indem ich im übrigen auf meine, an Herrn von Bülow gerichteten Bemerkungen über die Eröffnung des Reichstags, welche Ihnen inzwischen mitgeteilt sein werden, Bezug zu nehmen mir erlaube, ersuche ich Ew. pp. ganz erg., Sr. M. einen Ordreentwurf unterbreiten zu wollen, durch welchen der Herr Vizepräsident des Staatsministeriums und in dessen etwaiger Verhinderung der älteste Staatsminister mit der Eröffnung des Reichstags beauftragt wird. [d] Ich bitte Ew. pp., überzeugt zu sein, daß ich sehr ungern Ihren Wünschen entgegentrete, u[nd] daß nur die Ueberzeugung von der Nothwendigkeit einer Aenderung in der politischen Richtung, welche zu der bestehenden Divergenz zwischen Preuß.- u[nd] Reichspolitik geführt hat, mir meine Ansicht als geboten erscheinen läßt [d].

---

a–a Eigenhändiger Zusatz Bismarcks.
b–b Eigenhändiger Zusatz Bismarcks.
c–c Eigenhändige Korrekturen Bismarcks.
d–d Eigenhändige Korrekturen Bismarcks.

38. Schreiben an Bülow: Zum Vorschlag einer Konferenz über die orientalische Frage (Diktat, Niederschrift Graf Herbert Bismarck) GP 2, 174 f., Nr. 305.

Varzin, 30. Januar 1878.

Ich habe heute nur Zeit zu wenigen Worten über die Károlyische Mitteilung. Ich weiß eigentlich nicht, auf was Károlyi möglichst schleunige Erwiderung von uns erwartet. Daß wir uns einer von Österreich mit dieser Lebhaftigkeit verlangten Konferenz nicht versagen werden, wenn sie sonst zustande kommt, ist doch wohl natürlich, und namentlich, nachdem Rußland sie annimmt. Alles andere aber können wir doch jetzt nicht präjudizieren. Wenn Österreich nicht die Konferenzbrücke sich zurechtlegt, um sich England zu nähern, so habe ich kein Verständnis für diesen Schachzug. Unter den konkreten Bedingungen scheint eigentlich nur die Ausdehnung und die Okkupation von Bulgarien in Wien für unannehmbar gehalten zu werden. Darin hätte Österreich seinen Willen bei festem ultimatischem Auftreten auch wohl allein, eventuell in Konferenz *à trois* mit uns bei Rußland durchsetzen können. Die ganze übrige Argumentation unseres Wiener Freundes macht mir einen entweder nervösen oder gekünstelten Eindruck. Es scheint mir nicht fraglich, daß Österreich, wenn es etwa zu der Zeit, wo die Russen vor Plewna Totleben zuzogen, die Bedingungen, die es den Russen konzedieren konnte, präzis und säbelklirrend formuliert hätte, sein Programm Rußland auferlegt haben würde. Auch jetzt noch wäre zu diesem Zweck ein Ultimatum und eine vorbereitende Rüstung wohl wirksamer gewesen als ein Konferenzvorschlag. Letzterer ist einstweilen gleichbedeutend mit Zeitgewinn für Rußland, und aus diesem Grunde vielleicht geeignet, den *casus foederis* von Reichstadt, den Zusammenbruch der Türkei, herbeizuführen.

Ich habe bisher immer vermutet gehabt, daß Österreich und Rußland im Grunde durch ein uns unbekanntes geheimes Abkommen über das Schlußresultat einig wären. Wenn in diesem *genre* garnichts als das elastische und unvollendete Reichstädter Abkommen, so wie es uns bekannt ist, von beiden vereinbart worden ist, so existiert zwischen beiden eine gewisse Summe fehlerhafter Politik, von der man noch nicht wissen kann, wie sie sich zwischen beiden verteilt. Sollten beide unaufrichtig, *au plus fin*, miteinander gespielt haben, — Österreich auflaufenlassend, Rußland brüskierend, so fürchte ich, daß Rußland schließlich der weniger Geschickte scheinen wird, denn im Grunde lag es in Rußlands Interesse, sich den Rücken zu sichern und die jetzige exponierte Stellung nicht einzunehmen, wenn es nicht Brief und Siegel mit voller Klarheit über Österreichs Wohlverhalten sich gesichert hatte. Rußland kann unmöglich darauf rechnen oder gerechnet haben, daß wir für jede von Rußland zu stellende, uns aber nicht vorher mitgeteilte Bedingung die Festhaltung Österreichs, eventuell mit gewaffneter Hand, übernehmen sollten. Wir würden dafür die Kräfte des Reiches nicht verfügbar finden. Wenn Österreich aber freie Hand hat und sich mit England einigt, wenn dann eine Konferenz den heutigen statum quo monatelang verschleppt, so kann der Kaiser Alexander doch zu der Überzeugung kommen müssen, daß er sehr tapfere Soldaten, aber mehr anspruchsvolle als geschickte Politiker in seinem Dienste hat.

Für uns ist meines Dafürhaltens gegenwärtig nichts zu tun als den Wiener Konferenzvorschlag freundlich anzunehmen, und dabei die Hoffnung auszusprechen, daß auf der Konferenz die für Österreich unannehmbaren Bedingungen bezüglich Bulgariens ihre freundschaftliche Erledigung finden werden. Daß Österreich in dem 10ten Alinea der Depesche Andrássys an Károlyi alles Übrige konzediert, spricht für seine *bona fides* und für das Ungeschick Gortschakows, der bei so weitem Entgegenkommen die Freundschaft nicht zu erhalten weiß.

Daß die Konferenz, wenn sie zustande kommt, in Wien gehalten werde, scheint mir unabweislich. Österreich wird versöhnlicher sein, wenn es diesen Ehrenpunkt durchsetzt, und das ist wohl der Grund, warum man in London vielleicht Berlin vorzieht. Wir sollten uns mit dieser Aufgabe nicht belasten. pp.

39. Telegramm an das Auswärtige Amt: Berlin nur als Konferenzort, wenn Österreich zustimmt (Entzifferung) GP 2, 184, Nr. 312.

Nr. 27 Varzin, den 4. Februar 1878.

Antwort auf Telegramm Nr. 59[42]. Ich würde Berlin als Konferenzort nicht gern sehen, nicht bloß meiner Gesundheit wegen, sondern auch weil wir dort mehr zur Parteinahme gedrängt werden; kann aber mit Annahme Berlins Verständigung zwischen Wien und St. Petersburg hergestellt werden, so bitte ich Seine Majestät doch zu genehmigen, daß

---

[42] Bülow hatte gemeldet, daß Gortschakow auf seinem Widerspruch gegen eine Konferenz in Wien beharre.

unsererseits kein Widerspruch erhoben werde, sobald Österreich freiwillig zugestimmt haben würde.

Bevor eine Konferenz möglich ist, muß das Material für sie vorliegen, wozu amtliche Mitteilung der neuesten russisch-türkischen Abmachungen [43] in erster Linie unentbehrlich. v. Bismarck.

40. Schreiben an Bülow: Erwägungen zur geplanten Orient-Konferenz (Diktat, Niederschrift Graf Herbert Bismarck) GP 2, 185 ff., Nr. 314.

Varzin, 6. Februar 1878.

Telegramm Nr. 67 [44] eben erhalten: Ich glaube, wie telegraphisch schon bemerkt, daß Graf Andrássy die Einladung der Pforte besser jetzt nicht berührt, sondern abwartet, ob von anderer Seite das Bedürfnis geltend gemacht wird. Zur Erleichterung der Verständigung unter den Europäern würde die Beteiligung der Türken kaum beitragen, und unsere Aufgabe bleibt die Erleichterung der Verständigung unter unseren Nachbarn. Aus demselben Grunde dürfte auch eine Beteiligung von Griechenland oder Rumänien abzulehnen sein. Rumänien ist für die Mächte außer Rußland noch nicht *sui juris*, und wegen seiner beßarabischen Schmerzen dürfen die großen Mächte, wenn sonst Einigung möglich, nicht in Unfrieden geraten.

Die Konferenz hätte im Grunde von den beiden Mächten berufen werden müssen, welche in Kasanlik Änderungen des europäischen Rechtes unter sich verabredet haben, um diese von den übrigen Kontrahenten sanktionieren zu lassen. Namentlich läge dies im Interesse Rußlands, weil es der gewinnende bei den Änderungen ist, und vorausgesetzt, daß ihm daran liegt, seinem Gewinn die europäische Zustimmung zu verschaffen: wenn Rußland damit zögert, so wird vielleicht die Pforte zur Erkenntnis des Interesses kommen, welches sie daran hat, zu versuchen, ob der europäische Areopag ihr vielleicht bessere Bedingungen verschafft. Jedenfalls kann nur eine der beiden kriegführenden Mächte, und im Grunde können nur

[43] Gemeint ist das sog. Adrianopeler Protokoll betr. Friedenspräliminarien vom 31. Januar 1878.

[44] Mitteilung Bülows, daß Graf Andrássy die Beteiligung der Türkei an der Konferenz für notwendig halte.

beide gemeinschaftlich den übrigen Mächten die Änderungen authentisch mitteilen, über welche sie sich in Kasanlik verständigt haben. Ohne eine solche Mitteilung fehlt einer allgemeinen Konferenz jede Unterlage ihrer Arbeiten, und es tritt dann die Gefahr ein, daß nur die Mächte in Konferenz miteinander bleiben, welche ein Interesse haben, eine bestimmte Grenze für russische Errungenschaften im Prinzip festzustellen. Unser Bestreben, Rußland gefällig zu sein, wird durch die Heimlichkeit, welche Rußland uns gegenüber beobachtet, sehr erschwert. Nicht daß in dem Bereiche der mutmaßlichen Abmachungen, wenn nur die Donauschiffahrt vom Meere aufwärts gesichert bleibt, eine mit deutschen Interessen unverträgliche Stipulation zu befürchten wäre: wohl aber fehlt uns jeder Maßstab zur Beurteilung des wahrscheinlichen Widerstandes der anderen Mächte, wenn wir die russisch-türkischen Präliminarien nicht kennen. Ich bin bis vorgestern überzeugt gewesen, daß der Waffenstillstand auf der Basis des militärischen status quo abgeschlossen worden sei. Seitdem aber lese ich in Zeitungen und sogar in englischen Parlamentsberichten, daß die Donaufestungen von den Türken geräumt werden. Dies ist meines Erachtens ein viel folgenschwereres Ereignis als eine temporäre Besitznahme Konstantinopels durch die Russen. Die Position am Bosporus wären sie wahrscheinlich jetzt nicht imstande gewesen zu gewinnen, auch wenn sie es gewollt hätten; keinenfalls aber hätten sie dieselbe ohne Beherrschung der See, mit dem beschwerlichen Landwege für Verpflegung und Munition gegen den Willen anderer Mächte halten können. Wenn sie aber die Donaufestungen und die Okkupation von Bulgarien bis Adrianopel haben, dann hängt es, solange sie diese Position besitzen, in jeder Woche von ihnen ab, ob sie Konstantinopel mit stärkeren Kräften, als sie jetzt dort haben, besetzen wollen. Die Übergabe der Donaufestungen erschwert meines Erachtens, wenn sie wahr ist, die Stellung Österreichs viel mehr, als der russische Vormarsch auf Konstantinopel es gekonnt hätte. Ich würde dann um so mehr glauben, daß Österreich den richtigen Moment des Eingreifens durch Besetzung von Bosnien, Serbien und etwa der kleinen Walachei versäumt hat.

Diese Betrachtungen sind indessen nicht unsere Aufgabe. Unsere jetzige Vorlage ist die Konferenzfrage. Ich nehme an, daß unsere Einwilligung zur Konferenz in Wien dort und den anderen Mächten mitgeteilt ist. Weigert sich Rußland, das Einverständnis Europas mit der österreichischen Einladung zu vervollständigen, so kommt die Konferenz in Wien in dem Sinne, daß wir daran teilnehmen könnten, natürlich nicht zustande; in einer Konferenz ohne Rußland würden Beschlüsse gegen Rußland gefaßt werden, zu deren Ausführung mitzuwirken wir keine Interessen haben. Gelingt es uns, eine Verständigung zwischen Österreich und Rußland über einen dritten Ort anzubahnen, so müssen wir meines Erachtens an einem solchen festhalten, wo alle großen Mächte Vertreter haben, welche zur Teilnahme an der Konferenz geeignet sind; wenn es nicht Wien ist, dann trotz der Unbequemlichkeit immerhin Berlin, eventuell auch Paris.

Eine Zusammenkunft der leitenden Minister aller beteiligten Mächte halte ich für ganz untunlich. Unter allen leitenden Ministern dürfte nur Fürst Gortschakow hinreichend unbeschäftigt sein, um sich wochen- oder monatelang im Auslande aufhalten zu können. Jeder Ort im Deutschen Reich außerhalb Berlin, und namentlich Dresden, ist für uns schon um deshalb unannehmbar, weil dabei die völkerrechtliche Stellung des Reiches mit sächsischen Partikularansprüchen in formellen Konflikt geraten würde. Vom Standpunkt des Deutschen Reichs ist es gleichgültig, ob die Konferenz in Dresden oder in Berlin ist; ein Ausländer kann auf deutschem Grund und Boden immer nicht präsidieren.

Diese Formfragen sind übrigens verfrüht, solange wir nicht wissen, ob die Konferenz, wenn man über den Ort einig ist, auch zusammentreten wird. Ich halte diese Frage nicht für entschieden, solange die russisch-türkischen Bedingungen nicht allseitig und öffentlich bekannt sind. Dieselben können so beschaffen sein, daß England und Österreich auf der Basis derselben nicht konferieren wollen, und für die Friedensaussicht wird es immer günstiger sein, diesen Punkt vorher klarzustellen, als zu erleben, daß die Konferenz sich sofort nach Ausschüttung der russischen Eröffnungen wieder trennt. Ohne Kenntnis der russisch-türkischen Abmachungen verstehe ich garnicht, mit welcher Wendung der Vorsitzende der Konferenz sie eröffnen wollte.

Ich glaube, es wird nützlich sein, wenn wir Österreich zunächst vertraulich darauf aufmerksam machen, daß die Frage, ob Rußland seine neuen Abmachungen authentisch mitteilen will, und was dieselben enthalten, fast noch wichtiger ist als die Ortsbestimmung.

In bezug auf letztere aber wird es sich empfehlen, daß *wir* keine Vermittlungsvorschläge machen; namentlich der von Berlin würde uns jedenfalls von anderen gebracht werden müssen. Auch der von Paris.

41. Schreiben an das Auswärtige Amt: Geneigtheit zu Vorbesprechungen über die Orient-Konferenz (Diktat, Niederschrift Graf Herbert Bismarck)

GP 2, 188 f., Nr. 316.

Varzin, 9. Februar 1878.

Auf Oubrils Mitteilung über Geneigtheit zu Vorbesprechungen *à trois* stelle ich anheim, den Inhalt des anliegenden Pro Memoria[45] an Graf Stolberg mitzuteilen, denselben zu ermächtigen, daß er sich an Besprechungen *à trois*, sobald sie von den b e i d e n anderen Regierungen gewünscht werden, vermittelnd beteilige, und ihn zu diesem Zwecke dahin zu instruieren, daß die russischen Wünsche keinen deutschen Interessen zuwiderliefen, — daß wir dies Rußland erklärt hätten und uns freuen würden, wenn zu Dreien der Modus gefunden werden könnte, mit welchem Österreich sowohl wie Rußland sich einverstanden erklärten. Könne Österreich auf die russischen Wünsche wenigstens teilweise eingehen, so würde auch das vielleicht zur Herstellung der Einigung führen können.
Ob Österreich das Ganze der russischen Wünsche annehmen kann, entzieht sich unserer Beurteilung: wir können Österreichs Interesse nicht besser verstehen wollen als Österreich selbst. Andere Mittel als die Hervorhebung der wohlerwogenen Interessen Österreichs zur Überredung anzuwenden, ist nicht unsere Aufgabe: Österreich selbst kann allein beurteilen, ob ein Bruch mit Rußland seinen Interessen weniger schädlich ist als die Konzessionen, die Rußland verlangt, und ob die Aussicht auf einen solchen Bruch Rußland bestimmt, seine Forderungen zu mindern.
Dies alles wird nur dem Sinne nach zu Stolbergs Information dienen können, ohne daß er den Wortlaut dem einen oder dem anderen zeigen dürfte. Jedenfalls aber können wir Oubril dann sagen, daß Graf Stolberg instruiert sein würde, sobald b e i d e Freunde *à trois* verhandeln wollten.

---

[45] Von Bülow vom 8. Februar 1878.

42. Aufzeichnung für die Gesandten der deutschen Bundesregierungen: Zum Um- und Ausbau der Reichsbehörden (Reinschrift Tiedemann)

W 6 c, 100 ff., Nr. 109.

Varzin, den 12. Februar 1878.

In dem ersten Entwurf einer Reichsverfassung, wie er dem ersten Reichstage des Norddeutschen Bundes vorgelegt wurde, war für den Bundeskanzler nicht der Umfang der Geschäfte und die verantwortliche Stellung in Aussicht genommen, welche Art. 17 der revidierten Verfassung dem Reichskanzler gegeben hat. Die Stellung des Bundeskanzlers sollte nach dem Entwurfe weder eine selbständige, noch eine verantwortliche sein; derselbe war in der Hauptsache als ein Organ der Präsidialmacht von den Instruktionen des preußischen Ministers der auswärtigen Angelegenheiten, resp. Ministerpräsidenten abhängig gemacht. In der dadurch bedingten Stellung sollte der Kanzler berechtigt sein, sich durch jedes Mitglied des Bundesrats vermittels schriftlicher Substitution vertreten zu lassen, analog der Praxis, wie sie am Bundestage für den Präsidialgesandten bestand. Nach den damaligen Verhandlungen und dem Wortlaute des jetzigen Art. 15 erscheint es nicht zweifelhaft, daß sich diese Substitutions-Befugnis nicht bloß auf den Vorsitz und die Leitung der Geschäfte *im Bundesrate*, sondern auf die Leitung aller nach dem damaligen Entwurfe dem Kanzler obliegenden Geschäfte bezog.

Die Stellung des Kanzlers wurde aber eine andere und bedeutendere, nachdem demselben durch Art. 17 der jetzigen Reichsverfassung die Uebernahme der Verantwortlichkeit für die Anordnungen und Verfügungen des Kaisers durch Gegenzeichnung derselben zugewiesen war. Durch diese tiefgreifende Abänderung des Verfassungs-Entwurfs wurde der Umfang der Geschäfte des Kanzlers wesentlich erweitert. Es fiel ihm notwendig diejenige Tätigkeit zu, welche nach dem ersten Entwurfe von dem ihm vorgesetzten Minister der Präsidialmacht behufs Instruierung des Kanzlers auszuüben gewesen sein würde, und aus der ihm übertragenen Gegenzeichnung folgte rechtlich eine noch bisher kaum genau begrenzte Ausdehnung des Geschäftskreises, dessen oberste Leitung ihm verfassungsmäßig obliegt. Für dieses durch Art. 17 der Verfassung dem Kanzler neu überwiesene Gebiet der oberen und selbständigen Geschäftsleitung enthält die Reichsverfassung keine ausdrückliche Bestimmung hinsichtlich einer Vertretung des Kanzlers, und es ist neuerlich bezweifelt worden, daß es berechtigt sei, die im Art. 15 ausgesprochene Substitutionsbefugnis auch auf den durch Art. 17 erweiterten Geschäftskreis des Kanzlers auszudehnen.

Die Schwierigkeiten, welche sich tatsächlich ergeben, wenn eine Vertretung des Kanzlers im Falle seiner Beurlaubung oder unbedingten Verhinderung verfassungsmäßig unmöglich ist, sprechen indes dafür, daß die Revision der Verfassung nicht die Absicht gehabt haben kann, die Möglichkeit einer Vertretung auszuschließen, und haben jedenfalls in der Praxis dahin geführt, daß die verflossenen Jahre eine nicht unerhebliche Anzahl von Fällen aufweisen, in welchen andere Reichsbeamte allerhöchste Anordnungen und Verfügungen gegengezeichnet haben; auch sind die letzteren in dieser Gestalt in die amtliche Verkündigung übergegangen. Die Gewohnheit, welche auf diesem Wege sich zu bilden begonnen hat, ist dadurch unterbrochen worden, daß die Zulässigkeit einer Vertretung des Kanzlers in der Kontrasignatur bei Gelegenheit des dem Reichskanzler im vorigen Jahre bewilligten Urlaubs im Reichstage ausdrücklich bestritten wurde. Aber selbst wenn eine solche auf einer nicht bestrittenen Auslegung der Verfassung beruhte, so würde doch das Bedürfnis einer Ergänzung der Verfassung vorliegen, weil jede Substitution in dem Rechte der konstitutionellen Gegenzeichnung Kais. Anordnungen nach ihrer staatsrechtlichen Bedeutung nur mit Genehmigung des Kaisers erfolgen sollte, der jetzige Wortlaut der Verfassung aber dem Kanzler ohne Mitwirkung des Kaisers die nach Art. 15 zulässige Substitution gestattet. Die Befugnisse, welche dem Kanzler in dem ersten Entwurf der Verfassung als einem Präsidialbeamten ohne selbständige Verantwortlichkeit übertragen wurden, konnten ohne Bedenken in der Form des Art. 15 durch schriftliche Substitution weiter übertragen werden; die Befugnis aber zur Gegenzeichnung allerhöchster Anordnungen unter Uebernahme der Verantwortlichkeit für dieselben dürfte ihrer staatsrechtlichen Natur nach nur mit ausdrücklich erklärter Genehmigung des Monarchen, auf dessen Ernennung das Recht zur Kontrasignatur beruht, übertragbar sein. Also auch in dem Falle, daß die Praxis der Gegenzeichnung durch andere Beamte wie den Kanzler aus dem Sinne oder dem Wortlaute der Verfassung gerechtfertigt werden kann, wird das Bedürfnis eines gesetzgeberischen Aktes insoweit unbestreitbar bleiben, als das Erfordernis der Kais. Genehmigung für die Kontrasignatur im Texte der Verfassung seinen zweifellosen Ausdruck bisher nicht findet. Ist aber die Meinung die richtigere, daß nach jetziger Lage der Verfassung die Vertretung des Reichskanzlers bezüglich der Gegenzeichnung ganz unzulässig ist, so erscheint um so mehr die ausdrückliche Herstellung der Zulässigkeit derselben als unabweisbares Bedürfnis. Auch bei einem geringeren Geschäftsumfange als dem des Reichskanzlers wird die Möglichkeit einer Vertretung im Falle der Behinderung unentbehrlich sein, wenn die Geschäfte nicht der Gefahr bedenklicher Stockung ausgesetzt werden oder Schwierigkeiten eintreten sollen, deren genau verfassungsmäßige Lösung unmöglich wird, sobald die Behinderung eine vollständige und unbedingte ist. Die Abwesenheit einer allseitig anerkannten Bestimmung hierüber erscheint als eine Lücke in der Reichsverfassung, deren Ausfüllung von dem Augenblicke an dringlich geworden ist, wo im Reichstage Zweifel über die bisher vorausgesetzte Zulässigkeit einer Vertretung des Kanzlers geltend gemacht worden sind. Solange dieselben nicht gehoben sind, würde, genau genommen, jede, auch vorübergehende Behinderung des Reichskanzlers seine Entlastung definitiv oder für die Zeit seiner Behinderung zur Folge haben müssen.

Wenn die vorstehenden Gründe dafür sprechen, daß für eine verfassungsmäßig unanfechtbare Vertretung des Kanzlers in dem gesamten Umfange seiner Geschäfte die unbestrittene und nach der Verfassung nicht bestreitbare Möglichkeit hergestellt wird, so will der jetzt eingebrachte Entwurf eines Stellvertretungsgesetzes außerdem auch für die Vertretung des Kanzlers in solchen partiellen Behinderungen, wie sie aus dem großen Umfange seiner Geschäfte hervorgehen, Abhilfe schaffen in Gestalt der Vertretung des Kanzlers für einzelne Zweige des Reichsdienstes. Es liegt in der Natur der Dinge und der geschäftlichen Vorbildung der Beamten, daß der jedesmalige Kanzler nicht für alle Zweige seines Geschäftsumfanges die gleiche Vorbildung und das gleiche Verständnis hat. Je nach dem Berufe, dem derselbe vor seinem Amtsantritte angehört hat, wird er genötigt sein, in den ihm ferner liegenden Ressorts den unmittelbaren Vorständen derselben dasjenige Maß freier Bewegung einzuräumen, auf welches spezielle Vorbildung und spezielle Sach- und Personalkenntnis den Anspruch geben. Ein Kanzler, dessen Vergangenheit ihn mit dem diplomatischen oder dem militärischen Dienste vorzugsweise vertraut gemacht hat, wird nicht immer mit gleicher Sicherheit eigene Entschließungen in Finanzfragen fassen wollen, wenn er auch diejenige Mitverantwortlichkeit für dieselben zu tragen hat, welche zur Erhaltung der notwendigen Einheit in der Gesamtpolitik des Reiches unentbehrlich ist. Es wird sich daher empfehlen und scheint der Billigkeit zu entsprechen, daß dem Reichskanzler die Möglichkeit gewährt werde, in den Zweigen der Reichsgeschäfte, welche er wegen des großen Umfanges der Gesamtheit oder wegen geringerer Vertrautheit mit der Spezialität zu übersehen sich nicht getraut, die Kais. Genehmigung dazu nachsuchen zu dürfen, daß der Leiter eines besonderen Ressorts durch gemeinschaftliche Unterzeichnung mit dem Kanzler sowohl dem Kaiser wie den gesetzgebenden Körperschaften gegenüber eine Mitverantwortlichkeit und für laufende Geschäfte nach Umständen auch die alleinige Verantwortlichkeit innerhalb bestimmter Grenzen übernehme.

43. Gespräch mit dem württembergischen Staatsminister von Mittnacht am 15. Februar 1878 in Berlin W 8, 244 f., Nr. 191 = Mittnacht 60 f.

Der Fürst, der am 14. Februar aus Varzin zurückgekehrt war, hatte mich auf den 15. zu Tisch geladen. Zunächst dankte er für mein an ihn gerichtetes Schreiben in der Stellvertretungsfrage, mit dessen Inhalt er ganz einverstanden sei. Bei Tisch sprach er in den abfälligsten Ausdrücken von der im Reichstag eingebrachten Interpellation in der orientalischen Frage. Er habe sich auf Anfrage gegen eine Interpellation ausgesprochen, da jeder Staat, von dem er sympathisch spreche, nur anspruchsvoller werde. Aus Fraktionseifersucht sei die Interpellation doch eingebracht worden. Man neige sich zu Baden als Konferenzort[46]*, es sei aber nicht an dem, was man anderwärts annehmen möchte, daß außerpreußischer deutscher Boden neutraler Boden sei. Rußland habe ursprünglich Berlin gewollt. Deutschland habe Wien akzeptiert. Wie wenig Dank man von Vermittlung ernte, führte der Fürst an Beispielen aus: Kaiser Nikolaus in Olmütz, wodurch eigentlich Preußen, das keinen Krieg habe führen können, ein Dienst geleistet worden sei, Haltung Oesterreichs im Krimkriege, Rüstungen Preußens für Oesterreich im italienischen Krieg, Intervention Napoleons 1866; damals habe er in einem Försterhause nach Eintreffen des Telegramms einen Hannibalseid geschworen, den er redlich gehalten habe.*

Darauf nahm mich der Fürst mit sich in sein Arbeitszimmer, um die Stellvertretungsvorlage zu besprechen. Er führte aus, ihm liege hauptsächlich am Vizekanzler, der ein Staatsmann und Vizepräsident des Preußischen Staatsministerium sein müsse und bei dessen Wahl er nicht auf Vorstände der Reichsbehörden beschränkt werden dürfe. Hätte man die Vorlage darauf beschränkt, er würde sie nicht zurückgezogen haben, wie er überhaupt im Falle des Scheiterns der Vorlage ruhig fortmachen würde wie bisher. Die besonderen Stellvertreter liegen ihm weniger am Herzen, sie werden vornehmlich von den Herren betrieben, welche selbständig werden möchten, eine Stellvertretung für Justiz sei ihm kein Bedürfnis, und Stephan zeichne schon jetzt zu viel. Gegen die Beschränkung der besonderen Stellvertretung auf Vorstände der Reichsbehörden habe er nichts zu erinnern. Absolut los werden wollte er die elsaß-lothringischen Sachen, man laufe da zu

[46] Für den in Aussicht genommenen Kongreß über die Regelung der orientalischen Frage, der dann vom 13. Juni bis 13. Juli 1878 als „Berliner Kongreß" in der Reichshauptstadt tagte.

hohen Damen, was schon zu peinlichen Erörterungen zwischen dem Kaiser und ihm geführt habe. Als Statthalter habe der Kaiser einen Fürsten einsetzen gewollt, wogegen er eingewendet habe, daß man dann den Kronprinzen wählen müßte. Daß die Beaufsichtigung gegenüber den Einzelstaaten von der Stellvertretung ausgeschlossen werde, billige er, und an dem Vorbehalt jeder Amtshandlung für den Reichskanzler solle man doch ja festhalten. Weiter sagte er, er beabsichtige vom Reichskanzleramte ein Reichsschatzamt abzutrennen und das erstere auf Verwaltungssachen zu beschränken. Delbrück habe im Reichskanzleramt alles bureaukratisch konzentriert, wodurch die Mittätigkeit der Bundesregierungen eingetrocknet worden sei. Darin müsse Wandel geschaffen werden. Dies habe Delbrück schließlich wohl selbst gefühlt und darum sich zurückgezogen, wenn er auch nur Gesundheitsrücksichten geltend gemacht habe. Als Vorstand des Reichsschatzamtes habe er Burchard in das Auge gefaßt.

Er, der Kanzler, wolle das Tabaksmonopol und einige Umkehr vom Freihandelsystem, wenn auch ohne Annahme des Schutzzollsystems. Wenn die Steuergesetze im Reichstag fallen, werde er sein Programm dem Kaiser, der zum Schutzzoll neige, entwickeln, nötigenfalls die Kabinettsfrage stellen. Vielleicht werde man dann zur Auflösung des Reichstags schreiten müssen. Ueber allem dem werde Camphausen gehen; derselbe sei im Grunde genommen ein preußischer Partikularist und ein Bureaukrat, habe aber einen liberalen Nimbus um sich verbreitet; er, der Kanzler, werde ihn nicht wegstoßen, aber fallen lassen. Schließlich klagte der Fürst noch darüber, daß er für seine Eisenbahnpläne so wenig Förderung bei den preußischen Ressortministern finde. Die Privatbahnen müssen von ihrer Position herunter.

44. Rede in der 6. Sitzung des Deutschen Reichstags am 19. Februar 1878

W 11, 520 ff. = Kohl 7, 80 ff.

Die Nationalliberalen hatten eine anfangs von Bismarck gewollte, dann ihm aber wegen des Scheiterns der Verhandlungen mit Bennigsen und der veränderten internationalen Lage durch den russischen Vormarsch auf dem Balkan nicht mehr genehme Interpellation über Deutschlands Haltung zur orientalischen Frage eingebracht. Bennigsen hatte deshalb auf Bismarcks Wunsch in seiner Rede die Notwendigkeit der Erhaltung Österreichs betont. In seiner Antwort betont nun der Kanzler die seit Oktober 1876 von Deutschland eingenommene Rolle des „ehrlichen Maklers“:

Ich bitte zuvörderst um die Nachsicht des Reichstages, wenn ich nicht imstande sein sollte, alles, was ich zu sagen habe, stehend zu sagen. Ich bin nicht so gesund, wie ich vielleicht aussehe.

Auf die Sache eingehend, kann ich nicht leugnen, daß ich beim ersten Anblick der Interpellation Zweifel gehabt habe, nicht ob ich sie überhaupt beantworten könnte — denn die Fragestellung läßt mir ja auch frei, sie mit Nein zu beantworten — aber ob ich nicht dieses Nein würde sagen müssen, nicht etwa, wie man gewöhnlich annimmt, weil ich besonders viel zu verschweigen hätte, durch dessen Offenbarung unsere Politik kompromittiert, in einer unerwünschten Weise gebunden werden könnte, sondern umgekehrt, weil ich, um freiwillig das Wort zu einer Eröffnung gegenüber der Vertretung des Reichs zu nehmen, eigentlich nicht genug zu sagen habe, was nicht schon öffentlich bekannt wäre.

Die Verhandlungen des englischen Parlaments haben ja die Beantwortung des einen Teils der Frage, nämlich, „welches die politische Lage im Orient augenblicklich sei", fast schon erschöpft. Wenn ich trotz der Armut, mit der ich vor Sie trete, doch nicht Nein gesagt habe, so ist es wegen der Befürchtung, daß man daraus schließen könnte, ich hätte vieles zu verschweigen, und ein solcher Eindruck hat immer etwas Beunruhigendes, namentlich wenn sich Berechnungen daran knüpfen, dieses Schweigen auszubeuten. Und deshalb spreche ich um so lieber ganz offen, als ich nach der Art, wie die Interpellation eingeleitet worden ist, den Eindruck bekomme, daß die deutsche Politik im ganzen nichts weiter zu tun haben wird, als ihren bisherigen Gang unentwegt und unbeirrt fortzusetzen, um der Meinung der Majorität des Reichstages, insoweit ich die eben gehörten Äußerungen als einen Ausdruck derselben betrachten darf, zu entsprechen.

(Bravo!)

Was die jetzige Lage betrifft, so vermute ich allerdings, daß dasjenige, was ich darüber sagen kann, Ihnen schon bekannt ist. Sie wissen aus den öffentlichen Blättern und aus den englischen Parlamentsverhandlungen, daß im Orient man augenblicklich sagen kann: „Die Waffen ruhn, des Krieges Stürme schweigen," — gebe Gott, auf lange! Der Waffenstillstand, der abgeschlossen worden ist, gibt der russischen Armee eine zusammenhängende Stellung von der Donau bis zum Marmarameer, mit der Basis, die ihr früher fehlte, nämlich den Donaufestungen — ein Moment, welches mir mit das wichtigste in dem ganzen Waffenstillstand erscheint, welches aber von keiner Seite eine Anfechtung erfahren hat. Sie schließt von der russischen Besetzung aus, wenn ich vom Norden anfangen soll, einen viereckigen Ausschnitt, der Varna und Schumla umfaßt, an der Küste des Schwarzen Meeres nördlich bei Baltschik, südlich etwas vor der Bai von Burgas endet und sich in das Land hineinerstreckt bis etwa nach Rasgrad — eine ziemlich viereckige Strecke. Sie schließt aus Konstantinopel und die Halbinsel Gallipoli, also diejenigen beiden Punkte, auf deren Freibleiben von der russischen Besetzung ein wesentlicher Wert von anderen beteiligten Mächten gelegt wird.

Diesem Waffenstillstand vorhergegangen sind gewisse Friedenspräliminarien, die, auf die Gefahr hin, Ihnen Bekanntes zu sagen, ich *obiter* rekapituliere, um daran die Frage zu knüpfen, ob in einer derselben ein deutsches Interesse engagiert ist. Es handelt sich zunächst um die Konstituierung Bulgariens *« dans des limites déterminées par la majorité de la population bulgare, et qui ne sauraient être moindres que celles indiquées dans la conférence de Constantinople ».*

Der Unterschied zwischen diesen beiden Begrenzungen ist meines Erachtens nicht von der Erheblichkeit, daß darum der Frieden Europas verständigerweise gestört werden könnte. Die ethnographischen Nachrichten, die wir darüber haben, sind ja nicht authentisch, sind lückenweise; das beste, was wir kennen wenigstens, ist von deutschen Händen geliefert in den Kiepertschen Karten. Danach geht die nationale Grenze, die Grenze der bulgarischen Nationalität, ziemlich unvermischt im Westen bis dicht über Salonichi herunter und im Osten mit zunehmender Mischung mit türkischen Elementen bis gegen das Schwarze Meer hin, während die Konferenzgrenze, soweit sie sich genau aus den Verhandlungen nachspüren läßt, namentlich in der östlichen Begrenzung vom Meere aus etwas nördlich von der Grenze der Nationalität bleibt, während sie zwei verschiedene bulgarische Provinzen in Aussicht genommen hat, und im Westen vielleicht etwas weiter als die bulgarische Nationalität in die mit albanischen Volksstämmen gemischten Bezirke hineingreift. Die Verfassung von Bulgarien würde nach den Präliminarien etwa eine ähnliche sein, wie die von Serbien vor der Räumung von Belgrad und anderen festen Punkten; denn dieser erste Absatz der Präliminarien schließt mit den Worten: *« L'armée ottomane n'y séjournerait plus »*, und in Parenthese: *« sauf quelques points à déterminer d'un commun accord ».*

Es wird also eine Sache der Unterhandlung unter den Mächten sein, welche den Pariser Vertrag von 1856 abgeschlossen haben, diese hier offen oder unbestimmt gelassenen Sätze näher zu bestimmen, sich darüber mit Rußland zu vereinigen, wenn es, wie ich hoffe, sein kann.

Dann folgt: *« L'indépendance de Montenégro — — »*, ebenso von Rumänien und Serbien; Bestimmungen über Bosnien und die Herzegowina, deren Reform *« serait analogue ».*

Alle diese Sachen berühren meiner Überzeugung nach das deutsche Interesse nicht in dem Maße, daß wir darüber die Beziehungen zu unseren Grenznachbarn, zu unseren Freunden aufs Spiel setzen könnten. Wir vermögen uns die eine oder die andere Bestimmung darüber gefallen zu lassen, ohne an unseren Interessen Schaden zu leiden.

Es folgt dann unter 5 eine Bestimmung über die Kriegskosten, die offen läßt, ob *« le mode soit pécuniaire, soit territorial »* sein könnte *« de cette indemnité! »* Das ist eine Sache, die im wesentlichen, soweit es pekunär sein würde, die Kriegführenden betrifft, soweit es territorial sein würde, die Kontrahenten des Pariser Friedens betrifft und mit deren Sanktion zu regeln sein würde.

Dann folgt der Punkt der Dardanellen, über den meines Erachtens sehr viel mehr Sorge in der Welt verbreitet ist, als durch die tatsächliche Möglichkeit seiner Entwicklung und Wahrscheinlichkeit gerechtfertigt ist. Es heißt darin allgemein:

« Sa Majesté le Sultan conviendrait de s'entendre avec Sa Majesté l'Empereur de Russie pour sauvegarder les droits et les intérêts de la Russie dans les détroits du Bosphore et des Dardanelles. »

Die Frage der Dardanellen hat eine gewaltige Wichtigkeit, wenn es sich darum handelt, die dortige Durchfahrt, den Schlüssel des Bosporus und zur Dardanellenstraße, in andere Hände zu legen als bisher, wenn es sich darum handelt, zu entscheiden, ob Rußland die Dardanellen nach Belieben soll schließen oder öffnen können. *(Sehr gut!)* Alle anderen Stipulationen werden sich immer nur auf die Zeit des Friedens beziehen können, und für den Fall des Krieges, also den wichtigeren, wird es immer darauf ankommen, ob der Inhaber des Schlüssels der Dardanellen im Bunde oder in der Abhängigkeit mit den drin oder draußen Wohnenden von Rußland oder von Rußlands Gegnern ist. Im Falle des Krieges würde diese Vertragsbestimmung, die man treffen könnte, solange die Dardanellen eben in Händen sind, die im Frieden gewiß von Rußland unabhängig sind, meines Erachtens nicht die Bedeutung haben, die man ihr beilegt. Es kann für die Anwohner des Mittelländischen Meeres von Interesse sein, ob die russische Flotte im Schwarzen Meere berechtigt ist, in Friedenszeiten durch die Dardanellen zu fahren und sich dort zu zeigen; wenn sie sich dort zeigt, würde ich aber immer, wie beim Barometer auf gut Wetter, hier auf Frieden schließen; wenn sie sich aber zurückzieht und sich vorsorglich dort einschließt, dann würde man vermuten können, daß vielleicht Wolken aufsteigen. Aber die Frage, ob im Frieden durch die Dardanellen Kriegsschiffe fahren können, halte ich zwar nicht für unwichtig, aber doch nicht für so wichtig, daß man deshalb Europa sollte in Brand stecken können.

Die Frage, ob der Besitz der Dardanellen in eine andere Hand übergeht, das ist ein ganz anderes Ding, aber eine Eventualität und Konjunktur, die meines Erachtens in der gegenwärtigen Situation nicht vorliegt, und über die ich mich deshalb nicht aussprechen will. Mir kommt es im Augenblick nur darauf an, ungefähr, soweit ich es kann, das Gewicht der Interessen zu bezeichnen, über welche ein weiterer Krieg, nachdem der russisch-türkische tatsächlich sein Ende erreicht hat, entstehen könnte, und deshalb kommt es mir darauf an, zu präzisieren, daß die Friedensbestimmungen über die Frage der Dardanellen in Bezug auf Kriegsschiffe kaum so wichtig sind wie in Bezug auf den Handel; darin liegt zunächst das hervorragendste deutsche Interesse im Orient, daß uns die Wasserstraßen, sowohl die der Meerengen, wie die der Donau vom Schwarzen Meer aufwärts, in derselben Weise wie bisher freibleiben. *(Sehr gut!)* Das ist auch wohl sicher, daß wir das erreichen, ja, es ist gar nicht in Frage gestellt; in einer amtlichen Mitteilung, die mir von Petersburg darüber vorliegt, wird über diesen Punkt einfach Bezug genommen auf die bestehenden Stipulationen des Pariser Friedens; es kommt hier nichts in Frage, wir können nicht besser, nicht schlechter gestellt werden, als wir bisher gestanden haben.

Das Interesse, welches wir an einer besseren Regierung der christlichen Nation, an einem Schutz gegen Gewalttaten, wie sie leider unter türkischer Herrschaft mitunter vorgekommen sind, haben, wird durch die zuerst genannten Punkte gewahrt werden, und das ist das zweite, minder direkte, aber doch menschlich indizierte Interesse, welches Deutschland in der Sache hat.

Der Rest der Präliminarienstipulationen besteht in — ich will nicht sagen Redensarten, es ist ein amtliches Aktenstück — aber er hat keine Wichtigkeit für unsere heutige Verhandlung.

Mit dieser Darlegung habe ich, soweit ich kann, den ersten Teil der Interpellation über die Lage der Dinge im Orient beantwortet und fürchte, daß ich niemand in dieser Sache etwas Neues gesagt habe.

Der fernere Teil der Frage betrifft die Stellung, die Deutschland zu diesen Verhältnissen, zu diesen Neuerungen genommen hat, respektive nehmen wird, die genommene und die zu nehmende Stellung.

In Bezug auf die genommene Stellung kann ich Ihnen für den Augenblick keine Mitteilung machen; denn wir sind amtlich seit sehr kurzer Zeit, ich kann wohl sagen, buchstäblich erst seit diesem Morgen im Besitz der Aktenstücke, auf die ich vorhin Bezug nahm. *(Hört! hört!)* Was wir früher davon wußten, stimmte ungefähr damit überein, war aber nicht von der Natur, daß wir amtliche Schritte daran knüpfen konnten, es waren dies Privatmitteilungen, die wir der Gefälligkeit anderer Regierungen verdankten.

Also amtliche Schritte hierüber sind von uns noch nicht getan, und angesichts der, wie ich hoffe, bevorstehenden Konferenzen wäre es voreilig, solche zu tun, bevor man nicht auf den Konferenzen diese Mitteilungen als Material vorliegen hat und in der Lage ist, die Meinungen darüber gegenseitig auszutauschen. Was eine Änderung gegen die Stipulationen von 1856 sein wird, das wird also der Sanktion bedürfen; wenn es sie nicht erhielte, folgt daraus immer noch nicht notwendig ein neuer Krieg, aber es folgt ein Zustand daraus, den, glaube ich, alle Mächte Europas Grund haben, zu vermeiden — ich möchte ihn fast nennen eine Versumpfung der Frage. Nehmen Sie an, daß in der Konferenz eine Einigung über das, was zu geschehen hat, nicht zustandekäme, daß die beteiligten Mächte, welche solches vorzugsweises Interesse haben, den russischen Stipulationen zu widersprechen, sagen: Es konveniert uns in diesem Augenblick nicht, darüber Krieg zu führen, aber einverstanden sind wir mit dem, was Ihr abgemacht habt, auch nicht, wir behalten uns unsere Entschließung vor — das ist doch ein Zustand der Dinge, der auch der russischen Politik nicht erwünscht sein kann. Die russische Politik sagt mit Recht: wir haben keine Neigung, uns alle zehn oder zwanzig Jahre der Notwendigkeit einer türkischen Kampagne auszusetzen, die sehr aufreibend, anstrengend und kostspielig ist; aber sie kann auch nicht wünschen, dieser Gefahr die einer sich vielleicht in zehn oder zwanzig Jahren wiederholenden österreichisch-englischen Verwicklung zu substituieren. Ich glaube also, es liegt auch im Interesse Rußlands, wie es in dem aller übrigen liegt, zu einer Abmachung zu kommen und die Sache nicht unabgemacht auf spätere, vielleicht unbequemere Zeiten zu verschieben. Daß Rußland geneigt sein könnte, die Anerkennung der Änderungen, die es für notwendig hält, von den übrigen europäischen Mächten durch Krieg zu erzwingen, halte ich für eine Erwägung, die von aller Wahrscheinlichkeit ausgeschlossen ist. Rußland würde sich mutmaßlich, wenn es die Zustimmung der übrigen Unterzeichner der Traktate von 1856 nicht jetzt erreichen könnte, mit dem Gedanken *„beati possidentes“* begnügen. Es tritt dann die andere Frage ein, ob diejenigen, die unzufrieden sind mit den russischen Abmachungen und in erster Linie dabei interessiert sind, wirkliche, eigene, materielle Interessen dabei haben, bereit sind, Krieg zu führen, um Rußland zu nötigen, seine Bedingungen abzuschwächen, einen Teil davon aufzugeben, auf die Gefahr hin, in Rußland bei der Heimkehr der Truppen vielleicht das Gefühl zu hinterlassen, was etwa Preußen gehabt hat nach den Friedensschlüssen von 1815, also eine zurückgetretene Empfindung, daß die Sache eigentlich nicht zu Ende wäre und noch einmal versucht werden müßte, wenn es gelänge, Rußland zu zwingen, davon mehr aufzugeben als erträglich.

Wenn dies durch Krieg gelänge, würde man also als Zweck dieses Krieges ansehen müssen: Rußland aus den bulgarischen Stellungen, die es augenblicklich innehat, aus der Konstantinopel ohne Zweifel bedrohenden Stellung — indessen es hat noch keine Miene gemacht, Konstantinopel zu besetzen — aus dieser Stellung zu vertreiben. Dann aber fällt auch denen, die dieses Ziel durch siegreichen Krieg erreicht haben würden, die Aufgabe und die Verantwortung zu, darüber zu bestimmen, was aus diesen Ländern der europäischen Türkei nunmehr werden soll. Ob sie bereit sind, ganz einfach die türkische Herrschaft wieder einzusetzen bis an ihre vollen Grenzen nach dem, was auf der Konferenz gesagt und beschlossen ist, halte ich nicht für wahrscheinlich; sie würden also irgendeine Bestimmung darüber treffen müssen; sehr verschieden von dem, was jetzt vorgeschlagen wird, im Prinzip kann es kaum sein, es kann in der Ausdehnung, in der räumlichen Ausdehnung, in dem Maße von Abhängigkeit wohl abweichen, aber ich glaube zum Beispiel nicht, daß die nächstbenachbarte Macht, Österreich-Ungarn, bereit wäre, die ganze Erbschaft der heutigen russischen Eroberungen zu übernehmen und für die Zukunft dieser slawischen Länder die Verantwortung zu übernehmen, sagen wir durch Einverleibung in den ungarischen Staat oder durch Vasalleneinrichtung; ich glaube nicht, daß das ein Ziel ist, was die österreichische Politik sehr lebhaft wünschen kann ihren eigenen slawischen Untertanen gegenüber, nun der verantwortliche Herausgeber der künftigen Zustände auf der Balkanhalbinsel sein zu müssen, und das wäre im Fall des Sieges die Situation.

Ich stelle alle diese Eventualitäten, an die ich nicht glaube, nur hin, um zu beweisen, wie gering in meinen Augen die berechtigte Wahrscheinlichkeit eines europäischen Krieges ist, daß über eine etwas größere oder geringere Ausdehnung, wenn es nicht eben ganz grobe Verhältnisse wären, eines tributären Landes ein verheerender europäischer Krieg zwischen zwei großen benachbarten und befreundeten Mächten beschlossen werden sollte, mit kaltem Blute beschlossen werden sollte. *(Bravo!)* Das Blut wird ja kälter sein, wenn wir erst in der Konferenz vereinigt sind.

Um diesen Eventualitäten zu begegnen, ist also der Gedanke der Konferenz zuerst von der österreichisch-ungarischen Regierung vorgeschlagen, wir sind von Hause aus, ich glaube, beinahe die ersten gewesen, die bereitwillig darauf eingegangen sind. Es haben sich Schwierigkeiten über die Wahl des Ortes der Konferenz erhoben, die meines Erachtens zu der Bedeutung der Sache nicht im Verhältnis stehen. Indes auch in dieser Beziehung haben wir keine Schwierigkeiten gemacht, wir haben uns mit den Lokalen, die überhaupt in Frage gekommen sind, einverstanden erklärt, es sind das Wien, Brüssel, Baden-Baden, Wiesbaden, Wildbad *(Heiterkeit)*, ein Ort in der Schweiz – ich muß indes sagen, Wildbad nur durch sich selbst angemeldet *(Heiterkeit)* – aber es ist auch Stuttgart genannt; alle diese Orte wären uns genehm gewesen. Es scheint – wenn ich richtig unterrichtet bin, und es muß sich in wenigen Tagen entscheiden — daß die Wahl sich schließlich auf Baden-Baden fixieren wird. Unser Interesse, was von denjenigen Mächten, mit denen wir darüber korrespondiert haben, geteilt wird, ist die Beschleunigung der Konferenz ganz unabhängig von der Wahl des Ortes, es ist für uns ziemlich gleichgültig, wo die Konferenz stattfindet. Ich habe in Bezug auf deutsche Orte weiter keine Meinung geäußert, als die, daß auf deutschem Boden auch deutsches Präsidium stattzufinden haben werde *(Bravo!)*, eine Auffassung, der von keiner Seite widersprochen ist. Ob nach der Anerkennung des Prinzips aus Gründen der Zweckmäßigkeit absolut daran festzuhalten sein wird, wird sich finden je nach dem Personalbestande, der sich auf der Konferenz herausstellt, deren Abhaltung überhaupt ich meiner persönlichen Überzeugung nach als gesichert ansehe, und die, wie ich vermute, in der ersten Hälfte des März wird beginnen können. *(Hört! hört!)* Es wäre wünschenswert, daß es früher sein könnte, um der Ungewißheit, die sich daran knüpft, ein Ende zu machen, aber die Mächte werden doch, bevor sie zusammentreten, einen Austausch von Meinungen unter sich wünschen, und die Verbindungen mit dem Kriegsschauplatz sind in der Tat sehr langsam, die Verspätung der Mitteilungen, die an uns gelangt sind, war und wurde motiviert durch Verspätung der Eingänge eben vom Kriegsschauplatz. Es fällt ja die Vermutung, die eine Zeitlang in öffentlichen Blättern sich hat sehen lassen, als ob diese Verspätung eine absichtliche wäre, vollständig in sich zusammen, sobald man sich klarmacht, daß das Vorrücken der russischen Armee in der Zeit nach dem 30. Januar ein Ergebnis der Waffenstillstandsbedingungen war und nicht etwa eine Benutzung irgendeines künstlich gewonnenen *tempus utile*. Die Grenze, innerhalb deren sich die russische Truppenaufstellung heute befindet, ist die im Waffenstillstand vorbehaltene Demarkationslinie; und ich glaube an eine absichtliche Verzögerung von keiner Seite, und glaube von allen Seiten an den ehrlichen Willen, die Konferenz bald zu beschicken. Wir werden jedenfalls dazu tun, was wir können.

Ich komme zu dem schwierigsten Teil — ich bitte um Verzeihung, wenn ich einen Augenblick sitzend fortfahre — ich komme zu dem schwierigsten Teil der mir gestellten Aufgabe, zu der Darlegung, soweit es möglich ist, der von Deutschland auf der Konferenz einzunehmenden Stellung. Sie werden da von mir nichts anderes erwarten als allgemeine Gesichtspunkte unserer Politik, deren Programm Herr von Bennigsen klar und ausführlich, fast ausführlicher, als es mir in diesem Moment meine Kräfte noch erlauben würden, wiedergegeben hat.

Wenn von vielen Seiten an uns die Zumutung gekommen ist — aber von keiner Regierung, sondern nur von Stimmen in der Presse und sonstige wohlgemeinte Ratschläge — wir sollten von Hause aus unsere Politik festlegen und sie anderen aufdrängen in irgendeiner Form, so muß ich sagen, daß ich das doch mehr für Preßpolitik als Staatenpolitik halte. *(Heiterkeit.)*

Ich will hier gleich die Schwierigkeit und Unmöglichkeit davon mehr motivieren. Nehmen Sie an, daß wir jetzt auch nur ein festes Programm aussprechen, an das uns zu halten wir, wenn wir es hier von amtlicher Stelle öffentlich, nicht nur vor Ihnen, sondern vor Europa verkündigen, gebunden sein würden, so würden wir dadurch bei allen denen, die es nicht für sich günstig finden, eine gewisse Prämie auf ihre Unverträglichkeit setzen. *(Sehr wahr! Heiterkeit.)*

Wir würden ferner uns die Rolle der Vermittlung in der Konferenz, auf die ich den allerhöchsten Wert lege, fast unmöglich machen, weil jeder mit dem Menu der deutschen Politik in der Hand uns sagen könnte: So weit kann die deutsche Vermittlung gehen, das kann sie tun, das kann sie nicht tun. Die freie Hand, welche Deutschland sich erhalten hat, die Ungewißheit über Deutschlands Entschließungen mögen nicht ganz ohne Mitwirkung in der bisherigen Erhaltung des Friedens sein. Spielen Sie die deutsche Karte aus, werfen Sie sie auf den Tisch — und jeder weiß, wie er sich danach einzurichten oder sie zu umgehen hat. Es ist das nicht praktisch, wenn man den Frieden vermitteln will. Die Vermittlung des Friedens denke ich mir nicht so, daß wir nun bei divergierenden Ansichten den Schiedsrichter spielen und sagen: So soll es sein, und dahinter steht die Macht des Deutschen Reiches *(sehr gut!)*, sondern ich denke sie mir bescheidener, ja — ohne Vergleich im übrigen stehe ich nicht an, Ihnen etwas aus dem allgemeinen Leben zu zitieren — mehr die eines ehrlichen Maklers, der das Geschäft wirklich zustandebringen will. *(Heiterkeit.)*

Wir sind in der Lage also, einer Macht, die geheime Wünsche hat, die Verlegenheit zu ersparen, bei ihrem, ich will einmal Kongreßgegner sagen, sich entweder einen Korb oder eine unangenehme Antwort zu holen. Wenn wir mit beiden gleich befreundet sind, können wir zuvor sondieren und dem anderen sagen: Tue das nicht, versuche es so und so anzubringen. Das sind geschäftliche Hilfsmittel, die sehr zu schätzen sind. Ich habe eine langjährige Erfahrung in diesen Dingen und habe mich oft überzeugt: wenn man zu zweien ist, fällt der Faden öfter, und aus falscher Scham nimmt man ihn nicht wieder auf. Der Moment, wo man den Faden wieder aufnehmen könnte, vergeht, und man trennt sich in Schweigen und ist verstimmt. Ist aber ein Dritter da, so kann dieser ohne weiteres den Faden wieder aufnehmen, ja, wenn getrennt, bringt er sie wieder zusammen. Das ist die Rolle, die ich mir denke und die den freundschaftlichen Verhältnissen entspricht, in denen wir in erster Linie mit unseren befreundeten Grenznachbarn, Grenznachbarn auf langgedehnten Grenzstrecken, überhaupt leben, und dann vermöge der seit einem Lustrum bestehenden Einigkeit der drei Kaiserhöfe, die aber auch dem vertrauten Verhältnis entspricht, in dem wir mit einem anderen Hauptinteressenten, mit England, uns befinden. Wir sind mit England in der glücklichen Lage, keinen Streit der Interessen zwischen uns zu haben, es seien denn Handelsrivalitäten und vorübergehende Verstimmungen, die ja vorkommen, aber doch nichts, was ernsthaft zwei arbeitsame, friedliebende Nationen in Krieg bringen könnte, und ich schmeichle mir deshalb, daß wir auch zwischen England und Rußland unter Umständen ebensogut Vertrauensperson sein können, als ich sicher bin, daß wir es zwischen Österreich und Rußland sind, wenn sie sich nicht von selbst einigen können. *(Bravo!)*

Das Dreikaiserverhältnis, wenn man es so nennen will, während man es gewöhnlich Bündnis nennt, beruht überhaupt nicht auf geschriebenen Verpflichtungen, und keiner der drei Kaiser ist verpflichtet, sich von den anderen zwei Kaisern überstimmen zu lassen. Es beruht auf der persönlichen Sympathie zwischen den drei Monarchen, auf dem persönlichen Vertrauen, welches diese hohen Herren zueinander haben, und auf dem auf langjährige persönliche Beziehungen basierten Verhältnis der leitenden Minister in allen drei Reichen. *(Bravo!)*

Wir haben stets vermieden, wenn Meinungsverschieden zwischen Österreich und Rußland waren, eine Majorität von zweien gegen eines zu bilden, indem wir bestimmt für einen Partei nahmen, auch wenn unsere Wünsche etwa in der Beziehung nach der einen Seite mehr als nach der anderen uns hingezogen hätten. Wir haben uns dessen enthalten, weil wir besorgten, daß das Band doch nicht stark genug sein möchte, und gewiß kann es so stark nicht sein, daß es eine dieser Großmächte veranlassen könnte, aus Gefälligkeit für eine andere die eigenen unbestreitbaren staatlichen und nationalen Interessen darüber hintanzustellen. Das ist ein Opfer, was keine Großmacht *pour les beaux yeux* der anderen bringt. Sie tut es, wenn statt der Argumente die Hindeutung auf die Machtverhältnisse eintritt. Da kann sie unter Umständen sagen: Diese Konzession zu machen ist mir sehr unangenehm, aber es ist mir noch unangenehmer, mit so einer großen Macht wie Deutschland etwa darüber in Zwist zu geraten; indessen werde ich mir dieses merken und in Rechnung stellen. Das ist etwa die Art, wie dergleichen aufgefaßt wird, und ich komme nun auf die Notwendigkeit, den übertriebenen Ansprüchen, die man an Deutschlands Vermittlung stellt, hier ganz entschieden entgegenzutreten und zu erklären, daß, so lange ich die Ehre habe, Ratgeber Seiner Majestät zu sein, nicht die Rede davon ist.

Ich weiß, daß ich in dieser Beziehung sehr viele Erwartungen täusche, die sich an die heutigen Eröffnungen anknüpfen; aber ich bin nicht der Meinung, daß wir den napoleonischen Weg zu gehen hätten *(sehr gut!)*, um, wenn nicht der Schiedsrichter, auch nur der Schulmeister in Europa sein zu wollen. *(Bravo!)*

Ich sehe z. B. in einem mir heute vorgelegten Preßausschnitt: „Die Politik Deutschlands in der entscheidenden Stunde" ist der Titel eines bemerkenswerten Artikels der „Allgemeinen Zeitung", welcher die Notwendigkeit einer Einmischung der dritten Macht im Bunde mit Österreich und England verlangt. Wir sollen also Stellung zwischen England und Österreich nehmen, um Rußland das Verdienst zu nehmen, die Konzessionen, welche es etwa dem europäischen Frieden machen kann, freiwillig zu machen. Ich zweifle nicht, daß Rußland das, was nach seinem Nationalgefühl, nach seinem eigenen Interesse, nach dem Interesse von achtzig Millionen Russen möglich ist, dem europäischen Frieden zum Opfer bringt; ich halte an und für sich für überflüssig, das zu sagen, aber, wenn wir es täten, so bitte ich doch die Herren, welche auf dergleichen denken — ich habe noch einen ähnlichen Artikel, „Deutschlands Schiedsrichterrolle" ist er überschrieben, aus einem Berliner Blatt — nehmen Sie an, wir folgten diesen Ratschlägen und erklärten das Rußland in irgendeiner höflichen und freundschaftlichen Weise: „Wir sind zwar seit hundert Jahren Freunde gewesen, Rußland hat uns Farbe und Freundschaft gehalten, während wir in schwierigen Verhältnissen waren; aber jetzt liegt die Sache doch so: im europäischen Interesse, als Policemen von Europa, als eine Art von Friedensrichter müssen wir dem Wunsche, diesen europäischen Anforderungen nicht länger widerstehen" . . .

Es gibt in Rußland erhebliche Parteien, die Deutschland nicht lieben und glücklicherweise nicht am Ruder sind, die aber auch nicht unglücklich sein würden, wenn sie ans Ruder kämen *(Heiterkeit)*, wie würden die nun zu ihren Landsleuten sprechen, vielleicht auch andere Leute, vielleicht auch noch andere Staatsmänner, die jetzt noch nicht unsere ausgesprochenen Feinde sind? Sie würden sagen: Mit welchen Opfern an Blut, Menschen und Schätzen haben wir die Stellung erreicht, die seit Jahrhunderten das Ideal des russischen Ehrgeizes war! Wir hätten sie gegen diejenigen Gegner, die ein wirkliches Interesse hätten, sie uns zu bestreiten, behaupten können; es ist nicht Österreich, mit dem wir in mäßig intimem Verhältnis lange Zeit gelebt haben, es ist nicht England, welches ganz offen anerkannte Gegeninteressen hat – nein, unser intimer Freund, von dem wir glaubten,

Gegendienste erwarten zu dürfen, Deutschland, welches kein Interesse im Orient hat, hat hinter unserem Rücken nicht den „Degen“, sondern den „Dolch“ gezückt. So würde die Redensart etwa lauten, das wäre das Thema, das wir dort hören würden, und dieses Bild, das ich in übertriebener Farbe – aber die russische Deklamation übertreibt auch – zeichnete und vor Augen führte, entspricht der Wahrheit, und wir werden niemals die Verantwortung übernehmen, eine sichere, seit Menschenaltern erprobte Freundschaft einer großen, mächtigen Nachbarnation dem Kitzel, eine Richterrolle in Europa zu spielen, aufzuopfern. *(Bravo!)*
Die Freundschaft, die uns glücklicherweise mit mehreren europäischen Staaten, ja mit allen wohl in diesem Augenblick verbindet — denn es sind die Parteien nicht am Ruder, denen diese Freundschaft ein Dorn im Auge ist *(hört!)* – diese Freundschaft deshalb aufs Spiel zu setzen mit dem einen Freunde, um einem anderen in Fragen, an welchen wir Deutsche ein direktes Interesse nicht haben, gefällig zu sein, mit unserem eigenen Frieden den Frieden anderer zu erkaufen, selbst gewissermaßen als Substitut auf der Mensur, um mich eines Universitätsausdrucks zu bedienen *(Heiterkeit)*, für den Freund einzutreten – das kann ich wohl, wo ich nichts als meine Person in die Schanze schlage, ich kann es aber nicht, wenn ich die Politik eines großen, mitten in Europa gelegenen Reiches von vierzig Millionen Seiner Majestät dem Kaiser gegenüber zu beraten habe, und deshalb erlaube ich mir, hier auf der Tribüne allen diesen Stimmen und Zumutungen eine offene Absage zu erklären, daß ich mich darauf unter keinen Umständen einlassen würde, und daß keine Regierung, keine der am meisten interessierten, uns eine Zumutung der Art gestellt hat. Deutschland ist, wie der Herr Vorredner bemerkte, durch seine Erstarkung auch zu neuen Verpflichtungen herangewachsen. Aber wenn wir eine große Anzahl Bewaffneter in die Wagschale der europäischen Politik werfen können, so halte ich doch niemanden dazu berechtigt, der Nation und dem Kaiser, den Fürsten, die im Bundesrat zu beschließen haben, wenn wir Angriffskriege führen wollten, den Rat zum Appell an die erprobte Bereitwilligkeit der Nation zur Hingabe von Blut und Vermögen für einen Krieg zu erteilen. Nur für den Schutz unserer Unabhängigkeit nach außen, unserer Einigkeit unter uns und für diejenigen Interessen, die so klar sind, daß, wenn wir für sie eintreten, nicht bloß das einstimmige notwendige Votum des Bundesrats, sondern auch die volle Überzeugung, die volle Begeisterung der deutschen Nation uns trägt — nur einen solchen Krieg bin ich bereit, dem Kaiser anzuraten! *(Lebhaftes Bravo!)*

Nach Zustimmung der Fortschrittspartei durch den Abg. Hänel äußert sich der Abg. Windthorst, der den inneren Zusammenhang der Reden Bennigsens und

Bismarcks bemerkt hat, für das Zentrum recht kritisch. Er betont Deutschlands Interesse am Orient, weil der Besitz Konstantinopels die Weltherrschaft bedeute. Ein russischer Erfolg würde daher den Keim für den Untergang Österreichs, dessen Aufgabe die Verteidigung des germanischen Elements gegen das slawische sei, legen. Bismark erwidert darauf:

Ich muß gestehen, daß, wenn die Meinung des Reichstages mir durch das Organ des Herrn Vorredners unterbreitet würde, ich dieser Stimme doch mit großer Vorsicht folgen würde *(Heiterkeit)*, mit weniger Hingebung als anderen, die wir vorhin gehört haben. Der Herr Vorredner hat in meiner Anwesenheit wohl nie gesprochen, ohne mir durch seine Äußerungen Anlaß zur Antwort zu geben, selten in der Richtung, daß ich sachlich etwas zu widerlegen oder zu bestreiten gehabt hätte, was er durch Argumente unterstützt hätte. Er hat mich aber fast immer in die Notwendigkeit versetzt, gewissen Mißverständnissen, die bei dem Herrn Vorredner so außerordentlich häufig vorkommen *(Heiterkeit)*, entgegenzutreten, damit diese Mißverständnisse nicht nachher in unwidersprochene Wahrheiten in der Presse, die die Politik des Herrn Vorredners zu unterstützen pflegt, verwandelt werden. Der Herr Vorredner hat eine große Gewandtheit, einen Gedanken hinzuwerfen, ohne daß man gerade behaupten könnte, er hätte ihn zu dem seinigen gemacht, aber durch die Art, wie er ihn hinwirft, gibt er doch der Vermutung Raum, und der Ball wird aufgefangen und weitergegeben. In dieser Beziehung muß ich doch, ich will nicht sagen Insinuationen, aber Mißverständnissen des Herrn Vorredners widersprechen, die er hier in Kurs gesetzt hat. Er hat zunächst damit angefangen, daß er überzeugt wäre, diese Interpellation sei „nicht ohne Genehmigung" gestellt worden. Ich erkläre hiermit offen, daß diese Behauptung, welche öffentlich aufgestellt wurde, eine Unwahrheit ist, und daß die Insinuation, als wäre es geschehen, doch kaum eine zwecklose sein kann. *(Rufe links: Sehr gut!)*

Ich würde, wenn meine Meinung eingeholt worden wäre über diese Interpellation, geraten haben, sie zu verschieben, einige Wochen später würden wir vielleicht klarer in der Sache sehen. Ich würde außerdem gewünscht haben, daß mir durch den Wortlaut die Beantwortung etwas erleichtert würde in Form der Stellung bestimmter Fragen, daß mir nicht allein die Verantwortung dafür zugeschoben würde, über was ich spreche, und ich sage, das Thema war zu weit gefaßt, worüber ich gesprochen habe.

Ich erkläre also diese Andeutung für unrichtig und irrtümlich. *(Sehr wahr! links.)* Im Lande zu akkreditieren, dies sei gewissermaßen eine bestellte Interpellation, gewissermaßen eine genehmigte, ist ja eine Kleinigkeit; aber das bei den europäischen Mächten zu akkreditieren, das ist kein

Dienst, den man dem deutschen Lande erweist, und einen solchen Dienst erwarte ich auch von dem Herrn Vorredner nicht! *(Bravo!)*

Der Herr Vorredner hat gesagt, er sei ganz für die Erhaltung des Friedens nach allen Richtungen hin. Gleich wie er das sagte, erinnerte ich mich, daß gewisse Blätter, französische und polnische, die sonst mit dem Herrn Vorredner selten verschiedener Meinung sind, doch mit allen Mitteln der Dialektik zum Kriege treiben, indem auch sie Österreich zu beweisen suchen, es sei düpiert, es sei betrogen, indem sie die österreichische Ambition aufzustacheln suchen, um den Krieg möglichst wahrscheinlich zu machen. Ich freute mich, daß der Herr Vorredner versicherte, daß diesmal die Konsorterie in Frankreich und Polen mit ihm gar keine Gesinnungsgemeinschaft hätte *(Heiterkeit)*, ich bin auch noch bereit, ihm das zu glauben, da er es versichert.

Der Herr Vorredner hat ferner sein Mißvergnügen darüber zu erkennen gegeben, daß die Verhandlungen hier nicht vollständig vorgelegt seien. Nun, meine Herren! Die Hauptverhandlungen stehen noch bevor. Wir werden wahrscheinlich über die Konferenz, wenn Sie es wünschen, Ihnen umständliche Vorlagen, nachdem sie verhandelt haben wird, machen können. Wir machen aus unserer Politik ja niemals ein Geheimnis, und wenn die Interpellationen in diesem Raume über die Politik so selten gewesen sind, so ist das einmal ein Beweis persönlichen Vertrauens, welches man mir geschenkt hat *(sehr richtig!)*, und zweitens ein Beweis, daß zwischen der Politik, wie sie geführt ist, und der Ansicht der Mehrheit der Landesvertretung volle Übereinstimmung geherrscht hat, die zu einer Dissonanz keinen Anlaß gegeben hat. *(Sehr richtig!)*

Der Herr Vorredner klagt ferner, daß ich mich berufen hätte auf Informationen des englischen Parlaments. Ich habe nur gesagt, daß ich mich in der unangenehmen Lage eines Geschichtserzählers befände, der nicht weiß, ob nicht die Sache, die er vortragen will, durch die englischen Verhandlungen allen bereits bekannt ist. Deshalb habe ich eine Apologie gemacht, daß vielleicht die meisten Herren das schon wissen würden, was ich sagen würde, wenn sie aufmerksame Zeitungsleser gewesen sind. Aber ich habe auch der juristischen Aufforderung, die der Herr Vorredner stellte, genügt, indem ich nichtsdestoweniger, auf die Gefahr hin, schon Gesagtes zu wiederholen, die einzelnen Sachen hier durchgegangen bin; und wenn dem Herrn Vorredner irgend etwas dunkel darin geblieben ist, so stehe ich ihm gern *privatissime* zu Diensten *(große Heiterkeit)*, um ihm vorzulesen oder vorlesen zu lassen, soweit die Akten darüber vorhanden sind. Wenn der Herr Vorredner sich wundert, daß dies die e r s t e Mitteilung sei, die ich überhaupt hier gemacht hätte: — ja, wann hätte ich denn eine Mitteilung machen sollen? Etwa bei der Thronrede, wo ich nicht anwesend war? Es ist die erste Verhandlung, in der ich mich befinde, die erste Frage, die mir gestellt ist, also auch natürlich die erste Mitteilung der Art. Ich vermute, daß d i e s e r Tadel doch die Ausfüllung einer Pause nur gewesen ist, bei der der Herr Vorredner auf den nächsten sich besonnen hat. *(Stürmische Heiterkeit.)*

Es hat der Herr Vorredner gesagt, Deutschland habe sehr wohl die Autorität — setzen wir statt dessen die Macht — gehabt, den Krieg zu verhindern. Daran zweifle ich gar nicht. Es wäre das aber eine sehr große Torheit, um mich nicht eines stärkeren und geläufigeren Ausdrucks zu bedienen *(Heiterkeit)*, wenn wir das getan hätten. Es sind dergleichen Versuche ja doch in der neuesten Geschichte – der Herr Vorredner ist mit mir in gleichem Alter, er hat sie doch auch mit durchlebt – mehrere gewesen. Sie sind nie demjenigen, der auf diese Weise einen Krieg anderer verhindert, der mit einem *Quos ego!* einen Frieden geboten hat, sie sind ihm niemals gedankt worden. Ich erinnere an einen Moment aus unserer vaterländischen Geschichte: an die Verhandlungen von Olmütz. Da hat Kaiser Nikolaus die Rolle gespielt, die der Herr Vorredner Deutschland zumutet; er ist gekommen und hat gesagt: „Auf den ersten, der hier schießt, schieße ich," und infolgedessen kam der Friede zustande. Zu wessen Vorteil, zu wessen Nachteil, politisch berechnet, das gehört der Geschichte an, das will ich hier nicht diskutieren. Ich frage bloß: ist diese Rolle, die er dort gespielt hat, dem Kaiser Nikolaus auf einer von beiden Seiten gedankt worden? Bei uns in Preußen ganz gewiß nicht! Die edlen Absichten dieses Herrn wurden verkannt gegenüber der Empfindlichkeit, die das nationale Gefühl einer großen Nation berührt, wenn eine andere Macht ihr gebietet oder verbietet, was sie in einer Frage des eigenen Interesses, die sie glaubt, selbst zu verstehen, tun oder lassen soll. Ist es dem Kaiser Nikolaus von Österreich gedankt worden? Drei Jahre darauf war der Krimkrieg, und ich brauche ein Weiteres nicht zu sagen. Die Rolle, die Kaiser Nikolaus in Olmütz gespielt hat, mutet der Herr Vorredner uns zu, wenn wir den Krieg vorher hätten verbieten sollen.

Ich will ein weiteres Beispiel anführen. Die Lage, in der wir uns augenblicklich befinden, ist ja vor etwas mehr als zwanzig Jahren ziemlich genau schon einmal dagewesen. Ich war damals nicht Minister, aber durch das Vertrauen, mit dem der hochselige König Friedrich Wilhelm IV. mich beehrte, war ich in der Lage, bei den wichtigeren und entscheidenderen Fragen teilzunehmen, und ich weiß ganz genau, wie die Sachen damals verliefen. Ich weiß, welche Künste der Überredung, der Drohung bei Preußen angewendet wurden, um uns hineinzutreiben wie einen Hatzhund in einen fremden Krieg, und es war nur — was dem hochseligen König nicht genug zu danken ist — der persönliche Widerstand, den der König dagegen geleistet hat, der verhindert hat, daß dieser Mißgriff damals begangen wurde, daß wir einen Krieg führten, der von dem Augenblick an, wo wir den ersten Schuß taten, der unserige geworden wäre, und alle hinter und neben uns hätten eine gewisse Erleichterung empfunden und uns gesagt, wann es genug war. Der hochselige König hat mich damals in schwierigeren Momenten von Frankfurt rufen lassen, um die Depeschen in seinem Sinn hier zu bearbeiten, und es ist das nach dem damaligen Verfahren in unseren Auswärtigen Angelegenheiten durchaus nicht sehr auffallend, daß hier ein halb Dutzend Gesandte in Gasthöfen waren und Politik gegen ihren Minister trieben. Nun, ist es nicht dankenswert, daß wir damals der Versuchung, Rußland den Krieg zu verbieten oder zu erschweren, widerstanden haben? Es war damals auch das „germanische Interesse", in welchem der Krimkrieg geführt wurde, in dessen Namen unser Beistand gefordert wurde; es war nur das Auffällige, daß der gesamte Deutsche Bund diese Ansicht nicht teilte, daß es ein germanisches Interesse wäre. Ich glaube, es war das einzige Mal, wo ich mich in Frankfurt im Bundestage an der Spitze der Majorität befunden habe, und wo Österreich in der Minorität war. *(Heiterkeit.)*

Alle Stimmen waren darüber einig, daß es kein deutsches Interesse sei, trotz des angeblichen Interesses der Donauschiffahrt von Regensburg hinunter, mit welcher viel Humbug getrieben wurde. So kann ich dem Herrn Vorredner anführen, daß eine von ihm sonst so hoch geachtete Autorität, die Mehrheit des alten Bundestags, in diesem Falle nicht auf seiner Seite steht und nicht meinte, daß es ein germanisches Interesse sei, mit Rußland für Bulgarien Krieg zu führen.

Ich könnte die Zahl der Interventionen, bei denen man sich gewissermaßen die Finger verbrannt hat, ja aus der neuesten Geschichte noch vermehren. Ich erinnere an die von uns nur beabsichtigte Intervention von Villafranca [47]. Es war eine Friedensstiftung, die uns nachher von keiner Seite gedankt wurde. Ich erinnere an die Friedensstiftung Napoleons gleich nach der Schlacht von Sadowa — die Sachen sind damals nicht sehr öffentlich geworden — aber was ich mir damals darüber gedacht habe, das weiß ich und habe es dem Kaiser Napoleon nicht vergessen; ich habe gut Buch gehalten für seine damalige Intervention, und es wäre vielleicht für die französischen Interessen nützlicher gewesen, Frankreich hätte sich damals nicht zum Friedensstifter aufgeworfen.

---

[47] 1859 nach dem Kriege Österreichs gegen Frankreich und Piemont.

Der Herr Vorredner sagt ferner: Wer den Dardanellenschlüssel habe, der habe die Weltherrschaft. Er belehrt uns damit, daß der Sultan bisher die Welt beherrscht hat. *(Heiterkeit.)*

Bisher hielt er ihn ganz unbestritten in Händen, seit vierhundert und einigen Jahren, und ich habe wenigstens nie das Gefühl gehabt, daß wir in Preußen unter türkischer Weltherrschaft während unserer Lebenszeit gestanden hätten. Es ist das also ein etwas weitgegriffenes und speziöses Argument des Herrn Vorredners. Außerdem habe ich ja die Unwichtigkeit dieses Schlüssels gar nicht behauptet; ich habe nur behauptet, den Besitz dieses Schlüssels erstrebe Rußland augenblicklich gar nicht, es ist den gegeninteressierten Mächten zu Gefallen nicht nach Konstantinopel hineingegangen, das Wort des Kaisers Alexander bürgt uns dafür, daß er Konstantinopel nicht behalten wird. Ob nachher eine Türkei übrigbleibt, auf die Rußland zunächst den wesentlichsten Einfluß ausübt — ja, das wissen wir noch nicht, ob die beiden Nationen sich mit besonderem Vergnügen der ausgewechselten Schläge erinnern werden, es kann ja sein, daß das lange dauert, es kann auch sein, daß da mal wieder eine andere Stimmung dazwischen kommt. Solange Rußland die Meerengen nicht selbst hat, finde ich die Einwendungen, die der Herr Vorredner gegen meine Äußerungen machte, immer nicht berechtigt.

Am allernotwendigsten halte ich die Widerlegung der — ich kann es nicht anders nennen als Insinuationen, die der Herr Vorredner darüber gemacht hat, daß wir, daß Deutschland eventuell bei einer angeblichen Düpierung Österreichs durch Rußland, wie er behauptete, mitschuldig gewesen seien. Er hat das in der Manier gemacht, wie ich sie beim Anfang meiner augenblicklichen Äußerung charakterisierte — er hat nicht behauptet, daß es seine Meinung wäre, aber er hat gesagt: Ich will mich freuen, wenn ich mich bei Einsicht der Akten überzeuge, daß es anders sei. Ja, das ist die Art, sich dem Strafrichter bei Beleidigungen zu entziehen. Der Herr Abgeordnete hat damit ein großes Geschick in Wendungen gezeigt, die der Unannehmlichkeit ausweichen, daß man ihm bloß von Monarch zu Monarch, nicht bloß von Regierung zu Regierung — nein, ich stehe persönlich mit dem Grafen Andrassy zu meiner Freude und zu meiner Ehre in demjenigen freundschaftlichen Verhältnis, welches ihm die Möglichkeit gibt, mir jede Frage, die er notwendig hält im Interesse Österreichs, offenzustellen, und er hat die Überzeugung, daß ich ihm die Wahrheit antworte, und ich habe die Überzeugung, daß er mir die Wahrheit über Österreichs Absichten sagt. *(Bravo!)*

Ein solches Verhältnis ist ein sehr günstiges, wenn man sich gegenüber einen Minister hat, bei dem man von der Wahrheit dessen, was er auf

sein Wort versichert, vollständig überzeugt ist. In der angenehmen Lage befinden wir uns mit Österreich. In früheren Zeiten, die dem Herrn Vorredner gefallen mögen, war es anders; da habe ich österreichische Kollegen im Bunde mir gegenüber gehabt, denen habe ich gesagt: Es ist mir gleichgültig, ob Sie reden, oder ob der Wind durch den Schornstein geht, ich glaube kein Wort von dem, was Sie sagen[48]. *(Heiterkeit.)*
Der Graf Andrassy glaubt mir und ich glaube ihm, was er mir sagt, und wir brauchen zu diesem Verhältnis die Vermittelung des Herrn Vorredners am allerwenigsten, er würde es nur verderben können! *(Bravo!)*

Nach Äußerungen des Abg. von Komierowski über die Herstellung Polens und des Abg. Liebknecht über das Völkerrecht einer sozialistischen Zukunft fährt Bismarck fort:

Ich habe nicht die Absicht, dem Herrn Vorredner auf sein Gebiet zu folgen, es ist mehr der Herr Abgeordnete Dr. von Komierowski, der vor ihm sprach, der mich zu einer kurzen Bemerkung veranlaßt, um so mehr, als ich während der zuletzt gehörten sozialistischen Rede glaube wahrgenommen zu haben, daß die Beifallsbezeugungen, mit denen sie stellenweis begleitet war, von den näheren Landsleuten des Herrn Abgeordneten von Komierowski resp. von den ihm verwandten Fraktionsgenossen herrührten. Ich halte, wenn ich mich darin nicht irre, es doch für zweckmäßig, dies öffentlich zu konstatieren. Es ist mir dabei eingefallen, daß, wenn wir in den polnischen Landesteilen des preußischen Staates über die Gesamtheit des Volkes nicht zu klagen haben und ihrer Zustimmung zu der Art, wie sie regiert werden, im ganzen sicher sind, so tritt uns immer wieder die Stimme des polnischen Adels entgegen als unzufrieden mit dem Deutschen Reich und mit der Zugehörigkeit zu demselben. Vielleicht wäre es einmal möglich, um mich trivial auszudrücken, zwei Fliegen mit einer Klappe zu schlagen, wenn man einen der polnischen Kreise im preußischen Gebiet, also etwa den Wahlkreis des Herrn von Komierowski, dem Herrn Bebel und seinen Gesinnungsgenossen zu regieren mit voller Souveränität übergibt, wir könnten dann — und daran würde mir sehr viel liegen — endlich einmal erfahren, was das positive Ideal der Sozialdemokratie ist. Wir kennen sie nur von der negativen Seite: alles, was vorhanden ist, ist schlecht und muß ruiniert werden, und im Volke muß die Überzeugung erweckt werden, daß die regierenden Klassen üble, gewissenlose Leute sind, für die es nicht so sehr darauf ankommt, wenn man einmal gewalttätig gegen sie verfährt. Das wissen wir, jede Politik, die ein anderer als

---

48 Gemeint ist der österreichische Präsidialgesandte Prokesch von Osten.

ein Sozialdemokrat treiben kann, ist erbärmlich, die Herren wissen alles besser, aber worauf sie positiv hinauswollen, das verschweigen sie sorgfältig. Ich meine, wenn sie endlich jede Maske von sich abwerfen und offen kundgeben, wohin sie wollen, wie es in einem von ihnen regierten polnischen Kreise geschehen würde, dann werden wir den doppelten Vorteil haben, nämlich das abschreckende Bild des positiv verwirklichten Sozialismus erkennen, welches sie jetzt sorgfältig hinter dem Berge halten, und wir werden in dem von ihnen regierten Polen hinterher die treuesten deutschen Reichsbürger haben. *(Große Heiterkeit.)*

45. Telegramm an Schweinitz—St. Petersburg: Beschleunigung der Orient-Konferenz zur Verhütung eines Krieges (Eigenhändiges Konzept)

GP 2, 193 f., Nr. 321.

Berlin, den 20. Februar 1878.

Nr. 39

Lord Russel[l] persönlich friedliebend, war am Sonnabend vom Kriege überzeugt u[nd] beauftragt mich zu fragen, wie Deutschland sich zu diesem Kriege verhalten werde. Ich habe Oubril davon vertraulich benachrichtigt. Am Montag kam telegraphisch u[nd] gleichzeitig Aufforderung von London u[nd] Wien, auf Beschleunigung der Conferenz zu wirken, von England mit dem Zusatze, daß in schleunigem Zusammentritt die einzige noch vorhandene Aussicht auf Möglichkeit der Verhütung des Krieges liege. Münster theilt diese hier durch Russel[l] vertretene Meinung. Die Verschiebung der Conferenz, die nach Ihrem Telegr[amm] Nr. 45 bevorsteht, kann daher von großer Tragweite sein. Fürst G[ortschakow] weiß selbst, was er thut, u[nd] bedarf unsres Rathes nicht; die obigen Thatsachen aber wollen Sie ihm vertraulich mittheilen.

v. Bismarck.

46. Immediatschreiben: Zum Abschiedsgesuch Camphausens (Eigenhändige Ausfertigung)

W 6 c, 103, Nr. 111 = Goldschmidt, 238 f., Nr. 54.

Berlin, 1. März 1878.

Dem Minister Camphausen habe ich, Eurer Majestät Befehl entsprechend, mitgetheilt, daß Allerhöchstdieselben sein Abschiedsgesuch nach Lage der

Sache gegenwärtig nicht für begründet hielten, da eine Ablehnung seiner Vorlage noch nicht erfolgt sei, bloße Angriffe in Reden aber keinen constitutionellen Rücktrittsgrund darböten; daß Eure Majestät ihn deshalb ersuchten, die Frage, ob er bei seinem Abschiedsgesuche beharren wolle, zu vertagen und seine Entschließung einer neuen Prüfung zu unterwerfen, wenn die Angelegenheit, an welche sein Gesuch anknüpfe, eine Entscheidung im Reichstage gefunden haben werde.

Der Minister erwiderte mir, daß er natürlich Eurer Majestät Entscheidung auf sein Gesuch in Ehrfurcht abwarten und auf dieselbe nicht drängen werde. Er habe geglaubt, durch die Angriffe auf ihn zu dem gethanen Schritte genöthigt zu sein und die Entscheidung über sein Bleiben in Eurer Majestät Hand legen zu sollen. v. Bismarck.

47. Rede in der 14. Sitzung des Deutschen Reichstags am 5. März 1878

W 11, 554 ff. = Kohl 7, 151 ff.

Der lange Urlaub Bismarcks im Jahre 1877 hatte die Verfassungslücke, daß dem Reichskanzler ein Stellvertreter nicht bezeichnet war, sichtbar gemacht. Sie sollte durch das Stellvertretungsgesetz, das am 5. März 1878 vom Reichstag in erster Lesung behandelt wurde, gefüllt werden. Die lebhafte Debatte entwickelte sich zu einer Auseinandersetzung über das Für und Wider der Einsetzung verantwortlicher Reichsminister. Bismarck nimmt mit grundsätzlichen Erörterungen über das Wesen der Reichsverfassung Stellung:

Als ich zuerst bei Seiner Majestät dem Kaiser die Erlaubnis nachsuchte, den Antrag einzubringen, der zu der Vorlage Anlaß gegeben hat, die uns heute beschäftigt, und als zuerst diese Tatsache bekannt wurde, hat es mich überrascht, aus den öffentlichen Blättern zu ersehen, daß an diese, wie mir schien, einfache, durch die augenblickliche Sachlage als geschäftlich notwendig indizierte Vorlage sich ein so gesteigertes Maß von Befürchtungen einerseits wegen unitarischer Bestrebungen und von Wünschen und Hoffnungen andererseits auf Bestrebungen in dieser Richtung geknüpft hat. Ich glaube, daß auch unsere heutige Diskussion, die sich ja vielleicht noch auf morgen verlängert, im Auslande insofern einige Verwunderung erregen wird, als man schon aus den ersten Reden schließen konnte, daß über das, was uns wesentlich beschäftigt, der Bundesrat und die große Mehrheit des Reichstages, wie mir scheint, einig sind und einig bleiben werden. Man hat im Auslande vielleicht keinen richtigen Maßstab von der Neigung, die uns Deutschen beiwohnt, nicht nur den täglichen Bedarf der

Gesetzgebung zu absorbieren, sondern jede Gelegenheit zu ergreifen, die sich darbietet um tiefergehende, sagen wir theoretische oder doktrinäre Erörterungen des eigenen Verfassungszustandes, des Bodens, auf dem man steht, daran zu knüpfen. Es ist also — will ich dabei für Leute, die uns nicht kennen, erläutern — gewissermaßen ein Rendezvous auf heute verabredet, um eine der periodisch eintretenden Kritiken unserer Verfassungsbestimmungen gegenseitig vorzunehmen, die wir, zuletzt, glaube ich, 1874, vorher bei dem Münster-Twestenschen Antrag hatten, und die uns ja allen frisch in der Erinnerung sind.

Ich freue mich, daß dem Gedanken, dieser Neigung durch Anträge eine praktische Gestalt zu geben, von keiner Seite Ausdruck gegeben ist. *(Zwischenruf.)* Ich meine nicht Amendements, ich meine Anträge auf Verfassungsrevision. Denn ich würde es bedauern, wenn eine so junge und recht mühsam zur Welt gekommene Verfassung – sie ist in der jetzigen Gestalt sechs Jahre alt, und wenn wir auf ihren ersten Ursprung zurückgehen, doch höchstens zehn Jahre alt – nun von neuem *funditus* revidiert werden müßte. Ich bin wohl berechtigt, zu sagen: von Grund aus; denn es würde sich handeln um ein Erschüttern der Fundamente, die behufs der Machtverteilung zwischen den Regierungen, dem Reich und dem Reichstag gelegt worden sind. Die Erinnerung an die vergeblichen Versuche, die wir in Frankfurt a. M. vor einem Menschenalter gemacht haben, um theoretisch die Sache richtig zu erledigen – die Erinnerung daran und an die Neuheit der Einrichtungen, an die Eigentümlichkeit der Vergangenheit, an die mehr oder weniger gewalttätige Art, in der sie zum Teil beseitigt wurde, sollte meines Erachtens jeden abhalten, an diesen Fundamenten zu oft zu rühren und im Inlande oder im Auslande die Hoffnung oder die Befürchtung zu erregen, daß diese Verfassung, die jetzt dem Deutschen Reich das Maß von Einheit gibt, was es seit Jahrhunderten nicht gehabt hat, jeden Augenblick in ihren Grundlagen angegriffen, erschüttert und zu der Frage Anlaß geben könnte: ist die Einzelregierung an eine modifizierte Verfassung, die ihr aufgedrungen wird, noch in demselben Maße sich zu halten moralisch verpflichtet, wenn Gelegenheit und Versuchung an sie herantritt, wie es ursprünglich war? Das ist der Grund, warum ich mich freue, daß die kritischen Reden, zu denen die Verfassung den Stoff eben hergegeben hat, sich nicht in bestimmte Anträge auf Änderung oder Revision der Verfassung verkörpert haben. Das Reden an und für sich über dergleichen, was sein könnte, was wünschenswert wäre, was ideell, doktrinär richtig wäre, ist ja an sich ein unschuldiges Vergnügen *(Heiterkeit)*, aber so ganz unschuldig, wie die Herren annehmen, doch noch immer nicht. In manchen Beziehungen hat ein Antrag Vorzüge, denn die

Reden müssen sich fast notwendig darauf beschränken, das Bestehende zu kritisieren, und es verbreitet sich dadurch eine Empfindung, die ja die Herren, die es behaupten, sich vielleicht selbst einreden, daß das Bestehende eigentlich ganz unerträglich sei.

Ich habe, bevor ich nach Berlin kam, in den Zeitungen einen gewissen Stimmungsausdruck gefunden, der mich zum Nachdenken brachte: was ist eigentlich in Deutschland geschehen, daß wir plötzlich in einer so düsteren Stimmung in Beziehung auf die Zukunft, in einer so niedergedrückten Stimmung in Bezug auf unsere Gegenwart uns befinden, wie die meisten Blätter in ihren Leitartikeln dieselbe schilderten? Es hieß überall: So wie es ist, kann es nicht bleiben, unser Zustand ist zu fürchterlich, es muß etwas geschehen, es muß geändert werden, so kann es nun einmal nicht bleiben. *(Heiterkeit.)* Nun, ist denn die Verfassung, unter der wir leben, wirklich so unpraktisch und so unbewährt? Theoretisch kann man viel darüber sagen; praktisch war sie der Abdruck dessen, was damals tatsächlich vorhanden und was infolgedessen möglich war, mit derjenigen Ausdehnung und Richtigstellung, die sich damals im Augenblick machen ließ. Wir sind jedenfalls weiter damit gekommen, als mit allen theoretischen Versuchen, und wenn ich Sie auf die Masse von Gesetzen, namentlich aber auf die fortschreitende Konsolidierung dieser damals sehr locker aussehenden Verfassung hinweise, auf das Ansehen, dessen sich in ganz Europa diese unsere neue Einrichtung erfreut, und das nicht vorhanden sein würde, wenn man unsere Einrichtungen für so elend und unerträglich hielte, wie sie in öffentlichen Blättern geschildert wurden – wenn Sie sich dieses recht vergegenwärtigen, so werden Sie meine Empfindungen verstehen, wie ich in der Einsamkeit des Landlebens darüber nachsann: was ist meinen Landsleuten Entsetzliches geschehen, daß sie auf einmal soviel schlimmer daran sind, als wie vor einem Jahr? Ist es vielleicht die verhältnismäßige Ruhe und die stetige Entwicklung, in der wir uns im Vergleich zu anderen Ländern befinden? Ist es der äußere und innere Frieden? Gewiß trägt das viel dazu bei, denn tatenbedürftige Herzen, die gerade keine weitere, sie anregende und beschäftigende Aufgabe haben, als im Winter im Parlament das Volk zu vertreten, kommen notwendigerweise im Sommer auf eine gewisse Unruhe, daß etwas geschehen müsse, das Emotionsbedürfnis wird so stark, daß es nur durch Krieg oder innere Kämpfe, oder durch eine den ganzen Geist des tiefen Denkers beschäftigende Kritik der untersten Grundlage unserer Einrichtungen befriedigt werden kann. Wenn alle unsere Volksvertreter in der Lage wären, wie ich und viele von uns, daß sie nebenher soviel zu tun haben, daß sie froh sind, daß sie das Leben haben oder ihre Geschäfte besorgen können, dann, glaube ich, würden

wir nicht fortwährend unseren Gesundheitszustand in dieser bedenklichen und erregenden Weise untersuchen.
Ich muß sagen, wie diese Vorlage eingebracht wurde, so lag mir der Gedanke, daß daran die Begehrlichkeit nach einer Verfassungsänderung sich knüpfen würde, zuerst ganz außerordentlich fern, und ich bitte um Erlaubnis, auf die Genesis der Vorlage etwas näher einzugehen, um den Grund und Boden, auf dem wir uns bewegen, trockener zu legen.
Als der Verfassungsentwurf für den Norddeutschen Bund zuerst zur Revision gelangte, da war der Reichskanzler durchaus nicht mit den bedeutenden Attributionen ausgestattet, die ihm durch den einfachen Satz, der sich heute im Artikel 17 der Verfassung befindet — damals, glaube ich, Artikel 18 —, zugeschoben sind. Er ist damals durch eine Abstimmung in das jetzige Maß hineingewachsen, während er vorher einfach das war, was man in Frankfurt in bundestäglichen Zeiten einen Präsidialgesandten nannte, der seine Instruktionen von dem preußischen Minister der Auswärtigen Angelegenheiten zu empfangen und der nebenher das Präsidium im Bundesrat hatte. Daß damals der Artikel 15 mit seiner Stellvertretungsklausel[49] das ganze Verhältnis des Reichskanzlers deckte, oder des Bundeskanzlers, wie es damals hieß, darüber war niemand im Zweifel, am allerwenigsten diejenigen, welche den Verfassungsentwurf vorgelegt hatten. Nun wurde durch den Artikel 17 die Bedeutung des Reichskanzlers plötzlich zu der eines kontrasignierenden Ministers, und nach der ganzen Stellung nicht mehr eines Unterstaatssekretärs für deutsche Angelegenheiten im Auswärtigen preußischen Ministerium, wie es ursprünglich die Meinung war, sondern zu der eines leitenden Reichsministers heraufgeschoben. Darauf trat auch die von mir sofort, von meinem damaligen Vertreter Herrn v. Savigny nicht mit derselben Bereitwilligkeit anerkannte Notwendigkeit ein, daß der Reichskanzler und der preußische Ministerpräsident ein und dieselbe Person sein müßten. Es hat mich das, wie ich fürchte, einen Freund gekostet, aber die Überzeugung war bei mir durchschlagend, und deshalb lag auch die Frage nahe: genügt denn der Vertretungsparagraph in dem Artikel 15, zu dessen Erläuterung ich doch noch ein Wort sagen muß?
Es heißt darin:

[49] „Der Vorsitz im Bundesrate und die Leitung der Geschäfte steht dem Bundeskanzler zu, welcher vom Präsidium zu ernennen ist. Derselbe kann sich durch jedes andere Mitglied des Bundesrats vermöge schriftlicher Substitution vertreten lassen.“

„Der Reichskanzler kann sich durch jedes andere Mitglied des Bundesrats vermöge schriftlicher Substitution vertreten lassen,"

ganz allgemein im Anschluß an den Vordersatz, der lautet:

„Der Vorsitz im Bundesrat und die Leitung der Geschäfte steht dem Reichskanzler zu."

Da lagen nun mehrere Amendements vor, welche die Absicht hatten, die „Geschäfte" den Kanzler noch mit anderen teilen zu lassen, und welche im wesentlichen lauteten:

„Der Vorsitz und die Leitung der Geschäfte im Bundesrat steht dem Kanzler zu,"

also ungefähr so, wie man heute die Neigung hat, den Paragraphen auszulegen.

Jeder, der die Revisionsverhandlungen nachlesen will, wird finden, daß diese Amendements ausdrücklich abgelehnt wurden, und dadurch wurde ausgesprochen, daß nicht nur der Vorsitz im Bundesrat und nicht nur die Leitung der Geschäfte im Bundesrat, sondern die Leitung der Geschäfte im allgemeinen nach Artikel 15 dem Kanzler zustünde, und im Anschluß an diesen Ausspruch steht in der Verfassung die Substitutionsklausel.

Nun kam in Artikel 17 die Kontrasignatur hinzu, ohne dort zu wiederholen, daß die Vertretung des Kanzlers in den Geschäften, wie es die Gesamtheit in Artikel 15 meines Erachtens ausdrückt, auch für das Geschäft der Kontrasignatur maßgebend sein soll. Ich erinnere mich ganz gut, was uns verhinderte, diesen Punkt aufzuklären. Mir schien es, ich möchte sagen, nicht schicklich, so wie die Verfassung lag, daß ein Reichskanzler mit der ministeriellen Kontrasignaturbefugnis sich ohne eine in der Verfassung ausdrücklich ausgesprochene Mitwirkung Seiner Majestät des Kaisers jemanden substituieren könne, den der Kaiser als kontrasignierenden Minister aus der Hand des Kanzlers annehmen solle, und ich habe darüber damals meine Immediatvorträge gehalten, welche Ihnen den Beweis liefern können, schriftlich und mündlich, daß es durchaus kein Lapsus und kein Vergessen gewesen ist, sondern ich habe Seiner Majestät dem Könige von Preußen damals gesagt: Alle Abstimmungen, die über diese Angelegenheit gefaßt sind und damit in engerer Verbindung stehen, namentlich über Anträge, welche auf „Reichsminister" gerichtet waren, sind mit einer so kleinen Majorität gefaßt — die Hauptabstimmung über den Antrag des Herrn von Bennigsen mit einer einzigen Stimme, es waren, wie ich glaube, 134 gegen 135 [50]—, daß ich große Bedenken trug, an diesen Dingen wieder zu rühren. Wir konnten sehr leicht zu einer Abstimmung

---

[50] Der Antrag wurde mit 127 gegen 126 Stimmen verworfen.

kommen, der gegenüber die Regierungen — lassen Sie mich einen vulgären Ausdruck gebrauchen — Strike gemacht hätten, und konnten in Verlegenheit kommen bezüglich einer Vereinbarung. Ich war sehr froh, daß wir etwas halbweg Annehmbares, wenn auch nur mit einer Stimme Majorität, in der Beziehung gewonnen hatten, ohne zu einem Bruch der Verhandlungen mit den Regierungen zu kommen, die wir unmöglich vergewaltigen konnten, und ohne über das, wo sie zugestimmt hatten, hinauszugehen. Es stand schon damals fest, daß die verbündeten Regierungen nicht eingegangen wären auf die Anträge, die damals mit einer Stimme Majorität abgelehnt wurden. Ich habe deshalb darauf verzichtet, eine deutlichere Bestimmung über die Stellvertretungsfrage auch im Artikel 17 anzuregen, indem ich Seiner Majestät dem Kaiser sagte: Das ist eine Sache, die man in der dienstlichen Praxis regulieren kann; der Kaiser oder damals das Präsidium, der König von Preußen, kann dem Kanzler befehlen: Ich verlange jedesmal Meine Genehmigung zu geben; und der Kaiser kann denjenigen Kanzler, der sich dem nicht fügen will, an jedem Tage entlassen; es ist also nicht nötig, daß das Schicklichkeitsbedürfnis erfüllt wird, auf die Gefahr hin, daß eine Majorität, mit einer Stimme gegen uns in einer kitzligen und schwierigen Sache sich bildet.
Ich bin also niemals zweifelhaft gewesen, zehn Jahre lang nicht, daß ich als Kanzler ganz berechtigt wäre, durch Substitution mit kaiserlicher Genehmigung mir einen Gesamtstellvertreter zu schaffen, auf den auch die Kontrasignatur übergehen würde. Ich war mir von Hause aus um so weniger zweifelhaft darüber, als der Reichskanzler mindestens bis zu der neuen Revision der Verfassung von 1870, vielleicht bis zum Reichsbeamtengesetz von 1873, einfach ein preußischer Beamter war. Er war Beamter des Königs von Preußen in dessen Eigenschaft als „Präsidium", wie man es neutral bezeichnet hat. Er war in diese neue Qualität eines preußischen Ministers von dem ursprünglichen Gedanken eines preußischen Staatssekretärs aufgerückt. Hier konnte mir nicht ein Zweifel beikommen, daß nicht auch dieser preußische Präsidialminister wie jeder andere unter Umständen auch in der Kontrasignatur werde vertreten werden können. Es kommt dazu, daß einfach danach gehandelt wurde, jahrelang. Es ist eine ganz beträchtliche Anzahl von Königlichen Verordnungen, von Beamtenernennungen, sogar von solchen, die nach den jetzt aufgetauchten Streitigkeiten zweifelhaft werden könnten, erfolgt, sogar richterlicher Beamter, bei denen es zweifelhaft würde, ob ihre Kompetenz als Richter im obersten Reichsgericht anzufechten wäre, wenn die Ernennung nicht vom Kanzler kontrasigniert ist, und wenn die Theorie der Unvertretbarkeit richtig wäre.

Die Zweifel, daß meine Berechtigung damals und noch jetzt, und zwar auf Grund des Artikels 15, besteht, sind erst aufgetaucht, als der Herr Abgeordnete Hänel die analoge Debatte zu der von heute etwa vor einem Jahre bei Gelegenheit meines damaligen Urlaubsgesuchs anregte und dort den Zweifel aussprach, ob ich vertretbar wäre auf dem Gebiet der Kontrasignatur und Verantwortung; eine Frage, die der Herr Staatssekretär v. Bülow in meiner Abwesenheit dahin beantwortete, daß ich diese Vertretung nicht beanspruche, sondern daß ich sie mit übernehmen würde. Ich habe mich damals, teils aus Unfähigkeit zu streiten, eine Unfähigkeit, die aus meiner Krankheit hervorging, teils aus Friedensliebe dazu verstanden und habe den Kampf nicht aufgenommen, aber ich habe die Zweifel, die mir entgegentraten, auch nicht einen Augenblick geteilt, und ich habe mir damals gedacht, es ist besser, diese Zweifel in freundlicher Weise zu erledigen durch eine Gesetzesvorlage, von der ich glaubte, sie sei sehr leicht gemacht, da ich annahm, darüber, daß es notwendig sei, würden alle einverstanden sein, als mich darüber mit einem so gewandten Dialektiker, wie Herr Professor Hänel ist, zu streiten. Deshalb fügte ich mich und hielt es für eine Sache, die an einem Tage abgemacht sein würde; aber ich glaubte nicht, daß ich damit diese bedeutenden Diskussionen hervorrufen würde, die mir schon gleich, wie die Sache bekannt wurde, aus den Zeitungen entgegengetreten sind, und die ich hätte vorahnen können, wenn ich in gesunder Lage die Reden, die meine Urlaubsstellung begleiteten, gelesen hätte. Ich muß auch gestehen, ich habe damals nicht geglaubt, daß ich wiederkommen würde, und es war mir einerlei, wie die Sache erledigt wurde.

Wenn ich also der Meinung bin, daß ich das Recht auf volle und auf Gesamtvertretung ohnehin laut der Verfassung habe, zehn Jahre geübt habe und noch heut besitze, und daß diese Gesetzesvorlage nur das Bedürfnis hat, demjenigen, welchem es zweifelhaft ist, eine friedliebende und versöhnliche Brücke entgegenzutragen, so bin ich derselben Überzeugung allerdings nicht in Beziehung auf die Vertretung in einzelnen Ressorts; das kann man ohne zwingende Auslegung aus der Verfassung nicht herauslesen, und gerade in Bezug auf die einzelnen Ressorts bedarf meines Erachtens jeder Kanzler, nicht bloß einer, der augenblicklich gehindert ist, einer gewissen Vertretung.

Der letzte Herr Vorredner[51] wollte dem ersten Satz der Vorlage, der Gesamtvertretung, zustimmen, weil er sie für notwendig hielt, er hat aber

---

[51] Abg. Windthorst.

im Eingang seiner Rede nachgewiesen, daß sie eigentlich schon bestünde. Er war in dieser Beziehung ausnahmsweise derselben Meinung wie ich *(Heiterkeit)* und wollte also etwas bewilligen, was ich nach seiner Ansicht schon habe, was er aber für notwendig hielt. Dagegen das zweite wollte er ablehnen, allein ich bin überzeugt, daß es bei dem guten Willen bleiben und daß die Mehrheit des Reichstages es bewilligen wird. Ich will den Bedarf einer Vertretung im einzelnen gar nicht mit der Notwendigkeit einer Geschäftserleichterung, ich will ihn nur motivieren aus dem Mechanismus der Beziehungen der einzelnen Ressorts zueinander und zur Gesamtvertretung. Unter den einzelnen Ressorts befindet sich zuerst dasjenige, was am meisten Kontrasignaturen macht, Elsaß-Lothringen. Das Vertrauen des Reichstags hat seinerzeit mich als Reichskanzler mit der Aufgabe beehrt, auch Minister für Elsaß-Lothringen zu sein. Diese Aufgabe vermag ich neben den anderen nicht zu leisten, sie ist an und für sich eine solche, die die Tätigkeit eines einzelnen geschäftskundigen und gesunden Mannes vollständig absorbiert; wenn man bedenkt, daß es sich um ein Land von 1½ Millionen Einwohnern handelt, mit eigentümlichen neuen und gespannten Verhältnissen, und mit einer Gesetzgebung, die die ministerielle und Königliche Gewalt viel weiter in das laufende Geschäftsleben hineinzieht als bei uns, so wird man sich sagen, daß jemand, der alle Ressorts eines Landes von 1½ Millionen Einwohnern vertreten muß, das nicht als Nebenamt tun kann. Mein Bedürfnis war es, loszukommen von dieser Aufgabe auf dem Weg der Gesetzgebung, durch ein Gesetz, welches erklärt, es braucht nicht der Kanzler, es kann ein selbständiger Minister anderer Art sein, der ein weitläufiges und schwieriges Amt versieht; ich habe es versucht, und ich habe den Weg nicht gangbar gefunden. Auf diesem Gebiet würde ich deshalb einer vollen Stellvertretung bedürfen, auch dann, wenn ich nicht beurlaubt bin und nicht in meinen übrigen Geschäften behindert bin, und würde sie bei Seiner Majestät dem Kaiser von Hause aus beantragen.

Die Spezialvertretung ist ferner eine Notwendigkeit, wenn man die ganz eigentümlichen Beziehungen des Auswärtigen Amtes zu allen übrigen Ministerien ins Auge faßt. Meines Erachtens soll der jedesmalige Gesamtvertreter des Kanzlers jederzeit derselbe sein, der den Ministerpräsidenten im preußischen Ministerium vertritt. Wenn überhaupt die Notwendigkeit, die Zweckmäßigkeit vorgelegen hat, daß der Posten eines Reichskanzlers und der Posten eines preußischen Ministerpräsidenten in derselben Hand sei; wenn ich mich durch Enthaltung während eines Jahres von der Annahme preußischer Geschäfte davon überzeugt habe, daß dies absolut notwendig ist, nicht weil der preußische Einfluß auf das Reich verlorengeht, sondern weil der deutsche Einfluß auf Preußen verlorengeht, weil die Vertretung des Reichs in Preußen eine so starke sein muß, wie sie nur der leitende Minister und nicht ein beisitzender Minister ohne Ressort — deshalb bin ich der Überzeugung, daß der regelmäßige Stellvertreter des Reichskanzlers jederzeit derjenige sein soll, der dieselbe Persönlichkeit in ihrer Eigenschaft eines preußischen Ministerpräsidenten innerhalb des preußischen Staatsministeriums vertritt, und ich erkenne es als einen Fehler, über den mich die Erfahrung belehrt hat, daß in früheren Zeiten während meiner Abwesenheit davon abgewichen worden ist. Wird dies System aber angenommen, so ist es kaum möglich, daß wir in der Stellvertretung innerhalb des preußischen Ministeriums jederzeit einen — sagen wir Finanzminister, denn der wird im ganzen immer der natürliche und geborene Vertreter des Ministerpräsidenten bleiben, weil er an und für sich nach unserer Organisation in alle Ressorts hineinzureden hat — also daß wir immer einen Finanzminister haben, der zugleich imstande ist, Seiner Majestät dem Kaiser in Auswärtigen Angelegenheiten den regelmäßigen Vortrag zu halten und den Verkehr mit den fremden Botschaftern und Gesandten zu führen. Dazu gehören gewisse technische Seiten, deren Ausbildung man nicht immer beim Finanzminister verlangen kann. Es würde also meines Erachtens für das Auswärtige Amt in der Regel das Bedürfnis einer gesonderten Stellvertretung, die nicht in die Gesamtvertretung einbegriffen ist, eintreten.

Diese Gründe für die Vorlage, die ich Ihnen anführe, sind ja ganz hausbackene geschäftliche Gründe, die prinzipiell nicht tief greifen; aber die Vorlage und die Art, wie sie besprochen ist, gibt mir doch Anlaß, auch die Ansichten zu besprechen, mit denen ich, ich kann nicht sagen, dieses Gesetz ausführen möchte, denn sie hängen kaum mit diesem Gesetz zusammen, sondern sie zu verwirklichen würde auch ohne dieses Gesetz möglich sein. Ich habe nur eine öffentliche Äußerung darüber aufgeschoben, weil ich das Bedürfnis hatte, zuerst noch im Bundesrat und im Reichstag die Ansichten über das von mir erstrebte Ziel zu kennen. Das Ziel, was von mehreren Seiten, beinahe von allen, die günstig bis auf den letzten Redner sich ausgesprochen haben, als erstes und allein schon sehr bedeutendes bezeichnet worden ist, ist das einer Verbesserung, einer Vereinfachung der zwischen dem Reich und den Einzelstaaten geteilten Finanzverwaltung. Um das zu erreichen, wird es eine große Erleichterung gewähren, wenn wir ein gesondertes Reichsfinanzamt einführen, welches zugänglich ist, ohne durch den jedesmaligen Präsidenten des Reichskanzlersamts erst den Zugang zu vermitteln, welches die Reichsfinanzsachen direkt aus rein finanziellem Standpunkt sowohl mit den Ministern der übrigen Einzelstaaten, als auch namentlich mit dem preußischen Finanzministerium verhandeln kann. Daß das erleichtert ist, wenn das Reichsfinanzamt allein dasteht, glaube ich damit beweisen zu können, wenn ich Sie bitte, zu erwägen, wie sehr es erschwert sein mußte zu der Zeit, wo das ganze Reichskanzleramt unter dem geschlossenen Vorsitz eines sehr sachkundigen Finanzmannes, des Herrn Präsidenten Delbrück, war. Da würde die Verständigung eines Finanzministers eines Partikularstaats mit den dem Präsidenten untergebenen einzelnen vortragenden Räten auf direktem Wege eine große Schwierigkeit gehabt haben. Dieser direkte Weg muß aber meines Erachtens unbedingt hergestellt werden.

Daß unsere Reichsfinanzleitung bisher nicht die Ergebnisse geliefert hat, die ich selbst von ihr wünsche und die das Reich von ihr erwartet, mag ja zum Teil an den eigentümlichen Richtungen der maßgebenden finanziellen Persönlichkeiten und ihren Überzeugungen liegen; wie überhaupt in allen Sachen Personen wirksamer sind als Institutionen, so auch hier. Zum Teil liegt es aber doch in den Einrichtungen, die wir hatten, und die ich schon vorhin als fehlerhafte bezeichnete; ich meine zwei Finanzministerien, eins für das Reich, eins für Preußen, eins im Besitz der ergiebigen melkenden Kuh der indirekten Steuern, das andere im Besitz des ziemlich ausgebauten Bergwerks der direkten Steuern, die nicht notwendig durch unsere Institutionen gezwungen waren, sich zu verständigen oder eins die Meinung des anderen anzunehmen. Diese beiden großen Ministerialkörper, das ganze Reichskanzleramt in seinem Zusammenhange, und das ganze preußische Ministerium, haben mir schließlich den Eindruck von zwei Lokomotiven gemacht, die sich auf demselben Geleise befinden und sich weder ausweichen noch aneinander vorbeikonnten, und keine fährt rückwärts, um der anderen Platz zu machen. Sie hatten ihre unabhängige Überzeugung, ihre unabhängigen Ressortberechtigungen, und je nachdem die Lokalität und die Umstände den einen begünstigten, zog sich der andere in einer gewissen Verstimmung zurück, die eigentlich nicht der Sache hätte gelten sollen, sondern mehr im persönlichen Ansehen lag. Indessen wir bleiben alle Menschen, und wenn man daher das Hindernis nicht aus dem Wege räumt, so kommt man nicht zu einer Verständigung. Die ursprüngliche Stellung des Reichskanzleramts, wie sie unter dem Herrn Präsidenten Delbrück ihren Aufschwung nahm, war eine Institution, die zur Förderung der Ausbildung des Reichsgedankens und des Reichspersonals sehr wesentlich beigetragen hat, die aber, bis zu einer gewissen Größe angeschwellt, notwendig aufhören mußte, weil sie vor die Alternative gestellt war, entweder sich die übrigen Reichsministerien und in erster Linie das preußische zu unterwerfen, oder neben ihnen

eine Tätigkeit zu beanspruchen, welche die Friktionen dieser vielrädrigen Maschine noch bei weitem verstärken mußte, ohne uns vorwärtszubringen. Ich glaube, daß Sie, wenn Sie den Mangel an Entwicklung in unserem finanziellen System mit Recht tadeln, doch den Personen nicht allein, sondern auch dieser Institution, der zu stark akzentuierten reichsministeriellen Entwicklung nicht im Sinne der Verantwortlichkeit, aber im Sinne bureaukratischer Herrschaft, daß Sie der einen wesentlichen Teil der Schuld dabei zuschreiben müssen.
Kann man nun dieses Hindernis aus dem Wege räumen? Ich glaube, durch ein sehr einfaches Hausmittel, welches ganz außerhalb der Tragweite dieses Gesetzes liegt, und welches ich die Absicht hatte, da ich von Seiner Majestät dem Kaiser die Genehmigung hierzu schon besaß, Ihnen zu bringen, sobald ich über die Tendenzen im Bundesrat und im Reichstag Klarheit hatte, nämlich, daß demnächst in Bezug auf die Reichsfinanzverwaltung dasselbe System eingeführt wurde, welches in Bezug auf die Reichskriegsverwaltung sich von Hause aus in Geltung befunden hat. Als die Reichsverfassung ins Leben trat, so fand sich, daß der Theorie nach der Reichskanzler unter den vielen anderen Janusköpfen, die er hatte, auch genau genommen den eines Kriegsministers besaß, auch den eines Marineministers besaß, und da habe ich *proprio motu* den von Ihnen als herrschsüchtig mitunter beurteilten Reichskanzler in seiner Macht vermindert, indem ich an Seine Majestät den Kaiser den Antrag richtete, zu befehlen, daß Berichte und Entwürfe zu Ordern nur mit der gemeinschaftlichen Unterschrift des Kanzlers und des Kriegsministers dem Kaiser, damaligem König von Preußen, vorgelegt werden sollten, um auf diese Weise nicht nur in erster Linie dem Kanzler, sondern in entscheidender Linie Seiner Majestät dem Kaiser die Überzeugung zu gewähren, daß dieser Bericht vom Kriegsminister selbständig geprüft war, er bereit war, seine Verantwortlichkeit durch Unterschrift zu übernehmen, er auch bereit war, den Text eines Orderentwurfs durch seine Mitunterschrift zu sanktionieren. Nun ist es ja richtig, daß dadurch der Kriegsminister dem Reichstag gegenüber keine Verantwortung schriftlich übernahm. Aber hat Ihnen die jemals gefehlt, wenn das Militärbudget diskutiert wurde? Sind Sie nicht in der Lage gewesen, sich an die Person des Kriegsministers und nur an die seinige ohne Konkurrenz des Kanzlers jederzeit mit dem vollen Bewußtsein, daß er Ihnen Rede und Antwort stehe, halten zu können? Es hat dieses Mittel dahin geführt, daß ein so schwieriges und wegen seiner Selbständigkeit sehr empfindliches Departement wie das Kriegsministerium, an dessen Spitze ein Herr stand, der am allerwenigsten geneigt war, sich, wie man sagt, die Butter vom Brot nehmen zu lassen, der Feld-

marschall Graf Roon, — daß gerade diese Verwaltung ohne alle Schwierigkeit sich glatt entwickelt hat, sich auch bereitwillig an allen Erlebnissen im Bundesrat, im ganzen Reichsleben beteiligt hat, während die anderen Minister gar nicht mehr hingekommen sind und den Bundesrat trockengelegt haben. Und dabei kann ich nicht sagen, daß jemals ein ernstlicher, prinzipieller Streit zwischen dem Kriegsministerium und mir in der ganzen Zeit gewesen sei, es sei denn in einzelnen Finanzfragen, wo ja natürlich, da ich die *vices* des Finanzministers vertreten mußte, dieselben Kämpfe und Schwierigkeiten, die früher zwischen dem preußischen Finanzminister und Kriegsminister waren, sich auf mich übertrugen, aber ich glaube, doch nicht auf den zehnten Teil des Volumens und der Schärfe anschwollen, wie es in früheren Budgetjahren in Preußen der Fall war.

Wenn sich dort diese Einrichtung bewährt hat, warum soll es nicht möglich sein — für verfassungsmäßig zulässig halte ich es jedenfalls —, daß durch innere Dienstabmachung der — nennen wir ihn Staatssekretär des Reichsfinanzamts in Beziehung zum preußischen Finanzminister gestellt wird? Ich bin darüber nach außen hin niemand verantwortlich. Wenn ich den Finanz- — oder nennen wir ihn zur Unterscheidung mal Schatz- — Sekretär bitte, mir nie erhebliche Sachen, Gesetzgebungssachen, vorzulegen, wenn er nicht die Unterschrift des preußischen Finanzministers dazu mitbringt; wenn ich ferner mit dem preußischen Finanzminister verabrede, daß wir uns beide einer von mir erbetenen Kaiserlichen und Königlichen Verordnung unterwerfen, wonach ebenso wie in Militärfragen auch auf dem Gebiet der Finanzen Seiner Majestät nur vorgelegt werden soll, was der Finanzminister sanktioniert hat oder worüber wir beide uns geeinigt haben, — ich glaube, daß Sie dann ohne Verfassungsverletzung, ohne Schwierigkeit, einen allerdings nur auf Königlicher Verordnung basierten Reichsfinanzminister besitzen; aber auf Königlicher Verordnung beruhen die Ernennungen aller Minister, der König kann sie bekanntlich jeden Tag entlassen und wechseln.

Das ist meines Erachtens die wesentlichste Veränderung, die ich in der Richtung des hier Gewünschten gegenwärtig leisten kann und gegenwärtig anstrebe, aber ich glaube beinahe, es wird den Bedürfnissen, die hier ausgesprochen sind, genügen. Der preußische Finanzminister wird dann, noch mehr wie bisher, nach der Ressortauffassung berufen sein, alle gesetzgeberischen Vorlagen, die er hier macht, vor dem Reichstag auch zu vertreten, und wenn man mir dagegen einwenden könnte, daß der Schatzsekretär des Reiches dann ziemlich überflüssig wäre, so muß ich das doch verneinen, denn das Reich und die übrigen Bundesstaaten bedürfen jemanden, der Reichsbeamtenqualität hat, um die Vermittlung zwischen den Präsidial- und preußischen Anschauungen und den Anschauungen der übrigen Staaten zu besorgen; jemand, den sie auch als ihren Beamten betrachten können, und an den sie ein Recht haben, sich zu wenden, wo sie nicht mit dem preußischen Ministerium zu verkehren haben, um Auskunft zu verlangen, wo sie in ihrem eigenen Reichsbureau den Beamten finden können. Der unter Verantwortlichkeit des Kanzlers selbständig leitende Beamte wäre dann für mich gewissermaßen der deutsche Unterstaatssekretär des Finanzministers, mit dem ich direkt verkehre. Es mag ja diese Einrichtung ebensogut wie manche andere eine dilettantische sein, aber sie ist eine praktische im Kriegsministerium gewesen, und ich schmeichle mir deshalb mit der Hoffnung, daß sie es auch auf diesem Gebiete sein könne. Im übrigen gehört allerdings dazu, daß, wenn sie ins Leben treten soll, wir auch Finanzen haben im Reich; so lange wir keine Finanzen haben, brauchen wir so wenig einen Finanzminister, wie ich einen Koch gebrauche, wenn ich keine Lebensmittel habe. Das Reich hat ja bisher seine Einnahmen wesentlich nur in den Matrikularbeiträgen, denn diejenigen, welche aus Zöllen und Steuern fließen, werden schon jetzt unter der Leitung des preußischen Finanzministers im Zollvereinswege von den einzelnen Regierungen erhoben und fließen dem Reiche von da zu. Das Ausgabebudget zu machen, das besorgen eigentlich die einzelnen Ressorts in sich, der Finanzminister hat nur zu streichen und das wird auch der jetzige schon tun. Also eine *raison d'être*, eine Berechtigung, ins Leben zu treten, hat die Einrichtung nur dann, wenn wir Reichsfinanzen haben, und ich hoffe, wir werden sie uns schaffen. Vielleicht wird man mir den Schluß auch umkehren und wird mir sagen: Gib uns die Einrichtung, wir werden dann die Aufgabe, Finanzen zu schaffen, erleichtern; man wird vielleicht auch sagen: das ist eine außeramtliche Zusage, es ist keine verbriefte, es ist auch kein Verfassungsartikel darin; oder man schlägt es auch ganz ab, — nun, dann kann ich auch so weiterleben, wie ich bisher gelebt habe.

Ich gehe sehr ungern hier auf ein Thema ein, welches nicht zur Sache selbst gehört, aber von einem der Herren Vorredner [52] in einer prägnanten Weise hier berührt worden ist und bei dieser Einrichtung, wie sie mir vorschwebt, eine sehr viel leichtere Erledigung finden kann als bisher, weil dann die Person im Reich und in Preußen bei dieser Einrichtung identisch sein würde, nämlich der Gedanke, daß eine Reform der Finanzwirtschaft

---

[52] Abg. von Bennigsen.

in Preußen und im Reich gleichzeitig erfolgen müsse. Ja, meine Herren, das halte ich für rechtlich absolut unmöglich, und ich würde mich, wenn hier im Reich Beschlüsse über die preußische Verfassung in der Weise getroffen werden sollten, daß die Bewilligung von Reichssteuern abhängig gemacht würde von Einrichtungen innerhalb Preußens, im Namen Seiner Majestät des Königs von Preußen dagegen verwahren müssen. Die Revision und Abänderung der preußischen Einrichtungen steht dem Preußischen Landtag zu; sie wird aber da auch ganz unzweifelhaft in dem gewollten Wege erfolgen. Ich weiß gar nicht, wie man sich die Sache anders denken könnte, wenn Preußen jetzt mit einemmal über sein Budget hinaus 60 Millionen mehr bekäme; wenn es dann nicht den Weg beschritte, der von den darüber sprechenden Herren gewünscht ist, so müßte man ja voraussetzen, daß ein im medizinischen Sinne geisteskrankes Ministerium in Preußen regierte. Was soll denn Preußen mit dem Gelde machen? Es kann es doch nicht vergraben, auch nicht verschenken, es muß in irgendeiner Weise darüber bestimmt werden! Nun kann die preußische Regierung auch nicht über einen einzigen Taler bestimmen ohne die Einwilligung des Landtages. Es wird also der ganz natürliche und notwendige Fall eintreten, daß die preußische Regierung dem Landtag den Vorschlag macht, soundso viel Steuern an die Provinzen, Kreise und Gemeinden abzuschreiben, soundso viel Steuern nachzulassen, weil sie entbehrlich sind. Ich begreife gar nicht, wie etwas anderes geschehen könnte, und wie man nicht das volle Vertrauen zu der preußischen Regierung, zu dem Preußischen Landtag haben kann, daß er diese *res domestica* bei sich verständig und ganz befriedigend ordnet. Wenn allerdings die Verbesserung der Reichssteuern davon abhängig bleiben sollte, wenn die Herstellung eines Zustandes, in welchem das gesamte Steuerbündel leichter zu tragen ist als bisher, davon abhängig gemacht werden sollte, daß vorher gewisse politische Bedingungen erfüllt werden, dann werden wir uns in einem vitiösen Zirkel befinden und nicht dazu kommen. *(Sehr richtig!)* Ich kann mir aber doch nicht denken, daß jemand die Verantwortung übernehmen wollte, eine zweifellose Verbesserung in unserem ganzen wirtschaftlichen Leben darum hintenanzustellen, weil eine gewisse politische Klausel in einem der Reichsländer existiert, die nicht nach seinem Sinn geregelt ist. Ich glaube, die Untunlichkeit dafür würde ganz einleuchten, wenn man den Spieß umkehrt und annimmt, die Regierung wolle ihrerseits die Besserung der wirtschaftlichen Lage, die Entwicklung von fruchtbringenden und zweckmäßigen Steuervorlagen davon abhängig machen, daß ihr erst eine politische Konzession gemacht, also zum Beispiel, daß in Bayern das Steuerbewilligungsrecht vermindert würde. Wenn sie verlangte: Sobald in Bayern der Art. 109 der Preußischen Verfassung[53] eingeführt würde, dann würden wir das und das tun, da würden wir eine Gesetzesvorlage machen können, wie man sie sich nur wünscht – dann würde sich doch ein Schrei der Entrüstung gegen eine solche Regierung geltend machen. Wir sind nicht an Gegenseitigkeit der Behandlung gewöhnt. Also wir ertragen das Analoge in Ruhe und setzen bloß ein demütiges *non possumus* entgegen. In diesem vitiösen Zirkel wird eben ein Ausweg durch Vertrauen gefunden werden können. Wenn man dieselben Personen, die hier in Gestalt des Kanzlers und des Finanzministers Ihnen gegenübersitzen, im Preußischen Landtag wiederfindet, so werden diese schwerlich in der Lage sein, das dort nicht wahr haben zu können, was sie mit Ermächtigung ihres Landesherrn von Preußen hier haben erklären und versprechen können, auch wenn kein bestimmter Handel gemacht wird. Ich möchte daher ein Vorurteil bekämpfen, welches sich, wie ich fürchte, in unserer öffentlichen Meinung festsetzt, nämlich, daß Regierung und Volksvertretung zwei Körper wären, die ein verschiedenes Interesse hätten, und daß man mit Genehmigung einer Vorlage der Regierung eine Gefälligkeit erweisen könnte, welche diese mit einer Gegenkonzession beantworten müsse. Das halte ich für eine Verschiebung der Verhältnisse; wir leben unter demselben Dach, wir haben dasselbe Interesse, und eine Verkümmerung der Regierungsgewalt, ein Verfallen unseres wirtschaftlichen Lebens – ich wüßte nicht, warum mir das mehr am Herzen liegen sollte, als einem unter Ihnen. Was Sie aushalten, kann ich auch aushalten; wir haben das gleiche Interesse, zu bessern, wenn das Dach durchregnet, und können uns nicht als zwei Parteien hinstellen, von denen die eine sagt: Gib mir erst das, dann will ich dir jenes geben.

Das erwähne ich bloß in Parenthese, weil wir auf einen falschen Weg geraten, wenn wir uns in zwei gesonderte Lager geteilt denken. Diese Wand von Holz, die zwischen uns liegt[54], ist keine Scheide für unsere Gefühle, die wir für Reich und Land hegen, für deren gesamte Interessen, und wenn ich morgen nicht mehr Kanzler, sondern Abgeordneter bin und da unten sitze und einer von Ihnen hier oben, so wird es mir nie einfallen,

---

[53] „Die bestehenden Steuern und Abgaben werden forterhoben, und alle Bestimmungen der bestehenden Gesetzbücher, einzelnen Gesetze und Verordnungen, welche der gegenwärtigen Verfassung nicht zuwiderlaufen, bleiben in Kraft, bis sie durch ein Gesetz abgeändert werden."

[54] Die Schranke zwischen dem Tisch des Bundesrats und den Abgeordnetenplätzen im Reichstag.

über die Dinge anders zu denken in der Eigenschaft eines Abgeordneten, als in der Eigenschaft als Minister. Die akute Ministersäure, die in früheren Jahren existiert haben mag, wo einer, sei es für den Absolutismus, sei es für seine eigene Herrschaft, vielleicht mehr als für das Land gekämpft und als das Seinige betrachtet hat, was er der Volksvertretung an Rechten abgewinnen konnte, die ist uns gründlich ausgetrieben; meine Herren, das gehört vergangenen Zeiten an. Wir erstreben und wollen, wie ich schon öfter wiederholt habe, alle dasjenige Maß von Freiheit und Unabhängigkeit und freier Bewegung der Volksvertretung, was mit der Sicherheit und Stetigkeit unserer Einrichtungen überhaupt nur irgend verträglich ist, und etwas anderes erstreben Sie auch nicht; wir haben dieselben Ziele, und wenn wir über diese Wahrheit ganz zweifellos einig sind, dann glaube ich, wird auch diese kranke Blässe des Mißtrauens schwinden, die dem Minister gegenüber immer auf den Konfliktsmoment rechnet und nur fragt, wie wird das Beschlossene da wirken, wie stellt sich da die Probe auf das Exempel, wenn wir in Konflikt kommen? Ein Konflikt ist eine so unnatürliche Sache, und wenn er einmal kommt, pflegt sein Ausgang und sein Verlauf wenig von den einzelnen Klauseln, die man sich gegenseitig schriftlich gegeben hat, abhängig zu sein.

Ich erlaube mir nach diesem vielleicht nicht zur Sache gehörigen Exkurs, auf den ich aber durch den Vorredner gekommen bin, auf die Einzelheiten in der Vorlage einzugehen, die von einzelnen erwähnt sind.

Zunächst finde ich eine Notiz — es ist unmöglich für mich, aus den zum Teil ausgedehnten Reden mich aller Sätze zu erinnern — bei der des Herrn Vorredners, weil ich von dem erwarte, daß er überhaupt nicht mit uns stimmt, habe ich mein Gedächtnis nicht so angespannt . . . aber von dem vorhergehenden Herrn Redner, Herrn v. Bennigsen, habe ich die Frage gehört, ob, wenn Seine Majestät der Kaiser einmal eine Stellvertretung ermächtigt hat, zu deren Aufhebung auch wieder eine Kaiserliche Verordnung erforderlich wäre. Ich halte das für zweifellos, denn eine Kaiserliche Verordnung bleibt für mich so lange in Gültigkeit, bis sie durch eine neue aufgehoben ist. Ebenso halte ich es für zweifellos, daß derjenige, der eine solche Stellvertretung mit der Kontrasignatur überkommt und übernimmt, auch der alleinige Verantwortliche für dasjenige ist, was er kontrasigniert. Über die ganze übrige Art von Stellvertretung kann man ja zweifelhaft sein, aber unser heutiges Thema ist ja vorzugsweise die Kontrasignaturfrage, und wer die nach dem Gesetz ausübt, trägt auch die Verantwortung ganz allein.

Damit will ich mich ja in keiner Weise lossagen von der Qualität der Verantwortlichkeit, welche, wie ich glaube, Herr v. Bennigsen die geschichtliche und politische nannte, also für die Auswahl der Personen, für die Gesamtrichtung der Politik. Das ist eine, die dem leitenden Minister niemals wird abgenommen werden können, und so erklärt sich auch, glaube ich, der Zusatz zu § 3, den wir deshalb nicht gemacht hatten in der ersten Vorlage, weil ich das eigentlich als selbstverständlich ansah; denn es würde das sehr schwer sein, zu verhindern: ein Reichskanzler, der überhaupt das Vertrauen des Kaisers nicht mehr hat, der wird es nicht bleiben, oder es wird ganz gleichgültig sein, was er tut; wenn er es aber hat, so wird immer die Möglichkeit sein, daß, wenn sein Vertreter sagt: Ich habe jetzt das Amt zu besorgen, der Kanzler sich an den Kaiser wendet und ihn bittet, entweder diese Vertretung abzustellen oder sie ruhen zu lassen. Es wird nicht praktisch sein, daß § 3 wegfällt.

Aber noch eins! Wenn für den Kanzler auch nur die Eigenschaft eines Premierministers bleiben soll — lassen Sie mich den Ausdruck gebrauchen, ohne daß ich dadurch in den Verdacht verfiele, ein Reichsministerium zu erstreben, ich glaube, ich habe mich darüber zu oft ausgesprochen und bin auch heute nicht bekehrt davon: ich halte den Bundesrat für eine bessere Einrichtung als ein Reichsministerium, und wenn er nicht bestände, so würde ich beantragen, ihn einzuführen; ich halte den Bundesrat für eine außerordentlich zweckmäßige Einrichtung, sie macht unsere Gesetzgebung leichter und besser als ein Ministerium und unterstützt sie durch ein großes Maß politischer Erfahrungen aller Einzelregierungen — ich sage also, wenn ich das Beispiel eines Premierministers für mich in Anspruch nehme, versteht sich bloß auf den Gebieten, die nicht dem Bundesrat, sondern den Kaiserlichen Beamten angehören, so würde ich auf diese Stellung nicht so weit verzichten, daß ich ein Recht aufgebe, welches ich für das zweitwesentlichste des Premierministers halte, nämlich bei einer politisch wichtigen Maßregel, die nach seiner Meinung auf eine schiefe Bahn geraten ist, ein Veto einzulegen. Diesem Gedanken gibt der § 3 Ausdruck neben dem, daß vielleicht die übrigen Bundesstaaten das Recht nicht aufgeben wollen, sich an den Kanzler auch im Fall der Vertretung mit ihrer Forderung halten zu können. Im preußischen Ministerium hat der Ministerpräsident zwar kein Veto, da gibt es überhaupt keinen Ministerpräsidenten, nur einen Minister, der den Titel führt und die Debatte geschäftlich zu leiten hat und seine Kollegen bitten kann; aber zu sagen hat er nichts, auch kein Veto, und wenn sich jemals ein Ministerpräsident eines gewissen Einflusses auf seine preußischen Kollegen erfreut, so ist das doch gewöhnlich mehr das Ergebnis einer sehr langjährigen Dienstzeit und eines besonders hohen Maßes von Vertrauen, dessen er beim Monarchen genießt, aber nicht der Ausdruck der Institution; der preußische Ministerpräsident hat gar keinen gesetzlichen Einfluß. Also dieses Veto auch des beurlaubten Kanzlers halte ich doch für unentbehrlich, sonst schwindet das Maß von Verantwortlichkeit, was auch der Herr Abg. v. Bennigsen festhalten wollte, das für die Gesamtrichtung der Politik.

Es wurde vorher erwähnt, daß einzelne Ressorts, ich glaube, es wurde gesagt, die mit erhöhter Dampfkraft arbeiten, unter Umständen einer finanziellen Kontrolle bedürften. Ja, diese Kontrolle kann doch nicht so weit gehen, daß Sie aus dem Finanzminister den Vorgesetzten eines dieser Ressorts machen. Es wird dann immer das Bedürfnis einer Entscheidung eintreten, die bei solchen Streitigkeiten in Preußen auch noch nicht vom Ministerium mit rechtlicher Wirkung gegeben werden kann, sondern die dann schließlich beigelegt oder von Seiner Majestät entschieden wird. Nun in allen kleinen Stücken bei Meinungsverschiedenheiten zwischen dem Finanzminister und einem Ressortchef an Seine Majestät zu gehen, würde sehr weit führen, und da hat die Reichsverfassung den Vorzug vor der preußischen, daß sie einem der Minister, dem Kanzler, dem Premierminister an und für sich, das Entscheidungsrecht gibt. In Preußen muß er zu dem Kollegen, mit dem er sich nicht verständigen kann, sagen: Einer von uns muß gehen; und das gibt langwierige, oft Jahre sich hinziehende Debatten. Im Reiche nicht, denn es ist ein Minister vorhanden, der das Recht zu verfügen hat.

Es sind ja alle diese Verhältnisse in keinem konstitutionellen Staat, am allerwenigsten in England, wie schon bemerkt wurde, systematisch geordnet. Aber in England ist wenigstens die Gewalt des Premierministers eine, wie wir sie gar nicht kennen. Ich weiß nicht, ob Sie in gewissen neueren englischen Publikationen die Erinnerung an den Streit gelesen haben, in welchem 1850 der Premierminister, damals Lord Russell, sich mit Lord Palmerston befand, die einen merkwürdigen Brief von Lord Palmerston, einem gewiegten Kenner des englischen Rechts, bringen, worin er sagt: Ich bestreite in keiner Weise das Recht des Ministers — es ist der einzige, den er Minister nennt, der Premierminister —, jedes Mitglied der Regierung ohne Angabe von Gründen zu entlassen. Nun, so weit wird man bei uns niemals gehen, und es ist vielleicht auch in England nicht immer ganz so ernsthaft mit der Ausführung dieser Berechtigung gehalten und mit der Möglichkeit, es zu tun, weil dazu Unterschriften gehören, über die der Minister nicht verfügt. Aber gewiß ist doch in England für jedes Mitglied der Regierung die unzweifelhafte Pflicht nach diesem Zeugnis von Lord Palmerston anerkannt: wenn der Premierminister den Wunsch ausdrückt, es möchte gehen, daß es geht, und daraus folgt im gewöhnlichen Leben, daß die Vorschriften, die Wünsche, die Politik des Premierministers in

England durchschlagen. Sogar in der sonst in fast allen Staaten sehr gedeckten auswärtigen Politik sehen wir doch, daß in England heutzutage die Politik durch den Premierminister, ja mit dessen maßgebendem Votum entschieden wird.

Die Fragen, die ferner aufgeworfen sind, sind diejenigen, ob ein immerwährender Stellvertreter, gewissermaßen ein eiserner, von Hause aus für alle Fälle ernannt werden soll, oder ob erst in Fällen der Vertretungsbedürfnisse der Vertreter ernannt wird. Ich habe keine andere Alternative als den zweiten Fall im Sinne gehabt. Ein immerwährender Stellvertreter, ein eiserner, könnte nur der Vizepräsident des preußischen Staatsministeriums sein. Nun braucht bloß der Fall einzutreten, daß der mit dem Kanzler zugleich nach Kissingen gehen muß, dann ist wieder eine zweifellose Möglichkeit der Vertretung vorhanden. Aber ich will das nicht einmal annehmen; er könnte auch aus augenblicklich sachlichen Gründen vielleicht nicht geeignet sein. Nehmen Sie an, daß zwischen ihm und dem Kanzler augenblicklich ein prinzipieller Streit über die Entwicklung des Finanzwesens schwebt, und nun geht der Kanzler auf Urlaub. Nichtsdestoweniger muß er ihn zum Vertreter nehmen und es darauf ankommen lassen, ob er in seiner Abwesenheit seine Meinung durchführt oder nicht. Aber ich würde dazu bestimmt schon durch die Rücksicht auf Seine Majestät den Kaiser, der das Recht hat, den Kanzler zu wählen, wo und wie er will, und daher muß ich auch im Namen Seiner Majestät das Recht in Anspruch nehmen, sich den Stellvertreter nach eigenem Ermessen zu wählen.

In den einzelnen Ressorts sind ja die Stellvertreter gegeben durch die Vorlage, welche immer nur die beteiligten Ressortchefs sein können, und bei ihnen hat die Stellvertretung mit der Kontrasignatur ja zugleich die Bedeutung einer Abbürdung der Geschäfte. Die ist zwar jetzt einigermaßen auch schon vorhanden; beispielsweise in der Postverwaltung wüßte ich nicht, wie sich etwas ändern könnte. Außer monatlichen Übersichten, um die ich den Herrn Chef, den Generalpostmeister, gebeten habe, erfahre ich amtlich kaum etwas über den Gang der Post, und so lange keine Klagen kommen, halte ich mich auch nicht für berufen, einzugreifen, also bloß einen Akt der Herrschsucht auszuüben. Das ist mein Bedürfnis nicht. Über die selbständige Finanzabteilung habe ich bereits gesprochen. Wie das Reichsjustizamt, das später meines Erachtens neben dem Finanzamt einzurichtende Reichsverwaltungsamt sich dazu stellen wird, — ja, meine Herren, da möchte ich vorschlagen, warten wir das in der praktischen Entwicklung ab. Grau ist alle Theorie, man kann eine bestimmte Schablone unmöglich aufstellen, die alle Fälle, die da eintreten bei diesen verwickelten Fragen, vorher erschöpft, sondern man muß das Ganze sich praktisch gestalten lassen und dann sehen, wo etwas nachzuhelfen ist. Es ist das ja in unserem ganzen Reichsleben und in der Entwicklung unserer Gesetzgebung überall der Fall gewesen. Ich habe vor acht Jahren mir nicht träumen lassen, daß ich noch einmal öffentlich erklären würde, die Einrichtung des Reichskanzleramts als solches habe ihre Zeit überlebt. Ich habe dieselbe damals für eine dauernde gehalten, und ich muß sagen: Probieren geht über Studieren.

Ich bitte Sie, diese Vorlage anzunehmen, so wie sie ist; sie mag zu weiteren Diskussionen Anlaß geben, es tut uns das nichts; ich habe es nur mit Dank anzuerkennen, und ich hoffe und wünsche nur, daß die Diskussion auch weiter wie heute, mit Ruhe und Wohlwollen verläuft. Sollte also die Diskussion morgen noch fortgesetzt werden, so tut das nichts gegen die Vorlage; ich hoffe, Sie nehmen sie an, so wie sie hier liegt, ohne sie amendieren zu wollen. Die Verständigung im Bundesrat ist an und für sich keine ganz leichte geworden. Die leitenden Minister sind zu diesem Behuf selbst hier zusammengekommen, und die Verständigung über eine Abänderung ist, wenn sie die Teile betrifft, die nach meiner eigenen Anerkenntnis eine Modifikation der Verfassung enthalten, mit vierzehn Stimmen unmöglich zu machen, und vierzehn Stimmen finden sich bei der juristischen Durchbildung, mit der man die Deutung aus jedem einzelnen Wort und aus dem Punkt überm i unter Umständen herleiten kann — da finden sich vierzehn Stimmen, die in Besorgnis sind, sehr leicht zusammen. Also ich möchte bitten, die Vorlage in der Form, wie sie aus dem Bundesrat gekommen ist, anzunehmen und auf solche Amendements zu verzichten, die eigentlich in der Sache nichts ändern, sondern nur eine vielleicht deutlichere, vielleicht aber auch weniger deutliche Fassung in sie hineinzubringen beabsichtigen, und im übrigen überzeugt zu sein, daß mit dieser Vorlage ja kein Abschluß für immer geschaffen ist, sondern daß eine langsame Fortbildung, vielleicht nicht nach der Richtung verantwortlicher Reichsminister, vielleicht nach Besserem gegeben ist, daß eine langsame Fortbildung unserer Institutionen, namentlich in all den Verwaltungszweigen, die hier behandelt werden, ja an jedem Tag erstrebt wird, und ich glaube, daß Sie die Maschine weicher, nachgiebiger und elastischer mit der Zeit finden werden, als bei einer einheitlichen Monarchie mit verantwortlichen Ministern; und in diesem Sinne bitte ich, der Vorlage zuzustimmen. *(Bravo!)*

48. Rede in der 16. Sitzung des Deutschen Reichstags am 8. März 1878
W 11, 569 ff. = Kohl 7, 180 ff.

Fortsetzung der Debatte über das Stellvertretungsgesetz und der eingebrachten Amendements. Nach Reden der Abgg. Beseler, von Franckenstein, von Grävenitz und von Kleist-Retzow nimmt Bismarck das Wort:

Ich habe zu meiner Genugtuung in dieser Diskussion nicht den Beruf, in der Rede des Herrn Vorredners [55] anzuknüpfen an diejenigen Teile, deren Inhalt von Verhältnissen spricht, die uns früher getrennt haben oder uns in Zukunft trennen könnten, sondern wenn ich auf dem Gebiet des Themas der Vorlage bleibe, kann ich mich auf das beschränken, was er im ersten Teil seiner Rede berührte, und von dem ich hoffe, daß es uns einigen wird und den Ausdruck unserer Einigkeit in Gestalt einer Annahme der ursprünglichen Vorlage zuwege bringt. Ich habe ebensogut wie der Herr Vorredner und wohl jeder von uns vielleicht manches in der Vorlage anders gewünscht, aber es fragt sich, ob das Gewünschte und Erreichbare sich immer decken. Unsere besten Bestrebungen in Deutschland sind zum Teil daran gescheitert, daß das nicht der Fall war. Denken wir an Größeres, um in Erinnerung daran zu schließen auf das Kleine und Geringere, was uns vorliegt, und was die Gemüter in der Art, wie es der Fall ist, doch wohl nur beschäftigt, nicht durch seinen wirklichen praktischen Inhalt, sondern durch die Gedankenflüge, die sich daran knüpfen können, wenn dieser Inhalt sich verwirklicht.

Der Herr Vorredner hat einem Gedanken in einer schärferen Weise, als bisher geschehen ist, Ausdruck gegeben, in einer Weise, die mich nötigt, doch meine modifizierte Stellung zu diesem Thema zum Ausdruck zu bringen, nämlich den Gedanken, daß die ganze Reichsverwaltung durch preußische Ministerien direkt schließlich zu führen sei, nicht bloß tatsächlich, sondern daß dieser Tatsache auch in der Form Ausdruck gegeben werden sollte. Es ist dies bis zu einem gewissen Grade der Fall gewesen in den ersten Jahren des Norddeutschen Bundes, wo wir Reichsbeamte und Reichsinstitutionen überhaupt noch nicht hatten. Ich betrachte es aber als einen wesentlichen Fortschritt, daß wir uns davon entfernt haben, daß wir eigene Reichsbeamte, eigene Reichsinstitutionen haben und als Aufgabe der Tätigkeit eines jedesmaligen Reichskanzlers nur die, die Friktionen dieser neuen Reichsinstitutionen mit den althergebrachten Institutionen der einzelnen Staaten zu vermeiden und zu vermitteln, soweit

---

[55] Abg. von Kleist-Retzow.

er kann. Da ist nun der schwarz-weiße Anstrich der Sache gerade nicht das richtigste Mittel, rein äußerlich, wir hängen aber sehr von Äußerlichkeiten ab. Um das vor Augen zu bringen, erlaube ich mir, an eine der großen historischen Tatsachen zu erinnern, die für die Herstellung des Deutschen Reiches entscheidend und maßgebend waren; es war der Brief, den Seine Majestät der König von Bayern an Seine Majestät den jetzigen Deutschen Kaiser schrieb, als wir in Versailles waren. Ohne auf den Wortlaut einzugehen, war ein Hauptgedanke in diesem Brief: Die bedeutsamen Rechte, die ich hierdurch einem anderen Fürsten in meinem Lande Bayern einräume, kann ich einem König von Preußen nicht einräumen, die kann ich nur einem Deutschen Kaiser geben. Es war damit der meines Erachtens richtige Standpunkt ausgedrückt und, wenn ich mich richtig erinnere, in diesem Sinne motiviert: Der Deutsche Kaiser ist mein Landsmann, der kann Rechte hier ausüben; der König von Preußen ist mein Nachbar. Dieses Gefühl, meine Herren, ist meines Erachtens ein hochberechtigtes durch den ganzen Lauf der deutschen Partikulargeschichte, und selbst von seiten derer, die geneigt wären, diese Berechtigung in minderem Maße anzuerkennen wie ich, möchte ich wünschen, daß sie sich daran gewöhnen, damit zu rechnen. Ich bin nachgerade einer von den älteren und erfahreneren Geschäftsleuten geworden, und ich weiß, wie bedeutsam diese Elemente gerade auf die Gemeinsamkeit des deutschen Landes zurückwirken. Ich bin in den Geschäften schon beteiligt gewesen, als das Dreikönigsbündnis scheiterte, ich glaube vor 27 oder 28 Jahren, und zwar an den intimeren Verhandlungen zwischen den Höfen in dem Maß beteiligt, daß ich mit ziemlicher Sicherheit behaupte, es scheiterte einfach an der Frage: Sollen die einzelnen Höfe eigene Gesandtschaften, eigenes Gesandtschaftsrecht behalten oder nicht? In dieser Frage wurde der Abschluß gewiß neun Monate — wenn ich nicht irre, länger wie ein Jahr — hingehalten, über alles übrige war man hinreichend einig. Darüber verfloß das *tempus utile*, und es kamen rauhe Winterstürme, in denen diese jungen Frühlingsschößlinge nicht mehr gedeihen konnten. Hatte nun dieses Recht eine wirkliche materielle Bedeutung? Ich war damals nach meinen Lebensjahren und meiner Stellung wohl berechtigt zu reden, wenn ich gefragt wurde, aber nicht berechtigt zu reden, wenn ich nicht gefragt wurde. In ersterem Fall habe ich mich dahin geäußert: Haben die einzelnen Staaten den Einfluß auf deutsche Entschließungen, daß fremde Machthaber sich um ihren guten Willen bewerben, so gibt es kein Absperrungssystem, welches die Verbindungen abschneiden könnte, und sie können vom Gesandten bis zum Schreiber und Kammerdiener und anscheinend Kaufmann heruntergehen. Man kann da keinen hinreichend wasserdichten Verschluß finden, der diplomatische Beziehungen absperren könnte. Bei denjenigen Staaten, wo das nicht der Fall ist, wo das Ausland sich nicht bewirbt um die Stimmen oder nicht auf sie hört, bei den kleineren oder weniger mächtigen, da ist es ziemlich gleichgültig, ob sie Gesandte im Auslande unterhalten oder nicht; jedenfalls ist es erfreulich, wenn die Berechtigung dazu sie mehr als anderes versöhnt mit einer Lage, die ihnen sonst nicht erwünscht ist. So ist es auch mit der Formfrage, die ich neulich schon berührt habe: Soll der Vertreter eines Bundesstaates genötigt sein, sich hier, wenn er Verkehr mit dem Reich hat, in ein preußisches Ministerialhaus zu begeben und mit dem preußischen Minister als solchem zu verkehren? Ich glaube, es ist das weder geschäftlich nützlich noch politisch förderlich, sondern man ist es dem Reich und den Bundesgenossen schuldig, eine Reichsverwaltung, die ihre Farben trägt, an die sie sich halten können, die zu ihrer Verfügung und im Dienst des Reiches ist, herzustellen; und ich freue mich, daß im Bundesrat darüber Einstimmigkeit vorhanden war, daß in den Motiven die Bestimmung, daß dies in Bezug auf die Finanzen mit der Modifikation, die wir kennen, der Fall sein sollte, Aufnahme gefunden hat, daß nämlich der preußische Finanzminister wirklich der tatsächliche Leiter der gesamten Finanzen sein sollte, und daß darüber im Bundesrat Einstimmigkeit herrschte, und daß dieser Punkt gar keine Schwierigkeit und gar keine Diskussion gemacht hat. Es ist bei allen die Aussicht für die gemeinsame Finanzverwaltung; wenn sie fruchtbringend sein soll, ist es notwendig, mit dem Dualismus ein Ende zu machen, nach welchem jetzt die indirekten Steuern von einer Finanzverwaltung, die direkten Steuern von 24, 25 anderen versehen werden, ist es notwendig, daß man da wenigstens eine Zusammenschiebung soweit erreicht, wie sie durch die Hilfe des preußischen Finanzministers zu erreichen ist, der ja seinerseits, was der Herr Vorredner ganz richtig ausführte, alle Freuden und Leiden eines Einzelstaats von preußischem Standpunkt aus mitfühlt und insofern die Interessen des Einzelstaats dem Deutschen Reich gegenüber auch zu vertreten haben wird, während die Reichsinteressen bei dem Reichsschatzsekretär — möchte ich ihn nennen — gegenüber den einzelnen Staaten daneben ihre Vertretung finden. Wenn ich bei meinen früheren Äußerungen darüber in erster Linie den preußischen Finanzminister zugleich als den natürlichen und regelmäßigen Vertreter des abwesenden oder behinderten Reichskanzlers bezeichnet habe, so hat das den Grund, daß dem preußischen Finanzminister die dortigen Gepflogenheiten an und für sich ein gewisses Einmischungsrecht in die übrigen preußischen Ressorts geben, er also die nächste Anwartschaft auf das Präsidium im preußischen Staatsministerium hat, wenn der ernannte Ministerpräsident nicht an-

wesend ist. Absolut notwendig ist diese Einrichtung aber nicht; man kann in Preußen, je nachdem die Persönlichkeiten dazu in der einen oder anderen Stellung geeigneter sind, ja auch den Minister des Innern zum Vizepräsidenten ernennen, ja man kann auch einen Minister ohne Portefeuille als Vizepräsidenten haben in einer ähnlichen Weise, wie er in Preußen unter dem Ministerium Hohenzollern in der Person des Herrn v. Auerswald bestand, einen Minister ohne Protefeuille, der aber, sowie der Ministerpräsident nicht da ist, sicher den Vorsitz vermöge seines Amts im preußischen Ministerium übernimmt, und der dann auch jedesmal in den kanzlerischen Vertretungen substituiert werden würde. Von der Notwendigkeit dessen, daß beides Hand in Hand bleibe, habe ich ja früher Zeugnis abgelegt. Aber auch in diesem Fall würde dieselbe Einheit oder ein annäherndes Maß von Einheit der einzelstaatlichen Finanzen mit den Reichsfinanzen nicht ausgeschlossen sein. Das Verhältnis des preußischen Finanzministers zu dem Reichsschatzsekretär, den ich neulich gewissermaßen als den Unterstaatssekretär für die indirekten Steuern bezeichnete, denke ich mir ganz unabhängig von der Präsidialfrage. Man kann sogar Gründe dafür anführen, daß beide Verhältnisse getrennt bleiben sollten. Der Hauptgrund liegt in dem großen Umfang, welchen das preußische Finanzministerium an sich hat. Man kann diesen Umfang verkleinern, Domänen, Forsten abzweigen, vielleicht noch mehr, aber an und für sich ist jetzt der Umfang so groß, daß daneben für einen Finanzminister, der nun auch noch die Reichsfinanzen leitend im Auge behalten, ja sie leiten soll, nun noch die ganze Stellvertretung des Kanzlers zu übernehmen, eine Aufgabe ist, die ihn zersplittert, und der er nicht überall genügen kann.
Diesem Übelstande, wenn er eintreten sollte, kann man auf zwei Wegen begegnen. Einmal, daß der stellvertretende Kanzler dann jederzeit die Spezialvertretungen, zu denen dieses Gesetz die Berechtigung gibt, ins Leben treten läßt, die Nebenschachteln zumacht, seinem Auge entzieht und die auf eigene Verantwortung so, wie es hier zugelassen ist, gehen läßt, und sich nur um die Gesamtleitung kümmert und um diejenigen Branchen, die hier ausgenommen sind. Das war der Fehler, den der Herr Vorredner hervorhob, die Ausübung der Aufsichtsrechte des Reichs betreffend im Gegensatz zu den eigentlichen Reichsverwaltungszweigen.
Nun, gerade bei der Ansicht tritt das Unbehagen ein, was ein württembergischer, sächsischer Minister empfindet, wenn er sich in Reichsangelegenheiten — oder nennen wir den Justizminister — in Aufsichtsfragen nicht an die Reichsinstanz, sondern an das Königlich preußische Justizministerium wenden müßte, und das dann nach der gesetzlichen Lage reskribierend nach Dresden und Stuttgart entscheidet. Das sind diese

kleinen Gefühlseindrücke, von denen wir alle nicht herunterkommen können, und ich glaube, die Herren im Reichstag, wenn sie in ihren eigenen Busen greifen, auch nicht! Das Gefühl der Verletzung äußerer Würde kann in parlamentarischen Versammlungen, wie ich erfahren habe, mitunter sehr mächtig werden, ohne daß ein eigentlich praktischer Grund vorhanden ist, und dem Ausdruck des Gefühls Raum geben, obschon geschäftlich nichts dadurch geändert wird. Also gestatten Sie auch den Einzelregierungen, dieses Gefühl ihrer staatlichen Würde äußerlich durch die Reichsfarben aufrecht zu erhalten, daß ihnen die preußischen Farben nicht in dem Sinne vor Augen gerückt werden, in welchem jener Brief Seiner Majestät des Königs von Bayern damals sehr richtig das Verhältnis des Königs von Preußen von dem Verhältnis des Deutschen Kaisers unterschied.

Ich bin nicht in der Lage, augenblicklich weiter eingehende Äußerungen über die Sache zu machen ohne Gefahr, daß ich bei der sehr ausgiebigen Auslassung von der letzten Verhandlung in Wiederholungen verfalle. Ich bitte um die Erlaubnis, bei einzelnen Punkten, die mir auffallen, meine Meinung vielleicht zu sagen, aber im allgemeinen die Bitte an das Haus zu richten, solche Amendements, die nicht der Ausdruck einer ganz absoluten und unbesiegbaren prinzipiellen Überzeugung sind, die ja niemand in sich zu ersticken vermag, fallen zu lassen und bei dieser Sache mehr wie bei einer anderen das gute Sprichwort zu beherzigen: das Beste ist des Guten Feind, selbst solche Amendements, die bloß, ich will darüber nicht streiten, eine vielleicht präzisere Fassung geben, gerade, weil sie weiter nichts geben, und ich bitte, in einem Gesetz, was sehr viel auf persönlicher Auslegung beruhen wird, und wo das Beste eigentlich, um dieses Gesetz fruchtbar zu machen, aus der freien Entschließung des Kaisers wird hinzugetan werden müssen, es nicht mit dem Ausdruck so genau zu nehmen, und nicht, wo nicht unüberwindliche Gewissenshindernisse vorhanden sind, die Vorlage nochmals an den Bundesrat zurückzuweisen. Es ist nicht ohne schwere Mühe und Arbeit möglich gewesen, im Bundesrat das Maß von Übereinstimmung, dessen Ausdruck diese Vorlage ist, herzustellen, und die Schwierigkeiten, die geschaffen werden durch die räumliche Trennung der Regierungen voneinander, durch Mißverständnisse einzelner Worte, durch absichtlich von feindlichen Parteien hervorgekehrte Mißverständnisse, durch unweise und oberflächliche Zeitungsartikel, die wirken bei den vielen Instruktionseinholungen in einer Weise auf die Dinge ein, die sich ohne mündliche Besprechung der leitenden Minister gar nicht erledigen und klären läßt. Letztere hat bei dieser Gelegenheit stattgefunden, die Herren sind dazu hergekommen. Ich weiß nicht, ob das Maß von Mehrheit im Bundesrat, welches für einzelne solcher Bestimmungen und, gerade für die angefochtenen, erforderlich ist, ob das sicher wieder zu erreichen ist, ob wir nicht lieber hier in dieser einfachen Sache, von der ich glaubte, sie würde ohne Diskussion angenommen werden, ob wir nicht hier darüber uns einigen sollten. Solche Amendements, die nicht auf einem notwendigen Überzeugungsausdruck beruhen, wie z. B. diejenigen der Zentrumspartei oder diejenigen des Grundsatzes, daß kein Beamter gleichzeitig dem einzelnen Staat und dem Reich dienen darf, solche Amendements sollten wir fallen lassen, weil ich nicht dafür einstehen kann, ob es möglich ist, bei einer neuen Beratung im Bundesrat zu verhindern, daß sich 14 Stimmen — und mehr sind nicht nötig — gegen die Beschlüsse des Reichstages finden, und dann haben wir von neuem eine Arbeit, der ich wenigstens in meinem Gesundheitszustand nicht ohne große Sorge entgegensehen kann. Das kann ja kein Grund sein, in der Sache so oder anders zu beschließen, es ist bloß für mich ein Motiv, nach dem ich meine Kräfte bemessen muß, ob ich überhaupt für jetzt meine Teilnahme an den Diskussionen fortsetzen könnte oder nicht. Ich würde daher dankbar sein, wenn diejenigen, die überhaupt etwas zustandebringen wollen, den einzelnen Wendungen, die ihnen nicht gefallen, nicht so sehr scharf ins Gesicht sehen, sondern die Vorlage angebrachtermaßen annehmen. *(Bravo!)*

Nach Reden der Abgg. Hänel und Reichensperger (Olpe) fragt der elsässische Abg. Schneegans, welche Aufnahme sein Antrag, daß der Stellvertreter des Reichskanzlers für Elsaß-Lothringen seinen Sitz in Straßburg habe, im Bundesrate finden würde. Darauf antwortet Bismarck:

Der Herr Vorredner hat vollkommen recht, wenn er annimmt, daß die Sympathien nicht nur des Hauses, sondern auch der verbündeten Regierungen dem von ihm befürworteten Bestreben der Elsaß-Lothringer, zu einer selbständigen Regierung im eigenen Lande zu gelangen, zur Seite stehen, und wenn ich das hohe Haus bitte, das Amendement an dieser Stelle nicht anzunehmen und nicht den Versuch zu machen, diese heterogene Frage an dieser Stelle und bei dieser Gelegenheit zu erledigen, so geschieht es keineswegs aus Abneigung gegen die Tendenz, die sich in diesem Amendement ausspricht, sondern nur aus dem Grund, weil sich eine Frage von dieser Tragweite so nebenher nicht erledigen läßt. *(Sehr richtig!)* Nach dem, was ich neulich über diese Sache gesagt habe, behalte ich das Streben im Auge, von dem Band loszukommen, welches den Reichskanzler und das Ministerium für Elsaß-Lothringen in einer Person verschlingt. Dabei kommt das Land oder der Reichskanzler zu kurz, und der ganze Ausdruck des Regierungsgedankens wird ein unrichtiger, indem der faktische Schwerpunkt nicht da liegt, wo die Verantwortlichkeit gesucht wird. Es wird ja dann also, wenn ich in diesem Bestreben fortfahre, auch die Frage zur Entscheidung kommen, nicht ob, sondern in welcher Weise die ministerielle Leitung für Elsaß-Lothringen sich gestalten wird. Die Schwierigkeit ist die, daß Seine Majestät der Kaiser, der die landesherrlichen Rechte im Namen der verbündeten Regierungen in Elsaß-Lothringen ausübt, die Residenz nach dem regierten Land nicht dauernd hinzulegen vermag und doch das Bedürfnis hat, von seinem Minister für Elsaß-Lothringen, oder seinen Ministern, wenn man sich dergleichen mehr denkt, Vortrag zu erhalten.

Der Herr Vorredner irrt insofern tatsächlich, wenn er sagt, daß ein Ministerium für Elsaß-Lothringen gegenwärtig nicht vorhanden wäre, und daß es errichtet werden würde. Es ist vorhanden; es fragt sich nur: Kann man es nach Straßburg verlegen, oder ist es notwendig an Berlin und an den Aufenthalt Seiner Majestät des Kaisers gebunden? Ich will dieser Frage durchaus nicht zum Nachteil der Bestrebungen des Herrn Vorredners präjudizieren. Es hat ja seine großen Schwierigkeiten im Verkehr, wenn der Landesherr von dem verantwortlichen Minister so getrennt ist, daß die mündlichen Vorträge zu den Ausnahmen gehören, unmöglich ist es aber in keiner Weise. Wir haben in manchen deutschen Ländern noch heute und nach der alten Dienstpragmatik fast überall die Einrichtung gehabt, daß die Minister den Souverän von Angesicht zu Angesicht in der Regel nur am Hof, in repräsentativer Gesellschaft, aber nicht in Geschäften sahen, sondern daß alle Geschäfte schriftlich abgemacht wurden. Nun läßt sich ja die Wahl der Person so denken, daß dieselbe sich eines ganz ausnahmsweisen Vertrauens bei dem Träger der landesherrlichen Rechte, Seiner Majestät dem Kaiser, erfreut und die Korrespondenzen deshalb seltener oder, wenn nicht seltener, doch ausreichend sind, um den mündlichen Verkehr vollständig und wirksam zu ersetzen. Aber ich bitte nur zu glauben, daß alle die Pläne, die mir von verschiedenen Seiten gebracht worden sind, Statthalterschaften zu etablieren, meines Erachtens die Sache nicht lösen, der Lösung nicht um ein Haar breit näherbringen als heute. Ob der Beamte, der dort lebt und dort die Geschäfte führt, den Titel Statthalter hat, ob er fürstlichen Standes ist oder ein gewöhnlicher Beamter, das kann in Bezug auf die geschäftliche Qualität vielleicht einen Unterschied machen, in Bezug aber auf die sachlichen Schwierigkeiten, die zu überwinden sind, wird das durchaus keinen machen. Es bleibt immer die Frage zu lösen, was doch auch wiederum seine Schwierigkeiten der Lösung der Herstellung hat — die Schwierigkeit: wie korrespondiert der notwendig in Berlin residierende Landesherr mit seinem dortigen Minister, oder wie stellt sich die Zufriedenheit oder die Verwaltung des Landes, wenn der Minister in Berlin wohnt? Wäre dort ein Statthalter im landläufigen Sinne des Worts, so würde Seine Majestät der Kaiser doch nicht auf jeden Einfluß auf die Regierung verzichten können; es würde doch irgendeine ministerielle Verantwortlichkeit hergestellt werden müssen, deren Sitz immer entweder in Straßburg oder in Berlin sein müßte. Die Abwägung der Schwierigkeiten und Unzuträglichkeiten des einen oder des anderen Systems ist für mich durchaus nicht entschieden. Wenn die geeignete Persönlichkeit sich findet, der Seine Majestät der Kaiser das Vertrauen schenkt, so würde ich nicht unbedingt abraten, eine Gesetzesvorlage einzubringen, welche es nicht nur möglich macht, den Kanzler davon zu dispensieren, sondern einen meinethalben in Straßburg wohnenden Minister als obersten Beamten für Elsaß-Lothringen herstellt, dem außer Seiner Majestät dem Kaiser niemand etwas zu sagen hat. Es würde also dann eine Kabinettssekretärkorrespondenz zwischen dem Landesherrn und dem Minister die Verbindung bilden, die von Berlin nach Straßburg reicht. Es ist das ja nicht unmöglich; wir haben ähnliche Verhältnisse in Luxemburg in Bezug auf Holland, in Norwegen in Bezug auf Schweden, in Ungarn in Bezug auf den Verband mit der österreichischen Monarchie, aber da doch überall unter solchen Umständen, daß die eigentliche Schwerkraft der Regierung in den parlamentarischen Körperschaften liegt, die diese Länder vertreten. Es sind im Grunde nicht die Statthalter, sondern in Luxemburg, in Norwegen und bis zur dualistischen Kompetenz in Ungarn regiert dort die Landesvertretung. Nun, ich gebe ja die Hoffnung nicht auf, daß wir auch in Elsaß-Lothringen mit der Zeit eine Landesvertretung haben können, die dem Deutschen Reiche vollständig die Bürgschaft gibt und das Vertrauen einflößt, daß sie imstande ist, auch politisches Schwergewicht auf die Entschließungen, die im Namen des Reichslandes getroffen werden, auszuüben berechtigt zu sein. Wir haben dafür ja immer das Barometer der Wahlen, die für den Reichstag stattfinden. In diesem Augenblick würde ich mich noch nicht entschließen können, dazu zu raten, daß ein ähnliches Schwergewicht, wie es also in Luxemburg und Norwegen der Landesvertretung für die politischen Entschließungen des Souveräns beigelegt wird, in Elsaß-Lothringen ausgeübt werde. Aber ich gebe, wie gesagt, die Hoffnung nicht auf, daß die dortige Bevölkerung sich von dem Druck der Vergangenheit, von dem Druck der Gegenwart, die auf ihr lastet, mehr und mehr emanzipieren wird, sich als mit freudigem Sinn dem Deutschen Reich zugehörig fühlen wird. Der Grund, warum ich überhaupt in dieser Frage, obschon ich vorhin schon von jedem Amendement abgeraten habe, das Wort nahm, war, weil der Herr Vorredner den Appell an den Regierungstisch richtete, sich darüber zu äußern, und weil ich für meine Person in der Lage bin, ihm eine mehr ermutigende als ablehnende Antwort in der Sache zu geben, wenn ich sie in der Form, wie sie vorliegt, hier auch zurückweisen muß. *(Lebhaftes Bravo!)*

49. Rede in der 17. Sitzung des Deutschen Reichstags am 9. März 1878
W 11, 575 ff. = Kohl 7, 193 ff.

Zur Debatte steht § 3 des Stellvertretungsgesetzes: „Dem Reichskanzler ist vorbehalten, jede Amtshandlung auch während der Dauer einer Stellvertretung selbst vorzunehmen." Nach dem württembergischen Minister von Mittnacht erklärt Bismarck:

Ich halte die Befugnis, die der § 3 dem Reichskanzler gibt, für eine ganz unentbehrliche, und wenn sie nicht ausgesprochen wäre, so würde ich sie als selbstverständlich ansehen, und würde eben dann nur auf Umwegen bei entstehenden Streitigkeiten das erreichen müssen, was dieser Artikel direkt und kurz ausspricht. Ich glaube, daß man ohne die Berechtigung, die § 3 gibt, einen Kanzler, der dauernd das Geschäft versehen will, schwerlich finden wird, und ich möchte wohl wünschen, daß der Herr Abgeordnete Lasker einmal eine kurze Zeit auch nur zur Probe als Kanzler fungierte, um sich selbst davon zu überzeugen, daß die Gedanken, die er sich darüber macht, doch außerhalb der praktischen Möglichkeit liegen, mehr der Sphäre des Ideals angehören. Dem Herrn Abgeordneten scheint das Ideal vorzuschweben einer gewissen Zerfahrenheit der Exekutive, einer gewissen Anarchie, bei der jeder im einzelnen Ressort tun und lassen kann, was er will. Ich habe denselben Gedanken in einem Blatt, in dem ich sonst die Ansichten des Herrn Abgeordneten oft wiedergefunden habe, einmal ausgesprochen gefunden mit den Worten:

„Der Ressortminister muß in der Lage sein, dem Ministerpräsidenten" —

nur in der Attribution will ich hier den Kanzler auffassen —

„sagen zu können: Herr, das verstehen Sie nicht — mit anderen Worten: Reden Sie mir nicht darein."

Ja, wenn das auch nur in Preußen, wo das Ideal des Herrn Abgeordneten Lasker ja am nächsten, ich will nicht sagen, vollkömmlich erreicht ist, aber die preußischen Ministerialzustände kommen diesem Ideal des Krieges aller gegen alle in den Ressorts am nächsten — wenn das in Preußen nun rechtens wäre, wäre dann nicht ganz sicher der Graf zur Lippe heute noch Justizminister — denn er lebt noch? Wären nicht, wenn sie lebten, Mühler und Bodelschwingh noch heute im Amt? Wer hätte das Recht gehabt, ihnen dreinzureden? Sie würden ihr Amt, so wie sie es ehrlich und gewissenhaft verstanden, ganz ruhig bis auf den heutigen Tag weitergeführt haben. Das ist die Konsequenz, zu der die ministerielle Anarchie führt, die dem Abgeordneten Lasker, solange er noch nicht die von mir angedeutete Probe gemacht hat, vorschwebt. Er ist ein zu praktischer Kopf, um, wenn er dem Geschäft auch nur acht Tage als Ministerpräsident vorstände, dabei zu bleiben. Der Gedanke, daß in Abwesenheit des Kanzlers oder des Ministerpräsidenten Zustände eintreten und Maßregeln zu treffen sind, die mit der politischen Überzeugung, mit der ganzen Politik, die er verfolgt, mit der ganzen Richtung in schneidendem Widerspruch stehen, der ist ganz absolut unmöglich; er würde auch die Verantwortlichkeit des Premierministers, dessen Name doch, wenn irgend etwas im Ministerium schlecht geht, sehr leicht in den Vordergrund gedrängt wird — er wird dafür verantwortlich gemacht —. Solche Verhältnisse können ja durch den Willen des Monarchen, der die Minister zu ernennen hat, eine Zeitlang dauernd werden. Jeder Monarch hat das Recht, seine Minister eine gewisse Zeitlang — sehr lange hält das keiner aus — zum Zusammenbleiben zu verurteilen, auch wenn sie sich nicht untereinander vertragen können und nicht einig sind; das kann in persönlicher Vorliebe, in Abneigung gegen Änderung und Personalwechsel liegen, ist aber auf die Dauer nicht durchführbar, es hat schließlich, wenn nichts anderes hilft, den Rücktritt des leitenden Ministers notwendig zur Folge, sowie er das Gefühl hat, daß er mit seinen Kollegen nicht nach denselben Zielen hinstrebt.

Ich würde des § 3 nicht bedurft haben; ich glaube auch, daß er in der ersten Vorlage nicht war, und als er hineingebracht war, hat es mich überrascht, daß man das Bedürfnis hatte, dies ausdrücklich auszusprechen. Nachdem aber so viel Gründe gegen das Beibehalten angeführt sind, kann ich doch nur dankbar sein, daß diese Vorsicht geübt ist und daß darüber kein Zweifel gelassen wird, denn die Krisen, zu denen das sehr bald führte, wenn nach anderen Grundsätzen verfahren werden sollte, sind weder für mich noch für die Kollegen, die ich haben würde, wünschenswert. Deshalb möchte ich bitten, die Klarheit, die § 3 der Vorlage gibt, jetzt beizubehalten.

Auf die temperamentvolle Verwahrung des Abg. Lasker gegen die an ihm geübte Kritik des Reichskanzlers entgegnet Bismarck:

Auch ich werde mir meinerseits das Recht der Kritik und der freien Rede durch den Herrn Abgeordneten ebensowenig verkümmern lassen, wie ich je die Absicht gehabt habe, ihm das seine zu verkümmern. Auch ich darf sagen: was macht der Herr Abgeordnete für einen Eindruck im Lande, wenn durch seine letzte gehobene Apostrophe die Meinung akkreditiert würde, als ginge ich darauf aus, einem der ausgezeichnetsten Redner hier die freie Meinungsäußerung zu verkümmern! Es liegt das mir sehr fern. Auch ich bitte nur nach meinen Handlungen beurteilt zu werden und in meine Worte nichts hineinzulegen, was nicht darin gelegen hat. Insofern kann ich auf diese Andeutung des Herrn Vorredners gerade das erwidern, was er mir sagte, nur nicht mit denselben gewandten Worten, wie er; denn ich stelle mich mit ihm als Redner nicht auf gleiche Linie.

Ich bin weit entfernt gewesen, in meinen ersten Äußerungen, die meinem Gefühl nach eher von persönlichem Wohlwollen, als von persönlicher Feindschaft getragen wurden *(Oho! links)* – meine Herren, Ihr Oho! ist keine Widerlegung; aber wer meine Tonart jemals beobachtet hat, wird finden, daß ich mich gegen politische Gegner anders ausdrücke! Als solchen habe ich den Herrn Vorredner nie betrachtet, obwohl ich nicht leugnen kann, daß gerade seine Tätigkeit, seine vollberechtigte – und ich bin weit entfernt, sie ihm zu verkümmern – mir meine Aufgaben in höherem Maße erschwert, als die Tätigkeit irgendeines anderen Mitgliedes in diesem Hause. Aber es ist sein Recht, und er tut es, bin ich überzeugt, mit wohlwollenden patriotischen Absichten.

Der Herr Vorredner fragt, woher ich die Berechtigung genommen habe, das zu äußern, was ich sagte. Ich weiß natürlich nicht mehr, was der Herr Redner bei dem Twesten-Münsterschen Antrag damals gesagt; ich halte mich an das, was jetzt in dieser Diskussion, gestern, wenn ich nicht irre, oder vorgestern, oder bei der letzten Diskussion von dem Herrn Redner gesagt und was mir sehr wohl im Gedächtnis geblieben ist; und ich glaube, der Herr Redner, wenn ich ihn auf Details aufmerksam mache, wird nicht mehr mit derselben Sicherheit mir die Berechtigung dazu absprechen. Der Herr Redner wird sich erinnern, daß er sagte, im Auswärtigen Amt, das gebe er zu, da dürfe nichts geschehen, womit der Ministerpräsident nicht vollkommen einverstanden wäre — oder der Reichskanzler —, nicht etwa aus sachlichen und politischen Gründen, sondern wegen meiner besonders von ihm anerkannten Aptitude für diese Art Geschäfte. Dann aber folgte, daß ich im übrigen dasselbe Maß von Selbständigkeit für die anderen Ressorts nicht in Anspruch nehmen darf. Das habe ich mit einer Redewendung, von der ich nicht geglaubt habe, daß sie der Herr Redner persönlich nehmen würde, als das Ideal einer gewissen Zerfahrenheit der Exekutivbehörden bezeichnet. Ich habe nicht die Zeit, meine Herren, meine Reden vorzubereiten, dazu habe ich nicht die Arbeitskraft, und ich bin, wenn ich vor Ihnen spreche, und selbst in langen Reden, in einer gewissen Sorge, daß das Wort, was mir über die Lippen fällt, vielleicht nicht das richtig gewählte sein werde. In diesem Fall kann ich es aber als ein unrichtiges nicht betrachten. Insofern es den Herrn Vorredner persönlich verletzt hat, bedaure ich diesen Erfolg, aber es war das Wort, welches meiner Meinung nach den Gedanken, den ich aussprechen wollte, am klarsten macht. Aber wenn irgend etwas das Zusammengehen in schwierigen Sachen verkümmern kann, meine Herren, so ist es das sittlich belehrende und strafende Pathos an der unrichtigen Stelle.

Das Stellvertretungsgesetz wird am 11. März mit 171 gegen 101 Stimmen angenommen.

50. Schreiben an Graf Udo zu Stolberg-Wernigerode — Wien: Anerbieten der Stellvertretung Bismarcks (Eigenhändiges Konzept)

Goldschmidt, 239 f., Nr. 55.

Berlin, 11. März 1878.

Selbst zu entziffern.

Minister Camphausen tritt zurück. Die Frage ob Ew. Erlaucht mir gestatten würden, Sie Sr. Majestät zum Vicepräsidenten des Staatsministeriums vorzuschlagen, möchte ich gern mit Ew. mündlich besprechen, falls Sie dieselbe, was mich am meisten freuen würde, nicht mit ja telegraphisch beantworten wollen. Die regelmäßige Vertretung des Kanzlers im Reiche würde — und ein Preußisches Ressortministerium könnte — damit verbunden werden. Könnten Sie jetzt dort einige Tage fort? v.B.

51. Gespräch mit Graf Udo Stolberg und dem Abg. Lucius am 14. März 1878 in Berlin W 8, 248 f., Nr. 195 = Lucius, 131 f.

Gestern abend bei Bismarck, welcher sich in Anwesenheit von Udo Stolberg offen über die Situation aussprach: Nachdem er sich durch Stauffenbergs Rede in der Steuerdebatte und Laskers bei der Stellvertretungsvorlage überzeugt habe, daß mit den Nationalliberalen nichts anzufangen sei, müsse er sich anders helfen. Bennigsen sei auch nicht selbständig genug und beharre bei der Bedingung des gleichzeitigen Eintritts zweier anderer ins Ministerium. Das hieße die Fraktion zur Regierung berufen und eine so regierungsunfähige! Er (Bismarck) habe Bennigsen gesagt, seine Bedingungen seien denen Hüons ähnlich, der sollte zum Kalifen von Bagdad gehen, dem ersten Günstling den Kopf abschlagen, seine Tochter heiraten und sich noch zum Abschied die sechs Backenzähne des Herrschers ausbitten. Es sei dem Kaiser schon sehr schwer, einen nationalliberalen Minister zu nehmen, aber das Verlangen, noch zwei andere abzuschlachten, um weitere Vakanzen zu schaffen und den Artikel 109 mit in Kauf zu geben — das sei zu viel und übersteige das mögliche. Er habe nun noch keinen Finanzminister — Friedenthal habe zweimal abgelehnt, freilich sage er bei jeder solchen Anfrage zunächst „nein". Botho Eulenburg könne Minister des Innern, ein anderer Vizekanzler werden, dann könne er als altes Stangenpferd, wenn seine Gesundheit aushalte, den jungen starken Gaul noch einfahren.

Leo XIII.[56] *hat sondieren lassen, wie ein Brief von ihm an Seine Majestät aufgenommen werden würde, und ob er ihn durch den Nuntius in München an seine Adresse gelangen lassen könne. Darauf ist ihm angedeutet worden: er möge ihn an den König von Bayern geben, welcher ihn gewiß an seinen Landsmann, den Deutschen Kaiser, übermitteln würde. So sei es geschehen. Nachdem das Kardinalskolleg den Tod des Papstes Pius notifiziert habe, sei ein eigenhändiges, italienisch abgefaßtes Schreiben Leos gekommen, worin es heiße: „Bedauernd (dolente), daß die Beziehungen zu Deutschland weniger freundlich seien wie früher, hoffe er, sie würden sich bessern. Die katholischen Untertanen Seiner Majestät seien skrupulös loyal und gehorsam." Bismarck behandelte die Sache als wie von geringer Bedeutung und als wenn man sich kühl höflich, ohne weiter entgegenkommend zu sein, verhalte — allein daß er diese Situation zu einem Versuche, mit Konservativen und Ultramontanen zu regieren, in ernsten Betracht zieht, halte ich doch für sehr wahrscheinlich.*

52. Telegramm an Graf zu Stolberg—Wien: Gegenseitige Bürgschaften gegen unerwartete militärische Vorgänge am Bosporus notwendig (Eigenhändiges Konzept) GP 2, 263, Nr. 382.

Berlin, den 9. April 1878.

Nr. 95

Nach Äußerungen der hiesigen Botschafter von England u[nd] Rußland glauben wir die Hoffnung auf Zustandekommen der Conferenz nicht aufgeben zu sollen, falls es gelingt das Mißtrauen zu heben, welches die jetzigen Stellungen der beiderseitigen Streitkräfte vor Constantinopel jeder von beiden Mächten einflößen. Ich beauftrage deshalb heut die Kais[erlichen] Botschafter in London u[nd] Petersb[u]rg, in vertraulichem Wege die dortigen auswärtigen Minister zu sondiren, ob die Möglichkeit

---

[56] Dem am 8. Februar 1878 verstorbenen Pius IX. war am 20. Februar 1878 Kardinal Pecci als Leo XIII. im Pontifikat gefolgt.

vorliege, daß durch gegenseitiges Uebereinkommen beide Mächte einander vorläufige Bürgschaften gegen unerwartete militärische Vorgänge am Bosporus gewähren, u[nd] unmittelbare Berührungen ihrer Streitkräfte durch Herstellung einer zu vereinbarenden Entfernung zwischen denselben, bis auf Weiteres verhindert werden.

Theilen Sie dieß Gr[af] A[ndrássy] vertraulich mit. v. Bismarck.

53. Telegramm an Graf Münster — London: Anfrage an das englische Kabinett zur Verhinderung einer russisch-türkischen Konfrontation (Reinkonzept)

GP 2, 262 f., Nr. 381.

Berlin, den 9. April 1878.

London Nr. 51

Geleitet von der Überzeugung, daß weder England noch Rußland bisher den Krieg als eine unabweisliche Notwendigkeit ansehe, gibt der Kaiser, unser allergnädigster Herr, die Hoffnung nicht auf, daß der Frieden zwischen beiden Deutschland gleich befreundeten Mächten werde erhalten werden. Dieses für Europa so wünschenswerte Ergebnis scheint Seiner Majestät für den Augenblick fast mehr durch die tatsächliche Stellung der Streitkräfte beider Mächte als durch die politische Lage der türkischen Frage gefährdet. Bei der unmittelbaren Nähe, in welcher die englische Flotte und das russische Heer sich vor Konstantinopel gegenüberstehn, können unvorhergesehene Zufälle genügen, um Konflikte herbeizuführen, welche weder in der Berechnung noch in den Wünschen beider Mächte liegen und welche dennoch für den Frieden beider und für die Ruhe Europas verhängnisvoll werden können.

Unter diesem Eindruck gestatten wir uns die vertrauliche Frage an das Königliche Kabinett, ob dasselbe geneigt sein würde, sich unserer freundschaftlichen Vermittlung zu bedienen, um eine Übereinstimmung beider beteiligten Mächte über Maßregeln herbeizuführen, durch welche eine größere Entfernung der Streitkräfte beider voneinander tatsächlich hergestellt würde.

Wir denken an ein Abkommen etwa in folgender Gestalt, über dessen Fassung wir aber, wenn der Gedanke bei Lord Salisbury überhaupt Anklang findet, jeden Abänderungsvorschlag und jedes Verlangen einer Erläuterung gern entgegennehmen und befördern würden:

« La flotte Anglaise quitte les eaux de Constantinople et repasse les Dardanelles.

En échange, la Russie retire ses forces du Bosphore à une distance équivalente au temps que mettrait la flotte Anglaise à reprendre ses positions actuelles.»

Ew. wollen Vorstehendes dem Lord Salisbury zu wohlwollender Erwägung mitteilen.

Den übereinstimmenden Auftrag erteile ich gleichzeitig unserm Botschafter in Petersburg. v. Bismarck.

54. Telegramm an Bülow: Folgerungen aus dem Hödel'schen Attentat auf Kaiser Wilhelm I. (Entzifferung) W 6 c, 108 f., Nr. 119.

Friedrichsruh, den 11. Mai 1878.

Sollte man nicht von dem Attentat Anlaß zu sofortiger Vorlage gegen Sozialisten [57] und deren Presse nehmen? Bitte Graf zu Eulenburg zu fragen.

55. Votum für Staatsminister Falk: Zweifel an einer Änderung des Verhältnisses zur Kurie (Reinschrift) W 6 c, 109 f., Nr. 120.

Friedrichsruh, den 16. Mai 1878.

Herr von Keudell legt in seiner ganzen Berichterstattung, wie mir scheint, zuviel Gewicht auf die Frage, ob die Monita der *congregatio concilii* an verschiedene Priester dem Papst zur Last fallen oder nicht. Die Schlüsse, welche sich aus diesem vermuteten und unaufgeklärten Anteil ziehen lassen, sind ja ganz bedeutungslos neben der amtlichen und zweifellosen Tatsache des zweiten päpstlichen Briefes, und gerade über den hätte ich gewünscht, daß Keudell mit den uns befreundeten Prälaten spräche, evtl. auch den Grafen Paumgarten veranlaßte, mit dem Kardinal Franchi [58] darüber zu reden.

---

[57] Den Bundesregierungen wurde dann am 16. Mai 1878, also bereits fünf Tage nach dem Attentat, der Entwurf des Sozialistengesetzes zugeleitet.

[58] Staatssekretär Leos XIII.

Nachdem wir durch Hohenlohe und andere darauf vorbereitet gewesen sind, daß man auf eine ausdrückliche Aenderung unserer Gesetzgebung nicht rechne und die Unmöglichkeit davon für uns einsehe, und nachdem dann plötzlich diese nackte und meinem Gefühl nach uns verhöhnende Forderung des Papstes dennoch direkt dem Kaiser entgegentritt, können wir auf vertrauliche Eröffnungen durch diese Kanäle keinen Wert mehr legen. Wie leicht es ist, Hohenlohe vorzuschieben, zu desavouieren, aufs Land zu schicken, das zeigt diese letzte Erfahrung, und dasselbe gilt für alle anderen vertraulichen Mitteilungen, in denen ja gleichzeitig einmal die Forderung, daß die preußischen Gesetze geändert werden müßten, und an anderen Tagen das Zugeständnis, daß wir unsere Gesetze nicht ändern könnten, uns gegenübertreten. Das einzige Greifbare und Zweifellose in diesen sich abwechselnden Schattenbildern ist der päpstliche Brief, und an ihn gemessen erweisen sich alle gemäßigten Aeußerungen als Lügen. Wenn das berechtigte Mißtrauen nicht wäre, welches dieser Brief mit seiner kolossalen Anmaßung ganz im Sinne Pius IX. bei uns bezüglich aller friedliebenden Zusicherungen erwecken muß, so ließe sich ja davon wohl reden, daß wir ein Entgegenkommen bezüglich der Anmeldungen mit einer vorläufigen Wiederanknüpfung diplomatischer Beziehungen erwidern und auf diesem Wege tatsächlichen *modus vivendi* ohne prinzipielle Abmachungen erstreben. Zu letzteren wird man befriedigend niemals und annähernd doch nur dann gelangen können, wenn die Schärfen und Verbitterungen, die von Leuten wie Windthorst, Schorlemer und den Polen im Wege der Fraktion und Kaplanspresse — einschließlich der „Reichsglocke" — in unsere sozialen und staatlichen Verhältnisse künstlich hineingetragen sind, erst unter dem Regime eines friedlichen *modus vivendi* in Vergessenheit geraten werden.

Der Bulle „*De salute animarum*" durch Wiederaufnahme staatlicher Verhandlung auf ihrer Basis den von uns stets bestrittenen Charakter eines Konkordats zu geben, kann überhaupt nicht in unserer Absicht liegen, solange nicht der Geist des Kampfes und der Unterdrückung der weltlichen Macht, den Pius IX. repräsentiert hat, erfahrungsmäßig einer friedlichen Politik der Kurie Platz gemacht hat, und auch dann können wir immer nur provisorische und kündbare Abkommen treffen, da ja auch der Papst seine Autonomie niemals aufgibt. So wie heute nach dem zweiten Briefe des Papstes die Sachen liegen, können wir m. E. gar nicht unterhandeln, sondern lediglich dem Papst unser Bedauern wegen seiner Ablehnung der Bitte des Kaisers aussprechen. Erfolgt eine Erläuterung des Briefes, welche Verhandlungen möglich macht, so ist die Wiederaufnahme diplomatischer Beziehungen — also die Anerkennung des obersten und ausländischen Priesters einer der bestehenden Konfessionen als eine Macht, mit welcher der Staat überhaupt anders als im Wege der Gesetzgebung verhandelt —, an sich eine sehr große Konzession, die bei uns nicht populär sein wird, die ich aber unter Umständen glauben könnte, dem Kaiser anzuraten, da sie einen prinzipiellen Verzicht auf irgendeinen Teil souveräner Rechte des Staates nicht involviert. — Angesichts des letzten päpstlichen Briefes aber können wir keiner Art Verhandlungen näher treten, sondern müssen abwarten, ob der Papst irgendeine andere Initiative des Entgegenkommens ergreift, nachdem er die, welche in seinem ersten Briefe lag, durch den zweiten zerstört hat. Wir können den Vorteil, daß bei der jetzigen Sachlage die Wirkung der Zeit zugunsten der weltlichen Gewalt läuft und zum Nachteil der weltlichen Macht der Kirche, nicht aufgeben, wenn wir nicht diese Konzession durch ein erkennbares Aequivalent in Gestalt päpstlichen Entgegenkommens vor der öffentlichen Meinung und vor der Staatsräson rechtfertigen können.

56. Telegramm an Graf zu Stolberg—Wien: Themenerwägungen für die Orient-Konferenz (Abschrift) GP 2, 312, Nr. 410.

Friedrichsruh, den 21. Mai 1878.

Nr. 2
Geheim
Bei Durchreise nach Petersburg hatte ich Graf Schuwalow gebeten, sich dort gegenwärtig zu halten, daß unsere Interessen Rußlands Verständigung mit Österreich uns noch wertvoller machten als die mit England. Inwieweit der Erfolg meinem Wunsche entspricht, bitte ich Graf Andrássy aus Nachstehendem im engsten Vertrauen zu entnehmen. Graf Schuwalow wird in London etwa Folgendes vorschlagen und rechnet auf günstige Aufnahme:

1) La délimitation de la Bulgarie au Sud serait modifiée de manière à l'éloigner de la Mer Egée.

2) Les frontières occidentales de la Bulgarie seraient rectifiées sur la base du principe de la nationalité de manière à exclure de la Bulgarie les populations non bulgares.

3) La Bulgarie serait divisée en deux provinces, l'une au nord des Balkans serait dotée d'une autonomie politique sous le Gouvernement d'un Prince, et l'autre, celle du sud recevrait une large autonomie administrative avec un Gouverneur Général chrétien nommé au consentement de l'Europe

pour 5 à 10 ans. Le retrait de l'armée turque de la Bulgarie méridionale — Le congrès statuerait sur les cas où le Sultan pourrait faire entrer ses troupes.
Modification de l'article XV du traité dans le sens que toutes les puissances auraient une voix consultative dans l'organisation des provinces Grecques.
Bezüglich der Okkupation Bosniens durch Österreich hat Rußland auch jetzt kein Bedenken und läßt den Gedanken fallen, Serbien und Montenegro den Landstrich zwischen beiden zuzulegen. Die Montenegro-Antivari-Frage würde im Kongreß zu erörtern sein. Bei England haben wir für die Nordwestecke der Türkei wenig Interesse, bei Rußland durch Schuwalow Entgegenkommen gefunden, auch volle Würdigung des Drei-Kaiser-Bundes für Zukunft. Ignatiew momentan beseitigt, Wunsch nach schneller Konferenz jetzt lebhaft.
Schuwalow ist mit dem folgenden, gestern von mir entworfenen, von unserm Kaiser aber noch nicht genehmigten Einladungsformular einverstanden und rechnet auf dessen Annahme durch Salisbury. Ich bitte telegraphisch um Graf Andrássys Meinung darüber und hoffe sein Einverständnis:
« En conformité avec l'initiative prise par le Cabinet austro-hongrois, l'Allemagne propose aux puissances signataires des traités de 1856 et 1871 de vouloir bien se réunir en congrès à Berlin pour y discuter les stipulations du traité préliminaire de San Stefano conclu entre la Russie et la Turquie.
Le Gouvernement de Sa Majesté en faisant cette invitation au Gouvernement N.N. suppose qu'en l'acceptant le Gouvernement N.N. consent à admettre et à participer à la libre discussion de la totalité du contenu du traité de San Stefano.
Pour le cas de l'assentiment de toutes les puissances invitées le Gouvernement de Sa Majesté propose de fixer la réunion du congrès au 3 Juin. »
Das Gelingen hängt wesentlich von absoluter Geheimhaltung alles Vorstehenden ab. Die Presse würde schnell jede Aussicht vernichten, selbst auf Konferenz. v. Bismarck.

57. Schreiben an Finanzminister Hobrecht: Die Steuerreform in Preußen und im Reich (Konzept Tiedemann) W 6 c, 110 ff., Nr. 121.

Friedrichsruh, den 25. Mai 1878.

Ew. pp. danke ich verbindlichst für das gef. Schreiben vom 18. d. M. Mit der Richtung der von Ew. pp. beabsichtigten Reform bin ich ganz einverstanden [a], nur möchte ich derselben gern weitere Ziele als die vorläufig bezeichneten gesteckt sehn [a]. Ich glaube z. B., daß nicht nur die Hälfte der Grund- und Gebäudesteuer, sondern der ganze Betrag derselben den kommunalen Verbänden zu überweisen wäre. Will man dem Notstande der großen Gemeinden wirksam abhelfen, will man vermeiden, daß Ergebnisse sich vorbereiten, wie sie neuerdings in der Zahlungsunfähigkeit größerer italienischer Städte zutage getreten, so wird man m. E. die Steuerüberweisungen an communale Verbände ausgiebiger bemessen müssen. [b] Wo 400 u. 500 Procent Zuschläge zu erheben sind, bildet die Zuweisung der ganzen, danach 16 bis 20 Procent des communalen Bedarfs betragenden Staatssteuer doch nur noch eine unzulängliche Erleichterung. Ich möchte auch den beizubehaltenden Antheil der Einkommensteuer von der Ueberweisung nicht ausschließen [b]. Eine solche und eventuell noch weitergehende Begünstigung erscheint nicht unbillig Stadtgemeinden gegenüber, deren Volkszahl die durchschnittliche Größe eines landrätlichen Kreises übersteigt. Berlin hat die Bevölkerung der Provinz Schleswig-Holstein, andere Städte diejenige kleiner Regierungsbezirke. Die Kommunalbudgets in solchen Gemeinden müssen notwendig einen Teil der Regierungslasten tragen, die in Schleswig-Holstein und den Regierungsbezirken der anderen Provinzen dem Staate obliegen. In diesen Umständen und in anderen, nur den großen Städten eigentümlichen Notwendigkeiten liegt m. E. die Rechtfertigung und in der politischen Nützlichkeit die Aufforderung, in unser Reformprogramm die Forderung aufzunehmen, daß den größeren Städten vielleicht sogar direkte Staatszuschüsse, jedenfalls solche Staatssteuern zugewiesen werden, deren Ertrag vorzugsweise von jenen aufgebracht wird. Hierher gehören namentlich die höheren Klassen der Einkommensteuer. Die niederen Klassen derselben sowie die gesamte Klassensteuer werden meiner Ansicht nach als

a–a Eigenhändiger Zusatz Bismarcks.
b–b Eigenhändiger Zusatz Bismarcks.

Staatssteuern überhaupt besser in Wegfall kommen, unbeschadet des Rechts der Kommunalverbände, ihrerseits analoge Steuern zu erheben. Ich würde dafür stimmen, die Klassensteuer für den Staat gar nicht mehr zu erheben, die Einkommensteuer aber nur von einem Einkommen über 6000 Mark, letztere aber (etwa 18 Mill. Mark) den Kommunalverbänden zu überlassen, in denen sie aufgebracht werden.
Ich halte die höheren Stufen der Klassensteuer und die unteren der Einkommensteuer in ihrer Wirkung für viel drückender, als die untersten Klassensteuerstufen. Ein studierter Beamter oder sonstiger Steuerzahler der weniger wohlhabenden Mittelklassen ist durch die direkte Steuer mit seinem Einkommen von 2000 bis 6000 Mark nach seinen Bedürfnissen bedrängter und namentlich bei Zahlungsunfähigkeit schwereren Konsequenzen ausgesetzt als diejenigen, welche ein Einkommen von 420 bis 1000 M. beziehen und entweder einfache Handarbeiter sind oder wenig über deren Niveau stehen, durch Steuer-Executionen daher in keine andere Erwerbsklasse zurückgedrängt werden können, als in der sie sich befinden. 50 bis 60 Taler Einkommensteuer sind dagegen für einen Beamten mit 2000 Tl. Gehalt, wenn er weiter nichts hat als vielleicht Kinder und Schulden, ein viel gefährlicherer Schaden für seinen Haushalt, wie ein Taler für den Zensiten der untersten Klassensteuerstufe.
Mit jeder Erleichterung der Gewerbesteuer würde ich mich einverstanden erklären können unter der Voraussetzung einer bedeutenden Erhöhung der das Schankgewerbe betreffenden. Es liegt auf der Hand, daß nach diesem meinem *obiter* angedeuteten Plane die zu deckende Lücke in den preußischen Einnahmen und der Bedarf an Reichssteuern erheblich größer sein würde, als von Ew. pp. in dem gefälligen Schreiben vom 18. d. M. berechnet wird, namentlich wenn noch dazu kommt, daß wir für die Durchführung des Schulgesetzes und, wie ich glaube, für die Aufbesserung der Richter- und Beamtengehälter erhebliche Mehrausgaben haben werden. Der Bedarf der Kommunalverbände wird außerdem in dem Maße steigen, wie die Entwicklung der Verwaltungsreform sowohl in den fünf alten wie in den übrigen Provinzen vorschreitet.
Ich bin weit davon entfernt, aus diesem meinem Plane ein festes Programm machen zu wollen, welches ich in seiner Totalität zu sofortiger Annahme oder Ablehnung empfehlen wollte. In der Frage der Steuerreform ebenso wie augenblicklich in dem von Ew. pp. gleichzeitig berührten Kampfe gegen die Sozialdemokratie kommt es m. E. nicht darauf an, ob die Ziele, die man sich steckt, *uno actu* in einer Parlamentssession oder mit einer Vorlage parlamentarisch erreichbar sind, u. selbst wenn sie anscheinend parlamentarisch ganz unerreichbar wären, so würde ich, wenn

sie vernünftig sind, sie doch glauben erstreben zu müssen. [c] Der Erfolg ist eine Frage für sich, die mich wenigstens in meinem pflichtmäßig für richtig erkannten Streben niemals beirrt [c]. Die Politik ist langlebig und beansprucht Pläne auf Menschenalter hinaus. Ich werde, solange ich imstande bin, als Minister oder im Parlament an den Staatsgeschäften teilzunehmen, nicht ablassen, in jeder Session und so oft ich Gelegenheit dazu finde, die politischen und wirtschaftlichen Maßregeln anregen und befürworten, die ich für die richtigen halte, und dabei an den schließlichen Sieg der gesunden Vernunft über Fraktionstaktik und Rhetorik glauben. Die Gelehrten ohne Gewerbe, ohne Besitz, ohne Handel, ohne Industrie, die vom Gehalt, Honoraren und Coupons leben, werden sich im Laufe der Jahre den wirtschaftlichen Forderungen des produzierenden Volkes unterwerfen oder ihre parlamentarischen Plätze räumen müssen. Dieser Kampf kann länger dauern, als wir beide leben, aber ich wenigstens bin entschlossen, ihn auch dann nicht aufzugeben, wenn sich die augenblickliche Erfolglosigkeit mit Sicherheit voraussehen läßt. In unseren Pflichten dem Lande gegenüber ändert das nichts.

Ich werde mich freuen, wenn ich auch nur wenige Etappen der Annäherung an das mir vorschwebende Ziel noch erlebe, und bin, wenn ich es ganz nicht erreichen kann, doch überzeugt, daß man jede Abschlagszahlung annehmen muß, sobald sie erreichbar wird. In dem Gesamtplane, von dem Irrwege der direkten Steuern auf die glatte Bahn der indirekten überzugehen, wäre m. E. die erste Etappe: Beseitigung der Matrikularbeiträge, also für Preußen rund 42 Millionen, für das Reich ein Bedarf von rund 70 Millionen Mark. Damit könnte man, wenn keine dringlicheren Bedürfnisse vorlägen, den Nachlaß der gesamten Staatsklassensteuer von ebenfalls rund 42 Millionen decken. Befreit man dazu die fünf untersten Stufen der Einkommensteuer (117 000 Personen), so braucht Preußen beinahe 13 Millionen und nach Abzug von Veranlagungs- und Erhebungskosten etwa 10 Millionen mehr. Mit anderen Worten: 52 Millionen für Preußen, d. h. etwa 86 Mill. für das Reich würden hinreichen, um in Preußen alle Einkommen unter 6000 Mark steuerfrei zu machen.

Auch diese Etappe ist für mich kein eisernes Programm. Ich akzeptiere jeden kleineren oder größeren Schritt, der in der Richtung des eben bezeichneten Zieles vorwärts führt. Ew. pp. werden selbst genauer ermessen können als ich, wie hoch die Reichseinnahmen bei jedem solchen Schritt getrieben werden müssen. Je höher wir uns das Ziel der indirekten Steuer-

---

c–c Eigenhändiger Zusatz Bismarcks.

und Zollerträge stecken, desto mehr Wahrscheinlichkeit haben wir m. E. überhaupt, etwas zu erreichen. Große prinzipielle Reformen haben eine werbende Natur, nicht bloß für diejenigen, welche dabei Erleichterung von augenblicklichem Druck hoffen, sondern für alle mit konstruktiven Gedanken am Staat teilnehmenden Politiker. Aber auch die Zahl der egoistisch Interessierten wird um so größer, je weiter wir das Ziel greifen, und je mehr wir, von den politischen Schulfuchsereien unserer Parlamentsdebatten abstrahierend, der wählenden Bevölkerung gesunde wirtschaftliche Interessen unterbreiten. Mit dem bisherigen finanziellen Zopf [d] bürokratischer Unfehlbarkeit, die aus Gedankenarmuth an Traditionen klebt, auf welche praktische Nationen niemals reingefallen, auf denen wir aber mit dem Stolze auf unsre Originalität u. Wissenschaftlichkeit festgerostet sind [d], — mit den bisherigen parlamentarischen Klopffechtereien der Fraktionspolitik auf doktrinären, für die wählende Bevölkerung unzugänglichen Gebieten fürchte ich, daß wir das parlamentarische System der Abwirtschaftung aussetzen, und doch gibt es nichts, was wir an seine Stelle setzen könnten, ohne in Experimente zu verfallen, welche die Geschichte *ad absurdum* führte. Was ich mit meinen schwachen Kräften noch tun kann, um zu hindern, daß unsere neuen Einrichtungen an unpraktischem Idealismus politischer Kinder [e] u. doctrinärer Gelehrter u. schließlich an dem persönlichen Ehrgeiz der fractionsführenden Redner [e] zugrunde gehen, unter Verfall von Freiheit und Nationalität, unter Rückfall in Partikularismus und in Schwankungen zwischen Anarchie und dummer Gewalt — das will ich wenigstens versuchen, solange ich lebe, und wenn ich keinen Beistand dabei finde, so kann ich den Untergang unserer neuen Herrlichkeit doch mit kühlerem Herzen ansehen als diejenigen, welche ihn herbeizuführen beschäftigt sind.

Ich bitte, die vorstehenden Bemerkungen als eine vertrauliche Antwort auf das gefällige Schreiben Ew. pp. vom 18. d. M. aufzufassen. Sie sind lediglich bestimmt, die Verständigung zwischen uns im Fluß zu erhalten. Sobald es mein Gesundheitszustand gestattet, werde ich auch den Versuch machen, meine Ansichten über die Steuerreform in einer amtlichen Darlegung zusammenzufassen.

Gegen die Berufung des Generalzoll- und Steuerdirektors Fabricius in Straßburg zum Unterstaatssekretär im Reichsschatzamt habe ich um so weniger etwas einzuwenden, als ich denselben m. W. nicht kenne. Sollte

d–d Eigenhändiger Einschub Bismarcks.
e–e Eigenhändiger Einschub Bismarcks.

wider Erwarten auch diese Kombination scheitern, so möchte ich Ew. pp. anheimgeben, unter den jüngeren Räten der Finanzverwaltung ohne Rücksicht auf Anciennität und ohne Beachtung der angeblich „bewährten Traditionen preußischer Finanzverwaltung" den fähigsten auszusuchen und in Vorschlag zu bringen.
Mit vorzüglicher Hochachtung Ew. pp. ergebenster von Bismarck.

58. Diktat für die Presse: Zur parlamentarischen Lage[59] (Reinschrift Tiedemann)
W 6 c, 113 f., Nr. 122.

[Friedrichsruh, den 29. Mai 1878.]

Wie wir hören, ist in ministeriellen Kreisen die Frage angeregt worden, ob die Mehrheitsbeschlüsse des Reichstages bezüglich der Vorbereitungen für eine Steuerreform und insbesondere die Haltung der Reichstagsmajorität in der sozialistischen Frage es angezeigt erscheinen lassen, daß das preußische Ministerium seine Entlassung und die Bildung eines neuen Kabinetts aus den Elementen der Reichstagsmajorität beantrage. Nach konstitutionellem Brauche würden dann die Führer der letzteren ein neues Ministerium zu bilden haben.
Wir glauben nicht, daß diese Frage vom verfassungsmäßigen Standpunkt bejaht werden kann. Es handelt sich hier um Vorgänge auf dem Gebiete der Gesetzgebung des Reiches, und die Verantwortlichkeit für die abgelehnten Vorlagen ruht nicht auf dem preußischen Staatsministerium, sondern auf dem Bundesrate, resp. den gesamten verbündeten Regierungen. Wenn, was wir dahingestellt sein lassen, der Bundesrat durch preußische Anträge zu seinen Beschlüssen veranlaßt worden ist, so hat das Preußische Staatsministerium seine Anträge und Abstimmungen doch nicht dem Reichstage gegenüber zu vertreten. Auch der Umstand, daß der verantwortliche Reichskanzler dem preußischen Ministerium angehört, kann u. E. hierin nichts ändern, da der Reichskanzler als solcher nicht für das

[59] Der Artikel erschien in Nr. 128 der Norddeutschen Allgemeinen Zeitung am 1. Juni 1878, nachdem am 24. Mai durch die Ablehnung der Nationalliberalen das Sozialistengesetz gescheitert und die Steuerreform festgefahren war. Er bildet auch bereits den Hintergrund der gegen die Nationalliberalen gerichteten Auflösung des Reichstags.

Verhalten der verbündeten Regierungen oder einzelner derselben verantwortlich ist, sondern nur für die Anordnungen und Verfügungen, welche der Kaiser in Ausübung der dem Präsidium durch Abschnitt IV der Reichsverfassung verliehenen Rechte erläßt.

Aus anderen Gesichtspunkten würde die Frage zu beantworten sein, wenn der preußische Landtag eine analoge Haltung wie der Reichstag annehmen und die Regierung auch dort bei Maßregeln, welche sie im Interesse des Landes glaubt vorschlagen zu müssen, sich einer Opposition gegenüber befinden sollte, zusammengesetzt aus der nationalliberalen Partei und den gewohnheitsmäßigen Gegnern des Staates, der Fortschrittspartei, dem Zentrum und den Polen, unter unumwundener Bekundung der Tatsache, daß weniger sachliche Fragen als das Mißtrauen gegen die Personen der gegenwärtigen Minister eine solche Koalition ins Leben gerufen. Die Bildung eines neuen Kabinetts beim Rücktritte des jetzigen würde in einem solchen Falle derjenigen Partei anheimfallen, welche das zahlreichste Kontingent zu der Koalition stellt, aus welcher die Opposition besteht, vor der sich das Ministerium zurückziehen würde. Der neue Ministerpräsident würde voraussichtlich nur unter den Namen Lasker, Bennigsen, Forckenbeck gesucht werden können. Jedenfalls würde das neue Ministerium der dauernden Zustimmung und Unterstützung des Herrn Lasker bedürfen, und falls derselbe nicht eintreten sollte, wesentlich von den Fraktionsbeschlüssen der nationalliberalen Fraktion abhängig bleiben, welche unter der Führung des Herrn Lasker steht. Der Schwerpunkt würde eben nicht in den verfassungsmäßig verantwortlichen Personen liegen, denen die Aktion auf der amtlichen Bühne zufällt, sondern hinter den Kulissen in einer kamarillaartig wirkenden Fraktionsleitung ohne ministerielle Verantwortlichkeit. Diese Fraktion würde zugleich den Forderungen der ihr zunächst verbündeten, der Fortschrittspartei, Rechnung zu tragen haben, da sie nur in Verbindung mit dieser eine auch dann noch schwankende Majorität im Landtage zu erreichen vermöchte. Durch diese Bundesgenossenschaft würde die Mitwirkung der konservativen Fraktionen zur Herstellung einer sicheren Mehrheit ausgeschlossen werden. Jeder Versuch des Ministeriums, durch politische Annäherung die Zurückhaltung der Konservativen zu überwinden, würde die Unterstützung der Fortschrittspartei und wahrscheinlich auch des der Führung Laskers folgenden linken Flügels der Nationalliberalen in Frage stellen. Daß sich durch eine Auflösung des Abgeordnetenhauses unter einem liberalen Ministerium dieses mißliche Verhältnis wesentlich ändern würde, glauben wir nicht. Wir sind vielmehr überzeugt, daß eine Auflösung im gegenwärtigen Moment die konservativen Elemente stärken würde, ohne ihnen die Mehrheit zu verschaffen. Wenn wir dieser Situation ins Auge sehen, so müssen wir bezweifeln, daß ein von den Führern der Nationalliberalen Partei gegenwärtig zu bildendes Kabinett stark genug sein würde, dem Lande die ruhige Zuversicht wiederzugeben, welche nach der Meinung der liberalen Blätter dem Lande fehlt, und zwar, wenn man diesen Blättern Glauben schenken darf, ungefähr seit derselben Zeit, wo die nationalliberale Partei anfing, es ungehörig zu finden, daß sie, obschon die Hauptstütze der Regierung, innerhalb derselben unvertreten sei. Wir wollen darüber nicht streiten, ob letzteres gegenwärtig wirklich der Fall ist, noch weniger darüber, ob es der Fall war, bevor der frühere Finanzminister sich vor den Angriffen der nationalliberalen Fraktion zurückzog und sein näherer Landsmann, der Handelsminister, ihm auf diesem Wege folgte. Wir würden noch heute den Ausdruck für richtiger halten, daß die nationalliberale Fraktion im Kabinett unvertreten war und ist, insoweit als kein Mitglied des Kabinetts im Fraktionsverzeichnis aufgeführt steht. Die Partei ist aber nicht nur im Kabinett persönlich vertreten gewesen und vertreten, sondern sie hat in allen wesentlichen Fragen seit zehn Jahren die Richtung der ministeriellen Politik soweit bestimmt, wie die verfassungsmäßige Stellung des Bundesrats und berechtigte monarchische Einflüsse es gestatteten. Wenn dieses Verhältnis sich seit einem halben Jahre nach Ausweis der Fraktionsbeschlüsse, der Abstimmungen im Reichstage und der Reden hervorragender Fraktionsführer zu lösen beginnt, so hat die Verantwortlichkeit hierfür die Fraktion zu tragen. Ob die nationalliberale Partei im Lande und ihre Fraktion im Reichstage sich gegenseitig vollständig decken, — das kann nur die Zukunft entscheiden.

Von unserem — konservativen — Standpunkt aus müssen wir dagegen Verwahrung einlegen, daß man die gegenwärtige Situation zu konstitutionellen Experimenten benutze, deren Kosten das Land auf politischem und wohl auch auf wirtschaftlichem Gebiete zu tragen haben würde, ganz abgesehen von der Frage, ob die in dieser Hinsicht noch unerprobte Maschinerie des neuen Deutschen Reiches stark genug ist, um ohne Bruch die Spannung solcher Experimente zu tragen. Wir geben uns deshalb der Hoffnung hin, daß die Abstimmungen des Reichstages und die Haltung seiner Majorität keine kritischen Rückwirkungen auf den Bestand des preußischen Ministeriums üben werden. Die Uebertragung der strengen parlamentarischen Traditionen Englands auf unsere Einrichtungen wird unüberwindliche Schwierigkeiten haben, so lange es bei uns keine Partei gibt, die ohne Koalition mit einer, ja mit mehreren anderen eine parlamentarische Majorität herzustellen imstande ist. Koalitionsministerien, mag die Verstärkung auf dem linken oder rechten Flügel gesucht werden, müssen stets auf denjenigen Gebieten ohnmächtig bleiben, welche durch die Einigkeit ihrer Bestandteile nicht gedeckt sind.

59. Telegramm an den Gesandten in Karlsruhe Graf von Flemming: Zur Reichstagsauflösung (Eigenhändiges Konzept) Goldschmidt, 241, Nr. 57.

Berlin, den 9. Juni 1878.

Die Gr[oßherzogliche] Reg[ierung] würde, wenn ihr Votum [60] die Kaiserliche Initiative in die Minorität brächte, die Reichsregierung in die Nothwendigkeit bringen, zu abdiciren oder Maßregeln zu ergreifen, die ich bisher bekämpft habe, weil sie die Spannung im Lande schärfen würden. Die Berufung des jetzigen Reichstages ist für Preußen unannehmbar, wäre eine harte Zumuthung für die jüngste Reichstagsmehrheit u[nd] würde doch zur Auflösung führen. Die Annahme der Gr[oßherzoglichen] Reg[ierung] über ein andres Ergebniß ist nach unsern Nachrichten nicht zutreffend.

60. Gespräch mit dem Ehepaar von Spitzemberg am 13. Juni 1878 in Berlin
Spitzemberg 172 f. = W 8, 260 f., Nr. 205

13. Juni Nach Tische von einem Spaziergange heimkehrend, sah uns Marie Bismarck von dem Fenster ihrer nach der Wilhelmstraße gehenden Stube und rief uns mit Lothar [61] herein. Erst saßen wir in dem höchst gemütlichen großen Salon, wo einige der alten Bilder von Nro 76 sowie das neue, sehr ähnliche Konterfei des Fürsten von Healy Platz gefunden, dann machten wir einen Gang durch den herrlichen Park, wollten aber darauf heimkehren, als eben der Fürst von dem großen Diner kam, das der Kronprinz im Weißen Saale für den Kongreß gegeben hatte. Seit Jahren war dies das erste Hofdiner, das der Kanzler mitgemacht, und

---

[60] Die badische Regierung hegte nach Graf Flemmings Meinung Bedenken gegen die Auflösung des Reichstags, zu der Bismarck nach dem Nobiling'schen Attentat vom 2. Juni 1878 entschlossen war und die dann auch am 11. Juni 1878 verfügt wurde.

[61] Der Sohn des württembergischen Gesandten Freiherrn von Spitzemberg.

es hatte trotz der vorhergehenden Ermüdung erheiternd auf ihn gewirkt, denn ich habe ihn schon lange nicht mehr so munter gesehen. Er erzählte eine Fülle interessanter oder amüsanter Dinge vom Kongresse und seinen Mitgliedern. Waddington, der Franzose, ein Geschäftsmann, sagte ihm bei Tische: „Quel bonheur d'avoir une dynastie héréditaire." Der alte Gortschakow, den man tragen muß, hatte eine lange Unterredung mit ihm, an deren Schlusse Bismarck ihm die Hand zum Aufstehen reichte. Als er ihn stehend glaubte, ließ Bismarck los, der alte Gortschakow aber wankte, so daß ihn Bismarck rasch und kräftig in die Arme fassen mußte. Dies hielt der im Zimmer ruhende „Tiras", Sultans Nachfolger, für den Augenblick des Angreifens und stürzte mit hochgehobenem Schweife auf den alten Mann los. Bismarck wies ihn mit lautem Zurufe zurück, worüber wieder Gortschakow, der das Tier noch gar nicht bemerkt hatte, nicht wenig erschrak. — Betrübend war es, vom Fürsten zu hören, daß die preußischen Minister sämtlich, außer Maybach, ihn durch ihre Feigheit, ihre beschränkte Gesetzlichkeit, ihre Zauderei maßlos ärgern und ihn hindern an allen Ecken und Enden. Er sprach aus, wie er sichs wohl bewußt sei, daß auf ihn alle Verantwortung falle, wenn jetzt nicht dem Krebsschaden Einhalt getan werde, und doch sei er nicht imstande, Energie und Mut in seine Kollegen zu bringen; „wenn ich nicht staatsstreichere, setze ich nichts durch". *Der Kronprinz lebe sich sehr gut in die Geschäfte ein und sei auch zu allem bereit, aber auch er sei eben bloß* „konstitutioneller" *König* [62]. *Bismarck wollte erst den Belagerungszustand, dann statt desselben sechs Regimenter hierher verlegen, die tüchtig patroullieren und schon durch ihre Anwesenheit dem Mob imponieren — das war beim Kriegsminister nicht durchzusetzen; er schlug vor, daß jeder, der hierher ziehe, eine Paßkarte haben müsse, für deren Vorhandensein der Hausvermieter einstehe, er wollte 1000 Mann mehr Schutzmannschaft haben — bis jetzt nichts durchzusetzen! Höre ich solche Dinge, so wird mir angst und bange — ein Mann von Eisen tut uns jetzt not, alles sieht auf den Fürsten, alle würden sich ohne Murren auch kleine Übergriffe der Regierung gefallen lassen, wenn nur energisch vorangegangen würde; und statt dessen lähmen diese Bürokraten, diese Formensklaven, den Mann der Tat — es ist gräßlich! — Lothar saß bis 1/2 10 da, muckstill und horchte mit Aug' und Ohr; er sah Bismarck zum ersten Male so nahe, und der Fürst freute sich über den schmucken, schlanken, frischen Jungen. Er interessiert sich lebhaft für den Kongreß und durfte den Konferenzsaal mit dem großen Hufeisentisch sehen. — Später kamen Schlözer, Stirum, Radowitz usw.*

---

[62] Kronprinz Friedrich Wilhelm hatte nach dem am 2. Juni 1878 erfolgten Attentat Nobilings die Stellvertretung seines schwerverwundeten Vaters — nicht die Regentschaft — übernommen.

61. Gespräch mit Hohenlohe[63] am 14. Juni 1878 in Berlin

W 8, 261 f., Nr. 206 = Hohenlohe II, 234.

Dann bei Bismarck. Der Reichskanzler gab seiner Mißstimmung über die türkischen Bevollmächtigten Ausdruck und erzählte, daß er ihnen offen gesagt habe, die Türkei irre sich, wenn sie glaube, daß ihr ein Vorteil daraus erwachsen werde, wenn der Kongreß ohne Resultat verlaufe. Ein Krieg werde nur dazu führen, daß sich die Mächte nach dessen Beendigung auf Kosten der Türkei verständigen würden. Als nachher davon die Rede war, daß Bismarcks großer Hund einen Minister angeknurrt habe, sagte der Kanzler: „Der Hund ist in seiner Dressur nicht fertig. Er weiß nicht, wen er beißen soll, wenn er es wüßte, würde er die Türken gebissen haben.“ *Daß man Mehemed Ali geschickt hat, hält der Kanzler für eine Taktlosigkeit*[64]. *Bei der Besprechung der Frage, ob Karatheodory*[65] *Christ sei, meinte er:* „Am Ende ist der Magdeburger (Mehemed Ali) der einzige Muselman unter den dreien.“

Daß die englischen Minister sich gelegentlich des Todes des Königs von Hannover[66] *in die Frage mischen, welchen Titel der Kronprinz führen solle, ärgert den Reichskanzler, der überhaupt Mißtrauen gegen die Engländer hegt und sie für unverschämt und ungeschickt erklärt. Er sagte dann die bedeutungsvollen Worte:* „Ich möchte wissen, ob Beaconsfield den Krieg will.“ *Jedenfalls meinte er, werde die etwas kriegerische Haltung der Engländer den Oesterreichern den Vorteil gewähren, sich mit den Russen zu verständigen. Um zwölf Uhr ging alles auseinander. Der Reichskanzler begleitete mich ins andere Zimmer und sprach da noch von der Schwierigkeit, die es ihm bereitet habe, französisch zu präsidieren. Er hat es übrigens sehr gut gemacht, und von der Befangenheit, die er gehabt zu haben behauptet, hatte man nichts bemerkt.*

---

[63] Der deutsche Botschafter in Paris war neben Bismarck und Staatssekretär von Bülow deutscher Vertreter auf dem Berliner Kongreß.

[64] General Mehemed Ali Pascha stammte aus Magdeburg und hieß ursprünglich Detroit. Als Schiffsjunge entlaufen, hatte er in der Türkei, zum Islam übergetreten, eine glänzende militärische Karriere gemacht. Mit seiner Entsendung nach Berlin glaubte die türkische Regierung, Deutschland eine besondere Reverenz zu erweisen.

[65] Türkischer Minister des Auswärtigen.

[66] Der blinde König Georg V. von Hannover war am 12. Juni 1878 gestorben.

62. Gespräche mit dem Abg. Lucius am 15. und 16. Juni 1878 in Berlin

W 8, 262 f., Nr. 207 = Lucius, 140 ff.

15. Juni nach Berlin zur Wahlausschußsitzung. Den Abend und nächsten Tag zu Tisch bei Bismarck, welcher wohl, aber etwas marode von den Kongreßsitzungen war.

Er müsse jetzt acht bis zehn Stunden täglich in fremden Zungen über die intrikatesten Fragen reden, was sehr anstrenge. Unter den Kongreßleuten seien ihm Schuwalow und Corti die angenehmsten, auch mit Waddington ließe sich leben. Die Leute hätten von Geschäftsführung und parlamentarischer Ordnung keine Ahnung. Er müsse immer die Fragen stellen und darauf aufmerksam machen, daß über eine wichtige Sache jetzt abgestimmt werde. Einige wichen von der Sache weit ab, und heute habe er einem Türken bedeutet: was er sagen wolle, könne man in der Tischunterhaltung fortsetzen. Er wünsche ein möglichst baldiges Ende, damit er fort könne. Andrássy sei zu unentschlossen, er souffliere ihm öfters, aber Andrássy traute sich nicht immer zu folgen und bedaure nachher, es nicht getan zu haben.

Ob noch vor den Wahlen[67] *ein Regierungsprogramm verlautbart wird, scheint ungewiß — die Wahl seiner beiden Söhne wünscht er lebhaft. Erschreckt hat mich, daß er jetzt schon mit den neuen Ministern Hobrecht und Graf Botho Eulenburg nicht recht zufrieden scheint, wohl aber mit Maybach*[68]*, Hobrecht sei ein Leisetreter, welcher immer mit den Nationalliberalen Fühlung suche. Eulenburg sei ein Staatsanwalt, welcher immer sechs Gesetze dafür anführe, daß etwas nicht gehe. Stolberg klage über Mangel an Beschäftigung und doch könne er sich alles vorlegen lassen.*

63. Gespräch mit Hohenlohe am 27. Juni 1878 in Berlin

W 8, 263 f., Nr. 209 = Hohenlohe II, 242 ff.

Abends zu Bismarck. Er kam um elf Uhr, war sehr munter und erzählte von seinen Verhandlungen mit den Nationalliberalen. Er sagte, er habe zuerst mit Bennigsen verhandelt, der anfangs bereit gewesen sei, einzutreten, dann aber wieder aufgesagt habe. Er habe Bennigsen das Ministerium des Innern angeboten, Bennigsen aber habe noch Forckenbeck und Stauffenberg hineinbringen wollen. Von Forckenbeck will der Reichskanzler nichts wissen. Er sei ein guter Präsident, aber kein Minister. Stauffenberg sei ein Durchgänger und ein Popularitätshascher.

---

[67] Der Reichstag war nach den beiden Attentaten auf den Kaiser am 11. Juni 1878 aufgelöst worden, die Neuwahl für den 30. Juli 1878 festgesetzt.

[68] Preußischer Handelsminister seit dem 30. März 1878.

Man hätte ihn als Finanzminister genommen, wenn er nicht durch seine Rede[69] *alles verdorben hätte. Ich habe die Rede durchgelesen und finde, daß der Reichskanzler recht hat, wenn er sagt, Stauffenberg hätte sich durch die Rede dem Reichstage als Minister der Finanzen vorstellen wollen, daß er aber vergessen habe, daß seine Ausführungen über § 109 ihn beim Kanzler unmöglich machen würden. So sei es denn auch gekommen. Die Nationalliberalen hätten dann ohne sein (des Fürsten) Zutun Camphausen gestützt, in der Hoffnung, daß dies Ministerium durch einen Nationalliberalen besetzt werden würde.* „Als das nicht geschah, wurden sie tückisch und suchten jedermann zu verbinden, in das Ministerium einzutreten.“ *Der Reichskanzler scheint den Gedanken eines nationalliberalen Ministeriums definitiv aufgegeben zu haben. Er weiß, daß er die Partei gegen sich haben wird, aber er will versuchen, ohne und gegen sie zu regieren. Er sagte:* „Sie können mich zum Rücktritt zwingen, aber dazu bringen Sie mich nicht, daß ich ein Parteiministerium der Nationalliberalen bilde und ihnen die Leitung der Geschäfte überlasse, während sie mich wie einen madigen Apfel als Schaugericht auf den Tisch stellen.“

64. Erlaß an den Vizepräsidenten des Preußischen Staatsministeriums Graf zu Stolberg: Teilnahme des Reichsjustizsekretärs an den Sitzungen des Staatsministeriums (Konzept Friedberg) Goldschmidt, 241, Nr. 57.

Berlin, 28. Juni 1878.

Bismarcks Umarbeitung.

Bei Beratungen im kgl. Staatsministerium über Entwürfe zu Reichsgesetzen würde ich, wenn ich denselben beiwohnen könnte, das Bedürfnis des sachkundigen Beistandes des H. Chefs des R.-Just.-Amtes haben. Umso mehr erscheint mir die Betheiligung desselben in meiner Behinderung als Vertreters für das Reichsjustiz-Interesse wünschenswerth, und ersuche . . .

Friedbergs Entwurf.

Bei Beratungen im kgl. Staatsministerium, welche Reichsangelegenheiten betreffen, insbesondere bei Beratung von Entwürfen zu Reichsgesetzen, wird es die geschäftliche Behandlung fördern und namentlich dazu beitragen, mancher Schwierigkeit in den weiteren Stadien vorzubeugen, wenn neben der Vertretung der Reichsinteressen durch die beiden Herren Reichsbeamten,

---

[69] Im Reichstag am 22. Februar 1878 bei der Debatte um die Erhöhung der Reichseinnahmen.

welche dem Staatsministerium als Mitglieder angehören, die spezifischen Interessen des Rechtsressorts von demjenigen Reichsbeamten wahrgenommen werden können, welcher mit der Leitung der Reichsjustizangelegenheiten betraut ist.

Schluß wie der nebenstehende letzte Absatz, doch hat B. am Ende das Wort ‚regelmäßig' gestrichen.

Demgemäß ersuche Euer Erlaucht ich ergebenst, gefl. Anordnung treffen zu wollen, daß zu den Beratungen des kgl. Staatsministeriums über Angelegenheiten der bezeichneten Art der Chef des Reichsjustizamts Staatssekretär Friedberg regelmäßig zugezogen werde.

65. Telegramm an das Auswärtige Amt: Begegnung mit dem päpstlichen Nuntius in München (Eigenhändiges Konzept) W 6 c, 115, Nr. 124.

Kissingen, den 30. Juli 1878.

An Seine Königliche Hoheit den Kronprinz und an Graf zu Stolberg für Minister Dr. Falk zu übermitteln. Ich habe heute eine dreistündige Unterredung mit dem Münchener Nuntius gehabt. Er verlangt Zusage durch allerhöchstes Handschreiben, daß die Regirung die Kirchengesetze in Zukunft nicht zur Anwendung bringen werde. Ich habe ihm das und alles Aehnliche als unmöglich bezeichnet, Anzeige der Ernennungen als ersten Schritt verlangt und dafür Anknüpfung diplomatischer Beziehungen mit Vatikan in Aussicht gestellt. Er ist zäh von alter Diplomatenschule, will nach Rom melden und vorläufig vier Tage hier bleiben. Ich glaube vorläufig nicht an ein Ergebnis der Verhandlung.

66. Schreiben an Hofmann: Wünsche für die in Heidelberg unter Hofmanns Vorsitz tagende Konferenz der Finanzminister der Bundesstaaten (Reinkonzept nach Diktat) W 6 c, 115 f., Nr. 125.

Kissingen, den 3. August 1878.

Ew. pp. habe ich mit der Bitte, über Kissingen zu reisen, nicht belästigen wollen und erlaube mir deshalb, kleine Wünsche, die ich habe, schriftlich mitzuteilen.

Wenn von anderer Seite Anregungen zu besserem Schutz deutscher Produkte gegen auswärtige Konkurrenz an uns herantreten sollten, so halte ich für untunlich, denselben zu widersprechen oder zu widerstreben. Ein prinzipielles Einlenken nach dieser Richtung hin, wenn auch nicht in die Richtung des Schutzzolles, ist für mich eine unabweisliche Notwendigkeit, und bin ich bisher nur durch Gesundheitsrücksichten abgehalten, zu dieser Frage entschiedener und öffentlich Stellung zu nehmen. Jedenfalls aber werde ich dieses im Reichstage tun und auch im Bundesrate eine Initiative in dieser Richtung nehmen, wenn sie nicht von andrer Seite erfolgt.

In diesem Sinne halte ich es auch nicht an der Zeit, daß wir jetzt in Tarifverhandlungen mit Oesterreich eintreten, noch viel weniger, daß wir hierin die Initiative ergreifen, wie Herr von Philipsborn, angeblich mit Ew. pp. Zustimmung, dies gestern schriftlich bei mir angeregt hat. Abgesehen davon, daß jede Initiative unsere Stellung in der Verhandlung schwächt, weil sie uns vertragsbedürftig erscheinen läßt, ist mir zweifellos, daß unser Tarifwesen einer eingreifenden Reform bedarf, in wirtschaftlicher sowohl wie in finanzieller Beziehung. Mit dieser Ueberzeugung im Sinne, kann ich aber zu Verhandlungen behufs Festlegung auch nur eines Teiles unseres Auslandstarifes gegenwärtig nicht die Hand bieten.

Es wird kaum fehlen, daß bei vertraulichen Besprechungen mit Ihren Herren Kollegen auch des Sozialisten-Gesetzes Erwähnung geschieht. Ich erlaube mir zu diesem Behufe auf einige Modifikationen aufmerksam zu machen, die ich für nützlich halten würde. Einmal, daß im § 20 bezüglich des Schlußsatzes al. 1 eine Fassung gewählt wird, die jeden Zweifel daran ausschließt, daß Ausländer aus dem S t a a t s gebiet ohnehin jederzeit ausgewiesen werden können. Ferner ist die Ausweisungs-Befugnis (§ 23, Nr. 3) meines Erachtens übertrieben vinculiert und in dieser Fassung ganz wirkungslos. Es sollte jeder, der nicht ortsangehörig ist, ausgewiesen werden können, aus den Bezirken, wo dieser sogenannte Zivilkriegszustand eingeführt wird. Auch Nr. 2 ebendaselbst genügt nicht zur Verhinderung

der schädlichen Wirkungen der sozialistischen Blätter; nur die Berechtigung zum Verbot derselben kann das Uebel mit einiger Wirkung treffen.
Die im § 10 gegen Druckschriften in Aussicht gestellten Maßregeln werden stillschweigend oder ausdrücklich sich auch auf die Verbreitung sozialistischer Parlamentsreden erstrecken müssen.
Zur Vervollständigung von § 20 würde meiner Ansicht nach noch notwendig sein, daß Personen, welche wegen sozialistischer Bestrebungen im Sinne des § 1 bestraft worden sind, die Wahlfähigkeit zum Reichstage verlieren.
Wenn wir den Sozialismus mit „Schüchternheit" bekämpfen wollen, so liefern wir ihm nur neue Waffen und lassen ihn besser ganz in Ruh.

67. Schreiben an König Ludwig II.: Überblick über die politische Lage

W 14/II, 893 ff., Nr. 1587.

Kissingen, den 12. August 1878.

Eurer Majestät erlaube ich mir meinen ehrfurchtsvollen Dank zu Füßen zu legen für die huldreichen Befehle, welche der Königliche Marstall auch in diesem Jahre für meinen hiesigen Aufenthalt erhalten hat, und für die gnädige Anerkennung, welche der Minister von Pfret[z]schner mir im Allerhöchsten Auftrage überbracht hat. Durch den Congreß ist die Politik einstweilen zum Abschlusse gebracht, deren Angemessenheit für Deutschland Eure Majestät in huldreichem Schreiben anzuerkennen geruhten. Der eigne Frieden blieb gewahrt, die Gefahr eines Bruches zwischen Oestreich und Rußland ist beseitigt, und unsre Beziehungen zu beiden befreundeten Nachbarreichen sind erhalten und befestigt. Namentlich freue ich mich, daß es gelungen ist, das noch junge Vertrauen Oestreichs zu unsrer Politik im Cabinet wie in der Bevölkerung des Kaiserstaates wesentlich zu kräftigen. Ich darf von der allerhöchsten Billigung E. M. überzeugt sein, wenn ich auch ferner bemüht bin, die auswärtige Politik des Reiches in der vorbezeichneten Richtung zu erhalten, und dementsprechend bei der Pforte und anderweit gegenwärtig dahin zu wirken, daß die schwierige Aufgabe, die Oestreich, allerdings etwas spät, übernommen hat, durch diplomatischen Beistand nach Möglichkeit erleichtert werde.
Schwieriger sind die augenblicklichen Aufgaben der innern Politik. Meine Verhandlungen mit dem Nuntius ruhn seit dem Tode des Cardinals

Franchi vollständig, in Erwartung von Instructionen aus Rom. Diejenigen, welche der Erzbischof von Neocäsarea mitbrachte, verlangten Herstellung des status quo ante 1870 in Preußen, factisch, wenn nicht vertragsmäßig. Derartige principielle Concessionen sind beiderseits unmöglich. Der Papst besitzt die Mittel nicht, durch welche er uns die nöthigen Gegenleistungen machen könnte; die Centrumspartei, die staatsfeindliche Presse, die polnische Agitation, gehorchen dem Papste nicht, auch wenn Seine Heiligkeit diesen Elementen befehlen wollte, die Regirung zu unterstützen. Die im Centrum vereinten Kräfte fechten zwar jetzt unter päpstlicher Flagge, sind aber *an sich* staatsfeindlich, auch wenn die Flagge der Katholicität aufhörte sie zu decken; ihr Zusammenhang mit der Fortschrittspartei und den Socialisten auf der Basis der Feindschaft gegen den Staat ist von dem Kirchenstreit unabhängig. In Preußen wenigstens waren die Wahlkreise, in denen das Centrum sich ergänzt, auch *vor* dem Kirchenstreite oppositionell, aus demokratischer Gesinnung, bis auf den Adel in Westfalen und Oberschlesien, der unter der Leitung der Jesuiten steht und von diesen absichtlich schlecht erzogen wird. Unter diesen Umständen fehlt dem römischen Stuhl die Möglichkeit, uns für die Concessionen, die er von uns verlangt, ein Aequivalent zu bieten, namentlich da er über den Einfluß der Jesuiten auf deutsche Verhältnisse gegenwärtig nicht verfügt. Die Machtlosigkeit des Papstes ohne diesen Beistand hat sich besonders bei den Nachwahlen erkennen lassen, wo die katholischen Stimmen, *gegen* den Willen des Papstes, für socialistische Candidaten abgegeben wurden und der Dr. Moufang in Mainz öffentlich Verpflichtungen in dieser Beziehung einging. Die hiesigen Verhandlungen mit dem Nuntius können das Stadium der gegenseitigen Recognoscirung nicht überschreiten; sie haben mir die Ueberzeugung gewährt, daß ein Abschluß noch nicht möglich ist; ich glaube aber vermeiden zu sollen, daß sie gänzlich abreißen, und dasselbe scheint der Nuntius zu wünschen. In Rom hält man uns offenbar für hülfsbedürftiger, als wir sind, und überschätzt den Beistand, den man uns, bei dem besten Willen, im Parlamente zu leisten vermag. Die Wahlen zum Reichstage haben den Schwerpunkt des letztern weiter nach rechts geschoben, als man annahm. Das Uebergewicht der Liberalen ist vermindert, und zwar in höherem Maße, als die Ziffern es erscheinen lassen. Ich war bei Beantragung der Auflösung nicht im Zweifel, daß die Wähler regirungsfreundlicher sind als die Abgeordneten, und die Folge davon ist gewesen, daß viele Abgeordnete, welche ungeachtet ihrer oppositionellen Haltung wiedergewählt wurden, dieß nur durch Zusagen zu Gunsten der Regirung erreichen konnten. Wenn sie diese Zusagen nicht halten und eine neue Auflösung folgen sollte, so werden sie nicht mehr Glauben bei den Wählern finden und nicht wieder gewählt werden. Die Folge der gelockerten Beziehungen zu den liberalen und centralistischen Abgeordneten wird, meines ehrfurchtsvollen Dafürhaltens, ein festeres Zusammenhalten der verbündeten Regirungen unter einander sein. Das Anwachsen der socialdemokratischen Gefahr, die jährliche Vermehrung der bedrohlichen Räuberbande, mit der wir gemeinsam unsre größeren Städte bewohnen, die Versagung der Unterstützung gegen diese Gefahr von Seiten der Mehrheit des Reichstags, drängt schließlich den deutschen Fürsten, ihren Regirungen und allen Anhängern der staatlichen Ordnung eine Solidarität der Nothwehr auf, welcher die Demagogie der Redner und der Presse nicht gewachsen sein wird, so lange die Regirungen einig und entschlossen bleiben, wie sie es gegenwärtig sind. Der Zweck des Deutschen Reiches ist der Rechtsschutz; die parlamentarische Thätigkeit ist bei Stiftung des bestehenden Bundes der Fürsten und Städte als ein Mittel zur Erreichung des Bundeszweckes, aber nicht als Selbstzweck aufgefaßt worden. Ich hoffe, daß das Verhalten des Reichstages die verbündeten Regirungen der Nothwendigkeit überheben wird, die Consequenzen dieser Rechtslage jemals practisch zu ziehen. Aber ich bin nicht gewiß, daß die Mehrheit des jetzt gewählten Reichstages schon der richtige Ausdruck der zweifellos loyal und monarchisch gesinnten Mehrheit der deutschen Wähler sein werde. Sollte es nicht der Fall sein, so wird die Frage einer neuen Auflösung in die Tagesordnung treten. Ich glaube aber nicht, daß ein richtiger Moment der Entscheidung darüber schon in diesem Herbst eintreten könne. Bei einem neuen Appell an die Wähler wird die wirthschaftliche und finanzielle Reformfrage ein Bundesgenosse für die verbündeten Regirungen sein, sobald sie im Volke richtig verstanden sein wird; dazu aber ist ihre Discussion im Reichstage nöthig, die nicht vor der Wintersession stattfinden kann. Das Bedürfniß höherer Einnahmen durch indirecte Steuern ist in allen Bundesstaaten fühlbar und von deren Ministern in Heidelberg einstimmig anerkannt worden. Der Widerspruch der parlamentarischen Theoretiker dagegen hat in der productiven Mehrheit der Bevölkerung auf die Dauer keinen Anklang.

Eure Majestät bitte ich unterthänigst, diese kurze Skizze der Situation mit huldreicher Nachsicht aufnehmen und mir Allerhöchstdero Gnade ferner erhalten zu wollen.

68. Schreiben an Tiedemann: Zum Sozialistengesetz (Reinschrift)

W 6 c, 116 f., Nr. 126.

Kissingen, den 15. August 1878.

Euere Hochwohlgeboren bitte ich, Herrn Minister Grafen Eulenburg und Herrn Geheimrat Hahn mein Bedauern darüber auszusprechen, daß der Entwurf des Sozialistengesetzes in der „Provinzial-Correspondenz" amtlich publiziert worden ist, ehe er im Bundesrat vorgelegt war.

Die Veröffentlichung präjudiziert jeder Amendierung durch uns und ist für Bayern und andere Dissentierende verletzend. Nach meinen Verhandlungen von hieraus mit Bayern muß ich annehmen, daß letzteres an seinem Widerspruche gegen das Reichsamt[70] unbedingt festhält, Württemberg und, wie ich höre, auch Sachsen widersprechen dem Reichsamte nicht im Prinzip, wohl aber angebrachtermaßen, indem sie die Zuziehung von Richtern perhorreszieren. Diesem Widerspruche kann ich mich persönlich nur anschließen. Es handelt sich nicht um richterliche, sondern um politische Funktionen, und auch das Preußische Ministerium darf in seinen Vorentscheidungen nicht einem richterlichen Kollegium unterstellt und auf diese Weise für alle Zukunft in seiner politischen Bewegung gegen den Sozialismus lahm gelegt werden.

Die Funktionen des Reichsamts können nach meiner Auffassung nur durch den Bundesrat entweder direkt oder durch Delegation an einen jährlich zu wählenden Ausschuß geübt werden. Der Bundesrat repräsentiert die Regierungsgewalt der Gesamtsouveränität von Deutschland, etwa dem Staatsrate unter anderen Verhältnissen entsprechend. Bisher muß ich indessen annehmen, daß Bayern auf diesen für Württemberg, Sachsen und für mich persönlich annehmbaren Ausweg nicht eingehen wird.

Auch die Klausel in Nr. 3, Artikel 23, daß nur arbeitslose Individuen ausgewiesen werden dürfen, ist für den Zweck ungenügend.

Ferner bedarf das Gesetz eines Zusatzes in betreff der Beamten, dahingehend, daß Beteiligung an sozialistischer Politik die Entlassung ohne Pension nach sich zieht. Die Mehrzahl der schlecht bezahlten Subalternbeamten in Berlin und dann der Bahnwärter, Weichensteller und ähnlicher Kategorien besteht aus Sozialisten, eine Tatsache, deren Gefährlichkeit bei Aufständen und Truppentransporten einleuchtet.

Ich halte ferner, wenn das Gesetz wirken soll, für die Dauer nicht

[70] Geplant war ein Reichsamt für Vereinswesen und Presse.

möglich, den gesetzlich als Sozialisten erweislichen Staatsbürgern das Wahlrecht, die Wählbarkeit und den Genuß der Privilegien der Reichstagsmitglieder zu lassen.
Alle diese Verschärfungen werden, nachdem einmal die mildere Form in allen Zeitungen gleichzeitig bekanntgegeben, denselben also wohl amtlich mitgeteilt worden ist, im Reichstage sehr viel weniger Aussicht haben, als der Fall sein könnte, wenn eine mildere Version nicht amtlich bekanntgeworden wäre. Die Vorlage, so wie sie jetzt ist, wird praktisch dem Sozialismus nicht Schaden tun, zu seiner Unschädlichmachung keinesfalls ausreichen, namentlich, da ganz zweifellos ist, daß der Reichstag von jeder Vorlage etwas abhandelt.
Ich bedauere, daß meine Gesundheit mir absolut verbietet, mich jetzt sofort an den Verhandlungen des Bundesrats zu beteiligen, und muß mir vorbehalten, meine weiteren Anträge im Bundesrate im Hinblick auf die ordentliche Reichstagssession im Winter zu stellen.

69. Schreiben an Staatssekretär Stephan: Gegen „welfische Umtriebe" (Konzept Tiedemann) W 6 c, 119, Nr. 128.

Gastein, den 28. August 1878.

Aus Lokalblättern, welche mir zugesandt wurden, ersehe ich, daß in verschiedenen hannoverschen Kreisen — namentlich in Harburg — Post- und Telegraphenbeamte sich im welfischen Sinne an den Wahlen beteiligt haben sollen. Wenn in anderen dienstlichen Zweigen, welche dem preußischen Ressort angehören, mir ein entscheidender Einfluß auf diese Seite der inneren Politik fehlt, so glaube ich um so mehr im Reichsdienste darauf halten zu müssen, daß die welfischen Umtriebe, deren Gefährlichkeit bei den diesjährigen Wahlen sich besonders fühlbar gemacht hat, durch Konnivenz welfisch gesinnter Beamte keine Förderung erhalten. Ew. pp. ersuche ich deshalb ergebenst, vorsichtig ermitteln lassen zu wollen, ob und welche Beamte Ihres Ressorts [71] in der Provinz Hannover bei den dortigen staatsfeindlichen Wahlumtrieben tätig gewesen sind. Diejenigen, von denen eine solche Tätigkeit auch nur mit Wahrscheinlichkeit

[71] Ein ähnliches Schreiben ging auch an den Vizepräsidenten des Staatsministeriums Graf zu Stolberg-Wernigerode.

vorausgesetzt werden kann, bitte ich im Interesse des Dienstes und der Sicherheit des Staates ohne Verzug in solche Provinzen zu versetzen, wo die Betätigung ihrer staatsfeindlichen Gesinnung ungefährlich sein würde.

Durch eine gefällige Mitteilung der etwaigen Ergebnisse Ihrer Anordnungen würden Ew. pp. mich zum Danke verpflichten.

70. Schreiben an Staatsminister von Kameke: Die Staatsautorität soll gegen jede Möglichkeit sozialdemokratischer Beeinflussung sichergestellt werden (Konzept Tiedemann) W 6 c, 119 f., Nr. 129.

Gastein, den 3. September 1878.

Ew. pp. erlaube ich mir bei der bevorstehenden Eröffnung des Reichstages um eine nochmalige Erwägung der Frage zu bitten, ob nicht eine Verstärkung der Garnison von Berlin notwendig sein wird. Die Wahlen haben gezeigt, daß sich über 50 000 Sozialdemokraten in einem Alter von über 25 Jahren in Berlin befinden und gewiß über 80 000, wenn man das bei Emeuten besonders tätige Element von unter 25 Jahren, welches die Wahllisten nicht enthalten, in Ansatz bringt. Die Nachrichten über die Wahlbewegung beweisen ferner, daß im Stande der Subaltern-Beamten überhaupt, namentlich im Eisenbahn-, Post- und Telegraphendienst, aber auch in der Polizei und Schutzmannschaft die Anhänger der Sozialdemokratie stellenweise vorherrschend, überall sehr zahlreich sind. Es ist also mit Sicherheit darauf zu rechnen, daß im Falle von Unruhen der Dienst in diesen Branchen teilweise versagen wird. Bei der ausgezeichneten Organisation der Sozialdemokratie werden die Bundesgenossen derselben unter den unteren Eisenbahnbeamten, Bahnwärter, Weichensteller, Zugführer usw., rechtzeitig von dem beabsichtigten Ausbruch unterrichtet sein, und Ew. pp. werden, wie ich fürchte, durch Unterbrechung sämtlicher Eisenbahn-Verbindungen an rechtzeitiger Heranziehung der auswärtigen Truppen verhindert werden. Selbst die Kommunikation innerhalb der Stadt kann bei der Zugänglichkeit von Dynamit-Patronen für jedermann durch Sprengung von Brücken wesentlich gehemmt werden. Aber auch wenn solche Voraussetzungen nicht zutreffen, fragt es sich, ob der Bestand der Garnison stark genug ist, um gegen eine sehr gut organisierte feindliche Masse von 50 000 Sozialdemokraten alle notwendigen Punkte der Stadt zu besetzen und zu halten.

Ich lege mir ein Urteil über diese Fragen nicht bei und stelle dieselben ganz der verantwortlichen Erwägung Ew. pp. anheim. Der Zweck dieser Zeilen ist mehr, meiner Besorgnis Ausdruck zu geben, daß die Eisenbahn-Verbindungen wegen Konnivenz des Personals bei ausbrechenden Unruhen unterbrochen und die Polizei- und Telegraphenbeamten nicht durchweg zuverlässig sein werden. Ueber diese mehr politischen Fragen glaube ich mein Votum Ew. pp. gegenüber abgeben zu sollen und ebenso darüber, daß ich den Ausbruch von Unruhen je nach dem Gange der Reichstagsverhandlungen nicht für unwahrscheinlich halte. Jeder Beweis dafür, daß die Regierung auf ihrer Hut ist und sich verstärkt, wird für die Verhinderung von Unruhen wirksam ins Gewicht fallen.

71. Rede in der 5. Sitzung des Deutschen Reichstags am 17. September 1878

W 11, 602 ff. = Kohl 7, 247 ff.

Nach einer Rede des Abg. Haenel äußert sich Bismarck zum Entwurf des Sozialistengesetzes und zu einem persönlichen Angriff des Abg. Eugen Richter vom Vortage:

Ich hatte, nachdem ich zwei Monate lang gezwungen gewesen bin, mich jeder amtlichen Beschäftigung zu enthalten, nicht die Absicht und habe sie auch heute noch nicht, mich an den Diskussionen der ersten Lesung zu beteiligen, sondern dieselbe vorzugsweise zu meiner Orientierung nach einer langen Pause zu verwenden. Wenn ich dennoch jetzt das Wort ergreife, so geschieht dies nicht etwa, um auf das prinzipielle und rhetorische Feld einzugehen, welches der Herr Vorredner soeben betreten hat; es werden sich die Sachen in ihre praktischen Details wohl auflösen, wenn wir sie in der Kommission und in der zweiten Lesung verhandeln. Ich bin nur zum Reden gezwungen durch den Umstand, daß der Herr Abgeordnete Bebel gestern, sowie früher der Herr Abgeordnete Richter auch schon ähnliche Andeutungen gemacht hat, daß aber jetzt namentlich der Herr Abgeordnete Bebel einer Legende über mich zum Organ gedient hat, die, wenn ich ihr nicht widerspreche, schließlich Geschichte werden könnte, wie so manche Zeitungs- und andere Lüge, die auf meine Kosten verbreitet worden ist und die allmählich Konsistenz gewonnen hat. Der Herr Abgeordnete Richter hat bei den Verhandlungen über die sogenannte Hödelsche Vorlage in meiner Abwesenheit schon angedeutet, ich hätte mich früher mit der Sozialdemokratie in Beziehungen befunden, die mir eine gewisse Mitverantwortlichkeit für die jetzige Entwicklung derselben auferlegten; wenigstens war es offenbar sein Wunsch, diesen Eindruck im Publikum und in der Versammlung zu machen. Ich bin, als ich das in der ländlichen Einsamkeit gelesen habe, doch etwas erstaunt gewesen, daß der Herr Abgeordnete Richter sich an den äußerlichen Buchstaben des Wortes „Sozialdemokratie" klammert, und daß er nicht unterscheidet zwischen den ehrlichen Bestrebungen nach Verbesserung des Loses der Arbeiter, die uns allen am Herzen liegen, und zwischen dem, was wir heute zu unserem Bedauern und mit Schmerz genötigt sind, unter dem Begriff Sozialdemokratie zu begreifen. Will der Herr Abgeordnete Richter das Kind mit dem Bade ausschütten und uns veranlassen, daß wir, wenn wir die bis zum Königsmord gesteigerten Bestrebungen der jetzigen Sekte niederzuhalten suchen, gleichzeitig dabei auch jede Bemühung niederhalten, das Los des Arbeiters, seinen Anteil an dem Lohn, den die Gesamtarbeit, seine und seiner Arbeitgeber hat, zu verbessern, dann gehe ich nicht mit ihm, und ich bin entschlossen, die Bestrebungen, die man mir von damals vorwirft, sobald ich Zeit und Möglichkeit dazu habe und meine Ressortverhältnisse mir das erlauben, auch heut fortzusetzen, und ich rechne mir das zur Ehre an.

Der Herr Abgeordnete Richter wird doch schwerlich Leute, die sich damit vor nunmehr 16, 15 Jahren befaßten, das Los der Arbeiter zu verbessern, diejenigen — ich nenne jemanden, der mir durch Lesen seiner Bücher, weniger persönlich, nähergestanden hat, also Rodbertus und ähnliche Leute der Wissenschaft und des Wohlwollens für Arbeiter — die wird er doch nicht mit dem Mordmesser der Nihilisten und mit der Schrotflinte von Nobiling in eine Kategorie werfen wollen! Es ist das ein Stück, welches seiner rhetorischen Geschicklichkeit alle Ehre macht; aber im übrigen will ich es nicht näher charakterisieren. Ich möchte ihn überhaupt bitten, doch von seinen Bestrebungen — was ich freilich schon öfters vergeblich getan habe, und wenn er es nicht tun will, ist es mir auch recht *(Heiterkeit)* — mir persönlich irgendeine Torheit oder ein Unrecht in meiner Vergangenheit oder in meinem Privatleben nachzuweisen, abzulassen; es hat ja gar nichts mit dem zu tun, was sachlich hier verhandelt wird. Ich könnte ein viel üblerer Mensch sein, als ich bin, und doch sachlich recht haben. Ich kann dabei auch die Betrachtung nicht unterdrücken, daß der Herr Abgeordnete Richter in seinen Schriften und in seinen Reden ja einer der stärksten Verfolger der Sozialdemokratie ist, er hat sehr harte Worte für sie, wie ich sie niemals in meinem Leben gebraucht habe, aber wenn es zu praktischen Leistungen kommt, so wird er ein Freund der Sozialdemokratie. Gehen wir seinen Abstimmungen nach, so werden wir ihn in allen Phasen des parlamentarischen Lebens, durch die wir gegangen sind, immer auf die Seite der Sozialdemokratie fallen sehen. Er bekämpft und verfolgt sie mit Worten, aber er kann den Maßregeln, die zur wirksamen Bekämpfung bestimmt sind, nicht zustimmen. Das war eine nachträgliche Betrachtung, die mir abgenötigt ist durch die Äußerungen des Herrn Abgeordneten Richter außerhalb der heutigen Diskussion. Ich möchte dabei den Herrn Abgeordneten Richter auch noch an etwas anderes erinnern. Er hat bei dieser Gelegenheit und bei mehreren anderen mir vorgeworfen, daß ich krank wäre und daß meine schwache Gesundheit mich sehr häufig hindert, meinen Pflichten so nachzukommen, wie es wohl wünschenswert wäre. Meine Herren, ich kann das nicht leugnen, es ist mir nur überraschend, daß jemand, der nachdenkt über diese Sache, mir meine Krankheit zum Vorwurf macht. Ich habe sie mir ehrlich verdient im Dienste des Landes und des Königs und sie gewonnen durch Überanstrengung meiner Kräfte in diesem Dienst. Ich möchte doch dafür dasselbe Benefizium in Anspruch nehmen wie ein Soldat, der verwundet und invalid ist, und dem man den geforderten Abschied verweigert, und der aus Gründen, die man achten sollte, in seiner Stellung bleibt. Ich verbleibe auf Wunsch Seiner Majestät des Kaisers und Königs in meiner Stellung, den ich in dieser Lage gegen seinen Willen nicht verlassen kann; sonst wüßte ich nicht, was mich hielte und veranlaßte, für die Herren die Unannehmlichkeiten unserer gegenseitigen Beziehungen zu verlängern. *(Heiterkeit.)*

Aber mir Krankheit unter solchen Umständen vorzuwerfen, das ist doch, ich will mich mäßig ausdrücken, Mangel an Zartgefühl. Indessen ich erwarte Zartgefühl von dem Herrn Abgeordneten Richter nicht. Ich will mich nur dispensiert halten, auf dieses Thema zurückzukommen, wenn er mir wieder vorwirft, daß ich nicht hier bin.

Ich wende mich dann zu dem, was der Herr Abgeordnete Bebel gestern gesagt hat. Bei ihm nehme ich nicht an, daß er mit der Unwahrheit alles dessen, was er gesagt hat, bekannt gewesen ist. Es ist ihm erzählt, er hat es geglaubt und erzählt es weiter. Wenn er diese Zusammenstellung von Wahrem und Falschem, die ich mir aus dem gestrigen Berichte habe geben lassen, selbst erfunden hätte, nun dann hätte er vielleicht Talent, Korrespondent der „Times" oder sonst einer größeren Zeitung zu werden *(Heiterkeit)*, und ich könnte ihm diese sehr einträgliche Beschäftigung empfehlen. Er fängt seine Geschichtserzählung mit Details an, als hätte er sie genau im Gedächtnis oder selbst erlebt, mit Anführungszeichen bei Worten von mir, die er anführt, aber leider setzt er sie etwas zu früh an:

„Im September 1862 erschien eines Sonntags in Mitte unseres Komitees ein Herr Eichler im Auftrag der preußischen Regierung, speziell des Fürsten Bismarck!"

Nun wissen die älteren unter uns, daß ich in meine amtliche Funktion eingetreten bin am 23. September 1862, also in der letzten Woche dieses Monats, in welchem ich den Eichler mit dem Auftrage versehen haben sollte. Ich kam damals aus dem Auslande, nach einer Abwesenheit von ich weiß nicht wie viel Jahren, aber während welcher ich keine Gelegenheit gehabt hatte, mich mit inländischer Politik, namentlich mit einem so wenig bekannten Mann, wie Eichler, zu beschäftigen. Ich habe damals von der Existenz Eichlers gar nichts gewußt und sollte im September 1862, also in dem Moment, wo ich aus der behaglichen Temperatur der Diplomatie in das sehr heiße Gefecht gegenüber dem damaligen Landtag hineingeriet, wo ich jeden Abend Kommissionssitzung hatte, wo ich sozusagen froh war, wenn ich das ministerielle Leben weiterführen konnte, wo ich Kollegen zu werben, nach Paris zurückzugehen und mich zu verabschieden hatte — in der Zeit soll ich hier mit Herrn Eichler gesprochen haben, so daß dieser damals schon und im speziellen Auftrage des Herrn von Bismarck auftreten konnte. Ja, wenn man jedem Manne von der Kategorie wie Eichler alles glauben will, wenn er sich mit Beziehungen zu mir rühmt, so kann man weit kommen. Bei diesem ist es einfach nicht möglich, das ist eine einfach nachgewiesene Lüge, die sich der Herr Abgeordnete Bebel aufbinden ließ, ich weiß nicht von wem, die er doch mit mehr Vorsicht und Prüfung hier vortragen sollte. Mag Eichler selbst ein so verlogener Mensch sein wie er will — wenn er behauptet hätte, er hätte von mir einen Auftrag erhalten, so ist das gar nicht möglich nach der Zeit, in der einzigen Woche des September, in der ich überhaupt Minister gewesen bin. Mir ist er nur erinnerlich, weil er späterhin Forderungen an mich gestellt hat für Dienste, die er mir nicht geleistet hatte. — *(Ruf: Aha!)* Aha? Weiß der Unterbrecher vielleicht, wem er sie geleistet hat, so bitte ich, sich zu melden! Ich sagte, mir hat er sie nicht geleistet — aber es ist zu bedauern, daß solche Unterbrechungen anonym bleiben, man hat dann keine Anhaltspunkte, zu entgegnen.

Bei der Gelegenheit erst ist mir in Erinnerung gekommen, daß Herr Eichler im Dienste der Polizei gewesen ist und daß er Berichte geliefert hat, von denen einige zu meiner Kenntnis gekommen sind, aber es ist das nicht mein spezielles Departement, und ich habe mit diesen Leuten niemals direkte Verbindung gehabt. Von diesen Berichten betraf keiner die sozialdemokratische Partei, sie bezogen sich vielmehr auf die intimen Verhandlungen der Fortschrittspartei und, wenn ich nicht irre, des Nationalvereins. Das ist das einzige von diesem Agenten, wobei ich mich erinnere, den Namen gehört zu haben. Im übrigen kann ich versichern, daß ich nie in meinem Leben mit irgendeinem Sozialdemokraten geschäftlich verhandelt habe und kein Sozialdemokrat mit mir; denn Lassalle rechne ich nicht dazu, das war eine viel vornehmere Natur, als seine Epigonen, das war ein bedeutender Mann, mit dem konnte man wohl sprechen. Aber der Inhalt dieser Unterredungen ist vollständig von Anfang bis zu Ende unwahr angegeben, und Herrn Bebel wird es gewiß lieb sein, dies zu erfahren, denn ich stelle dadurch der Sozialdemokratie das Zeugnis aus, daß sie nie gebuhlt hat mit der ministeriellen Macht, um sich zum Werkzeuge gegen andere Parteien gebrauchen zu lassen. Aber es ist auch unwahr, daß das von ministerieller Seite jemals versucht worden ist. Es haben auch zu meinem Bedauern andere Herren bei ihren Wahlreden Andeutungen gemacht, daß „maßgebende" Persönlichkeiten sich mit den Sozialisten eingelassen hätten; es ist dies eine Gattung von Beredsamkeit, die da angebracht werden kann, wo sie keine Widerlegung findet, aber hübsch ist es nicht, wenn solches *argumentum ad hominem* gegen besseres Wissen und Urteil gebraucht wird. Ich brauche niemand zu nennen, jeder wird sich selbst seiner Wahlreden erinnern. Was die Fabel betrifft, daß ich damals überhaupt mit den Sozialisten gegen die Fortschrittspartei mich hätte einlassen wollen — jeder, der noch das Gedächtnis an jene Zeit hat, wird sich erinnern, daß unsere Politik im Winter von 1862 auf 1863 so lag, daß ich offenbar auf Versöhnung und nicht auf einen Konflikt mit dem Landtage rechnete. Ich brauche nur an das Vinckesche Amendement zu erinnern, dessen Genehmigung von seiten Seiner Majestät des Königs ich damals erreicht hatte, was aber die dadurch angestrebte Vermittlung nicht brachte, weil ich mich auch noch auf die Motive verpflichten sollte. Es ist nicht meine Absicht, alte Streitigkeiten zu erneuern, sondern zu beweisen, daß ich damals durchaus nicht in der Stimmung war, nach einem Bündnis mit wilden Völkerschaften zu suchen, sondern daß mein Streben auf Versöhnung gerichtet war. Auch diese Eichlersche Summe von 60 000 bis 80 000 Talern — wo hätte ich sie hernehmen sollen, weil wir keine geheime Fonds hatten? Der ganze Eichler existierte nicht, und ich bitte den Abgeordneten Bebel, demjenigen, der ihm das aufgebunden hat, zu sagen, er wäre einfach ein Lügner. Der Abgeordnete Bebel ist zu entschuldigen, denn es ist nicht denkbar, daß jemand hier etwas sagen sollte, von dessen Wahrheit er nicht überzeugt wäre. Also auch das Abweisen des Herrn mit seinem Angebot hat niemals stattgefunden.

„Dann tratt Lassalle auf"

— gewiß trat er auf —

„und von neuem machte die Regierung die äußersten Anstrengungen, mit Lassalle, der es nicht suchte, in Verbindung zu treten, und die Verhandlungen wurden durch einen Prinzen des königlichen Hauses und die Gräfin Hatzfeldt angefangen."

Das macht mir beim Lesen einen komischen Eindruck; selbst in jenen

Kreisen kann man also ohne eine gewisse Staffage aus den höchsten Gesellschaftskreisen nicht auskommen. Ein königlicher Prinz, eine Gräfin und ein Gesandter werden hineingezogen. Das gehört zur Dekoration, um das Ganze glaublich zu machen und um dem Zuhörer, welcher nach seinem Bildungsgrade unfähig ist, zu prüfen, eine Idee von der Wichtigkeit beizubringen. Ich bedaure, daß man dem Herrn Abgeordneten Bebel den königlichen Prinzen, es gibt deren sehr viele, gar nicht näher bezeichnet hat. Wenn er seinen Gewährsmann darum vielleicht bitten wollte — es wäre von historischem Interesse, den Prinzen unter den sechs oder acht, die damals lebten, näher zu bezeichnen. Bis dahin muß ich mir aber erlauben, dies positiv zu bestreiten. Ich wenigstens habe keiner prinzlichen Verbindung bedurft, um zu Lassalle zu gelangen oder ihn zu mir zu bringen, und die Frau Gräfin Hatzfeldt habe ich nicht die Ehre zu kennen, ich habe sie zum letztenmal in meinem Leben 1835 im Hause ihres Schwagers gesehen. Also diese Vermittlung ist eben eine Erfindung *in usum* einfältiger Leute, die aber vor Leuten, wie sie hier sind, nicht hätte vorgebracht werden sollen. Lassalle selbst hatte ein dringendes Bedürfnis, mit mir in Beziehung zu treten, und wenn ich einmal Zeit gefunden haben werde, in alten Papieren zu suchen, glaube ich die Briefe noch zu finden, welche den Wunsch aussprechen und die Gründe enthalten, die mich bewegen sollten, seinen Wunsch zu erfüllen, und ich habe es ihm auch gar nicht schwierig gemacht. Ich habe ihn gesehen, und von dem Augenblicke an, wo ich mit ihm eine Stunde gesprochen, habe ich es nicht bereut. Ich habe ihn nicht in jeder Woche drei- bis viermal gesehen, sondern im ganzen dreimal, meinethalben viermal, ich weiß es nicht. Unsere Beziehung konnte gar nicht die Natur einer politischen Verhandlung haben. Was hätte mir Lassalle bieten und geben können? Er hatte nichts hinter sich. In allen politischen Verhandlungen ist das *do ut des* eine Sache, die im Hintergrund steht, auch wenn man anstandshalber einstweilen nicht davon spricht. *(Heiterkeit.)* Wenn man sich aber sagen muß: Was kannst du armer Teufel geben? — er hatte nichts, was er mir als Minister hätte geben können. Was er hatte, war etwas, was mich als Privatmann außerordentlich anzog: er war einer der geistreichsten und liebenswürdigsten Menschen, mit denen ich je verkehrt habe, ein Mann, der ehrgeizig im großen Stil war, durchaus nicht Republikaner; er hatte eine sehr ausgeprägte nationale und monarchische Gesinnung, seine Idee, der er zustrebte, war das Deutsche Kaisertum, und darin hatten wir einen Berührungspunkt. Lassalle war ehrgeizig im hohen Stil, und ob das Deutsche Kaisertum gerade mit der Dynastie Hohenzollern oder mit der Dynastie Lassalle abschließen solle, das war ihm vielleicht zweifelhaft *(große Heiter-*

keit), aber monarchisch war seine Gesinnung durch und durch. Aber diesen kümmerlichen Epigonen, die sich jetzt mit ihm brüsten, hätte er ein *Quos ego*! zugeschleudert, sie mit Hohn in ihr Nichts zurückgewiesen, und würde sie außerstande gesetzt haben, seinen Namen zu mißbrauchen. Lassalle war ein energischer und sehr geistreicher Mensch, mit dem zu sprechen sehr lehrreich war; unsere Unterredungen haben stundenlang gedauert, und ich habe es immer bedauert, wenn sie beendet waren. Dabei ist auch unrichtig, daß ich mit Lassalle auseinandergekommen sein soll in dieser Art von persönlichen Beziehungen, von Beziehungen persönlichen Wohlwollens, wie es sich zwischen uns gebildet hatte, indem er offenbar den angenehmen Eindruck hatte, daß ich in ihm einen Mann von Geist sähe, mit dem zu verkehren angenehm war, und er seinerseits den angenehmen Eindruck hatte, daß ich ein intelligenter und bereitwilliger Hörer sei. Von Verhandlungen war schon deshalb nicht die Rede, weil ich in unseren Unterredungen wenig zu Worte kam *(Heiterkeit),* er trug die Kosten der Unterhaltung allein, aber er trug sie in angenehmer und liebenswürdiger Weise, und jeder, der ihn kannte, wird mir in der Schilderung recht geben. Er war nicht der Mann, mit dem bestimmte Abmachungen über das *do ut des* abgeschlossen werden konnten, aber ich bedaure, daß seine politische Stellung und die meinige mir nicht gestatteten, viel mit ihm zu verkehren, aber ich würde mich gefreut haben, einen ähnlichen Mann von dieser Begabung und geistreichen Natur als Gutsnachbarn zu haben. *(Heiterkeit.)* Wenn dieser Mann durch seinen Geist und seine Bedeutung mich anzog, so ist es ja, abgesehen davon, meine Pflicht als Minister, mich über die Elemente, mit denen ich es zu tun habe, zu belehren, und ich würde auch, wenn Herr Bebel den Wunsch hätte, sich abends mit mir zu unterhalten, ihm nicht ausweichen, ich würde daran vielleicht die Hoffnung knüpfen, daß ich endlich auch erführe, wie Herr Bebel und Genossen sich den Zukunftsstaat, auf den sie uns durch Niederreißen alles dessen, was besteht, was uns teuer ist und schützt, vorbereiten wollen, eigentlich denken. *(Ruf: Ganz gewiß!)*

Es ist das Besprechen außerordentlich schwierig, solange wir darüber in demselben Dunkel tappen, wie die gewöhnlichen Zuhörer bei den Reden in sozialdemokratischen Versammlungen; sie erfahren auch nichts davon, es wird versprochen, es werde besser werden, es gäbe bei wenig Arbeit mehr Geld — woher es kommt, sagt kein Mensch, namentlich, woher es auf die Dauer kommt, wenn die Teilung, die Beraubung der Besitzenden einmal geschehen sein wird; denn dann wird vielleicht der Arbeitsame und Sparsame wieder reich werden, und der Faule und Ungeschickte wird wieder arm werden, und wenn das nicht ist, wenn jedem das Seinige von obenher zugewiesen werden soll, gerät man in eine zuchthausmäßige Existenz, wo keiner seinen selbständigen Beruf und seine Unabhängigkeit hat, sondern wo ein jeder unter dem Zwang der Aufseher steht. Und jetzt im Zuchthaus, da ist wenigstens ein Aufseher zur Kontrolle, das ist ein achtbarer Beamter, über den man sich beschweren kann; aber wer werden dann die Aufseher in dem allgemeinen sozialistischen Zuchthaus? Das werden die Redner sein, die durch ihre Beredsamkeit die große Masse, die Majorität der Stimmen für sich gewinnen, gegen die wird kein Appell sein, das werden die erbarmungslosesten Tyrannen und die anderen Knechte der Tyrannen sein, wie sie je erfunden wurden. Ich glaube, niemand wird in solchen Verhältnissen leben mögen, wenn er sich dieses Ideal ausmalt, was wir so durch die Ritzen zu erfahren kriegen — denn offen hat noch keiner der Herren ein positives Programm geben wollen; sowie sie mit einem solchen auftreten würden, wie sie wirklich sich die Zukunft zu gestalten denken, so lacht sie jeder einsichtige Arbeiter aus, und dem wollen sie sich nicht aussetzen; deshalb hören wir nie von einem positiven Programm, nur von der Negation des Bestehenden. Alles das hat mich nicht abgehalten, für die verständigen Bestrebungen, die damals noch den Hauptkern in der Sozialdemokratie bildeten, für die Verbesserung der Lage der arbeitenden Klassen stets ein warmes Herz und ein offenes Ohr zu haben, und auch, was mir Lassalle darüber mitteilte, war ja anregend und lehrreich; denn er wußte viel und hatte viel gelernt — das möchte ich den Herren, die seine Nachfolger werden wollen, zunächst auch empfehlen.

Auch die Geschichte mit dem bayerischen Gesandten — ich berührte es schon vorhin — ist eine von diesen Verzierungen bei Geschichtserzählungen, die so aussehen, als wüßte man ganz genau, was passiert ist. Ich kann ja keine Erinnerung haben von Zeiten vor 13 oder 15 Jahren, aber sie ist nach Einrichtung meines Hauses ganz absolut unmöglich; denn ein Gesandter und überhaupt, wer nicht zu meinen Kollegen oder zum Dienst Seiner Majestät gehört, wird mir nie, unter keinen Umständen unvorbereitet angemeldet, mag jemand bei mir sein oder nicht, sondern jeder Gesandte ist in der Notwendigkeit, zu schicken und zu fragen, welche Stunde ich ihm geben kann, und zu der Stunde natürlich muß ich ihn empfangen, da kann kein Lassalle mich abhalten. Also daß dieser Gesandte einer *in partibus infidelium* ist *(Heiterkeit)*, darüber kann jeder von den Herren, die einen Beweis darüber erheben wollen, meine Dienerschaft vernehmen lassen; die wird ihm sagen, daß solch eine Meldung zu unrechter Zeit in meinem Hause ganz unmöglich ist.

Unsere Unterhaltungen drehten sich gewiß auch um das allgemeine

Wahlrecht, unter keinen Umständen aber jemals um eine Oktroyierung desselben. Auf einen so ungeheuerlichen Gedanken, das allgemeine Wahlrecht durch Oktroyierung einzuführen, bin ich in meinem Leben nicht gekommen. Ich habe das allgemeine Wahlrecht akzeptiert mit einem gewissen Widerstreben als Frankfurter Tradition. In den deutschen Rivalitäten mit den Gegnern des Reiches war die Karte einmal ausgespielt, und wir haben sie als auf dem Tische liegende Hinterlassenschaft mitgefunden. Einen so festen Glauben an die bessere Wirkung eines anderen Wahlrechts hatte ich nicht, daß wir im Kampfe mit unseren Nebenbuhlern dieses populäre und von der früheren Frankfurter Versammlung hinterlassene Mittel hätten ablehnen sollen; eine feste Überzeugung von der Wirkung der einzelnen Wahlsysteme habe ich damals schwerlich gehabt. Es ist das wohl auch für niemand leicht, obschon wir nun schon eine langjährige Probe der Wirkung verschiedener Wahlsysteme in denselben Ländern nebeneinander haben. Wir haben ja einen Reichstag infolge des allgemeinen Stimmrechts; wir haben ein anderes Wahlsystem im Preußischen Landtag. Nun, meine Herren, es sind ja viele, die Mitglieder beider Versammlungen sind, Sie können sich doch einigermaßen ein Urteil über die Wirkung der beiden Systeme in demselben Lande bilden, und jeder wird sich ja sagen können: die eine oder die andere Versammlung macht einen richtigeren, würdigeren, besseren parlamentarischen Eindruck oder nicht. Ich will lieber, wird der eine sagen, mit dem Reichstag verkehren, der andere sagt vielleicht, mit dem Landtag. Meine Herren, ich will da kein Konklusum ziehen, ich will weder dem Landtag etwas Unangenehmes, noch dem Reichstag eine Schmeichelei sagen; aber ich verkehre lieber hier inmitten der Ergebnisse des allgemeinen Stimmrechts, trotz der Auswüchse, die wir ihm verdanken. Die Nachweise, warum, überlasse ich jedem selbst zu finden, der beide Versammlungen kennt, aber ich kann mich nicht dazu verstehen, zuzugeben, daß das allgemeine Stimmrecht bisher *ad absurdum* geführt wäre durch seine Ergebnisse, und daß ein anderes, namentlich ein besseres, sein Examen bereits bestanden hätte. Es wird ja auch bei uns der Wähler mit der Zeit urteilsfähiger werden, er wird nicht mehr den beliebigen Versicherungen seiner Abgeordneten, seines Kandidaten, unbedingt Glauben schenken über alles, was Nachteiliges über die Regierung sich vorbringen läßt, er wird nicht vielleicht mehr bloß eine Zeitung lesen, er wird auch mehr Vertrauen vielleicht zu den Leitern gewinnen, die er jetzt verschmäht. Ich habe darin noch bis jetzt nichts zurückzunehmen, obschon ich alle die Anträge bereitwillig und unparteiisch würdige, die in dem allgemeinen Stimmrecht einen Teil der Ursachen unserer Schäden suchen. Ich sage nur: Überzeugt bin ich nicht, ich lasse mich gern über-

zeugen und sehe kein Verbrechen darin, das allgemeine Stimmrecht mit einem gescheiten Menschen seinerzeit besprochen zu haben.
Dann ebenso die Gewährung von Staatsmitteln zu Produktivgenossenschaften — das ist auch eine Sache, von deren Unzweckmäßigkeit ich noch heute nicht überzeugt bin. Der Versuch, ich weiß nicht, ob unter dem Eindruck von Lassalles Räsonnement oder unter dem Eindruck meiner eigenen Überzeugung, die ich zum Teil in England während eines Aufenthalts im Jahre 1862 gewonnen hatte — mir schien es, daß in der Herstellung von Produktivassoziationen, wie sie in England im blühenden Verhältnisse existieren, die Möglichkeit lag, das Schicksal des Arbeiters zu verbessern, ihm einen wesentlichen Teil des Unternehmergewinns zuzuwenden. Ich habe darüber auch mit Seiner Majestät, der für das Schicksal der arbeitenden Klassen ein natürliches, angeborenes Wohlwollen und Fürsorge hat, gesprochen, und der König hat damals aus eigenen Privatmitteln eine Summe Geldes hergegeben, um zu seiner eigenen Überzeugung, ob so etwas ginge, in Anknüpfung an eine Arbeiterdeputation, die durch den Meinungszwang und die Tendenzpolitik ihrer Arbeitgeber außer Brot gekommen war und sich hier meldete, etwas der Art zu versuchen. Es sind hier darüber Worte zitiert, die ich mit einem Herrn Paul, einem von diesen Arbeitern, gewechselt haben soll. Ich weiß nicht mehr — er mag ein besseres Gedächtnis haben als ich — was ich mit ihm gesprochen habe, aber dessen bin ich nach meiner Selbstkenntnis sicher, daß ich eine Summe von 6000—7000 Talern nicht „Lumperei" genannt habe, und wenn die Herren das Wort „Lumperei" brauchten, warum haben sie es denn nicht lieber an das Hundertmillionenprojekt geknüpft? — da wäre es viel wirksamer gewesen — an das Hundertmillionenprojekt, das ich Lassalle zugesagt haben soll. Wenn man etwas derartiges Großes unternehmen wollte, so ist es ja wohl möglich, daß man hundert Millionen dazu gebrauchen könnte — es sind Taler gemeint — aber so ganz töricht und einfältig scheint eine solche Sache immer noch nicht. Wir stellen im landwirtschaftlichen Ministerium Versuche an über landwirtschaftliche Systeme, wir versuchen auch wohl in unserer Fabrikation — wäre es nicht nützlich, auch in der Beschäftigung der Menschen und in dem Bestreben, die sogenannte sozialdemokratische, ich will lieber sagen soziale Frage durch Verbesserung des Loses der Arbeiter zu lösen, dergleichen Versuche zu erneuern? Wenn mir darüber ein Vorwurf gemacht werden kann, wie ich mich dabei verhalten habe, so ist es doch höchstens der, daß ich das nicht fortgesetzt habe bis zu einem befriedigenden Ergebnis. Aber es war nicht mein Departement, ich hatte die Zeit nicht dazu, es kamen kriegerische Verhältnisse, die auswärtige Politik wurde tätiger, während des

Konflikts war viel mehr Zeit für dergleichen übrig als später. An der Spitze der Versuche stand ein achtbarer Name, der Landrat Olearius, aber man kann, ob der Gedanke überhaupt fehlerhaft war, an einem solchen Experiment im kleinen Stil nicht beurteilen. In ganz großem Stil würde es sich aber vielleicht auch nicht durchführen lassen; solche Etablissements, wie zum Beispiel das von Krupp, unter einer anderen als monarchischen Verfassung gedacht, unter einer republikanischen, wären nicht möglich. Aber in der gewöhnlichen landläufigen Fabrikation halte ich diesen Weg, dem Arbeiter zu einer besseren Existenz zu verhelfen, durchaus nicht ausgeschlossen und sehe auch für einen Staatsmann kein Verbrechen darin, wenn er zu dem Behufe den Arbeitern, die eine Assoziation bilden wollen, Staatshilfe gewährt, namentlich, um Versuche in der Richtung zu machen. Ich habe, so weit meine Erinnerung reicht, den Eindruck erhalten, daß der ganze fabrizierende Teil der Einrichtung und der Beschäftigung gar keine Schwierigkeiten bot; es war der kaufmännische, in dem die Sache stockte, die Verwertung der gewonnenen Produkte durch Reisende, in Lagern, in Magazinen, durch Proben. Das alles ließ sich nicht machen innerhalb einer Sphäre, die die Arbeiter übersehen konnten. Es kann auch vielleicht daran liegen — und dann wäre es vielleicht eine dauernde Unmöglichkeit —, daß den deutschen Arbeitern das Maß von Vertrauen zueinander und zu Höhergestellten und von Wohlwollen untereinander nicht eigen ist, wie wir es in England, in den englischen Assoziationen kennen. Aber wie man mir daraus einen Vorwurf machen kann, daß ich mit Geldern, die nicht Staatsmittel waren, sondern die Seine Majestät aus Privatmitteln dazu geschenkt hatte, einen solchen Versuch machte, kann ich nicht verstehen, und daß man daran einen gewissen Anklang macht, als wenn es eine Schlechtigkeit von mir gewesen wäre, daß ich als Minister dies angeraten hätte. Der Fehler könnte umgekehrt nur in der Lässigkeit gefunden werden, daß ich die Versuche nicht fortgesetzt hätte. Nur auf die Heiterkeit der Zuhörer ist es wohl berechnet, daß mehrere Minister „diese schlechte Schundware zu den teuren Preisen haben nehmen müssen". Hier sitzen auch mehrere Minister, und die Tradition von solchen Wunderlichkeiten würde sich doch in den Bureaus fortgesetzt haben, man würde wissen, wo der Schund geblieben ist; und das sind doch Dinge, die in einer ernsten Versammlung, wie dieser, nicht behauptet werden sollten.

Was nun weiter erzählt wird: Nach Lassalle trat Dr. Dammer ein – das sind mir ganz unbekannte Namen. Ebenso muß ich zu meiner Schande gestehen, daß ich nicht weiß, wer Fritzsche ist *(Heiterkeit)*, während hier gesagt wird, daß Fritzsche über alle diese Versammlungen an den Fürsten

Bismarck berichtet habe. Ja, das hat wieder einer Herrn Bebel vorgelogen, ich weiß nicht, wer, vielleicht Fritzsche selbst; ich weiß nicht, wer Fritzsche ist. *(Ruf: Abgeordneter!)* Dann bitte ich sehr um Verzeihung, dann ist es ja nicht möglich, ein Abgeordneter kann ja so etwas nicht tun. Ich möchte doch Herrn Fritzsche bitten, Zeugnis darüber abzulegen, ob er jemals einen Bericht an mich geschrieben hat, ob er ein Zeugnis darüber hat, daß ich je einen Bericht von ihm gelesen habe. Wenn er anwesend ist, so ist ja der Zeuge gleich zur Hand, warum sollte er nicht für Herrn Bebel aufstehen, wenn er bereit ist, darauf einen Eid zu leisten? Ich werde dann vielleicht die Möglichkeit haben, die Sache bis dahin zu treiben. Wenn es ein Abgeordneter ist, so bitte ich tausendmal um Verzeihung, wenn ich Bedenken bezüglich der Wahrhaftigkeit geäußert habe, aber das war mir ganz entgangen. Hat der Herr wirklich für mich etwas blau anstreichen müssen? Es wäre mir interessant, zu erfahren, wer Herrn Bebel diese Geschichte aufgebunden hat. Was andere getan haben, weiß ich nicht. Daß ich Herrn Wagener nach Eisenach geschickt habe, um mir Bericht zu erstatten über die Ergebnisse der dortigen Verhandlungen, war einfach meine Pflicht und Schuldigkeit, daß ich irgend jemand hinschickte, und der Geheimrat Wagener war für diese Sachen ein durchaus sachkundiger Mann, ein Mann von Geist. Daß er seinen damaligen Sekretär Rudolf Meyer mitgenommen hat, habe ich nicht gewußt; es ist, so viel ich weiß, derselbe Rudolf Meyer, der bei der „Reichsglocke" beschäftigt gewesen ist, mit dem ich Prozesse gehabt habe, die mir durch das Wohlwollen der Gerichte so unangenehm wie möglich gemacht wurden *(Heiterkeit)*, und von dem ich nie vermutet habe, daß ich irgendeiner Gemeinschaft mit ihm angeklagt werden sollte. Ich höre durch alles dieses die leisen Reichsglockentöne noch durchtönen.

Ich komme zu der Frage zurück, wann und warum ich meine Bemühungen um soziale Verhältnisse aufgegeben habe, und wann überhaupt meine Stellung zu der sozialen Frage eine andere geworden ist, sozialdemokratische mochte sie sich damals nennen. Es stammt dies von dem Augenblick her, wo in versammeltem Reichstag — mein Gedächtnis verläßt mich da, wie bei Fritzsche — ich weiß nicht, war es der Abgeordnete Bebel oder Liebknecht, aber einer von diesen beiden, in pathetischem Appell die französische Kommune als Vorbild politischer Einrichtungen hinstellte und sich selbst offen vor dem Volke zu dem Evangelium dieser Mörder und Mordbrenner bekannte. Von diesem Augenblick an habe ich die Wucht der Überzeugung von der Gefahr, die uns bedroht, empfunden; ich war inzwischen abwesend gewesen durch Krankheit und Krieg, ich habe mich dabei nicht um diese Dinge bekümmert — aber jener Anruf der Kommune war ein Lichtstrahl, der in die Sache fiel, und von diesem

Augenblick an habe ich in den sozialdemokratischen Elementen einen Feind erkannt, gegen den der Staat, die Gesellschaft sich im Stande der Notwehr befindet. Die Versuche, die ich dagegen gemacht habe bei den verschiedenen Akten der Gesetzgebung, die wir hatten, sind ja bekannt und in der Erinnerung des Reichstags; Sie wissen ja, ich bin damit nicht durchgekommen, ich habe sogar viel Vorwürfe darüber hören müssen, aber es hat von dem Augenblick an Versuchen, dem Sozialismus entgegenzutreten, nicht gefehlt. Ich glaube auch nicht an die Fruchtlosigkeit unserer Versuche, von der man immer spricht; wir haben gar nicht nötig, in Deutschland zu den drastischen Mitteln wie in Frankreich zu greifen, aber Frankreich ist von dem Vorort des Sozialismus sehr erheblich zurückgetreten auf einen Standpunkt, mit dem die Regierung und die Gesellschaft es aushalten kann. Wodurch denn? Etwa durch die Überzeugung? Nein! Durch gewaltsame Repressionen, durch Mittel, die ich gar nicht zur Nachahmung bei uns empfehlen möchte, und ich hoffe, wir werden dahin bei uns nicht kommen. England hat für alle dergleichen Exzesse und Vergiftungen der öffentlichen Meinung sehr viel strengere Strafen; wer dort angefaßt wird, dem ist eine Gefängnisstrafe von 30 Tagen das mindeste, was er bekommt. Was ist aber ein englisches Gefängnis? Das ist nicht, wie hier am Plötzensee, wo ja die Herren sich ganz behaglich finden, sondern da ist eine hölzerne Pritsche und weiter nichts, das ist, wie wenn jemand auf Latten liegt, und solche 30 Tage Gefängnis ist nicht etwas, was jemand so leicht erträgt wie zwei Monate Plötzensee. Ist denn dieser rhetorische Appell, der damals an die Kommune gerichtet wurde, dieser Appell an die Drohungen und die Gewalttat, ist denn der bloß als eine rhetorische Form zu nehmen, hat er sich denn nicht in langjähriger Preßtätigkeit fortgesetzt? Seit Jahren habe ich diese Presse beobachtet, und die Aufforderung zur Gewalttat und die Vorbereitung auf künftige Gewalttat ist ja in der Presse sehr erkennbar, auch ohne daß es so deutlich wird, wie in den letzten Wochen. Ich erinnere mich eines Artikels aus einem sozialistischen Blatte, ich habe ihn zwar nur in dem Auszuge, welchen die „Post" von demselben gegeben hat, gelesen, da war der Mord des Generals Mesenzow als eine gerechte Hinrichtung geschildert und in wenig mißverständlichen Ausdrücken die Anwendung des ähnlichen Systems auf unsere deutschen Verhältnisse empfohlen, und er schloß mit dem Worte: *discite moniti!*

Nun, meine Herren, der Artikel wird Ihnen wohl allen in der Erinnerung sein; es war nicht etwa ein *lapsus calami,* sondern ganz in jüngster Zeit habe ich aus denselben Kreisen einen anderen Artikel gelesen, wahrscheinlich von derselben Zeitung, in dem gesagt war, alle unsere Beschlüsse, unsere Gesetze könnten der Sozialdemokratie nichts tun, aber die Gesetzgeber und alle, die dabei mitwirken, möchten sich doch der Verantwortlichkeit einmal recht klar bewußt werden, die sie persönlich übernehmen, wenn sie gegen die Sozialdemokratie vorgehen, und man schloß auch hier mit der deutlichen Wendung der deutschen Übersetzung des *discite moniti*! — mit dem Anklang an den ersten Artikel, der so große Entrüstung erregte, mit dem Rufe: Ihr seid gewarnt! Wovor denn gewarnt? Doch vor nichts anderem, als vor dem nihilistischen Messer und der Nobilingschen Schrotflinte. Ja, meine Herren, wenn wir in einer solchen Weise unter der Tyrannei einer Gesellschaft von Banditen existieren sollen, dann verliert jede Existenz ihren Wert *(Bravo! rechts)*, und ich hoffe, daß der Reichstag den Regierungen, dem Kaiser, der den Schutz für seine Person, für seine preußischen Untertanen und seine deutschen Landsleute verlangt — daß wir ihm zur Seite stehen werden! Daß bei der Gelegenheit vielleicht einige Opfer des Meuchelmordes unter uns noch fallen werden, das ist ja sehr wohl möglich, aber jeder, dem das geschehen könnte, mag eingedenk sein, daß er zum Nutzen, zum großen Nutzen seines Vaterlandes auf dem Schlachtfeld der Ehre bleibt! *(Lebhaftes Bravo! rechts.)*

72. Schreiben an den österreichisch-ungarischen Außenminister Graf Andrássy

W 14/II, 895, Nr. 1589.

Berlin, 7. October 1878.

Lieber Graf

mit verbindlichstem Danke habe ich Ihre freundliche Mittheilung über das bevorstehende Revirement der Botschafter erhalten und meinen Schmerz über den nunmehr imminenten Verlust von Karolyi daran aufgefrischt und geschärft. Wenn Sie die Güte haben, mich um meine Meinung über die Wahl seines Nachfolgers zu fragen, so kann ich bei mangelnder Erfahrung im persönlichen Geschäftsverkehr mit den einzelnen Candidaten, nur der allgemeinen Empfindung Ausdruck geben, daß eingeborene Herren von vornehmer östreichisch-ungarischer Familie den guten Beziehungen beider Reiche in der Regel besser dienen als die geschicktesten Adoptiv-Kinder der Monarchie. Eine Ausnahme machen natürlich unsre gemeinsamen Gegner von der czechisch-klerikalen Opposition, deren Preßorgane uns an die Vorstellung gewöhnen, daß Prag das Hauptquartier der bittersten Feinde, die wir haben, sein muß. Die beiden von Ihnen genannten Herrn, Graf Szechenyi und Graf Trauttmansdorf, würden danach, wie ich glaube, von meinem Allergnädigsten Herrn mit Vertrauen aufgenommen werden, und sich unter Ihrer Leitung in diesem Vertrauen bald befestigen.

In collegialischem Mitempfinden Ihrer amtlichen Mühen und Sorgen, wünsche ich von Herzen, daß Graf Beust in Paris Ihnen die Fügsamkeit und Verläßlichkeit bewähren werde, welche ihm in London mitunter zu mangeln schien. Das persönliche Vertrauen, welches uns verbindet, und mein Eifer für die Pflege der Freundschaft unsrer Monarchen und ihrer Reiche werden durch diese Personalien nicht berührt.

Ich freue mich mit Ihnen, daß der militärische Theil der bosnischen Aufgabe in der Hauptsache erledigt ist, und wünsche Ihnen Erfolg und Geduld in dem civilistischen Nachspiel.

Mit herzlichem Danke für Ihre freundlichen Wünsche zur Verlobung meiner Tochter[72], bitte ich Sie, mich der Frau Gräfin zu Gnaden zu empfehlen, und bleibe stets in freundschaftlicher Verehrung der Ihrige.

73. Rede in der 8. Sitzung des Deutschen Reichstags am 9. Oktober 1878

W 12, 1 ff. = Kohl 7, 271 ff.

Beraten wird der von der Kommission veränderte Entwurf des Sozialistengesetzes. Nach der Erklärung des Abg. von Franckenstein, daß das Zentrum niemals einem Ausnahmegesetz zustimmen werde, Zustimmung des Abg. Marschall von Bieberstein für die Konservativen und Ablehnung des Abg. Sonnemann für die Linksliberalen nimmt Bismarck das Wort:

Bevor ich mich zu Artikel 1 der Vorlage wende, nötigen mich einige Äußerungen des Herrn Vorredners zu einer Widerlegung, respektive Beleuchtung. Ich habe einmal den Insinuationen, die er in Bezug auf die Informationen im „Tageblatt" — ich kenne das Blatt weiter nicht, er hat es genannt — gemacht hat, gegenüber zu erklären, daß die verbündeten Regierungen und jede von ihnen, namentlich aber die preußische, diesen Publikationen absolut fremd ist. Erfordert diese Frage eine weitere Diskussion und Nachweis, so überlasse ich den meinen Herren Kollegen, und nur um bei der außerordentlichen Länge der Zeit, welche diese Debatten in Anspruch nehmen, dieselben heute nicht noch mehr durch neue Reden von der Regierungsbank in die Länge zu ziehen, habe ich es auf mich genommen, diese Rektifikation zu machen.

---

[72] Mit Graf Kuno von Rantzau.

Wenn ich weiter auf verschiedene Punkte der Rede des Herrn Vorredners eingehe, so geschieht es nicht, weil deren sachlicher Inhalt mich dazu veranlaßte. Ich glaube auch nicht, daß sie eigentlich für diesen Saal, respektive für mich und die Regierung gerade berechnet war, sondern der Umstand, welcher mich veranlaßt, Interesse zu nehmen, liegt auf dem Gebiet meiner diplomatischen Wahrnehmungen. Ich habe nämlich das Blatt des Herrn Vorredners, das bekannte, ab und zu mit ziemlicher Aufmerksamkeit gelesen. Ich habe gefunden, daß das Urteil und die Haltung desselben immer genau koinzidierte mit dem Urteil und der Haltung der französischen offiziösen Presse. *(Rufe: Oho!)* Ich reproduziere ja nur, was ich gefunden habe, Sie können ja selbst nachforschen, wenn Sie die französische offiziöse Presse kennen; was Sie aber nicht nachforschen können, was ich aber erfahren habe, ist, daß ich mitunter in dem Blatte des Herrn Vorredners Sachen gelesen und erfahren habe, die mir am anderen oder am dritten Tage darauf durch gesandtschaftliche Meldung als Äußerungen der französischen Regierung bestätigt wurden. *(Hört!)*

Ich schreibe also dem Herrn Vorredner Beziehungen zur französischen Regierung zu, die ja der Chef eines großen Blattes haben kann, die natürlich auf keinem Interesse auf seiner Seite, sondern nur auf einem Wohlwollen, das ihm eine Regierung wie die französische einflößt, beruhen. Alles, was der Herr Vorredner hier gesagt hat, ist auf Schwächung der Institutionen und auf Schwächung der inneren Festigkeit des Reiches, auf Diskreditierung der Personen, die an der Spitze des Reiches stehen, berechnet. Denken Sie sich einen französischen Revanchepolitiker dieser Tribüne zugänglich, hätte er nicht ganz dieselbe Rede halten können? *(Sehr richtig!)*

Ich habe während meines langjährigen politischen Lebens einige Republikaner kennengelernt, die Stützen jeder Opposition gegen die damalige preußische Regierung waren und die in Verbindung waren mit allem, was die preußische Regierung schwächen konnte; ich habe nachher bei diesen Personen, was natürlich bei dem Herrn Vorredner nicht zutrifft, Gelegenheit gehabt, während des Krieges mit Frankreich die Motive kennenzulernen, welche sie veranlaßten, die preußische Regierung zu bekämpfen und zu schwächen, und mit den Bestrebungen, welche uns der Republik annäherten, und die sie verwerten konnten, zu sympathisieren. Der Herr Vorredner ist ja über jeden Verdacht durch seine Stellung als Abgeordneter erhaben, aber mit besonderem Interesse entnahm ich aus seinen Reden und Druckschriften mit Sicherheit, mit einer durch die diplomatischen Berichte bestätigten Sicherheit, wie die französische Regierung über unsere Angelegenheiten denkt, und welche Akkorde sie angeschlagen zu sehen wünscht. Ich erwähne rein die Tatsachen, ohne irgendwelche Schlußfolgerungen dazu zu machen. Der Herr Vorredner hat in seinen Äußerungen uns das Beispiel des Auslandes vielfach empfohlen, er hat sich dabei auf die englische, amerikanische und auf die französische Presse bezogen. Ich habe die französische Presse über unsere Vorlage auch gelesen und habe namentlich in den Blättern, die eine Erstarkung Deutschlands nicht wünschen, dieselbe Kritik gefunden, die der Herr Vorredner uns hier gegeben hat. Auch die französischen Erscheinungen auf dem Gebiet, welches wir besprechen, hat der Herr Vorredner mit besonderem Wohlwollen behandelt; wenn ich nicht irre, so führte er uns Frankreich als mustergültig für die schonende und regelmäßige Behandlung der Gegner der Regierung an und sagte, niemals werden die Sachen der Sozialisten oder Kommunisten den Geschworenengerichten entzogen.

Meine Herren, der Herr Vorredner ist ja so genau vertraut mit den französischen Verhältnissen, hat ja ein so wohlwollendes Interesse für dieselben, was ja auch nicht ohne Gegenseitigkeit sein und bleiben kann, daß es ihm unmöglich entgangen sein kann, daß alle Kommunards durch die Kriegsgerichte abgeurteilt worden sind, daß sie flugs erschossen sind, deportiert sind, mit einer Rücksichtslosigkeit, wie sie keine andere Nation durchzuführen imstande ist als die Franzosen. Dieselben haben sich dadurch von dieser Krankheit zeitweise geheilt, und Deutschland hat den Vorzug gewonnen, der Vorort der Sozialisten zu werden, der früher Frankreich war, nachdem man in Frankreich damit aufgeräumt hat. Sollte dies dem Herrn Vorredner entgangen sein? Wie kann er angesichts dieser ganz frischen Tatsachen, angesichts der Ebene von Grenelle, die eine Zeitlang keinen Tag aufgehört hat vom Blute der Erschossenen zu rauchen, wie kann er einer so erleuchteten Versammlung wie dieser gegenüber behaupten, daß die Sachen in Frankreich nie den Geschworenengerichten entzogen worden seien? Das macht mich bedenklich, und er könnte mit diesen seinen Auffassungen sehr gut zur Elsasser Protestpartei gehören, vielleicht auch zur sozialistischen. Ich weiß nicht, ob er sich dazu zählt, innerhalb des Fortschritts hat er meines Erachtens damit schon kaum einen Platz.

Das Ausland wünscht unsere Schwäche, natürlich nicht immer aus bösem Willen, vielleicht aus Sorge, daß wir übermächtig werden würden, kurz und gut, es wünscht unsere Schwäche, und alle, die unsere Institutionen zu schwächen streben, arbeiten, der Herr Vorredner gewiß unbewußt und ohne böse Absicht, dem Ausland in die Hände.

Der Herr Vorredner hat sich darüber beschwert, daß ich mich im Interesse der Herstellung des Friedens an ein englisches Blatt gewendet habe und nicht an ein deutsches. Ja, das ist doch ein Vorwurf, den er mir bei einigem Nachdenken über den Zweck, den ich anstrebte, nicht gemacht haben würde, denn es handelte sich damals darum, auf die englische öffentliche Meinung Eindruck zu üben. Wenn ich mich zum Beispiel an das Blatt des Herrn Vorredners gewendet hätte, um England zu überzeugen, daß es wegen Batum keine Kriegsfrage machen sollte — hätte die Stimme des Herrn Vorredners vielleicht denselben Widerhall gefunden wie die Stimme der „Times“? Ich bin nicht einmal sicher, ob der Herr Vorredner den Frieden in gleichem Maße gewünscht hätte, ich bin auch nicht vom Gegenteil sicher; in Bezug auf die „Times“ hatte ich die Überzeugung, daß sie den Frieden wünschte; sie ist in England mächtig, und man setzt sich doch mit Kräften in Verbindung, von denen man Erfolg erwartet, nicht zu lediglich publizistischer Schaustellung, sondern für politische Zwecke, die auf keinem anderen Wege zu erreichen sind.

Wenn ich mich zum § 1 wende, so will ich von der Latitude, die der Herr Präsident uns gewährt, in allgemeine Fragen und andere Paragraphen überzugreifen, zwar nicht in demselben Maße, wie der Herr Vorredner, Gebrauch machen; aber der Umstand, daß ich an der ersten Beratung nicht vollständig teilgenommen habe, wird mich vielleicht entschuldigen, wenn ich auf einige andere Paragraphen und auf allgemeine Betrachtungen zurückkomme. Ich knüpfe indessen zunächst an § 1 an.

Ich habe schon bei der ersten Lesung mir erlaubt zu bemerken, daß ich eine jede Bestrebung fördern werde, welche positiv auf Verbesserung der Lage der Arbeiter gerichtet ist, also auch einen Verein, der sich den Zweck gesetzt hat, die Lage der Arbeiter zu verbessern, den Arbeitern einen höheren Anteil an den Erträgnissen der Industrie zu gewähren und die Arbeitszeit nach Möglichkeit zu verkürzen, soweit die Grenzen, die durch die Konkurrenz und die absatzfähige Fabrikation gegeben sind, beide Bestrebungen noch gestatten. Solche Vereine mit positivem Zweck sind auch in Deutschland gar keine Neuerung; Sie finden sie vor mehr als einem halben Jahrtausend in derselben Tätigkeit wie heute. Sie haben im Anfang des 14. Jahrhunderts in den großen deutschen Städten von Breslau bis Colmar Beispiele von — Strikes, könnte ich nach dem heutigen Wortgebrauche sagen, von Strikes der Gesellen und Arbeiter — der Gesellen, Arbeiter und Knechte nach damaliger Sprache, wobei das Wort Knecht nicht in der Bedeutung von Knechtschaft zu nehmen ist, sondern in der Bedeutung, in der noch heutzutage alte Leute den Schuhmachergesellen Schusterknecht nennen, junge kräftige Menschen, wie die Verwandtschaft des englischen *knight*, Ritter, zeigt. Also diese Strikes sind, wie heute, schon damals den Meistern gegenüber zur Erscheinung gekommen. Man hat sie mit wechselndem Glück geführt. Bald haben die Meister mit dem heutigen „*lock out*“ geantwortet, bald haben sie nachgegeben, bald sind sie vertrieben worden aus der Stadt, und die Gesellen haben sich des Handwerks bemächtigt. Aber immer waren es positive Bestrebungen und Zwecke, die man zu fördern suchte, ganz bestimmte Forderungen, und der Gedanke, sich an den Rechten Dritter zu vergreifen, die außerhalb der gewerblichen und gegenseitigen Beziehungen standen, der Gedanke, das Eigentum anzutasten, den Glauben an Gott und die Monarchie zu untergraben, kam keinem Menschen bei, und die Sache ging ihren Weg der rein materiellen Interessen. Selbst in den großen Exzessen des Bauernkriegs, wo die volle Herrschaft der gewalttätigen und ungebildeten Begehrlichkeit zum Durchbruch gekommen war — wenn Sie dort die Verträge lesen, welche die Bauernschaft mit einzelnen gar nicht gut berüchtigten Rittern abgeschlossen hat, finden Sie nie, daß über das notwendige Bedürfnis das Eigentum dieser feindlichen Edelleute angegriffen war; sie finden immer nur Verträge wegen Bruchs der Mauern eines festen Schlosses, wegen Auslieferung der Geschütze und Feuergewehre, wegen Abschaffung der reisigen Knechte, kurz und gut eine Sicherstellung; aber diesen damaligen Kommunisten ist es nicht eingefallen, das Eigentum selbst ihrer Feinde irgendwo antasten zu wollen. Und wenn ich damit eine Scheidewand errichte für dasjenige, was die verbündeten Regierungen, wenigstens unter meiner Mitwirkung, nicht bekämpfen und was sie bekämpfen, so kann ich das wesentlich mit den Worten positive Bestrebungen und negative Bestrebungen.

Sobald uns von sozialdemokratischer Seite irgendein positiver Vorschlag entgegenträte oder vorläge, wie sie in vernünftiger Weise die Zukunft gestalten wollen, um das Schicksal der Arbeiter zu verbessern, so würde ich wenigstens mich einer wohlwollenden entgegenkommenden Prüfung der Sache nicht entziehen und würde selbst vor dem Gedanken der Staatshilfe nicht zurückschrecken, um den Leuten zu helfen, die sich selbst helfen. Es ist das nicht mein Departement, und ich kann darauf nicht näher eingehen, ich wiederhole nur das, um die Ansichten zu bestätigen, die ich in der ersten Lesung ausgesprochen habe, nach denen ich vor 15 Jahren schon gehandelt habe, und um zu bekunden, daß ich noch, wenn nur ein ernster und positiver Antrag vorläge, der auf die Verbesserung des Loses der Arbeiter gerichtet ist, ein freundliches Entgegenkommen zeigen und ihn einer wohlwollenden und geneigten Prüfung des Reichstages und der gesetzgebenden Versammlung empfehlen werde.

Wie steht aber heute die Sache? Hier steht die reine Negation gegenüber dem Einreißen, ohne daß jemand auch nur eine Andeutung gibt, was anstatt des Daches, das uns jetzt deckt, gebaut werden soll, wenn es niedergerissen ist. Wir befinden uns lediglich im Stadium der Untergrabung und des Umsturzes, im Stadium der Negation. Seit elf Jahren haben wir den Vorzug, mit Sozialdemokraten gemeinschaftlich zu tagen; — mein Gedächtnis läßt mich vielleicht im Stiche, aber ich appelliere an das eines jeden anderen: ist Ihnen bei den langen Reden, noch länger als die, welche wir eben hörten, auch nur eine einzige in Erinnerung, wo auch der leiseste Schatten eines positiven Gedankens, eines Vorschlages über das, was künftig werden soll, über die Gestaltung, über das Programm, das diesen Herren vorschwebt, nachdem sie das Bestehende in Bresche gelegt haben... ist Ihnen etwas derartiges erinnerlich? Ich wäre dankbar, darauf aufmerksam gemacht zu werden. Ich kenne nichts der Art, und ich glaube auch den Grund zu wissen, warum die Herren darüber, wie sie die Welt künftig gestalten wollen, wenn sie die Herren wären, sorgfältig schweigen: sie wissen es nicht, sie wissen in dieser Beziehung nichts, sie haben auch den Stein der Weisen nicht. Sie können die Versprechungen niemals halten, mit denen sie jetzt die Leute verführen. *(Bravo! rechts.)* Das ist einfach das Geheimnis, weshalb darüber ein tiefes Stillschweigen beobachtet wird. – Ich weiß nicht, wer von Ihnen so viel Zeit durch Krankheit gehabt hat, um den verschleierten Propheten von Moore einmal zu lesen, der sein Gesicht sorgfältig verdeckte, weil, sobald der Schleier gelüftet wurde, es in seiner ganzen schrecklichen Häßlichkeit jedermann vorstand. An diesen verschleierten Propheten von Chorassan erinnert mich die wilde Führung, der ein großer Teil unserer sonst so wohlgesinnten arbeitenden Klassen verfallen sind. Sie haben das Angesicht von Mokana nie gesehen; wenn sie es sehen würden, würden sie erschrecken davor, sie würden ein Leichengesicht erblicken. *(Sehr richtig! Oho!)*

Daß die Herren nun mit den dunklen Versprechungen, denen sie nie eine ausgeprägte Form geben, Anklang gefunden haben, ja das ist ja bei dem, der überhaupt nicht mit seiner Lage zufrieden ist, namentlich, wenn er seine Unzufriedenheit mit der germanischen Energie empfindet und geltend macht, nicht so außerordentlich schwer. Wenn sie den Leuten, die zwar lesen können, aber nicht das Gelesene beurteilen — und die Fähigkeit des Lesens ist bei uns viel verbreiteter als in Frankreich und England, die Fähigkeit des praktischen Urteils über das Gelesene vielleicht minder verbreitet als in den beiden Ländern — wenn sie den Leuten glänzende Versprechungen machen, dabei in Hohn und Spott, in Bild und Wort alles, was ihnen bisher heilig gewesen ist, als einen Zopf, eine Lüge darstellen, alles das, was unsere Väter und uns unter dem Motto: „Mit Gott für König und Vaterland!“ begeistert und geführt hat, als eine hohle

Redensart, als einen Schwindel hinstellen, ihnen den Glauben an Gott, den Glauben an unser Königtum, die Anhänglichkeit an das Vaterland, den Glauben an die Familienverhältnisse, an den Besitz, an die Vererbung dessen, was sie erwerben für ihre Kinder ... wenn sie ihnen alles das nehmen, so ist es doch nicht allzu schwer, einen Menschen von geringem Bildungsgrad dahin zu führen, daß er schließlich mit Faust spricht: „Fluch sei der Hoffnung, Fluch dem Glauben, und Fluch vor allem der Geduld!" Ein so geistig verarmter und nackt ausgezogener Mensch ... was bleibt denn dem übrig, als eine wilde Jagd nach sinnlichen Genüssen, die allein ihn noch mit diesem Leben versöhnen können? *(Sehr wahr!)*
Wenn ich zu dem Unglauben gekommen wäre, der diesen Leuten beigebracht ist, ... ja, meine Herren, ich lebe in einer reichen Tätigkeit, in einer wohlhabenden Situation, aber das alles könnte mich doch nicht zu dem Wunsche veranlassen, einen Tag länger zu leben, wenn ich das, was der Dichter nennt: „An Gott und bessere Zukunft glauben", nicht hätte. *(Lebhaftes Bravo!)* Rauben Sie das dem Armen, dem Sie gar keine Entschädigung gewähren können, so bereiten Sie ihn eben zu dem Lebensüberdruß vor, der sich in Taten äußert, wie die, die wir erlebt haben.
Wenn wir fragen, wie ist es eigentlich gekommen, daß diese negativen Tendenzen, daß dieses Evangelium der Negation bei uns gerade in Deutschland einen solchen Anklang gefunden hat, so müssen wir der Zeit, in welcher das geschah, etwas näher ins Auge sehen. Wir sind erst seit 1867 mit den Führern der Sozialdemokratie amtlich bekanntgeworden durch die Gegenwart der Herren Bebel, Liebknecht, Fritzsche, Schweitzer, Mende. Sie wechselten, es waren zwei, und man könnte, wenn ich — — nun, ich will mich auf das Gebiet der Dichtung nicht weiter verlieren — *(Heiterkeit)* aber diese Zwei, die landeten wie die Weißen in Amerika, und ich will keine Indianerklage darüber anstimmen, denn wir beherrschen noch die rote Rasse! Damals traten sie doch noch mit einer gewissen Schüchternheit auf, wenn sie auch Sorge trugen, zu bekennen, daß sie nicht etwa die zahmen Leute wie Lassalle und dergleichen seien, sondern sie wären die eigentlichen Sozialdemokraten. Ich habe das in den Reden auch in diesen Tagen nachgelesen, aber der eigentliche Aufschwung zu dem Streben, das sie jetzt beseelt, sich der Staatsgewalt zu bemächtigen und sie im Sinne ihrer Interessen und Ansichten in Zukunft auszubeuten, trat doch erst nach 1870 auf. Was hat nun 1870 für einen Unterschied in der Sache gemacht? Bis zu 1870, wo auch die Leiter der internationalen Liga wohnen mochten, in London, Genf, war doch Frankreich das eigentliche Versuchsfeld, das eigentliche Operationsfeld, und nur in Frankreich hatten sie eine Armee bereit, welche die Schlacht der Kommune schlagen konnte

und sich auch wirklich der Hauptstadt auf eine Zeitlang bemächtigte. Haben sie nun damals, wo sie im Besitz der Gewalt waren, irgendein positives Programm aufgestellt, wie sie diese Gewalt für den Vorteil der notleidenden Klassen nutzbar machen könnten? Mir ist keines bekannt, was irgendwie praktisch ins Leben getreten wäre; es mögen in den Zeitungen utopische Phrasen gestanden haben, aber der Versuch der damaligen Machthaber in Paris, der doch nahe gelegen hätte, wenn sie etwas konnten und wußten, damals, wo sie die Gewalt hatten, nun mit einem Beispiele zu zeigen, was sie eigentlich wollten, wurde nicht gemacht. Es unterblieb, sie haben nichts wie gemordet, gebrannt, mißhandelt, nationale Denkmäler zerstört, und auch wenn sie ganz Paris in einen Aschenhaufen verwandelt hätten, so würden sie angesichts dessen immer noch nicht gewußt haben, was sie wollten: Wir sind unzufrieden, es muß anders werden, aber wie? das wissen wir nicht — dabei wären sie geblieben. Nun, nachdem sie von der französischen Regierung niedergeworfen waren, bei der Energie, mit der die französische Regierung gegen sie einschritt, und die der Herr Vorredner zu rühmen vergaß — oder vielleicht hat sie nicht seine Anerkennung, dann wäre es mir lieb, wenn er sich offen und tadelnd darüber ausspräche — bei der Energie sahen die Leiter wohl ein, daß dieses Versuchsfeld verlassen werden mußte, daß da ein zorniger und entschlossener, harter Wächter darüber stand, daß sie es räumen mußten. Sie sahen sich um in Europa, wo sie nun den Hebel anlegen könnten, wo sie ihre Zelte, die sie in Frankreich abbrachen, aufschlagen könnten; daß ihnen da Deutschland in erster Linie einfiel, dorthin die Agitation zu verlegen, das wundert mich gar nicht. Ein Land mit so milden Gesetzen, mit so gutmütigen Richtern — *(Lachen und lebhafter Widerspruch)* meine Herren, sind unsere Richter nicht gutmütig, sind sie etwa bös? — *(Widerspruch, Heiterkeit)* mit so gutmütigen Richtern, ein Land mit hervorragender Freude an der Kritik, namentlich wenn sie die Regierung betrifft, ein Land, in dem der Angriff auf einen Minister, das Tadeln eines Ministers noch heut für eine Tat gilt, als ob wir noch Anno 30 lebten — ein Land, wo die Anerkennung für irgend etwas, was die Regierung tut, gleich in den Verdacht des Servilismus bringt, ein Land, in dem die Operationsbasen des Sozialismus, die großen Städte, durch die fortschrittliche Bearbeitung sehr sorgfältig vorbereitet waren *(Heiterkeit)*, wo die Diskreditierung der Behörden und der Institutionen durch die fortschrittliche Agitation bereits einen sehr hohen Grad erreicht hatte — das hatte sein Anziehendes. Der Fortschritt ist, um landwirtschaftlich zu sprechen, eine sehr gute Vorfrucht *(Heiterkeit)* für den Sozialismus als Bodenbereiter, er gedeiht danach vorzüglich. Daß beide sich äußerlich, wenigstens in Reden — in Taten haben wir es noch nicht erlebt – bekämpfen, nun, das mag auch von der Eigenart der Fruchtarten gelten, die doch gern und gedeihlich aufeinander folgen. Tatsache ist aber, sie fanden die Achtung vor den Institutionen zerstört, die Neigung, sie in Bild und Wort mit Hohn zu überhäufen, die Freude an diesem Hohn bei jedem Philister, der nachher froh ist, wenn er aus den Folgen dieses Hohnes gerettet wird, fanden sie ganz außerordentlich entwickelt – kurz und gut, sie erkannten hier das Land, von dem sie sagten: Lasset uns Hütten bauen.

Der Deutsche hat an und für sich eine starke Neigung zur Unzufriedenheit. Ich weiß nicht, wer von uns einen zufriedenen Landsmann kennt. *(Heiterkeit.)* Ich kenne sehr viele Franzosen, die vollständig mit ihrem Geschick, mit ihren Erlebnissen zufrieden sind. Wenn sie ein Handwerk ergreifen, so stellen sie sich die Aufgabe, durch dasselbe, wenn's möglich ist, vielleicht bis zum 45., 50. Jahre eine gewisse Vermögensquote zu erreichen; haben sie die, so ist ihr ganzer Ehrgeiz, sich als Rentier bis zu ihrem Lebensende zurückzuziehen. Vergleichen Sie damit den Deutschen; dessen Ehrgeiz ist von Hause aus nicht auf eine nach dem 50. Jahre zu genießende mäßige Rente gerichtet – sein Ehrgeiz ist schrankenlos. Der Bäcker, der sich etabliert, will nicht etwa der wohlhabendste Bäcker in seinem Ort werden, nein, er will Hausbesitzer, Rentier, er will nach seinem größeren Berliner Ideal schließlich Bankier, Millionär werden. Sein Ehrgeiz hat keine Grenze. Es ist das eine Eigenschaft, die ihre sehr guten Seiten hat, es ist die deutsche Strebsamkeit, sie steckt sich ihr Ziel niemals zu kurz — aber sie hat auch für die Zufriedenheit im Staat ihr sehr Bedenkliches, namentlich unter den unteren Beamtenklassen. Wo ist der Beamte, der in der Erziehung seiner Kinder nicht eine Stufe höher hinaufsteigen will, als die, die er selbst gehabt hat? Und die Folgen dieser Unzufriedenheit sind, daß ein großer Teil unserer Subalternbeamten von der sozialistischen Krankheit angesteckt ist.

Nun, wie bestätigte sich die deutsche Erwartung der Sozialisten? — Die internationale Agitation siedelte in das gelobte Land über, in welchem sie sich jetzt befindet. Wir hatten gleichzeitig vorher und nachher nach vielen Richtungen hin ganz neue Einrichtungen; wir hatten das Freizügigkeitsgesetz, kombiniert mit dem Unterstützungswohnsitz, die Abschaffung der Paßpflichtigkeit — Einrichtungen, die plötzlich eine große Menge von Arbeitern den kleineren Städten und dem platten Lande entzogen und in den größeren Städten eine fluktuierende Bevölkerung erzeugten, deren Erwerbsfähigkeit sehr abhängig war von den schwankenden Verkehrs- und Industrieverhältnissen in den großen Städten, die ab und zu reichlich Arbeit hatten — bis zu 10 Talern, sagt man, sei ein Steinträger bezahlt — nachher plötzlich wieder ein Rückschlag, und keiner hatte Neigung, in seine ländlichen Verhältnisse zurückzukehren. Ich bin in der Lage gewesen, daß jemand, für den ich den Unterstützungswohnsitz zu leisten hatte, und welcher mir krank, entnervt, arm, abgerissen wiederkam, belastet mit Rechnungen der Charité und der Berliner Krankenpflege, nachdem er bei mir auf meine nicht bloß pflichtmäßig, sondern gern geleisteten Kosten hergestellt war, wieder nach Berlin zurückkehrte. Ich fragte ihn, ob er nicht genug hätte an dem einen Mal, und bei der Ermittelung der Motive, die ihn angezogen — es war ein ehrlicher Mann — was kam heraus? Ja, wenn er auf dem Lande einen Biergarten — er nannte es anders — mit Musik hätte, wo er des Abends hingehen könnte, so wolle er das Theater schon entbehren, und man kriegte auf dem Lande nicht eine anständig gekleidete Person zu sehen. Kurz und gut, die Vergnügungen der großen Stadt haben sehr viel Anziehendes. Die Leichtigkeit des Verkehrs auf den Bahnen, die Freizügigkeit — alles dies zieht die in den größeren Städten durch Vergnügungen festgehaltene Bevölkerung an sie, und dies hat der Agitation großen Vorschub geleistet. Noch viel stärker wurde dies, als wir das neue Preßgesetz schufen — wobei ich von Hause aus bevorworte, um jeder Verdächtigung der Reaktion zu entgehen, daß ich nicht die Absicht habe, dieses anzufechten; ich will nur die Diagnose der Krankheit geben. Das neue Preßgesetz schaffte plötzlich vor allen Dingen die Kaution ab, es schaffte den Stempel ab. Bis dahin war ein gewisses Kapital und mit dem Kapital vielleicht ein gewisses Maß von Bildung vorhanden und erforderlich, um eine Zeitung ins Leben zu rufen; heutzutage kann man mit 100 bis 150 Mark dem Unternehmen nähertreten, und für Bildung ist ja gar kein Bedürfnis *(Heiterkeit)*, man braucht bloß abzuschreiben, was einem geliefert wird, und das bekommt man von der Agitation geliefert, was gedruckt werden soll. Und solche Blätter, die einmal in der Woche erscheinen, und die der Beteiligte, der sie empfängt, der Arbeiter auf dem Lande oder in der kleinen Stadt, um so länger liest und um so mehr zirkulieren läßt und sich um so deutlicher einprägt, was darin steht — der Mann liest kein zweites Blatt; ich weiß nicht, wie die wohlfeilsten Abonnements sind, sie werden 20 Silbergroschen nicht übersteigen, ich weiß nur, daß die Gefälligkeit der Kaiserlichen Post sie zu einem Porto von 4 Silbergroschen das ganze Jahr lang viele hundert Meilen weit durch das ganze Land fährt, soweit sie gehen wollen; die Fazilität des Verkehrs, dieser Appell an den gemeinen Mann und seine gefährlichsten Instinkte, war früher nicht so leicht, die ist durch unser Preßgesetz außerordentlich gestiegen; sie ist gleichzeitig gestiegen durch die außerordentliche Milde unseres Strafgesetzes, und wenn wir sie bis zu so schweren

Verbrechen sich aufschwingen gesehen haben, wie geschehen, so trägt dazu auch nicht unwesentlich bei, daß der Glaube an die Vollstreckung einer anerkannten Todesstrafe geschwunden ist. Wird der Mörder nicht hingerichtet, was steht ihm dann bevor? Gefängnis. Die Hoffnung bleibt ihm, daß ein gelungener Putsch seiner politischen Freunde ihn frei machen kann und ihn aus einem Sträfling zu einem Helden der Partei stempelt; es schwebt ihm auch die dunkle Hoffnung auf eine Amnestie vor, daß man beim Regierungswechsel oder sonst eine Anzahl Menschen, über deren Unschädlichmachung man sonst froh ist, wieder auf die Gesellschaft loslassen werde. *(Heiterkeit.)*

Das ist meines Erachtens eines der mächtigsten Motive, welches auf die Verwegenheit des Verbrechers einen ganz wesentlichen Einfluß hat, und ich bin Seiner Majestät und Seiner Kaiserlichen Hoheit außerordentlich dankbar, daß wir an Hödel endlich mal ein Beispiel gesehen haben, daß die Obrigkeit das Schwert noch zu handhaben versteht[73]. *(Bravo! rechts.)*

Wenn auf diese Art und Weise es nun eigentlich nicht so sehr zu verwundern ist, daß die Gefahr angeschwollen ist, wenn wir sehen, daß der ungeheure Schwindel in den Geschäften in den ersten Jahren nach dem Kriege von einem vollständigen Verfall der Geschäfte gefolgt ist, und viel Leute, die eine Zeitlang einen großen Verdienst gefunden hatten, denselben nicht mehr haben, so kann es eigentlich nicht wundern, daß die Sache unter so exzeptionellen Verhältnissen, unter so neuen Verhältnissen, wie unsere ganze deutsche Gesetzgebung, wo so manches durch die Plötzlichkeit unserer Verschmelzung in Verstimmung geblieben ist, und wo alle mit der Regierung unzufriedenen Elemente sich in einem großen Körper vereinigen, den ich den negativen nennen will, der für jede legislative Operation der Regierung unzugänglich ist — da kann man sich eigentlich nicht wundern, daß die Gefahr zu der Höhe angeschwollen ist, die vorliegt, und daß wir hier in Berlin zwischen 60 000 und 100 000 wohlorganisierte, in Vereinen gegliederte Männer haben, die sich offen zum Kampfe gegen die bestehende Ordnung und zu dem Programm, wie wir es kennen, bekennen. Daß unter diesen Umständen die Gewerbstätigkeit, der Kredit, der Aufschwung der Industrie in Berlin leiden muß, ist ganz natürlich; denn für den, der hier ein Kapital anlegen soll, oder der einem anderen ein Kapital leihen soll, in der beunruhigten Phantasie eines auf Verlust vorbereiteten Eigentümers hat doch diese Masse, diese Or-

---

[73] Hödel war am 16. August 1878 hingerichtet worden.

ganisation von 60 000 bis 100 000 Menschen den Charakter einer feindlichen Armee, die in unserer Mitte lebt und die nur noch nicht den Moment gefunden hat, wo sie über den Eigentümer, den leichtfertigen Kapitalisten, der hier etwas anlegen will, Gericht halten kann, um ihm das wohlerworbene Eigentum zu entziehen oder zu beschränken oder ihm die Verfügung darüber überhaupt zu nehmen. Also die Frage der Verbesserung unseres Verkehrswesens, oder die Verbesserung der Lage der Arbeiter, will ich lieber sagen, und die Frage der Sozialisten, das sind zwei Bestrebungen, die sich gegenseitig ausschließen; so lange die sozialistischen Bestrebungen diese bedrohliche Höhe haben, wie jetzt, wird aus Furcht vor der weiteren Entwicklung das Vertrauen und der Glaube im Innern nicht wiederkehren, und deshalb wird die Arbeitslosigkeit auch so lange, wie die Sozialdemokratie uns bedroht, mit geringen Ausnahmen anhalten. Die Arbeiter selbst hätten es in der Gewalt, wenn sie sich von den Agitatoren lossagen, das Vertrauen früher wiederkehren zu lassen, als es bei der Haltung, die sie jetzt eingenommen haben, möglich ist. Die Furcht, die ich nicht teile, daß im Kern des Volkes die Ideen aus Schillers Räubern schon vollständig von den Arbeitern aufgenommen seien, drückt auf das öffentliche Vertrauen. Um dasselbe zu heben, glaube ich, daß es notwendig ist für den Staat, die Macht der Agitatoren zu brechen. Es ist ja heutzutage die Stellung eines sozialistischen Agitators ein ausgebildeter Gewerbszweig wie jeder andere; man wird Agitator, Volksredner, wie man früher Schmied oder Zimmermann wurde; man ergreift dieses Gewerbe und steht sich dabei unter Umständen sehr viel besser, als wenn man bei dem ursprünglichen geblieben wäre, hat ein angenehmes und freies, vielleicht auch angesehenes Leben in gewissen Kreisen. Aber das hindert nicht, daß wir gegen die Herren, die diese Gewerbetätigkeit ergriffen haben, uns im Stande der Notwehr befinden, und je zeitiger wir diese Notwehr eintreten lassen, mit desto weniger Schaden für die Freiheit der übrigen und für die Sicherheit und den inneren Frieden werden wir, glaube ich, damit zu Ende kommen.

Diese Gefahren sind mir nicht neu. Meine Stellung und meine Erlebnisse bringen mich dazu, gefährliche Blätter mit mehr Aufmerksamkeit zu lesen, als es von seiten der meisten hier Anwesenden der Fall sein mag, und wer die sozialistische Presse in den letzten Jahren hier verfolgt hat, der mußte ja doch die Gewalttat, den Mord, den Königsmord, die Abschaffung des Königtums zwischen den Zeilen durchblicken sehen, in so mancher Nummer; und so entgleitet in der Beurteilung solcher Schaden, wie unser Strafrichter das zum Teil auffaßt, so buchstäblich ist der Leser dieser Zeitung nicht, der hat ein feineres Verständnis als der Strafrichter für diese

Nuancen, der weiß, was die Presse sagen will, wenn auch der Strafrichter das nicht zugibt.

Mich hat die Lektüre aber doch nicht gerade auf die Wendung der Sache vorbereitet, die eine tief betrübende und für unser nationales Gefühl demütigende ist. Ich konnte nicht glauben, daß ein Monarch, der mehr als irgendein lebender — und ich möchte wohl sagen, auch ein der Vergangenheit angehöriger — getan hat mit Einsetzung seines Lebens, seiner Krone, seiner monarchischen Existenz, um die Wünsche und Bestrebungen seiner Nation zu verwirklichen, der dies mit einem gewaltigen Erfolge und dabei doch ohne jede Überhebung getan hat, der dabei ein milder, volksfreundlicher Regent geblieben ist, eine populäre Figur ... wenn der von hinten mit Hasenschrot zusammengeschossen wird, ja meine Herren, da reicht jedes andere Verbrechen ja gar nicht an dieses heran, da ist man wirklich auf jedes andere auch gefaßt. Dieser Blitz bei Nacht — doch, wie bekannt, es geschah ja am Tage — hat weithin die Situation beleuchtet, und hat auch in die Wählerkreise der ganzen Monarchie hineingeleuchtet, glaube ich; ich halte für richtig, was ein Artikel der „Nationalzeitung" vor kurzem sagte, daß die Wähler aller Abgeordneten, also auch des Zentrums und der Fortschrittspartei, mit alleiniger Ausnahme der Sozialdemokraten, von ihren Abgeordneten erwartet haben, daß sie der Regierung gegen Beseitigung dieser Gefahr beistehen würden. Ich habe ja darüber mit den Herren nicht zu rechten, wie sie sich mit ihren Wählern auseinandersetzen; wenn alle Parteien das Versprechen gegeben haben, so kann ich einigen wenigstens die Quittung, daß sie es erfüllt haben, nicht ausstellen. Ich bin vielleicht auch zu dieser Ausstellung nicht berufen, ich erkläre nur, meine Überzeugung sagt: was sie ihren Wählern versprochen haben, haben sie durch ihre bisherige Stellung zu dem Gesetz nicht erfüllt. Ich nehme davon in der Fortschrittspartei den Abgeordneten Hänel aus, der seinerseits zum ersten Mal den Bann der Fortschrittspartei, den Bann der Negation, den ein anderer Abgeordneter des Preußischen Landtags auf diese Partei geworfen hat, in einer erfreulichen Weise durchbrochen hat mit einem positiven Antrage — meines Erinnerns der erste Antrag von dieser Bedeutung, der je aus dem Schoße der Fortschrittspartei gekommen ist. Aber ich frage Sie alle, die Zeitungen lesen: hat er den Anschluß seiner sonstigen politischen Freunde dabei gefunden? Ich bin dem Herrn Abgeordneten Hänel schuldig, ihn nicht in die Behauptung einzuschließen, daß die Fortschrittspartei an und für sich nur eine Partei der Negation sei, die, so lange sie existiert, noch keinen positiven Vorschlag zur Verwirklichung ihrer Theorien gemacht hat, und die dadurch auch eine gewisse Verwandtschaft mit der sozialistischen Partei hat, daß sie bekämpft, was besteht, ohne daß sie sagt, was sie an die Stelle setzen will — aber ich nehme den Herrn Abgeordneten Hänel, wie gesagt, aus.

Nun, wenn wir den Erwartungen der Wähler nähertreten, so befindet die Regierung und diejenigen, die mit ihr gehen wollen, sich in einer außerordentlich schwierigen parlamentarischen Lage. Das parlamentarische System fungiert leicht und elegant; wenn nur zwei Parteien bestehen, wie es in England nur Whigs und Tories gab, so wäre nicht zweifelhaft, wie die Sache sich zu gestalten hätte. Eine hatte stets eine Mehrheit. Es trat in England eine Zeit ein, wo, man kann wohl sagen, fünf Fraktionen bestanden, die freilich zu dem Zorn gegeneinander, den der Deutsche aus der Association zu Corps auf der Universität mitbringt und in die Fraktionen des Reichstags überträgt, zu dem gegenseitigen Haß sich nicht aufgeschwungen haben, und die doch immer in erster Linie die Landesinteressen und erst in zweiter Linie das, was den rivalisierenden Fraktionen Unannehmlichkeiten bereitet, in Anschlag brachten; es gab aber damals doch keine anderen Ministerien in England wie Koalitionsministerien. Die Engländer haben eingesehen, daß darunter das konstitutionelle Prinzip leidet, und ihr gesunder Sinn hat sie wieder dahin gebracht, daß sie nur zwei Parteien von irgendeiner Bedeutung haben — ich glaube, die anderen, die ich englische Nihilisten nennen möchte, brauche ich nicht mitzuzählen —, aber sie haben zwei große Parteien, von denen jede an sich unter Umständen die Majorität im Parlament hat. Wenn es bei uns eine solche Fraktion gäbe, so wäre es für den Minister, der regiert, ein Vergnügen, sich dieser Fraktion anzuschließen, ihr, wenn nicht äußerlich, so doch innerlich anzugehören und mit ihr gemeinschaftlich zu arbeiten. Von diesem Ideal sind wir aber weit entfernt; wir haben jetzt etwa acht Fraktionen, von denen ich kaum zwischen zweien eine so sympathische Vermittelung kenne, daß an eine Verschmelzung zu denken wäre; der Deutsche hält sich streng an den Korpsgeist und hält sich gesondert. Wir haben uns zwar der geschlossenen Firma von Fortschritt, Zentrum, Polen, Welfen in allen Situationen der letzten Jahre gegenüber befunden; aber wenn die nun wirklich einmal die Majorität hätten und sollten ihrerseits eine Regierung bilden, würde die Fortschrittspartei mit dem Zentrum doch nicht zusammengehen können; die Polen vielleicht mit den Welfen; Zentrum und Welfen vertragen sich wunderbar; Zentrum und Sozialisten haben vielfach mit Eifer übereingestimmt, es ist das aber nicht bloß beim Zentrum der Fall gewesen, auch andere Abgeordnete haben von den Sozialisten Stimmen geworben und erhalten; auch das Zentrum hat in allen Fällen mit Ausnahme von einem immer für den Kandidaten gestimmt, von dem zu vermuten war, daß er der Regierung der feindlichere sein werde. — Wenn ich sage, mit Ausnahme von einem, so ist das der Abgeordnete für Mühlhausen *(Heiterkeit)*, für den die Wähler des Zentrums gestimmt haben, aber doch erst dann, nachdem man ganz sicher war, daß er auch ohne sie gewählt werden würde. – Auch andere Kandidaten haben aber, wenn sie einige tausend Sozialisten in den Wahlbezirken vorfanden, die Sympathien derselben sorgfältig geschont und vielleicht Versprechungen gegeben, daß sie nicht so scharf gegen sie vorgehen würden. Aber *item*, wir befinden uns in der traurigen Lage auf seiten der Regierung, daß wir bei Verständigung mit dem Reichstag uns drei Siebentel des Gebiets absolut verschlossen finden. Es ist das wie beim Manöver das Terrain, was nicht betreten werden darf. Wir haben von der Fortschrittspartei, vom Zentrum, wir haben von den zirka 150 Abgeordneten, die sich mit diesen beiden halten, unter keinen Umständen und für keine Vorlage, die wir zu machen imstande sind, eine Unterstützung zu erwarten, auch für die gegenwärtige nicht, darüber sind wir vollständig klar. Unsere Operationsbasis beschränkt sich auf die vier Siebentel des Reichstages, welche durch die Fraktion der Nationalliberalen und die beiden konservativen Fraktionen gebildet werden. In jedem anderen Lande würde die Tatsache, daß drei Siebentel der Landesvertretung überhaupt die Existenzbasis, auf der sich die Regierung ohne Zerfall des Ganzen bewegen kann, negieren würde *(Oho! im Zentrum)* – mit Worten gewiß nicht, meine Herren, aber mit der Tat, ich rechne immer mit der Tat! – den strengsten Zusammenschluß der übrigen, die überhaupt die bestehenden Institutionen halten und vertreten wollen, zur Folge haben. Bei uns in Deutschland ist aber der Korpsgeist in der Politik derselbe, der ja auch veranlaßt, daß zwei Regimenter in einer Garnison, die aus denselben Orten rekrutiert werden, gar nicht ohne Stichelreden ausrücken können, ohne im Manöver aufeinander einzuhauen, bloß weil sie verschiedene Farben, verschiedene Namen tragen, schwarzes oder weißes Lederzeug – wer von Ihnen Soldat gewesen ist, wird das erfahren haben –, sie feinden sich an und wollen einander nichts gönnen. Meine Herren, dieser Geist ist es, den wir leider alle von der Universität einigermaßen mitbringen. Aber diese Erinnerungen von dort dürfen sich doch nicht auf das politische Leben übertragen, und ich kann nur die Bitte an diese drei Fraktionen richten, daß die Herren nicht der Regierung, sondern dem Lande und ihren Landsleuten den Dienst erweisen, sich untereinander zu verständigen, und daß alle diejenigen, die überhaupt die staatliche Entwicklung des Reiches auf der jetzigen Basis wollen, sich näher aneinander schließen und sich nur über sachlich ganz unabweisliche Differenzen, aber niemals über die Frage einer Priorität einer Rivalität trennen.

Meine Herren, ich kann diesen Gegenstand nicht verlassen, ohne dagegen zu remonstrieren, daß mir bei Gelegenheit der Auflösung eine Tendenzpolitik schuld gegeben worden ist, als wenn ich irgendwelche Reaktion oder Systemumwandlung erstrebt hätte. Ich habe bei der Auflösung nichts erstrebt, als daß die Abgeordneten sich mit ihren Wählern über die Situation besprechen möchten, und habe die Hoffnung gehabt, daß Sie wie — Antäus hieß er wohl — durch Berührung der heimatlichen Erde gestärkt wiederkommen möchten. Daß Sie es nicht alle getan haben, tut mir leid, aber Tendenzpolitik ist mir fremd, die habe ich allenfalls getrieben, ehe ich in den Staatsdienst trat, wo ich auch ein zorniges Fraktionsmitglied war, aber für einen preußischen, einen deutschen Minister ist das ganz unmöglich. Ich habe bestimmte, positive, praktische Ziele, nach denen ich strebe, zu denen mir mitunter die Linke, mitunter die Rechte geholfen hat, nach meinem Wunsch beide gemeinschaftlich helfen sollten. Aber wer die Ziele mit mir erstrebt — ob man sie sofort erreicht, oder nach langjähriger, gemeinschaftlicher Arbeit ihnen näher kommt und sie schließlich erreicht, darauf kommt es so sehr nicht an — ich gehe mit dem, der mit den Staats- und Landesinteressen nach meiner Überzeugung geht; die Fraktion, der er angehört, ist mir vollständig gleichgültig. Ich habe ja angenehme und unangenehme Erlebnisse mit verschiedenen Fraktionen gehabt, und ich muß mich, welches auch meine, jedem Manne, der Eifer für sein Geschäft hat, natürliche Empfindlichkeit sein mag, wenn ich im Stich gelassen werde bei dieser oder jener Gelegenheit, derselben vollständig entschlagen in meinem Amte. Ich kann mich von der Menschlichkeit, empfindlich zu sein, nicht lossagen; ich räume aber ein, daß ich als Minister nicht das Recht habe, empfindlich zu sein, sondern ich muß den Beistand annehmen, der mir geboten wird.

Von diesen drei Faktoren also erwarte ich die Annahme des Gesetzes, mit welchem wir die Gefahr, die uns droht, bekämpfen wollen, und wir hatten zu diesem Behuf eine Vorlage gemacht, die mir als eine mäßige und sogar unzulängliche erschien. Ihrer Kommission ist sie zu weitgehend erschienen. Wir werden uns über das verständigen müssen, was annehmbar ist. Wenn Sie die Gefahr mit uns anerkennen, Ihre Wähler auch, Sie wollen aber das, was wir, die verbündeten Regierungen, zur Bekämpfung dieser Gefahr von Ihnen erbitten, nicht bewilligen — nun, so ist mir das der Beweis, daß Sie nicht das vollständige Vertrauen zu uns haben, um uns das Maß von, nennen wir es Diktatur, zu geben, was wir zur erfolgreichen Bekämpfung des Übels brauchen. Dieses Vertrauen läßt sich nicht erzwingen, es läßt sich vielleicht erwerben durch eine sorgfältige loyale Ausführung des Gesetzes, das Sie uns geben sollen. Mein Bestreben wird dahin gerichtet sein; deshalb aber muß ich von Ihnen verlangen ein Gesetz, in dem wir uns mit der Erreichung des Zweckes ehrlich und ohne gewalttätige Auslegung bewegen können, denn ich bin fest entschlossen, über die loyale Ausführung des Gesetzes zu wachen. Haben Sie nicht das Vertrauen zu uns und speziell zu mir, der ich im Reich die Hauptverantwortlichkeit trage, daß dieses Gesetz seinen Intentionen gemäß ausgeführt werde, haben Sie die Befürchtung, daß wir es mißbrauchen werden, um uneingestandene Zwecke damit zu erreichen, kurz und gut, fürchten Sie sich mehr vor mir und vor der Anwendung des Gesetzes, mehr vor den vereinigten Regierungen als vor den Sozialdemokraten — ja dann, meine Herren, weiß ich, was ich zu tun habe, dann muß ich Personen Platz machen, zu denen Sie mehr Vertrauen haben oder die andere Mittel zur Bekämpfung der Gefahr anwenden wollen, als ich nach meinem politischen Urteil anzuwenden bereit bin.

Ich habe über § 1 gesprochen, indem ich sage, daß ich Vereine, die positive Zwecke verfolgen, die eingestanden sind, deren Ziel möglich ist, nicht bekämpfe. Wenn wir nicht Brücken hätten bauen wollen, von denen wir hofften, daß sie auch von den Herren, die einen Mißbrauch von seiten der Regierung fürchten, betreten werden würden, so würde nach meiner Ansicht der § 1 sehr viel einfacher gefaßt werden können, er würde nach meiner Ansicht lediglich zu lauten gehabt haben: Vereine, in welchen sozialdemokratische Tendenzen zutage treten, werden verboten. In der jetzigen Fassung, die ich nicht bekämpfe — denn sie ist die Fassung des Bundesrats, und wenn ich auch nicht dabei gewesen bin, so füge ich mich ihr doch — da ist dem hinzugefügt das Kriterium von Untergrabung oder Umsturz. Das klingt ja fast so, als ob andere, nicht sozialdemokratische Vereine, welche diesen Umsturz betreiben, dadurch ein Privilegium bekommen sollten; es klingt außerdem so, als wenn dieses ganze Gesetz, so notwendig und geboten wie wir es halten, doch der richtigen Grundlage entbehrt; denn wenn ich an die Tatsache glaube, daß die Bestrebungen, welche sozialdemokratische heißen, an und für sich schon als Umsturz und Untergrabung anzusehen seien, so hätten wir kein Recht, zu diesem Gesetz in dieser Ausschließlichkeit, in dieser Art von *bill of attainder* gegen eine bestimmte Richtung; aber von dieser Einfachheit der Fassung hat vielleicht die Befürchtung abgehalten, daß man nicht klar feststellen könne, wer Sozialdemokrat ist und wer nicht. Welche Tendenzen sind sozialdemokratisch? Das ist eine Ängstlichkeit, die dem Richterstande angehört. Jeder Laie ist nicht zweifelhaft, welche Abgeordneten sozialdemokratisch sind, welche Zeitung sozialdemokratisch ist; wie kommt es, daß jetzt, da man dem Gesetz nähertritt, das einfachste, der allen Leuten sonst verständliche Ausdruck jetzt zweifelhaft wird, daß Blau nicht mehr Blau, Rot nicht mehr Rot ist? Kein Mensch ist darüber im Zweifel, was und wer sozialdemokratisch ist.

Meine Herren, ich bemerke indes nur beiläufig, vielleicht um eine Anknüpfung für die Zukunft zu haben: Wenn Sie uns dieses Gesetz nicht in dem Maße geben, wie wir es brauchen, so gibt es ja darüber verschiedene Abstufungen. Die eine ist die, daß wir es *cum beneficio inventarii* annehmen, aber gleich dabei erklären: Zur Erreichung des Zweckes, den wir erstreben, genügt es nicht, und wir werden in der Lage sein, bei dem nächsten Zusammentritt schon Nachtragsvorlagen zu machen. Aber wir wollen — ich wenigstens bin jetzt von der Vollkommenheit auch der Regierungsvorlage, von der Tatsache, daß sie erschöpfend sei, nicht in dem Maße überzeugt, daß ich mir schon ganz sicher bin, daß dieses umfangreich gezimmerte Schiff in dem ganz neuen Fahrwasser gleich richtig fahren wird; ich glaube, die Erfahrung wird uns erst belehren, welche Maschinenteile uns versagen, und wir werden vielleicht genötigt sein, Ihnen wiederum mit einer Vorlage näherzutreten, zur Aufbesserung dessen, was Sie uns heute bewilligen — ich glaube, selbst dann, wenn Sie uns die ganze Regierungsvorlage bewilligt hätten, aber ganz sicher, wenn Sie davon um ein Erhebliches abweichen. Es gibt gewisse Sätze in diesem Gesetz, die namentlich Bezug haben auf eine Einschränkung der Freiheiten in der Freizügigkeit und in der Presse, die ich vorher als die Hauptmotoren der plötzlichen und fruchtbaren Entwickelung andeutete, gewisse Bedingungen der Einschränkungen dieser schädlichen Einwirkung, ohne die ich das Gesetz für die Regierung überhaupt für unbrauchbar halten würde. Ich beschränke diesen Anspruch auf das Mäßigste und Unentbehrlichste. Mein Bestreben geht über dieses Gesetz und diese Vorlage hinaus dahin, womöglich aus den drei Fraktionen, die überhaupt an den staatlichen Zwekken der Regierung in befreundeter Weise mitarbeiten, und aus der Regierung zusammen eine feste, sich gegenseitig in allen Teilen vertrauende Phalanx zu bilden, die imstande ist, allen Stürmen, denen unser Reich ausgesetzt ist, wirksamen Widerstand entgegenzusetzen.

Auf eine lange persönliche Bemerkung des Abg. Sonnemann erwidert Bismarck:

Der Herr Vorredner hat sich über Vorwürfe gerechtfertigt, die ich ihm gar nicht gemacht habe. *(Oh! oh! links.)* Wir haben gewisse deutsche Sprichwörter, wenn sich einer getroffen fühlt, die ich hier nicht gerade wiederholen will, aber er sagte, er hätte mir keine Vorwürfe machen wollen. Ich habe ihm jedenfalls die Vorwürfe, die er jetzt akzentuiert hat, nicht gemacht. *(Oh! oh! links.)* — Meine Herren, warten Sie doch ab, bis ich die Sache

entwickle, ich berufe mich auf die stenographischen Berichte für das, was ich sagen werde.
Einmal habe ich ihm durchaus keine Sympathien für die Kommune vorgeworfen, sondern ich habe eine gewisse Anerkennung dafür ausgesprochen, daß er für die der Kommune gegenüberstehende französische Regierung vollkommen freiwillige, von jedem Interesse unabhängige, lediglich auf Wohlwollen beruhende Sympathien habe; die Kommune war der Gegner der französischen Regierung. Ich will mich auf die Einzelheiten nicht einlassen, nur gegen das, was der Herr Vorredner noch anführte, nochmals wiederholen, daß ich gesagt habe: Ich habe in meinem Leben französische Agenten in Deutschland gekannt, die unter dem Vorwande, einer oppositionellen Partei anzugehören, im Dienst der französischen Regierung standen, und das war vor 1870, vielleicht mag es auch deren noch heut geben, — das habe ich aber nicht behauptet, ich habe ausdrücklich gesagt, ich habe sie im Kriege von 1870 als solche erkannt, die als Katone der Republik passierten und mir 1870 als Kaiserliche Agenten offenbar geworden sind. Darauf habe ich gesagt: Auf den Herrn Vorredner kann das ja, da er Abgeordneter ist, gar keine Anwendung finden; — ich habe nicht gesagt, ich würde ihm den Vorwurf machen, wenn er nicht Abgeordneter wäre, sondern mein Schluß war ganz anders: wenn der Herr Vorredner sich in derselben Kategorie befinden sollte, so ist die Frankfurter Wählerschaft ja viel zu klug, um das nicht auf den ersten Blick zu erkennen, und dann hätte sie ihn nicht gewählt. So war mein Argument gemeint. Also ich hatte den Herrn Vorredner vollständig exkulpiert. Wenn dann der Herr Vorredner mit dem *qui s'excuse s'accuse* die Sache wieder aufgenommen hat, so bedaure ich das, aber ich berufe mich auf den stenographischen Bericht, ich habe ausdrücklich gesagt: Bei dem Herrn Abgeordneten ist das nicht möglich, weil ich den Wähler, und namentlich den Frankfurter — das sind ja ganz feine, gescheite Leute — für viel zu klug halte, um einen französischen Agenten zu wählen, also ist es nicht möglich, daß der Herr Abgeordnete in diese Kategorie fällt. Ich meine also, vollständiger kann man den Verdacht nicht abwehren, als hätte ich mit den Leuten, die ich vor 1870 kennengelernt habe, und dem Herrn Redner irgendwelche Analogie machen wollen. Ich habe nur angeführt, daß das Journal des Herrn Redners ganz ausgezeichnet unterrichtet ist, es hat manchmal früher, als ich durch diplomatische Berichte, die Intentionen der französischen Regierung erkannt. Das ist eine Geschicklichkeit des Zeitungsredakteurs, die sehr beneidenswert ist, und die ich jedem anderen, der mir in anderen Sachen sympathischer ist, auch wünschen möchte; aber den Vorwurf, gegen den der Herr Vorredner sich entschuldigt und be-

hauptet, er widerstreite das, den habe ich ihm nicht gemacht. *(Ruf: Zur Sache!)* Meine Herren, die Sie mich „zur Sache“ rufen, dazu haben Sie in keiner Weise das Recht! Ich nehme hier das Wort kraft der Erlaubnis des Präsidenten und des verfassungsmäßigen Rechts. Ich bitte den Herrn, der mir „zur Sache“ zugerufen hat, sich zu nennen, damit er seine Gründe anführe! Ich bitte den Herrn Präsidenten, mich zu schützen; ich bin nicht von der Sache abgewichen, viel weniger als der Herr Vorredner.

(Das Sozialistengesetz wurde am 19. Oktober 1878 mit 221 gegen 149 Stimmen vom Reichstag angenommen. Am gleichen Tage wurde die Reichstagssession geschlossen.)

74. Privatschreiben an Kaiser Wilhelm I. W 14/II, 896 f., Nr. 1592.

Berlin 9 November 1878.

Eure Majestät haben mir durch das huldreiche Schreiben vom 6. eine Ueberraschung bereitet, die um so freudiger war, als sie zusammenfiel mit dem so sehr gnädigen Ausdruck der Theilnahme, welchen Eure Majestät an dem Freudenfest meiner Tochter [74] und an den gemischten Gefühlen bekundet haben, welche meine Frau an jenem Tage bewegen mußten. Nur wer selbst eine einzige Tochter hat das Haus verlassen sehn, konnte die Bedeutung der zarten Aufmerksamkeit ermessen, mit welcher Eurer Majestät Huld meiner Frau einen Trost hat gewähren wollen. Verzeihn Eure Majestät, daß ich zuerst für den Gnadenact danke, der Haus und Herz berührt. In meiner Eigenschaft von Eurer Majestät Diener im Reich und im Staat bin ich beschämt darüber, daß Allerhöchstdieselben mein angestrengtes, aber leider schon gelähmtes Streben nach treuer Pflichterfüllung mit einer neuen Auszeichnung und insbesondere mit so warmen und mir tief zum Herzen gehenden Worten haben anerkennen wollen. Die schwere Heimsuchung, welche Eure Majestät betroffen hat [75], nicht bloß durch Verwundung auf dem Schlachtfelde, wie es sich heut für Monarchen gestaltet, sondern durch den Undank der Menschen, wie er sich ausspricht in dem Verbrechen und in allem, was sich daran knüpfte, bildet für mich

[74] Vermählung mit Graf Rantzau am 6. November 1878.

[75] Gemeint sind die Attentate Hödels und Nobilings am 11. Mai und 2. Juni 1878.

ein neues Band der Pflicht, welches mich noch fester als bisher dem allerhöchsten Dienste verbindet. In der Schlechtigkeit der Untreue liegt für treue Unterthanen ein Sporn der Treue, und ich bitte Gott seitdem noch eifriger als früher, mir die Gesundheit zu geben, deren ich bedarf, um Eurer Majestät, so lange ich lebe, meine herzliche Dankbarkeit und meine Treue als geborner Dienstmann des Brandenburgischen Herrscherhauses durch die That zu beweisen.

Meine Gesundheit läßt zu wünschen übrig; ich bedarf einer absoluten Ruhe für einige Zeit, die mir seit Jahr und Tag gefehlt hat; ich hoffe sie während der Landtagsverhandlungen in Friedrichsruh zu finden und will mich durch eigne Mattigkeit nicht beirren lassen in der Freude, mit der ich von Eurer Majestät zunehmenden Kräften durch Lehndorff höre und in Eurer Majestät festen Schriftzügen das Zeugniß für die Herstellung der in Gastein noch leidenden rechten Hand erblicke. v. Bismarck.

75. Votum an das Preußische Staatsministerium: Die Beibehaltung des Welfenfonds ist keine rechtliche, sondern eine politische Frage (Diktat)

W 6 c, 123 ff., Nr. 134.

Berlin, den 9. November 1878.

Dem Votum der Herren Minister der Justiz, der Finanzen und des Kultus bezüglich des Welfenfonds vermag ich mich in betreff der rechtlichen Natur der Situation und der daran geknüpften Folgerungen nicht anzuschließen.

Meine Ansicht weicht von der der drei genannten Herren Kollegen in der Hauptsache darin ab, daß m. E. die Beschlagnahme des Vermögens des Königs Georg[76] keinen juristischen, sondern einen ausschließlich politischen Charakter hatte und nicht gegen die an sich ungefährliche Person des Königs Georg gerichtet war, sondern den Zweck hatte, der staatsgefährlichen welfischen Agitation die reichen Mittel des dem König Georg gewährten Vermögens zu entziehen.

---

[76] Der frühere König von Hannover war am 12. Juni 1878 in Paris gestorben. Am 10. Juli 1878 hatte sein Sohn Ernst August, Herzog von Cumberland, Kaiser Wilhelm I. den Tod angezeigt und alle Ansprüche auf den hannoverschen Thron aufrechterhalten.

Meiner Ansicht nach war diese Beschlagnahme lediglich eine objektive und die Erwähnung des Königs Georg in dem Texte des betreffenden Gesetzes an allen Stellen, wo von dem Vermögen dieses Herrn, von den Umtrieben des Königs und seinen Agenten die Rede ist, hatte keine andere Bedeutung als die, daß es an jeder andern sprachlich schicklichen und der Sachlage entsprechenden Bezeichnung für das mit Beschlag zu belegende Vermögen und für die zu bekämpfenden Umtriebe fehlte. Es wäre kaum natürlich gewesen, damals, wo der König Georg noch nicht 50 Jahre alt und anscheinend gesund war, von dem Vermögen des Königs Georg und seiner Erben zu sprechen, noch weniger von Umtrieben des Königs Georg und seiner „Rechtsnachfolger", weil damals angenommen wurde, daß der nächste Erbe des Königs ebenso bereit sein werde, seinen Frieden zu machen, wie es der nächste Erbe des Kurfürsten von Hessen war, und daß außerdem die feindliche Haltung des Königs Georg schwerlich bis an sein Lebensende durchgeführt werden würde, noch weniger aber, daß sein einziger Sohn nach dem Tode seines Vaters, durch amtliche Proklamation seiner Ansprüche in Form eines Regierungsantritts sich noch weiter wie sein Vater von der Linie der Passivität entfernen werde.

Der Antrag sowohl auf die Abfindung des Königs Georg, wie den auf die Beschlagnahme der Abfindungssumme ist von mir persönlich angeregt und entworfen worden. Ueber die rein politische Absicht und Tendenz beider Maßregeln glaube ich daher meiner Erinnerung und meinem Zeugnis, wenigstens für mein Urteil, mehr Gewicht beilegen zu dürfen als den juristischen Deduktionen, welche sich an den damals zufällig und ohne jede Voraussicht der Zukunft gewählten Wortlaut der Gesetzvorlage und einzelner Stellen aus Reden und Berichten knüpfen lassen. Allen Beteiligten an den beiden aufeinander folgenden Akten der Gesetzgebung lag jeder Gedanke fern an eine Fassung von der Genauigkeit eines gerichtlichen Kontraktes, wie sie da notwendig wird, wo jede Fuge gegen den Scharfsinn richterlicher oder advokatischer Interpretation mit sorgfältiger Voraussicht aller Eventualitäten geschlossen werden soll. Es handelte sich in beiden Fällen lediglich um Akte der Politik, bei welchen selbst dann, wenn fremde Mächte untereinander paktieren, doch niemals diejenige Aengstlichkeit in der Abwägung einzelner Ausdrücke stattfindet, welche jedem gegnerischen Mißbrauch des Wortlautes einzelner Wendungen vorbeugen könnte. Noch weniger aber ist dieser Gesichtspunkt ins Auge gefaßt worden bei einem Akte innerer Politik, bei welchem, wenigstens in der regierungsseitigen Beurteilung, jede Verschiedenheit des Interesses fortfällt und eine Uebereinstimmung in der nicht richterlichen, sondern staatsmännischen Beurteilung eines politischen Zieles notwendig vorhanden ist.

Die Akten des Auswärtigen Amtes über die Entstehung des Abfindungsvertrages mit dem König ergeben, daß die Kgl. Preußische Regierung bei den Verhandlungen mit letzterem durchaus nicht von der Meinung, rechtliche Pflichten gegen ihn zu haben, sondern lediglich von politischer Rücksichtnahme auf die Sicherstellung des neuen Besitzes und auf das Verhalten fremder Mächte dazu geleitet wurde. Es war im Jahre 1867 noch keineswegs sicher, daß der Besitz Hannovers für Preußen unangefochten bleiben würde. Es lag in unserer damaligen Stimmung weniger Besorgnis vor der Entwicklung des welfischen Widerstandes im Lande selbst aber eine viel größere als heute vor europäischen Koalitionen gegen das mächtige Anwachsen Preußens. Wir sahen mit einiger Sicherheit einen französischen Krieg voraus, wir mußten befürchten, daß Oesterreich bei dieser Gelegenheit den Kampf gegen uns erneuern würde, und es war also die freundschaftliche Haltung Englands und Rußlands für uns in verstärktem Maße wichtig. Beide Mächte wünschten eine der früheren königlichen Stellung entsprechende Dotierung des Königs Georg, und England gab diesem Wunsche in der Form Ausdruck, daß wir vertraulich aber angelegentlich ersucht wurden, dem König Georg eine Dotation zu gewähren, von welcher er als königlicher Herzog in London leben könne, wozu ein Einkommen von 100 000 Pfund erforderlich gehalten wurde. Wenn dieses Einkommen noch reichlicher ausgebracht wurde, so lag darin, wie damals von mir öffentlich ausgesprochen wurde, die Absicht, dem König nicht etwa einen rechtlichen Anspruch zu erfüllen, sondern ihm einen annehmbaren Preis für seinen schweigenden Verzicht zu zahlen, ähnlich wie 1852 dem Herzog von Augustenburg von dänischer Seite. Wenn die Angelegenheit der diesseitigen Gewährung demnächst als Bestandteil eines Braunschweig-Lüneburgischen Fideikommisses bezeichnet wurde und damit ein Sukzessionsrecht der Agnaten angedeutet zu werden scheint, so war dies keine r e c h t l i c h e Konsequenz, welche sich von selbst ergeben hätte, sondern es war ein zu diesem Zweck wohl überlegtes, politisches Mittel, um die englischen Agnaten mit dem Verschwinden des Königreichs Hannover zu versöhnen und in der schwierigen politischen Situation, die oben angedeutet ist, englischen Protesten und Verstimmungen vorzubeugen.

Ich bin deshalb der Meinung, daß diese ganze Dotation ohne Rechtsverletzung, wenn auch nicht ohne einen neuen Akt der Gesetzgebung, zugunsten der Staatskasse annulliert werden kann, nachdem die Voraussetzungen, unter denen sie gewährt wurde, von dem Erben des Königs Georg durch ausdrückliche Erklärungen zerstört worden sind.

Wenn unsere damalige (1867) Voraussetzung, daß wir im Innern Hannovers weniger Schwierigkeiten zu bestehen haben würden, sich sehr bald als irrtümlich erwies, wenn die reichen Mittel, die dem König Georg gewährt waren, zu Umtrieben gegen uns bis zur Aufstellung einer bewaffneten Macht benutzt wurden, so glaube ich mich auf das Zeugnis aller derer, welche damals an unserer Politik mitwirkten, berufen zu dürfen, wenn ich behaupte, daß wir mit der Beschlagnahme des dem König gewährten Vermögens nicht einen rechtlichen Akt, nicht eine juristische Konsequenz seines Verhaltens ins Leben führen wollten, sondern einen lediglich politischen Akt der Abwehr und Notwehr ausübten.

Wir wollten nicht den König Georg in seiner Person und seinem Vermögen mit irgendeiner Strafe heimsuchen, sondern wir wollten der uns feindlichen Bewegung die Alimentation abschneiden, welche sie aus dem von uns selbst geschaffenen Vermögen zog. Nur die politische Rücksicht auf England insbesondere hielt uns ab, schon damals den Antrag auf gesetzliche Zurücknahme der ganzen Dotation zu stellen. Wir wählten das mildere Mittel der Beschlagnahme, um der Verschwörung ihre finanzielle Grundlage zu entziehen.

Daß diese Verschwörung des Welfentums damals als Umtriebe „des Königs Georg und seiner Agenten" bezeichnet wurde, darin lag wohl ebensowenig die Absicht, den Hauptaktzent auf die an sich bedeutungslose Person des blinden Königs zu legen, wie bei dem Ausdruck: „Vermögen des Königs Georg" auch der Akzent nicht auf König Georg, sondern auf Vermögen lag. Ich weiß nicht, wie man dieses Vermögen damals in ungezwungener Weise anders hätte bezeichnen sollen. Eine Absicht, die ihm vorsorglich entzogenen Mittel seinen Erben zur Verfügung zu stellen, sobald die welfische Verschwörung nicht mehr im Namen des Königs Georg, sondern in dem seines Sohnes betrieben werde, hat sicher dabei nicht vorgelegen; und wenn damals der Antrag gestellt worden wäre, die Beschlagnahme und die damit verbundene Bekämpfung der Umtriebe nur bis zum Tode des Königs Georg fortzusetzen, dann aber auf beides zu verzichten, auch wenn der Erbe die „Umtriebe" mit verstärkten Kräften fortsetzte, so wäre ein solcher Antrag doch wohl sicher abgelehnt worden.

Daß eine analoge Konsequenz aus den Zufälligkeiten der damaligen Ausdrucksweise juristisch deduziert werden könne, würden wir bei den damaligen Beratungen im Staatsministerium, auch wenn die Frage ausdrücklich zur Sprache gebracht wäre, kaum angenommen haben; ganz gewiß aber nicht, wenn man hätte hinzufügen können, daß zu jener Zeit die welfischen Abgeordneten Hannovers bis auf 11 unter 20 gestiegen seien,

daß ihr Führer[77] gleichzeitig an der Spitze einer anderweiten staatsfeindlichen Opposition von mehr als 100 Stimmen stehe, daß die welfischen Wahlumtriebe zum Bündnis mit der Sozialdemokratie und zum offenen Aufstand in Harburg geführt haben, daß der Herzog von Cumberland noch 1878 einen offenen Protest unter Uebernahme seiner Rechte auf Hannover allen Mächten notifizieren und daß er durch seine Verlobung mit der Schwester der künftigen Kaiserin von Rußland und Königin von England sich anschicken würde, seine Rolle und seinen Einfluß auf künftige antideutsche Koalitionen vorzubereiten und zu üben.
Ich kann unter diesen Umständen mich nicht zu einer richterlichen, nur zu einer politischen Auffassung der Frage für berufen halten und muß von diesem Standpunkt insbesondere gegen das Votum des Herrn Justizministers im ganzen wie im einzelnen meine Verantwortlichkeit für unsere Gesamtpolitik wahren. Sollte die Mehrheit des Staatsministeriums sich im Sinne der Herren Minister für Kultus und der Finanzen entscheiden, so würde ich einem solchen Standpunkte immer noch den Eventual-Antrag des Herrn Finanzministers vorziehen, der die völlige Aufhebung des Abfindungsvertrages wegen Zerstörung der Voraussetzungen des Abschlusses durch den jenseitigen Kontrahenten zum Ziel hat.
Abschrift vorstehenden Votums habe ich sämtlichen Herren Mitgliedern des Staatsministeriums mitgeteilt.

76. Schreiben an den Vizepräsidenten des Staatsministeriums Graf zu Stolberg: Kultusminister Falk soll trotz der für ihn nicht erfüllbaren Wünsche des Kaisers im Amte bleiben (Reinschrift) W 6 c, 126 ff., Nr. 137.

Friedrichsruh, den 11. Dezember 1878.

Ew. Erlaucht
gefl. Schreiben von gestern Abend erhalte ich soeben und ersehe zu meinem großen Leidwesen daraus, daß der Konflikt in der Kirchensache einen akuten Charakter angenommen hat[78]. Auch wenn ich geschäftsfähiger

---

[77] Der Zentrumsführer Windthorst.

[78] Wilhelm I. hatte Anstoß genommen, daß während seiner Abwesenheit Ernennungen zum Oberkirchenrat vorgenommen waren und Falk sich der Berufung der orthodoxen Hofprediger Kögel und Bauer in dieses oberste Kirchengremium widersetzte.

wäre, als ich bin, wüßte ich doch kaum Argumente herbeizubringen, mit welchen ich von hier aus dahin wirken könnte, daß entweder S. M. der König oder unser Kollege den eingenommenen Standpunkt aufgeben, wenn sich das Gewicht der außerordentlichen Schwierigkeiten und der vielleicht schweren Krisen, welche Falks Rücktritt im Gefolge haben kann, als unzulänglich erweist, um eine von beiden Seiten nachgiebig zu stimmen. Ich kenne die Sachlage und ihre Genesis nur oberflächlich und weiß namentlich nach einer schweren Zeit von Krankheit und Arbeit aus dem Kopfe nicht, daß und speziell in welcher Richtung S. M. aus dem Frühjahr her noch eine Antwort von mir erwarteten. Nur soviel ist mir klar, daß Falks jetziges Ausscheiden unsere Stellung zu Rom wesentlich verschlechtern würde. Die Gegner werden darin den Anfang unsres Rückzuges erblicken und uns für hilfsbedürftiger halten, als wir es in der katholischen Sache sind. Auch Falks Verbleiben als Justizminister würde darin nichts ändern, m. E. vielmehr den erwähnten Eindruck verschärfen. Es würde darin, wie mir scheint, die stillschweigende Erklärung liegen, daß Falk zwar mit der Gesamtpolitik S. M. einverstanden wäre, die Lage der Kultusgeschäfte aber so verfahren fände, daß dieses Ressort in dem bisherigen Sinne nicht weitergeführt werden könne, sondern auf Jemand übergehen müsse, der an Falks Antecedentien nicht gebunden wäre. Ich weiß S. M. niemand vorzuschlagen, der das Kultusministerium nach Falks Rücktritt ohne Schaden für unsere Stellung Rom gegenüber weiterführen könnte. Daß Falk des schweren Kampfes müde ist, begreife ich leider nach meinen eigenen Empfindungen nur zu sehr, aber dennoch könnte ich in seiner Stelle, wie ich es ja auch in der meinigen nicht tue, das begonnene große Werk dieser Detailschwierigkeit nicht opfern. Auf Falk wird doch dabei ein wesentlicher Teil der Verantwortlichkeit für den Schaden zurückfallen, der aus der ganz unberechenbaren Wahl seines Nachfolgers entstehen kann. Nach meinem Eindruck identifiziert er sich mehr mit dem Oberkirchenrat, als es seine ministerielle Stellung unvermeidlich mit sich bringt; ob ein Mitglied der von Falk bekämpften Richtung im Oberkirchenrat ist oder nicht, darüber würde ich an seiner Stelle die Krisis nicht herbeiführen. In mir ist die Versuchung, mich durch meinen Rücktritt der weiteren Verantwortlichkeit für die Tätigkeit eines Kollegen wie Stosch, für die Regierungsweise im Elsaß, für das einer tatsächlichen Abschaffung der Todesstrafe gleichkommende System der ausnahmslosesten Begnadigung auch der schändlichsten Mörder und für andere Vorkommnisse, die ich nicht billige — zu entziehen, eine sehr große. Aber nach den schweren Erlebnissen des Königs in diesem Jahre kann ich es mit meinem Gefühle nicht vereinbaren, aus meiner ministeriellen Verantwortlichkeit die volle logische Konsequenz zu ziehen und nachher achselzuckend zuzusehen, wenn der 82jährige Herr in Schwierigkeiten und vielleicht das Land in Krisen gerät, denen die physischen Kräfte nach den schweren Erschütterungen dieses Jahres nicht mehr gewachsen sind.

Sollte sich die Katastrophe bei alledem nicht vermeiden lassen, so müßte wenigstens im Lande und in Europa darüber kein Zweifel sein und bleiben, daß sie nur wegen der Ernennung der beiden Domprediger in den Oberkirchenrat erfolgt und aus k e i n e m a n d e r e n Grunde. Diese Tatsache müßte durch amtlichen Schriftwechsel zwischen S. M. und Falk oder, falls letzterer die Sache in das Staatsministerium bringt, zwischen diesem und Sr. M. über allen Zweifel erhoben werden. Wenn daher Ihre Vermittlungsversuche erfolglos bleiben, so möchte ich erg. anheimstellen, von dem Augenblicke an, wo Sie davon gewiß zu sein glauben, den Weg der mündlichen Verhandlung vollständig aufzugeben, den König zu bitten, daß er die Frage, welche an sich nicht zum Ressort des Präsidiums, sondern zu dem des Kultusministers gehört, mit Falk direkt und schriftlich verhandeln wolle. Wir laufen sonst Gefahr, daß die Lügner vor der öffentlichen Meinung Ew. Erlaucht oder mir eine andere Rolle in der Sache zuschreiben, als wir gespielt haben.

Mit der ausgezeichnetsten Hochachtung bin ich Euer Erlaucht ergebenster.

77. Schreiben an den Vizepräsidenten des Staatsministeriums Graf zu Stolberg: Streng amtliche Behandlung der Falk-Krise im Staatsministerium (Reinschrift) W 6c, 128 f., Nr. 139.

Friedrichsruh, den 19. Dezember 1878.

Aus Ew. Erlaucht gefl. Schreiben habe ich mit Bedauern die neue Verwicklung der Falkschen Sache ersehen. Ich bin leider durch meinen Gesundheitszustand durchaus verhindert, jetzt nach Berlin zu kommen und Ihnen in diesen Verhandlungen zur Seite zu stehen; schon der Inhalt ihres Schreibens von gestern hat mir eine absolut schlaflose Nacht gemacht, so daß ich heute nicht geschäftsfähig bin. In solcher Lage würde es mir ganz unmöglich sein, wenn wirklich der Rücktritt unseres Kollegen erfolgte, an Verhandlungen wegen Neubesetzung der Stelle teilzunehmen. Wenn ich nicht endlich mindestens einige Wochen absolute Ruhe haben kann, so muß ich meine Stellung aufgeben, ganz unabhängig davon, ob ich es gern oder ungern tue. Ich habe im Frühjahr viel mehr unter den Verhandlungen wegen Vervollständigung des Ministeriums gelitten, als unter denen mit dem Reichstage oder mit dem Kongreß und bin jetzt nicht geschäftsfähig genug, um dergleichen erneuern zu können.

Ich kann mir kein recht klares Bild davon machen, welches eigentlich der zwingende Grund für Falk ist, seine Kollegen und die Sache, welche er bisher so erfolgreich vertreten hat, in die schwierige Lage zu bringen, welche sein Rücktritt, wie er doch selbst nicht bezweifeln kann, notwendig im Gefolge haben muß. In dem eigentlichen Streitpunkt der Ernennung zum Oberkirchenrat war Falk bereit, der Gesamtlage und der Person des Königs das Opfer zu bringen, welches letzterer verlangte; alle anderen Meinungsverschiedenheiten zwischen S. M. und Falk haben bisher keine konkrete Gestalt und liegen als Konflikt nicht vor; mit seinem Anspruch auf ein direktes schriftliches Vertrauensvotum Sr. M. verlangt er etwas, was noch kein Minister jemals besessen hat, weder Roon noch ich noch irgendeiner der Diener Sr. M., auch der langjährigsten und persönlich ergebensten. Der Minister versteht, wie ich glaube, unter „Vertrauen" die volle Uebereinstimmung der Ansichten und die Ueberzeugung, daß der Minister ohne Kontrolle seine Geschäfte richtig und Sr. M. zu Dank besorgen werde. Eine solche Art prinzipiellen Vertrauens liegt einmal nicht in der Natur des Kaisers, und namentlich nicht auf den Gebieten, denen Er seine persönliche Tätigkeit zuwendet, also den auswärtigen, den militärischen und den kirchlichen — noch viel weniger aber wird sich S. M. dazu verstehen, ein solches prinzipielles Vertrauen redigiert zu Papier zu bringen und ohne Restriktionen auszusprechen; und darin liegt ein Ausdruck der Wahrheitsliebe, denn es kann ja doch für niemanden zweifelhaft sein, daß zwischen S. M. und Falk sehr wesentliche und prinzipielle Meinungsverschiedenheiten bestehen. Dasselbe ist zwischen dem Kaiser und mir der Fall und immer der Fall gewesen; hätte ich darin nicht nachgegeben, mich mit Kompromissen nicht begnügen und bei Gelegenheit tiefgehender Meinungsverschiedenheiten schriftliche Vertrauensversicherungen gefordert, so würde ich dadurch vielleicht Satisfaktion für mein persönliches Selbstgefühl mitunter haben erreichen können, aber ich würde dem letzteren auch viele der sachlichen Erfolge, die inzwischen erreicht wurden, geopfert haben. Daß unser Kollege Falk die letztere Alternative vorziehen sollte, kann ich noch immer nicht glauben.

In der formellen Behandlung der Sache von seiten des Präsidiums erlaube ich mir wiederholt auf die Bitte zurückzukommen, die Leitung der Sache so einrichten zu wollen, daß dem etwaigen Rücktritt von Falk nicht unwahre Motive und dem Präsidium keine unbegründeten Tendenzen untergeschoben werden können. Zu diesem Zwecke empfiehlt sich m. E. streng amtliche Behandlung der Sache im Plenum des Staatsministeriums, Mitteilung der zwischen Sr. M. und Ew. Erlaucht gepflogenen Korrespondenz an das Staatsministerium und Ueberleitung der Kgl. Korrespondenz auf Falk direkt. Daß Falk nicht aus eigenem Antriebe längst das Staatsministerium an der Frage beteiligt hat, ist mir unverständlich, wenn er nicht Motive dafür etwa hat, die er uns verschweigt. Wenn Ew. Erlaucht als Ministerpräsident den Inhalt des letzten Kgl. Schreibens amtlich an den Kultusminister mitgeteilt haben, so liegt für Gegner der Regierung die Möglichkeit nahe, aus diesem Vorgange konstitutionell zu deduzieren, daß Ew. Erlaucht, die in der Mitteilung bekundeten kgl. Ansichten über Falks Amtsführung teilen; nach den strengeren konstitutionellen Begriffen, unter deren *régime* wir aber tatsächlich ja nicht leben, würde ein Premierminister eine kgl. Willensmeinung an einen Kollegen nur dann übermitteln, wenn er die Verantwortlichkeit für den Inhalt gleichzeitig übernimmt: schon aus diesen Gründen glaube ich, daß es in unserem Interesse liegt, daß die ganze hierbei engagierte Partie sich mit aufgedeckten Karten *sur table* abspiele. Ich kann daher nicht dringend genug empfehlen, den Entstellungen, welchen wir eventuell von der katholischen wie von der demokratischen Seite gegenüberstehen werden, bei Zeiten vorzubeugen, indem wir die ganze Sache in einem Wege aktenmäßiger, amtlicher Entwicklung erhalten, auf dessen urkundliche Spuren wir uns berufen können, wenn es erforderlich werden sollte. Die eigenhändigen Schreiben des Kaisers an Ew. Erlaucht und Ihre darauf begründeten mündlichen Eröffnungen an Falk würden eventuell zur künftigen Klarlegung des Weges, den die Sache durchlaufen hätte, nicht benutzt werden können. Ich hoffe aber, wenn ich mir auch erlaube, obige Vorsicht zu empfehlen, daß dieselbe durch den Erfolg überflüssig gemacht werden wird, denn ich kann nicht glauben, daß Falk nach dem mannhaften Auftreten, durch welches er noch soeben die Sympathien aller vernünftigen Elemente für seine Person neu belebt hat [79], definitiv darauf beharren sollte, die Katastrophe für uns alle herbeizuführen, solange er nicht durch einen unausweichlichen konkreten Konflikt dazu gezwungen wird. Sollte dieser bedauerliche Fall aber eintreten, so hoffe ich doch, daß er zu seiner Verhütung zuvor die Vermittlung des Gesamtministeriums in Anspruch nehmen wird.

---

[79] Falk hatte am 11. Dezember 1878 im Abgeordnetenhause eine große Rede gegen das Zentrum gehalten.

Mit verbindlichstem Danke für die freundlichen Mitteilungen und mit der dringenden Bitte um Fortsetzung derselben, sobald es nötig wird, bin ich Ew. Erlaucht ganz ergebenster.

78. Schreiben an den Präsidenten des Reichskanzleramtes Hofmann: Zur Einbringung der ersten Finanzreformvorlagen (Abschrift) W 6 c, 129 ff., Nr. 140.

Friedrichsruh, den 3. Januar 1879.

Auf das gef. Schreiben vom 26. v. M. erwidere ich ergebenst, daß ich mich für jetzt mit den vom Königl. Preuß. Herrn Finanzminister im Einverständnis mit Ew. ausgesprochenen Ansichten über Ausführung des bisher bearbeiteten Teils der Heidelberger Beschlüsse einverstanden erkläre und Ew. pp. ergebenst ersuche, die Einbringung des ursprünglichen Entwurfs ohne Rücksicht auf diejenigen meiner Anträge, welche die Zustimmung des Herrn Finanzministers nicht haben, vorzubereiten. Diese Vorbereitung wird aber unter den obwaltenden Umständen nicht in der Herbeiführung eines Beschlusses des Königl. Preuß. Staatsministeriums zu bestehen haben; ich befürchte von diesem Wege einen Zeitverlust, der mit der parlamentarischen Situation nicht vereinbar ist, und dann halte ich es bei einer detaillierten Vorlage dieser Art nicht für indiziert, die Entschließungen des Königl. Staatsministeriums amtlich und ziffernmäßig festzulegen, bevor eine bundesrätliche Erörterung der Frage auch nur in ihren ersten Stadien stattgefunden hat. Diese Festlegung wird vielmehr m. E. erst dann stattzufinden haben, wenn es sich um die Formulierung des Preuß. Votums handelt. Bis dahin wird es genügen, wenn Ew. pp. sich durch vertrauliche Besprechungen des Einverständnisses der Preuß. Ressort-Minister versichern. Von seiten des Herrn Finanzministers ist dies bereits geschehen; ich ersuche Ew. pp. daher nur noch, mit dem Herrn Handelsminister und dem der landwirtschaftlichen Angelegenheiten eine vertrauliche Verständigung zu suchen, um demnächst den Entwurf in Form eines Präsidial-Antrages dem Bundesrate vorzulegen.

Wenn ich hiernach meine von dem ursprünglichen Entwurfe abweichenden Ansichten vorläufig nicht zur Geltung zu bringen beabsichtige, so habe ich deshalb auf ihre spätere Befürwortung nicht verzichtet. Ich nehme an, daß der ganze Umfang der Heidelberger Beschlüsse, mit Einschluß der durch den vorzulegenden Entwurf für eine separate Behandlung ausgewählten Teile desselben, Gegenstand der Beratungen der Kommission für die

Tarifrevision und der demnächstigen Beschlüsse des Bundesrats auf diesem Gebiete sein wird, und behalte mir vor, bei diesen späteren Beratungen auf die von mir beantragte Erhöhung der Zölle auf Wein in Fässern und auf Tee zurückzukommen.

Ich werde zu diesem Verfahren durch die Erwägung bestimmt, daß wir nicht sicher sind, die Verhandlungen über die Revision des Zolltarifs und über die Tabaksfrage so frühzeitig zum Abschluß zu bringen, daß der Bundesrat seine Beschlüsse über das dem Reichstage unfehlbar bei seinem Zusammentritt vorzulegende Budget mit Berücksichtigung derselben noch wird fassen können. Nur um die Matrikularbeiträge in der dem Reichstage beim Beginn seiner Verhandlungen zu unterbreitenden Budgetvorlage nicht unnötig hoch auszubringen, scheint es mir sich zu empfehlen, daß wir den Abschnitt der Tarifrevision, welcher durch den gegenwärtigen Entwurf seinen Ausdruck findet, provisorisch und für das nächste Budgetjahr vorwegnehmen, da es wahrscheinlich ist, daß über diesen Teil das Einverständnis der Regierungen ohne Zeitverlust wird erzielt werden können.

Darauf, daß wir in den Budgetentwurf noch irgendein Ergebnis höherer Verwertung des Tabaks aufnehmen können, ist m. E. die Aussicht geschwunden nach der Wendung, welche, soviel ich weiß, die Enquete-Verhandlungen der Kommission genommen haben. Soweit ich das Ergebnis und den Verlauf der Verhandlungen kenne, liegen uns in demselben nur die Privatansichten einzelner höherer Beamten, vortragender Räte und geschäftlich beteiligter Privatleute vor. Die Mitglieder der Kommission haben nicht die Ansichten der verantwortlichen Bundesregierungen vertreten, sondern nur ihre eigenen. Es wird sich eine verantwortlich festzustellende Vorlage erst durch Meinungsaustausch zwischen den verbündeten Regierungen beschaffen lassen, und dazu wird mehr Zeit gehören, als wir haben. Meinesteils beabsichtige ich nicht, mir das Ergebnis der Tabaksenquete-Kommissionsverhandlungen verantwortlich anzueignen.

Hiernach glaube ich nicht, daß wir imstande sein werden, in dem dem Reichstage vorzulegenden Budgetentwurf andere neue Einnahmequellen als die aus der Weinsteuer usw. aufzustellen. Unter der Voraussetzung großer Beschleunigung der Arbeiten werden wir die Ergebnisse unserer Tarif- und Tabaksenqueten vielleicht noch während der Budgetverhandlungen an den Reichstag bringen können. Es wird dies immer für die Aufklärung des letzteren über die Intentionen der Regierungen also für die Beschlußnahme über das Budget von großer Bedeutung sein. Denjenigen Budgetentwurf aber, den wir dem Reichstage am Tage der Eröffnung vorlegen werden, werden wir meiner Ansicht nach ohne Berücksichtigung der Ergebnisse der unabgeschlossenen Revisionen aufstellen müssen und die fehlende Einnahme durch Ansatz von Matrikularbeiträgen zu decken haben.

79. Schreiben an den Präsidenten des Reichskanzleramts Hofmann: Die Prärogative des Bundesrats vor dem Reichstag (Abschrift) W 6 c, 132 f., Nr. 141.

Friedrichsruh, den 8. Januar 1879.

Ew. pp. gef. Schreiben vom heutigen Tage Nr. 203 II habe ich zu erhalten die Ehre gehabt. Ich vermag mich mit der darin geäußerten Absicht nicht einverstanden zu erklären, weil ich es mit der Rücksicht, die wir dem Bundesrat schuldig sind, nicht für verträglich halte, die Verhandlungen, welche stattgefunden haben, um den verbündeten Regierungen eine Unterlage für ihre Entschließungen zu gewähren, vor der Fassung und selbst vor der Erwägung dieser Entschließungen dem Reichstage mitzuteilen. Wenn der Inhalt der Verhandlungen mehr oder weniger vollständig durch Quellen, die wir nicht kontrollieren können, in die Oeffentlichkeit gelangt, so erwächst der Reichsregierung als geschäftsführender Behörde des Bundesrats dadurch noch nicht das Recht, das betreffende Material amtlich zur konkurrierenden Bearbeitung durch einzelne Reichstagsmitglieder den letzteren zur Verfügung zu stellen. Es würde dieses Verfahren rechtlich demjenigen analog sein, wenn bei Vorbereitung eines preußischen Gesetzentwurfs das betreffende Ressortministerium, bevor das Staatsministerium Beschlüsse gefaßt hätte, die dafür gesammelten Materialien dem Büro des Landtages mitteilen wollte. Wenn in früheren Fällen ähnlich verfahren worden sein sollte, so glaube ich nicht, daß es mit meiner Zustimmung geschehen sein wird. Ich erinnere mich nur, daß ich gelegentlich zu bedauern gehabt habe, daß Mitglieder der Opposition von den beabsichtigten Vorlagen und von den Materialien für dieselben früher Kenntnis gehabt haben, als dieselben publici juris geworden waren. Ich zweifle nicht, daß Ew. pp. über die Unzulässigkeit dieser unberufenen Mitteilungen mit mir einverstanden sind, und bitte Sie, den beteiligten Beamten da, wo Sie es für nötig halten, die Pflicht der Amtsverschwiegenheit in Erinnerung zu bringen. Eine amtliche oder auch nur vertrauliche Mitteilung an das Büro des Reichstages halte ich aber nicht nur mit der den Bundesregierungen schuldigen Rücksicht unverträglich,

sondern auch aus taktischen Gründen für das Schicksal der von uns beabsichtigten Vorlagen nicht nützlich.
Nur der Bundesrat kann m. E. dergleichen vorgängige Mitteilungen beschließen; ich halte die Beschlußnahme in dieser Richtung aber nur insoweit für tunlich, als sie sich auf eine amtliche Veröffentlichung von Verhandlungen des Bundesrats bezöge, und zu einer solchen würde ich nach Artikel 15 der Verfassung, nach welchem mir die Leitung der Geschäfte zusteht, meine amtliche Mitwirkung beanspruchen. Ich will die Frage hier nicht untersuchen, inwieweit nach Artikel 16 der Reichsverfassung Mitteilungen des Bundesrats an den Reichstag, als dessen Vertreter das Büro desselben doch nur gedacht werden kann, anders als im Namen des Kaisers zulässig sind, jedenfalls aber liegt es nicht in Ew. pp. oder in meinem Beruf, durch die Förderung eines vertraulichen politischen Verkehrs zwischen beiden Körperschaften das Gebiet der Kaiserlichen Prärogative des Artikel 16 der Verfassung in Frage zu stellen.
Aus den vorstehenden Gründen ersuche ich Ew. pp. ergebenst, über die beabsichtigten und noch nach keiner Seite feststehenden Vorlagen zunächst keine Verbindungen mit dem Reichstag und dessen Organen anzuknüpfen und dahin wirken zu wollen, daß auch von seiten der Reichsbeamten keine Mitteilungen über die Verhandlungen des Bundesrats an einzelne Mitglieder des Reichstags gemacht werden, bevor die Beschlüsse nicht von seiten des Bundesrats gefaßt und von Seiner Majestät dem Kaiser behufs Vorlage an den Reichstag übernommen worden sind.

80. Immediatbericht: Friedliche Gesinnung des Papstes nicht glaubhaft (Abschrift. Anlage: Diktat, Abschrift) W 6 c, 133 ff., Nr. 143.

Friedrichsruh, 15. Januar 1879.

Eurer Majestät danke ich ehrfurchtsvoll für das gnädige Handschreiben von gestern und freue mich, daß Allerhöchstdieselben den Vortrag des Grafen Stolberg über die päpstliche Frage befohlen haben. Dieselbe ist eine rein Preußische, und möchte ich ungern mit meinem Votum den Preußischen Collegen und insbesondere dem Ressort-Minister für Cultusfragen vorgreifen.
Ich wäre mit jeder Veröffentlichung einverstanden, welche sich darauf beschränkt, auch *unsre* friedlichen Gesinnungen zu constatiren; eine solche würde ich sogar für nützlich halten. Macht sie aber den Eindruck,

daß *wir* an die friedlichen Bestrebungen des Papstes *glauben*, daß wir auch das Gefühl haben, der Papst sei uns *entgegengekommen*, so wirkt sie meines Erachtens schädlich, für uns u. für den Frieden. Bei der Schwierigkeit, mit der ich eigenhändig schreibe, (wegen Taubheit des rechten Handgelenkes von der Kullmannschen Verwundung), bitte ich ehrfurchtsvoll einige Gründe für meine Meinung dictiren zu dürfen und beizufügen. Meine Gesundheit geht im Uebrigen langsam besser und würde schon mehr gekräftigt sein, wenn ich nicht eine Ueberlast von Arbeit mit den Vorlagen für den Reichstag hätte, bei denen ich leider wenig freiwilligen und wohlmeinenden Beistand habe.
Ich hoffe in etwa 14 Tagen in Berlin zu Eurer Majestät Befehl zu stehn.

Anlage

Friedrichsruh, den 15. Januar 1879.

Die Beziehungen, welche wir bisher zu dem jetzigen Papste gehabt haben, die Briefe und öffentlichen Erklärungen desselben, sowie die Kissinger Verhandlungen haben mir den Eindruck gemacht, daß der jetzige Papst höflicher und in der Form friedlicher als sein Vorgänger ist, aber nicht die Hoffnung geweckt, daß wir mit ihm zu einem für die preußische Krone annehmbaren Verständnis gelangen werden. Vielleicht ist er abhängiger von dem Einfluß seiner Umgebung, als es Pius IX. war, aber jedenfalls auch furchtsamer und weniger offen. Solange Franchi sein Ratgeber war, habe ich nicht gezweifelt, daß er uns die Verständigung ermöglichen werde, indem er den Priestern die vorgängige Anzeige an die weltliche Behörde gestattete. Es ist dies mit den Grundgesetzen der Kirche verträglich, Franchi hatte es mir in Aussicht stellen lassen. Ew. M. waren geneigt, dafür die Herstellung der diplomatischen Verbindung in Rom zu bewilligen, und ich ging deshalb nicht ohne Hoffnung an die Kissinger Verhandlungen. Daß Franchis Absicht eine ehrliche war, schließe ich aus seiner Vergiftung; er wurde wegen seiner versöhnlichen Gesinnung aus dem Wege geräumt. Sein Tod hatte zunächst eine längere Pause in den Verhandlungen zur Folge, und von dem Augenblick an fand ich die erwähnte Bereitwilligkeit zum Entgegenkommen bei dem Nuntius Masella nicht wieder. Mag nun der Papst aus Furcht vor dem Schicksal Franchis oder weil ihm der Einfluß und der Rat dieses Prälaten fehlt, oder weil er unter denen, die an seine Stelle getreten sind, keine Organe zur Verwirklichung friedlicher Absichten findet — seine Politik geändert haben, die Tatsache bleibt immer, daß er jede, auch die geringste Konzession ablehnt, bevor wir nicht die Maigesetze freiwillig aufheben. Masellas letzte Forderung an mich ging auf einfache Wiederherstellung der preußischen Gesetzgebung von vor 1870, sobald diese erfolgt wäre, würde der Papst sich als treuer Bundesgenosse der Monarchie bewähren. Es ist das eine friedliche Gesinnung etwa wie die Franzosen sie uns 1871 versprachen, wenn wir auf Metz und Straßburg verzichten wollten. Seit jener Zeit ist jede Kundgebung der römischen Kurie dahin gerichtet gewesen, der öffentlichen Meinung und insbesondere den Katholiken in Deutschland den Eindruck zu machen, als suche der Papst den Frieden, fände aber bei uns kein Entgegenkommen. Es wurde sogar im schwersten Widerspruch mit der Wahrheit die Behauptung verbreitet, der Papst habe uns so große Konzessionen gemacht, wie noch niemals einer katholischen Macht, bei uns aber keine Erwiderung gefunden. Diese Unwahrheit wird nicht ohne Berechnung und leider nicht ohne Erfolg verbreitet, und wir würden derselben wesentlich Vorschub leisten, wenn wir dem Papste unsererseits ein anerkennendes Zeugnis seiner friedlichen Gesinnung ausstellen wollten. Die päpstlichen Agitatoren unter der preußischen Geistlichkeit würden sich darauf berufen, daß die Regierung selbst sich der Anerkennung der friedlichen Gesinnungen des Papstes nicht enthalten könne und dennoch keine Gegenkonzessionen machen wolle. Daß von päpstlicher Seite in allen schönen und freundlichen Worten keine einzige Konzession auch nur von Haaresbreite gemacht oder in Aussicht gestellt ist, wird den katholischen Untertanen Ew. M. nicht schwarz auf weiß bewiesen werden können, wenn wir nicht die empfangenen vertraulichen Schreiben veröffentlichen wollen, mit der Versicherung, daß sie Alles enthalten, was wir wissen. Daß wir das nicht tun werden, darauf rechnet man in Rom, und für uns ist in der Tat eine Aenderung in dem augenblicklich herrschenden freundlichen und höflichen Tone des Schriftwechsels auch nicht zu wünschen. Das Schreiben des Papstes an den Erzbischof von Köln würde eine praktische Bedeutung haben, wenn es an einen der noch im Amte befindlichen preußischen Bischöfe gerichtet worden wäre, ebenso würde die neueste Encyklika gegen die Sozialisten von einigem politischen Werte sein, wenn darin die Opposition der päpstlichen Partei im Reichstage gegen das Sozialistengesetz getadelt worden wäre. Solange wir keine anderen als dergl. platonische Regungen im Sinne des Friedens kennen, werden wir auch ein Zeugnis über die Betätigung dieser Friedensliebe ohne Schaden für uns selbst nicht wohl ausstellen können. Wohl aber möchte es sich empfehlen, wenn wir mit derselben Münze zahlen und auch unsererseits akademische Erklärungen über unsere Liebe zum Frieden kundgeben, namentlich in Anknüpfung an die sozialistische Encyklika, welche für uns nicht den Formfehler hat, daß sie an die Adresse eines in Preußen abgesetzten Bischofs gerichtet war.

81. Schreiben an den Vizepräsidenten des Staatsministeriums Grafen zu Stolberg-Wernigerode: Der Reichstag ist für die Reichspolitik wichtiger als der preußische Landtag. Kritik an den Auswüchsen des preußischen Parlamentarismus (Konzept Graf Wilhelm Bismarck) W 6 c, 143, Nr. 151.

Friedrichsruh, den 25. Januar 1879.

In Erwiderung auf Ew. pp. gef. Schreiben vom gestrigen Tage benachrichtige ich Sie in Gemäßheit meines heutigen Telegramms ergebenst, daß ich bedauere, mich mit den Ansichten des Staatsministeriums nicht einverstanden erklären zu können.

Einmal kann mit dem Grundsatz, daß ein Aufschub von vier Tagen nichts verschlage, die Eröffnung des Reichstages *gradatim* noch weiter verschoben werden, und zudem ist der 16. ein Sonntag; der Reichstag würde daher seine Sitzung nicht vor dem 17. oder 18. beginnen können und für die Feststellung des Budgets einen Zeitraum von sechs Wochen, den man ihm schon anstandshalber lassen muß, nicht mehr übrig behalten.

Irgendwelche auch nur äußerliche Rücksichtslosigkeit gegen den Reichstag dem Landtage zu Gefallen erscheint mir mit der d e u t s c h e n Politik nicht vereinbar, und der 12. Februar ist der äußerste Termin, den ich Sr. M. für die Einberufung des Reichstags vorschlagen kann.

Dieser Termin ist seinerzeit mit Wissen des Landtagspräsidiums und auf dessen Versicherungen hin in Aussicht genommen, und wäre jede Möglichkeit einer Kollision ausgeschlossen, wenn nicht, wie der ganze Gang der Verhandlungen des Landtages von seinem späten Zusammentritt an aufweist [!], die Debatten in diesem wie in den Vorjahren verschleppt worden wären, und ich halte es nicht für tunlich, der Gewohnheit Vorschub zu leisten, jedes Jahr bei den Etats des Kultus und des Innern die selben Reden zu halten, drei Wochen lange Weihnachtsferien (mit Diäten) zu machen und tagelang akademische Vorträge über Angelegenheiten zu halten, die nicht vor den Landtag gehören, [a] lediglich weil Redner, u. zwar solche, die auch im Reichstage sitzen, Reden halten wollen [a]. Daß es den

---

a–a Eigenhändiger Zusatz Bismarcks.

Mitgliedern des Abgeordneten-Hauses mit der Beschleunigung ihrer Debatten noch heut keineswegs Ernst ist, zeigt die nach den Zeitungen in Aussicht genommene Interpellation wegen der Pest, welche, gerade so nutzlos und zeitraubend wie die neuliche Verhandlung über den Antrag Heeremann, während es vielmehr geboten ist, diese Pestfrage schleunig an den Reichstag zu bringen, zu dessen Kompetenz die Bewilligung der notwendigen Maßregeln gehört, und der außerdem noch eine zweite dringliche Sache in Gestalt des österreichischen Handelsvertrages *quam citissime* zu erledigen hat.

Ich sehe voraus, daß selbst bis zum 16. k. M. das Budget nicht fertiggestellt sein wird oder doch wenigstens in einer Weise, die dem Herrenhaus für seine Beratung kaum einen Tag übrig läßt, [b] und ich muß befürchten, daß auch nach dem 16. wir uns denselben Weiterungen, derselben absichtlichen Zögerung gegenüber befinden werden, wie heut [b]. Die Zusicherung für den 16. hat nicht mehr Sicherheit als die frühere zum 12. Ich vermag aber dem Reichstage u. den bereits für den 12. benachrichtigten Regierungen gegenüber einen spätern Termin nicht zu vertreten. Will der Reichstag sich am 12. freiwillig noch auf eine Woche vertagen, so würde ich dem nicht widerstreben, auf eigne Verantwortung aber glaube ich den Aufschub nicht machen zu können.

82. Gespräche mit Graf Széchényi [80] vom 26. bis 29. Januar 1879 in Friedrichsruh
W 8, 293 ff., Nr. 229.

Wie ganz natürlich, stand ich nicht einen Augenblick an, diesem Winke Folge zu leisten, und so fuhr ich denn Sonntag nachmittag nach Friedrichsruh hinaus. Der Fürst empfing mich, gleich einem alten Bekannten, auf eine überaus freundliche, fast herzliche Weise. Tags darauf wollte ich mich verabschieden, doch mein liebenswürdiger Wirt nötigte mich, zu bleiben, so zwar, daß ich erst heute, Mittwoch, früh am Morgen wieder hier eintraf.

Während dieser Tage, die ich beim Kanzler ganz en famille, denn ich war der einzige Gast, zubrachte, hatte ich mehrere lange und eingehende Unterredungen

---

b–b Eigenhändige Korrektur Bismarcks.

80 Nachfolger des Grafen Karolyi als österreichisch-ungarischer Botschafter in Berlin. Széchényi berichtet seinem Freund, dem Ministerpräsidenten Grafen Andrássy, in einem Briefe über den Besuch in Friedrichsruh (Original des Briefes im Wiener Hof- und Staatsarchiv).

mit ihm, aber besonders auf einer vierthalbstündigen Fahrt, die ich mit ihm allein durch seine ausgedehnten Forste gemacht habe, breitete er sich umständlich über die politische Lage im allgemeinen, über das Verhältnis Deutschlands zu Oesterreich-Ungarn im speziellen und über die Schwierigkeiten seiner eigenen Stellung im einzelnen gegen mich aus.

Mit dem besten Willen könnte ich dennoch Dir darüber nicht viel anderes melden, was nicht schon bereits dem Kerne nach in jenem Schreiben Karolyis, das Du mir kurz vor meinem Abgange aus Wien mitzuteilen die Güte hattest, enthalten gewesen wäre.

Indes dürfte es für Dich dennoch gewiß von Interesse sein, wenn ich Dir hier seine prägnanten Aeußerungen wiedergebe:

„Sie können sich nicht vorstellen, welch stets erneuter Schwierigkeit ich selbst in der Person meines Kaisers begegne, sobald ich Rußland gegenüber eine etwas entschiedenere Sprache führen will. Kaum glaube ich die Bahn geebnet zu haben, so trifft einer jener unausbleiblichen Privatbriefe des Kaisers Alexander ein und sofort stehe ich vor einer festen Barriere, die ich nur mit dem Aufwande meiner ganzen diplomatischen Kunst zu umgehen imstande bin. Wir haben ja von Rußland nichts zu fordern und Rußland nichts von uns; wohl ist es eine erprobte, nahezu hundertjährige Freundschaft, die uns miteinander verbindet, doch auch Oesterreich wünschen wir zum Freunde und wollen es auch schon in unserem eigenen Interesse stark und blühend sehen.

Das Einverständnis zu dreien ist zwar eine schöne Sache, aber auch nur so lange, als es ein volles Einverständnis bleibt, denn mit dem Majorisieren läßt sich dabei nicht viel ausrichten. Ich habe es ja in Petersburg ganz offen erklärt, wir könnten in einem Kriegsfall zwischen Rußland und Oesterreich-Ungarn auch nur so lange neutral bleiben, als keine der Mächte der anderen ernstlich wehe tut. Siegt Oesterreich in einer Weise, die es zur Wiederherstellung Polens schreiten ließe, so müßten wir uns wohl dagegen erheben, aber einen Sieg Rußlands, der ihm den ungehinderten Vormarsch in das Herz der Monarchie, beziehungsweise nach Wien eröffnete, dürfen wir schon gar nicht dulden. Dies nimmt man mir nun in Petersburg übel und wirft uns vor, unsere Freundschaft sei nichts weiter als eine bloß platonische.

Jawohl, ich bin aber keine Russe, ich bin ein Deutscher und als solchem dürfen mir nur rein deutsche Interessen vorschweben. Kaiser Alexander ist gewiß unser aufrichtiger Freund und mir war er stets ein gnädiger, wohlwollender Herr, aber je älter er wird, um so anspruchsvoller gestaltet sich seine Freundschaft. Man pocht immerwährend auf jene Dienste, die man uns in den Jahren 1866 und 1870 geleistet haben will, aber so stehen denn die Dinge wohl nicht, wir ließen die Russen anno 1828 und während des Krimkrieges gewähren, was sie 1870 taten war auch nur Gegendienst. Auch daraus hat man ihm kein Hehl gemacht.

Aber was nützt es, kaum ist es mir einigermaßen gelungen, in Petersburg der Vernunft Gehör zu verschaffen und begreiflich zu machen, wie die Russen jetzt nichts besseres tun könnten, als den Berliner Vertrag zu vollziehen, so gewinnen wieder entgegengesetzte Einflüsse die Oberhand. Leider ist der Kaiser Alexander

ein äußerst schwankender Herr, einmal ist er entschieden friedliebend und scheint von der Notwendigkeit durchdrungen, seinem erschöpften Lande den Frieden wiederzugeben, ein andermal wieder begeistert er sich aufs neue für die bulgarische Sache, und mit Bedauern muß ich sagen, es wirken die Einflüsse in letzterem Sinne in seiner unmittelbaren Umgebung auf ihn ein, und dies sowohl von seiten der Kaiserin als auch, was noch bedenklicher ist, von jener einer gewissen, für die Befreiung ihrer slawischen Brüder sehr tätigen Dame. Dies ist, was nur zu häufig unsere wohlmeinendsten Ratschläge und Mahnungen, das einzige, was wir gegenwärtig tun können, hinfällig macht. Hierzu kommt noch dieses unselige Institut der Militärbevollmächtigten hier und in Petersburg. Die unnatürliche Stellung, die man ihnen eingeräumt hat, vermittelt Beziehungen, die nicht selten hinter dem Rücken der Botschafter und selbst der Minister geknüpft werden.
So wie ich dem Grafen Andrássy bei unserer letzten Begegnung in Salzburg bereits gesagt habe, wiederhole ich es auch heute: „Trachtet, euch soviel wie möglich England zu nähern, eure Interessen im Orient gehen in den meisten Fällen Hand in Hand mit den seinen, seid ihr einig, so hat Rußland die Macht nicht, zu widerstehen, und mir", *schloß der Fürst* „wird, das kann ich Sie versichern, dies keineswegs unlieb sein."
Auch über den neuen Zolltarif, dem er jetzt tatsächlich den größeren Teil seiner Zeit widmet, und dessen einzelne Posten und Sätze er selbst prüft und erwägt, äußerte sich der Kanzler. Leider geschah dies in einer für uns wenig erfreulichen Weise. Die ackerbautreibende Bevölkerung Deutschlands ist ihrem Ruine nahe. Sie macht beiläufig Zweidritteile der Gesamtbevölkerung aus. Diesen müsse geholfen werden. Dies könne man aber nur so, wenn man sie gegen die Konkurrenz aus Rußland, Oesterreich und Amerika schützt. Er bedauert es, daß auch wir durch diese Maßregel getroffen werden müßten, aber leider könne es nicht vermieden werden, zumal bei Getreide und Holz, wo es unerläßlich ist, sowohl durch höhere Zollsätze als auch durch Regelung des Differential-Tarif-Wesens der Eisenbahnen, die bisherige Konkurrenz für die einheimischen Produzenten unschädlich zu machen. Er verhehlt sich nicht, daß er auch in Deutschland auf einen bedeutenden Widerstand stoßen werde. Aber es handelt sich hier um eine Lebensfrage, und nach einer dritten Auflösung des Reichstages, wenn nötig, würden die Leute schon vernünftiger werden. Auch ist er ganz überzeugt, daß in ein paar Jahren die Zeit kommen werde, wo man hierzulande die Leute nicht mehr „Potsdamer" (beiläufig das, was bei uns Krähwinkler heißt), sondern „Freihändler" schelten würde.
Ich könnte ein Buch schreiben, wollte ich alle Auslassungen des Fürsten in ihren verschiedenen, zur Vervollständigung des Gedankens gebrauchten Wendungen und Varianten aufzeichnen. Doch da dies hier nicht meine Aufgabe sein kann, so mußte ich mich darauf beschränken, überall nur den Grundgedanken herauszufinden, und ihn Dir so gedrängt, aber auch so getreu wie möglich und mit genauer Beibehaltung seiner ihm eigentümlichen Terminologie, aufzutischen. Möge es mir gelungen sein.
Deine Grüße an den Reichskanzler und an dessen Familie habe ich nicht ermangelt

auszurichten. Sie werden Dir aufs herzlichste erwidert, so wie denn der Fürst überhaupt gerne auf Dich zu sprechen kam und dieses stets mit der Aeußerung des vollsten Vertrauens in Dein ehrliches Wollen und der aufrichtigsten Würdigung Deines erfolgreichen Könnens.

83. Schreiben an den Handelsminister Maybach W 14/II, 900, Nr. 1602.

Friedrichsruh, den 29. Januar 1879.

Euerer Excellenz danke ich für die gefälligen Mittheilungen vom 26. und 27. d. Mts. verbindlichst und hoffe in wenigen Tagen in Berlin in der Lage zu weiteren mündlichen Besprechungen zu sein. Einstweilen bemerke ich, daß nach den Vertrags-Entwürfen, wenn ich dieselben richtig verstehe, es vor allen Dingen wichtig erscheint, daß wir vor dem 1. Juli d. J. den Gesetzentwurf wegen Genehmigung der Verträge einbringen, weil dann die beiden Gesellschaften bis zum 1. Januar 1880 an ihr Gebot gebunden bleiben [81].

Da ich ohnehin nicht glauben kann, daß der Landtag mit seinen Aufgaben rechtzeitig in Ordnung kommt, ohne den Reichstag zu stören, so scheint die Wiedereinberufung des Landtages im Juni vollständig gesichert, und es wird sich die Einbringung einer provisorischen vierteljährlichen Budgetvorlage kaum umgehen lassen, wenn wir nicht in die für mich unannehmbare Situation verfallen wollen, daß Reichstag und Landtag ebenso wie im vergangenen Jahre wochenlang nebeneinander tagen.

Ich habe gar nicht geglaubt, daß die obsolete Cabinetsordre und die Allerhöchste Anordnung von 1851 noch Berücksichtigung fänden; ich erinnere mich sehr gut, daß lediglich das persönliche Mißtrauen des Hochseligen Königs dem Minister von der Heydt gegenüber die Ursache zur Einsetzung dieser Controle war. Wenn die ungefähr gleichzeitige Ordre, welche bestimmte, daß der Minister-Präsident die Mitwirkung bei a l l e n Immediatvorträgen, schriftlichen und mündlichen, seiner Collegen haben sollte, schon seit langer Zeit nicht mehr *in praxi* ist, so überrascht es mich, daß jene Kinder derselben Zeit noch leben und Beachtung finden. Beim Minister von der Heydt mochte dieser Dualismus damals nützlich, bei der

[81] Vorbereitung des Gesetzentwurfs zur Verstaatlichung preußischer Privatbahnen.

gemüthlichen Unabhängigkeit unter Itzenplitz unschädlich sein; jetzt aber wird einer solchen Einrichtung Remedur geschaffen werden müssen, um die volle und verantwortliche Selbständigkeit des Eisenbahn-Ministeriums herzustellen.

84. Gespräch mit dem Abg. Freiherr von Franckenstein Mitte Februar 1879 in Berlin W 8, 295 ff., Nr. 230 = Poschinger, Parlamentarier II, 315 ff.

Nachdem der Reichskanzler sich entschuldigt hatte, mich am Sonntag nicht haben empfangen zu können, da er nicht mehr schlafen könne, außer von fünf Uhr morgens bis elf Uhr mittags — eine Folge der schlechten Gewohnheit, die er früher angenommen hat, die Nacht durch bis in den Morgen hinein zu arbeiten —, sprach er mir die Befriedigung aus, daß eine Annäherung zwischen dem Zentrum und den Konservativen stattgefunden habe, und bemerkte, hierzu den Konservativen gegenüber das seinige beigetragen zu haben.

Hierauf begann er mit der Erklärung, kein Kulturkämpfer von Passion zu sein, und behauptete, daß die Veranlassung des Kulturkampfes die Bildung einer konfessionellen Partei im Reichstage, vornehmlichst aber das Zunehmen des polnischen Elements in Posen und Oberschlesien, gefördert durch den Klerus der Diözese Posen-Gnesen, gewesen sei. Er, der Reichskanzler, habe darüber mehrfach mit dem seligen Bischoff Ketteler in Mainz sich besprochen, und habe leider denselben nicht vermögen können, Erzbischof von Posen zu werden. In wahrhaft erschreckender Weise sei das deutsche Element zurückgedrängt worden, in vielen Gemeinden, in welchen noch vor kurzer Zeit Deutsche gewesen seien, seien nunmehr gar keine mehr, und dieses Zurückdrängen des Deutschtums sei namentlich von der Kanzel und in der Schule durch die Geistlichkeit gefördert worden. Er sei gezwungen gewesen, um in der Schule die deutsche Sprache zu erhalten und deutsche Gesinnung zu verbreiten, das Schulaufsichtsgesetz den preußischen Kammern vorzulegen. Da habe nun die konservative Partei, seine ehemaligen Freunde, den erbittertsten Kampf gegen ihn zu führen begonnen. Sein bester Freund habe geradezu republikanische Gesinnungen manifestiert; mit dem Bruder seiner Schwiegermutter, Herrn von Kleist-Retzow, der ihm so eng befreundet war, habe er brechen müssen. Auch die Kreuzzeitung, sein früheres Organ, habe eine Reihe von Schmähartikeln gegen ihn erscheinen lassen. Die Motive der genannten Herren seien, was ich kaum verstehen würde, den Gefühlen des Neides zuzuschreiben, und zwar wegen der ihm gewordenen Dotationen. Er habe diese Haltung des preußischen Adels, der seit vier Jahrhunderten durch dasselbe Herrscherhaus regiert worden sei und diesem Hause in den vielen Kämpfen gegen Polen gedient habe, nicht begreifen können, so gut er begreife, daß der süddeutsche Adel, der bis zum Beginn dieses Jahrhunderts unabhängig war, leicht geneigt sei, seinen jetzigen Souveränen oppositionell entgegen zu treten. Dieses Bekämpft-

werden durch die konservative Partei habe ihn vermocht, bei der liberalen Partei Hilfe zu suchen; er liebe nicht, mit Parteien zu gehen, sondern die Hilfe da zu nehmen, wo er sie finde.

Ungerecht sei der Vorwurf, den man ihm mache, daß er ein Zentralist sei; der Unitarismus in Deutschland würde zur Republik führen. Nach seiner Meinung sei Preußen zu groß und zu mächtig in Deutschland, er würde es vorziehen, wenn noch mehrere andre, größere Bundesländer in Deutschland bestehen würden. Man habe ihm vorgeworfen, Hannover und Hessen genommen zu haben, das erklärte sich damit, daß der König von Hannover ein eigentümlicher Mann, und der Nachfolger des Kurfürsten mit der Einverleibung Hessens einverstanden gewesen sei; überdies sei allerdings wahr, daß Preußen vor dem Jahre 1866 gleichsam in zwei Hälften geteilt gewesen sei; eine Verbindung der beiden Teile habe not getan. Gegen andre Annexionen, die namentlich der Kaiser gewünscht habe, nämlich die Einverleibung Oesterreich-Schlesiens und der Markgraftümer Ansbach und Bayreuth, habe er entschieden und erfolgreichen Widerstand geleistet. Nachdem der Kaiser durchaus die genannte Ländererwerbung für Preußen machen wollte, habe er nicht nur in Nikolsburg seine Entlassung eingereicht, sondern er habe durch drei Tage in Nikolsburg seine Tätigkeit als Minister eingestellt. Auch später in Versailles habe er geraten, man möge mit den ersten Kriegskontributionsgeldern die im Jahre 1866 erhobenen Kriegskontributionen zurückzahlen; da habe man gesagt: „Bismarck ist betrunken", und sein Rat sei nicht befolgt worden.

Der Krieg mit Oesterreich gegen Dänemark habe erwiesen, was Deutschland-Oesterreich vereinigt vermöge. Alle Staaten wären damals gegen den Krieg gewesen, und keiner habe gewagt, Dänemark zu Hilfe zu kommen. Der Krieg im Jahre 1866 sei eine peinliche Notwendigkeit gewesen. Der Dualismus in Deutschland konnte, ohne Deutschland zu schädigen, nicht fortdauern, eher konnte Preußen durch den Krieg sich auf die zweite Stellung zurückdrängen lassen, als die Fortdauer des bis zum Jahre 1866 bestandenen Verhältnisses zu dulden. Er, Bismarck, habe, nachdem schon die ersten Schüsse gewechselt worden seien, durch den Bruder des Generals Gablenz dem Kaiser Franz Joseph das Anerbieten machen lassen, mit Preußen zu sagen, das bisher Vorgefallene sei nur ein Spaß gewesen. — Kaiser Franz Joseph sei nicht abgeneigt gewesen, auf den Vorschlag einzugehen, der österreichische Finanzminister Graf Larisch habe aber gesagt, das ginge nicht, entweder müßten in fünf Wochen die österreichischen Truppen in Berlin stehen, dann sei Geld genug vorhanden, oder der Krieg falle zu Oesterreichs Ungunsten aus, und dann sei der Grund für einen neuen österreichischen Staatsbankerott gegeben. Graf Mensdorff und die übrigen Minister hätten Graf Larisch zugestimmt, und der Krieg habe das bekannte Resultat gehabt. Die häufig laut gewordene Ansicht, daß er weitere Eroberungen für Deutschland machen wolle, gehöre zu den vielen unsinnigen Dingen, die behauptet werden. Was solle denn für Deutschland noch erobert werden? Etwa Dänemark, Holland, Belgien, oder gar Oesterreich bis an die Leitha, mit Wien als Provinzialstadt? Der preußische Minister, der je daran denken werde, durch Oesterreichs Eroberung Deutsch-

land zu vergrößern, würde damit seinen politischen Unverstand dokumentieren. Deutschland und Oesterreich vereinigt wären die beste Friedensbürgschaft für Europa, so habe er immer gedacht und werde er immer denken; schon deshalb habe er nicht geduldet, daß im Jahre 1866 Oesterreich auch nur eine Scholle Landes genommen werde, da dann eine Mißstimmung für lange Zeit entstanden wäre, während jetzt schon ein enges Zusammengehen denkbar und möglich sei.
Wenn die Beziehungen zwischen dem Berliner und Petersburger Hofe intimer seien als zwischen dem Berliner und Wiener Hofe, so sei das den engen Familienverbindungen zuzuschreiben, die zwischen dem deutschen und russischen Kaiserhause bestehen.
Selbst ein Verfassungsverhältnis zwischen Oesterreich und Deutschland sei denkbar, wohl aber nicht gemeinschaftliche Zölle. Sind Oesterreich und Deutschland einig, so sind sie gemeinschaftlich jedem Feinde, sei es Frankreich oder Rußland, gewachsen. Solche Ideen habe er dem Kaiser Franz Joseph bei seiner ersten Begegnung mit ihm nach dem Jahre 1866 mitgeteilt.
Was die Verhandlungen mit Rom betreffe, so sei der Tod des Kardinals Franchi[82] *sehr zu bedauern gewesen, mit ihm wäre wohl bald der Abschluß eines Vertrages möglich geworden, nach seinem Tode habe sich alles geändert. Man habe von ihm (Bismarck) verlangt, als Basis für die Verhandlungen die Aufhebung der Maigesetze und die Wiederherstellung der Verfassungsparagraphen zuzusagen, das sei unmöglich.*
Eine prinzipielle Einigung sei ja nie mit auch nur einiger Dauer zwischen Kirche und Staat erreicht worden. Er habe auch mit Masella[83] *verhandelt, das sei noch ein junger, lebhafter Diplomat und ganz Italiener. Der Schriftenwechsel mit Rom dauere fort, bisher sei durch denselben gar nichts erreicht worden. Er habe nun den Bischof von Rottenburg, Herrn Hefele, verlangt, der sei ihm als gescheiter Mann bekannt, mit dem könnte man leicht hier verhandeln. Er hielte es für das beste, im Benehmen mit Rom die erledigten katholischen Pfarreien zu besetzen, dann würde er einen Gesandten beim Vatikan beglaubigen.*
Was die Zivilehe betreffe, könne er nur sagen, daß er, als die Vorlage an die preußischen Kammern gelangte, in langem Urlaub in Varzin gewesen sei. Roon sei damals Ministerpräsident gewesen, habe den Kaiser zur Ermächtigung, die Vorlage den Kammern zu machen, veranlaßt, dann aber allerdings von ihm (Bismarck) verlangt, daß er die Vorlage mit gegenzeichne, und für den Fall, daß er dies nicht tun wolle, mit seiner Entlassung und jener Camphausens und Falks gedroht. Eine neue Ministeriumbildung sei damals unmöglich gewesen, und da habe er nachgegeben, wenngleich er kein Freund der Zivilehe sei; er wisse aber, daß in der ersten Zeit der Christenheit, wo noch Heiden-Christenehen vorkamen, die bürgerliche Ehe von der Kirche anerkannt worden sei.

---

[82] Der am 30. Juli 1878 verstorbene Kardinalstaatssekretär hatte eine gemäßigte Politik der Kurie gegenüber dem Deutschen Reich eingeschlagen.
[83] Päpstlicher Nuntius in München.

85. Rede in der 7. Sitzung des Deutschen Reichstags am 21. Februar 1879
W 12, 21 ff. = Kohl 7, 360 ff.

Die Vorlage eines provisorischen Handelsvertrages mit Österreich wurde von dem Abg. Richter am 20. Februar 1879 zu einem heftigen Angriff gegen Bismarcks neue Wirtschaftspolitik, vor deren Gefahren er warnte, genutzt. Bismarck entgegnet ihm am nächsten Tage:

Ich habe der Verhandlung gestern leider wegen Behinderung durch anderweitige Geschäfte nicht beiwohnen können und nehme deshalb heute Gelegenheit, auf einige Bemerkungen aus der gestrigen Diskussion zu antworten, soweit sie mir inzwischen zugänglich geworden sind. Zuerst in Bezug auf die Ausstellung, die der Herr Abgeordnete Delbrück an dem vorliegenden Vertrage machte, daß er nicht auf drei bis sechs Monate länger geschlossen worden sei. Ich würde die längere Dauer meinerseits sehr gern in den Vertrag hineingebracht haben, wenn wir ihn allein zu diktieren gehabt hätten; aber ich glaube nicht, daß wir ohne wesentlichen Zeitverlust mit Österreich zu einer weiteren Verhandlung gekommen wären. Es hat schon Mühe genug gemacht in der kurzen Zeit, die uns geblieben war, weil Österreich von uns erwartete, wir werden so gedrängt durch das Bedürfnis des Vertrages, daß wir uns fügen würden, und bis auf den letzten Moment abwartete. Die Zeit war schon so kurz, daß wir recht zufrieden waren, diesen Abschluß zu erreichen. Die Ermächtigung von den gesetzgebenden Gewalten zu erbitten, unter Umständen, falls Österreich inzwischen geneigt sein sollte, diesen Vertrag auf eine längere Zeit zu bewilligen, darauf eingehen zu dürfen, diese Ermächtigung nachzusuchen, liegt in meiner Absicht vor dem Schlusse des Reichstages.

Allerdings möchte ich auch, bevor ich in neue Verhandlungen mit Österreich eintrete, wissen, wie die gesetzgebenden Gewalten sich zu den Reformvorlagen in Bezug auf die Zolltarife stellen werden, die augenblicklich für den Bundesrat vorbereitet werden. Ich glaube, wir haben Zeit genug, uns die Frage der Verlängerung dieses Vertrages mit Österreich immer, falls Österreich will — woran ich wenig Glauben habe — noch zu überlegen.

Ich will dem System der Handelsverträge im ganzen nicht entgegentreten; ein Handelsvertrag an sich ist nichts, was ich erstrebe, es kommt auf den Inhalt an. Die anscheinend glänzenden Resultate, welche die gegenseitigen Ein- und Ausfuhrtabellen gewähren, täuschen bei der geographischen Lage Deutschlands sehr, weil wir keine Ursprungsatteste haben. In unserer Einfuhr nach Österreich ist, wie der Herr Abgeordnete Delbrück gestern schon richtig bemerkte, der ganze Transit des westlichen und nordwestlichen Europas durch Deutschland nach Österreich mit ein-

begriffen. In unserer Einfuhr nach Belgien und Frankreich, von der der Herr Abgeordnete Richter rühmt, daß sie im Steigen geblieben wäre, ist der ganze Transit durch Deutschland, den die russische und österreichische Importation, die wir zum Nachteil unseres früheren Handels mit Belgien und Frankreich in den analogen Produkten durch unsere Eisenbahntarife wesentlich gefördert haben, ist diese ganze Produktion mit einbegriffen, und ich glaube, eine genauere Untersuchung würde ergeben, daß bei den Ziffern, die der Herr Abgeordnete Richter für unseren Export nach Frankreich, Belgien und Holland anführte, der Transport für Rußland und Frankreich, für dessen Erleichterung wir unseren eigenen Export nach diesen Ländern lahmgelegt haben, eine sehr wesentliche Rolle gespielt hat.
Wenn ich mich zu den weiteren Bemerkungen des Herrn Abgeordneten Richter wende, so rechne ich auf die Zustimmung des Hauses, wenn ich von der Tonart, in der dieser Abgeordnete die Gewohnheit hat, von mir zu sprechen, gänzlich absehe. Ich glaube, daß es nicht zu meinen amtlichen Pflichten gehört, mit dem Herrn Abgeordneten Richter in einen Austausch persönlich verletzender Redewendungen einzutreten, und ich bin außerdem in einer siebzehnjährigen ministeriellen Praxis daran gewöhnt, daß sich ein Minister in Deutschland manches gefallen zu lassen hat, was in anderen Ländern Sitte und gesellschaftliche Gewöhnung verbietet. *(Bravo! rechts!)*
Ich würde auf die Seite der Sache, die mich persönlich betrifft, dem Herrn Abgeordneten Richter gar nicht geantwortet haben, wenn ich nicht das Bedürfnis hätte, einige Tatsachen, die er anführte, richtig zu stellen.
Er hat mich in Widerspruch mit mir selber darzustellen versucht dadurch, daß er mir die Verantwortlichkeit für den französischen Vertrag von 1862 zuschob, mit dessen Grundsätzen meine jetzige Politik in Widerspruch tritt. Meine Herren, wenn ich in Widerspruch mit mir selber zu treten hätte, so würde ich es für mein eigenes Ansehen außerordentlich beklagen, wenn ich aber sehe, daß es im Dienste des Landes notwendig ist, so würde ich keinen Augenblick anstehen, den Weg, den ich für irrtümlich erkenne, zurückzugehen, meinen Irrtum offen einzugestehen und entweder anderen, die es besser verstehen, Platz zu machen, oder wenn es von mir verlangt würde, selbst die Sache besser zu machen, als früher; ich will vom Besseren und Schlechteren hier aber nicht sprechen. Der Herr Abgeordnete hat die Worte der Thronrede angeführt, für welche ich mit voller Verantwortlichkeit eintrete, und in der die Tatsache zitiert worden ist, daß der damals inaugurierten Politik praktische Erfolge nicht zur Seite stehen. Ich glaube, milder kann man sich nicht ausdrücken. Die Tatsache, daß ihr solche nicht zur Seite stehen, kann von anderen Gründen

herrühren, eine Tatsache ist es aber. In allem, was ich gleich sagen werde, fällt es mir nicht ein, meine Verantwortlichkeit auch da, wo sie formell ganz und voll eintritt, voll zu übernehmen; und wenn der Weg ein irrtümlicher war, würde ich, wenn ich ganz allein die Politik geführt hätte, diesen Irrtum bekennen und bitten, mir zu helfen, ihn gut zu machen. Aber der Herr Abgeordnete Richter hat sorgfältig das Datum des französischen Handelsvertrages verschwiegen. Er hat das Datum meines ersten Erscheinens ganz genau genannt; er wird gewiß einen Blick in die Gesetzsammlung geworfen haben, wo der französische Handelsvertrag unter dem Datum des 2. August 1862 als vollständig abgeschlossen und unterzeichnet von meinem Vorgänger, dem Grafen Bernstorff, dem Fürsten Latour, dem Freiherrn von Pommer-Esche und dem Herrn Leclerc — von französischer Seite völlig fertig vor meiner Zeit vorlag. Ich war in der Zeit nicht einmal in Paris Gesandter, sondern in Petersburg. Mit diesem Datum, 2. August 1862, befindet sich der Vertrag in der Gesetzsammlung; ich bin, wie auch der Herr Abgeordnete Richter nicht bestreitet, erst Ende September, wenn er auch das Datum nicht ganz richtig angibt, überhaupt Minister geworden, und nach den Einrichtungen des preußischen Ministeriums ist es nicht Beruf des Auswärtigen Ministers überhaupt, auch nicht in ganz ruhigen und regulären Zeiten, von Hause aus sich mit Handelsverträgen zu beschäftigen und Einfluß auf Tarifpositionen zu üben. Diese Tarifpositionen sind jederzeit nach unseren Traditionen bis auf die letzten Jahre, wo ich diese Traditionen durchbrochen habe, die gewesen, daß die inneren, technischen Ministerien die Handelsverträge schlossen und die tatsächliche Verantwortlichkeit für den französischen Vertrag, die übrigens meines Erachtens nicht schwer zu tragen ist, fällt auf den damaligen Finanzminister von der Heydt, für die weitere Durchführung auf den damaligen Finanzminister von Bodelschwingh und den damaligen Handelsminister Grafen Itzenplitz. Ich selbst habe bei meinem Eintritt in den inneren Dienst im Jahre 1862 eine lediglich politische Aufgabe gehabt, die mir wenig Zeit ließ, mich um einzelne Positionen eines Tarifs zu bekümmern. Wenn ich aber nach dem Maßstab dieser Aufgabe meine Stellung zu dem damaligen Handelsvertrag erwäge, so finde ich, daß ich, als ich Minister wurde, die Erbschaft übernahm des Kampfes mit Österreich um die Hegemonie in Deutschland auf zivilem und friedlichem Gebiete, daneben eine mäßige Verstimmung mit Rußland, und die einzige Macht, mit der wir uns verhältnismäßig politisch gut standen, war Frankreich. In Bezug auf Rußland brachte ich meinerseits persönlich bessere Traditionen mit, und in der Zeit, als ich ziemlich einsam — ich kann wohl sagen, einer Welt von Zorn und Haß gegenüberstand, habe ich mein Ziel nicht aus den Augen verloren, sondern zuerst diese Beziehungen zu Rußland befestigt durch den Vertrag gegen den polnischen Aufruhr, den die Herren Gesinnungsgenossen des Abgeordneten Richter damals unter dem Namen „Seeschlange" auf das heftigste bekämpften, wie sie überhaupt durch Parteinahme für die polnische Revolution, mit der sie wohl jetzt nicht mehr in derselben Beziehung stehen, mir das Leben nach Möglichkeit schwer machten.

Eine zweite Frage war für mich — im Hinblick auf die Aufgabe, über die ich mir bei Eintritt in den Ministerialdienst vollständig klar war, die Auseinandersetzung mit Österreich um die Hegemonie in Deutschland — die Beziehung zu Frankreich; die war günstig gerade infolge dieses Handelsvertrages. Es war vorauszusehen, daß wir zur Verfallzeit einen starken Kampf mit Österreich haben würden über die Frage, ob der sogenannte großdeutsche Zollverein eingeführt werden, ob es Österreich gelingen sollte, unseren preußischen Zollverein zu sprengen oder nicht, und zur Verteidigung unserer Interessen in dieser Frage fand ich diesen Handelsvertrag als eines der wesentlichsten Werkzeuge und Waffen vor. War nun — gesetztenfalls ich hätte damals, was mir gar nicht eingefallen ist, Tarifpositionen geprüft und mir eine Stellung beigelegt in Bezug auf die Handels- und Wirtschaftspolitik, und ich wäre zu der Überzeugung gekommen, die ich jetzt habe, daß dieser Weg nicht richtig sei — damals von mir zu erwarten, daß ich meine ganze politische Aufgabe im ersten Entstehen töten würde, indem ich Frankreich gegenüber einen einfachen Vertragsbruch vornahm? Denn anders konnte ich diesen Vertrag nicht mehr ändern? Gewiß nicht! Ich hatte allen Grund, dieses gute Einvernehmen zu erhalten. Es ist mir das gelungen, nicht bloß in der kurzen Zeit, in der ich in Paris Gesandter war, persönlich, sondern auch in den recht schwierigen Zeiten durch die polnische Krisis hindurch, in der Frankreich uns gegenüberstand, doch die Beziehungen, und nicht am wenigsten an der Hand dieses Handelsvertrages, so zu pflegen, daß wir schon in der dänischen Frage eine freundliche Haltung von Frankreich aus zur Seite hatten, die den Velleitäten anderer Mächte, uns den Kampf mit Dänemark nicht allein ausfechten zu lassen, von Hause aus den Boden entzog. Ja, noch mehr: in dem weiteren Kampf, der 1865 mit Österreich drohte und 1866 ausbrach, wäre ganz gewiß die Zurückhaltung Frankreichs nicht bis zu dem Zeitpunkt fortgesetzt worden, bis zu dem sie sich in der Tat glücklicherweise für uns fortgesetzt hat, wenn ich nicht die Beziehungen zu Frankreich in jeder mir möglichen Weise gepflegt hätte; dadurch entstand eine wohlwollende Beziehung mit dem Kaiser Napoleon, der seinerseits lieber mit Preußen Verträge hatte als mit anderen, aber allerdings nicht darauf rechnete, daß der Krieg 1866 den Verlauf nehmen würde, den er nahm. *(Heiterkeit.)* Er rechnete darauf, daß wir geschlagen würden, und daß er uns dann mit Wohlwollen, aber nicht ganz ohne Entgelt schützen würde. *(Heiterkeit.)*

Aber es ist meiner Ansicht nach politisch ein Glück, daß er bis zu der Schlacht von Sadowa, bis zu der Enttäuschung über die gegenseitige militärische Stärke uns wohlgesinnt und mir persönlich namentlich wohlgesinnt blieb.

Nun hat der Herr Abgeordnete Richter gestern nachzuweisen versucht, ungefähr — wenn ich es in einem seiner Tonart mich annähernden Jargon ausdrücken wollte —, daß ich so dumm, wie ich mich damals stellte, doch nicht gewesen wäre *(Heiterkeit)*, denn ich hätte gleich im Anfang eine Rede gehalten im Herrenhaus, anfangs Oktober 1862, die offenbar zeigte, daß ich wirtschaftliche Tendenzen schon damals in diesem Sinne verfolgte. Meine Herren, ich würde stolz darauf sein, wenn ich damals schon wirtschaftliche Tendenzen überhaupt gehabt hätte. Ich muß aber zu meiner Schande eingestehen, daß ich sie noch nicht hatte *(Heiterkeit)*. Wenn ich aber zu dem Herrenhaus sprach – eine Rede, die ja in dem Augenblick, wo der Kampf um die Sprengung des Zollvereins schon im vollen Gange war, doch vor der gesamten Öffentlichkeit Europas gehalten wurde —, wenn ich da etwa die wirtschaftliche Frage in den Hintergrund gedrängt und gesagt hätte, ich kenne die wirtschaftlichen Angelegenheiten gar nicht, ich kenne die Tarifpositionen nicht, ich kann sie ja lesen, habe aber kein Urteil über die Tragweite; indessen politisch ist es mir im höchsten Grade erwünscht, daß dieser Vertrag durchgeht; ich mache mir aus dem wirtschaftlichen Ergehen unserer Zollvereinsgenossen gar nichts, wenn ich nur mein Ziel erreiche, und ich muß fürchten, daß, wenn nun Frankreich sich auch noch zur Aufgabe stellt, wie Österreich, den Zollverein zu sprengen, daß er dann wirklich springt, und darum befürworte ich diesen Antrag: – ja, es ist möglich, daß der Herr Abgeordnete Richter von einem Auswärtigen Minister eine solche Sprache erwartet hat; aber ich habe mich doch nicht berufen gehalten, sie zu führen, sondern es war die natürliche Deckung der Stellung, daß ich von wirtschaftlichen Dingen sprach, die mir damals sehr fern lagen. Ich habe gar keine Eitelkeit in der Beziehung, daß die Art, in der ich über diese Dinge zu reden hatte, von mir damals nicht erfunden und entworfen worden ist, sondern wahrscheinlich ist mir von den technischen Ministerien und vermutlich nicht von ihren Chefs – denn von der Heydt war nicht mehr, und seinem Nachfolger[84] traue ich eine

[84] Staatsminister v. Bodelschwingh.

solche intime Teilnahme für sein Ressort nicht zu — *(Heiterkeit)* der Entwurf gegeben und gesagt worden, in welcher Beziehung der Auswärtige Minister reden möchte.

Ich will nur die Tatsache klarstellen, daß der Herr Abgeordnete Richter aus allem, was ich etwa bis zur Herstellung des Norddeutschen Bundes getan habe, bis ich Bundeskanzler — hieß es ja damals — wurde, daß er daraus gar keine Verantwortlichkeit für das System, von dem ich annehme, daß es sich nicht bewährt hat, für mich ableiten kann. Die weitere Zeit — da bin ich ja weit entfernt zu bestreiten, daß die formale Verantwortung auf mir lastet und auf mir ganz ausschließlich. Ich wäre ja berechtigt gewesen, die Politik, die der damalige Präsident des Reichskanzleramts trieb, zu durchschneiden, wenn ich wirklich überzeugt gewesen wäre, daß sie nachteilig für unser wirtschaftliches Leben wäre. Es hätte das wahrscheinlich zu einem vorzeitigen Ausscheiden des Herrn Präsidenten aus dem Reichskanzleramt geführt, aber meine formale Berechtigung dazu war ja ganz unzweifelhaft. Wenn ich aber für eine Aufgabe, wie die Konsolidierung des Deutschen Reiches in seinen ersten Anfängen oder des Norddeutschen Bundes als Vorakt zum Deutschen Reich, um die Mitwirkung eines Staatsmannes von der Bedeutung in seinem Gebiet, wie der Herr Abgeordnete Delbrück es ist, mich bewarb und sie erhielt, so liegt doch ganz klar, und wir brauchen uns darüber in kein Silbenstechen einzulassen, ich bin auch nicht unbescheiden genug, um das zu bestreiten, daß ich damit nicht die Prätension verbinden konnte, daß der Herr Präsident Delbrück die wirtschaftlichen Geschäfte, in denen er die erste Autorität in ganz Deutschland war, nach meiner Leitung und meiner Anweisung führen sollte, sondern es war natürlich *cum grano salis* gegeben, daß ich, wie es auch in der Tat der Fall, vertrauensvoll mich seiner Führung überließ, und ich bin auch weit entfernt, zu sagen, daß ich dieses Vertrauen bereue. Die mächtige Hilfe, welche die Mitwirkung einer Kraft, wie die des Herrn Delbrück, der ersten Einrichtung des Reiches gewährt hat, war durch nichts anderes zu ersetzen. Wir hatten keinen Mann von seiner Bedeutung. Ich habe meinerseits mich damals in eine Beurteilung wirtschaftlicher Fragen nicht eingelassen, sondern ich habe die bedeutendsten Leute und Staatsmänner, die mir ihre Hilfe gewähren wollten, zu werben gesucht, um dieses Werk, was ich begonnen hatte, mit mir in Gemeinschaft durchzuführen. Es ist ja ganz zweifellos, daß ich mitunter in wirtschaftlichen Fragen nicht der Ansicht des damaligen Herrn Präsidenten gewesen bin, und wenn mir die Verständigung darüber nicht gelungen ist — ich weiß nicht, wie die Fälle sich erledigt haben, ich vermute, daß in den meisten Fällen ich nachgegeben haben werde, weil ich politisch und an meiner

Meinung gern Opfer brachte, um diese so ungewöhnlich bedeutende Mitwirkung der Sache, der ich diente, zu erhalten.

Ich bin ein Mann, der an Autoritäten glaubt und sich ihnen da, wo ich nicht notwendig auf mein eigenes Urteil verwiesen bin, gern unterordnet. Wenn ich dem Rock entsprechend, den ich trage, zu Felde zu ziehen hätte, und ich hätte das Glück, vom Herrn Feldmarschall Graf Moltke geleitet zu werden, so würde ich mich unbedingt seiner Führung unterordnen, und erst dann, wenn er sagt: Jetzt gehe ich nach Hause, würde ich sagen: Ja, jetzt stehe ich auf mich selber angewiesen und muß mir selbst helfen. Ich weiß nicht, ob ich nicht damals, als der Herr Präsident Delbrück seine Stellung aufgab, noch weitere Opfer an meiner Ansicht gebracht hätte, um nicht bloß — es wäre unrichtig, wenn ich sagen wollte, mir —, sondern um der Gesamtheit die Mitwirkung meines Kollegen zu erhalten. Ich weiß nicht, inwieweit die stärker und stärker werdende Erkenntnis des Notstandes, in dem wir leben, mich schließlich genötigt hätte, einen Abschnitt zu machen. Ich habe die Hoffnung, angesichts der Notlage, in der sich das Land befindet, mich mit meinem früheren Herrn Kollegen zu verständigen über eine neue Form beiderseitiger Mitwirkung, noch vor einem Jahre nicht aufgegeben. Aber, nachdem er mir seine Mitwirkung versagt hat aus Gründen, über die er ja selbst Richter ist, so bin ich gezwungen, wenn ich nicht überhaupt zurücktreten will, was ich ja mehrmals versucht habe, und was mir aus Gründen, die nicht hierher gehören, nicht gelungen ist — wenn ich nicht zurücktreten will, bin ich durch meine Stellung gezwungen, mir eine Meinung über alles zu bilden, in dem ich früher der Führung des Herrn Abgeordneten Delbrück gefolgt bin.

Daß meine Meinung, wenn ich schließlich ganz auf mich selbst gestellt bin, eine andere ist wie die, der ich bis dahin gefolgt war, ja das schäme ich mich in keiner Weise, zu bekennen. Ich habe früher die Ansicht nicht ganz geteilt, bin aber der Autorität gefolgt, weil ich nicht glaubte, meine Ansicht durchsetzen zu müssen in allen Dingen, die ich nicht verstehe. Ich bin auch vielleicht nicht mit allen Einrichtungen der Post persönlich einverstanden; nichtsdestoweniger, da ich die Überzeugung habe, daß der Generalpostmeister im großen und ganzen vollständig seiner Sache mächtig ist und sie jedenfalls besser versteht als ich, folge ich seinen Wünschen und Anträgen und würde es ziemlich verwunderlich finden, wenn ich dermaleinst an meiner formalen Verantwortlichkeit dafür angefaßt werden sollte, daß diese oder jene Posteinrichtung nicht nach meiner eigenen Überzeugung sich bewährt hat, und ich sie anders wünschte, als ich damals zugestimmt hätte, daß sie sein sollte.

Sie sehen aus meiner ganzen Darlegung, daß ich weniger das Wort ergreife, um dem Herrn Abgeordneten Richter zu antworten, als um, was mir viel mehr am Herzen liegt, meiner Stellung zu dem Herrn Abgeordneten Delbrück Ausdruck zu geben. Ich weiß ja nicht, wieweit, wenn die Verhandlungen über unsere Tarifreform kommen, unsere Meinungen auseinandergehen; aber sie mögen so weit auseinandergehen sachlich, wie sie wollen, diese Differenzen werden niemals hindern, daß ich mich der großen Aufgaben, an denen wir gemeinsam und mit Erfolg gearbeitet haben, der mächtigen Unterstützung, die dabei Deutschland dem Herrn Abgeordneten Delbrück zu danken hat, jederzeit mit Achtung und Wohlwollen erinnere. Ich habe überhaupt nicht die Neigung, sachliche Meinungsverschiedenheiten auf das persönliche Gebiet zu übertragen, und ich bin dem Herrn Abgeordneten Delbrück sehr dankbar, wenn er sachliche Meinungsverschiedenheiten ohne jeden Einfluß auf unsere persönlichen Beziehungen läßt, und ich bin auch überzeugt, daß er es tun wird.

Ich bin als Kanzler, allein gelassen, verpflichtet, meine Meinung zu haben, nicht bloß berechtigt, ich bin verpflichtet, nach meiner Meinung zu handeln; ich bin genötigt gewesen, den Sachen näherzutreten, über die wir verhandeln, ich habe meine Überzeugung inzwischen vollständig festgestellt und werde danach handeln, auch wenn ich einen sofortigen Erfolg nicht finden sollte; ich werde dann denselben Weg von neuem versuchen, wenn ich in meinem Amte bleibe, was ich ja nicht weiß.

Wenn aber der Herr Abgeordnete Richter, was ich sachlich noch bemerken kann, mir vorgehalten hat, es sei mein Ideal gewesen, den Zolltarif auf wenige Finanzzölle zurückzuführen — ja, so ist das ganz richtig, das ist das sogenannte englische System. Ich habe es befürwortet; aber sagen Sie selbst, meine Herren, habe ich darin bei irgend jemand Gegenliebe gefunden, ist mir darin irgend jemand nur einen Finger breit entgegengekommen? Ist nicht der erste Versuch mit dem Tabak . . . *(Zuruf: Monopol!)* Ja, meine Herren, ich bin heute noch für das Monopol — *(Bewegung links. Bravo! rechts)* mit dem Tabak, dieses System einzuleiten, ist der nicht mit einer Unfreundlichkeit aufgenommen, die mir ganz neu war in den Fraktionen, mit denen ich früher in Beziehung gestanden habe? Der Minister Camphausen ist darüber zurückgetreten, wie er mir persönlich gesagt hat, ich berufe mich auf sein Zeugnis, wegen der „Abschlachtung" — war sein Ausdruck —, die hier öffentlich von der Partei der Nationalliberalen und des Fortschritts mit ihm vorgenommen sei. Ich wiederhole, daß die Abgeordneten des Fortschritts an einer anderen Stelle, im Landtag, glaube ich, über die Geschichte dieses Rücktritts sich entweder nicht ganz klar gewesen sind oder nicht das Bedürfnis gehabt haben, daß darüber Klarheit im Publikum herrsche. Ich muß also sagen, daß dieser Versuch von mir ganz ehrlich gemacht worden ist, und daß mein ganzes Bestreben rein auf sachlichem Gebiet eine unfreundliche Erwiderung gefunden hat, die ich mir eigentlich nur aus politischen Gründen erklären kann. Ich weiß nicht, was man für Motive hat, daß man die wirtschaftlichen Gebiete so mit den politischen Gebieten kombiniert. Die Herren, die genauer mit den Fraktionsgeheimnissen vertraut sind, werden es besser wissen; ich kann nur aus der Öffentlichkeit urteilen und da muß ich allerdings sagen, daß die Hetzereien in der Presse ganz außerordentlich viel zu dieser Verstimmung beigetragen haben, und ich zitiere da mit vollem Bewußtsein Zeitungen, die ich seit langen Jahren lese, und die eine so achtbare Stellung haben, daß ich eine objektivere Auffassung von ihnen erwartet hätte, die „Kölnische Zeitung", die „Nationalzeitung". Es vergeht fast kein Tag in der Sozialistenfrage, in der jetzigen Frage, wo ich nicht aus diesen Zeitungen stets von neuem den Eindruck bekomme, daß hinter den Kulissen ein Bedürfnis ist, Feindschaft und Unfrieden zu säen. *(Zuruf links.)* Darf ich bitten, sich deutlich auszudrücken! Ich bin bereit, dem Herrn, der da spricht, zu antworten, nur anonyme Unterbrechungen machen nachher immer einen eigentümlichen Eindruck im stenographischen Bericht: wenn der Name gleich dahinter folgt, würde das weniger ausmachen. *(Bravo!)*

Ich muß das sagen und sage es ausdrücklich, weil ich damit den Wunsch verbinde, daß die Herren ihrerseits doch auch einen versöhnlicheren Ton anschlagen möchten und nicht dem Bedürfnis, jeden Tag einen sensationellen Zeitungsartikel zu liefern, den Frieden der Parteien opfern möchten. Für mich ist das so, wenn ich das Bedürfnis zu einer ruhigen Verhandlung habe, so lese ich an dem Tage die von mir gehaltene Nationalzeitung schon lieber nicht. Genützt hat das der Partei nicht, es sind Maßregeln unter Umständen getroffen worden, wo der letzte Tropfen Wasser aus den Leitartikeln dieser Zeitungen das Glas überlaufen machte. Vielleicht überschätzt man ihre Wichtigkeit, man darf aber glauben, daß die hervorragendsten Leute der bedeutendsten und zahlreichsten Fraktion, die wir haben, ihre Meinung in diesem Blatte ausdrücken. Wenn das nicht der Fall ist, wenn das nur Bruchteile sind, nur einzelne leidenschaftliche Charaktere sind, die vielleicht mit dem, was sie schreiben, nicht mehr die volle Bedeutung dessen, was die anderen herauslesen, verbinden, so wäre es wünschenswert, daß die Fraktionen im Interesse des allgemeinen Friedens die Fiktion zerstörten, als ob ein Organ dieser Art jeden Tag in der Kriegstrompete, in der Aufregung, in der Verbreitung von düsterer Unruhe und Befürchtung die Meinung einer großen, achtbaren Partei ausdrückt. Ich habe ja in diesen Sachen im Hause und außer dem Hause erleben müssen, daß ein großer Teil der Angriffe, die der Sache gelten sollen, sich gegen meine Person zuspitzen. Es ist nicht mehr, wie vor kurzem noch auf seiten anderer Parteien das Forschen in meinem Privatleben nach irgendeinem Stück schmutziger Wäsche, was man auftreiben könnte und nicht findet, die Neigung, um jeden Preis, weil ich an der Spitze des Landes stehe, mir etwas anhängen zu können, eine Neigung, die sich bis in die richterlichen Kreise verbreitet hat, sondern es ist das Bedürfnis, mich als einen dilettantischen, wie sie sich ausdrücken, genialen — nun, ich verstehe den Ausdruck, auf der Universität würde man wissen, was darauf folgt, wenn man einen genial nennt. *(Heiterkeit.)* Aber, meine Herren, Sie sehen mich 25 Jahre – und ich erinnere dabei wieder daran, daß ich mit dem Herrn Abgeordneten Delbrück 25 Jahre, ein Vierteljahrhundert lang an der Vorbereitung und dem Aufbau des Deutschen Reiches gearbeitet habe –, es war im Jahre 1852 zu Frankfurt, wo wir die ersten gemeinschaftlichen Arbeiten hatten, so daß also eine Verstimmung, wie der Herr Abgeordnete Richter sie andeutete, auf meiner Seite wenigstens nicht denkbar ist – also 25 Jahre und 17 Jahre als Minister sehen Sie mich nun vor der Öffentlichkeit. Ich bin, ehe ich überhaupt in das Amt trat, in derselben Weise beurteilt worden in Bezug auf jede politische Befähigung, wie ich jetzt beurteilt werde in Bezug auf mein Recht, ich möchte sagen, meine Pflicht, in wirtschaftlichen Dingen mitzureden. Ich erinnere mich, wie ich nach Frankfurt als Bundestagsgesandter ernannt wurde, kam in den Blättern, die den politischen Freunden des Abgeordneten Richter von damaliger Zeit, vielleicht seinen Vätern und Oheimen angehörten, die Bemerkung über mich: Dieser Mensch würde, wenn man ihm das Kommando einer Fregatte anvertraute oder eine chirurgische Operation zumutete, sagen: Nun, ich habe es noch nicht probiert, ich will es einmal versuchen. Das war die Schilderung, mit der man mich den Frankfurter Kollegen und vor allem den österreichischen in den liberalen Blättern empfahl. Nun, meine Herren, diese chirurgische Operation ist nachher zu Ihrer Zufriedenheit, wie ich glaube, vollzogen worden. Noch als ich Minister war, erinnere ich mich, daß in den damaligen liberalen Blättern die Wendung stand: Wie kann man „diesem Menschen" – und nun folgt eine Charakteristik von mir – die erste Stelle in Deutschland anvertrauen! Ich weiß nicht, ob ich aus der Versehung dieser ersten Stelle in Deutschland, die nachgerade 17 Jahre in meinen Händen ist, länger als jemals ein Minister in konstitutioneller Zeit der Öffentlichkeit und allen Stichen und Kritiken derselben gegenübergestanden hat – ob die zur Zufriedenheit erfüllt worden ist, ob in dem absprechenden und wegwerfenden Urteile über mich der Abgeordnete Richter recht bekommt vor der Mit- und Nachwelt, oder ob mir zuerkannt wird, daß ich, nachdem ich 17 Jahre lang an der Spitze der Gesamtgeschäfte stehe, auch ein Recht zu einer Meinung über wirtschaftliche Fragen habe; darüber erwarte ich getrost das Urteil meiner Mitbürger — ich will von der Nachwelt nicht sprechen, es ist mir zu pathetisch. *(Bravo! rechts.)*

86. Schreiben an König Ludwig II.: Über die Verhandlungen mit der Kurie (Abschrift. Anlage: Konzept) W 6 c, 144 ff., Nr. 154.

Berlin, den 26. Februar 1879.

Allerdurchlauchtigster König, Allergnädigster Herr!
Das Interesse, welches Ew. M. der römischen Frage widmen, und die gnädige Aufnahme, welche meine vorjährigen durch Graf Holnstein eingereichten politischen Berichte bei Allerhöchstdenselben gefunden haben, ermutigen mich, Ew. M. anliegend den letzten Schriftwechsel mit dem Papste und eine Denkschrift über denselben, ehrfurchtsvoll vorzulegen. Wenn Ew. M. mir huldreich gestatten, weitre Berichte, in gleicher Art wie früher durch Graf Holnstein, vorlegen zu lassen, so würde ich demselben zunächst eine Denkschrift über die französischen, die russischen Verhältnisse und über die in der Reichsgesetzgebung beantragten wirtschaftlichen Reformen zur Allerhöchsten Verfügung einsenden. In tiefster Ehrfurcht verharre ich Ew. M. alleruntertänigster Diener.

Anlage

Die Verhandlungen mit Rom sind nach den Kissinger Besprechungen durch einen Briefwechsel fortgesetzt worden, welcher bisher trotz aller beiderseitigen Beteuerungen friedlicher Neigung zu einem praktischen Ergebnis nicht geführt hat. Der am 17. Oktober diesseits an den Kardinalstaatssekretär geschriebene Brief wiederholte die frühere mündliche Andeutung des Weges, welcher nach unserer Meinung allein zu praktischen Resultaten führen kann: einstweiliger beiderseitiger Verzicht auf p r i n z i p i e l l e Konzessionen des anderen Teiles, unter wohlwollendem Verkehr auf dem p r i n z i p i e l l nicht streitigen Gebiete. Auf letzterem würde von Rom zunächst die in den Maigesetzen verlangte vorgängige Anzeige geistlicher Ernennungen anzuordnen sein, ähnlich wie sie vielfach in Ländern mit evangelischer Dynastie, beispielsweise in Württemberg, der Römischen Kurie jederzeit annehmbar erschienen ist. Durch eine solche

Konzession würde der Hauptanlaß zu Beschwerden, — die Vakanz von angeblich 1000 Pfarrstellen — sofort schwinden, und fast alle gegen Geistliche gegenwärtig schwebenden Prozesse und Verurteilungen würden fallen. [a] Die Regierung würde dagegen die mildeste in ihrer Gewalt stehende Praxis in Ausführung der Maigesetze anordnen und, worauf päpstlicherseits ein hoher Wert gelegt zu werden scheint, den regelmäßigen diplomatischen Verkehr mit Rom wieder anknüpfen. In dem geschäftlichen Geleise der damit hergestellten gegenseitigen Beziehungen würden weitere Annäherungen nicht ausbleiben, welche dahin führen könnten, daß die Regierung zu einer Revision der Maigesetze behufs Beseitigung mancher für den Römischen Stuhl besonders empfindlichen und zum Schutze der Staatshoheit vielleicht nicht unentbehrlichen Bestimmungen die Hand böte [a]. Schon auf die von mir in diesem Sinne bei Gelegenheit der Kissinger Verhandlungen gemachten Andeutungen war mit dem Verlangen geantwortet worden, daß der Staat die Verständigung mit Aufhebung seiner Gesetze und Wiederherstellung der preußischen Verfassung in den *status quo ante* 1873 beginnen möge, worauf dann der Römische Stuhl der Regierung seine vollste Unterstützung leihen würde — die schriftliche Wiederholung jener meiner Vorschläge wurde durch ein Schreiben vom 8ten November beantwortet, welches unter dem Ausdruck wohlwollender Friedfertigkeit dieselben Anforderungen in etwas weniger bestimmter Formulierung wiederholte und der Regierung die Auswahl des Zeitpunktes der Erfüllung derselben überläßt. Dieses Schreiben, indem es die erste *fin de non recevoir* bestätigte, machte hier den Eindruck, daß von päpstlicher Seite die Korrespondenz in einer höflichen und friedliebenden Form abgeschlossen werde, und wurde deshalb diesseits eine Antwort nicht mehr beabsichtigt. Der in Abschrift anliegende Brief aus Rom vom 23. Januar bewies aber, daß diese Absicht nicht, oder doch nicht mehr in Rom bestand. Bevor dieser Mahnung um eine Antwort diesseits Folge geleistet war, wurde hier durch einen gemäßigten und deutschgesinnten rheinischen Geistlichen, den Dompropst Holtzer aus Trier, mitgeteilt, daß der Bischof von Rottenburg, Hefele, bei versöhnlicher Richtung das Vertrauen des Kardinals Nina besitze und auch bei dem Papste selbst Gehör und Glauben finden werde. S. M. der Kaiser, bei welchem der Domprobst als Mitglied des Herrenhauses empfangen worden war, befahl darauf, in der an Kardinal Nina gerichteten Antwort den Namen dieses schwäbischen Prälaten zu nennen, mit der Anfrage, ob dessen Darlegung deut-

---

a–a Dieser Satz mit eigenhändigen Korrekturen Bismarcks.

scher Verhältnisse in Rom Glauben und Beachtung finden werde. Das Weitere geht aus dem gleichfalls in Abschrift anliegenden diesseitigen Schreiben hervor.
Ob diese neueste Anregung mehr Anklang finden wird als die aus dem Sommer, kann nur der Erfolg lehren. Wenn es nicht der Fall ist, so läßt sich schwer ermessen, welche Dauer der jetzige Zustand haben kann. Die Staatsgewalt hat kein Bedürfnis, eine Aenderung desselben herbeizuführen; für sie ist der Kampf beendigt, nachdem sie die feste gesetzliche Stellung gegen hierarchische Uebergriffe wiedergewonnen hat, welche unter dem hochseligen König seit 1840 und namentlich nach 1848 aufgegeben worden war. Der Staat erstrebt nichts, was er durch eine Fortsetzung des Kampfes gewinnen könnte, will aber durch einen Friedensschluß auch nichts von dem, was er hat, und was ihm notwendig ist, verlieren. Die Minister haben sich in den letzten beiden Jahren darauf beschränkt, die Angriffe im Landtage abzuwehren, und jedes aggressive Vorgehen ist von ihnen vermieden worden. Aber das Interesse, welches der Staat an einem Friedensschluß hat, ist nicht so groß, daß es irgend welche erheblichen Opfer rechtfertigte. Der ganze Schaden, welcher der Dynastie und dem Staate von ihren klerikalen Gegnern zugefügt werden konnte, ist geschehen und kann nicht größer werden. Die ultramontane Agitation im Parlament und in der Presse hat ihre Pfeile verschossen, vielleicht zu früh für ihr Interesse. Die Waffen der Aufwiegelung in Parlament und Presse haben den Zweck, das katholische Volk der Dynastie zu entfremden, nur in geringem Maße erreicht und sind jetzt abgestumpft. Ihre Wirksamkeit ist rückläufig und wird es im Angesicht der Passivität der Regierung mehr und mehr werden. Das Bündnis der klerikalen Partei mit der Sozialdemokratie und mit jeder anderweiten reichsfeindlichen Tendenz schadet ihr bei dem achtbaren Teil der Bevölkerung je länger desto mehr; die Deklamationen von diokletianischen Verfolgungen ermatten [b] u. wirken nicht mehr [b]. Die Zeit läuft zugunsten des Staates. Die Opposition hat ihr Schlimmstes getan und dadurch dem Staat die Ueberzeugung gewährt, daß auch durch Nachgeben weiterer Schaden nicht verhindert werden kann. Die Auflösung der jetzigen Zentrumspartei würde der Regierung neue Bundesgenossen von irgend beträchtlicher Anzahl nicht zuführen. Sie würde im Reichstage vielleicht auf einige Mitglieder des bayrischen und des schlesischen Adels zählen können, wenn der Römische Stuhl durch einen formellen Friedensschluß dazu vermocht werden könnte, dem

---

b–b Eigenhändiger Zusatz Bismarcks.

Deutschen Reiche und speziell Preußen das gleiche Maß von geteiltem Wohlwollen wieder zuzuwenden, dessen wir uns vor 1870 erfreuten. Der eigentliche Kern der katholischen Fraktion, wie sie bis 1870 unter der Führung der beiden Reichensperger vielleicht gegen 40 Köpfe stark wurde, hat zu jeder Zeit und unter allen Umständen, in jedem Parlament gegen die Regierung gestimmt, auch vor 1870, und würde es also auch nach einem neuen Abkommen mit dem Papst in derselben Weise tun wie früher. Der westfälische und rheinländische Adel wird von der Opposition, in welcher er von 1815 bis 1870 der preußischen Dynastie gegenüber verharrte, seitdem auch nicht geheilt sein. Die polnischen, welfischen, französischen Elemente werden durch eine päpstliche Versöhnung ebensowenig zu Reichsfreunden werden, wie der Teil der fortschrittlichen Demokratie, welcher gegenwärtig in der Zentrumsfraktion eine bessere Angriffsposition gegen den Staat zu finden glaubt als in der [c] weltlich [c] -fortschrittlichen; er würde nach Auflösung des Zentrums einfach den gewöhnlichen Fortschrittlern zuwachsen.

Die Meinung von den Vorteilen, welche der preußischen Regierung aus dem Frieden mit Rom erwachsen könnten, ist nach vorstehendem hier nicht groß genug, um [d] als „Anzahlung“ [d] solche Opfer zu rechtfertigen, welche die Unabhängigkeit der Staatsgewalt und ihrer Gesetzgebung von neuem beeinträchtigen könnten. Diese Meinung hindert indessen nicht, daß die preußische Regierung in Befolgung der Intention Sr. M. des Königs bereitwillig jeder friedlichen Neigung, auf welche sie in Rom rechnen darf, entgegenkommt und es schon für beide Teile als einen Gewinn erachtet, wenn der zwischen ihnen unentbehrliche Verkehr wieder in den höflichen und wohlwollenden Formen geführt wird, welche Mächte von der Stellung der beiden streitenden Teile niemals mißachten, ohne sich beiderseits zu schädigen. Die Macht des friedlichen und freundlichen Verkehrs miteinander würde, wenn derselbe hergestellt werden könnte, in kurzer Zeit eine versöhnende Wirkung üben, welche beide Teile einander schneller nähern würde, als der theoretische Schriftwechsel, in welchem sie sich jetzt befinden.

---

c–c Eigenhändiger Zusatz Bismarcks.
d–d Eigenhändiger Zusatz Bismarcks.

87. Runderlaß an die Chefs der obersten Reichsämter: Gemeinsame Beratungen zur einheitlichen Behandlung der Reichsgeschäfte (Konzept Friedberg)

Goldschmidt 245 f., Nr. 61.

Berlin, 27. Februar 1879.

Nachdem die Entwicklung des Reichs und die mit dieser Hand in Hand gehende, stetige Zunahme der Geschäfte in der zentralen Leitung der Reichsangelegenheiten mit Notwendigkeit dahin führen mußte, allmählich eine Reihe selbständiger, voneinander unabhängiger, oberster Reichsämter zu schaffen, ist mit dem Gesetz vom 17. 3. v. J. betr. die Stellvertretung des Reichskanzlers ein weiterer Schritt nach der Richtung hin geschehen, jenen Reichsämtern eine den Ministerien in einem Einzelstaat sich annähernde Organisation zu geben.
Damit ist aber auch die Notwendigkeit umso stärker hervorgetreten, diese verschiedenen Ressorts in ihrer Selbständigkeit nicht jener Einheit entbehren zu lassen, welche eine Bürgschaft dafür bietet, daß die Verwaltung der Einzelgeschäfte in allen Ressorts von gleichmäßigen Grundsätzen der Reichspolitik beherrscht wird und diese Einzelheiten in den getrennten Dienstzweigen nicht eine voneinander abweichende oder gar einander widersprechende prinzipielle Behandlung erfahren.

Diese Erwägung veranlaßt Bismarck zu einem weiteren Schritt auf dem Wege gemeinsamer Behandlung von Geschäften der Reichsverwaltung. *Er wünscht,* eine Einrichtung ins Leben treten zu lassen, welche nach Analogie der in Einzelstaaten herkömmlichen Konferenzen der Gesamtministerien das Mittel bietet, Angelegenheiten des Reichs aus den verschiedenen Ressorts in gemeinsamen Beratungen der Chefs der obersten Reichsbehörden unter dem Vorsitz des Reichskanzlers zu diskutieren und [a] zur [a] Beschlußfassung reif zu machen.
Es werden sich z. B. zur Beratung in jenen Konferenzen folgende Angelegenheiten eignen:

a) Verwaltungsfragen, welche über den Bereich eines Amtszweiges hinausgehen und für mehrere Amtszweige von Wichtigkeit sind;
b) Meinungsverschiedenheiten, welche zwischen den Chefs verschiedener Ressorts hervorgetreten sind und sich durch die darüber gepflogene Kor-

---

a–a Vorher „zu dessen".

respondenz [b] bei einmaligem Schriftwechsel [b] nicht haben ausgleichen lassen;
c) Wichtigere Gesetzentwürfe, insbesondere solche, welche in die Gebiete mehrerer Ressorts einschlagen, oder in denen Grundsätze zur Entscheidung gelangen, welche auch für andere Ressorts als dasjenige, aus dem der Gesetzentwurf hervorgeht, von Bedeutung werden;
d) Wichtigere Personenfragen bei der Besetzung von Reichsämtern.

Die hiermit versuchte Aufzählung von Angelegenheiten, die sich zur Beratung in [c] den beabsichtigten [c] Konferenzen eignen werden, soll den Kreis derselben keineswegs erschöpfen, vielmehr nur einen Hinweis dafür geben, wie die Aufgabe jener Konferenzen von mir gedacht wird.

Dabei wird es den Chefs der verschiedenen obersten Reichsämtern nicht nur unbenommen sein, sondern von denselben erwartet werden dürfen, daß sie nach eigenem Urteil solche Angelegenheiten, welche sie für eine Konferenzberatung geeignet erachten, durch Anmeldung bei dem Reichskanzler zum Vortrag in die Konferenzen bringen. *Nähere Anordnung über Zeit, Ort und Form der Einladung bleibt vorbehalten.*

88. Rede in der 14. Sitzung des Deutschen Reichstags am 4. März 1879

W 12, 30 ff. = Kohl 7, 381 ff.

Zur Beratung steht der Regierungsentwurf betr. die Strafgewalt des Reichstags über seine Mitglieder. Die von Staatssekretär Friedberg eingeleitete Debatte läßt die Ablehnung der Vorlage durch die Mehrheit des Reichstags erkennen. Auf die ablehnende Rede des Abg. Lasker erwidert Bismarck, der die Neuordnung der Disziplinargewalt im Reichstag nicht vom juristischen, sondern ausschließlich vom politischen Standpunkte her betrachtet, in breiter Ausführlichkeit:

Ich habe keinen Anlaß, so tief und eingehend, wie der Herr Vorredner, mich auf die Vorlage selbst einzulassen, da ich es wesentlich als eine innere Angelegenheit des Reichstags betrachte, sich von den Mitteln, welche die Regierungen ihm darbieten, um seine eigene Würde, seine Macht zu stärken, dasjenige anzueignen, was ihm gefällt. Und was Sie ablehnen, das wird eben nicht Gesetz. Sie sind ja voll berechtigt, davon anzunehmen, was Sie wollen, und ich kann nur dazu sagen: *beneficia non obtruduntur.*

---

b–b Eigenhändiger Zusatz Bismarcks.
c–c Vorher „den neu beabsichtigten".

Es wird die Zeit vielleicht kommen, wo Sie diese Vorlage in einem milderen Lichte betrachten und die Regierungen zu einer Erneuerung auffordern. Die Zeit, glaube ich, wird zu Gunsten der Freunde dieser Vorlage laufen.

Ich muß aber doch dem Herrn Vorredner, ohne tiefer auf die Sache einzugehen, auf einige Sätze erwidern, und namentlich in Bezug auf den letzten Akzent, mit dem er die Tribüne verließ, nämlich, daß durch eine Annahme dieser Vorlage, an die ich ja nicht glaube, ich habe auch kaum gehofft, daß Sie die erste Vorlage, wie sie vom Bundesrat amendiert wurde, in ihrer Totalität annehmen würden; es ist hier auch nur das Bedürfnis der Regierungen, *diligentiam* zu prästieren und ihre Verantwortlichkeit freizustellen, das übrige ist Ihre Sache — wenn aber der Herr Vorredner damit schloß, durch die Annahme einer ähnlichen Vorlage würde die Gleichheit zwischen den beiden Körperschaften gestört, meine Herren, diese Gleichheit existiert aber gar nicht, wir gehören ja gar nicht zu der privilegierten Klasse, zu den oberen Vierhundert, wir gehören zur *misera plebs*, die unter dem gemeinen Recht steht *(Heiterkeit)*; jedermann kann gegen uns klagen, wir sind durch kein Privilegium geschützt, und ich wundere mich, daß ein solcher Verfassungskenner, wie der Herr Abgeordnete Lasker, diese Tatsache zu ignorieren scheint. Der Buchdrucker, der Preßagent, der unsere Reden hier abdrucken läßt, ist durch den Art. 22 der Verfassung geschützt, wir nicht; wir sind durch Art. 30 nicht geschützt, Art. 30 bezieht sich ausdrücklich nur auf Reichstagsabgeordnete. Ich habe im Anfang diesem populären Irrtum mich auch wohl früher hingegeben; seit ich aber vor den praktischen Geschäften Muße bekommen habe, den Sachen theoretisch etwas näherzutreten, habe ich gefunden, daß wir vom Bundesrat nicht geschützt sind gegen jede Klage auf Grund des gemeinen Rechts, und seitdem bin ich sehr viel vorsichtiger in meinen Äußerungen geworden. *(Große Heiterkeit.)*

Wenn also hier verschiedene Beispiele, namentlich auf meine Kosten, angeführt werden, daß ich irrtümlich, in der Meinung, es sei ein Fremder, im englischen Sinne, und nicht ein Abgeordneter, eine Behauptung als eine Lüge qualifiziert hätte und sie sofort zurückgenommen habe, sowie ich merkte, daß es ein Abgeordneter war, habe ich angenommen, daß ein Abgeordneter sich durch ein gewisses Maß von Ehrgefühl gezwungen finden wird, aus Ritterlichkeit diejenige Gegenseitigkeit zu gewähren, die gesetzlich fehlt; da ich ihn nicht verklagen kann, wird er es vielleicht seinerseits auch nicht angemessen finden, obgleich das sich wohl durchgehends nicht bewähren wird. Wenn die Herren auf diese Blöße in unserem Harnisch erst aufmerksam werden — ich glaube, sie haben es gar nicht gewußt, daß sie gegen uns klagen können, sonst würde es wohl schon geschehen sein. Wir stehen also keineswegs auf dem Fuße der Gleichheit, und diese Vorlage ist gerade in dem Sinne des Herrn Abgeordneten Dr. Lasker bestimmt, die Gleichheit einigermaßen, wenn nicht herzustellen, doch sich ihr anzunähern. Ich habe damals den Vorwurf der Lüge gemeint gegen jemand draußen, außerhalb des Hauses, zu richten, und ihm habe ich ja Rede zu stehen vor dem Richter, wenn er mich verklagt, insofern glaube ich, hat der Herr Abgeordnete Lasker auch nicht recht, sich über den Ausdruck, den mein Herr Kollege gebraucht zu haben scheint, „daß Gesetzvorlagen von oben kämen", zu beschweren. Ich erkenne bescheiden an, sie kommen von unten. *(Heiterkeit.)*

Dann hat der Herr Abgeordnete in der Zeit, als ich kam — ich bin durch die Länge der interessanten Rede schließlich nicht in der Möglichkeit gewesen, dem letzten Teil mit derselben Aufmerksamkeit zu folgen, wie als ich noch frisch hineinkam —, sich hauptsächlich deshalb gegen das Gesetz gewendet, als solle es Schutz gewähren gegen die Wirkung in diesem Hause, und als hegten wir Befürchtungen von Aufforderungen zum Aufruhr, die innerhalb dieser Mauern wirksam sein könnten. Meine Herren, das berührt uns gar nicht, und so ängstlich sind wir noch nie gewesen, daß wir glaubten, die ehrenwerten Herren Abgeordneten würden uns in eine körperliche gefährliche Position bringen *(Heiterkeit);* das steht auch nicht zu befürchten, sondern der Zweck, den die Vorlage hat, ist ein dreifacher: die Würde des Reichstages, der Schutz gegen Beleidigungen und die Abschneidung von Agitationen, die auf dem Privilegium des Art. 22 der unanfechtbaren Veröffentlichung beruhen.

Was die Würde des Reichstags betrifft, so halten wir uns gar nicht für die Richter darüber, sondern wir haben Ihnen eben zur Auswahl gestellt aus dem Arsenal der Gesetzgebung, was Sie davon haben wollen, um damit die Stellung des Herrn Präsidenten und den Rückhalt, die Reserve, die er an der gesamten Körperschaft des Reichstags hat, zu stärken. Wenn ich an der Vorlage oder in Bezug auf die Vorlage vom ersten Anfang an eine Meinungsverschiedenheit hegte, die ich aber besseren Sachkundigen gegenüber nicht durchzusetzen gesucht habe, so war es die Einsetzung einer Kommission. Mir hätte es besser gefallen, wenn jederzeit des Plenum des Reichstags die erkennende Behörde wäre; indessen dergleichen läßt sich ja, wenn nicht bei dieser Vorlage, die Sie ja wohl ablehnen, aber doch vielleicht später durch Amendements sehr leicht einflechten, wenn Sie selbst sich überzeugt haben werden, daß Sie die Ziele, welche sie erstreben, und über die, wie ich überzeugt bin, die Mehrheit unter Ihnen einig ist, um deswillen nicht werden erreichen können, weil über den Weg, auf dem sie zu erreichen wären, die Mehrheit unter Ihnen sich nicht einigen wird. Sie wird dazu der Hilfe der Gesetzgebung meines Erachtens bedürfen.

Die Würde des Reichstags also, darüber enthalte ich mich jeder Ausführung und berichte nur in Bezug auf die Vorlage, daß ich es lieber gesehen hätte, wenn der gesamte Reichstag und nicht eine gewissermaßen bevormundende Kommission spräche.

Das zweite aber ist doch schon etwas, worüber die Regierungen auch eine Ansicht haben mögen, nämlich der Schutz der Mitbürger gegen einen Mißbrauch des Privilegiums. Der Ordnungsruf des Präsidenten ist ja eine sehr erfreuliche Genugtuung für denjenigen, zu dessen Gunsten er eingelegt wird, und jedenfalls erfreulicher, als ein Erkenntnis eines Gerichtshofes auf fünfzehn Mark Strafe für schwere öffentliche Beleidigung eines Ministers. Aber ist der Herr Präsident in der Lage, sich so in die Seele jedes Gekränkten hineinzuversetzen, daß er bei der schweren Aufgabe, die ihm obliegt, mit gespannter Aufmerksamkeit die Sitzung zu begleiten, nun auch das genaue richterliche Gefühl und die Vorkenntnis, die Information über den Fall haben kann, der gerade die Beleidigung konstituiert? Ich glaube, daß das von dem Präsidenten gar nicht zu erwarten und zu verlangen ist. Die Beantragung des Beleidigten, einen Ordnungsruf zu erteilen, ist aber nicht üblich, und ich weiß nicht, ob die Geschäftsordnung es für zulässig hält; keinesfalls für eine gekränkte Person außerhalb dieser Versammlung. Die Regierungen sind also der Meinung, daß sie gegen solche Exzesse, die durch Mißbrauch des Privilegiums auf Kosten einzelner Privatleute vorkommen, ganz abgesehen von der Möglichkeit einer Majestätsbeleidigung, daß sie da dem Beleidigten Schutz schuldig sind, einen Schutz, den sie aber nicht gewähren können ohne Zustimmung des Reichstags. Der gute Wille im Reichstag, in dieser Beziehung Abhilfe zu schaffen, ist vielleicht bei der Mehrheit vorhanden; aber durch die Rede des Herrn Abgeordneten Lasker bin ich auch daran zweifelhaft geworden. Es müßte eine Mehrheit sein, zu der der Herr Abgeordnete nicht gehört, da er die jetzige Geschäftsordnung für genügend hält und kein Bedürfnis einer Verschärfung hat. Es ist mir das auch sehr erklärlich, da ich kaum glaube, daß er in den letzten zwanzig Jahren seines Lebens einen Augenblick gehabt hat, wo er nicht auf Seite der Besserberechtigten gestanden hätte, d. h. Mitglied einer parlamentarischen Versammlung gewesen wäre. Dabei verliert er, glaube ich, etwas das ihm bei einer sonstigen wohlwollenden Gesinnung eigentümliche Mitgefühl mit dem, der nicht zu der privilegierten Klasse gehört. *(Heiterkeit.)*

Ein weiterer Grund, der uns zur Vorlage bestimmt hat, ist die Verhinderung derjenigen Agitationen, die durch den straffreien Abdruck von

Reden, welche ausdrücklich zu diesem Behuf, um straffrei gedruckt und verbreitet zu werden, gehalten sind, im Lande hervorgerufen werden können. In dieser Beziehung glaube ich nicht, daß der gegenwärtige Zustand ausreicht. Der Herr Abgeordnete sprach, bald nachdem ich hereinkam, von einem Fall, wo der Herr Abgeordnete Hasselmann durch einen Ordnungsruf des Herrn Präsidenten ganz genügend zur Befriedigung des Hauses zur Ruhe gebracht worden sei. Ich will die Rede des Herrn Abgeordneten Hasselmann nicht wiederholen, welche der Herr Präsident mit dem milden Ausdruck charakterisierte, daß sie grenzte „an direkte Provokation zum Aufruhr". Ich glaube, sie war es schon vollständig *(Zwischenruf: Nein!)*, und es ist richtig, daß der Herr Abgeordnete Hasselmann darüber zur Ordnung gerufen wurde. Welches war nun der Eindruck, den das auf den Herrn Abgeordneten Hasselmann machte? Er nahm noch einmal das Wort:

„Nicht ich bin es, der provoziert; ich habe zur Genüge erklärt, daß ich den Weg des Friedens vorziehe. Ja, ich ziehe ihn vor, ich bin aber auch bereit, mein Leben zu lassen; nochmals sage ich das! Und Fürst Bismarck möge auch einmal an den 18. März 1848 denken!"

Ist das nicht eine Fortsetzung derselben Tendenz, die der Herr Präsident milde als eine an den Aufruf zum Aufruhr streifende bezeichnete? Nun, hier in diesen Mauern wird zwar kein Aufruhr entstehen, aber die Sozialdemokratie ist geschickt genug, um das Maß dazu zu finden, in welchem der Bericht als „vollständig" gilt, sie scheut auch die Kosten nicht, um ihn in dieser Vollständigkeit mit starkem und fettem Drucke der Teile, die den Aufruf zum Aufruhr enthalten, in weiteren Kreisen zu verbreiten. Meine Herren, gegen diese Gefahr, gegen die Straflosigkeit der Verbreitung von Reden, die ausdrücklich zu Agitationen hier gehalten werden, hatten wir von diesem oder einem ähnlichen von Ihnen zu amendierenden Gesetze einige Abhilfe gehofft. Irgend etwas davon mag immer hier öffentlich gehört und mündlich weitergetragen werden — es ist doch immer noch etwas ganz anderes, als wenn es in 100 000 Exemplaren in die Analphabetenkreise getragen wird, das, was hier von priviligierter Stelle aus gesprochen wird. Das ist die Gefahr, die ich fürchte und der gegenüber ich Abhilfe gehofft habe. Freilich die Temperatur, die ich hier für die sozialdemokratische Frage jetzt vorgefunden habe, ist, wenn wir zurückdenken an die Zeit der schweren Attentate, immerhin eine wesentlich abgekühlte; gewiß nur äußerlich. Das Maß von Entschiedenheit des Beistandes des Parlaments, auf welches wir von seiten der Regierung im Herbste glaubten rechnen zu können in dem Kampfe gegen die Sozialdemokratie, der ja mit dem Gesetze von zwei Jahren Geltung nicht abgetan ist, liegt nicht vor, ich gestehe und habe das aus den jüngsten Abstimmungen schon ersehen: darin hat eine Täuschung bei den verbündeten Regierungen stattgefunden. Wir hatten auf energischeren und entschiedeneren Beistand gerechnet. Wir sind nicht der Meinung, daß dieser Kampf erledigt sei; ich brauche bloß auf die Wahl in Breslau hinzublicken und auf andere Wahlen. Die Organisation ist dieselbe geblieben. Bei der äußerst milden Ausführung des § 28 des Sozialistengesetzes von seiten der Regierungen sind die Verbindungen der Führer mit den Massen nirgends durchschnitten, außer versuchsweise in Berlin. Daß die üblichen Führer der lokalen Agitation außer Verbindung mit den von ihnen geleiteten Massen gesetzt werden könnten, war einer der Zwecke des Gesetzes. Es war das erreicht in Bezug auf Berlin. Wir konnten es ja ohne die Zustimmung des Reichstags nicht aufrecht erhalten; nach dem Votum des Reichstags aber ist die Wiederherstellung dieser Verbindungen eine Notwendigkeit geworden. Nach der milden Praxis, die das Gesetz bei den Regierungen gefunden hat, hat sich die Einführung des sogenannten kleinen Belagerungszustandes auf Berlin beschränkt. Ich war gar nicht in Zweifel gewesen, daß, sobald das Gesetz publiziert würde, auch überall da, wo die Sozialdemokraten die Mehrheit bilden und wo also deshalb, wenn wir überhaupt das Gesetz nicht ganz unnötig gemacht haben — das ist ja eine andere Frage — und wenn das Gesetz nicht überhaupt eine voreilige und übertriebene Ängstlichkeit von uns war, eine Gefahr vorhanden war, ... da wäre meines Erachtens die Berechtigung der Regierungen vorhanden gewesen, unter möglichster Schonung der persönlichen Verhältnisse die Fäden, welche die Leiter der Bewegung mit den geleiteten Massen verbinden, zu durchschneiden. Der erste Anfang, der in dieser Beziehung, schüchtern, muß ich sagen, gemacht ist, ist von Ihnen mißbilligt worden, und meine Hoffnungen, die ich an die weitere Durchführung des Sozialistengesetzes geknüpft habe, haben dadurch allerdings einen schweren Stoß erlitten; ich bin ziemlich entmutigt, eine Sache fortzuführen, die ich ohne Beistand der parlamentarischen Majorität ja nicht durchsetzen kann. Wie weit Sie die Vorlage ablehnen wollen, ist ja ganz Ihre Sache; ich kann aber keinen wirksamen Erfolg des Gesetzes voraussehen, wenn die Mehrheit des Reichstags nicht die Hand dazu bietet, auch in unseren übrigen Institutionen die Konsequenzen des Sozialistengesetzes zu ziehen. Zu den Konsequenzen dieses Gesetzes rechne ich die Vorlage, die uns heute beschäftigt, insoweit als sie die Möglichkeit geben soll, der richterlich unantastbaren Agitation durch *ad hoc* gehaltene Parlamentsreden, welche in einer Unzahl von Exemplaren im Druck verbreitet werden, ein Ziel zu setzen. Das, meine Herren, können Sie gesetzlich nicht herstellen ohne Mitwirkung der verbündeten Regierungen und des Bundesrats. Wir haben Ihnen die Hand dazu geboten, und, wenn Sie diese Vorlage gänzlich von der Hand weisen, so muß ich konstatieren, daß die von den Regierungen gebotene Hand nicht angenommen worden ist. Können Sie aus eigener Machtvollkommenheit etwas schaffen, was besser ist wie die Gegenwart, was den Wünschen entspricht, die, wie ich glaube, in der Bevölkerung vorherrschen, das ist, Ruhe vor sozialistischen Agitationen und Schutz gegen Mißbrauch des Privilegs zu Kränkung einzelner, können Sie dem in befriedigender Weise entgegenkommen, so werde ich mit dankbarem Beifall Ihren Bemühungen zuschauen, Ihnen behilflich sein, wo ich behilflich sein kann. Aber ich habe wesentliche Zweifel an dem Erfolge, auch dann, wenn die Herren in voller Majorität auch über die Wege einig wären, die zu betreten sind; ich glaube, daß Sie auch dann immer gegenüber den vielen Schranken, die in der Verfassung aufgebaut sind, hier und da auf ein Bedürfnis stoßen werden, daß die Gesetzgebung Ihnen helfen soll, und dann können Sie darauf rechnen, daß der Korb, den wir heut von Ihnen bekommen werden, uns in keiner Weise hindern soll, Ihnen bereitwillig Beistand zu leisten und die Hand zu bieten; nur möchte ich einmal den ersten Anfang eines Antrages in der Richtung erleben. Wir hätten gedacht, wir könnten uns die Initiative unsererseits ersparen, wenn beispielsweise nach den für den Herrn Präsidenten, ich glaube für die große Majorität höchst peinlichen Erscheinungen, die im Herbste v. J. und vorher vorgekommen sind, aus der Mitte des Hauses von irgendeiner Seite ein Versuch zur Abhilfe gekommen wäre. Es ist ja eine unpopuläre Aufgabe, und deshalb, meine ich, liegt es der Regierung ob, sie zu erfüllen; denn die Regierung ist dazu da, um unpopuläre Beurteilungen unter Umständen zu ertragen, während es für die Abgeordneten nicht immer annehmbar ist. *(Heiterkeit.)*

Der Herr Abgeordnete Lasker hat noch einiges in Bezug auf mich gesagt, was ich hier gleich absolviere, weil ich nachher zu einer persönlichen Bemerkung doch nicht zum Wort kommen würde, auch dann, wenn ich noch hier wäre; nämlich ich hätte 1870 diesem Gesetze zugestimmt. Ja, meine Herren, damals habe ich in dem Bedürfnis, die junge und zarte Pflanze der deutschen Einheit nach allen Seiten und mit allen Mitteln zu pflegen, manchem zugestimmt, was weit entfernt von meiner politischen Überzeugung lag. Meine Aufgabe war es damals, ebensowenig wie über wirtschaftliche Dinge nachzudenken, über dergleichen im Vergleich zur Konsolidierung des Deutschen Reiches kleinliche Fragen ängstlich zu sein. Jetzt können wir in Ruhe darüber diskutieren; hätten wir damals das Deutsche Reich nicht befestigt, da hülfe jetzt kein Diskutieren. Ich habe diese Fragen im Verhältnis zu der größeren Aufgabe, die mir oblag, als Kleinigkeiten behandelt und noch andere Konzessionen gemacht im Strafrecht und in anderen Dingen, die mir, wie Sie mir wohl glauben können, nach meiner ganzen sonstigen Überzeugung sehr gegen den Strich gingen, aber in meiner Lage ist Eigensinn unter Umständen ein Verbrechen — in einer Lage, wo keine Verantwortlichkeit ist, kann man sich den Luxus erlauben.

Der Herr Vorredner hat dann gesagt, gerade in England gebe es kein Mittel, die Öffentlichkeit und die Veröffentlichung auszuschließen. Nun, gerade in dem Fall, den er angeführt hat, ist die Öffentlichkeit vollständig ausgeschlossen worden durch die einfache Bemerkung des Mr. King-Harman: „Herr Sprecher, ich möchte bemerken, daß ich Fremde erblicke." Ich sehe hier auch sehr viele Fremde, es würde mir aber nichts helfen, wenn ich darauf aufmerksam machte; in England hat es aber den Effekt gehabt, daß alle Zuhörer sich entfernt haben, und die Verschwiegenheit der englischen Abgeordneten gegenüber der Presse ist so groß, daß wir über die drei Stunden, welche hernach ohne Zuhörer debattiert wurde, nichts erfahren haben und trotz amtlicher Rücksprache auch nichts Zuverlässiges wenigstens erfahren konnten. *(Hört! hört!)* In England scheint eben die Verbindung zwischen einzelnen Abgeordneten und der Presse minder lebhaft zu sein wie auf dem Kontinent – ich will von dem hier gegenwärtigen Parlament gar nicht sprechen, aber in Frankreich würde vielleicht eine solche Ausschließung bloß der Zuhörer auf den Tribünen und reines Vertrauen auf die Verschwiegenheit der Mitglieder des Parlaments schon nicht zum Ziele führen; in Bezug auf unsere Verhältnisse in der Beziehung enthalte ich mich jeder Äußerung. – Also dieses Ausschließen der Fremden ist in England zugleich ein wirksames Mittel zur Verhinderung der Veröffentlichung solcher Reden, denen man, ich will nicht sagen, einen brandstiftenden, aber einen zündenden Charakter außerhalb des Parlaments, eine Schädigung der vaterländischen Institutionen und ihrer Solidarität etwa zuschreibt. Dieses einfache Mittel ist wirksam bei der Zuverlässigkeit, mit welcher die englischen Abgeordneten im Interesse des Staats und des Vaterlandes über das schweigen, was ohne Zeugen vorgekommen ist.

Der Herr Abgeordnete hat ferner mir gegenüber die Autonomie des Reichstags vertreten, und darüber habe ich schon am Anfange gesagt: Ich glaube, sie wird erweitert und nicht verdrängt durch diese unsere Vorlage. Er hat den Fall des Abgeordneten Plimsoll angeführt, um nachzuweisen, daß in der Vorlage die englischen Zustände zu Unrecht zitiert worden seien. Auch da kann ich ihm nicht ganz recht geben. Herr Plimsoll ist von dem Sprecher angewiesen worden, „öffentlich Abbitte zu leisten", und zwar eine Abbitte, die in ihrer Form unseren Sitten und Gewohnheiten ziemlich widersprechen würde; und wenn er diese Abbitte nicht geleistet hätte, so wäre es eben bei seiner Ausweisung geblieben. Der englische Sprecher sagte ihm: „Wie das die Praxis des Hauses ist, wird das ehrenwerte Mitglied von seinem Platze gehört werden und wird sich dann entfernen." Darauf hat Plimsoll, der erregt gewesen ist, sich beruhigt, und acht Tage nachher ist er gekommen und hat erklärt:

„er nehme die von ihm gebrauchten unparlamentarischen Ausdrücke zurück und bitte frei und offen den Sprecher und das Haus um Vergebung";

— so ist es Ihnen hier in der Vorlage noch gar nicht geboten worden —

„übrigens halte er es durchaus vereinbar mit der Achtung, welche er vor dem Hause habe, wenn er hinzufüge, daß er bezüglich der von ihm angeführten Tatsachen nichts zurückzunehmen habe".

Die Tatsachen waren auch gewiß ganz richtig. Es war nur die aufregende und verletzende Form, in der er sie vorbrachte, wofür er Verzeihung erbat.

In Bezug auf Frankreich und Amerika, wo die Sachen viel klarer liegen, wie in Bezug auf das englische Recht, welches aus einem Wust widersprechender Kompendien herauszuziehen ist, da hat der Herr Abgeordnete Lasker sich hinter seine angebliche Unwissenheit zurückgezogen. Ich muß gestehen, ich halte ihn für viel unterrichteter, als er hier erscheinen will; ich glaube, er weiß das ganz genau, hat es aber für seine Argumentation hier nicht passend gefunden — und er ist ja nicht verpflichtet, alles einzugestehen, was er weiß. *(Heiterkeit.)* Er sagt uns ja schon so dankenswert vieles von dem, was er weiß. – Aber da ist in Amerika die Sache mit einer sehr kurzen Verfassungsbestimmung abgemacht:

"Each house may determine the rules of its proceedings, punish its members for disorderly behaviour, and, with the concurrence of two thirds, expel a member."

Also zwei Drittel können jedes Mitglied ausschließen, und das Haus ohne Zweidrittelmehrheit kann strafen nach seinem Ermessen. Zu diesen Strafen gehört, wie die amerikanischen Rechtslehrer weiter ausführen, auch namentlich das Inhaftnehmen, was ja auch in England zulässig ist.

Die Bestimmungen in Frankreich sind nicht so weitgehend, aber sehr scharf einschneidend und gehen auch bis zur Exklusion; schon derjenige, der sich in einer Sitzung zwei Ordnungsrufe zuzieht, der sich in 30 Tagen drei Ordnungsrufe zuzieht, ist gewissermaßen ein verlorener Mann in seiner parlamentarischen Stellung — es kommen über ihn Übel, denen er sich nicht leicht aussetzt, wenn er überhaupt sonst eine soziale Stellung hat. Ich möchte Sie nur bitten, meine Herren, daß Sie diese unsere Vorlage nicht als eine ausschließlich parlamentarische ansehen, gegen Unordnungen gerichtet, die im allgemeinen in unserem und in jedem Parlament vorkommen oder bei uns allgemein eingerissen wären — da bin ich mit dem Herrn Vorredner einverstanden: das, was im großen und ganzen geschieht, können wir aushalten — wenn auch einige Redner anderer Parteien mitunter sehr unangenehme Worte sagen, so halte ich diese doch in keiner Weise in ihrer Wiedergabe für gemeingefährlich. Aber die sozialistische Agitation ist ganz etwas anderes, eine Agitation, die sich an die urteilslosen Massen wendet, deren Begehrlichkeit durch den Notstand und unerfüllbare Versprechungen angeregt ist. Dazu das Mittel, das gesetzlich unanfechtbare Mittel des Abdrucks jeder Rede abzuschneiden, war Hauptzweck dieses Gesetzes, und der Gedanke ist uns deshalb auch nicht früher, sondern erst nach der Offenbarung der Macht und der Ziele des Sozialismus, wie wir sie in diesem vergangenen Jahre noch stärker als im vorvergangenen gehabt haben — als eine Notwehr der Gesellschaft gegen die Gefahr, die uns von da droht, ist uns der Gedanke der Vorlage gekommen, und unsere Frage an Sie ist: Wollen Sie uns in dem auf die kurze Zeit von zwei Jahren noch beschränkten Kampfe gegen die gefährlichen Tendenzen, nicht gegen die ungefährlichen, sondern gegen die gefährlichen Tendenzen des Sozialismus ferner mit der Energie beistehen, auf die wir Hoffnung hatten zu den Zeiten der Wahlen und zu den Zeiten der Attentate, oder ist die Gefahr durch das augenblickliche, wohlüberlegte Schweigen und Wohlverhalten der Sozialisten Ihnen anscheinend schon so ferne gerückt, daß Sie glauben, die Regierung mit ihrer Bitte um Beistand nach dieser Richtung hin im Stiche lassen zu können? Danach muß die Regierung ja das Maß von Erfolg, auf welchen sie überhaupt im Kampfe gegen den Sozialismus rechnen kann, ihrerseits bemessen, und wir können ohne den Beistand des Reichstags nichts machen. Verlangen Sie nur nicht von uns, daß, wenn wir im Amte bleiben sollen, die Frage mit dieser einzelnen Ablehnung für uns erledigt sei. Wir müssen auf diesem Wege weiter zu kommen suchen. Wir sind berechtigt, als Mitglieder der Regierung, darüber unsere eigene Überzeugung zu haben, so gut wie irgendein Abgeordneter, und wir wären schlechte Patrioten, wenn wir anders als nach pflichtmäßiger Überzeugung handeln wollten. *(Bravo! rechts. Zischen links und im Zentrum.)* [85]

---

[85] Die Vorlage wird am 7. März 1879 vom Reichstag abgelehnt.

89. Schreiben an Feldmarschall von Manteuffel W 14/II, 901, Nr. 1605.

Berlin 2. 4. 79.

Eurer Excellenz Schreiben vom 28. v. M. ist mir der Beweis eines ehrenvollen Vertrauens. Eure Exc. setzen mit Recht voraus, daß ich Sie nur in einer Stellung zu sehn wünsche, welche Ihnen eine nach allen Seiten hin befriedigende und gedeihliche Wirksamkeit sichern würde und daß ich hierfür meinerseits gern thun werde, was irgend die Verhältnisse gestatten [86].

Indessen möchte ich doch darauf rechnen können, sobald die Sache sich bis zu entscheidenden Feststellungen entwickelt haben wird, mit Ew. Exc. in directe Verbindung über diejenigen Fragen zu treten, welche für die von Ihnen hervorgehobenen Gesichtspunkte von wesentlicher Bedeutung sein werden.

Mit den besten Wünschen für eine gute Cur in aufrichtiger Ergebenheit der Ihrige v. Bismarck.

90.• Denkschrift für den Reichstag: Zur Begründung des Gesetzentwurfs betr. den Zolltarif des deutschen Zollgebiets (Reinschrift) W 12, 52 ff. = Kohl 8, 3 ff.

[Berlin, den 13. April 1879.]

Der Zolltarif, welchen das Deutsche Reich aus dem Zollverein überkommen hat, genügt unter den jetzigen veränderten Verhältnissen weder in finanzieller noch in volkswirtschaftlicher Beziehung den berechtigten Anforderungen.

Beides erklärt sich leicht aus der geschichtlichen Entwicklung des deutschen Tarifwesens.

Der frühere Zollverein hatte als solcher, abgesehen von einigen geringen Zentralausgaben, kein eigenes Finanzbedürfnis. In den einzelnen Vereinsstaaten aber machte sich zu jener Zeit kein solcher Druck der direkten Staats- und Kommunalbesteuerung geltend, daß ein genügender Anlaß zu

---

[86] Manteuffel wurde nach Inkrafttreten der neuen Verfassung für Elsaß-Lothringen am 1. 10. 1879 zum ersten Statthalter und Chef des Generalkommandos der Reichslande ernannt.

dem Bestreben der Vereinsregierungen vorhanden gewesen wäre, eine ausgedehnte Nutzbarmachung der indirekten Besteuerung durch eine Revision des Zolltarifs anzustreben.

Diese Verhältnisse haben sich nunmehr geändert. An die Stelle des alten Zollvereins ist das Deutsche Reich mit ansehnlichem eigenen Finanzbedarf getreten. Statt der früheren Hinauszahlungen an die Mitglieder der Zollgemeinschaft handelt es sich jetzt um die Leistung von Matrikularbeiträgen seitens derselben an das Reich. Zugleich haben sich allenthalben die Staatsbedürfnisse so entwickelt, daß trotz der Übernahme bedeutender, ehedem partikularer Ausgaben auf Reichsmittel die Einnahmen, welche den Einzelstaaten verblieben sind, nach Abzug der Matrikularbeiträge, nicht mehr genügen, um die fortwährend steigenden Bedürfnisse des Staatshaushalts zu decken.

Die Schwierigkeiten, mit welchen die Finanzverwaltungen der Einzelstaaten zu kämpfen haben, werden dadurch bedeutend vermehrt, daß die den Staaten verbliebenen Einnahmen (Domänen, Forsten, Eisenbahnen) zum großen Teile keiner Steigerung auf dem Wege der Gesetzgebung fähig sind, so daß das ganze Schwergewicht einer gesetzlichen Einnahmevermehrung in den einzelnen Staaten auf die direkten Steuern fallen müßte.

Die direkte Steuerkraft der Bevölkerungen aber ist durch die mehr oder minder überall an die direkten Staatssteuern angelehnte direkte Kommunalbesteuerung bereits in einem solchen Maße angespannt, daß das Ziel der partikularen Steuerreform nicht in Vermehrung, sondern in Verminderung der direkten Steuern liegen muß.

Die Finanzverhältnisse der einzelnen Staaten im Zusammenhalte mit den eigenen Bedürfnissen des Reichs erheischen demnach gebieterisch die Nutzbarmachung der in der Zollgesetzgebung des Reichs gegebenen Befugnis indirekter Besteuerung. Die hierüber in der Begründung zu dem Entwurfe eines Gesetzes, betreffend die Besteuerung des Tabaks — welches am 9. Februar v. J. dem Reichstag vorgelegt wurde — enthaltenen Bemerkungen haben durch die inzwischen eingetretene weitere Entwicklung der Finanzverhältnisse in den einzelnen deutschen Staaten nicht nur volle Bestätigung, sondern auch bedeutende Verstärkung erfahren.

Die Richtung, in welcher sich die deutsche Finanzreform bewegen muß, ist auch heute noch dieselbe, wie sie in der gedachten Vorlage mit den Worten bezeichnet wurde:

daß durch Vermehrung der eigenen Einnahmen des Reichs eine Entwicklung eingeleitet werde, welche „eine Entlastung des Budgets der Einzelstaaten herbeiführt, so daß es den letzteren dadurch ermöglicht wird, drückende Steuern zu beseitigen, beziehungsweise zu ermäßigen, oder, wenn sie dies für angezeigt halten, einzelne, dazu geeignete Steuern den Provinzen, Kreisen und Gemeinden ganz oder teilweise zu überlassen".

Hinsichtlich des Zieles der Reform hat sich inzwischen nichts geändert. Wohl aber ist solches nach dem oben Gesagten und den heutigen Verhältnissen der partikularen Finanzen hinsichtlich des Umfanges der Reform insofern der Fall, als das Bedürfnis einer durch Ausbildung des indirekten Besteuerungssystems herbeizuführenden Vermehrung der Reichseinnahmen in erhöhtem Maße hervorgetreten ist.

Neben dem finanziellen Bedürfnis sind es volkswirtschaftliche Interessen, welche eine umfassende Revision des Zolltarifs dringend erheischen. Auch in dieser Beziehung hat die geschichtliche Entwicklung der deutschen Verhältnisse es mit sich gebracht, daß der Zolltarif in seiner gegenwärtigen Gestalt den Anforderungen nicht genügt, welche die nationale Erwerbstätigkeit mit Recht stellt.

Der Zollverein fand bei seinem Entstehen den preußischen Zolltarif vor, an welchem er sich im wesentlichen anzulehnen hatte. Neben der großen und für die gesamte Bedeutung des Zollvereins zunächst entscheidenden Errungenschaft der Verkehrsfreiheit im Innern enthielten die bei der Gründung des Zollvereins getroffenen tarifarischen Bestimmungen eine angemessene Berücksichtigung der damaligen Bedürfnisse der deutschen Volkswirtschaft und der einzelstaatlichen Finanzen.

Abgesehen von einzelnen Schwankungen, von welchen die in den vierziger Jahren eingetretene, auf einen stärkeren Schutz der heimischen Produktion abzielende Strömung Erwähnung verdient, verblieb es während der ersten beiden Vertragsperioden des Zollvereins im wesentlichen bei den ursprünglichen Zoll- und handelspolitischen Grundlagen des Vereins.

Die Verfassung des Zollvereins mit dem vertragsmäßigen Erfordernis der Übereinstimmung sämtlicher Vereinsmitglieder stand einer autonomen Fortbildung des Tarifs hindernd entgegen. Es ist deshalb erklärlich, daß wesentliche Änderungen des Tarifs erst auf dem Wege des Abschlusses von Zoll- und Handelsverträgen mit fremden Staaten zustande kamen.

In beschränktem Maße war dies zunächst bei dem österreichisch-deutschen Handelsvertrag vom 19. Februar 1853 der Fall, da neben den im Zwischenverkehr mit Österreich gewährten Zollerleichterungen der allgemeine Tarif als Regel für den Verkehr mit dem übrigen Auslande in Kraft blieb.

Dagegen wurde vom 1. Juli 1865 ab das Ergebnis der Vertragsverhandlungen mit auswärtigen Staaten, insbesondere Frankreich und Österreich, maßgebend für den gesamten deutschen Zolltarif. Was jenen Staaten vertragsmäßig zugesichert war, wurde ohne Vorbehalt differentieller

Behandlung anderer Staaten in den allgemein gültigen Tarif vom 1. Juli 1865 aufgenommen. Das gleiche fand nach Abschluß des Handelsvertrags mit Österreich im Jahre 1868 statt.

Die frühere Organisation des Zollvereins hätte den Versuch aussichtslos erscheinen lassen, vor dem Abschlusse der Handelsverträge durch autonome Vereinsgesetzgebung eine für die Vertragsverhandlungen günstigere Grundlage zu schaffen. Es erübrigte daher nichts anderes, als auf Grund des aus älterer Zeit überkommenen Tarifs mit den fremden Staaten in Unterhandlung zu treten. Da letztere Gewicht auf vermehrte Erschließung des deutschen Marktes legen mußten, so war es unvermeidlich, daß die auf die Handelsverträge gegründete Tarifentwicklung des Zollvereins zu allmählicher Abminderung des früheren Schutzes der einheimischen Produktion führte. Nur teilweise und nicht durchweg im wünschenswerten Maße konnte hierfür durch Anbahnung größeren Absatzes deutscher Produkte im Auslande Ersatz geschaffen werden.

In dieser Weise hat die deutsche Tarifpolitik eine Wendung genommen, welche die Rücksicht auf die einheimische Produktion und insbesondere auf die Sicherung des einheimischen Marktes für dieselbe in den Hintergrund treten ließ. In volkswirtschaftlicher Hinsicht konnte diese Politik auf die Dauer nur unter zwei Voraussetzungen dem Interesse der Nation entsprechen. Erstens mußten die übrigen Staaten, mehr und mehr dem von Deutschland bei den Vertragsabschlüssen gegebenen Beispiele folgend, das Exportinteresse über die Sicherung des einheimischen Marktes stellen. In der Tat war diese Hoffnung in politischen wie in volkswirtschaftlichen Kreisen bis vor wenig Jahren weit verbreitet. Auch im Zollparlament und noch im Reichstag traten, wenn auch nicht unbestritten, gleiche Anschauungen so stark hervor, daß von deutscher Seite in den Tarifänderungen von 1870 und 1873 auf dem Wege der autonomen Gesetzgebung noch unter die den Vertragsstaaten zugesicherten Tarifsätze heruntergegangen wurde. Heute besteht nach der Lage der fremden Zollgesetzgebung und den Tarifprojekten verschiedener Staaten darüber kein Zweifel, daß diese erste Voraussetzung der seit 1865 maßgebenden deutschen Tarifpolitik nunmehr hinfällig ist.

Die zweite Voraussetzung, unter welcher die dauernde Beibehaltung jener Tarifpolitik gerechtfertigt werden konnte, besteht darin, daß keine für Deutschland ungünstige Änderung in den wirtschaftlichen Machtverhältnissen der Nationen gegenüber dem Zustande zur Zeit des Abschlusses der Handelsverträge in den sechziger Jahren eintrat. Auch diese Voraussetzung ist nicht eingetroffen. Die großartige Entwickelung der Verkehrsanstalten hat die Produktionsstätten und Absatzgebiete wesentlich anders gestaltet als vor zehn oder zwanzig Jahren. Der einheimische Absatz der wichtigsten deutschen Produkte der Land- und Forstwirtschaft wie der Industrie ist durch eine Massenproduktion des Auslandes und die erleichterte Ableitung derselben auf den deutschen Markt in einer Weise bedroht, wie es noch vor kurzer Zeit nicht vorausgesehen werden konnte. Dazu kommt weiter, daß umgekehrt die fremden Nationen vielfach — es genügt, an Nordamerika zu erinnern — gelernt haben, durch die Zollgesetzgebung und die Schaffung einer eigenen Industrie die Einfuhr aus Deutschland zu entbehren.

Der bisherige, im wesentlichen auf den Vertragsverhandlungen mit Österreich und Frankreich beruhende deutsche Tarif ist deshalb — wenn auch zur Zeit seiner gesetzlichen Feststellung mancher gute Grund für denselben geltend gemacht werden konnte — unter den gegenwärtigen Verhältnissen in volkswirtschaftlicher Beziehung nicht mehr genügend.

Waren die vorstehend angeführten Gründe entscheidend dafür, daß die verbündeten Regierungen das Bedürfnis einer umfassenden Reform des Zolltarifs anerkannten, so zeigten sie zugleich im wesentlichen die Art und Weise an, wie die Reform des Tarifs auszuführen sei.

Hinsichtlich des finanziellen Zwecks der Reform konnte die Frage entstehen, ob derselbe nicht in der Weise zu erreichen wäre, daß — neben der gleichzeitig in Aussicht genommenen höheren Besteuerung von Bier und Tabak — nur einzelne Artikel, welche dazu besonders geeignet erscheinen, als Gegenstände höherer Zollbelastung behandelt würden. Allein abgesehen davon, daß sich eine scharfe Grenzlinie zwischen sogenannten Finanzzöllen und sogenannten Schutzzöllen überhaupt nicht ziehen läßt, so mußte es auch aus anderen Gründen rätlicher erscheinen, die erforderliche Vermehrung der Reichseinnahmen aus den Zöllen nicht durch eine sehr starke Belastung einiger weniger Artikel, sondern durch eine größere Reihe von mäßigen Zollbelegungen und Zollerhöhungen zur Verwirklichung zu bringen. Ein solches System der Tarifreform schließt sich der besonderen Natur der deutschen Verhältnisse an, weil gerade in der Mannigfaltigkeit der zur Besteuerung herangezogenen Gegenstände die Gewähr dafür liegt, daß trotz der in den einzelnen Staaten des Reichs sehr verschiedenartig gelagerten Konsumtionsverhältnisse keine einseitige Überlastung bestimmter Gebietsteile eintrete. Nur bei diesem Verfahren erschien es möglich, die unentbehrliche breite Grundlage für die deutsche Steuerreform zu gewinnen, durch welche eine Erleichterung auf dem Gebiete der direkten Steuern gesichert wird.

Auch die bei der Tarifrevision in Betracht kommenden volkswirtschaftlichen Rücksichten konnten nur dann zur vollen Geltung gelangen, wenn die Revision sich von vornherein auf alle Positionen des Zolltarifs erstreckte.

Im Hinblick auf die oben geschilderte Lage der deutschen Industrie, sowie der deutschen Land- und Forstwirtschaft handelt es sich nicht darum, nur einzelnen Industriezweigen durch besondere Schutzzölle zu Hilfe zu kommen, sondern vielmehr darum, der gesamten inländischen Produktion einen Vorzug vor der ausländischen Produktion auf dem einheimischen Markte zu gewähren, soweit überhaupt nach der Lage der betreffenden Produktionszweige die Gewährung eines solchen Vorzugs angemessen erscheint.

In diesem Sinne wurden die sämtlichen Positionen des Zolltarifs von der dazu niedergesetzten Kommission einer Prüfung unterstellt.

Die letztere führte zunächst bei den wichtigsten land- und forstwirtschaftlichen Produkten zu dem Vorschlage der Wiedereinführung mäßiger Zölle, deren eingehende Motivierung zu den betreffenden Positionen des Tarifs gegeben ist.

Unter den gleichen Gesichtspunkten wurde die Lage der verschiedenen deutschen Industriezweige gewürdigt. Auch hier ergab sich, daß verschiedenartige Anordnungen des bisherigen Tarifs im volkswirtschaftlichen Interesse geboten waren.

Die bereits oben erwähnte Verschiebung in der ökonomischen Machtstellung der Nationen, verbunden mit mannigfaltiger Überproduktion in anderen Ländern, mußte es bedenklich erscheinen lassen, der fremden Industrietätigkeit den deutschen Markt in dem gleichen Maße zugänglich zu lassen wie bisher. Es kam dabei insbesondere in Betracht, daß in anderen Ländern, und auch in solchen, die schon bisher vom Freihandel viel weiter entfernt waren als Deutschland, das Bestreben zutage tritt, der inländischen Produktion durch erhöhte Zölle in erster Linie den Absatz auf dem einheimischen Markte zu sichern.

Während die Vereinigten Staaten von Amerika schon seit längerer Zeit ihrer Industrie einen solchen Schutz erfolgreich haben zuteil werden lassen und Rußland seit dem 1. Januar 1877 durch die vorgeschriebene Zahlung der Zölle in Gold die fremden Waren höher belastet hat, haben Österreich-Ungarn und Italien bei dem Ablaufe der Handelsverträge Anlaß genommen, die Wareneinfuhr durch neu festgestellte allgemeine Tarife zum Teil beträchtlich zu erschweren, und auch in Frankreich — welches seinerseits unter dem Schutze der Handelsverträge den Schutz der nationalen Arbeit festzuhalten gewußt hatte — sind weitere Erwägungen über Anpassung des Zollsystems an die Bedürfnisse der einheimischen Erwerbstätigkeit im Gange.

Da die gegenwärtige Notlage der deutschen Industrie nicht erst in neuester Zeit entstanden ist, so fehlte es nicht an Material zur Beurteilung der berechtigten Ansprüche der Industrie an die deutsche Zollpolitik. Über zwei der wichtigsten, von dem Notstande ganz besonders betroffenen Industriezweige standen überdies die Ergebnisse der von den verbündeten Regierungen bereits im Sommer vorigen Jahres eingeleiteten planmäßigen Untersuchungen zur Verfügung.

Das Ergebnis der Prüfung der Bedürfnisse, welche für die einzelnen Industriezweige vom volkswirtschaftlichen Standpunkte geltend gemacht wurden, ist in den einschlägigen Positionen des Tarifs enthalten und weiter unten motiviert. Als Gesamtresultat darf hier folgendes bezeichnet werden:

Der einheimischen industriellen Produktion soll da, wo ein dringendes Bedürfnis nachgewiesen ist, ein etwas höherer Schutz als bisher gewährt werden. Im ganzen aber soll derselben mehr als ein mäßiger Vorsprung vor der fremden Konkurrenz nicht eingeräumt werden. Auch ist überall sorgsam in Erwägung gezogen, daß die Exportfähigkeit der deutschen Industrie erhalten und durch Sicherung des einheimischen Marktes angemessen verstärkt werde.

Da die Steigerung der indirekten Einnahmen des Reichs von den verbündeten Regierungen zu dem Zwecke erstrebt wird, um den Einzelstaaten finanzielle Erleichterungen und die Möglichkeit von Reformen auf dem Gebiete des direkten Steuerwesens zu gewähren, so würde es von großem Interesse sein, den Gesamtbetrag der Mehreinnahmen zu kennen, welche von den vorgeschlagenen Änderungen des Zolltarifs zu erwarten sind. Diesen Gesamtbetrag auch nur mit annähernder Sicherheit zu berechnen, hat sich jedoch als unmöglich ergeben. Die Verminderung der Einfuhr, welche infolge der Einführung oder Erhöhung von Zöllen zu erwarten ist, wird bei den verschiedenen, hierbei in Betracht kommenden Artikeln in ganz verschiedenem Maße stattfinden.

Das Gesamtergebnis der vorzunehmenden Zollerhöhungen entzieht sich jeder auch nur annähernd sicheren Berechnung in allen den Fällen, wo die Gegenstände der Verzollung früher frei eingingen. Verschiedene Versuche von Abschätzungen haben Resultate geliefert, welche zwischen 30 und 100 Millionen Mark schwanken, ohne daß für das eine Extrem mehr Sicherheit wie für das andere vorläge, so daß sogar darüber hinausgehende Übertreibungen in der Presse ebenfalls jedes Maßstabes und jeder Kontrolle entbehren. Nur da, wo die früher bestandenen Zölle erhöht worden sind, liefern die Listen wirkliche Anhaltspunkte, die aber immer unsicher bleiben, weil der Rückschlag der Zollerhöhung nicht zu berechnen ist.

Bei allen bisher unverzollten Artikeln haben die vorliegenden statistischen Nachrichten keinen Anspruch auf volle Glaubwürdigkeit. Sie gehen in wesentlichem, zum Teil schon jetzt nachweisbaren Umfange mit den kontrollierenden Angaben der Eisenbahnen auseinander. Die eingeführten Massen zollfreier Waren sind natürlich nicht gemessen und gewogen. Noch weniger läßt sich die Ausfuhr feststellen, am wenigsten die Durchfuhr. Ertragsschätzungen, für welche die Regierungen die Verantwortlichkeit übernehmen könnten, lassen sich unter diesen Umständen schon deshalb nicht vornehmen, weil die Richtigkeit der über die Einfuhr gemachten statistischen Angaben amtlich nicht gewährleistet werden kann.

91. Rede in der 36. Sitzung des Deutschen Reichstags am 2. Mai 1879
W 12, 58 ff. = Kohl 8, 11 ff.

Bismarck eröffnet die Diskussion über den Gesetzentwurf betr. den Zolltarif des deutschen Zollgebietes mit der folgenden programmatischen Rede:

Wenn die verbündeten Regierungen durch ihre Vorlagen und durch die Motive dazu die Debatte eröffnet, das erste Wort gesprochen haben und die Erwiderung darauf erwarten dürfen, so ist es mir doch nach der Stellung, welche ich zu diesen Vorlagen von Hause aus genommen habe, ein Bedürfnis, auch diese Stellung persönlich mit wenigen einleitenden Worten zu rechtfertigen und meine Auffassung der Gesamtvorlagen, ihrer Motivierung und ihrer Notwendigkeit in kurzem vor Ihnen darzulegen.

Das Bedürfnis einer Finanzreform in Deutschland ist ja ein altes und nicht bloß seit der Zeit vorhandenes und lebendiges, seit wir mit dem Worte Deutschland wieder einen staatlichen Begriff verbinden, sondern es war meines Erachtens lange vor 1866, es ward seit 1848 vielleicht in allen Landesteilen, namentlich aber in dem größten Bundesstaat, in Preußen, lebhaft empfunden.

Unsere Finanzgesetzgebung, ich spreche nicht von der wirtschaftlichen, hat seit den Jahren 1818 und 1824, in Preußen wenigstens — ich kann, wenn ich von den einzelnen Reichsländern und ihrer Beziehung zur Reichsfinanz spreche, hier nur über meine engere Heimat mit Sicherheit urteilen — in Preußen also, sage ich, hat diese Gesetzgebung, vom finanziellen Standpunkt beurteilt, geruht; die Gesetze, die seit 1824 mit Ausnahme der untergeordneten in Preußen erschienen sind, waren mehr von politischer als finanzieller Tragweite; ich rechne dahin die Einkommensteuer, die im Jahre 1851 eingeführt wurde, und die einem, wie ich gern zugestehe, berechtigten Verlangen entsprach, die größeren Vermögen in höherem Maße als bei der alten Klassensteuer heranzuziehen. Es kam dann 1861 die Grundsteuer und die Gebäudesteuer, im übrigen aber ist meines Wissens vom preußischen Finanzministerium eine Initiative zu irgendeiner finanziellen Reform der seit 1824 gültigen Situation nicht ausgegangen, auch keine mißlungene. Es erklärt sich das ja durch das Verhältnis, in welchem die Staaten zum Zollverein standen, und durch die Lage der Zollvereinsverhandlungen während des größten Teils dieser Epoche, wenigstens bis zu Anfang der fünfziger Jahre; der Zollverein, der den Schlüssel zu den indirekten Steuern besaß, war eine lösbare Schöpfung, die sich auf dauernde Steuerverfassungen nicht wohl einrichten konnte, da alle zwölf Jahre ihre Existenz in Frage gestellt wurde, und dieser mehr äußerliche Umstand rechtfertigt logisch die Tatsache, daß die Ausbildung unseres indirekten Steuerwesens im Vergleich mit anderen europäischen Ländern in dieser Zeit wesentlich zurückgeblieben ist.

Ich bitte, die wirtschaftliche Seite der Sache und die finanzielle hierbei nicht zu konfundieren, ich habe zunächst bloß die finanzielle in Aussicht.

Eine Möglichkeit, auch die indirekten Steuern in der Weise zu pflegen, wie es in anderen Staaten geschieht, trat erst ein mit der Schöpfung des Norddeutschen Bundes, des Zollvereinsparlaments, respektive des Deutschen Reichs.

Wenn ich für meine Person nicht damals der Aufgabe einer finanziellen Reform näher getreten bin, so kann ich außer den Abhaltungen, die für mich in politischen Geschäften und auch zum Teil in der mangelnden Gesundheit lagen, dafür anführen, daß ich es nicht als eine Aufgabe betrachte, die in erster Linie dem Reichskanzler obläge, eine finanzielle Reform anzubahnen; es hat sich die Praxis auch parallel mit dieser Auffassung bewegt, indem Sie sich erinnern, daß der erste Versuch einer finanziellen Reform, bei dessen Anregung ich beteiligt war, sich entwickelte in dem sogenannten Steuerbukett des königlich preußischen Finanzministers Freiherrn von der Heydt, der selbst und persönlich für die Sache eintrat; seine Vorlage wurde hauptsächlich mit der Motivierung abgelehnt, daß einzelne Finanzmaßregeln dem Lande nicht nützlich wären, sondern daß es notwendig sei, eine volle, durchgreifende Reform an Haupt und Gliedern in den Finanzen vorzunehmen. Ähnlich sind demnächst einzelne Vorlagen des Nachfolgers des Ministers von der Heydt, des Ministers Camphausen, mit ähnlichen Gründen bekämpft worden. Für mich war, wenn ich der Sache persönlich nahe treten sollte, eine Vorbedingung die, daß ich mit den Finanzministern der einzelnen, wenigstens der größeren Bundesstaaten und namentlich mit dem Preußens über die

Hauptprinzipien der vorzunehmenden Reform mich im Einklang befände, da ich vorgehen wollte nicht auf die Gefahr hin, die Stimmen meiner preußischen Kollegen nicht hinter mir zu haben. Dies war bis vor einem Jahre nicht vollständig der Fall, und soweit es prinzipiell der Fall war, war doch eine Einigung *in concreto* nicht zu erreichen. Nachdem diese für mich unerläßliche Vorbedingung hergestellt war, bin ich einem Geschäft näher getreten, von dem andere noch mehr wie ich überzeugt waren, daß es mir persönlich eigentlich nicht oblag. Ich habe mich dabei, je mehr ich mich hineinarbeitete, von der Notwendigkeit der Reform nur um so voller überzeugt und namentlich von ihrer Dringlichkeit.

Der heutige Zustand der deutschen Gesamtfinanzen, worunter ich nicht bloß die Reichsfinanzen, sondern die Gesamtheit der Finanzen des Reichs und der einzelnen Länder verstehe — denn bei dem organischen Zusammenhang derselben lassen sie sich nicht getrennt behandeln und betrachten — ist derart, daß er meines Erachtens auf das dringlichste zu einer baldigen und schleunigen Reform auffordert. Das erste Motiv, welches mich in meiner politischen Stellung als Reichskanzler nötigt, für die Reform einzutreten, ist das Bedürfnis der finanziellen Selbständigkeit des Reiches. Dieses Bedürfnis ist bei der Herstellung der Reichsverfassung schon anerkannt worden. Die Reichsverfassung setzt voraus, daß der Zustand der Matrikularbeiträge ein vorübergehender sein werde, welcher so lange dauern solle, bis Reichssteuern eingeführt wären. Es wird für denjenigen, der in dieser beschäftigten Zeit Muße dazu gewinnt, gewiß erfreulich sein, die Verhandlungen nachzulesen, die in dem verfassunggebenden Reichstage darüber gepflogen wurden, und namentlich die sehr eindringliche und überzeugende Rede, die Herr Miquel damals gegen die Matrikularumlagen hielt. Ich gehe nicht so weit wie er in seinen Bezeichnungen; er nannte damals die Matrikularumlagen — die Umlagen, wie er sich kurz ausdrückte — gleichbedeutend mit der finanziellen Anarchie in Deutschland. Das möchte ich nicht in diesem Wortlaut unterschreiben, aber gewiß ist, daß es für das Reich unerwünscht ist, ein lästiger Kostgänger bei den Einzelstaaten zu sein, ein mahnender Gläubiger, während es der freigebige Versorger der Einzelstaaten sein könnte bei richtiger Benutzung der Quellen, zu welchen die Schlüssel durch die Verfassung in die Hände des Reiches gelegt, bisher aber nicht benutzt worden sind.

Diesem Zustand muß, glaube ich, ein Ende gemacht werden, denn die Matrikularumlage ist ungleich und ungerecht in ihrer Verteilung, wie damals Herr Miquel sagte: 30 000 oder, wie er sagte, 100 000 Bewohner von Thüringen oder Waldeck können nicht ebensoviel bezahlen an Matrikularbeiträgen, wie 30 000 oder 100 000 Bewohner von Bremen oder

Hamburg. Die Konsolidation des Reiches, der wir ja alle zustreben, wird gefördert, wenn die Matrikularbeiträge durch Reichssteuern ersetzt werden; sie würde auch nicht verlieren, wenn diese Steuern so reichlich ausfallen, daß die Einzelstaaten vom Reich empfangen, anstatt daß sie sie bisher in einer nicht immer berechenbaren und für sie unbequemen Weise zu geben hatten.

Ein zweites Motiv, weshalb mir der gegenwärtige Zustand der Änderung notwendig bedürftig erscheint, liegt in der Frage: Ist die Last, die im staatlichen und Reichsinteresse notwendig aufgebracht werden muß, in derjenigen Form aufgelegt, in welcher sie am leichtesten zu tragen wäre, oder ist sie es nicht? Diese Frage muß ich nach meiner Überzeugung verneinen, und, wie Sie aus der Vorlage ersehen werden, wird sie von den verbündeten Regierungen in ihrer Allgemeinheit absolut verneint. Wir erstreben überhaupt nicht einen höheren Ertrag, eine höhere finanzielle Einnahme, insoweit nicht der Reichstag und die Landtage die Notwendigkeit mit uns erkennen und Ausgaben votieren, zu deren Deckung die Mittel beschafft werden müssen. An sich wüßte ich nicht, was das Reich mit einem Überschuß an Geldern anfangen sollte; wir haben es gehabt an den Milliarden und sind bei der Verwendung derselben in eine gewisse Verlegenheit geraten.

Diesen Zustand aber künstlich auf Kosten der Steuerpflichtigen zu erzeugen, indem wir in jedem Jahre mehr einnehmen als ausgeben, kann einer vernünftigen Staatsverwaltung an sich nicht zugemutet werden. Der Verdacht, der in dieser Beziehung stellenweise in der Presse ausgesprochen wird, ist ungerecht und, ich kann sagen, absurd. Wir verlangen nicht mehr, als wir jetzt haben, und als wir nach Ihrem und der Landtage Votum mehr haben sollen, wir wünschen aber, daß das, was nach Ihrem und der Landtage Votum notwendig aufgebracht werden muß, in der Form aufgebracht werde, in welcher es für die Kontribualen am leichtesten zu tragen ist. Die verbündeten Regierungen sind der Überzeugung, daß in dieser Beziehung die bei uns vermöge der Verhältnisse, die ich vorhin nannte, im Zollverein so lange vernachlässigte Quelle der indirekten Steuern diejenige ist, welche das Tragen der Last, der wir uns in irgendeiner Weise unterziehen müssen, am meisten erleichtern kann. Ich werfe also dem jetzigen Zustande vor, daß er zu viel von den direkten Steuern verlangt, zu wenig von den indirekten, und ich strebe danach, direkte Steuern abzuschaffen und das Einkommen, was sie gewähren, durch indirekte Steuern zu ersetzen. Wenn ich auch hier nur mein näheres Heimatland, Preußen, in das Auge fassen kann, zweifle ich doch nicht, daß in den meisten, vielleicht in allen Bundesstaaten ähnliche Verhältnisse stattfinden werden. Die Belastung der direkten Steuern hat meines Erachtens in Preußen eine Höhe erreicht, mit Hilfe der Zuschläge, die für die Provinz, den Kreis, die Gemeinde erfordert werden, daß diese Höhe nicht fortbestehen kann, und daß, wo irgendwie wegen Ausdehnung der Selbstverwaltung oder aus anderen Gründen größere Kosten erforderlich sind, diese nach jetzigem System nicht aufgebracht werden können. Ich kann ja über das, was ich in Preußen erstrebe, kein bestimmtes Programm aufstellen, ich kann nur sagen, für welches Programm ich keinen Einfluß in Preußen, soweit er reicht — und er ist geringer, als die meisten annehmen —, geltend machen werde. Wir bezahlen in Preußen an Grundsteuer bisher etwa 40 Millionen Mark, an Gebäudesteuer in diesem Augenblick — es pflegt ja bei ihr von Zeit zu Zeit eine Erhöhung einzutreten — ich weiß nicht, ob wir 21 Millionen jetzt schon bezahlen oder bezahlen sollen. Die Erhöhung dieser Gebäudesteuer schwebt über den Besitzern der städtischen und ländlichen Gebäude fortschreitend, so wie früher vor der Kontingentierung die Klassensteuer; diese beiden Posten schon, zusammen etwa 60 Millionen, wären meines Erachtens der Provinz, dem Kreis und der Gemeinde zu überweisen und diese dadurch von der Notwendigkeit zu entbinden, in der sie sich befinden, gerade zu dieser Steuer und anderen ähnlichen Zuschläge zu zahlen, die in einzelnen Gemeinden mehrere hundert Prozent betragen. Ich will nicht von Berechnungen sprechen, die mir vorliegen, nach welchen die städtischen Budgets einzelner Städte und zwar der 70 größten Städte, von 100 Prozent, respektive bis über 2000 Prozent der direkten Steuern aufzubringen haben. Ich vermute, daß darin manche Lasten sein werden, wie der Ankauf von Gas- und Wasserleitungen, die eigentlich nicht zu den Steuern gehören; immer aber ist gewiß, daß die Zuschlagsteuern in einzelnen Gemeinden 400—500 Prozent betragen, in städtischen Gemeinden. Da ist eine Erleichterung meines Erachtens ganz unabweislich, und, wenn man die genannten beiden Staatssteuern, zu denen sie Zuschläge zahlen, überweist, so würde man ungefähr 60 Millionen Mark überweisen, während die Zuschläge, die sie bisher bezahlen, 58 betragen, was sie aber nicht hindert, daß sie außerdem noch Kommunalsteuern im Gesamtbetrage, zu diesen hinzugerechnet, von 139 Millionen aufbringen, und daß dabei, wie ich glaube, die 26 Millionen, die für Kreis- und Provinzsteuern in den östlichen Provinzen gezahlt werden, noch nicht mit eingerechnet sind, daß also noch lange nicht eine Kostenfreistellung der Gemeinden stattfindet, aber doch eine wesentliche Sublevation.

Dann glaube ich, daß — immer nur von Preußen und denjenigen, die gleiche Steuern mit Preußen haben, gesprochen — daß die Klassensteuer mit ihren 42 Millionen gänzlich in Wegfall kommen soll, soweit sie vom Staate erhoben wird. Wollen einzelne Gemeinden sie für sich erheben, so ist das ihre Sache; aber ich könnte unter Umständen sogar für ein Gesetz stimmen, welches den Gemeinden das untersagt; denn ich halte diese direkte Steuer, auf Klassen gelegt, welche überhaupt mit der Not des Lebens nach ihrer Vermögenslage zu kämpfen haben, Klassen bis zu 1000 Talern Einkommen, wobei diese 1000 Taler Einkommen nicht der Arbeiter hat, der in Kleidung und Wohnung nicht geniert ist, sondern es muß dafür Steuern zahlen, der mit diesen 1000 Talern Einkommen seine Stellung schon schwer aufrechterhalten kann. Diese Art direkter Steuer, die nach mehr oder weniger Willkür des Veranlagenden von jemand erhoben wird, die er bezahlen muß, nicht nach seiner Bequemlichkeit, sondern zu einem bestimmten Termin, wo die Exekution, wo die ganze Schmach der Exekution vor den Nachbarn, vor seinen Augen steht, wenn er sie nicht zahlt, eine Steuer, die mehr als irgendeine andere denjenigen, die die Erregung der Unzufriedenheit mit den bestehenden Verhältnissen sich zu ihrer Aufgabe stellen, zum Mittel und Hebel dient — diese Steuer sollte meines Erachtens vollständig wegfallen, am allermeisten in großen Städten wegfallen, wo man sie für die vielvermißte Mahl- und Schlachtsteuer eingeführt hat.

Ich stimme, wobei ich von Hause aus erklären muß, daß ich für dieses Detail der Zustimmung der preußischen Kollegen nicht sicher bin und auch nicht sage, ich stehe und falle mit diesem Programm, sondern ich sage, es ist ein Ziel, nach dem ich strebe, und für das ich die Zustimmung meiner preußischen Kollegen zu gewinnen suchen werde.

Mir ist in den westlichen europäischen Staaten eine ähnliche Steuer wie die Klassensteuer, eine direkte Steuer auf diese vermögenslosen und zum Teil mit den Schwierigkeiten der Zeit in übler Lage kämpfenden Klasse der Staatsbürger nicht bekannt; nur in Rußland ist mir in Erinnerung die Kopfsteuer, die, wie mir vorschwebt, 112 oder 118 Millionen Rubel jährlich beträgt, also nächst der Branntweinsteuer der stärkste Posten des russischen Einnahmebudgets, eine Steuer, die pro Kopf zwischen 1 Rubel und 18 Kopeken und 2 Rubel variiert — diese Steuer, die einzige, die mir in ähnlicher Weise bekannt ist — und wo die Sicherheit, mit der sie eingeht, doch nur dadurch verbürgt ist, daß jede Gemeinde solidarisch verantwortlich ist für die Steuerquote, die auf sie fällt wie auf die gesamten, der Gemeinde angehörigen Individuen, und daß die Gemeinde ausgepfändet wird vom Staate, wenn die Steuer nicht bezahlt wird. Daher ist die Steuer eine verhältnismäßig sicher eingehende; nichtsdestoweniger habe ich, ich weiß nicht, ob aus Zeitungen, aber jedenfalls aus den mir

zugänglichen Berichten die Nachricht, daß die russischen Finanzmänner diese direkte Steuer für hart halten, die einzige, die sie haben, und damit umgehen, sie durch indirekte Steuern zu ersetzen. Ein Staat wie Rußland, der augenblicklich nach den schweren Kriegen, die er geführt hat, in keiner glänzenden Finanzlage sein kann, trägt doch seinerseits dem Unterschiede zwischen direkten und indirekten Steuern so weit Rechnung, daß er sich zur Aufgabe stellt, die einzige große direkte, die er noch heute hat, und die auf dem Volke lastet, zu beseitigen. Ich halte die Klassensteuer für eine Steuer, die abgeschafft werden sollte. Die Einkommensteuer, die mit ihr in Verbindung steht, sollte meines Erachtens in der Weise revidiert werden, daß sie einen geringeren Ertrag gibt als jetzt. Sie gibt jetzt, soviel ich mich erinnere, zirka 31 Millionen Mark, und die Richtung, in der ich ihren Ertrag herabsetzen möchte, ist folgende:
Von dem Einkommen, welches aufhört, klassensteuerpflichtig zu sein, von 1000 bis zu einem Einkommen von 2000 Taler — ich bitte um Entschuldigung, wenn ich der Kürze und Verständlichkeit wegen noch in Talern, noch nicht in Mark rede — also bei 1000 und 2000 Taler Einkommen sollte meines Erachtens nur fundiertes Einkommen eine Steuer bezahlen. Ich nenne fundiertes Einkommen dasjenige, was erblich übertragbar ist, dasjenige, was aus dem Besitz von zinstragenden Papieren oder Kapitalien oder aus Landgütern und Grundbesitz hervorgeht, und ich möchte dann noch einen Unterschied zwischen verpachteten und selbstbewirtschafteten Grundbesitzen machen, der das Einkommen von Pacht bezieht und nebenher noch ein Geschäft betreiben kann, also günstiger gestellt ist als derjenige, der im Schweiße seines Angesichts *paterna rura* bearbeitet. Für die beizubehaltenden Kategorien der Einkommensteuer über 2000 Taler ist meines Erachtens derselbe Unterschied festzuhalten, aber nicht so, daß das täglich zu erwerbende und zu gewinnende Einkommen ganz steuerfrei bleibt, sobald es über 2000 Taler beträgt, daß es aber jedenfalls einen geringeren Satz bezahlt als der jetzige und jedenfalls einen geringeren Satz als das fundierte Einkommen. Wer als Kaufmann, als Industrieller, als Handwerker sich ein Einkommen durch tägliche Arbeit verdient, der Gefahr laufen kann, daß es ihm morgen verringert wird, welches sich nicht auf seine Kinder übertragen läßt, ist ungerecht besteuert, wenn gerade soviel von diesem Manne bezahlt werden soll, wie von dem, der bloß die Schere zu nehmen und die Kupons abzuschneiden oder bloß eine Quittung zu schreiben braucht für den Pächter, der ihm das Pachtgeld bezahlt. Ich bin deshalb der Meinung, daß die Steuer für das nicht fundierte Einkommen heruntergesetzt werden sollte, und bin ferner der Ansicht, daß ein Staatsbeamter eine staatliche Einkommensteuer nicht

bezahlen darf. Es ist das eine unlogische Auflage, die mir als solche schon erschien, wie ich mich erinnere, in der Zeit, wie sie gemacht wurde. Ich kann sie nur identifizieren mit der direkten Steuer, die der Staat etwa auf die Kupons seiner eigenen Schulden legen würde. Er schuldet dem Beamten das Gehalt, zieht ihm aber unter dem Vorwande der Staatssteuer etwas ab — ich spreche nicht von der Gemeindesteuer, es ist der Beamte in einer anderen Lage einer Gemeinde gegenüber — aber vom Staate finde ich es als ein unrichtiges Verfahren, daß er dem Beamten einen Teil des Gehalts als Steuer für den Finanzminister wieder abzieht. Entweder der Beamte ist ausreichend bezahlt, was ich von den wenigsten bei uns sagen kann, oder er ist nicht in dem Fall, oder er ist zu hoch bezahlt. In dem Fall, daß er zu hoch bezahlt ist, mag man ihm einen Teil des Gehalts entziehen; ist er ausreichend bezahlt, so ist es gut, ist er aber nicht ausreichend bezahlt, so ist es eine außerordentliche Härte, ihm durch die Steuer noch einen Teil des Gehalts zu verkürzen.

Ich bin in diesem Teile meines Vortrages etwas weitläufiger geworden, weil ich den Eindruck gewonnen habe, daß über die Absichten der Reichsregierungen — ich bin ja nicht die Reichsregierung, es gibt nur Reichsregierungen — der Reichsregierungen nach dieser Richtung, nach der Richtung der Verwendung dessen, was einkommen könnte, dessen, was durch das Hinwegfallen der Matrikularbeiträge flüssig werden würde, daß darüber die verschiedensten und wunderlichsten Meinungen bestehen. Es wird jedem Staate überlassen sein können, mit seinem Landtage darüber sich zu einigen, was er mit den disponibel werdenden Einnahmepositionen zu machen hat, in dem Falle, daß er keine Matrikularbeiträge mehr bezahlt, in dem noch günstigeren, von mir erhofften und erstrebten Falle, daß das Reich in der Lage sein wird, aus seinen indirekten Einnahmequellen noch an die einzelnen Staaten herauszuzahlen; also, was der einzelne Staat mit seiner Quote anfängt, wird er mit seinem Landtage abzumachen haben. Ich habe beispielsweise dargelegt, was mir, da ich zugleich preußischer Minister bin, in Bezug auf Preußen vorschwebt. Ich will nicht sagen, daß es sofort und glatt zu geschehen hätte, aber worauf ich meine Bestrebungen in Preußen richten werde, ohne daß meine Wünsche gerade absolut, schnell und vollständig befriedigt werden müssen; ich arbeite nach der Seite hin.

Ich komme dann auf einen anderen Mangel, an dem meines Erachtens die Erhebung unseres Einkommens leidet, und ich muß mich leider auch da mehr auf die preußischen Verhältnisse einschränken, da die Verhältnisse im ganzen Reich zu ungleichartig sind; indessen das, was für Preußen gültig sein wird, hat *mutatis mutandis* auch in allen nördlichen Staaten

Geltung, die der preußischen Gesetzgebung seit längerer Zeit parallel gegangen sind, vielleicht auch in den südlichen. Es ist das die ungleiche Verteilung der Last, wie sie jetzt vorhanden ist, zwischen unbeweglichem und beweglichem Vermögen. Der ländliche und der städtische Grundbesitz sind durch die Art, wie heutzutage die finanziellen Bedürfnisse in Preußen erhoben werden, wesentlich prägraviert im Vergleich mit dem beweglichen Besitz. Die Steuern, die ich vorher anführte als neu eingeführt, zu denen die Grundsteuer kaum gehört — denn die Grundsteuer hat seit dem Jahre 1861 für den Staat kaum eine Erhöhung erlitten, sie ist anders verteilt worden, die Erhöhung ist wenigstens verhältnismäßig geringfügig — diese Steuern treffen ja mit ihrem Hauptgewicht den Grundbesitz.

In den Reden, die wir *avant la lettre* hier über die Fragen gehört haben, die uns heute beschäftigen, und in den Artikeln der Zeitungen ist ja sehr viel von der Notwendigkeit wohlfeilen Getreides und wohlfeiler Nahrungsmittel die Rede. Ich weiß nun nicht, ob es gerade ein Mittel gewesen ist, diese Wohlfeilheit herbeizuführen, wenn man den inländischen Getreideproduzenten mit einer Grundsteuer belegte, die 10 Prozent des Reinertrages nominell, ich will sagen, in Wirklichkeit nur 5 Prozent des damaligen höheren Reinertrages, aber da, wo eine Verschuldung auch nur bis zur Hälfte ist, ein Fall, der leider bei uns sehr häufig ist in großen und kleinen Besitzungen, doch 10 Prozent beträgt.

Derselbe Landwirt, der diese Grundsteuer bezahlt und sie abrechnen muß von dem Ertrag des von ihm zu Markt gebrachten Getreides, der hat außerdem nun noch für die landwirtschaftlichen Gebäude, die er braucht, eine Gebäudesteuer zu zahlen, in der eine gewisse Schraube liegt, die alle Jahre wächst und, ich weiß nicht, wie hoch noch wachsen wird, wenn sie nicht kontingentiert wird, und wo meiner Erfahrung nach unter Vorwänden, die ich mir nicht aneignen möchte — Zunahme der Nutzung bei Zurückgang der ganzen Landwirtschaft —, fast in jedem Jahre Erhöhungen vorkommen.

Dieselbe Gebäudesteuer schlägt also nochmals denselben Rohproduzenten, der durch die Grundsteuer betroffen ist. Dann kommt die Einkommensteuer, die ohne Rücksicht darauf, daß sein Einkommen aus Grund und Boden durch die Grundsteuer schon einmal und durch die Gebäudesteuer zum zweitenmal besteuert worden ist, ihn für dasselbe Einkommen aus den Gebäuden belastet, die wesentlich nur das Handwerkszeug zur Benutzung des Grundes und Bodens sind, für den er auch bereits steuert. Es ist dies nicht nur eine doppelte Steuer, es ist eine dreifache Besteuerung desselben Einkommens.

Die Besteuerung, soweit sie in der Grundsteuer liegt, beläuft sich also auf 5 Prozent bei einem schuldenfreien Gute, auf 10 Prozent bei einem Gute, was zur Hälfte verschuldet ist. Die Gebäudesteuer beträgt etwas über die Hälfte der Grundsteuer; sie ist auf 21 Millionen Mark gewachsen. Man kann also annehmen, daß auch sie, wenn nicht ganz den halben Betrag der Grundsteuer, doch mindestens 2—5 Prozent auch von dem Ertrage des Getreidebaues vorweg nimmt, soweit sie auf landwirtschaftlichen Gebäuden beruht. Die Einkommensteuer nimmt sicher ihre 3 Prozent davon. Sie haben also, wenn Sie das addieren, in der Minimalposition, die ich angenommen habe, eine Belastung der inländischen Getreideproduktion von 5, von 2 und von 3, macht 10 Prozent für den unverschuldeten Grundbesitz. Ist er zur Hälfte verschuldet, so steigt diese Belastung auf gegen 20 Prozent, und die Verschuldungen, die vorhanden sind, wollen Sie doch den Leuten nicht so hoch anrechnen und nicht als Ergebnis der Verschwendung. Sie können zurückgehen auf die Entstehung der meisten Schulden. Wenn sie nicht aus Güterteilung entstanden sind, sowohl bei den Bauern- wie bei den Rittergütern, so haben sie zum größten Teil ihren Ursprung in den Verwüstungen, denen Norddeutschland, und namentlich das nordöstliche Deutschland, in den französischen Kriegen im Anfang dieses Jahrhunderts ausgesetzt gewesen ist, und in der allgemeinen Ratlosigkeit und Not, in die die Besitzer der östlichen Landesteile gerieten, als ihnen durch die Ablösungsgesetze, jene vernünftigen Gesetze, aber für den Augenblick schwer drückenden, die vorhandenen Arbeitskräfte entzogen wurden, sie neue nicht bekamen und hatten kein Kapital! Also man kann die vorhandene Verschuldung mehr dem politischen Gange zurechnen, den Bestrebungen, die Preußen für die Stellung, die es hat und die schließlich zur Konsolidierung des gesamten Deutschlands geführt hat und dem gesamten Deutschland zugute gekommen ist, verfolgt hat. Für diese selbe Aufgabe ist der an und für sich kümmerliche Grundbesitz der östlichen Provinzen vielfach im Feuer der Verschuldung gewesen. Ich überlasse das den Statistikern — ich bin kein Freund von statistischen Zahlen, weil ich den Glauben an sie bei näherem Studium verloren habe — *(sehr richtig!)*, aber ich überlasse es den Statistikern, zu erwägen, wie es sich auf den Scheffel Roggen ausrechnen läßt, diese zirka 10 bis 20 Prozent an Staatssteuern, die der Grundbesitz vorweg zu tragen hat im Vergleich mit dem beweglichen Einkommen, welches seinerseits nur 3 Prozent Einkommensteuer bezahlt. Rechnen sie zu beiden noch dazu die kommunalen, Kreis- und provinzialen Zuschläge: Sie werden mir zugeben, daß 100 Prozent Zuschlag günstige Verhältnisse sind, und daß diese Zuschläge in den ackerbautreibenden Provinzen vorzugsweise auf der Landwirtschaft ruhen: so haben Sie für die einheimische Landwirtschaft eine Besteuerung der Getreideproduktion, die zwischen 20, 30, ja selbst mehr Prozent variiert, und demgegenüber findet die Einfuhr alles ausländischen Getreides unverzollt statt. Wenn es wirklich ein Glück einer Nation ist, vor allen Dingen wohlfeiles Getreide zu haben, und wenn das rechtzeitig erkannt wäre, etwa im Jahre 1861, wie die Grundsteuer eingeführt, so sollte man annehmen, daß man damals anstatt der Grundsteuer eher eine Prämie auf den Getreidebau im Lande gezahlt hätte und, wenn man keine Prämie zahlte, es doch im höchsten Interesse der öffentlichen Ernährung gefunden hätte, daß der inländische Getreidebau mindestens steuerfrei wäre, damit er recht wohlfeil den Konsumenten versorgen könne. Statt dessen ist kein Gewerbe im ganzen Lande so hoch besteuert wie die Landwirtschaft. Bringen Sie die Landwirtschaft heute herunter auf die Gewerbesteuer, auf die durchschnittliche Steuer jedes anderen Gewerbes, und Sie werden sie um mindestens drei Viertel dessen, was sie heute trägt, erleichtern müssen, vielleicht um sehr viel mehr.

In allen anderen Produktionen ist die erste Aufgabe des Gesetzgebers auch schon früher immer gewesen, den inländischen Produzenten etwas besser zu behandeln als den fremden. In den landwirtschaftlichen Produkten ist es gerade umgekehrt. Es ist vielleicht der Glaube an die Unerschöpflichkeit der Bodenrente, daß der Boden immer noch etwas bringt, weil nur ein Mann, der ihn selbst im Schweiße seines Angesichts bebaut hat, die Grenzen kennt, in denen der Boden noch rentiert. Es ist vielleicht auch das Gefühl, daß die Repräsentanten und Interessenten der Landwirtschaft hauptsächlich die wenigen Besitzer von Latifundien seien, die man hier in Berlin unter Umständen, sei es im Reichstage, sei es bei Borchardt oder sonst wo zu sehen bekommt *(Heiterkeit)*, und die, weil sie reiche Leute sind, auch noch reiche Leute im allgemeinen Notstand bleiben – daß das die Repräsentanten der Landwirtschaft wären.

Meine Herren, es gibt in ganz Preußen nur 15 000 Rittergüter, und wenn ich annehme, daß davon 3000—4000 wohlhabenden Leuten gehören, so ist es recht viel. Es gibt aber in Preußen allein und im Reich noch mehrere Millionen Grundeigentümer. Die statistischen Nachrichten sind so widersprechend, so ungenau und wie mir scheint, so absichtlich und tendenziös gruppiert *(sehr richtig! rechts!)*, daß es sehr schwer wäre, die Zahl der Grundeigentümer herauszufinden, aber auf drei bis vier Millionen belaufen sie sich ganz sicher. Diese Grundeigentümer haben ihre Angehörigen, und das Wohl und Wehe dieser Masse der Bevölkerung, mögen Sie sie auf zwei Fünftel oder drei Fünftel der Nation veranschlagen – auch darüber hat die Statistik keine Sicherheit — ist es, das meines Erachtens vom Gesetzgeber Gerechtigkeit und gleiche Behandlungen mit den übrigen Gewerben verlangt.

Es ist ferner ein vierter Vorwurf, den ich der augenblicklichen Gesetzgebung mache, und das ist ja einer der gewichtigsten, der uns vielleicht in unseren Diskussionen mehr beschäftigen wird wie die rein finanzielle Seite der Sache — das ist derjenige, daß die jetzige Veranlagung unserer indirekten Steuern der einheimischen, vaterländischen Arbeit und Produktion nicht das Maß von Schutz gewährt, was ihr gewährt werden kann, ohne die allgemeinen Interessen zu gefährden.

Ich lasse mich hier auf einen Streit zwischen Schutzzoll und Freihandel überhaupt nicht ein. Bisher sind wir noch alle Schutzzöllner gewesen, auch die größten Freihändler, die unter uns sind, denn keiner hat bisher noch weiter heruntergehen wollen als der heute zu Recht bestehende Tarif, und dieser Tarif ist noch immer ein mäßig schutzzöllnerischer *(sehr richtig! links)*, mäßig und schutzzöllnerisch ist auch die Vorlage, die wir Ihnen machen. Einen mäßigen Schutz der einheimischen Arbeit verlangen wir. Wir sind weit entfernt von irgendeinem System der Prohibition, wie es in den meisten Nachbarländern stattfindet, wie es in unserem früheren Hauptabnehmer Amerika stattfindet, Zölle von 60—80 Prozent *ad valorem* im Durchschnitt. Alles das, was wir Ihnen geben als Schutzzoll, bleibt innerhalb der finanziellen Besteuerung, mit Ausnahme derjenigen, wo das Unterlassen eines höheren Schutzes erhebliche augenblickliche Nachteile für zahlreiche Klassen unserer Mitbürger nach sich ziehen würde. Es ist kein tendenziöser Schutztarif, den wir Ihnen vorschlagen, es ist kein prohibitiver, es ist nicht einmal die volle Rückkehr zu dem Maß von Schutzzoll, was wir im Jahre 1864 besaßen. Die vergleichenden Übersichten der Tarife von 1864 und von heute sind in Ihren Händen, und Sie werden wahrscheinlich gleich mir überrascht sein beim ersten Anblick, wenn Sie die Höhe des Abhanges sehen, den wir allmählich herabgegangen sind, daß wir das getan haben, und daß ich es mitgetan habe, obschon die Neigung, mich nun *in specie* für die Gesetzgebung verantwortlich zu machen auf diesem Gebiete, eine stark tendenziöse ist, die ich vollständig ablehnen könnte; ich bin aber nicht schüchtern genug, um irgendeine Verantwortlichkeit, die mir nach dem Buchstaben des Gesetzes obliegt, abzulehnen. Ich glaube auch, die Strömung für minderen Schutz — ich will nicht sagen für Freihandel, denn soweit ist noch keiner von uns gegangen und kein Staat, vollen Freihandel, lediglich Finanz- und Konsumtionszölle ohne jeglichen Schutz der Industrie zu wollen, soweit ist noch niemand gegangen — aber die Strömung für allmähliche Verringerung der Schutzzölle war um die sechziger Jahre unter Führung des damals leitenden Staates in Europa, unter Führung Frankreichs, eine so starke, daß man wohl glauben konnte, sie werde sich konsolidieren und werde außer England und Frankreich noch andere Staaten mit in ihren Strom ziehen, daß man wohl Bedenken haben konnte, dieser Strömung zu widerstehen, die einem Ziel näher führt, das an sich, wenn es erreichbar wäre in seiner Idealistik, ja ein sehr hohes wäre, daß jedem Lande die Entfaltung der Kräfte, die ihm eigentümlich sind, überlassen werden könnte und alle Grenzen offen sein müßten denjenigen Produkten, die anderswo brauchbarer und besser hergestellt werden könnten wie bei uns. Das ist ein Ideal, was deutscher, ehrlicher Schwärmerei ganz würdig ist. Es mag auch erreichbar sein in zukünftigen Zeiten, und ich verstehe deshalb vollkommen, daß man Bedenken hatte, einer Strömung, die dem entgegen führte, Opposition zu machen. Ich kann noch weiter hinzufügen, daß die Überzeugung von der Zukunft, welche diesen Bestrebungen blühte, meiner Erinnerung nach in den sechziger Jahren eine so starke war, daß jeder Versuch der Regierung, damals ihr entgegenzutreten, mißlungen wäre. Wir wären in keinem Parlament, in keinem Reichstage, so lange wir ihn hatten, in keinem Landtag damit durchgekommen, wenn wir im Jahre 1861 eine Schutzzollpolitik, eine mehr schützende Politik als die damalige hätten betreiben wollen, und ich erinnere Sie, mit welcher Freudigkeit von großen Majoritäten damals die Herabminderungen der Zölle aufgenommen sind. Sie können den Regierungen daraus, wenn sie den Versuch gemacht haben, ob die Ideale sich verwirklichen, ob man ihnen näherkommen könne, keinen Vorwurf machen. Keine deutsche Regierung konnte darauf rechnen, daß alle übrigen in kurzer Zeit hinter ihr abschwenken würden. Die einzige ist noch England, und das wird auch nicht lange dauern; aber Frankreich, Amerika haben diese Linie vollständig verlassen, Österreich, anstatt seine Schutzzölle zu mindern, hat sie erhöht, Rußland hat dasselbe getan, nicht bloß durch die Goldwährung, sondern auch in anderer Beziehung. Also allein die Dupe einer ehrlichen Überzeugung zu sein, kann man Deutschland auf die Dauer nicht zumuten. Wir sind bisher durch die weitgeöffneten Tore unserer Einfuhr die Ablagerungsstätte aller Überproduktion des Auslandes geworden. *(Sehr richtig! rechts.)* Bei uns können sie einstweilen alles deponieren, und es hat, wenn es erst in Deutschland ist, immer einen etwas höheren Wert als im Ursprungslande, wenigstens so denken die Leute, und [a] die Masse der Überführung [a] Deutschlands mit der Überproduktion anderer Länder ist es, was unsere Preise und den Entwicklungsgang

a–a Dürfte richtig heißen: die Überfütterung

unserer Industrie, die Belebung unserer wirtschaftlichen Verhältnisse meines Erachtens am allermeisten drückt. Schließen wir unsere Türen einmal, errichten wir die etwas höhere Barriere, die wir Ihnen hier vorschlagen, und sehen wir zu, daß wir mindestens den deutschen Markt, das Absatzgebiet, auf dem die deutsche Gutmütigkeit vom Auslande jetzt ausgebeutet wird, der deutschen Industrie erhalten! Die Frage eines großen Exporthandels ist immer eine außerordentlich prekäre; neue Länder zu entdecken gibt es nicht mehr, der Erdball ist umschifft, und wir können kauffähige Nationen von irgend welcher erheblichen Ausdehnung, an die wir exportieren können, nicht mehr finden. Der Weg der Handelsverträge ist ja unter Umständen ein sehr günstiger, es fragt sich nur bei jedem Vertrage: *que trompe-t-on ici?* Wer wird übervorteilt? Einer in der Regel, und man kommt erst nach einer Anzahl von Jahren dahinter, wer es eigentlich ist. Ich erinnere nicht an unsere Verträge, sondern nur an die, die zwischen Frankreich und England bestehen, wo beide sich auch gegenseitige Täuschung vorwerfen, aber ich erinnere daran, daß unsere Staatsmaschine in steuerlicher Beziehung viel weniger in der Hand der Regierung liegt, um die Intentionen des Landes gegen den Vertrag und trotz des Vertrages so zu fördern, wie es in den meisten unserer Nachbarländer der Fall ist. Unsere ganze Steuererhebung und -verwaltung ist *publici juris*, und es kann eine erlaubte oder unerlaubte Abweichung von den Vertragsbestimmungen bei uns niemals stattfinden, während bei unseren Nachbarn die Tätigkeit des Beamten – Frankreich nicht ausgenommen, und Frankreich steht doch unseren Verhältnissen am nächsten – eine solche bleibt, daß dort die Vorteile des Vertrages durch die administrative Einwirkung mehr erschwert werden können, als es bei uns je der Fall sein wird, dem anderen Kontrahenten die Ausbeutung des Vertrages zu erschweren. Aber jeder Handelsvertrag ist ja immer ein erfreuliches Zeichen der Freundschaft; in der Völkerwirtschaft kommt es bloß darauf an, was darin steht. Handelsverträge an sich sind gar nichts, sie können so übel sein wie möglich, es kommt darauf an, was darin steht, und können wir es erreichen, daß uns ein Staat mehr abkauft, als wir ihm, so werde ich, wenn das nicht ein großes Derangement in unsere inneren Angelegenheiten und unsere jetzige Produktionslage bringt, einem solchen Vertrage gewiß nicht entgegentreten. Ob wir bei den Verträgen Vorteile gehabt haben oder nicht, ist eine Sache, die sich jeder sicheren Berechnung entzieht. Tatsache ist, daß wir uns in leidenden Zuständen befinden, und zwar meiner Überzeugung nach mehr wie irgendeines unserer schutzzöllnerischen Nachbarländer. Wenn die Gefahr des Schutzzolls so groß wäre, wie sie von den begeisterten Freihandelsanhängern geschildert wird, müßte Frankreich längst, seit

Colbert, ein ruiniertes, ein verarmtes Land sein, vermöge der Theorien, nach denen es lebt. Nichtsdestoweniger sehen wir, daß Frankreich dieselbe drückende Lage, in der sich die zivilisierte Welt befindet, mit mehr Leichtigkeit erträgt, daß es, wenn wir sein Budget ansehen, was um 1½ Milliarden seit 1871 gewachsen ist, nicht bloß durch Schulden leistungsfähiger geblieben ist als Deutschland, und die Klagen über das Daniederliegen der Geschäfte sind weniger groß.

Wir sehen dasselbe bei unseren östlichen Nachbarn Österreich und Rußland, wir sehen namentlich Rußland prosperieren, hauptsächlich, glaube ich, vom deutschen Gelde. *(Sehr richtig! rechts.)*

Nach den amtlichen Nachrichten, die mir vorliegen, ist in dem westlichen Rußland, was hauptsächlich beim Korn- und Holzverkauf nach Deutschland interessiert ist, die Prosperität nie in dem Maße vorhanden gewesen wie heute, wo das übrige Europa leidet. Ich habe Verwandte und Bekannte dort, viele, mir sind Beispiele genannt worden von dem ungeheuerlichen Steigen des Bodenwertes, so daß in manchen Fällen der frühere Kaufpreis von vor 20 Jahren die jetzigen Revenuen ungefähr bildet, sobald eine Eisenbahn in der Nähe liegt, sobald ein mäßiger Holzbestand ist, oder sobald große, fruchtbare Steppen in der Nähe sind, die ausgebeutet werden können durch den Eisenbahntransport. Die Einlagen in den Sparkassen, die Einlagen in der Bank im westlichen Rußland, die Abschlüsse der dortigen Fabriken — mir sind von großen Fabriken Abschlüsse bekannt mit 35 Prozent und 10 Prozent Reservezurücklage, von russischen Industrien — ja, das ist eine geschützte Industrie, die Valuta ist niedrig und doch leistungsfähig in dem Lande, wo sie ist, und das deutsche Geld für Korn und Holz fließt in einem Maße zu, wie es nie geahnt worden ist. Kurz und gut, das sonst verrufene Polen, das Rußland, welches einen schweren und kostspieligen Krieg geführt hat und in seinen Finanzen nicht vollständig geordnet ist, schreitet fort in der Wohlhabenheit — ich glaube, auf Kosten des deutschen Produzenten und in Wirkung unserer Gesetzgebung — ich glaube es. In allen diesen Fragen halte ich von der Wissenschaft gerade so wenig wie in irgendeiner anderen Beurteilung organischer Bildungen. Unsere Chirurgie hat seit 2000 Jahren glänzende Fortschritte gemacht; die ärztliche Wissenschaft in Bezug auf die inneren Verhältnisse des Körpers, in die das menschliche Auge nicht hineinsehen kann, hat keine gemacht; wir stehen demselben Rätsel heute gegenüber wie früher. So ist es auch mit der organischen Bildung der Staaten. Die abstrakten Lehren der Wissenschaft lassen mich in dieser Beziehung vollständig kalt; ich urteile nach der Erfahrung, die wir erleben. Ich sehe, daß die Länder, die sich schützen, prosperieren, ich sehe, daß die Länder, die offen sind, zurückgehen, und das große mächtige England, der starke Kämpfer, der, nachdem er seine Muskeln gestärkt hatte, auf den Markt hinaustrat und sagte: Wer will mit mir kämpfen? ich bin zu jedem bereit — auch dieses geht zum Schutzzoll allmählich zurück und wird in wenigen Jahren bei ihm angekommen sein, um sich wenigstens den englischen Markt zu bewahren.

Nach meinem Gefühl sind wir, seitdem wir unsere Tarife zu tief heruntergesetzt haben — eine Schuld, von der ich, wie gesagt, mich nicht eximiere —, in einem Verblutungsprozeß begriffen, der durch die verrufene Milliardenzahlung um ein paar Jahre aufgehalten ist, der ohne diese Milliarden aber wahrscheinlich schon vor fünf Jahren soweit gekommen wäre wie heute. Angesichts dieser Sachlage, wie ich sie beurteile, liegt kein Grund vor, persönliche Empfindlichkeiten in eine Sache einzumischen, die wir, wenn wir ehrlich sein wollen, alle nicht beherrschen; so wenig wie die Frage des menschlichen inneren Körpers, von der ich sprach, so wenig, behaupte ich, gibt es einen, der mit unfehlbarer Gewißheit sagen könnte, dies ist die Folge der und der wirtschaftlichen Maßregel. Deshalb möchte ich bitten, jede persönliche Empfindlichkeit in diesen Fragen aus dem Spiel zu lassen und ebenso die politische Seite; die Frage, die vorliegt, ist keine politische, sondern eine rein wirtschaftliche Frage. Wir wollen sehen, wie wir dem deutschen Körper wieder Blut, wie wir ihm die Kraft der regelmäßigen Zirkulation des Blutes wieder zuführen können, aber meine dringende Bitte geht dahin, alle Fragen der politischen Parteien, alle Fragen der Fraktionstaktik von dieser allgemeinen deutschen reinen Interessenfrage fernzuhalten. Und wenn wir dem deutschen Volke etwas zu geben haben, so sage ich: *bis dat, qui cito dat,* und *qui non cito dat,* der schädigt unsere ganze Volkswohlfahrt in hohem Grade. Ich glaube, daß diese Überzeugung die Verhandlungen des hohen Hauses beherrschen sollte, daß das deutsche Volk vor allen Dingen Gewißheit über seine wirtschaftliche Zukunft verlangt, und daß selbst eine schnelle Ablehnung dessen, was sie nicht wollen, immer, auch in der Meinung der Regierung, noch günstiger ist, als ein Hinziehen der Ungewißheit, in der niemand weiß, wie die Zukunft sich gestalten wird.

(Lebhaftes Bravo!)

92. Rede in der 40. Sitzung des Deutschen Reichstags am 8. Mai 1879
W 12, 69 ff. = Kohl 8, 32 ff.

Bismarck antwortet auf eine die Begründung der Zollvorlage heftig kritisierende Rede des Abg. Lasker:

Ich hatte heute früh noch nicht die Absicht, in der allgemeinen Debatte wiederum das Wort zu ergreifen, weil meine Überzeugung, und ich glaube, auch diejenige der Mehrzahl der Zuhörer, durch die Gegengründe, die gegen meine Darlegungen seitdem angeführt worden sind, nicht erschüttert war; die meisten derselben bestanden, wie ich das gewohnt bin, weniger in der Kritik der Sache als in *argumentis ad hominem*, in Demonstrationen gegen meine Person *(Ah! Ah!)*, und es ist mir das ja ziemlich gleichgültig. – Ja, meine Herren, an dieser Stelle, von welcher das „Ah!" ausgeht, sind diese Demonstrationen zu Hause, und es veranlaßt mich dies, nochmals Akt davon zu nehmen, damit man weiß, von woher dergleichen kommt, und daß von dort aus die sachlichen Diskussionen mit oratorischen Ausschmückungen betrieben werden, die den Frieden und die Verständigung zu fördern nicht geeignet sind, es ist das gerade in der Gegend der Fall, wo diese Interjektionen mich eben unterbrochen haben, und ich sage also, ich hätte darauf so sehr viel Wert nicht gelegt, weil ich es der öffentlichen Meinung besser selbst überlasse, ob sie über meinen Verstand und meinen Charakter günstiger denken will oder nicht, und ob sie ihr Urteil über mich von meinen politischen Gegnern entnehmen will oder nicht. Ich bin ja, wie Sie wissen, leider in der Presse, und zwar von verschiedenen Parteien, einem solchen Maße von groben Ehrenkränkungen, von lügenhaften Verleumdungen ausgesetzt gewesen, daß ich in der Beziehung doch ziemlich abgehärtet bin, und hier im Reichstage, auch dort, wo die Herren unruhig werden, kommt ja dergleichen nicht vor, aber natürlich, die mildere, wohlwollende Kritik, der ich hier unterzogen werde im Vergleich zu der Presse, gegen die bin ich ziemlich abgehärtet. Ich würde also auch darauf nicht reagiert haben, wenn ich nicht heute, ohne die Absicht herzukommen, benachrichtigt worden wäre, daß der Herr Abgeordnete Lasker über mich verschiedene Bemerkungen gemacht hat, mit der Gesinnung für mich, die ich kenne und zu schätzen weiß, die aber doch ein Maß voll Verstimmung mir gegenüber zeigt, welches ich gern mildern möchte, wenn es mir gelingt. Ich kann sonst nach dem Maß der Verstimmung, welches aus der Haltung des Herrn Lasker spricht, immer einen günstigen Barometerstand für meine Politik und für die Politik, die ich glaube im Namen des Reiches verfolgen zu sollen, entnehmen, und insofern könnte mich das Symptom ja beruhigen, wenn nicht meine persönliche Vorliebe für einen so langjährigen Gegner, von dem ich schließlich sagen kann nach jenem alten französischen Liede: *On se rappelle avec plaisir des coups de poing qu'on s'est donnés,* mich das Bedürfnis empfinden ließe, seine Meinung in einigen Beziehungen richtigzustellen. Der Herr Abgeordnete hat, wenn die Notizen, die ich bekommen habe, richtig sind, gesagt: mein Schriftwechsel mit dem Baron von Thüngen [87] habe alles überholt, was bisher an agrarischen Extravaganzen geleistet sei. Liegt darin nicht eine kleine rhetorische Extravaganz eher als die agrarische, die mir vorgeworfen wird? Ich habe mich zu dem Schreiben nicht bloß berechtigt, sondern auch verpflichtet gehalten. Die Nation hat das Recht, zu wissen, wie ich hier über die einzelnen Fragen denke, und ich freue mich, wenn die Kenntnis hiervon eine möglichst öffentliche und verbreitete wird, denn ich habe darüber nichts zu verbergen. Ich habe mich ausgesprochen gegenüber den sehr scharf akzentuierten Klagen des Baron von Thüngen über die Vernachlässigung der landwirtschaftlichen Interessen in der Tariffrage, um ihm nachzuweisen, daß ich unter Umständen eine höhere Verzollung der landwirtschaftlichen Produkte gewünscht hätte — in Bezug auf das Getreide nicht viel höher, denn der Zoll für Getreide, namentlich für die Getreidegattung, die am meisten als Nahrungsmittel dient, für den Roggen, soll meiner Meinung nach kein Schutzzoll, sondern ein Finanzzoll sein, und er wird gerade so gut vom Auslande gezahlt werden, wie heute die Mainzer Lederfabrikanten sich beschweren, daß sie jetzt für ihren Import in Spanien einen Zoll bezahlen müssen, von dem sie früher frei gewesen sind, und beim Getreide noch viel mehr, weil wir eine so außerordentliche Konkurrenz für den Import von wohlfeilem Getreide nach Deutschland haben. Indessen das gehört ja in die Spezialdebatte über die Getreidezölle. Wenn ich einem Korrespondenten, der zu mir im Namen von 11 000 kleinen Grundbesitzern spricht, Rede stehe und ihm Auskunft gebe über die Motive, die mich geleitet haben, so ist dergleichen früher doch von niemand angefochten worden, und ich glaube, der Herr Abgeordnete Lasker als Jurist sollte doch auch wissen, daß man kein Urteil ohne Gründe gibt. Früher hat man es immer am Minister zu schätzen gewußt, wenn er nicht zugeknöpft war und seine Meinung offen aussprach in betreff der Interessen des Landes, auf deren Wohl und Wehe er irgendeinen Einfluß haben könnte, und ich sollte mei-

---

[87] Baron Thüngen-Roßbach hatte die Hilfe des Kanzlers für die Landwirtschaft erbeten. Dieser antwortete im gewünschten Sinne. Briefwechsel abgedruckt in Kohl 8, 52 ff.

nen, man sollte das an mir schätzen, anstatt es als eine „agrarische Extravaganz“ zu bezeichnen, als einen „Krieg“ zwischen Landwirtschaft und Industrie, zwischen Land und Stadt. Ja, das sieht doch noch anders aus! Man nennt gern jeden Kampf Krieg, der einem unangenehm ist. Es handelt sich hier um eine Rivalität der Interessen und um ein Ringen der Interessen miteinander, noch lange nicht um Krieg, es bleibt zwischen Landsleuten, und der Bürgerkrieg, der der Phantasie des Herrn Lasker vorschwebt, ist nicht da.

Wenn ich es nun mir zur Aufgabe stelle, in diesem Kampf der Interessen der Seite, die bisher meines Erachtens unterlegen hat, der Seite der Landwirtschaft und des Grundbesitzes — ich bitte das Herrn Lasker wohl zu erwägen, ich habe neulich fast nie von der Landwirtschaft, ich habe vorwiegend von städtischem und ländlichem Grundbesitz gesprochen, und der städtische Häuserbesitz leidet unter den Kalamitäten der Steuer, auf die ich nachher zurückkomme, ebenso wie der ländliche — wenn sich da ein Minister findet, der seinerseits für den Teil, der bisher in diesem Kampf zurückgedrängt wird, der unterlegen hat, der Amboß gewesen ist seit fünfzig Jahren und sich nun einmal gegen die Hämmer sträubt, wenn für den ein Minister eintritt, sollte man das dankend anerkennen und nicht sagen, ich triebe die Finanzpolitik eines Besitzers. Ja, ich kann dem Herrn Abgeordneten Lasker ebensogut sagen, er treibt die Finanzpolitik eines Besitzlosen; er gehört zu denjenigen Herren, die ja bei der Herstellung unserer Gesetze in allen Stadien der Gesetzmachung die Majorität bilden, von denen die Schrift sagt: sie säen nicht, sie ernten nicht, sie weben nicht, sie spinnen nicht, und doch sind sie gekleidet — ich will nicht sagen, wie, aber jedenfalls sind sie gekleidet. *(Heiterkeit.)* Die Herren, die unsere Sonne nicht wärmt, die unser Regen nicht naß macht, wenn sie nicht zufällig ohne Regenschirm ausgegangen sind, die die Mehrheit bei uns in der Gesetzgebung bilden, die weder Industrie, noch Landwirtschaft, noch ein Gewerbe treiben, es sei denn, daß sie sich damit vollständig beschäftigt fühlen, das Volk nach verschiedenen Richtungen hin zu vertreten, und daß sie das das ganze Jahr lang tun, die verlieren leicht den Blick und das Mitgefühl für diejenigen Interessen, die ein Minister, der auch Besitz hat, also auch zu der *misera contribuens plebs* gehört, der auch regiert wird und fühlt, wie die Gesetze dem Regierten tun — wenn der offen auszusprechen sich nicht scheut, was er wahrnimmt, so sollte er doch vor dergleichen Andeutungen gesichert sein, daß er hier die Finanzpolitik des Besitzenden vielleicht im eigenen Interesse triebe.

Ich habe in der Beziehung in der Presse ziemlich grobe Andeutungen gelesen, auf die ich nicht zurückkommen will, auf die zurückzukommen unter meiner Würde ist. Aber ich möchte doch die Herren bitten, sich das klar zu machen, daß die Nichtbesitzer, Nichtindustriellen, Nichtlandwirte in den ministeriellen Stadien notwendig die Mehrheit bilden, und daß die Gesetze von Hause aus die Farbe der Theorie und des Büros in ihren Vorlagen nur dann nicht haben, wenn einigermaßen Erfahrung im praktischen Leben bei dem, der sie macht, damit verbunden ist. Sie werden mir auch zugeben, daß in den gesetzgebenden Versammlungen Deutschlands die Zahl derjenigen, die keinen Besitz, kein Gewerbe, keine Industrie haben, welche sie beschäftigt, auf welche sie angewiesen werden, also die Zahl derer, die vom Gehalt, vom Honorar, von der Presse, von der Advokatur leben, kurz und gut der Gelehrtenstand, ohne eine Stellung im Nährstande — irgendeine Art von Lehrstand — daß der die Majorität bildet. In dieser Stellung möchte ich dem Herrn Abgeordneten Lasker und denjenigen, welche neben ihm durch ihre überlegene Beredsamkeit, durch den Einfluß auf ihre Kollegen diese Majoritäten zu leiten gewohnt sind, und welche sich diesem Geschäfte das ganze Jahr hindurch teils in der Presse, teils in parlamentarischen Leistungen zum Danke des Vaterlandes widmen, denen möchte ich doch ans Herz legen, daß *noblesse oblige*. Wer auf diese Weise jahrelang im Besitz der Macht in den Fraktionen gewesen ist, der muß auch an den denken, der als Amboß dient, wenn der Hammer der Gesetzgebung fällt, und das vermisse ich bei dem Herrn Abgeordneten Lasker, wenn er sagt, ich hätte einen Krieg zwischen „Landwirtschaft und Industrie" eröffnet. Daß der besteht, ist hoffentlich nicht mehr wahr, ich hoffe, beide sehen endlich ein, daß es ihr Interesse ist, zusammenzugehen. Aber zwischen Land und Stadt, das ist auch nicht in dem Maße richtig. Der Kampf, den ich nicht eröffnet habe, aber in dem ich seit Jahren mitkämpfe, so viel ich kann, so viel mir meine Geschäfte und — was ich doch auch bei Betrachtungen, daß ich nicht früher mit dergleichen Vorlagen gekommen wäre, zu erwägen bitte — so viel mir Krankheit, Krankheit, die ich im Dienst erworben habe, dazu Zeit läßt, ist der Kampf für Reformen!

Der Herr Abgeordnete Lasker hat dann nach meinen Notizen gesagt, größere Übertreibungen, wie der Herr Reichskanzler in seiner Rede über die Steuerüberbürdungen gemacht hat, habe er nie aus dem Munde eines Abgeordneten gehört. Der Herr Abgeordnete Lasker übertreibt gewiß nie, und was mir so vorschwebt als etwas rhetorisch stark aufgetragen, das sind gewiß keine Übertreibungen gewesen, die meinigen sollen aber noch größer sein als die, die wir gehört. Nun, wenn sie so groß sind, daß keine andere heranreicht, dann müßte doch irgendeine Zahl, irgendein Satz mir nachgewiesen sein, in dem ich übertrieben hätte. Ich habe mich auf dem

Gebiet der Ziffern bewegt, und derjenigen Ziffern, die für jeden zugänglich sind, die in dem Gesetz liegen; ich habe gesagt: die Grundsteuer beträgt nach der Absicht des Gesetzes 10 Prozent. Ist das eine Übertreibung? Nein, es ist der klarste Inhalt des Gesetzes! Ich habe gesagt, ich will sie in Wirklichkeit da, wo das Gut schuldenfrei ist, auf 5 Prozent herabsetzen. Ist das eine Übertreibung? Im Gegenteil! Es ist eine sehr schüchterne, bescheidene Veranschlagung, und die schuldenfreien Güter sind bei uns leider selten. Ich habe bestimmte Sätze von der Gebäudesteuer genannt, auf die ich nachher komme, ich habe die Einkommensteuer genannt, ich bin durch ein schlechtes Additionsexempel nicht auf die Ziffer, die der Herr Abgeordnete *ex propriis* mir leiht, nämlich auf 40 Prozent Steuern, gekommen, sondern ich habe gesagt 20 bis 30 Prozent. Kann mir der Herr Abgeordnete auch nur einen Bruchteil einer Zahl invalidieren, so wollte ich zugeben, ich hätte um diesen Bruchteil übertrieben. Er kann das nicht, und ich kann ihm also sagen, ich habe nie ähnliche Übertreibungen, wie die seinen, aus dem Munde eines Abgeordneten gehört.

Ich verlasse diesen Gegenstand lieber, um innerhalb der parlamentarischen Grenzen zu bleiben.

Er fragt: Ist es möglich, daß ein Gewerbebetrieb bestehen kann bei einer Besteuerung von 40 Prozent? Ich freue mich, daß er in seiner weiten juristischen und gesetzgeberischen Praxis nie einen Gewerbebetrieb kennen gelernt hat, der höher belastet ist, auch nicht über 40 Prozent seiner Revenuen an Zinsen zu zahlen gehabt hat, aber wenn er sich ein klein wenig innerhalb der Tore von Berlin und außerhalb im ganzen Lande umsehen wollte, so glaube ich, würde er diejenigen, die 60 Prozent ihrer Einnahme und noch mehr an Zinsen bezahlen und dabei doch in ihrem Erwerb bestehen, in großer Menge finden. Wie kommt ein so feiner Kenner der Menschen und unseres Landes dazu, zu sagen: bei 40 Prozent ist es gar nicht möglich, zu bestehen? Ich erinnere daran, daß die mehr oder weniger amtlichen Erhebungen, die in Frankreich über die Belastung des Grundbesitzes stattgefunden haben, zu der Ziffer geführt haben, daß in Frankreich das ländliche Grundeigentum 44 Prozent seines Einkommens zu den öffentlichen Lasten beizusteuern habe, daß das städtische Grundeigentum mit 14 Prozent besteuert sei und das bewegliche Eigentum keine 4 Prozent zahle. So stellen sich die Verhältnisse in Frankreich; so schlimm stellen sie sich bei uns nicht überall. Aber wenn der Herr Abgeordnete Lasker sagt, bei 40 Prozent Belastung könne kein Gewerbe bestehen, so kennt er das Geschäft nicht, und wenn er mir unterschiebt, ich hätte von 40 Prozent gesprochen, so täuscht ihn sein Ohr oder sein Gedächtnis; er hätte aber die Rede schon lesen können. Ich habe von 20 bis 30 Prozent gesprochen und

kann das um so eher behaupten, als ich das Rechenexempel hier wiederholen könnte. Wenn man so etwas öffentlich hier vor dem Lande sagt, dann sollte man auch von seiten eines Abgeordneten, der öffentlich zum Volke spricht und mit der weitschallenden Stimme, die dem Herrn Abgeordneten Lasker in seiner Stellung eigen ist, wohl davor gesichert sein, daß der erste Beamte des Reiches und des Staats in dieser Weise dem Volke dargestellt wird als einer, der in leichtfertiger Weise Unwahrheiten sagt und sich vor keiner Übertreibung fürchtet. Dabei ist dieser Vorwurf hingestellt ohne eine Spur, ohne einen Versuch von Beweis!
Der Herr Abgeordnete hat mir ferner vorgeworfen, ich kennte die Gesetzgebung des Landes nicht. Wenn man mir hier vorwirft, ich kennte die Gesetzgebung meines Landes nicht, so weiß ja jeder Mensch, daß ich nicht jedes Gesetz kennen kann; aber der Vorwurf hier von einem Abgeordneten in öffentlicher Rede und von dem Vertreter der öffentlichen Gerechtigkeit, als welchen sich der Abgeordnete Lasker so oft gezeigt, indem er sein Zensoramt dem Ministerium gegenüber geübt hat, dieser öffentliche Vorwurf hier: er kennt die Gesetze nicht, der heißt doch: er weiß nicht so viel von den Gesetzen, wie er seiner Stellung nach wissen müßte. Das ist doch eine Art, mich in der öffentlichen Meinung herunterzudrücken, in meinem Fleiß, in meiner Gewissenhaftigkeit, mit der ich mich auf amtliche Sachen vorbereite, die, glaube ich, der Herr Abgeordnete, wenn er für mich ebensoviel Gerechtigkeit noch übrig hätte — nicht, wie für sich selbst, aber für seine Fraktionsgenossen — dann nicht versuchen würde. Ich halte es nicht nützlich, die höchste Behörde auf diese Weise und in einem so schonungslosen Tone, selbst dann, wenn man Recht zu haben glaubt, vor dem Lande gewissermaßen öffentlich an den Pranger zu stellen und seinen ganzen Triumph darin zu suchen, jemanden, der einmal, brauchbar oder unbrauchbar, wie er sein mag, die Geschäfte des Landes trägt, und den der Herr Abgeordnete keine Hoffnung hat, jetzt zu beseitigen oder durch einen Besseren zu ersetzen, den auf diese Weise — ich will keinen unhöflichen Ausdruck gebrauchen — — *(Heiterkeit)* sonst würde ich ihn sagen. Ich halte es nicht für richtig, auf diese Weise in der öffentlichen Meinung ein schlechteres Urteil über die leitenden Staatsmänner hervorzurufen, als an und für sich bei einer ruhigen und rechtlichen Prüfung sich verteidigen läßt, und namentlich bei der hohen Empfindlichkeit, die der Herr Abgeordnete Lasker gegen jede Meinungsverschiedenheit sogar jederzeit hat — schaudernd habe ich es selbst erlebt. Ich möchte ihn bitten, etwas mehr auch die Empfindlichkeit anderer zu schonen, ich sehe ja von meiner amtlichen Stellung vollständig ab und stelle diejenige des Herrn Abgeordneten Lasker volkommen eben so hoch und mit Vergnügen höher als die

meinige. Aber beobachten wir doch die Form der Höflichkeit, die wir beobachten, sobald wir uns auf der Straße oder an einem dritten Ort begegnen; nehmen wir nicht an, daß, wo wir öffentlich und vor dem Lande reden, wir uns von dieser Sitte dispensieren dürfen, und daß das die Sache fördert oder die persönlichen Beziehungen unter uns oder selbst das Ansehen dessen, der es tut. *(Bravo! Bravo!)*
Der Herr Abgeordnete sagt also, „ich kennte die Gesetze des Landes nicht, landwirtschaftliche Gebäude sind frei". Darauf sage ich, daß für ihn kein geringerer Vorwurf ist als der Mangel an Gesetzeskenntnis: er kennt die Landwirtschaft nicht und weiß nicht, was ein landwirtschaftliches Gebäude ist. Ich habe eine Liste hier meiner Gebäudesteuer auf einem pommerschen Gut. Da sind 149 Positionen besteuerter landwirtschaftlicher Gebäude aufgeführt, deren Steuern zusammen um etwa 20 Prozent erhöht worden sind in diesem Jahre, und deshalb wird mir die Liste eingereicht.
Ich will, da wir doch weiter mit dem Herrn Abgeordneten zu diskutieren haben, in dieser Sache ihm mitteilen, was ungefähr ein landwirtschaftliches Gebäude ist. Beispielsweise das Wohnhaus eines Rieselmeisters. Er wird mir zugeben, das gehört zur Landwirtschaft, oder zum Beispiel ein Zieglerwohnhaus. *(Rufe: Wohnhaus! Das gehört nicht dazu!)* Gut, dann will ich es streichen, bleiben immer noch 148. Dann zum Beispiel ein Tagelöhnerwohnhaus. *(Rufe: Wohnhaus!)* Ich verstehe nicht — ich will einen Augenblick schweigen, wenn Sie sich dann aussprechen wollen. *(Präsident von Forckenbeck: Ich bitte um Ruhe! Ich bitte, die Unterbrechungen zu unterlassen!)*
Es wäre mir sehr interessant, zu wissen, was Sie sagen, aber es war nicht artikuliert genug, um es zu verstehen. Ich nehme selbst auf die unbilligsten Wünsche Rücksicht. Es kommen dann zehn bis zwölf landwirtschaftliche Tagelöhnerhäuser und andere, das sind bei weitem die meisten der 148, es kommen Gebäude mit Stall, die höher zahlen, als die andern, aber alle sind für landwirtschaftliche Arbeiter und Pächter. Ich will Sie mit den Einzelheiten nicht ermüden, die Liste steht zu jedermanns Einsicht. Ich frage: Ist die Wohnung eines ländlichen Arbeiters, den man notwendig zum Betrieb der Landwirtschaft braucht, ein landwirtschaftliches Gebäude oder nicht? Ist es eine Besteuerung der Landwirtschaft, wenn solche Gebäude, sobald ein Stall dabei ist, höher besteuert werden? Ist es eine Besteuerung der Landwirtschaft, wenn eine Erhöhung der Besteuerung wegen der Größe des Hofraums eintritt, die doch nur für den technischen Betrieb der Landwirtschaft gewählt wird und auf dem eine Menge Sachen vorgehen? Also ich glaube, die Beschuldigung der Unwissenheit in

Bezug auf die Gesetzgebung betrifft mich hier nicht. Wenn der Herr Abgeordnete Lasker in betreff der Unwissenheit auf dem Gebiet der Landwirtschaft und der Lage der Landwirtschaft, über die er mit Sicherheit spricht, sich ebenso ausweisen kann, so soll es mir lieb sein.

Er hat ferner gesagt, kein Bauer zahle eine Einkommensteuer. Das trifft meine Rede nicht. Ich habe die Einkommensteuer, weil sie von Reichen bezahlt wird, beibehalten wollen, ich will nur die Klassensteuer abschaffen und in dem Maße, in welchem wir Ersatz durch die indirekten Steuern dafür bekommen werden. Ich hoffe, mich darüber auch später, wenn der Zeitpunkt gekommen sein wird und ich noch Minister sein sollte, mit meinen preußischen Kollegen zu verständigen. Ich bin und bleibe der Überzeugung, daß die Klassensteuer gar nicht bestehen sollte, daß sie abgeschafft werden sollte im ganzen Umfange, und daß wir uns bemühen sollten, indirekte Steuern zu dem hohen Belauf zu finden, daß wir imstande sind, die Klassensteuer zu erlassen. Der Herr Abgeordnete sagt nun, die Klassensteuer betrage nicht 3 Prozent: das habe ich auch nicht behauptet. Ich habe von der Einkommensteuer gesprochen. Ob sie in ihren höchsten Positionen so sehr viel darunter ist, weiß ich doch nicht. Ich habe die Liste nicht im Kopfe, wieviel jemand Klassensteuer bezahlt, der 1000 Taler Einkommen hat, also die höchste Klassensteuer. *(Ruf: 24 Taler!)* Wenn es 24 Taler sind, so sind 24 Taler vom Tausend nach meiner Rechnung fast $2^1/_2$ Prozent; das ist also doch so sehr weit von 3 Prozent, die ich nicht nannte, nicht entfernt, weiter aber von 1 bis 2 Prozent, die der Herr Abgeordnete Lasker anführte, um diese Steuerbelastung herunterzudrücken und nachzuweisen, daß sie eine Belastung nicht ist. Auch hier schützen mich die Ziffern gegen den Vorwurf der Übertreibung.

„Die ganze Rechnung des Herrn Reichskanzlers ist irrig und unzuverlässig." Meine Herren, diese Behauptung ist einfach eine unrichtige, eine falsche, die der Herr Abgeordnete macht. Meine Darstellung ist nicht irrig. Ich bitte, mir den Irrtum nachzuweisen. Und „unzuverlässig", das bedaure ich, daß das hier so hingegangen ist. Wenn jemand hier vom Regierungstische einen Abgeordneten unzuverlässig nennen wollte, ich glaube, es würde sofort die vielbestrittene Frage der präsidialen Disziplin entgegentreten. *(Rufe: O! o!)*

Ich muß dagegen protestieren, daß mir der Vorwurf der Unzuverlässigkeit gemacht wird. Es ist das ein geradezu beleidigender Vorwurf. Unzuverlässig, das heißt: man kann auf seine Angaben kein Gewicht legen. Ich verwahre mich gegen diesen Vorwurf und werde meinerseits dieses Wort nicht als in den parlamentarischen Sprachgebrauch übergegangen ansehen und nicht gegen andere damit operieren.

Der Reichstag dürfte also nach der Meinung des Herrn Abgeordneten Lasker auf keine Reform eingehen, welche auf so schwacher Basis steht, wie er es von meiner Zuverlässigkeit scheint anzunehmen. Ich hoffe aber, der Reichstag wird der Führerschaft des Herrn Lasker nicht folgen.

Da ich einmal das Wort habe, so kann ich nicht umhin, es zu benützen, um einem Vorurteil zu widersprechen, welches namentlich hier aus dem Mund eines sachlich sonst sehr wohlinformierten und gewiß zuverlässigen Abgeordneten, des Herrn Oechelhäuser, zutage trat. Die Herren werden sich erinnern — ich hatte damals leider auf dem hiesigen Standpunkt ihn nicht recht verstehen können, sonst würde ich ihm gleich die Bemerkung gemacht haben, daß er in Bezug auf den geschichtlichen Teil seines Rückblicks sich im Irrtum befinde. — Der Herr Abgeordnete schloß damit, daß er sagte, er wollte der Fahne von 1818 folgen, und sah in dieser Fahne eine Vertretung des Freihandels, eine Vertretung der großen Finanzmänner, welche in der früheren Geschichte, sagen wir Preußens oder des Zollvereins, von hervorragendem Namen sind. Der Herr Abgeordnete befindet sich ohne Zweifel im Irrtum in Bezug auf die Jahreszahl. Ich kann aber eine Jahreszahl, die seiner Auffassung entspräche, überhaupt nicht finden. Die Herren Freihändler müssen von dem Gedanken, daß der Ruhm unserer Vorfahren es verlange, daß wir Freihändler werden, sich losreißen. Es ist das nicht der Fall. Im Jahre 1818 war preußischer Finanzminister ein Ehrenmann, glaube ich, aber kein berühmter Gesetzgeber auf dem Gebiet der Finanzen, es war Herr von Klewitz, und wie die Zölle im Jahre 1818 waren, dafür habe ich eine Liste mitgebracht. Wenn das das Ideal ist, was dem Herrn Abgeordneten Oechelhäuser vorschwebte, so kann ich ihm dahin doch nicht folgen, er geht mir im Schutzzoll zu weit.
(Heiterkeit.)

Ich habe hier eine übersichtliche Liste, von der ich bedaure, daß sie nicht mehr gelesen wird, und ich will Sie nicht ermüden, und wenn dies der Fall sein sollte, bitte ich, überzeugt zu sein, daß die Ermüdung eine gegenseitige ist, und daß ich auch meinen Anteil tragen muß; aber hier also von 1818 bis 1821 waren beispielsweise die vier letzten Baumwollpositionen, die in dem von uns vorgeschlagenen Tarif 40, 60, 100 und 125 Mark betragen, 142, 183, 183, 183 *(Hört!)*, es war ferner das Blei mit 3½ Prozent besteuert, und es ist jetzt frei, Bleiwaren, die jetzt 12 Mark tragen sollen, waren damals mit 73 Mark bezahlt, feine Bürstenwaren, welche jetzt und künftig mit 12 Mark besteuert sind, wurden mit 73 Mark besteuert. Ich übergehe das meiste und ziehe nur die interessanteren Positionen heraus. Es waren die letzten und höchsten Positionen Eisenwaren, jetzt und künftig 30, und 1818 waren es 73 Mark; feine Stahl- und Eisenwaren jetzt 12 Mark, 1818: 73 Mark, geschliffene und gefirnißte jetzt 3 Mark, damals 19 Mark, und grobe Eisen- und Stahlwaren ebenso 19 Mark pro Zentner, Hohlglas jetzt 1,50, damals 3,25, wobei ich zu dem Beispiele meines geehrten persönlichen und, wie ich überzeugt bin, auch in der Hauptsache politischen Freundes Delbrück noch bemerke, daß die Einfuhr leerer Flaschen und gefüllter Flaschen doch nicht in einem großen Gegensatz steht; wenn man die leeren Flaschen, die man zollfrei einbringen will, füllen, korken und nachher den Kork bezahlen wollte – das ist eine ziemlich teure Manipulation – und die gefüllten Flaschen wieder entkorken und spülen wollte, es würde dann mehr herauskommen, als der Zoll beträgt. Auf weißes Glas, rohes und geschliffenes, betrug die Steuer 1818: 16,75 und jetzt 12 Mark, dann Brennholz, was jetzt steuerfrei ist, zahlte damals 25 Pfennige. Seide und Florettseide jetzt 450 und 220, damals beide 513,35, Leder aller Art jetzt 12, damals 24, Handschuhe jetzt 50, damals 238, Wein und Most jetzt 12, damals 47,70 Mark. Meine Herren, ich will Sie nicht ermüden, ein jeder kann ja den Tarif nachlesen, ich will bloß den historischen Irrtum bekämpfen, als wollten wir jetzt höhere Sätze erstreben, als früher stattgefunden haben. Das Jahr 1818 ist meiner Überzeugung nach auch in den Augen des Herrn Oechelhäuser entlarvt, ich glaube nicht, daß man es in freihändlerischer Beziehung anziehen darf. Wenn ich nun aber weitergehe, die eigentliche wirksame Zeit des Zollvereins, unter welchem wir uns 40 Jahre einer ziemlich ungetrübten Prosperität, trotz schwerer innerer Wirren im Jahre 1848, doch im großen und ganzen erfreut haben, so waren auch damals die Zölle bei weitem höhere, als die wir Ihnen jetzt vorschlagen. Für diese höheren Zölle stand eine Anzahl bedeutender Finanzmänner ein, und meines Wissens auch die einzigen, die wir seit langer Zeit gehabt haben. Es waren das – in erster Linie will ich den Ältesten, ich glaube, er hielt auch am längsten aus, von ihnen nennen – es war Rother, dann Maaßen und Motz, die beiden M.; 1817 war es von Klewitz, 1825, 1830, 1834 waren es Herr von Motz und Maaßen und Graf Alvensleben. Zwischen und mit ihnen war Rother tätig, der großen Einfluß auf die Gestaltung gehabt hat und eben auch kein Fachmann war. Sie kennen sein Herkommen, er war Regimentsschreiber und wurde zur Stelle ausgehoben auf dem Wege der Kantonalpflicht, und er war kein Gelehrter, wie sie heute die Gesetzgebung beherrschen. Motz war Landrat und auch kein Fachmann. Dann aber von 1842 an ist eine Zahl von Namen, bei der, glaube ich, ein finanzieller Reformer sein Herz bei keinem wird erwärmen können. Es ist zuerst Bodelschwingh; dann ein Finanzmann, der ein sehr ausgezeichneter Oberpräsident und Minister war, der in Finanzgesetzen keine feste Spur hinterlassen hat, wenn auch sonst in vielen Dingen: Herr von Flottwell; dann Düesberg, Hansemann, Bonin, dann ein Mann von Geist: Kühn, der aber schon anfing, die Finanzwirtschaft politisch zu betreiben. Meiner Überzeugung nach trieb er sie nicht mehr sachlich, sondern es war schon eine Politik nach einer bestimmten Richtung darin, der ordnete er die Finanzen bis zu einem gewissen Grade unter. Dann kamen die Herren Rabe, von Bodelschwingh, von der Heydt, Camphausen, Hobrecht. Nun, meine Herren, wo da in der Vergangenheit dieser feierliche Appell an die Fahne des freien Verkehrs anknüpfen soll, weiß ich nicht, wenn Sie nicht gerade die eigentlichen Zollvereinsstifter von 1824 meinen, und die Schutzzölle dieser Zollvereinsstifter reichen ja bis zum Jahre 1864, sie haben sich von 1822 bis 1864 immer auf schützender Höhe erhalten, in Baumwollenwaren auf 138 und auf 150 in der höchsten Position, und jetzt waren wir in der bei 78 angekommen und streben auf 125, also lange nicht so hoch, wie in der Hauptzeit des Prosperismus des Zollvereins. Die Erinnerung an den Zollverein spricht also für unsere Reform. Wir wollen die alte Zollvereinspolitik, die ruhmreiche und wirksame Zollvereinspolitik, wieder in ihre alten Rechte einsetzen, und ich hoffe von ihr denselben Segen, den das Land lange Jahre hindurch von ihr gehabt hat.

Ich habe in der ganzen Debatte die Erwähnung eines Gebietes vermißt, ohne welches der Zolltarif doch keine Selbständigkeit, keine Sicherheit und keine Wirkung hat, das ist die Frage der Eisenbahntarife. Sie liegt ja nicht hier in diesem Gesetze, sie schwebt auf einem anderen Gebiete, aber sie sollte womöglich auch gleichzeitig gelöst werden, denn es ist ganz unmöglich, eine Zollpolitik unabhängig von der Eisenbahnfrachtpolitik zu treiben. *(Sehr wahr!)* So lange die Tendenz unserer Eisenbahnen gewesen ist, uns alles, was Einfuhr ist, wohlfeiler hereinzufahren, als sie das, was Ausfuhr ist, herausfahren, so lange ist sie ein Gegenzoll gegen unseren Zolltarif, steht uns als Einfuhrprämie gegenüber, die beispielsweise im Getreide, wie ich mich – der Herr Abgeordnete Dr. Lasker wird sich daran erinnern – in dem Briefe an Herrn von Thüngen geäußert habe, sehr häufig das Doppelte, manchmal das Drei- und Vierfache des Zolles betragen kann. So lange wir diesen Krebsschaden unserer Produktion haben, daß jede Ausfuhr von uns nach höheren Tarifen gefahren wird, als die Einfuhr, daß jedes deutsche, einheimische, nationale Gut teurer gefahren wird als das ausländische, so lange wir davon nicht erlöst werden, kann in Massengütern kein Grenztarif helfen, werden wir ohnmächtig bleiben gegen eine Macht, welche in die Hand einzelner Gesellschaften oder in die Hand einzelner Zweige der Staatsverwaltung gelegt ist und gelegt war. Zu meiner großen Freude hat in Preußen in der Eisenbahnpolitik eine Umkehr seit Jahr und Tag schon stattgefunden, in den übrigen Staatsbahnen der verbündeten Staaten hoffe ich, daß diese bald geschehen wird, wenn auch bisher der Taler, der aus Eisenbahnrevenuen kommt, noch einen höheren Wert zu haben scheint wie derjenige, der aus anderen Finanzquellen herrührt. Vielleicht sind die Eisenbahnminister in den Einzelstaaten mächtiger als die Finanzminister, ich weiß nicht, woran das liegt, manche dieser Länder fahren zum Schaden, namentlich in ihren Forsten fahren sie ertraglos und sind genötigt, danach den in den Staatsforsten ausfallenden Betrag durch, wie es jetzt liegt, direkte Steuern von den Untertanen wieder einzuziehen.

Mir ist neuerlich schon die Klage vorgekommen, daß eine sächsische Papierfabrik eine Lieferung für ein englisches Journal an Papier hat. Das Journal ist, wenn ich nicht irre, der „Globe", eins der großen Massenjournale, und das Quantum ist täglich so groß, daß diese Fabrik eines eisenbahnbesitzenden Landes nun in der Lage ist, sich darüber zu beschweren, daß sie jedes ausländische Produkt wohlfeiler ins Land hineingefahren bekommen könnte, als ihr auszuführendes Papier nach der Seegrenze, und ich glaube, wenn diese Beschwerden, daß die Ausfuhr bei uns zu teuer gefahren wird, allgemeiner verlauten, werden wir Abhilfe finden; ich habe mich deshalb absichtlich bemüht, den Beschwerden so viel Öffentlichkeit wie möglich zu geben.

Ich kann meine Auseinandersetzung damit schließen, daß ich an dem ganzen Programm festhalte, wenn ich auch einzelne Positionen anders gewünscht hätte, und davon ist ja auch in meiner Korrespondenz mit Herrn von Thüngen die Rede. Aber wir haben zu einer Vorlage nur dadurch kommen können, daß wir kompromittierten, daß der eine in diesem, der andere in jenem nachgab. Ich bereue das auch nicht. Mir liegt nicht an Einzelheiten; mir liegt es an der Gesamtheit, und dieselbe Erwägung, denselben Gesichtspunkt möchte ich auch den Herren Abgeordneten empfehlen, die vielleicht mit Dreiviertel der Vorlage einverstanden sind, dann aber etwas haben, wo sie persönlich anderer Meinung sind, mitunter vielleicht ganz isoliert in ihrer Fraktion stehen.

Die Möglichkeit, daß jeder einzelne sich eine Vorlage genau nach seiner persönlichen Einsicht über das, was nach seiner Überlegung das Beste wäre, bildet, liegt nicht vor, nicht einmal in der einflußreichen amtlichen Stellung, deren ich mich erfreue, noch viel weniger in der Stellung eines einzelnen Abgeordneten, und die Stimme desjenigen, der nicht für die Vorlage stimmt, weil sie ihm zu einem Achtel nicht gefällt, geht gerade so gut verloren und fällt in das Lager der Gegner, wie die, welche dagegen stimmen, weil ihnen das ganze System und die ganzen Zielpunkte nicht gefallen.

Ich möchte deshalb auch in dieser Richtung zu Einigkeit ermahnen; und möge der einzelne, der mit dem größeren Teil der Vorlage einverstanden ist, es doch machen wie ich und dem Übrigen nicht so genau ins Gesicht sehen und sich sagen: „Das Beste ist des Guten Feind.“

Ich kann auch nicht alles haben, was ich erstrebe, ich frage nur: Ist das, was gebracht wird, in seiner Gesamtheit, in seiner Gesamtwirkung besser als das Bestehende?

Wenn ich es allein machen könnte, wenn ich allein die Majorität des Bundesrats in mir trüge, würde ich vielleicht manches anders gemacht haben, aber ich muß es eben so nehmen, wie es vorliegt.

Ich kann also damit schließen, daß ich meine Stellung zu der Sache in keiner Weise, namentlich nicht durch mich persönlich treffende Argumente, aber auch nicht durch die vorgebrachten sachlichen erschüttert finde, und daß ich nach wie vor an den Zwecken festhalte, die ich aufstellte: Das Reich selbständiger zu stellen, die Gemeinden zu erleichtern, den zu hoch besteuerten Grundbesitz durch indirekte Steuern zu erleichtern, zu diesem Behufe die Abschaffung der Klassensteuer, ich wiederhole es, in ihrem vollen Umfange zu erstreben und demnächst als den letzten und nicht den geringsten Zweck: der einheimischen nationalen Arbeit und Produktion im Felde sowohl wie in der Stadt und in der Industrie sowohl wie in der Landwirtschaft den Schutz zu gewähren, den wir leisten können, ohne unsere Gesamtheit in wichtigen Interessen zu schädigen.

(Bravo! rechts. Zischen links.)

93. Gespräch mit Tiedemann am 30. Juni 1879 in Berlin

W 8, 314 f., Nr. 241 = Tiedemann II, 242 ff.

Auf meiner Rückfahrt zum Reichskanzlerpalais überlegte ich mir, wie ich dem Fürsten am schonendsten die unwillkommene Neuigkeit mitteilen könne. Der Fürst war aber inzwischen schon unterrichtet. Er hielt mir bei meinem Eintritt das Hobrechtsche Abschiedsgesuch entgegen, das der Kaiser ihm zur Aeußerung mitgeteilt hatte. Grimmig schritt der Fürst auf und nieder, den Eindruck berechnend, den Hobrechts Fahnenflucht im Parlamente und im Lande machen müßte. Er war überzeugt, daß Hobrecht ihm absichtlich gerade in diesem Moment ein Bein habe stellen wollen, und beruhigte sich erst etwas, als ich ihm Hobrechts Aeußerungen über das Motiv seines Rücktritts mitteilte. „Der ist also verständiger, wie ich glaubte, ich hätte ihm eine solche Selbsterkenntnis nicht zugetraut, aber niederträchtig ist es doch von ihm, daß er mich gerade jetzt im Stich läßt." *Es komme nun darauf an, fuhr der Fürst fort, so rasch wie möglich einen neuen Finanzminister zu finden, ein Vakuum dürfe nicht eintreten; was ich zu Lucius meine. Ich erwiderte, daß meines Erachtens Lucius einen sehr brauchbaren Minister abgeben werde, daß ich aber nicht glauben könne, Lucius werde sich die Last der Finanzen aufladen. Es komme immerhin auf einen Versuch an, meinte der Fürst, ich möge doch Lucius gleich sondieren.*

So fuhr ich denn nun zum Hotel d'Angleterre, wo Lucius damals wohnte. Ich begrüßte ihn bei meinem Eintritt mit den Worten: „Sie meinten vorhin, mich heute abend als Exzellenz titulieren zu können; ich drehe den Spieß um und exzellenze Sie. Sie sind der neue Finanzminister." — Lucius streckte erschrocken die Hände von sich und erklärte, sofort nach Ballhausen abreisen zu wollen, um jedem Einfangen zu entgehen. Keine Macht der Erde werde ihn veranlassen, nach dem Palais am Kastanienwäldchen zu ziehen. Ich zog also unverrichteter Sache wieder ab.

Als ich zurückkam, fand ich den Fürsten in einer Aufregung, wie ich sie noch nicht bei ihm wahrgenommen. Es waren inzwischen die Abschiedsgesuche Falks und Friedenthals eingegangen, beide sehr verschieden motiviert, aber beide doch dasselbe Ziel verfolgend, sich loszulösen von der Politik des Kanzlers. Dieser glaubte die Fäden einer weit angelegten Intrige vor sich zu haben. Er glaubte hier die beste Wirkung des Pronunziamentos zu sehen, welches Forckenbeck im Zoologischen Garten in Szene gesetzt hatte. Er glaubte die Hand der Kronprinzessin im Spiele und hegte den Verdacht, daß der Hof, die Opposition im Reichstage und seine Kollegen sich verbunden hätten, um ihn durch einen allgemeinen Ministerstreik in tödliche Verlegenheit zu bringen.

94. Gespräch mit dem Abg. Lucius am 30. Juni 1879 in Berlin

W 8, 315 f., Nr. 242 = Lucius 164 ff. [gekürzt].

Gestern von einer Tour nach dem Spreewald zurückkehrend, fand ich eine Einladung zum Fürsten, welcher ich wegen der späten Stunde nicht mehr folgen konnte. Heute mittag zwölf Uhr ging ich hin und traf den Fürsten mit der Fürstin beim Frühstück. Wir gingen in sein Arbeitszimmer, und er sagte, nachdem wir Platz genommen, etwa folgendes: „Die drei Minister Falk, Friedenthal, Hobrecht haben am selben Tage, zur selben Stunde, jeder aus verschiedenen Gründen, ihr Entlassungsgesuch eingereicht. Es liegt also eine Verabredung vor, welche ich nur auf Friedenthal zurückführen kann, welche ich aber den beiden andern nicht zugetraut hätte, weil es im gegenwärtigen Moment eine Verlegenheit ist. Falk hat den Wunsch, vor einem kleinen Kreis als großer, bewunderter Charakter dazustehen, er hat schon oft seinen Abschied eingereicht und beim letztenmal wenigstens das Ende der jetzigen Session abwarten wollen. Friedenthal hat mir Ende Mai die Neigung, seinen Abschied zu nehmen, ausgesprochen. Ich antwortete ihm damals: Gehen möchte ich auch, aber darum handelt es sich jetzt nicht. Ich möchte Sie nun fragen: ob Sie ein Ministerium anzunehmen bereit sein würden?"

Ich, ohne viel Besinnen, antwortete: „Die Anfrage kommt mir etwas überraschend, aber wenn Sie es mir zutrauen, würde ich nicht nein sagen."

Bismarck: „Ich danke Ihnen für das durch Ihre Antwort bewiesene Vertrauen. Für Kultus würden Sie als Katholik nicht passen, wie wäre es mit dem Landwirtschaftlichen? Ich werde dem Kaiser noch andere Vorschläge machen müssen, als wie Graf Behr-Negendanck, Köller, Seydewitz — allein Sie habe ich in erster Linie ins Auge gefaßt. Es ist jetzt ein schöner, durch Zulegung der Domänen- und Forstverwaltung erweiterter Wirkungskreis, und ich wünsche eine sichere, feste Unterstützung im Staatsministerium. Friedenthal hat immer intrigiert, jetzt reserviert er sich für das kronprinzliche Ministerium — Delbrück-Bennigsen — er irrt sich darin.

Nun muß ich Ihnen sagen, wen ich für die anderen Ministerien dachte, und bitte um Ihre Meinung. Für das Finanzministerium dachte ich an Bitter."

Ich: „Ein geschulter Beamter ist hier sicher am Platz, Bitter kenne ich nicht. Wäre nicht der Direktor Burchard geeignet?"

Bismarck: „Nein, der ist zu liberal und hat schon früher entschieden abgelehnt, dagegen habe ich an Bötticher, Dechend, Varnbüler gedacht."

Ich: „Wäre nicht Oberpräsident von Puttkamer passend?"

Bismarck: „Der soll Kultusminister werden."

Ich: „Falks Abgang im jetzigen Moment ist sehr zu bedauern, es wird als ein dem Zentrum gebrachtes Opfer gedeutet werden. Es wäre schon ein Gewinn, wenn er als Justizminister bliebe."

Darauf las Bismarck die Entlassungsgesuche und die an ihn gerichteten Begleitschreiben vor, mit welchen die drei Minister ihm die Kopien der an den König gerichteten Schreiben zugeschickt hatten.

Friedenthal motivierte seinen Rücktritt mit Gesundheitsrücksichten — im Begleitschreiben an Bismarck bat er um Bewahrung seines ferneren Wohlwollens für sich und seine Familie (wobei Bismarck brummte: „Das ist nie groß gewesen!").

Hobrecht motivierte kurz, er fühle sich dem Amte nicht gewachsen, und fügte auch im Begleitbrief keine weiteren Gründe an. Er hat Tiedemann wiederholt mündlich betont, das sei sein einziger Grund und er folge keiner Verabredung.

Falk motivierte mit dem Hinweis auf seine bisherigen Schwierigkeiten in der Kirchenpolitik und auf die weiter drohenden.

Ich: „Er hätte allerdings damit warten können bis zum Zusammentritt der Generalsynode, während es jetzt so aussieht, wie eine an das Zentrum gemachte Konzession für wirtschaftliche Unterstützung."

Bismarck meinte: „Ganz gewiß, er ist derjenige, welchen ich am wenigsten gern gehen lasse. Er brauchte sich um die Ernennungen, welche Seine Majestät für die Generalsynode vorgenommen hat, nicht zu kümmern — und wenn er zehn Dompfaffen, wie Stöcker, ernannt hätte. Aber Falk will vor einem kleinen Publikum

groß und rein dastehen! Ich kann ihn unter diesen Umständen nicht halten, umsoweniger, als er sowohl wie Hobrecht mit Rücksicht auf ihre Privatverhältnisse es ablehnen, eine andere Stelle im Staatsdienste anzunehmen."
Ich wiederholte meinen Dank für das mir durch die Anfrage erwiesene Vertrauen und versicherte, dieselbe nur als eine eventuelle aufzufassen....
Bismarck dankte wiederholt für meine Bereitwilligkeit, erzählte noch, Hobrecht habe für Meinecke neulich den Oberpräsidentenposten in Schleswig gefordert, was er abgelehnt habe. Auch das könne Hobrecht verstimmt haben. Eher wohl hat dazu beigetragen das ohne Hobrechts Zuziehung geschlossene Kompromiß über Zolltarif usw.

95. Immediatschreiben: Die Ministerkrise in Preußen (Reinschrift)

W 6 c, 150 ff., Nr. 161.

Berlin, 1. Juli 1879.

Ew. M. werden mit derselben Ueberraschung wie ich Kenntnis von den Entlassungsgesuchen der Minister Hobrecht, Falk und Friedenthal erhalten haben: Besonders auffällig ist das Zusammentreffen aller Drei auf dieselben 24 Stunden, obschon sie aus ganz verschiedenen Gründen jeder den Abschied verlangen. Meinem Eindruck nach ist dieses Zusammentreffen von Friedenthal arrangiert, über dessen uneingestandene Beziehungen zu den liberalen Parteien ich schon öfter mich zu beklagen hatte. Es wird dadurch der Eindruck gemacht, als ob alle drei Minister zu ihrem Rücktritt durch ihre Anhänglichkeit an die verstimmte nationalliberale Partei bewogen wären.
Der Drang der Geschäfte, in welchen ich durch diese Verwickelung der ohnehin meine Arbeitskraft fast übersteigenden Situation versetzt worden bin, hält mich ab, diese meine Eindrücke Ew. M. näher nachzuweisen, und darf ich dies der nächsten Zukunft vorbehalten.
Mein ehrf. Antrag geht dahin, daß Ew. M. die Gnade haben wollen, die drei Abschiedsgesuche zu genehmigen. Nach der politischen Stellung, welche diese Herren d u r c h ihre Abschiedsgesuche genommen haben, ist in den gegenwärtigen schwierigen Parteikämpfen ein weiteres Zusammenwirken mit ihnen nach meiner und der übrigen hier anwesenden Minister Meinung nicht tunlich. Die Situation erfordert mehr als je ein Kabinett, dessen Mitglieder sich gegenseitig trauen und ihrem Amte gewachsen sind. Die Gesundheit des Ministers Friedenthal ist besser, als ich sie je gekannt habe, und m. E. nur ein Vorwand für seinen Rücktritt, da er Ew. M.

gegenüber seine Neigung für zukünftige liberalere Kabinettsbildungen natürlich nicht einräumt. Die Entscheidung Ew. M. würde Zeit haben bis zum Schlusse des Reichstags, soweit sie das Kultus- und das landwirtschaftliche Ministerium betrifft. Für ersteres beabsichtige ich Ew. M. in erster Linie den Oberpräsidenten von Puttkamer, und wenn er ablehnen sollte, einen der Präsidenten von Ernsthausen, von Seydewitz oder Steinmann vorzuschlagen. Es ist erwünscht, in dieser Stelle jemanden zu haben, der Ew. M. bezüglich seiner Stellung zur evangelischen Kirche genehm ist und dabei den Frieden mit der katholischen Kirche nicht erschwert, aber ihn auch nicht auf Staatskosten erkauft.

Für das landwirtschaftliche Ministerium würde mein allerunt. Vorschlag zunächst den Vizepräsidenten des Reichstags Dr. Lucius treffen, der ein reicher Gutsbesitzer in Thüringen ist, der Rede mächtig und im Reichstag wie im Landtag eine angesehene Stellung hat. Er ist der Führer der freikonservativen Fraktion, welche von allen der Regierung am nächsten steht.

Diese beiden Ernennungen sind meines ehrf. Dafürhaltens nicht eilig. Wohl aber ist dies die Ernennung eines Finanzministers in Ersatz für Hobrecht, weil der Mangel an einem beherrschenden Einfluß in diesem Ministerium schon seit lange fühlbar und in der schwebenden parlamentarischen Krisis doppelt gefährlich ist. Ich erlaube mir zu dieser Stelle den bisherigen Unterstaatssekretär Bitter im Ministerium des Innern allerunt. vorzuschlagen. Derselbe ist der Bruder des Chefs der Seehandlung, war Präsident in Schleswig und Düsseldorf, mehrere Jahre lang als Mitglied der Donau-Kommission in diplomatischer Wirksamkeit und vorher ebenso lange Dirigent der Finanzabteilungen verschiedener Regierungen. Er ist bereit, diese jetzt sehr dornenvolle Stellung zu übernehmen, und die hier anwesenden Staatsminister sind damit einverstanden. Er hat sich stets als Mann von konservativer Gesinnung bewährt und soll von sehr energischem Charakter sein, wie es allerdings notwendig ist, wenn die bisherige Republik der M i n i s t e r i a l r ä t e im Finanzministerium in monarchischem Stile geordnet werden soll.

Wenn Ew. M. mir huldreich gestatten wollen, den Unterstaatssekretär Bitter zum Nachfolger des Finanzministers a m t l i c h vorzuschlagen, so würde ich um ein hochgeneigtes Telegramm mit dem Worte „Einverstanden" allerunt. bitten.

Zu besonderen Gnadenbeweisen für die abgehenden Minister kann ich nach dem tendenziösen Eindruck, den ihr Rücktritt macht, kaum raten. Hobrechts Leistungen sind dafür nicht bedeutend genug, und Friedenthal halte ich, wie erwähnt, für den Urheber der Demonstration und für einen

Mann, der jederzeit mehr mit ehrgeizigen Plänen für seine Zukunft als mit der Gegenwart beschäftigt war. Er soll seiner kleinen Frau in den Kopf gesetzt haben, sie würde dermaleinst „Frau Reichskanzlerin" werden. Daß dies unter Ew. M. Regierung geschehen würde, glaube ich kaum.

Der einzige von den Dreien, für welchen ich meinerseits um einen gnädigen Abschied ehrf. bitten möchte, ist Falk, der, wenn auch nicht immer Ew. M. zu Dank, doch ehrlich und tapfer sieben Jahre lang seine Schuldigkeit getan hat. Er ist auch der einzige von den Dreien, der seine Gesundheit dabei zugesetzt hat, denn seine nervöse Aufgeregtheit ist beängstigend und erweckt ihm selbst Besorgnis.

Ew. M. wollen huldreich verzeihen, daß ich mich der Hand meines Sohnes bediene, weil ich selbst eine Steifheit in der rechten Hand bei längerem Schreiben empfinde. Den Briefwechsel, welcher zwischen den ausscheidenden Ministern und mir bisher stattgefunden hat, füge ich mit der ehrf. Bitte um Rücksendung allerunt. bei.

96. Immediatschreiben: Weitere Ausführungen zur Ministerkrise in Preußen (Reinschrift) W 6 c, 152 ff., Nr. 162.

Berlin, 3. Juli 1879.

Nach Eingang des gnädigen Handschreibens Ew. M. vom 30. v. M. erlaube ich mir, meinen vorgestrigen Bericht über den Rücktritt der Minister in nachstehendem allerunt. zu vervollständigen.

Sehr auffällig ist zunächst die Erscheinung der Gleichzeitigkeit von allen drei Abschiedsgesuchen, während jedes mit verschiedenen Motiven begründet wird. Durch diese Gleichzeitigkeit wird das Gewicht der Demonstration verstärkt, welche in der Wahl des Zeitpunktes liegt. Es hat keinem der drei Minister entgehen können, daß ihr Rücktritt — und namentlich ihr gleichzeitiger Rücktritt — von der ohnehin leidenschaftlich aufgeregten liberalen Presse als ein Anschluß an die Opposition gegen die von denselben Ministern früher gebilligten Regierungsvorlagen aufgefaßt wird. Dabei war jeder der Herren in der Lage, ohne irgend welchen Nachteil für sein persönliches Interesse diesen Schritt bis nach Schluß des Reichstags aufzuschieben, der ja doch in 14 Tagen zu erwarten steht. Daß sie das nicht getan, sondern den kritischsten Moment der Parlamentsverhandlungen gewählt haben, um einen demonstrativen Rückzug anzutreten und dadurch die Stellung der in Ew. M. Dienst verbleibenden Kollegen zu erschweren, wird von letzteren und von den konservativen Parteien mit großer Bitterkeit empfunden und als eine Handlungsweise aufgefaßt, wie sie in ministeriellen Stellungen schon deshalb nicht vorkommen dürfte, weil der Schaden, der dadurch gestiftet wird, schließlich den Staat und die Stellung des Monarchen in demselben trifft. Die Verurteilung dieses Verfahrens ist deshalb in allen Kreisen, deren Aeußerungen ich bisher gehört habe, eine einstimmige, — ebenso einstimmig wie die Anerkennung in der Oppositionspresse. —

Das erste Gesuch, von dem ich Mitteilung erhielt, war das des Ministers Hobrecht. Derselbe hatte sich mündlich gegen den Geheimen Rat Tiedemann dahin ausgesprochen, daß er seinen Abschied erbeten habe, und dabei als Motiv angeführt, daß er sich nicht imstande fühle, den Anforderungen seines Ressorts Genüge zu leisten. Dieses, wie ich glaube, der Wahrheit entsprechende Gefühl ist in ihm besonders überwältigend hervorgetreten in einer Kommissionssitzung vom 27. v. M., in welcher er nach dem Zeugnis der Zuhörer in einer längeren Rede einen Eindruck von Unzulänglichkeit gemacht haben soll, der um so peinlicher gewesen wäre, als die gleichzeitigen Reden der Vertreter von Bayern, Sachsen und Württemberg sich durch Klarheit und Beherrschung des Stoffes ausgezeichnet hätten. Hobrecht selbst scheint diesen Eindruck geteilt zu haben; unmittelbar nach dieser Sitzung hat er sein Abschiedsgesuch an Ew. M. abgesandt und ist noch am anderen Tage Tiedemann gegenüber in dem Zustande voller Entmutigung gewesen. Mit mir hat er über seinen beabsichtigten Rücktritt ebensowenig ein Wort gewechselt, wie seine beiden anderen Kollegen, obschon ich mit allen Dreien in persönlich ungetrübten Beziehungen lebte. Wenn Minister Hobrecht nun in seinem Abschiedsgesuch nicht von einem Gefühl der Entmutigung und Unzulänglichkeit spricht, sondern von einer Aenderung der finanziellen Richtung, welche den Voraussetzungen nicht mehr entspräche, unter denen er eintrat, so ist das menschlich erklärlich, aber zu meinem Bedauern eine volle Unwahrheit. Minister Hobrecht hat mit mir und den anderen Ministern die finanzielle Vorlage, wie Ew. M. sie genehmigt haben, beraten und eingebracht und auch später niemals eine Meinungsverschiedenheit darüber gegen mich geäußert: ich durfte bisher annehmen, daß eine solche zwischen uns über keinen Teil der Vorlagen bestände, sondern nur über zwei Fragen, die einer vielleicht fernen Zukunft angehören: über das Tabaksmonopol und den Umfang, in welchem die Klassensteuer künftig zu erlassen sein würde, wenn wir Geld genug dazu hätten. Beide Fragen sind für die parlamentarische Gegenwart ohne jede Bedeutung. Auffällig war allerdings schon seit lange, daß an Verhandlungen, die lediglich im Interesse der deutschen Finanzministerien eingeleitet und geführt wurden, Ew. M. preußischer Finanzminister sich tatsächlich teils gar nicht, teils in schweigender Assistenz beteiligte und die Verteidigung der finanziellen Vorlagen dem Reichskanzler und seinen Kommissarien überließ. Die Opposition nahm an, daß dies auf Mangel an Einverständnis beruhe, und nur die Eingeweihteren konnten vermuten, daß die Ursache dieser Erscheinung in dem Bewußtsein lag, der Sache nicht gewachsen zu sein. Es kam dazu, daß die zum Teil sehr befähigten Räte des Finanzministeriums, deren Einfluß Hobrecht notwendig unterlag, nach ihrer politischen Ueberzeugung ohne Ausnahme mit der fortschrittlichen und nationalliberalen Opposition sympathisieren. Persönlich hat mir der Minister Hobrecht noch in den letzten Briefen, die er mir geschrieben, vor einigen Wochen sein volles Einverständnis mit der Steuerreform und ihrer Richtung ausgesprochen und seitdem geschwiegen, so daß ich die Unrichtigkeit seiner Behauptung, als ob unsere Finanzpolitik nicht mehr den Voraussetzungen entspräche, unter denen er das Ministerium übernahm, aus seinen eigenen Briefen und Worten beweisen kann. Ich habe daher bei meiner sonstigen Meinung von seiner Aufrichtigkeit nur mit großem Befremden diesen Passus in seinem Abschiedsgesuch lesen können: er nimmt dadurch ganz gegen mein Erwarten sofort Stellung auf Seite der Opposition und macht, wenigstens für jetzt, seine weitere Verwendung im Staatsdienst unmöglich. Auch hat er dementsprechend in seiner Mitteilung an Tiedemann gesagt, daß er keine anderweite Stellung im Staatsdienst annehmen wolle.

Meine frühere Bitte an Ew. M., ihm eventuell das Oberpräsidium in Schleswig offen halten zu wollen, hat daher keine Bedeutung mehr.

Die zweite analoge Mitteilung, die ich den Tag darauf erhielt, war die des Ministers Falk, auf die ich nur dadurch vorbereitet war, daß der Minister Hobrecht zum Geheimen Rat Tiedemann gesagt hatte, *sein* Abschiedsgesuch stehe in keiner Beziehung zu dem von Falk und Friedenthal. Bis dahin hatte ich geglaubt, der Minister Falk würde vielleicht im Herbst bei Gelegenheit der Generalsynode oder der Vorberatung der Schulgesetzes Anlaß zu einem erneuten Abschiedsgesuch nehmen. Ich hatte nicht gewußt oder doch Herrn von Bülow nicht dahin verstanden, daß diesem gegenüber der Minister Falk schon im Monat Mai von seinem beabsichtigten Rücktritt wiederum gesprochen hatte. Ich weiß nur, daß unmittelbar nachdem Herr von Bülow von Falks Verstimmungen zu mir sprach, der Minister Friedenthal mich aufsuchte, um mir zu sagen, daß er abgehen wolle: derselbe hat schon damals beabsichtigt zu gehen, sobald Falk gehen würde; er hat eben durch diesen Anschluß an Falk seinem eigenen Rücktritt eine höhere politische Bedeutung verleihen wollen, wie ich auch jetzt wiederum von Falk hörte, daß Friedenthal ihn gebeten habe, sein Gesuch der Gleichzeitigkeit wegen noch einen Tag zu verschieben.

Ich hatte gehofft, den Minister Falk vorläufig zum Bleiben zu bewegen, um den Eindruck zu vermeiden, als ob sein Ausscheiden mit der Unterstützung zusammenhinge, welche das Zentrum der Regierung in der Zollfrage gewährt, ohne daß wir es darum gebeten haben. Ich sagte dies Falk mit dem Bemerken, daß der unzeitige Moment, den er zum Rücktritt wähle, die Deutung der feindlichen Presse begünstige, als ob wir den Kultusminister für Bewilligung der Zölle an das Zentrum verkauft hätten. Ich fand aber den Minister Falk in einer so leidenschaftlichen und krankhaften Aufregung, daß ich für mein, wie ich glaube, sehr einleuchtendes, Argument kaum seine Aufmerksamkeit gewinnen konnte. Er schüttete mir sein Herz über alle Kränkungen, die er von den verschiedensten Seiten her erlitten habe, mit einer Heftigkeit aus, daß es schwer für mich war, seine Aufmerksamkeit für meine Argumente zu gewinnen: er bewegte sich dabei ziemlich ausschließlich auf dem Gebiete der evangelischen Kirche, — und wie hoch gesteigert seine Empfindlichkeit war, bewies mir der Umstand, daß die Ernennung eines so unbedeutenden Mannes, wie meines Kreisnachbarn des Grafen Hagen zur Synode scheinbar den Ausschlag bei ihm gegeben hatte, denn er kam auf diesen Vorgang vielfach mündlich und auch schriftlich zurück. Er versicherte mich dabei, daß er in den parlamentarischen und wirtschaftlichen Fragen mit vollster Ueberzeugung auf der Seite der Regierung stehe und dies als Abgeordneter auch ferner mit aller Entschiedenheit betätigen werde; daß er die Forderungen konstitutioneller Garantien, wie die nationalliberale Partei sie stellt (Steuerverweigerungs-Recht), für unsinnig halte und es vollkommen natürlich finde, daß die Regierung die, sich ihr freiwillig darbietende, Unterstützung des Zentrums in dieser Frage nicht abweise. Er war also auf diesem Gebiete ebenso verständig, wie auf dem kirchlichen erregt; — aber eben in dieser Erregung vermochte er nicht den Schaden zu erkennen, den er seinen zurückbleibenden Kollegen durch die Wahl des Zeitpunktes für sein Abschiedsgesuch getan hat. — Auch er wird keine anderweite Stelle im Staatsdienst anstreben oder annehmen. Er sagte, daß er auf dem Gebiete der Kirche und Schule Maßregeln voraussehe, bei deren Ausführung er gewissenshalber nicht mitwirken könne; auch eine Kandidatur für das Justizministerium bei etwaigem Abgange von Leonhardt lehnte er aus demselben Grunde entschieden ab. Ich habe von ihm den Eindruck eines achtbaren, der Monarchie und dem Staate unter allen Umständen nach seiner Weise treuen Charakters, dessen nervenkranke Erregtheit von Friedenthal zur politischen Demonstration gemißbraucht worden ist.

Was den Minister Friedenthal anbelangt, so bemerke ich zuvörderst ehrf., daß er so gesund ist, wie ich schwerlich je wieder zu werden Aussicht habe, und daß er diese Gesundheit leider zu angestrengten parlamentarischen Umtrieben gegen die Regierung verwendet, indem er bemüht ist, innerhalb der freikonservativen Partei die Abgeordneten, auf welche er Einfluß hat, zum Abfall von der Regierung zu bewegen. Ich habe darüber den Zeugenbeweis der Beteiligten selbst. Seine Beziehungen zu dem linken Flügel der Nationalliberalen waren mir seit lange bekannt und haben mir meine, nach dem Zustande meiner Gesundheit überhaupt kaum zu bestreitenden, Aufgaben wesentlich erschwert. Er stand mit dem Abgeordneten Lasker seit lange in einem persönlichen Bündnis, was sich unter anderem dadurch betätigte, daß er, als einer der Kuratoren der Zeitung „Post", dieser schon im vorigen Jahre während der Kämpfe über die Wahlen und über das Sozialistengesetz verboten hatte, irgend etwas gegen Lasker zu drucken, auch als derselbe die Regierung im Sozialistengesetze bekämpfte. Ich weiß dies von der Redaktion und von den übrigen Kuratoren der Zeitung.

Friedenthal ist ehrgeizig und seine Frau vielleicht noch mehr, — aber sein Ehrgeiz rechnet mit der Zukunft, und er hält sich in Fühlung mit der kleinen Anzahl Zukunftsminister, welche von der Annahme ausgehen, daß S. Kais. Hoh. der Kronprinz, wenn Gott ihn zur Regierung beruft, ein liberales Ministerium ernennen werde. Unter den 5 bis 6 Ministerkandidaten, die mit diesen Zukunftsplänen rechnen, ist Friedenthal ohne Zweifel der klügste und daher sehr arbeitsam, so daß er mit Recht hoffen kann, unter dieser Gesellschaft dermaleinst vielleicht der Erste, — jedenfalls der Einflußreichste und Herrschende zu sein. Er fürchtet, diese seine Aussichten zu schädigen, wenn er Mitglied eines konservativen und namentlich auf kirchlichem Gebiet etwa weiter rechts gehenden Ministeriums bliebe: deshalb hat er das politische Relief gesucht, welches ihm der Rücktritt in Verbindung mit Falk verleiht. Er wartete seit einem halben Jahre auf Falks Rücktritt, um sich demselben demonstrativ anzuschließen; er ist erst 51 Jahre alt und macht seine Pläne daher noch für eine längere Zukunft. Er wird aber in jedem Ministerium dem Präsidenten desselben das Leben durch Intrigen sehr erschweren, und, wenn er selbst Ministerpräsident wäre, die Interessen seines Monarchen durch Nachgiebigkeit gegen das Parlament und durch persönliche Furchtsamkeit gefährden. — Mein nachteiliges Urteil über seinen Charakter gründet sich auf keine Beimischung persönlicher Abneigung, da er alle liebenswürdigen

Eigenschaften eines klugen Juden hat und mit mir persönlich, wie auch sein jüngster Briefwechsel bezeugt, äußerlich die wohlwollendsten Beziehungen unterhält. Er will es auch mit der gegenwärtigen Macht nicht verderben, und deshalb schützt er seine Gesundheit als Rücktrittsgrund vor, — eine Unwahrheit, über die sich hier jeder wundert, der sie erfährt. Der wahre Grund seines Rücktritts — darüber zweifelt hier niemand — ist das Bestreben, sich für zukünftige kirchlich und politisch liberalere Kombinationen möglich zu halten. Das Mißtrauen, welches ich seit Jahr und Tag gegen ihn habe, und welches die verbleibenden Minister infolge der jetzigen, für uns alle so nachteiligen und perfide berechneten Austrittsdemonstration teilen, ist so stark, daß ein ferneres Zusammenwirken des bestehenden Staatsministeriums mit Friedenthal Schwierigkeiten haben würde, denen wir unter den jetzigen parlamentarischen Verhältnissen nicht gewachsen wären. — Gewiß hat Friedenthal sein landwirtschaftliches Ministerium tätig und geschickt verwaltet — dasselbe war aber auch das leichteste von allen, und die Leistungen, die er mit einiger Ruhmredigkeit in seinem Abschiedsgesuch aufzählt, halten keinen Vergleich aus mit dem, was jeder von Ew. M. Minister in den übrigen Ressorts das Jahr hindurch leistet und arbeitet, ohne zu glauben, daß er etwas Besonderes damit tut: Wer von uns und namentlich im Kultusministerium, im Reichskanzleramt, im Kriegsministerium, in der Postverwaltung, im Auswärtigen, im Finanzministerium — kurz, in jedem auch nur seine laufenden Geschäfte bewältigen will, muß ganz andere Anstrengungen auf sich nehmen als diejenigen, deren Friedenthal sich rühmt; und wenn er in der öffentlichen Meinung Anerkennung hat, so ist das nicht wegen seiner Leistungen, die im Publikum wenig bekannt sind, sondern weil er jederzeit bestrebt gewesen ist, das Ministerium der liberalen Partei in Parlament und Presse dienstbar zu machen: deshalb lobt ihn die Presse, aber doch nur die liberale.

Aber selbst wenn sein Ressort ihm Gelegenheit geboten hätte, mehr und Höheres zu leisten, so fehlen ihm doch für einen Minister in der heutigen Zeit des Kampfes gegen republikanische und sozialistische Tendenzen, die hinter dem Liberalismus stehen, die Charaktereigenschaften der Zuverlässigkeit und der Aufrichtigkeit, die meines untertänigsten Dafürhaltens in der jetzigen Lage der Politik noch mehr Wert haben als die Klugheit, und ohne welche das unentbehrliche Zusammenhalten nicht möglich ist. —

Die plötzliche Demonstration der drei Minister steht nach ihrem moralischen Werte und nach ihrer politischen Wirkung in derselben Kategorie, als wenn in einem kritischen Momente einer Schlacht drei Generäle plötz-

lich zum Feinde übergehen und ihre Kameraden im Stich lassen, und die verantwortliche Urheberschaft dieser feindlichen Demonstration fällt, in den Augen meiner Kollegen, wie in den meinigen, dem Minister Friedenthal zu, ohne welchen namentlich die Gleichzeitigkeit der Abschiedsgesuche niemals zustande gekommen wäre. Wenn einer der drei Minister seine Gesundheit als Grund seines Rücktritts anführen konnte, so war es dem Augenschein nach vielleicht Falk, aber sicher nicht Friedenthal.
Ew. M. kann ich hiernach, in Uebereinstimmung mit allen verbleibenden Staatsministern, nur meinen ehrf. Antrag wiederholen, die Entlassung aller drei Minister unter der Bedingung genehmigen zu wollen, daß dieselben mit Ausnahme des Finanzministers, die Geschäfte bis zum Schluß des Reichstages fortführen. Die amtlichen Anträge würden demgemäß vorgelegt werden, sobald ich Ew. M. Intentionen kenne: derjenige bezüglich des Finanzministeriums ist infolge des Allerh. Telegramms von gestern bereits in Arbeit.

97. Immediatschreiben: Die Entlassung der drei zurückgetretenen Minister (Reinschrift) W 6 c, 156 f., Nr. 163.

Berlin, 5. Juli 1879.

Ew. M. danke ich ehrf. für das gnädige Schreiben von dem denkwürdigen Datum des 3. Juli.
Der häufige Wechsel in den Ministern ist gewiß eine bedauerliche Erscheinung und für mich ganz besonders ein Grund der Vermehrung und Erschwerung meiner Arbeiten: Ein wesentlicher Grund, wie er den Rücktritt von Camphausen, Achenbach, Delbrück, v. d. Heydt und schließlich auch des älteren Grafen Eulenburg herbeigeführt hat, liegt darin, daß viele Minister sich die Schwierigkeiten des Amtes durch Nachgiebigkeiten gegen die Parlamente erleichtern und auf diesem Wege früher oder später an einen Punkt gelangen, wo das im Interesse der Krone und des Staates nicht mehr angeht, und daß dann von meiner Seite, der ich leider der einzige bin, der den Beruf hat, ein höheres Interesse als das eines Ressorts wahrzunehmen, eine Gegenwirkung erfolgen muß, die einen Umschlag herbeiführt. Der Graf Eulenburg hat diese Friktion mit mir länger ausgehalten wie andere; nachdem er mir in den ersten zehn Jahren seines Amtes in Gemeinschaft mit Graf Roon tapfer beigestanden hatte, war er aber müde geworden und ließ sich von dem parlamentarischen Strom

treiben: dadurch hat er in den letzten Jahren recht schädlich auf unsere Gesetzgebung eingewirkt und manche der Kronrechte fallen lassen, die er in den ersten zehn Jahren seines Amtes energisch verteidigt hatte. Die Arbeit eines Ministers, der den Parlamentsmajoritäten Widerstand leistet, ist eben eine aufreibende, wogegen Minister, die sich den Majoritäten fügen und anschließen, eine zeitlang ein bequemes Leben auf Kosten der Kgl. Rechte führen. Sehr zahlreich sind die Bewerbungen um Ministerstellen überhaupt nicht; das Gehalt ist im Vergleich mit den äußeren Anforderungen zu gering, und nur ein reicher Mann kann Minister sein, ohne in finanzielle Schwierigkeiten zu geraten. Die geringe Anziehungskraft der dornenvollen Stellung eines Ministers, der nicht mit dem Parlamentsstrom schwimmt, brachte es mit sich, daß ich im Frühjahr des vorigen Jahres, um das Ministerium wieder zu vervollständigen, mehrere Wochen hindurch zu Anstrengungen in der Anwerbung neuer Kollegen genötigt war, welche mit der schweren Krankheit endigten, an der ich nachher in Friedrichsruh litt. Hätte ich versprechen können, mit dem Liberalismus und der Majorität unbedingt gehen zu wollen, so wäre es mir leicht geworden, Kollegen zu finden. Da das aber nicht ging, so habe ich unter den vielen, um die ich geworben habe, schließlich nur den einzigen Hobrecht finden können, der überhaupt wollte. Daß er, nachdem er jahrelang so große Gemeinden, wie Berlin und Breslau regiert hatte, so wenig Finanzmann wäre, wie er ist, konnte man nicht voraussehen; auch konnte ich von ihm nicht erwarten, daß er schließlich, unter der Einwirkung von Friedenthal, den liberalen Einflüssen unterliegen werde, die ich schließlich doch als Ursache seines Rücktritts ansehen muß. Ew. M. wollen sich huldr. erinnern, daß in den Jahren vor meinem Eintritt 1862 die Ministerwechsel noch erheblich häufiger gewesen sind, als jetzt. Es sind das Fatalitäten, die mir die meiste Mühe machen, deren Aenderung aber leider von mir nicht abhängt. Daß Falk unter den Kämpfen, die er zu führen hatte, sieben Jahre lang mit seinen Nerven ausgehalten hat, ist sogar mehr, als ich von ihm erwartet habe.

Von dem Oberpräsidenten von Puttkamer kann ich melden, daß er bereit ist, das Falksche Ministerium zu übernehmen, wenn Ew. M. ihn mit dem Allerh. Vertrauen beehren wollen.

Daß Friedenthal Ew. M. gegenüber seine liberalen Beziehungen nicht nur verschwiegen, sondern sorgfältig verborgen hat, liegt ganz in seinem Charakter — er hat eben nach allen Seiten hin, bei Ew. M., am Hofe, bei mir, bei den Liberalen bis zu Lasker hin und auch bei dem Zentrum seine Reden und sein Verhalten so eingerichtet, daß jedermann ihn für seinen Freund halten konnte. Bei den Ultramontanen wurde er dadurch unter-

stützt, daß seine katholische Frau einen, mit den Jahren in seiner Wärme stets steigenden, Katholizismus zur Schau trug, der ihr früher nicht eigentümlich war.
Der Aufschub der beiden rückständigen Ernennungen bis zum Schluß des Reichstages ist hauptsächlich deshalb wünschenswert, weil Puttkamer und Lucius Abgeordnete sind und durch die Ernennung ihr Mandat verlieren würden. Eine Wirkung auf das Verhalten der beiden rücktretenden Minister befürchte ich von der früheren oder späteren Ernennung nicht. Falk wird, wie es seinem aufrichtigen und geraden Charakter entspricht, in allen dem Reichstag jetzt vorliegenden Fragen die Regierung unterstützen, und Friedenthals Einwirkung auf die Abstimmungen ist schon bisher eine schädliche gewesen und wird es, wie ich fürchte, unter allen Umständen bleiben, auch in den Fällen, wo er selbst, des Scheines halber, mit uns stimmt.
Bezüglich einer Gnadenbezeugung für Hobrecht beim Abgange habe ich mich jedes Antrages enthalten, weil ich mich durch das *procédé* der Herren persönlich verletzt fühle: ich habe deshalb den Grafen Stolberg gebeten, seinerseits die desfallsigen Anträge bei Ew. M. zu stellen, nicht weil mir deren Gewährung empfindlich sein würde, sondern weil ich eine Empfindung von Unaufrichtigkeit haben würde, wenn ich die Anträge selbst unterschriebe. Hobrecht könnte, wenn Ew. M. ihm Wohlwollen erweisen wollen, Wirklicher Geheimer Rat werden, und wenn Ew. M. weniger für ihn übrig haben, etwa den Stern zum Kronen-Orden 2. Klasse erhalten, wenn er auch erst bei Ew. M. Geburtsfest den Roten Adler-Orden 2. Klasse (ohne Stern) erhalten hat. Bei seiner im übrigen achtbaren und liebenswürdigen Natur hoffe ich die Bitterkeit gegen ihn wieder zu verlieren, welche sein unzeitiges und falsch motiviertes Abschiedsgesuch in mir hervorgerufen hat.
Bezüglich der Beantwortung der beiden anderen Entlassungsgesuche von Falk und Friedenthal möchte ich ehrf. anheimgeben, daß Ew. M. zunächst jedem von beiden, sei es durch den Kabinettsrat, sei es durch Ordre, erklären lassen, daß Allerhöchstdieselben die Entscheidung auf ihr Gesuch sich bis zum Schlusse des Reichstages vorbehalten.

98. Schreiben an den Kriegsminister von Kameke: Zur Friedenspräsenzstärke des Heeres (Ausfertigung) W 6 c, 158 f., Nr. 164.

Berlin, 6. Juli 1879.

Mit Ew. Exz. gefl. Schreiben vom 3. Mai d. J. bin ich zunächst dahin einverstanden, daß unsere Entschließungen bis zur Zeit des Eintritts in die nächsten Budgetberatungen des Reichs feststehen müssen. Was den Inhalt desselben anbelangt, so bin ich technisch nicht hinreichend informiert, um ein Votum abzugeben, erlaube mir aber die Gesichtspunkte, welche sich mir gegenwärtig aufdrängen, in kurzem zu präzisieren.

Ich glaube nicht, daß es sich empfiehlt, die Forderung einer dauernden Festlegung der Präsenzziffer überhaupt zu stellen. Wir würden, wenn sie uns bewilligt würde, vielleicht die Ersten sein müssen, welche Aenderungen beantragten, und der dauernde Verzicht auf die Mitwirkung beim Militärbudget widerstrebt den parlamentarischen Neigungen dermaßen, daß die etwa nötigen Verstärkungen der Wehrkraft sich leichter werden durchsetzen lassen, wenn wir unsere Forderungen auf eine begrenzte, womöglich wiederum 7jährigen Periode der Feststellung einschränken. Dagegen halte ich die von Ew. Exz. erstrebte Vorbildung der Ersatzreserven erster Klasse für eine sehr nützliche und mutmaßlich erreichbare Einrichtung. Ebenso die Steigerung des numerischen Verhältnisses der bei der Mobilmachung verfügbaren Streitkräfte durch anderweite Regelung der Vorschriften über Landwehr und Landsturm.

Ob durch Errichtung von neuen Kadres innerhalb der gegenwärtigen Präsenzstärke nicht noch in weiterem Maße als bloß für drei Infanterieregimenter eine Verstärkung zu gewinnen ist, indem die Präsenzstärke einen höheren Bestand an Offizieren und Unteroffizieren erhält, unter entsprechender Verminderung der Mannschaften, bin ich technisch nicht imstande zu beurteilen. Aber ich glaube, daß die damit verbundene Erhöhung des Geldbedarfs leichter zu erreichen sein würde, als die Erhöhung der gesamten Präsenzziffer. Die Geldforderung werden wir ohnehin erhöhen müssen, wegen des wohl unabweislichen Mehrbedarfs der Artillerie.

Mit diesem Hinweis auf die leichter zu erreichende Erhöhung des Geldbedarfs möchte ich aber nicht auf den Versuch verzichten, den Präsenzstand, und damit die Zahl der ausgebildeten Mannschaften, auch ohne Verkürzung der Dienstzeit, zu erhöhen; ich möchte vielmehr empfehlen, daß wir wenigstens versuchen, die Präsenzzahl, entsprechend der fortgeschrittenen Bevölkerung in dem Verhältnis von 1 % zu erhöhen. Es ist möglich, daß wir das nicht durchbringen; aber sollen wir deshalb auf den

Versuch verzichten? Nach Artikel 57 der Verfassung ist jeder Deutsche wehrpflichtig und kann in dieser Pflicht nicht vertreten werden. Nach Artikel 59 soll jeder wehrfähige Deutsche 7 Jahre lang dem stehenden Heere, 5 Jahre lang der Landwehr angehören. Dieses Grundgesetz bleibt jetzt unerfüllt. Eine beträchtliche Anzahl diensttauglicher Deutscher wird zur Wehrpflicht gar nicht herangezogen. Die nach Artikel 60 der Reichsverfassung auf 1 % der Bevölkerung normierte Stärke des Heeres bleibt hinter diesem Satze erheblich zurück. Die jetzige Bevölkerung ist 42¾ Millionen, und 1 % würde gegen 401 000 Mann einen Zuwachs von 25 614 Mann ergeben, also im Kriege vielleicht eine Verstärkung der mobilen Armee um pp. 100 000 Mann. Der Prozentsatz, welcher bisher gestellt wird, bleibt — dabei in einzelnen Kontingenten ungleich — hinter 1 % zurück; er beträgt im ganzen Deutschen Heere 0,94 %, im Preußischen und Württembergischen eine Kleinigkeit mehr, im Bayerischen 0,96 %, im Sächsischen nur 0,87 %. Schon dieser Ausgleich würde für den Reichstag etwas Anziehendes haben, noch mehr aber vielleicht das P r i n z i p der allgemeinen Wehrpflicht, mit welchem namentlich die Freilassung der hohen Losnummern und der sehr viel stärkeren Zahl der „bedingt Tauglichen" nicht verträglich ist. Die Steigerung der Friedenspräsenz um 25 000 Mann würde allerdings eine Mehrausgabe von gegen 20 Millionen Mark ergeben und mit allen daran hängenden Kosten sich vielleicht auf zwischen 20 und 25 Millionen Mark belaufen. Aber ich glaube, daß uns das bedrohliche Anschwellen der französischen und russischen Heere keine Wahl läßt. Es legt der Regierung wenigstens die Pflicht auf, den V e r s u c h zu machen, ob wir die Anzahl unserer waffengeübten Männer zu steigern vermögen. Mißlingt der Versuch an dem Widerspruch des Reichstages, so haben die Regierungen wenigstens ihre Verantwortlichkeit gedeckt. Die Möglichkeit, ja Wahrscheinlichkeit einer ungünstigen Aufnahme im Reichstage kann die Regierungen von der Pflicht, das, was sie für nötig erkennen, dem Reichstage vorzulegen, nicht entbinden. In allen wichtigen Fragen, aber gewiß in denen, wo die Sicherheit und Freiheit des Landes auf dem Spiel stehen, muß die Regierung m. E. ihre Vorlagen ohne Rücksicht auf den voraussichtlichen parlamentarischen Erfolg, ausschließlich nach ihrer eigenen Ü b e r z e u g u n g einrichten und ihre Gesetzentwürfe so gestalten, wie sie dieselben als Gesetz erlassen würde, wenn sie nach ihrem Gewissen a l l e i n darüber zu bestimmen hätte. Ist das Verlangen der Regierung verständig und den Interessen des Landes entsprechend, so darf sie darauf rechnen, durch ihre Anträge und durch Wiederholung derselben mit oder ohne Auflösung des Reichstages diesen oder doch seine Wähler mit der Zeit dafür zu gewinnen.

Ich möchte daher anheimgeben, daß Ew. Exz. an den unter a) und b) des geehrten Schreibens vom 3. Mai aufgeführten, Ersatzreserve und Landwehr betreffenden Punkten festhalten, darüber hinaus aber den Versuch machen, durch Erhöhung der Friedenspräsenzstärke auf 1 % der gegenwärtigen Bevölkerung der Zahl der kriegsgeübten Mannschaften im Lande noch ein weiteres Kontingent hinzuzufügen.

Die Frage der Vermehrung der Kadres und Chargen darf ich lediglich Ew. Exz. sachkundigem Ermessen anheimstellen.

Auf die Frage einer Bewilligung der nötigen Präsenzstärke für immer würde ich kein entscheidendes Gewicht legen, wenn sie nur für längere Perioden gesichert und nicht in jedem Jahre diskutiert wird.

99. Rede in der 77. Sitzung des Deutschen Reichstags am 9. Juli 1879

W 12, 117 ff. = Kohl 8, 136 ff.

Zur Debatte steht der dem Reich eine gesicherte Einnahme versprechende und zugleich das Budgetrecht des Reichstags wahrende Antrag des Zentrumsabgeordneten Freiherr von Franckenstein (Franckenstein'sche Klausel), daß der die Summe von 130 Millionen im Jahr übersteigende Ertrag aus Zöllen und Tabaksteuer den Bundesstaaten nach Maßgabe ihrer Bevölkerung zu überweisen sei. Bismarck benutzt die Gelegenheit, seine Stellungnahme zu den Parteien, insbesondere zu den Nationalliberalen, seit Beginn seiner Amtstätigkeit darzulegen. Die Rede bedeutet die Absage an die Nationalliberalen, die sich nicht geschlossen hinter seine neue Schutzzollpolitik gestellt hatten, und leitet die Aussöhnung mit dem Zentrum zur Bildung einer aus diesem, den Freikonservativen und den Konservativen bestehenden neuen parlamentarischen Gruppierung ein:

Wenn man jahrelang nur an praktische Geschäfte gewöhnt ist, so wird es einem schwer, sich vorher eine Vorstellung zu machen von den Schwierigkeiten, mit denen jemand der deutschen Presse und dem deutschen Parlament gegenüber zu kämpfen hat, wenn man eine einfache, praktische, wirtschaftliche Maßregel vorschlägt, deren Notwendigkeit teils in ihren wesentlichsten Abschnitten von der großen Mehrheit der Bevölkerung absolut anerkannt ist. Ich habe mir in dem heutigen Stadium meines dauernden und seit 18 Jahren niemals unterbrochenen Strebens, die deutsche Einheit herzustellen und zu konsolidieren, die Aufgabe gestellt, so viel an mir ist, dazu mitzuarbeiten, daß die deutschen Finanzen in einen Zustand gelangen, der sowohl das Reich als auch die Einzelstaaten in die Lage bringt, den notwendigen Anforderungen unserer Budgets zu genügen. Diese Lage war bisher nicht vorhanden; Sie haben die Vorlagen darüber aus allen bedeutenden Bundesstaaten bekommen, Sie kennen den Finanzzustand unseres Reiches, Sie kennen den Zustand der gesamten deutschen Finanzen, der außer Zusammenhang, in Trennung der Reichsfinanzen von den Finanzen der Einzelstaaten, gar nicht zu behandeln ist.

Der ganze Streit, um den es sich hier handelt, macht mir — allerdings liegt mir alle Theorie in dem langjährigen praktischen Leben, das ich geführt habe, ziemlich fern — macht mir ungefähr den Eindruck wie das bekannte Wort *bonnet blanc* oder *blanc bonnet,* oder ob ich spreche von einem schwarzen Tuchrock oder von einem Rock von schwarzem Tuch, weiter finde ich einen Unterschied nicht; jeder weitere Unterschied, den Sie hineinlegen, ist fingiert, widerspricht der Sachlage und widerspricht unserer Verfassung. Nach der Art, wie die Erregung bei uns durch eine unerhörte und verlogene Preßagitation gesteigert worden ist *(Unruhe),* wenn in dem Publikum und in den Lesern, die nichts wie ein einzelnes Hetzblatt lesen, falsche Ansichten darüber entstanden sind — ich will mich bemühen, nicht diese Ansichten zu widerlegen, das ist ja gar nicht möglich, wer Recht behalten will, der wird nicht überzeugt werden, Sie kennen den Spruch im Dichter, sondern nur meinen Ideengang, und wie ich zu demselben gekommen bin, Ihnen klar darlegen. Wir befinden uns hier in der Lage, etwa umgekehrt von der bekannten Fabel des Menenius Agrippa, wo die Glieder sich beklagen und den Magen nicht mehr ernähren wollten, da er seinerseits nichts täte; hier verweigert der Magen bisher seine Schuldigkeit, den Gliedern die Nahrung, die sie zu ihrem Bestehen notwendig haben, zufließen zu lassen. Das Reich hat alle Hauptfinanzquellen in Beschlag und hat die Schlüssel davon, und haben sich bisher wenigstens die Organe des Reiches, von denen unsere Bewilligungen abhängig sind, nicht darüber einigen können, auf welchem Wege diese Quellen flüssig gemacht werden können. Ich arbeite an der Reform unserer Steuern in meiner Stellung, die viele Leute für eine einflußreiche halten, für eine einflußreichere gewiß, als sie ist, mit großer Mühe und gegen die Schwierigkeiten, die mir mein eigener Gesundheitszustand schafft, gegen die größeren Schwierigkeiten, die mir die Friktionen der mitwirkenden Kräfte geschaffen haben, um den finanziellen Zuständen, unter denen wir ganz zweifellos leiden, abzuhelfen. Aber seit der Zeit des Ministers v. d. Heydt und seit seinen Vorlagen werden Sie sich erinnern, daß jeder Versuch dazu, wenn mir die übrigen Geschäfte, da ich in der Hauptsache doch nicht Finanzminister bin, zu solchem Versuch Zeit ließen, daß jeder Versuch dazu mißlungen ist, und ohne meine Anregung ist ein solcher Versuch bisher überhaupt niemals in Szene gesetzt worden, und wenn meine Anregung jetzt nicht stattgefunden hätte, so wären wir überhaupt nicht dazu

gekommen, über diese brennende Lebensfrage schon zu verhandeln. Also ich habe hier nicht leichtfertig und plötzlich etwa aus irgendwelchen Hintergedanken, die ich nicht eingestände, Vorschläge gemacht, sondern ich habe rein praktische materiell hausbackene, lange erwogene Vorschläge darüber gemacht, wie wir unsere Finanzeinrichtungen auf einen besseren Fuß bringen können. Ich habe mich dabei gegen jede Änderung, sofern sie nur den Charakter einer Mitwirkung zum gemeinsamen Ziele hat, offen und empfänglich gezeigt. Ich habe im Anfang auch geglaubt, wir würden leichter zum Ziele kommen, als dies der Fall gewesen ist, es würde früher eine Verständigung stattfinden. Zu dieser aber ist von liberaler Seite nicht in dem Maße, wie ich erwartete, die Hand geboten, und es fehlt uns heut in der entscheidenden Verhandlung an jeder Vorlage von liberaler Seite, wie die Herren sich etwa denken, daß diese Finanzfrage gelöst werden könnte. So viel ich weiß, liegt gar kein Vorschlag als die reine Negation vor *(Sehr richtig! rechts)*, die reine Negation dessen, was von anderen allenfalls gemacht werden könnte. Wir haben die Negation von einem hervorragenden Mitglied der Fortschrittspartei allerdings als Programm offen proklamieren hören, und in meiner Erfahrung hat die Fortschrittspartei es noch nie möglich gemacht, zu einer positiven Meinung zu kommen, bis die Regierung eine ausgesprochen hatte, der sie widersprechen konnte. *(Große Heiterkeit rechts und im Zentrum.)* Positive Pläne und Vorschläge über das aber, was zu geschehen hätte, sind nie vorgekommen, und wenn neulich ein hervorragender Redner dieser Partei sagte, alle Unruhe im Reiche käme von mir, und wenn ich erst beseitigt wäre, würde alles paradiesisch vortrefflich gehen, so könnte ich das, wenn ich überhaupt persönlich werden wollte, in viel höherem Maße zurückgegeben. Alle Unruhe im Reiche und alle Schwierigkeiten, zu gedeihlichen ruhigen Zuständen zu kommen, kommen meines Erachtens von der Fortschrittspartei und denen, die mit ihr sympathisieren in den anderen Fraktionen *(Sehr richtig! rechts und im Zentrum)*, und das zu behaupten bin ich in viel höherem Maße berechtigt, als jene Insinuation gegen meine Person es war. Streichen Sie meine Person, – ich wäre seit Jahren fort, wenn das ohne Pflichtverletzung, ohne Verletzung der Treue, die ich meinem Herrn schulde, geschehen könnte, und wenn der Herr, der so sehr danach strebt, mich zu beseitigen, es in einer ehrbaren, annehmbaren Weise durchzusetzen vermag, so will ich mich bemühen, nachher sein Freund zu werden. *(Große anhaltende Heiterkeit.)*
Die Stellung zum Franckensteinschen Antrage wird hier [88] als ein Probier-

---

[88] Von den nationalliberalen Abgg. von Bennigsen und Beseler.

stein behandelt in Bezug auf die Reichstreue oder Nichtreichstreue. Meine Herren, zur Stellung von diesem Dilemma haben Sie gar keine Berechtigung. Sehen Sie doch zurück auf meine Vergangenheit! Ich werde den Franckensteinschen Antrag befürworten — zuzustimmen habe ich ja in dieser Versammlung nicht —, und zwar habe ich mich dazu erst seit kurzem entschlossen, seit wenigen Tagen, ich habe mich am vergangenen Sonntag bedingt dazu entschlossen, ich habe mich definitiv dazu erst entschlossen, nachdem ich in einer Gesamtprüfung der Wege, welche die Herren, die heute in der Opposition sind, gehen, mich überzeugt habe, daß sie die Wege eingeschlagen haben, die ich niemals gehen kann, und die die verbündeten Regierungen nicht gehen können. Die Kundgebungen, die außerhalb dieses Hauses von sehr hervorragenden Mitgliedern einer großen Partei [89] stattgefunden haben, die Reden und Argumentationen, wie sie neulich zur Bekämpfung des Zolls auf Petroleum hier vorgebracht worden sind, — ja, meine Herren, die nötigen mich, zu Rat zu gehen mit meinem eigenen Pflichtgefühl gegenüber der Gesamtheit des Reiches. Mit Bestrebungen, die sich dergestalt kennzeichnen, kann ich nicht gehen, können die verbündeten Regierungen nicht gehen, mit denen kann das Reich nicht bestehen, sie sind Untergrabungen des Reichsbestandes gerade so gut, wie die sozialdemokratischen Untergrabungen, die wir durch das Gesetz vom Herbst bekämpfen wollen *(Anhaltende große Unruhe und lebhafter Widerspruch links)*, sie sind mindestens die Vorbereitungen dazu, und ich habe daraus die Überzeugung gewinnen müssen, daß, wenn eben Leute, die früher mitunter sogar häufig der Reichsregierung ihre Unterstützung geliehen haben, wenn dort latent die zerstörenden Kräfte schlummern, die bei einer geringen Anreizung – es genügt dazu, bei so geschulten Parlamentariern, daß sie in die Minorität kommen gegen ihr Erwarten – so in zornige Leidenschaftlichkeit umschlagen, ja dann schwindet das Vertrauen, welches ich früher auf die Möglichkeit gesetzt habe, mit Charakteren dieser Art in Zukunft zusammenstehen zu können in der Weise, daß die Regierung ihre Unterstützung annimmt und ihnen dafür den Einfluß gewährt, der mit dieser Unterstützung notwendig verbunden ist — ein anderes Verhältnis kann keine Fraktion von den existierenden erstreben, denn keine von ihnen hat an sich die Majorität, jede muß kompromittieren mit der anderen; wenn es eine Fraktion bei uns gäbe, die an sich eine geborene Majorität hätte und die von mir nicht verlangt, daß der Tropfen demokratischen Öls, den ein bekanntes Wort für die Salbung

[89] Den Nationalliberalen.

des Deutschen Kaisers verlangte, gerade ein Eimer werden soll *(Heiterkeit)*, dann würde ich einer solchen Partei ganz andere Rechte in Bezug auf die Beeinflussung der Regierung einräumen können, als jetzt einer Partei, die, wenn sie hochkommt und wenn sie abgeschlossen einig ist, was doch zu den Seltenheiten gehört, immer nur ein Viertel von der ganzen Versammlung kaum erreicht. Den Herren kann ich nur, wenn sie überhaupt auf mein politisches Urteil als Sachkundiger – und ich habe viel Politik getrieben – Wert legen, eine größere Bescheidenheit für die Zukunft anraten. *(Ah! links.)*

Der Herr Vorredner [90] hat, was mich namentlich veranlaßt hat, in diesem Moment das Wort zu nehmen, während mir in dieser Frage an der Abstimmung so viel liegt, daß ich eigentlich lieber nicht geredet hätte, aus Sorge, daß ich das Maß vielleicht nicht halten würde, was zur Erhaltung des Standes der Stimmen nützlich ist, ich hätte lieber geschwiegen, aber da der Herr Vorredner, jemand, auf dessen Mitwirkung ich seit langer Zeit habe rechnen können, und den ich persönlich hochschätze und verehre, auch seinerseits der Meinung ist, die Finanzhoheit des Reichs ginge durch den Franckensteinschen Antrag verloren, so muß ich dazu bemerken, daß ich diese Behauptung für eine gänzlich unbegründete und aus der Luft gegriffene halte. Die Finanzhoheit des Reichs ist in der Verfassung begründet in verschiedenen Paragraphen; keiner dieser Paragraphen erleidet durch die Annahme des Franckensteinschen Antrags auch nur die mindeste Änderung. Auf die Erhaltung der Matrikularumlagen ist ja bisher von liberaler Seite ein so hoher Wert gelegt worden und es ist gesagt worden, wir müssen für dieselben einen Ersatz haben; wenn auch die Verfassung uns ein Einnahmebewilligungsrecht nicht gibt, so haben wir es bisher vermöge der Verfassung doch faktisch genossen, und wir wollen es nicht aufgeben, wenn wir nicht einen Ersatz dafür haben. Auf die Matrikularumlagen und ihre eventuelle Beibehaltung wird also von liberaler Seite ein außerordentlich hoher Wert gelegt. Ich war deshalb wohl darauf gefaßt, da ich mir die verschiedenen Mittel durchdacht hatte, in welchen man konstitutionelle Garantien finden könnte, so war ich auch auf dieses wie auf andere gekommen und erwartete einen Antrag wie den Franckensteinschen wohl von der nationalliberalen Seite. Um die konstitutionelle Wirkung der Matrikularumlagen beizubehalten, was mir im ganzen nicht unerwünscht war, gab es ja kein einfacheres Mittel, als daß man sie in ihrem ganzen bisherigen Umfange bestehen ließ und dem Reich dafür in

---

[90] Abg. Beseler.

sein Ausgabebudget gesetzlich einen Posten schrieb, der zur Sublevation der notleidenden Einzelstaaten bestimmt war und denen die Mittel gab, diese Mehrumlagen zu leisten. Dann bleibt eben das Heft der Finanzverwaltung in den Händen des Reichstags, und es ist ein Beweis, daß mir diejenigen Unrecht tun, die mich unkonstitutioneller Gesinnungen beschuldigen und verdächtigen, wenn ich diesem Franckensteinschen Antrage, der dem Reichstag die Gewalt, die ihm das Votieren der Matrikularumlagen gibt, im vollen Umfange läßt, wenn ich dem zustimme. Ich bin ja seit langem gewohnt, daß man, wenn die Argumente aus der Gegenwart nicht reichen, mit der Verdächtigung meiner Absichten für die Zukunft mich bekämpft. Ich erinnere Sie daran, daß lange Zeit stets gesagt worden ist, ich strebte nach Krieg zu irgendwelchen Zwecken. Es hat das erst ein Ende genommen, seitdem die Stellung Deutschlands auf dem Kongreß zu Berlin, der gerade vor einem Jahr uns auch zu einer Sommersitzung, mich wenigstens, nötigte, — seitdem die den unwiderleglichen Beweis geliefert hat, daß alle jene Insinuationen Lügen und Verleumdungen waren, die zum geringsten Teil in Deutschland ihren Ursprung hatten. Seitdem ist es Sitte geworden, seit ungefähr Jahr und Tag, Reaktion zu schreien und auf diese Weise vielleicht den Teufel an die Wand zu malen. Durch das Verdächtigen der Reaktion, durch das Anschuldigen können Sie unter Umständen einen Minister, der schüchterner ist als ich bin, veranlassen, daß er gerade, um sich der Feindschaft zu erwehren, in die ihn der Verdacht der Reaktion bringt, bewußt oder unbewußt zu den Mitteln der Reaktion greift und Anlehnung da sucht, wo er für den Augenblick weniger Feindschaft findet. In der Lage bin ich nicht. Ich bin dem Ende meiner Laufbahn nahe, um zugunsten irgendeiner Zukunft noch meine Gegenwart zu verderben. Seit einem Jahre, seit etwas länger als einem Jahre, habe ich in dem Wohlwollen, welches mir früher von liberaler Seite zuteil wurde, eine merkliche Abkühlung gefunden. Sie gab sich kund durch eine fühlbare Zurückhaltung, durch Reserve, durch eine kühle Hoheit, die andeutete, ich müsse ihnen kommen. Ich hatte das Gefühl, daß sie von mir Dinge verlangen wollten, die ich nicht leisten könnte.

Eine Fraktion kann sehr wohl die Regierung unterstützen und dafür einen Einfluß auf sie gewinnen, aber wenn sie die Regierung regieren will, dann zwingt sie die Regierung, ihrerseits dagegen zu reagieren. Ich habe dies Gefühl namentlich gehabt, als ohne mein Wissen und ohne mein Zutun im Frühjahr 1878 inmitten des Reichstags durch Verständigung der beiden Präsidenten eine Landtagssession von mehreren Wochen eingeschoben wurde, als in dieser Landtagssession, die meiner Meinung nach erst nach Schluß des Reichstags hätte stattfinden sollen, Anträge, die im Grunde jedermann für sich hatten, der Regierung, ich kann nicht anders glauben, als weil ich sie einbrachte, abgelehnt wurden; denn die Gründe, die dafür angeführt wurden, waren spezios. Nun geht es in der Politik, in der inneren ja doch wohl auch ähnlich wie in der auswärtigen, wo oft Regierungen glauben, sie können ihrerseits diplomatisch oder selbst materiell rüsten, ohne daß der andere gerüstet ist. Es ist das in der Politik immer so, als wenn man mit unbekannten Leuten, deren nächste Handlungen man nicht kennt, in einem unbekannten Lande geht; wenn der eine seine Hand in die Tasche steckt, so zieht der andere seinen Revolver schon, und wenn der andere abzieht, so schießt der erste, und da kann man sich nicht erst fragen, ob die Voraussetzungen des Preußischen Landrechts über die Notwehr zutreffen, und da das Preußische Landrecht in der Politik nicht gilt, so ist man alternativ sehr, sehr rasch zur aggressiven Verteidigung bereit. Ich habe mich, wenn auch nicht angegriffen, doch verlassen und isoliert gefühlt, ich habe das doch noch mehr gefühlt bei der ersten sozialdemokratischen Vorlage, und ich habe damals gehofft, daß bei einer Aussonderung die disparaten Elemente, die in einer großen und nominell die Regierung unterstützenden Fraktion vereinigt waren, sich sondern würden. Es ist das nicht gelungen, und so lange das nicht gelingt, werden Sie jede Regierung, namentlich aber die verbündeten Regierungen immer vorsichtig in ihrer Anlehnung finden, und nicht so vertrauensvoll, als dies früher der Fall gewesen ist. Die vielen Andeutungen in der Presse, als hätte ich mit irgendeiner Fraktion gebrochen oder wäre zuerst aggressiv verfahren, die treffen nach meinem inneren Bewußtsein nicht zu.

Ich habe, seit ich Minister bin, nie einer Fraktion angehört, auch nicht angehören können, ich bin sukzessiv von allen gehaßt, von einigen geliebt worden. Es ist das *à tour de rôle* herumgegangen. Als ich zuerst im Jahre 1862 das preußische Ministerpräsidium übernahm, da ist in aller Angedenken, bis zu welcher — ich kann wohl sagen — vaterlandsfeindlichen Höhe sich der Haß mir gegenüber verkörperte, und bis zu gewissem Maße auch gegen die höheren Einflüsse, die mich auf dem Posten erhielten. Ich habe mich dadurch nicht beirren lassen und habe auch nie versucht, mich dafür zu rächen; ich habe von Anfang meiner Karriere an nur den einen Leitstern gehabt: durch welche Mittel, und auf welchem Wege kann ich Deutschland zu einer Einigung bringen und, soweit dies erreicht ist, wie kann ich diese Einigung befestigen, fördern und so gestalten, daß sie aus freiem Willen aller Mitwirkenden dauernd erhalten wird. Zu diesen Mitwirkenden rechne ich aber auch die Regierungen, und halte es für Deutschland für einen ganz außerordentlich großen Vorzug im Vergleich mit anderen Ländern unitarischer Verfassung, daß das dynastische Element auch außerhalb Preußens eine Gewalt hat, die zu den Stützen der Ordnung gezählt werden muß, und die wir, wenn wir deren Band unitarisch zerreißen wollten, durch keine andere gleichstarke Bindekraft ersetzen können. Ich verlange nicht dieselbe Überzeugung von jedem, ich will überhaupt niemand überreden, ich will nur darlegen, wie ich zu meiner Stellung jetzt den Fraktionen gegenüber komme. Als wir aus dem Kriege 1866 zurückkamen, wäre es ja für mich in der Stellung, die ich damals, in kleinerem Kreise einflußreicher wie heute, einnahm, sehr leicht gewesen, ja ich habe sogar mit Mühe mich dessen zu erwehren gehabt, zu sagen: Jetzt ist Preußen größer geworden, die Verfassung ist dafür nicht berechnet, wir müssen sie neu vereinbaren, kurz, die kühnste und einschneidendste Reaktionspolitik, mit dem Erfolg, der noch von Königgrätz an den Dingen klebte, mit vollen Segeln zu treiben. Sie wissen, daß ich das Gegenteil getan habe, und daß ich mir dadurch zuerst die Abneigung eines großen Teils meiner älteren politischen Freunde zugezogen habe, und es hat mich schwere Kämpfe gekostet, das Gegenteil, die Indemnität, das Fortsetzen des konstitutionellen Systems durchzuführen. Habe ich das aus Liebe zum konstitutionellen System getan? Meine Herren, ich will mich nicht besser machen, als ich bin; ich muß das ganz bestimmt verneinen. Ich bin kein Gegner des konstitutionellen Systems, im Gegenteil, ich halte es für die einzige mögliche Regierungsform, — aber wenn ich geglaubt hätte, daß eine Diktatur in Preußen, daß der Absolutismus in Preußen der Förderung des deutschen Einigungswerkes nützlicher gewesen wäre, so würde ich ganz unbedingt und gewissenlos zum Absolutismus geraten haben. Aber ich habe mich nach sorgfältigem Nachdenken — und ich habe schwere und mir teure, nahestehende Einflüsse zu bekämpfen gehabt — dafür entschieden: Nein, wir müssen auf der Bahn des Verfassungsrechts weitergehen, was außerdem meinen inneren Empfindungen und meiner Überzeugung von der Gesamtmöglichkeit unserer Politik entspricht. Das Entgegenkommen, welches ich damals für die mit mir versöhnten Gegner gehabt habe, und welches in meiner vielleicht fehlerhaft angelegten Natur nach der Versöhnung wohl etwas überfließend sein mochte, hat mir zuerst also die Vorbereitung zu dem späteren Bruch mit der konservativen Partei eingetragen. Es entstand dann für mich, tatsächlich aus den Beziehungen der kirchlichen Frage zur polnischen, der Konflikt über die kirchlichen Angelegenheiten. Dieser Kampf beraubte mich der natürlichen Unterstützung der konservativen Partei, auf die ich hätte rechnen können, und die Wege, die ich, um die Verfassung des Deutschen Reiches auszubauen und in Aktivität zu setzen, um ihr durch praktische Belebung eine Bürgschaft der Dauer zu gewähren, — die Wege, die ich dazu gehen mußte, wären wahrscheinlich andere geworden, wenn die konservative Partei mich nicht damals im Stich gelassen hätte. Es kam dazu der schwere Kampf, den ein augenblickliches Hochglühen der tausendjährigen Streitfrage zwischen Staat und Kirche, zwischen Kaiser und Papst veranlaßte, der Streitfrage, die in unserer Geschichte seit tausend Jahren jederzeit gelegen hat; zeitweise ist sie lebhafter geworden, zeitweise stiller. Ich habe in diesem Konflikt gekämpft mit der Lebhaftigkeit, die mir, wie ich hoffe, in allen Sachen, wo es sich meinem Bewußtsein nach um das Wohl meines Vaterlandes und um die Rechte meines Königs handelt, so lange ich lebe, eigentümlich bleiben wird, aber ich muß auch hier sagen: Ich halte Konflikte wohl unter Umständen für tapfer durchzukämpfen, aber nie für eine auf die Dauer zu erstrebende Institution, und wenn sich Mittel und Wege bieten, die Schärfe der Gegensätze zu mildern, ohne daß man an die Prinzipien der eigentlichen Streitfrage rührt, wenn man sich gegenseitig kennen und durch gemeinsames Arbeiten an einem gemeinsamen und hohen Zweck sich gegenseitig achten lernt, — ja, so liegt es doch wahrscheinlich nicht in meiner Berechtigung, als Minister, solche Wege zu verschließen und von der Hand zu weisen.

Wenn ich nach 1871 durch diese von mir nicht abhängigen Erscheinungen und Kämpfe enger an die liberale Fraktion gedrängt wurde, als es für den Minister und für den Reichskanzler auf die Dauer vielleicht haltbar ist, wenigstens gerade so weit, wie es möglich war, so habe ich dadurch die Beziehungen zu den übrigen Kreisen des Reichs und der Bevölkerung doch unmöglich für immer aufgeben können. Ich habe geglaubt, und habe das in der Sozialistendebatte noch entwickelt, wir würden vom rechten Flügel ab gezählt in drei Bataillonen, vielleicht getrennt marschieren und vereint fechten können. Diese meine Vorausberechnung hat sich leider nicht bestätigt, und die Umstände, nicht mein Wille, haben es so gedreht, daß die Herren, die mich früher häufig und nach ihrer Weise unterstützten, die Kämpfe nicht ausschloß — daß die mir gegenüber in ihrer Presse, in ihrer angesehensten und akkreditiertesten Presse in einen Zorn und in eine Sprachweise verfallen sind, die mich ja vollständig degoutieren und abwegig machen mußte. Es haben ähnliche Vorfälle auch vor versammeltem Reichstage stattgefunden, daß durch einzelne hervorragende Mitglieder[91] der Reichskanzler in einer Weise abgekanzelt worden ist, kann ich wohl sagen *(Heiterkeit)*, öffentlich, wie es ein Mitglied einer befreun-

---

[91] Gemeint ist der Abg. Lasker.

deten Fraktion wohl niemals ohne Mißbilligung der Fraktion getan haben würde.

Alles das sind Gründe, die mich gegenüber diesen meinen früheren, ich hoffe auch wieder zukünftigen Kampfgenossen in dieselbe Stimmung setzen, die sie mir gegenüber bekundet und öffentlich ausgesprochen haben, „kühl bis ins Herz hinan“. Ich kann, die Regierung kann doch den einzelnen Fraktionen nicht nachlaufen, sondern sie muß ihre eigenen Wege gehen, die sie für richtig erkennt; in diesen Wegen wird sie berichtigt werden durch die Beschlüsse des Reichstages, sie wird der Unterstützung der Fraktionen bedürfen, aber der Herrschaft einer Fraktion wird sie sich niemals unterwerfen können!

Unter diesen Umständen bin ich dazu gekommen, nachdem die Lücke, die das Ausscheiden meines Herrn Kollegen Delbrück im Reichskanzleramt ließ, mich nötigte, mich enger, näher als bisher mit den wirtschaftlichen Fragen zu befassen, bin ich zu Überzeugungen gekommen, an deren Durchführung ich von dem Augenblick, wo sie bei mir feststanden, die ganze Kraft des Einflusses, der mir amtlich vertraut ist, gesetzt habe. Ob ich auf der Bahn Niederlagen erleiden mag, ob ich wieder von vorn anfangen muß, — ja, so lange ich Minister bleibe, werde ich in diesen Bestrebungen nicht nachlassen, mein Vorbild ist darin Robert Bruce[92] in seiner Geschichte mit der Spinne, an deren stetem Wiederaufklimmen nach dem Herunterfallen er sich ermutigte, um seinerseits das, was er für Recht und seinem Vaterland für nützlich hielt, auch bei den übelsten Aspekten nicht aufzugeben; für das, was ich unternommen habe, liegen aber die Aspekte nicht einmal übel und entmutigend, und es wäre meines Erachtens ein Verrat an der Sache, die ich im Namen des Vaterlandes hier vertrete, und die ich nicht frivol unternommen habe, wenn ich wegen solcher Quisquilien, meiner Ansicht nach, wie sie die eine Theorie von der anderen unterscheiden, das Ziel sollte unerreicht lassen in dem Augenblick, wo ich die Hand danach ausstrecken könnte. *(Bravo!)*

Wie ich höre, hat der Herr Abgeordnete v. Bennigsen darauf aufmerksam gemacht, daß ich in einer früheren Rede die Matrikularumlagen als nachteilig bekämpft, wobei ich mich auf den Abgeordneten Miquel bezogen habe. Meine Herren, lieber wäre mir die ganze Sache allerdings ohne Matrikularumlagen, aber ich habe doch eben nicht die Wahl, die Dinge so zu machen, wie ich sie mir an die Wand malen kann. Wenn ich von der liberalen Seite ohne Unterstützung, ohne Anhalt, ohne bestimmte an-

---

[92] König von Schottland 1306—1329.

nehmbare Vorschläge bleibe, so muß ich den von anderer Seite kommenden Vorschlag prüfen. Was gibt er denn? Nun, er gibt mir in dem Sinne, wie ich die Matrikularumlagen bekämpft habe, die volle Abstellung derselben und der Übelstände, die ich gerügt habe. Ich habe gesagt, bisher sei das Reich ein lästiger Kostgänger bei den einzelnen Staaten, ein mahnender Gläubiger, während es der freigebige Versorger der einzelnen Staaten sein müßte bei richtiger Benutzung der Quellen, zu welchen der Schlüssel durch die Verfassung in die Hände des Reiches gelegt, bisher aber nicht benutzt worden ist. Meine Herren, dieser freigebige Versorger wird das Reich aber durch die Annahme des Franckensteinschen Antrages, der sich von dem früher in der Kommission vorgelegten Bennigsenschen bezüglich der Versorgung der Staaten nur dadurch unterscheidet, daß man den einzelnen Staaten ein höheres Maß der Autonomie in der Verwendung dessen, was ihnen zugestanden wird, beläßt. Wenn das Reich den Einzelstaaten nach seinem Ermessen die Überschüsse zu überweisen hätte, so dürfte sich nach den Vorgängen, die wir neulich in der Kommission erlebt haben, wo die Herren Abgeordneten Rickert und Richter die württembergische Finanzverwaltung vor ihr Forum gezogen haben, sehr leicht ein System entwickeln, nach welchem alle Budgets, das preußische so gut wie das württembergische, hier vor das Forum der Reichstagsfinanzkommission gezogen werden, und das wäre ein Unitarismus, den ich für schädlich und verwirrend halten würde, und welchen sich die einzelnen deutschen Stämme mit ihrem Selbständigkeitsgefühl schwerlich gefallen lassen. Das wird vermieden, wenn die Überweisung von Rechts wegen im Gesetz steht, nicht in der Verfassung, sondern im Gesetz, welches dem Reich eine ständige Ausgabe zur Versorgung der einzelnen Staaten auferlegt. Das Reich ist nicht mehr ein lästiger Kostgänger, sondern ein Kostgänger, der ein gutes Kostgeld bezahlt und darüber hinaus sich freigebig erweist, es ist ein Kostgänger wie ein König, der bei einem Privatmann wohnt, und das Reich steht in voller Berechtigung seiner Finanzhoheit da, wenn es sich der Pflicht unterzieht, durch Flüssigmachung der Quellen, die unter seinem Verschluß liegen, der Finanznot der einzelnen Staaten aufzuhelfen, ohne eine eifersüchtige und die Grenzen seines Ressorts überschreitende Einmischung in das Verwaltungswesen der einzelnen Staaten. Das System der bisherigen Matrikularbeiträge hatte das Ergebnis, daß das Reich die Einzelstaaten, durch Versagung der Zuflüsse, die aus den indirekten Steuerquellen kommen könnten, aushungerte, und dabei doch in jedem Jahr als mahnender Gläubiger die Matrikularumlagen verlangte; — durch die heut in Aussicht genommene Reichshilfe aber schwindet die Finanznot der Staaten und des Reiches, die ja die einleitende Motivierung meines ganzen Vorgehens in dieser Frage gebildet hat; die Finanznot wird zum Teil gehoben, und wenn auch nicht in dem Maße, daß alle die Reformen an den direkten Steuern, die Sublevation der notleidenden Gemeinden sofort ausgeführt werden können, die mir vorschweben, so doch, daß, wie ich glaube und hoffe, ein erheblicher Teil davon schon bald, sobald nur die Ertragslosigkeit der Tabaksteuer überwunden sein wird, die an dem Mangel der Nachsteuer liegt, dieses Reformwerk in Angriff genommen werden kann.

Die Ungleichheit der Belastung durch die Matrikularumlagen, die ich auch, wie ich hier sehe, damals gerügt habe, schwindet auch, wenn die Verteilung nach demselben ungleichen Maßstabe stattfindet, wie die Einzahlungen.

Wie nun dadurch die Finanzhoheit des Reichs geschädigt werden sollte, dafür suche ich vergeblich nach irgendeinem Verfassungsparagraphen [93]. Man könnte, wenn man theoretisch zu Werke gehen wollte, zuerst fragen: Wer ist denn eigentlich das Reich? Die Verfassung gibt darüber eine ganz authentische Auskunft, der gegenüber aber verschiedene abweichende Auslegungen im Publikum bestehen. Wenn ich in der Presse die Besorgnis lese, wie das Reich gefährdet sein werde, wenn den Bundesstaaten zwar nach wie vor die verfassungsmäßige und jederzeit innezuhaltende Verpflichtung obliegt, die Matrikularumlagen zu der vom Reichstag zu bewilligenden Höhe der Ausgaben unweigerlich einzuzahlen, — wenn dieses für das Reich gegebene Verhältnis erhalten wird, wo liegt dann der Unterschied, der hier zwischem dem Reich und den verbündeten Staaten gemacht werden will? Der beruht meines Erachtens auf ganz unrichtigen Behauptungen, namentlich für uns, die wir hier auf der Ministerbank sitzen, wir sprechen im Namen der „verbündeten Regierungen". Können nun die verbündeten Regierungen gegen sich selbst den Verdacht hegen, daß sie ihren Bundespflichten gegen das Reich nicht nachkämen? — gegen das Reich, was wiederum genau dasselbe ist, wie die Gesundheit der verbündeten Regierungen; diese sind das Reich, und das Reich besteht aus den gesamten verbündeten Regierungen. Namentlich aber Preußen, welches das — Kaiserschwert, kann ich es wohl nennen nach der Genesis aus dem Bundesfeldherrn — in der Hand hat: Können Sie den Verdacht haben, daß Preußen sich gegen das Reich auflehnt, vielleicht in Verbin-

[93] Bennigsen hatte behauptet, daß der Franckensteinsche Antrag in Widerspruch zu Art. 38 der Reichsverfassung stehe, nach dem der Ertrag aus Zöllen und übrigen Abgaben ausschließlich an die Reichskasse gehen müßten.

dung noch mit einigen anderen mächtigen Partikularstaaten? Ja, dann wollen wir überhaupt nur das letzte Geläut auf dem Dom ansagen für das Reich. *(Bewegung.)* Das ist aber eine Voraussetzung, die doch unmöglich Ihren Deduktionen zugrunde liegen kann.

Wo ist also der Spalt, die Grenze, die sich bei Ihnen zwischen dem Reich und dem durch den Franckensteinschen Antrag angeblich begünstigten Partikularismus der Bundesstaaten zieht? Ist etwa der Kaiser und der Reichstag allein das Reich? Ich fürchte, Sie ziehen für das Reich noch eine viel engere Grenze, daß jeder in erster Linie vorzugsweise seine Fraktion darunter versteht *(Große Heiterkeit.)*, und dann demnächst die anderen auch, soweit sie ein freundliches Verhältnis zur eigenen haben.

Die verfassungsmäßige Definition des Reiches befindet sich in einem einleitenden Satz zur Verfassung über den Bundesvertrag, den die verbündeten Regierungen untereinander abgeschlossen haben, und der da lautet, daß der König von Preußen und die übrigen einen ewigen Bund schließen; dieser Bund wird den Namen „Deutsches Reich" führen und nachstehende Verfassung haben. Durch diese Verfassung werden nun die Rechte des Reichstags hingestellt, die bei diesem Franckensteinschen Antrag, wie ich mir schon zu entwickeln erlaubte, ihre volle Wahrnehmung finden. Die Regierungen haben bisher schon nach Art. 36 der Verfassung das Recht, die Zölle ihrerseits zu erheben durch ihre eigenen Beamten:

„Die Erhebung und Verwaltung der Zölle und Verbrauchssteuern bleibt jedem Bundesstaat, soweit derselbe sie bisher ausgeübt hat, innerhalb seines Gebiets überlassen."

Wäre also eine Möglichkeit oder eine Neigung, diese Zölle dem Reiche vorzuenthalten, so wäre jeder Bundesstaat, namentlich ein so mächtiger wie Preußen, schon längst in der Lage, es zu tun. Soviel ich mich erinnere, erhebt Preußen an Reinertrag der Zölle, wenn man sie zu 104 Millionen Mark ansetzt, 63 Millionen, also ungefähr nach Verhältnis seiner Bevölkerung, auch darüber hinaus; wenn man der preußischen Erhebung die, wie ich glaube, 6 Millionen der Reichslande und die 5 Millionen der Zollvereinsämter in den Hansestädten zurechnet, so würde Preußen 74 Millionen der bisherigen Zölle erheben, und bei einer Steigerung der Zölle um den Prozentsatz, den das neue Gesetz liefern würde, würde das Verhältnis in dieser Repartition wohl unverändert bleiben. Der einzige Staat, der meines Wissens erheblich über seine Bevölkerungszahl erhebt, ist Sachsen, dessen Zolleinnahmen, die es an das Reich überweist, sich auf 10 Millionen belaufen, während nach dem quotierten Satz, der auf die Kopfzahl der Bevölkerung kommt, es nur etwa 7 Millionen sein müßten. Unter der Bevölkerungszahl bleiben dagegen die Einnahmen der süddeutschen Staaten. Hat nun diese Einrichtung der Erhebung, diese Tatsache, daß der Ertrag des Zolls zuerst in die partikularistische Gewalt des Einzelstaates vermöge des Art. 36 der Verfassung geht, jemals zu Befürchtungen bisher Veranlassung gegeben, daß die Reichsfinanzhoheit gefährdet sei, daß ein Partikularismus sich entwickeln werde? Meines Wissens in keiner Weise! Diese Zölle werden nun nach Art. 39 durch vierteljährliche und jährliche Abrechnungen, die an den Finanzausschuß des Bundesrats gelangen, buchmäßig verteilt, wieviel jeder von seinen Zöllen behält, wieviel er herauszuzahlen hat. Es ist dabei auch nicht bezweifelt worden, daß der Ertrag der Zölle, wie Art. 38 vorschreibt, unter anderen bezeichneten Ausgaben virtuell in die Reichskasse geflossen sei, obschon *in natura* der gezahlte Taler schwerlich in einer Reichskasse hier jemals geklungen hat, sondern es ist alles auf dem Wege der Abrechnung gemacht worden. Dieser selbe Weg der Abrechnung soll auch ferner beschritten werden bei Annahme des Franckensteinschen Antrages. Die eventuelle Überweisung zunächst an die Reichskasse wird verfassungsmäßig nach Art. 38 stattfinden. Von da wird nach dem Text des Franckensteinschen Antrages eine Überweisung an die einzelnen Staaten aus der Reichskasse stattfinden. Das Reich wird also vermöge eines Gesetzes, welches es sich selbst gibt, eine ständige Ausgabe in sein Budget aufzunehmen haben, deren Betrag den einzelnen Staaten zur freien Verwendung zufließt. Es bedarf daher auch nicht der Art. 70 der Verfassung einer Änderung, welcher verlangt, daß zunächst die Überschüsse zur Verwendung kommen sollen, da die Überschüsse sich erst dann ergeben, wenn alle Ausgaben bestritten sind, und wenn das Reich sich eine Ausgabe gesetzlich auferlegt, mag sie für das Germanische Museum, mag sie für die Gesamtheit der Einzelstaaten votiert werden, so muß immer diese Ausgabe erst geleistet werden, ehe Überschüsse entstehen können. Wir haben also unsererseits die Reichsverfassung in allen ihren Artikeln für uns, und die Verletzung, die in der Presse vielfach behauptet wird — ich weiß nicht, ob auch heute in den Reden —, bestreiten wir und gewärtigen den Beweis, der bisher nicht vorliegt.

Ich möchte auch hier wiederum für die Herren die Ermahnung anknüpfen, doch bei so einfachen und die kühlste Überlegung fordernden Fragen, wie Zölle, Wirtschaftsangelegenheiten, Finanz- und Budgetsachen — man möchte sagen, nicht den alten Stammeshaß herauszukehren; der liegt nun hier nicht vor, aber wir riskieren bei der scharfen Trennung, die unter den Fraktionen stattfindet, daß wir die Fraktionen an die Stelle der Stämme setzen. Ob vielleicht späterhin wirklich alle Verbindungen, auch die Familienverbindungen zwischen den verschiedenen Fraktionen hinwegfallen, und jede einzelne Fraktion als gesonderter Stamm sich wieder entwickelt, — so weit wird es hoffentlich nicht kommen. Aber ich würde bitten, die hohe Politik und die Befürchtung, daß irgendein politischer Hintergedanke bei den einfachsten Maßregeln vorhanden ist, nicht auf alle diese Dinge zu übertragen und den zornigen Kampf der Fraktionen nicht so weit zu treiben, daß die Interessen des Reichs darunter leiden und daß, wenn die Regierungen sich dadurch einschüchtern ließen, auch in diesem Jahr wiederum der erste Schritt zu einer finanziellen Verbesserung nicht zustande käme. Von seiten der Regierungen kann ich ganz bestimmt versichern, daß sie sich durch die meines Erachtens unzutreffenden Angriffe von dem Wege, den sie betreten haben, und über den sie sich am vergangenen Sonntag vorläufig verständigt haben, nicht werden irre machen lassen, und ich für meinen Teil werde den Weg, den ich im Interesse des Vaterlandes für den rechten erkenne, unbedingt bis ans Ende gehen, unbeirrt, — mag ich Haß oder Liebe dafür ernten —, das ist mir gleichgültig! *(Bravo! rechts.)* [94]

100. Geburtstagsglückwunsch für die Tochter W 14/I, 903 f., Nr. 1614.

Kissingen 19. Aug. 79.

Mein geliebtes Kind
mit dem packenden Abrameit neben mir und von Concepten für Berlin umgeben, schreibe ich Dir meinen herzlichen Segenswunsch für Dein neues Jahr; möge Gottes Gnade auch ferner mit Dir sein, in Allem was Dir das Jahr bringen wird. Mir hat die Cur scheinbar wohl gethan, wenn auch die letzten Tage in Folge unerfreulicher Geschäftshäufung einen nervösen Rückschlag brachten. Gastein wird mir das wohl wieder abnehmen. Da ich für Auswahl eines Andenkens an diesen 21. die Lücken Deines Haushalts nicht kenne, so kann ich nur durch die Einlage Anlaß geben daß Du selbst wählst was Dein Herz begehrt. Meine Schreibfähigkeit ist beschränkt, das Handgelenk fängt schon bei diesen wenigen Zeilen an zu streiken. Grüße Rantzau herzlich, und danke ihm von mir für seine fleißige Correspondenz. Dein treuer Vater v. B.

---

[94] Der Franckensteinsche Antrag wird in Verbindung mit einem Zusatzantrag des Abg. Varnbüler über eine Übergangslösung bis zum 1. April 1880 mit 211 gegen 122 Stimmen angenommen.

101. Schreiben an Kaiser Wilhelm I.: Stellungnahme zu einem Brief Kaiser Alexander II. von Rußland an den Deutschen Kaiser (Ausfertigung)

GP 3, 16 ff., Nr. 447.

Gastein, den 24. August 1879.

Indem ich Euerer Majestät das Schreiben des Kaisers Alexander ehrfurchtsvoll zurückreiche, kann ich mein Bedauern darüber, daß dasselbe überhaupt geschrieben hat werden können, nicht unterdrücken. Die Worte, mit welchen der Kaiser fortfährt, Euerer Majestät seiner Freundschaft zu versichern, verlieren ihre Bedeutung neben den unverhüllten Drohungen, von denen sie für den Fall begleitet sind, daß Euere Majestät die Rücksicht auf Österreich und England nicht aufgeben, und die eigene Politik der russischen nicht ausschließlich unterordnen wollen. Wenn dieser Brief bekannt würde, so würde die ganze Welt sich auf baldigen Bruch zwischen Deutschland und Rußland gefaßt machen, denn zwischen Monarchen, welche überhaupt in der Lage sind, über Krieg und Frieden zu bestimmen, ist eine solche Sprache der regelmäßige Vorläufer eines Bruchs, wenn letzterer nicht durch Verträge verhindert wird; die zwischen Monarchen übliche Höflichkeit gestattet, auch wenn man den Krieg beabsichtigt, in der Regel, und zwischen geborenen Monarchen eine stärkere Sprache nicht. Wenn Euere Majestät in demselben Tone antworten wollen, so würden wir mit Wahrscheinlichkeit dem Kriege entgegengehen. Euere Majestät haben ein höheres Bewußtsein von Allerhöchst Ihrer Verantwortung gegen Gott, und kennen den Krieg zu gut aus Erfahrung, um dem Eindruck berechtigter Empfindlichkeit zu folgen, wenn es sich um den Frieden Europas handelt, und Euere Majestät wollen daher, wie ich aus dem Allerhöchsten Handschreiben ersehe, von dem schlecht unterrichteten an den besser zu unterrichtenden Kaiser appellieren. So sehr dieser allerhöchste Entschluß, meiner ehrfurchtsvollen Überzeugung nach, der taktisch allein richtige ist, so wichtig wird es doch sein, die Möglichkeit nicht aus dem Auge zu verlieren, daß der Kaiser Alexander in den Händen der Ratgeber bleibt, denen er, wie es scheint, verfallen ist, ohne in eigenem politischem Urteil ein Gegengewicht gegen diese verderblichen Einflüsse zu finden. Daß diese Einflüsse in diesem Augenblick noch dem Fürsten Gortschakow zuzuschreiben wären, möchte ich kaum glauben. Derselbe ist abwesend, und bei aller Altersschwäche doch noch zu sehr Politiker von Fach, um solche Briefe gutzuheißen wie der vorliegende. Der Stil ist auch nicht der mir wohlbekannte Gortschakowsche, der in früheren Schreiben des Kaisers unverkennbar war. D e r Minister, welcher jetzt den entscheidenden Einfluß auf den Kaiser Alexander übt, ist Miljutin. Dieser ist für den Haß bekannt, den er gegen die Deutschen im Herzen trägt, zunächst gegen die baltischen, aber auch gegen uns. Die Aufstellungen der russischen Kavallerie- und Artilleriemassen gegen unsere ostpreußische Grenze, die jedem Militär den Eindruck einer Vorbereitung zum Kriege gegen Preußen machen, waren schon vor dem türkischen Kriege Miljutins Werk, und er hat sie nach dem Frieden sofort wieder einnehmen lassen. Die Opfer des Krieges haben ihn nicht gehindert, den Friedensetat um 56 000, den Kriegsetat um 3- bis 400 000 Mann für die mobile Armee zu erhöhen. Miljutin gehörte zu der Partei, welche statt des türkischen Krieges lieber einen österreichischen geführt hätte, und deren Einfluß vor zwei Jahren zu der Anfrage aus Livadia durch General Werder Veranlassung gab, ob Euere Majestät in einem russisch-österreichischen Kriege neutral bleiben würden. Die Berechnung war damals die, daß, nach Überwindung Österreichs, Deutschland allein der russisch-französischen, durch das geschwächte Österreich vielleicht verstärkten Koalition gegenübergestanden hätte. Wenn dieselben Einflüsse jetzt den Kaiser Alexander drängen, sich in erster Linie an Deutschland zu halten, so hoffen sie, entweder auch Österreich gegen uns zu gewinnen, oder nach der Steigerung des russischen Heeres um 400 000 Mann, in Gemeinschaft mit Frankreich, beiden gewachsen zu sein. Es kommt dazu noch die innere Politik Rußlands. Der Kaiser glaubt augenscheinlich seine Stellung im Innern durch kriegerische Haltung nach außen zu befestigen, und merkt vielleicht gar nicht, daß seine Gegner im Innern auch den Krieg anstreben. Ich habe manche persönliche Freunde in Rußland, und die Konservativen unter ihnen sind alle der Meinung, daß Miljutin, indirekt oder direkt, an der Spitze aller Unzufriedenen in Rußland, namentlich der Nihilisten, steht. Ob er seine Agitationen, zu welchen er in seinem Kaiser das mächtigste Werkzeug findet, im Interesse eines konstitutionellen Rußland unter dem Großfürsten Konstantin betreibt, oder ob ihm, was wahrscheinlicher ist, die Republik in Rußland als Ziel vorschwebt, oder ob ihn allein der nihilistische Eifer für Zerstörung des Bestehenden treibt, der ja in den russischen Mißbräuchen viel Nahrung finden kann — das ist für unser Interesse an der Sache gleichgültig. Als gewiß darf man annehmen, daß die russische Umsturzpartei im Drei-Kaiser-Bündnis und insbesondere in dem Bündnis des Kaisers Alexander mit Euerer Majestät ein starkes Hindernis ihrer Pläne findet, und daß letztere bei einem Weltbrande bessere Aussichten als im Frieden haben würden; schon wegen der gesteigerten Unzufriedenheit des friedliebenden russischen Volks, die schon bei dem verhältnismäßig geringen Türkenkriege deutlich erkennbar war.

Man kann in diesen wie in allen Fragen der großen Politik keine mathematischen Beweise führen oder verlangen. Man kann die Zukunft und die Entschließungen anderer nur mit mehr oder weniger richtigem instinktiven Vorgefühl ermessen. In diesem Sinne darf ich meine ehrfurchtsvolle Überzeugung dahin aussprechen, daß wir den Kaiser Alexander den Einflüssen seiner Umgebung wahrscheinlich nicht werden entziehen können. In dieser Umgebung findet sich kein einziger Staatsmann von europäischer Tragweite. Herr von Giers hat keinen ministeriellen Einfluß, und die Nerven des Kaisers sind durch die Lebensweise seiner Majestät aufgerieben, während die Umgebung bemüht ist, die persönliche Sicherheit des Monarchen als bedroht im Frieden und als geschützt im Kriege darzustellen.

Unter diesen Umständen Rußland durch Nachgiebigkeit gewinnen zu wollen, halte ich für vergeblich, auch wenn es nach dem Empfange des vorliegenden Briefes mit Euerer Majestät Würde verträglich wäre. Jede Nachgiebigkeit von unserer Seite wird nur dahin führen, daß Miljutin und seine Freunde beim Kaiser recht zu behalten scheinen, wenn sie darauf hinweisen, daß der Weg der Drohung der richtige sei, um von uns Konzessionen zu erlangen. Meines ehrfurchtsvollen Dafürhaltens sollte der Feldmarschall Manteuffel[95] die beiden drohenden Stellen, die der kaiserliche Brief enthält, ganz ignorieren, und im alten freundschaftlichen Tone für die Verständigung zwischen Rußland und Österreich unsere guten Dienste in Aussicht stellen, dabei aber durchblicken lassen, daß wir bei unserer Beziehung zu Frankreich, und bei der Ungewißheit, ob das persönliche Freundschaftsverhältnis der Monarchen die jetzige Generation überdauert, uns Österreich und England nicht verfeinden könnten für Fragen, die außerhalb unseres Kreises liegen. Wir könnten dies um so weniger, als der Kaiser Alexander scheinbar unser einziger Freund in Rußland sei, und die öffentliche Meinung in diesem Lande durch die Presse mehr und mehr gegen uns aufgeregt werde. Der Feldmarschall müßte dann suchen, die schlimmsten russischen Artikel, die im Auswärtigen Amte vorliegen, dem Kaiser persönlich unter die Augen zu bringen. Die Vervollständigung seiner Instruktion wird der Feldmarschall in dem Antwortschreiben Euerer Majestät finden, und eventuell nach Maßgabe dieses meines ehrfurchtsvollen Berichts erhalten können.

Die Art, wie der Kaiser Alexander sein Recht auf Euerer Majestät Dank-

---

[95] Der Kaiser hatte vorgesehen, Manteuffel zur Begrüßung des Zaren nach Warschau zu senden und ihm das Antwortschreiben möglicherweise mitzugeben.

barkeit für 1870 geltend macht, ist nicht grade eine delikate, und deshalb wird es nicht zu vermeiden sein, daß Euere Majestät Allerhöchst Ihrerseits, wie es in dem französischen Briefentwurf geschehen ist, die gegenseitige Rechnung einigermaßen richtigstellen. Alles in allem hat Rußland seit 50 Jahren mehr Vorteil von dem Bündnis gehabt als Preußen. Aber der Kaiser Alexander hat schon immer weniger Zurückhaltung in der Geltendmachung des Anspruchs auf Dank gehabt als Euere Majestät.
Schon bald nach dem Kriege sagte mir seine Majestät persönlich in Berlin: „Ihre Regierung ist mir Dank schuldig, und sie könnte ihn mir durch die Abtretung von Nordschleswig betätigen." Unter solcher Ausbeutung der Dankbarkeit ist es schwer, sich das Gefühl derselben zu erhalten. Der Kaiser stellt jetzt wiederholt seine Rechnung auf, aber ist dieselbe ganz richtig? Gewiß hat seine Majestät eine wohlwollende Neutralität für uns beobachtet, ebenso wie Euere Majestät im Türkenkriege. Darüber hinaus haben Euere Majestät im Türkenkriege Österreichs Intervention gegen Rußland gehindert. Ob der Kaiser Alexander 1870 dasselbe getan hat, ob er in der Tat Österreich mit 300 000 Mann für den Fall einer Intervention bedroht hat, darüber haben wir in den Akten keine Beweise. Graf Andrássy bestreitet die Tatsache, er sieht die Haltung der Ungarn und die deutschen Erinnerungen der Deutsch-Österreicher als Ursachen der damaligen Neutralität Österreichs an. Jedenfalls aber lag es 1870 im eigensten Interesse des Kaisers Alexander, zu verhindern, daß, nach Besiegung Deutschlands, Frankreich und Österreich siegreich und verbündet an seinen polnischen Grenzen standen. Wir haben ähnliche Interessen zur Parteinahme im Orient nicht. Ich will damit den Wert der freundschaftlichen Sympathie in keiner Weise schmälern, welche der Kaiser Alexander persönlich für Euerer Majestät Erfolge in Frankreich bekundet hat. Aber unsere Dankbarkeit dafür kann so weit nicht reichen, daß die deutsche Politik *für immer* der russischen untergeordnet würde, und wir Rußland zuliebe die Zukunft unserer Beziehungen zu Österreich opfern.
Euere Majestät wissen, daß ich bei den vielen Gelegenheiten, die uns nötigten, zwischen Rußland und Österreich zu optieren, überall, wo es angänglich war, die größere Hinneigung zu Rußland befürwortet habe. Es geschah dies, weil ich die russsische Anlehnung für die *gesichertere* von beiden hielt. Mit dem Staate Österreich haben wir mehr Momente der Gemeinsamkeit als mit Rußland. Die deutsche Stammesverwandtschaft, die geschichtlichen Erinnerungen, die deutsche Sprache, das Interesse der Ungarn für uns, tragen dazu bei, ein österreichisches Bündnis in Deutschland populärer, vielleicht auch haltbarer zu machen, als ein russisches. *Nur* die dynastischen Beziehungen und namentlich die persönliche

Freundschaft des Kaisers Alexander, lagen günstiger in Rußland und gaben den Ausschlag. Sobald dieser Vorzug der russischen Alliance wenn nicht schwindet, so doch unsicher wird, halte ich es für ein unabweisliches Gebot der Politik Euerer Majestät, unseren Beziehungen zu Österreich eine noch eifrigere Pflege angedeihen zu lassen als bisher. Ich werde darüber des weiteren berichten, nachdem ich Graf Andrássy gesprochen habe, und dann vielleicht Euere Majestät um Erlaubnis bitten, meine Rückreise von hier über Wien antreten zu dürfen. v. Bismarck.

102. Telegramm an das Auswärtige Amt: Vorbereitung eines Defensivbündnisses mit Österreich (Entzifferung) GP 3, 23, Nr. 449.

Bad Gastein, den 29. August 1879.

Nr. 26
Geheim. Für Seine Exzellenz.
An Seine Majestät den Kaiser.
Graf Andrássy über Nacht nach Wien zurück [96]. Sein Rücktritt erfolgt teils wegen wirklichen Bedürfnisses einer Zeit zum Ausruhen, ebensosehr aber im Einverständnis mit seinem Kaiser als politisches Manöver zur Vorbereitung seines künftigen Wiedereintritts, nachdem seine parlamentarischen Gegner von rechts und links ihre Unmöglichkeit eingesehen, und ihre Kämpfe untereinander dem Kaiser die Möglichkeit der Bildung einer konservativ-liberalen Regierungsfraktion ermöglicht haben soll. Er bleibt Vertrauensmann des Kaisers als voraussichtlicher Führer des ungarischen Parlaments. Sein Nachfolger wahrscheinlich Haymerle. Er ist aber bereit, einstweilen zu bleiben, wenn er Aussicht hat, daß Deutschland mit Österreich im Interesse des Friedens ein Defensivbündnis schließt zu gemeinsamer Abwehr jedes Angriffs, den Rußland allein oder im Bunde mit anderen Mächten gegen eine der beiden deutschen Mächte richten könnte. Er würde diese Festlegung der österreichischen Politik in deutscher Richtung noch selbst durchzuführen übernehmen, um seinen Nachfolger zu binden.
Schriftlich werde ich die Gründe ehrfurchtsvoll darlegen, aus denen ich für geboten halte, auf dieses Defensivbündnis einzugehen. Ohne ausdrückliche Mitteilung Graf Andrássys darüber, habe ich den Eindruck gewonnen,

[96] Bismarck war am 27. und 28. August 1879 mit Andrássy zusammengetroffen.

daß zwischen Österreich und England und durch England mit Frankreich das westmächtliche Bündnis von 1855 in antirussischer Diplomatie aber ohne Kriegsabsicht in Arbeit, vielleicht gesichert ist. Wir werden moderierend auf die Tendenzen wirken, wenn wir Österreich die gegenseitige Assekuranz geben, welche auch unsere eigene Sicherheit unabweislich zu fordern scheint. v. Bismarck.

103. Immediatbericht. Zum geplanten Bündnis mit Österreich und Rußlands politische Haltung (Ausfertigung) GP 3, 26 ff., Nr. 455.

Gastein, den 31. August 1879.

Euere Majestät wollen Sich huldreichst erinnern, daß ich innerhalb der letzten fünf Jahre in Berichten und Briefen wiederholt die Gefahren hervorgehoben habe, von welchen Deutschland durch Koalitionen anderer Großmächte bedroht sein kann. Die Kriege, welche Euere Majestät seit 1864 zu führen genötigt waren, haben in mehr als einem Lande die Neigung hinterlassen, im Bunde mit anderen Mächten Revanche zu nehmen und den Kristallisationspunkt zu Koalitionen abzugeben, wie deren eine dem Aufstreben Preußens im Siebenjährigen Kriege gegenübergetreten war. In jüngster Zeit war es besonders die Eifersucht des Fürsten Gortschakow auf Deutschlands Erfolge, welche unsere Gegner zunächst diplomatisch zu einigen suchte. Mein russischer Kollege hat, soviel er konnte, seit bald nach dem Frieden, daran gearbeitet, mit unseren Gegnern Anlehnung zu gewinnen, und namentlich mit Frankreich. Er hält die Komödie von 1875, wo er Frankreichs Bedrohung durch Deutschland und seine Rettung durch Rußland im Bunde mit dem damaligen französischen Botschafter Gontaut-Biron fingierte und diese Fiktion langer Hand vorbereitete, noch heute in der französischen Presse aufrecht. In der Zeit vor dem türkischen Kriege war er bestrebt, einerseits das Vertrauen des Kaisers Alexander auf Preußen, andererseits unsere Beziehungen zu Österreich zu untergraben, um seiner Koalitionspolitik nach beiden Seiten hin die Wege zu ebnen. In Rußland fand diese antideutsche Politik nur bei dem Kaiser Alexander damals noch Widerstand, da sonst eine deutsche Partei in Rußland nicht mehr existiert. Österreich aber nahm den Versuch, zunächst innerhalb des Drei-Kaiser-Bundes eine russisch-österreichische Intimität herzustellen, mit Mißtrauen auf. Wenn auch für die Anhänger österreichischer Revanchepolitik ein Bündnis mit Rußland etwas Lockendes haben konnte, da es jederzeit durch Frankreich verstärkt werden konnte, um auf Deutschland diplomatisch und politisch einen übermächtigen Druck zu üben, so kamen diese Bestrebungen doch nicht auf gegen die besonnenere Andrássysche Politik, welche voraussah, daß, nach der Überwindung oder Verfeindung Deutschlands, Österreich-Ungarn zwischen Rußland, Frankreich und Italien seine Unabhängigkeit nicht würde behaupten können.

Der Zustand meiner Gesundheit verbietet mir, die Konjekturen über die gegen uns möglichen oder wahrscheinlichen Koalitionen weiter auszuführen. Es bedarf auch keines Beweises, daß wir, in der Mitte Europas, uns keiner Isolierung aussetzen dürfen. Meiner Überzeugung nach *sind* wir derselben aber ausgesetzt, wenn wir ihr nicht durch eine Defensivalliance mit Österreich vorbeugen.

Die Sicherheit, welche wir in der Person des Kaisers Alexander früher zu finden glaubten, ist durch den letzten Brief Seiner Majestät und durch des Kaisers drohende Äußerungen gegen den Botschafter, auch der Form nach zerstört; sie läßt sich in der Art, wie sie früher bestand, nicht wiederherstellen. So gut wie der Kaiser Alexander dazu gebracht werden kann, wegen bulgarischer Lappalien nicht nur dem amtlichen Botschafter gegenüber, sondern in eigenhändigem Schreiben an Euere Majestät mit Krieg zu drohen, so gut wird er auch, und noch viel leichter, unter Fortsetzung der persönlichen Freundschaftsversicherungen diesen Krieg führen. Meines alleruntertänigsten Dafürhaltens mußte das Niederschreiben dieser Drohung gegen den nächsten Blutsverwandten und ältesten Freund mehr Überwindung kosten, als der etwaige Befehl, noch mehr russische Regimenter an der preußischen Grenze anzusammeln, als dort bisher schon stehen. Ich muß nach Pflicht und Gewissen Euerer Majestät versichern, daß ich als Euerer Majestät amtlich berufener Rat an die Zuverlässigkeit des Kaisers Alexander für Euere Majestät nicht mehr glaube, und daß ich es als meine unabweisliche Pflicht ansehe, bei Euerer Majestät auf die Herstellung einer gesicherten Anlehnung mit Österreich ehrfurchtsvoll anzutragen. Der Gedanke, daß ein Defensivbündnis mit Österreich als Ersatz der Garantien, welche früher der Deutsche Bund gewährte, den Abschluß der deutschen Politik Euerer Majestät zu bilden haben werde, ist für mich kein neuer. Ich habe schon bei den Friedensverhandlungen in Nikolsburg 1866 der tausendjährigen Gemeinsamkeit der gesamtdeutschen Geschichte gegenüber das Gefühl gehabt, daß für die Verbindung, welche damals zur Reform der deutschen Verfassung zerstört werden mußte, früher oder später ein Ersatz von uns zu beschaffen sein werde. Ich habe diesen Gedanken zurückgehalten, solange in der Person des Kaisers Alexander eine Bürgschaft dafür vorhanden zu sein schien, daß einstweilen auch die dem Herzen Euerer Majestät näherstehenden Beziehungen zu Rußland ausreichen würden, um Deutschland gegen die Gefahr europäischer Isolierung zu decken. In diesem Sinne habe ich in den letzten beiden Jahren mit aller Anstrengung und unter großer Schwierigkeit zu verhüten gesucht, daß Euere Majestät in die Lage kämen, zwischen Österreich und Rußland wählen zu sollen, weil ich wußte, wie peinlich Euerer Majestät der Entschluß dazu notwendig sein muß. Wenn ich auch seit Jahren sah, daß der Kaiser Alexander unser einziger Freund in Rußland war, so stand doch zu hoffen, daß Höchstderselbe nach seinen Jahren ebenso lange wie Euere Majestät noch regieren werde, und daß Allerhöchstdenselben das Erlebnis einer Trennung von der russischen Politik erspart sein werde, wenn auch für spätere Zeit Deutschland auf die Sympathie des russischen Thronfolgers sich keine Aussicht machen durfte.

Ich habe vor dem türkischen Kriege im November 1876 bei dem Fürsten Gortschakow den Versuch einer Sondierung gemacht, ob Rußland gegen wirksamere Unterstützung seiner orientalischen Politik durch Euere Majestät bereit sein werde, einen Garantievertrag für Elsaß-Lothringen mit Euerer Majestät abzuschließen. Der Fürst Gortschakow hat diesen meinen Versuch von Hause aus zurückgewiesen. Wenn mir diese damalige Ablehnung schon bedenklich war, so hat der feindliche Undank, mit welchem Rußland Euerer Majestät freundliche und hilfreiche Neutralität während des Krieges, namentlich aber die wesentlichen und in der Geschichte ganz ungewöhnlichen Dienste aufnahm, welche Euere Majestät Rußland auf dem Kongreß leisteten, mich überzeugt, daß der Kaiser Alexander mit Bewußtsein sein Ohr der Wahrheit verschließt, und daß die öffentliche Verhetzung der russischen Stimmung gegen Deutschland mit dem Wissen Seiner Majestät erfolgte.

Nach den Erscheinungen der letzten Wochen aber halte ich es nicht mehr für möglich, eine Sicherstellung unserer Zukunft aufzuschieben. Ich würde auf eine einmalige Aufwallung noch nicht das Gewicht legen; eine solche ist auch bei dem Kaiser Alexander I. gelegentlich vorgekommen, und das Bündnis doch im ganzen zuverlässig geblieben, wenn auch vorwiegend im russischen Interesse gehandhabt. Heute aber liegt die Tatsache vor, daß der Kaiser Alexander schon seit zwei Jahren, teils selbst, teils durch den Fürsten Gortschakow Forderungen an Euere Majestät hat stellen lassen, die unabhängige Mächte sonst einander nicht zumuten, und in einer Tonart, wie sie zwischen solchen nicht üblich ist. Herr von Bülow wird Euerer Majestät aus unseren Archiven die Beweise dafür liefern können. Seit mehr als einem Jahre hat Seine Majestät sich *en parti pris* jeder wahren und gerechten Darlegung der Dienste verschlossen, welche Rußland vor und auf dem Kongreß durch Deutschland erwiesen sind. Vielmehr durfte seit dem Kongreß die offiziöse, ja sogar die amtliche russische Presse (*« Correspondance russe »*, Poggenpohl, ein kaiserlicher Beamter) unter den Augen Seiner Majestät des Kaisers die aufregenden Verleumdungen gegen Deutschland verbreiten, welche wie eine bewußte Anbahnung zum Friedensbruch aussahen. Diese Erscheinungen sind dem Kaiser Alexander nicht unbekannt gewesen; Graf Schuwalow, Minister Walujew, Saburow und andere hohe Beamte und Diplomaten haben Seiner Majestät unter Darlegung der bedenklichen Folgen auf diese Dinge aufmerksam gemacht, die Äußerungen des Kaisers gegen Euerer Majestät Botschafter stimmen auch mit denen der Presse, dem sachlichen Inhalte und der Tragweise nach, überein. Wird auf diese Weise wirklich die Verbitterung des unwissenden russischen Volkes gegen Deutschland vorbereitet, so geben die Miljutinschen Aufstellungen an der Grenze den Beweis, daß diese Vorbereitungen wenigstens bei diesem gegenwärtig einflußreichsten Minister ernstlich gemeint sind. Nach russischen Einrichtungen kostet es ein einziges kaiserliches Wort, nur eine Unterschrift, ohne Motive, ohne Verantwortlichkeit, und der Krieg ist da, die Weichselarmee kann sofort bei uns einrücken. Den Glauben, daß der Kaiser Alexander niemals durch dieselben Einflüsse, welche seit Jahr und Tag seine Entschließungen beherrschen, bewogen werden könnte, jene eine Unterschrift zu geben, diesen Glauben kann ich nach dem jüngsten Verhalten Seiner Majestät nicht mehr aufrechthalten, ohne mit meinem amtlichen Pflichtgefühl in Konflikt zu kommen. Ich halte einen Krieg mit Rußland für das größte Übel, welches uns auf diesem Gebiete widerfahren kann, schon weil er für uns kein Kampfziel hat, als nur die Abwehr eines barbarischen Angriffs. Aber wenn wir uns fragen, wie wir den Eintritt dieses Übels verhüten können, so kann ich das wahrscheinlichste Mittel dazu nicht mehr in der Gesinnung des Kaisers Alexander suchen. Wenn wir die Erregung Seiner Majestät durch eine augenblickliche Nachgiebigkeit gegen die ganz ungerechten Ansprüche, die aufgestellt sind, beschwichtigen wollen, so würden wir damit die Anmaßlichkeit künftiger Ansprüche steigern, und keine andere Bürgschaft für unseren Frieden gewinnen, als die heutige zweifelhafte. Einen glaubwürdigen Beweis für eine wenigstens augenblickliche Sinnesänderung des Kaisers würde ich nur darin finden können, daß Seine Majestät öffentlich anerkannte und anzuerkennen beföhle, daß Deutschland sich während des Krieges und namentlich auf dem Kongresse die vollste Dankbarkeit des Kaisers und aller Russen erworben habe. Aber wenn dies auch geschähe, so würde ich doch das Vertrauen nicht festhalten, daß dem

Kaiser die geistige Unabhängigkeit und Energie noch verblieben sei, welche erforderlich wäre, um auf die Dauer den sich gleichbleibenden Einflüssen unserer Feinde Widerstand zu leisten.

Das einzige wirksame Mittel, unseren Frieden sicherzustellen, sehe ich in einem Defensivbündnis zur Wahrung desselben. Es mag vom russischen Standpunkte aus leicht erscheinen, von Warschau aus entweder Preußen oder Österreich anzugreifen, und Polen ist, solange beide deutsche Mächte getrennt sind, eine mächtige Angriffsposition gegen jede von ihnen. Sind sie aber einig und wehren sich gleichzeitig, so wird die Stellung mehr zu einer Sackgasse für Rußland. Meine amtliche Überzeugung geht dahin, daß wir das Bündnis nur zu schließen brauchen, um den Krieg zu verhindern. Rußland wird Frieden halten, wenn es die deutschen Mächte ohne aggressive Tendenz zur Abwehr geeinigt weiß: es wird aber in absehbarer Frist den Frieden brechen, wenn diese Einigung unterbleibt. Wenn Österreich also zu dieser Einigung, ohne daß Deutschland weitere Pflichten übernimmt, bereit ist, so würde ich es mit meinen amtlichen Pflichten und mit meinem Gewissen nicht in Übereinstimmung bringen können, wenn diese Gelegenheit, Deutschland und seinen Frieden zu dekken, versäumt würde. Für Rußland könnte eine solche Defensivalliance nichts Verletzendes haben, da ihr jede Absicht und jede Möglichkeit zum Angriff fehlt und da ein ähnliches Assekuranzbündnis zwischen Preußen und Österreich in Gestalt des früheren Deutschen Bundes 50 Jahre lang in völkerrechtlicher Wirksamkeit war, ohne jemals von Rußland als eine Bedrohung oder Verletzung empfunden zu werden. Ähnlich wie damals würde auch künftig Rußland jederzeit der Dritte in diesem Bunde der beiden deutschen Mächte wiederum werden können, wenn es sich nur entschließen kann, ebenso wie zur Zeit des Deutschen Bundes auf seiner Westgrenze Frieden zu halten. Eine aggressive oder bedrohliche Tendenz gegen Rußland würde unser Bündnis niemals haben, und wenn Österreich Rußland angreifen wollte, so würde es das ebensogut, wie zur Zeit des Deutschen Bundes, auf eigene Gefahr und ohne uns tun müssen. Dadurch würde auch Rußland gegenüber jede aggressive Tendenz des neuen westmächtlich-österreichischen Bündnisses, welches in der Bildung begriffen ist, gehemmt werden.

Damit komme ich zu einer anderen Seite der Frage.

Bei der Enthaltung Deutschlands haben die Interessen der Mächte, ohne besonderen Plan und Berechnung, schon jetzt zu derselben Gruppierung Rußlands gegenüber geführt, wie 1854. Die beiden Westmächte und Österreich stimmen in allen orientalischen Fragen geschlossen und ohne Ausnahme gegen Rußland, und in meinen Verhandlungen mit Grafen

Andrássy habe ich die Überzeugung gewonnen, daß Österreich sowohl wie Frankreich sich England gegenüber durch Versprechungen für diese Haltung gebunden haben, ein Verhältnis, welches bei längerer Dauer mit großer Wahrscheinlichkeit zu engerer Anlehnung zwischen Österreich und Frankreich führen muß. Die Wahl des Botschafters Haymerle zum Nachfolger Andrássys und insbesondere des Unterstaatssekretärs Kállay deuten darauf hin, daß Österreich sich die Annäherung an Frankreich offen halten will; es ist in diesem Sinne sogar von der Kandidatur des Fürsten Metternich als Nachfolger Andrássys die Rede gewesen. Wenn Österreich bei Deutschland keinen Schutz gegen unberechenbare Entschließungen Rußlands findet, so wird es dem Bedürfnis, bei Frankreich Anlehnung zu suchen, auf die Dauer nicht widerstehen, denn England kann ihm auf dem Kontinente nicht hinreichenden Beistand leisten; es wird also in dem westmächtlichen Bunde Österreich in seiner vorgeschobenen Stellung auf die Länge mehr von Frankreich als von England abhängig werden. Eine österreichisch-französische Intimität birgt aber für Deutschland dieselben Gefahren, wie eine österreichisch-russische; wie die letztere durch Frankreich, so kann die erstere jederzeit durch die launenhaften Entschließungen der russischen Politik zu einer erdrückenden Tripelalliance gegen Deutschland werden. Ein dauerndes Friedensbündnis zwischen Österreich und Deutschland würde allein die Möglichkeit der Herstellung jener bedrohlichen Tripelalliance aus dem 7jährigen Kriege verhindern können. An dieses Bündnis der beiden mitteleuropäischen Kaiserreiche würde England dann sehr gern eine feste Anlehnung nehmen.

Die einstweilen zunächstliegende Gefahr einer russisch-französischen Alliance gegen uns würde damit auch, soweit menschliche Kräfte reichen, beschworen sein. Das jetzige Frankreich würde sich jedenfalls zu einem Kriege gegen uns nur sehr schwer entschließen, wenn es befürchten müßte, England unter seinen Gegnern zu finden. Dennoch aber würde, wenn den französischen Chauvins die günstige Gelegenheit sich böte, daß Deutschland von Rußland angegriffen würde, die französische Regierung vielleicht nicht stark genug sein, die Revanche-Gelüste der Nation im Zaume zu halten, namentlich, solange wir isoliert sind. Sind wir aber mit Österreich verbündet, so glaube ich, daß in erster Linie der russische Angriff überhaupt unterbleibt, und fände er dennoch statt, daß dann England uns mit Österreich zusammen stark genug findet, um sich uns beiden anzuschließen. Dann würde ein russischer Angriffskrieg vielleicht doch nicht auf Teilnahme Frankreichs rechnen können. Als Euere Majestät 1864 im Bunde mit Österreich gegen Dänemark Krieg führten, hat keine europäische Macht es gewagt, die deutschen Verbündeten anzugreifen, obschon jede von ihnen Lust gehabt hätte, das Unternehmen zu hindern. Österreich wird jetzt nicht schwächer sein als damals, und das Deutsche Reich ist mehr als doppelt so stark wie das damalige Preußen; dabei können wir England, damals unser Gegner, als dritten im Bunde voraussehen.

Nachdem ich mir erlaubt habe, Euerer Majestät in Vorstehendem die Eindrücke ehrfurchtsvoll darzulegen, welche ich von der europäischen Situation, nicht seit dem Briefe des Kaisers von Rußland vom 15. August, sondern seit Jahren mit stets wachsender Mächtigkeit der Überzeugung erhalten habe, berichte ich alleruntertänigst über den Hergang meiner Besprechung mit Grafen Andrássy.

Über die Gründe seines Rücktritts habe ich meiner telegraphischen Meldung vom 29. d. Mts. nichts Wesentliches hinzuzufügen. Ich darf annehmen, daß der Kaiser Franz Joseph und Graf Andrássy selbst darauf rechnen, daß letzterer in weniger als Jahr und Tag, und wenn wichtige Ereignisse eintreten, schon sehr bald wieder im Amte sein werde, vorausgesetzt, daß seine Gesundheit sich hinreichend befestigt, wozu er meines Erachtens, nur einige Zeit absoluter Ruhe bedürfen wird. Die parlamentarischen Anstrengungen haben seine Nerven sichtlich angegriffen, und er ist gleich mir in der schwierigen Lage gewesen, niemals wirklichen geschäftsfreien Urlaub gehabt zu haben, weil seine amtliche Tätigkeit auch auf dem Lande eine volle Unterbrechung nicht zuläßt.

Über die politische Situation teilte ich ihm zunächst mit, daß wir von Rußland gedrängt würden, in den schwebenden Fragen im Orient nicht mit, sondern gegen Österreich zu stimmen, und daß wir, wenn wir uns dessen weigerten, anscheinend Gefahr liefen, uns *pour les beaux yeux de l'Autriche* mit Rußland zu brouilliren. Es sei daher für uns, die wir in der Sache gar nicht interessiert wären, vermöge dieser Haltung Rußlands von erhöhter Wichtigkeit geworden, daß eine Verständigung zwischen unseren beiden Nachbarn erfolge.

Der Graf erwiderte mir, es sei dies schwierig, da Rußland ungerechte, dem Berliner Vertrag widersprechende Forderungen aufstellte, und Österreich könne nach der unzuverlässigen und unaufrichtigen Behandlung, die es seit dem Reichstadter Abkommen von Rußland erfahren habe, nicht aus Gefälligkeit für Rußland sein Einverständnis mit England, und durch England auch das mit Frankreich schädigen. Die russische Politik sei Österreich gegenüber dermaßen wankelmütig, anmaßend, ja sogar bedrohlich gewesen, daß in Wien jedes Vertrauen zu derselben geschwunden sei. Man wisse gar nicht, wer die russische Politik im Innern und nach außen hin gegenwärtig leite, der Zufall scheine zu regieren. Es heiße, daß Kaiser Alexander sein eigener auswärtiger Minister sei. Wenn das der

Fall sei, würde er es lebhaft bedauern; denn wer auch immer die russische Politik in den letzten Jahren geleitet habe, einen schwächeren Kollegen habe er, Graf Andrássy, niemals gehabt. Rußland entgegenzukommen und dadurch England mißtrauisch zu machen, könne er nach diesen Erlebnissen seinem Kaiser nicht raten, und namentlich müsse Österreich sich die westmächtlichen Sympathien warm zu halten suchen, solange es von uns keine Gewißheit habe, ob Österreich gegen ungerechte russische Zumutungen auf Deutschlands Beistand rechnen könnte.

Ich entgegnete darauf, daß ich zwar nicht glaubte, daß Rußland im Sinne seiner Presse, auch wenn dieselbe eine offiziöse sei, die Drohung wahrmachen werde, an der Spree die Lösung der orientalischen Frage zu suchen; aber allerdings stehe in Rußland die Frage, ob Krieg oder Frieden, immer auf zwei Augen, und die Ratgeber, welchen der Kaiser Alexander gegenwärtig zu folgen scheine, hielte ich auch für leidenschaftlich und beschränkt. Wenn wir auch keine Anstrengung scheuen würden, um einem für uns so gänzlich grundlosen und zwecklosen Kriege wie dem mit Rußland, aus dem Wege zu gehen, so wäre es mir doch von Interesse, mich zu vergewissern, wie Österreich sich verhalten würde, wenn Rußland Händel mit uns vom Zaune bräche, bloß weil wir uns nicht von ihm als Instrument gegen Österreich benutzen lassen.

Graf Andrássy antwortete darauf wiederholt und mit Lebhaftigkeit, daß im Falle eines unprovozierten Angriffs von Rußland auf Deutschland Österreich-Ungarn unter begeistertem Beifall aller seiner Völkerschaften und mit Aufgebot der vollen Macht der Monarchie Deutschland beistehen werde.

Ich erwiderte darauf, daß ich an seinen und seines Kaisers Gesinnungen in dieser Beziehung nicht zweifelte, schon weil alle Interessen Österreichs und Ungarns gefährdet sein würden, wenn es Rußland, allein oder mit Frankreich, gelänge, Deutschland zu vergewaltigen, oder wenn wir, bei dem Mangel eigener Interessen im Orient, uns die Freundschaft Rußlands dadurch erhielten, daß wir Deutschlands Macht und Einfluß dem Kaiser Alexander einfach zur Verfügung stellten und Österreich im Stiche ließen. Österreichische Staatsmänner würden einsehen, daß es im Interesse der Monarchie liege, dieses zu verhüten; aber in den Parlamenten wären die Staatsmänner selten, und die Parlamente in Wien, wie in Pest, sehr mächtig. Rußland stehe kriegsbereit hart an unseren Grenzen. Wenn nun die Verhältnisse wirklich sich so weit trüben sollten, daß ein Angriff Rußlands auf uns erfolgte, so hätten wir, wie ich fürchtete, in Österreich lebhafte Sympathien, aber keine schnelle militärische Hilfe zu gewärtigen. Die Neigung, zunächst in Neutralität die ersten Erfolge abzuwarten, würde wahrscheinlich vorherrschen, und die österreichische Entschließung von den ersten Ergebnissen abhängen. Es liege eine der Schwächen unserer heutigen Beziehungen, im Vergleich mit der Zeit des Deutschen Bundes, darin, daß ein Angriff auf eine der beiden deutschen Großmächte den vertragsmäßigen Beistand der anderen nicht notwendig und ohne neue Entschließung zur Folge habe. Der alte Deutsche Bund sei eine Art von gegenseitiger Assekuranz-Gesellschaft für den Frieden gewesen; wir könnten zum Deutschen Bunde nicht zurückkehren, aber zu meiner Information als Privatmann erlaubte ich mir die Frage, ob er als Politiker eine analoge Friedensliga zwischen den beiden mitteleuropäischen Kaiserreichen für eine nützliche Institution halte, und ob er glaube, daß sein Kaiser ähnlichen Gedanken zugänglich sei. In diesem Falle würde ich die Frage in geheimer Form an meinen Allergnädigsten Herrn bringen. Käme es jetzt nicht zu einer Abmachung der Art, so glaubte ich doch, daß der Gedanke möglicherweise eine Zukunft im Interesse des europäischen Friedens haben könne, wenn diejenigen Mächte, welche entschlossen wären, ihn nicht ohne Not zu stören, sich zu seiner Aufrechterhaltung gegen unberechtigte Angriffe einigten. Deutschland sei zufrieden mit dem, was es habe, und verlange nichts weiter als Frieden.

Er erwiderte darauf, daß Österreich in derselben Lage sei; nicht nur der Kaiser habe auf jede Neigung, in Deutschland je wieder eine Rolle zu spielen, für immer verzichtet, sondern auch der Erzherzog Albrecht habe ihn in jüngster Zeit wiederholentlich aufgesucht, um ihn zu versichern, daß er durch die Ergebnisse der letzten Jahre zu der Überzeugung gelangt sei, Österreichs Heil beruhe für die Zukunft nur im engsten Anschluß an Deutschland. Er halte Rußland auch im Innern für unsicher und gefährdet, und den europäischen Frieden und die Zukunft der bestehenden Monarchien nicht mehr durch Rußland, sondern nur dann verbürgt, wenn Österreich und Deutschland zusammenhielten. Er glaube auch, daß die Festigkeit des Deutschen Reichs, und namentlich die Zuverlässigkeit von Bayern und Sachsen für die Reichspolitik durch das Zusammenhalten Deutschlands mit Österreich für alle, auch die schwierigsten Eventualitäten sichergestellt sein werde. Graf Andrássy fügte hinzu, daß nach diesem Glaubensbekenntnisse des Erzherzogs, noch mehr aber nach der Stimmung der Ungarn sowohl wie der Deutschen in Österreich, er die Treue Österreichs für ein deutsches Bündnis mit Sicherheit verbürgen könnte. Er würde eine Abmachung in diesem Sinne bei seinem Kaiser befürworten und glaube einer günstigen Aufnahme sicher zu sein. Das Verhältnis Österreichs zu England mache im gegenwärtigen Augenblicke für Österreich eine Abmachung, welche sich in erster Linie gegen Frankreich richten würde, nicht tunlich, weil eine solche Englands Beifall nicht haben würde. England bedürfe gegenwärtig Frankreichs, solange es nicht wisse, was es von Deutschlands zukünftiger Politik zu erwarten habe. Wenn Frankreich allein uns angriffe, und wir den Rücken gedeckt hätten, so würden wir im Besitze von Metz und Straßburg auch stark genug sein, um uns allein zu wehren. Sollte aber in solchem Falle Rußland den Franzosen gegen uns beistehen wollen, so würde dann Österreich, mit oder ohne England, auch bereit sein, uns mit Einsetzung der ganzen Monarchie gegen Frankreich und Rußland zu helfen und hierzu die vertragsmäßige Verpflichtung zu übernehmen. Durch ein solches Bündnis zwischen Österreich und Deutschland sei dann der europäische Friede, nach dessen Sicherung alle Nationen ein so dringendes Bedürfnis haben, verbürgt. Alle Nationen in Europa verlangten Sicherheit des Friedens, auch die Völker von Rußland und Frankreich. Auch von der Regierung Frankreichs, wie sie jetzt beschaffen, sei nicht zu erwarten, daß sie, im Gegensatz zu dem Friedensbedürfnis der Mehrheit des französischen Volkes, den Frieden stören würde. Auch in Rußland sei es nur die Regierung, und eigentlich nur eine Clique in der nächsten Umgebung des Kaisers, welche den Frieden bedrohe und ihren Einfluß auf den demselben leider zugänglichen Monarchen benutze, um teils aus revolutionären, teils aus persönlichen Gründen das müde Europa wiederum kriegerischen Wirren entgegenzudrängen. Es sei daher Pflicht der friedliebenden Regierungen, ihre Länder gegen solche Bestrebungen nach Kräften zu schützen. Ihm scheine diese Aufgabe von solcher Wichtigkeit, daß er, wenn er bei uns Neigung fände, derselben näherzutreten, seinen wohlerwogenen und für eine vorübergehende Erholungszeit auch notwendigen Rücktritt noch verschieben wolle, da ein Nachfolger, dem die Geschäfte neu wären, nicht die Leichtigkeit und Sicherheit der Behandlung haben werde, die eine Verständigung der Art erfordere. Er würde, wenn seine Gesundheit noch schlechter wäre, doch für seine Pflicht halten, sie einzusetzen, wenn dem Frieden Europas ein so wirksamer Dienst erwiesen werden könnte.

Ich habe ihm darauf erwidert, daß ich für jetzt eine Meinung nicht äußern könne, weil ich dazu keine Ermächtigung von Euerer Majestät hätte. Ich würde aber ohne Verzug Euerer Majestät Befehle einholen und ihm persönlich durch expressen Boten Nachricht geben, ob Euere Majestät mich ermächtigen wollten, der Frage näherzutreten. Welches immer Euerer Majestät Befehle sein würden, so würde ich es für meine Pflicht halten, den Besuch, welchen er mir ungeachtet seiner Gesundheit mit einer anstrengenden Reise hier gemacht hätte, in Wien zu erwidern und ihn dort zu verständigen über die Aufnahme, die mein Bericht bei Euerer Majestät gefunden hätte. Er nahm diese Zusage mit Dank entgegen und bemerkte, daß meine Rückreise über Wien um so weniger auffallen könne, als der Unterschied der Reise von Salzburg nach Berlin über München oder Wien nur eine Stunde betrage, und ich schon dreimal die Reise nach Gastein gemacht hätte, ohne Wien zu berühren.

Mit Rücksicht auf die vorgetragene Sachlage, deren Darlegung ich bei meiner körperlichen Erschöpfung zu meinem Bedauern nicht noch weiter ausführen kann, bitte ich Euere Majestät, mich vorläufig im Prinzip huldreichst ermächtigen zu wollen, daß ich bei meiner Durchreise durch Wien, die, wie ich hoffe, in etwa vierzehn Tagen stattfinden wird, mit Graf Andrássy die Grundlagen einer lediglich auf gegenseitigen Schutz gegen unprovozierte Angriffe und gegen bedrohliche Koalitionen berechnete[n] Verabredung einleite.

Ich werde natürlich nichts zusagen, was nicht im Wortlaut Euerer Majestät vorher vorgelegen, und Allerhöchstdero Genehmigung erhalten hat. Aber auch selbst wenn Euere Majestät auf eine Verhandlung der Art nicht eingehen wollten, was mich mit tiefem Schmerze und großer Sorge für die Zukunft erfüllen würde, würde ich es immer für notwendig halten, daß ich in Wien mündlich dem Grafen Andrássy die Gründe darlege, welche Euere Majestät abhalten, die Hand anzunehmen, welche Österreich, ohne jede aggressive Tendenz, rein im Interesse seines und unseres Friedens darzubieten scheint. Ich würde dann immer noch imstande sein, zu tun, was in meinen Kräften steht, um zu verhüten, daß die österreichische Politik nicht unter anderer Leitung als der des Grafen Andrássy mehr als bisher in das Fahrwasser Frankreichs hinübergleite.

Ich kann zum Schluß noch hinzufügen, daß uns beiden die vorläufige Geheimhaltung einer etwaigen Verabredung nützlich schien, daß aber eine solche, wenn sie zustande käme und später bekannt würde, in ganz Deutschland populär sein und Vertrauen in eine friedliche Zukunft erwecken würde. v. Bismarck.

104. Telegramm an Staatssekretär von Bülow: Ein Bündnis mit Österreich sicherer als ein solches mit Rußland (Entzifferung) GP 3, 25, Nr. 453.

Bad Gastein, den 1. September 1879.

Nr. 36

Freiherr von Manteuffel glaubt, Kaiser Alexander werde jetzt zu Bündnis mit uns geneigt sein. Verhandlung darüber scheint heute unmöglich. Sie würde uns nur Österreich entfremden und uns dann mit Rußlands Liebe allein lassen. Unsere volle Isolierung unter Mißtrauen aller, wäre dann in Rußlands Belieben gestellt. Das könnten wir nicht wagen, selbst wenn Kaiser Alexander den Glauben an die Zuverlässigkeit seiner persönlichen Freundschaft noch nicht zerstört hätte. Wir dürfen nicht von dem Wohlwollen und der Ehrlichkeit einer mißgestimmten Macht abhängig werden, die so undankbar ist, daß sie nach den großen Diensten, die wir ihr leisteten, ihr fanatisches Volk gegen uns verhetzt, eine Invasionsarmee an unserer Grenze bereit hält, im Frieden maßlos rüstet, und dann unter der Kriegsdrohung Lehnsfolge von uns fordert. Österreich ist sicherer, weil das Volk dafür ist, dabei ungefährlich für uns, bringt England mit und verfällt feindlichen Einflüssen, wenn es den Halt an uns nicht findet.

v. Bismarck.

105. Schreiben an Kaiser Wilhelm I.: Keine Option Deutschlands zwischen Österreich und Rußland (Ausfertigung) GP 3, 39 ff., Nr. 458.

Gastein, den 5. September 1879.

Euerer Majestät beehre ich mich in der Anlage die Abschrift eines an mich gerichteten Briefes des Grafen Andrássy ehrfurchtsvoll vorzulegen [97]. Ich habe denselben einstweilen mit der Hinweisung darauf beantwortet, daß ich meinerseits natürlich noch nicht im Besitz der Entschließungen Euerer Majestät wäre, und ihn benachrichtigen wollte, sobald ich dazu in den Stand gesetzt sein würde. Meinem alleruntertänigsten Berichte vom 31. v. Mts. neue Motive für die Allerhöchsten Entschließungen hinzuzufügen, werde ich erst dann in der Lage sein, wenn ich über Euerer Majestät Würdigung meines ehrfurchtsvollen Berichts näher informiert sein werde, als es durch das bisherige Telegramm des Ministers von Bülow der Fall ist. Für heute beschränke ich mich darauf, einige Vervollständigungen meiner Berichterstattung nachzuliefern, welche ich bei der Fülle des Stoffs und dem Mangel an Arbeitskraft zurückstellen mußte.
Die Nachricht von dem bevorstehenden Rücktritt des Grafen Andrássy mußte in mir über die Zukunft unserer Beziehungen zu Österreich Sorgen

[97] Abgedruckt in GP 4, 43 ff.

erwecken, über deren Tragweite ich Euerer Majestät nicht berichten konnte, solange ich selbst über die Motive dieses Rücktritts nicht aufgeklärt war. Meine erste Befürchtung war die, daß Andrássy sich von den, in der Hauptrichtung und jedenfalls am ansehnlichsten früher durch den Erzherzog Albrecht repräsentierten, militärisch-konservativen Elementen zurückzöge, auf deren Vorhandensein Fürst Gortschakow vor einigen Jahren den Plan gründen konnte, innerhalb des Drei-Kaiser-Bündnisses ein engeres Bündnis Rußlands mit Österreich herzustellen, zum Nachteile des von Frankreich ohnehin bedrohten Deutschen Reiches. Die mir inzwischen bekanntgewordenen Berichte des Generals von Schweinitz über die schon sehr bedenklichen Äußerungen des Kaisers Alexander gegen ihn bestätigten mich in meinen Befürchtungen. Denn es schien mir unglaublich, daß Kaiser Alexander die Politik des einzigen Bundesgenossen, den er bisher gehabt hatte, Preußens, durch Drohungen mißtrauisch machen könnte, ohne sich zuvor eines anderen Bundesgenossen versichert zu haben. Daß dieser andere Bundesgenosse Frankreich sein könne, ließ sich nicht annehmen, weil bei der gegenwärtigen französischen Regierung weder das nötige Geheimnis für solche Verhandlungen, noch die Dauer der Verständigung gesichert sein konnte.

Ich hoffte, als ich hier in Gastein eintraf, von dem Grafen Andrássy, auf Grund unserer persönlichen Beziehungen, wenigstens etwas herauszubringen, sei es eine Beruhigung, sei es eine freundschaftliche Warnung vor dem, was uns bedrohen konnte. Bevor ich den Grafen Andrássy gesehen hatte, erhielt ich durch Euerer Majestät Gnade das Schreiben des Kaisers Alexander, in welchem dieselben Drohungen klarer und verschärfter und nicht mehr bei einer gelegentlichen, vielleicht unbedachten, mündlichen Unterhaltung, sondern in wohlüberlegter und zweimal formulierter schriftlicher Fassung direkt gegen Euere Majestät ausgesprochen waren. Daß die früher so vorsichtige russische Politik sich zu dieser Maßlosigkeit verleiten lassen sollte, ohne einen anderweit gesicherten Rückhalt gewonnen zu haben, konnte weder mir noch irgendeinem politisch geschulten Staatsmann in Europa glaublich erscheinen. Der Hinweis, den der Brief des Kaisers Alexander auf die Übereinstimmung Frankreichs mit Rußland enthielt, machte mir keinen Eindruck, da mir das Gegenteil als wahr bekannt war. Hätte eine wirkliche Annäherung zwischen Frankreich und Rußland vorgelegen, und der Kaiser mit einer solchen drohen wollen, so wäre eine wahrscheinlichere Fassung gewählt worden. Durch den sonstigen Text des kaiserlichen Briefes konnte ich in meinem Verdachte einer heimlichen russisch-österreichischen Verständigung, in deren Besitz der Kaiser Alexander Euerer Majestät eine Art von Ultimatum stelle, nur bestärkt werden. Meine Ungeduld, durch Graf Andrássy womöglich eine Aufklärung zu gewinnen, mußte sich also steigern.

Für den Fall, daß diese Aufklärung keine beruhigende gewesen wäre, waren wir, meines untertänigsten Dafürhaltens, in der Notwendigkeit, einstweilen Rußland gegenüber *bonne mine à mauvais jeu* zu machen, und den Forderungen des Kaisers Alexander in den orientalischen Sachen entgegenzukommen, weil das Hauptmotiv, die Schonung unserer österreichischen Beziehungen, uns nicht mehr gehindert haben würde, der russischen Politik am Balkan jede ihr erwünschte Gefälligkeit zu erweisen. In diesem Sinne erschien mit die von Euerer Majestät beschlossene Sendung des Feldmarschalls von Manteuffel als eine Reservedeckung für den Fall, daß Andrássys Rücktritt den Übergang der österreichischen Politik in das russische Lager bedeuten konnte. Der kurze Termin, welchen Euere Majestät für die Einreichung des Entwurfs der Antwort stellten, nötigte mich, diesem Entwurfe eine Fassung zu geben, welche ihn für d e n Fall verwendbar machte, daß Österreich die Anlehnung an Deutschland aufgegeben hätte, und also unsere Beziehungen zu Rußland größere Pflege und Nachgiebigkeit von unserer Seite bedürfen sollten.

Als mein Briefentwurf schon in Euerer Majestät Händen war, kam Graf Andrássy her, und ich gewann durch seine Haltung sehr bald die Überzeugung, daß Österreichs Beziehungen zu Rußland und zu uns die alten waren, und daß die österreichische Politik, erfüllt von Sorge über die russischen Rüstungen und über die bedrohliche Unruhe in der Politik Rußlands, ihrerseits nach Friedensbürgschaften in Europa suchte, zunächst und in Zweifel darüber, wie weit es auf Deutschland im Fall der Not rechnen könne, bei England. Daß damit nicht nur die Ansichten des Grafen Andrássy ausgedrückt waren, sondern daß auch der Kaiser Franz Joseph in einer engeren Verbindung mit Rußland kein Heil sieht, die mit Deutschland aber festzuhalten bereit ist, geht aus dem anliegenden Schreiben hervor.

Wenn ich nunmehr gewiß zu sein glaube, daß die Besorgnis ungegründet war, welche mich veranlaßte, den Entwurf für Euerer Majestät Antwort an den Kaiser Alexander w e i c h e r zu halten, und der berechtigten Verstimmung Euerer Majestät w e n i g e r Raum zu geben, als mir politisch richtig erschienen sein würde, wenn ich über die österreichisch-russische Koalitionsbefürchtung schon beruhigt gewesen wäre, so sehe ich darin doch keine Schädigung unserer zukünftigen Politik, v o r a u s g e s e t z t, d a ß Euere Majestät auf die von Österreich nunmehr dargebotene gegenseitige Assekuranz einzugehen geruhen. Geschähe dies nicht, so würde ich befürchten, daß die weiche und freundliche Behandlung dieser ersten russischen Drohung in der Zukunft als Versuchung zu einer Wiederholung ähnlicher politischer Mißgriffe wirken könnte, während es ungewiß bleibt, ob wir später auch noch die Rückendeckung durch Österreich nach Belieben haben können, falls wir sie jetzt nicht annehmen und sicherstellen. Ich würde das um so mehr befürchten, als ich nach den mir vorliegenden Nachrichten die Ursachen des diesmaligen russischen Einlenkens mehr in den Beängstigungen des russischen Finanzministers und in dem Mißlingen der jüngsten russischen Versuche in Paris und bei Italien suchen muß, als in dem Wohlwollen für uns. Mit der österreichischen Assekuranz versehen, können wir uns aber erneuten russischen Freundschaftsversicherungen, zu welchen die schonende Haltung der Antwort Euerer Majestät und die Sendung Manteuffels vielleicht geführt haben mögen, ohne Gefahr hingeben und, neben den vertragsmäßig gesicherten Beziehungen zu Österreich, die russische Freundschaft mit aller Sorgfalt und Friedensliebe pflegen. Das Drei-Kaiser-Bündnis im Sinne einer friedlichen und erhaltenden Politik bleibt ein ideales Ziel der Politik, zu welcher ich Euerer Majestät ehrfurchtsvoll rate; untrennbar von derselben aber ist der Grundsatz, daß keiner der drei befreundeten Monarchen Eroberungen zum Schaden eines der beiden anderen erstrebe oder einen der beiden anderen mit Gewalt bedrohe, um ihn zum Anschluß an seine Separatpolitik zu zwingen. Letzteres ist leider von seiten des Kaisers Alexander geschehen, unterbleibt aber wahrscheinlich für die Zukunft, wenn Seine Majestät sich überzeugt, daß eine solche Politik der Drohung mit Gewalt die beiden anderen Mächte in der Abwehr einig finden würde. Bei der Abwesenheit aller zuverlässigen Bürgschaften für die Zukunft der russischen Politik, bei der Möglichkeit, daß die Politik des Kaisers Alexander auch in Zukunft wiederum von jener Überschätzung der russischen Macht, welche den Brief vom 15. August eingegeben hat, inspiriert werden könnte, oder daß der Kaiser Alexander dem Einfluß revolutionärer Ratgeber ohne eigenes Wissen unterliegt — bei dieser Möglichkeit ist das russische Bündnis für uns gefährlich, wenn wir nicht die Gewißheit haben, daß wir nicht mit Rußland allein darin bleiben. Letzteres wäre gleichbedeutend mit der Abhängigkeit unserer Sicherheit von Rußland, also von einem unberechenbaren Faktor. Österreich dagegen ist nicht in gleichem Maße unberechenbar. Nach seiner Lage und nach seinen Bestandteilen bedarf Österreich so gut wie Deutschland, wenigstens einer Anlehnung in Europa; Rußland kann zur Not ganz ohne eine solche bestehen, ohne Gefahr zu laufen, daß das Reich sich auflöst. In Österreich-Ungarn haben die Völker und ihre Vertreter mitzureden, und diese Völker sind vor allem des Friedens bedürftig; zu einer kriegerischen Koalition wie die mit Rußland, die ich vor vierzehn Tagen noch befürchtete, kann der Kaiser Franz Joseph nur gelangen im Bruche mit seinen Völkern und mit deren Verfassungen; in Rußland dagegen ist eine kriegerische Politik gegen Deutschland, ohne jeden Schaden für die innere Lage des Reichs, an jedem Tage in Szene zu setzen möglich. Österreich hat, bei einem Treubruch oder einem ruchlosen Angriff auf uns, die Rache Deutschlands, der Fürsten sowohl, wie der gesamten Nation, zu fürchten. Es kann von uns, wenn Deutschland einig bleibt, bei glücklichem Kriege in kurzer Zeit übergelaufen werden; Rußland hat bei seiner geographischen Unzugänglichkeit nach allen diesen Richtungen hin wenig von uns zu fürchten. Österreich bedarf unser, Rußland nicht. Österreich hat in sozialer Beziehung vielleicht von allen großen Mächten die gesundesten Zustände im Innern, und die Herrschaft des Kaiserhauses steht fest bei jeder einzelnen Nationalität. In betreff Rußlands weiß niemand, welche Eruptionen revolutionärer Elemente im Innern des großen Reiches plötzlich eintreten können.

Erneute Freundschaftsversicherungen des Kaisers Alexander werden uns keine bessere Bürgschaft gewähren als die bisherigen, die frischesten, die in dem Briefe vom 15. August enthaltenen, mit eingerechnet; auf demselben Papier wie sie steht die Kriegsdrohung gegen Euere Majestät unter Hinweisung auf Frankreich.

Nichtsdestoweniger werde ich Euere Majestät auch dann, wenn Allerhöchstdieselben ein Defensivbündnis mit Österreich genehmigen, in Zukunft niemals zu etwas anderem raten können, als zur sorgfältigsten Pflege unserer freundschaftlichen Beziehungen zu Rußland; denn ein Krieg mit Rußland bleibt auch für ein mit Österreich verbündetes Deutschland immer eine schwere Kalamität ohne Zweck für uns, welcher jederzeit nach Möglichkeit vorzubeugen sein würde. Eine Fortsetzung der bisherigen Situation, ohne vertragsmäßig gesicherte Beziehungen zu Österreich, würde ich schon *vor* dem russischen Briefe vom 15. August für gefährlich gehalten haben; nachdem wir aber durch das jüngste Verhalten Rußlands *gewarnt* worden sind, würde es sich meines alleruntertänigsten Dafürhaltens, schwer verantworten lassen, die gegenseitige Sicherung, die Österreich uns bietet, von der Hand zu weisen. v. Bismarck.

106. Schreiben an Staatssekretär von Bülow: Erregung über die Kaiser-Begegnung in Alexandrowo (Ausfertigung Graf Wilhelm Bismarck)

Rothfels, Briefe 397 f., Nr. 267.

Gastein, 5. September 1879.

... Die heute erhaltenen drei Telegramme Nr. 35/37 geben mir noch keinen sicheren Anhalt zu weiterer Entschließung meinerseits. Mit dem ersten Ausruf des Feldmarschalls „Das kann sich kein König von Preußen gefallen lassen" vermag ich das vorläufig übersehbare Ergebnis nicht recht in Einklang zu bringen:

der schwarze Adler für Milutin, den Feind aller Deutschen, den Patron der hetzenden Presse und den Urheber der drohenden Aufstellungen an der Grenze;

dann die Zitation unseres Kaisers auf russisches Gebiet *ad audiendum verbum Caesaris* macht mir, wenn auch in sehr verjüngtem Maßstabe den Eindruck eines embryonischen Olmütz,

und die Ordensverleihung ist ungefähr so, als wenn Gramont Anfang Juli 1870 den schwarzen Adler bekommen hätte.

Ich will zu diesen Dingen amtlich einstweilen keine Stellung nehmen, weil ich sie doch nicht ändern kann und mit dem schwarzen Adler schon viel Mißbrauch getrieben ist. Wenn der Kaiser die Einigung mit Oesterreich genehmigt, so bin ich ganz bereit, einige Verletzungen meines Anstandsgefühls in d e m Sinne in Kauf zu nehmen, daß Rußland damit eine goldene Brücke gebaut und die Möglichkeit ruchloser Korsarenstreiche in die Ferne gerückt wird. Findet aber mein Hauptvorschlag den allerh. Beifall nicht, so werde ich die Warschauer Ergebnisse für meine ferneren Entschließungen noch schärfer ins Auge fassen müssen. Sie erinnern sich, daß Graf Brandenburg 1850 an seinen Warschauer Erlebnissen *brockenhearted* starb. Das beabsichtige ich nun nicht zu tun, aber ins Konto schreiben lasse ich sie mir auch nicht. In alter Freundschaft der Ihrige

v. Bismarck.

107. Schreiben an den Gesandten von Radowitz — Berlin: Gegen Verzögerung des Vertragsabschlusses mit Österreich (Ausfertigung) GP 3, 60 f., Nr. 464.

Gastein, den 9. September 1879.

Ihre Telegramme Nr. 41 und 42 [98] habe ich mit Dank erhalten. Ich kann die Entscheidung, wenn ich sie danach auch leider voraussehe, nicht früher herbeiführen, als bis ich die von Seiner Majestät noch in Aussicht gestellten Mitteilungen gesehen habe. Nicht nur die Möglichkeit einer besseren sachlichen Wendung, schon die Schicklichkeit gebietet, daß ich mich nicht definitiv ausspreche, bevor ich den Inhalt der kaiserlichen Mitteilung kenne. Dem Gedanken Seiner Königlichen Hoheit des Kronprinzen, den Faden „ohne Unterschrift" fortzuspinnen, stehen, wie ich fürchte, zwei Hindernisse entgegen: einmal hat sich Andrássy nur für diese Angelegenheit zu bleiben entschlossen, und nicht länger, als bis er durch mich in Wien Gewißheit darüber hat, ob er diese ihm am Herzen liegende Angelegenheit noch abschließen kann oder nicht. Wenn ich Wien verlasse, ohne daß er diese Gewißheit hat, so war seine Absicht, die Geschäfte sofort seinem Nachfolger zu übergeben. Ich sehe nicht ein, wie und durch wen dann die Unterhandlungen wieder aufgenommen werden sollen. Ich fürchte, daß die Gelegenheit dann versäumt sein wird und nicht wiederkehrt.

Das zweite Hindernis liegt in mir und meiner Gesundheit. Letztere nötigte mich schon im Frühjahr 1877, um meinen Abschied zu bitten. Ich habe seitdem die ganze Phase des Türkenkrieges in leidendem Zustande durchgemacht, den Kongreß bis Ende Juli 1878, das Sozialistengesetz im Herbst, und von da ab die aufreibenden Arbeiten der Finanz- und Wirtschaftsreform bis Ende Juli dieses Jahres. Ich hatte vor 4 Wochen in Kissingen die Hoffnung, gesund zu werden; die Geschäfte, die mir nachgeschickt wurden, der kaiserliche Briefwechsel und die Entwicklungen infolge desselben, haben diese Hoffnung zerstört. Ich wäre vielleicht imstande gewesen, dem Kaiser noch zu dienen, wenn ich das Glück hätte, daß in entscheidenden politischen Fragen meine Überzeugungen mit denen

[98] Der Kaiser hatte sich mit dem Gedanken des Vertrages noch nicht einverstanden erklärt, da er in einer festen Abmachung Perfidie gegen Rußland erblickte. Der Kronprinz hatte seine Billigung ausgesprochen und geraten, weiter zu verhandeln.

Seiner Majestät übereinstimmten. Sobald diese Voraussetzung fehlt, kann ich die dadurch entstehende Friktion in den Geschäften nur mit einer Anstrengung in der Arbeit, und, bei meinem persönlichen Verhältnis zu seiner Majestät, mit einer Aufregung in den Nerven überwinden, der meine völlig erschöpften Kräfte nicht mehr gewachsen sind. Ich habe die Folgen ähnlicher Friktionen, welche in Nikolsburg und Versailles stattfanden, noch heute in meiner Gesundheit nicht überwunden; heute aber sind meine Kräfte so geschwunden, daß ich an den Versuch, die Geschäfte unter ähnlichen Bedingungen weiterzuführen, gar nicht denken kann. Am 19. d. Mts. werden es 17 Jahre, daß ich ohne Unterbrechung in diesen und ähnlichen Kämpfen stehe. Ich glaube damit meiner Dienstpflicht Seiner Majestät und dem Lande gegenüber erfüllt zu haben. *Ultra posse nemo obligatur.*

Ich bin zu verbraucht, um den Rat Seiner Kaiserlichen Hoheit, wenn ich es auch versuchen wollte, noch zur Ausführung zu bringen. Es werden sich ja wohl jüngere Kräfte dazu bereit finden lassen. Mein amtliches Abschiedsgesuch, also im reichsgesetzlichen Sinne die Erklärung meines Rücktritts aus dem Amte, werde ich, wenn die Situation bis dahin unverändert bleibt, erst in acht bis zehn Tagen einzureichen haben.

Dieses Schreiben ist ebenso wie für Sie, auch für den Minister von Bülow bestimmt, und bitte ich, dem Herrn Geheimrat von Bülow Abschrift davon, mit dem Anheimstellen vertraulicher Mitteilung des Inhalts an Seine Kaiserliche Hoheit den Kronprinzen zu schicken. An Seine Majestät den Kaiser werde ich seinerzeit unmittelbar schreiben. v. Bismarck.

108. Schreiben an den Botschafter Prinz Heinrich VII. Reuß—Wien: Richtlinien für die Vertragsbesprechungen mit dem Grafen Andrássy (Konzept Graf Herbert Bismarck) GP 3, 68 ff., Nr. 467.

Gastein, den 12. September 1879.
[abgegangen am 13. September]

Ganz vertraulich
Nur zu Ew. Durchlaucht Kenntnis

Eure Durchlaucht sind im Besitz der Berichte des Generals von Schweinitz über gewisse bedrohliche Äußerungen des Kaisers Alexander. Zu Ihrer weiteren Information übersende ich anliegend im engsten Vertrauen Abschrift eines in demselben Sinne unter dem 15. August an unsern allergnädigsten Herrn gerichteten Briefes. So bedauerlich diese mündlichen und schriftlichen Äußerungen des Zaren auch sind, so würde ich denselben doch keine höhere Bedeutung beimessen, als eine vorübergehende Stimmung eines an Widerspruch nicht gewöhnten Selbstherrschers haben kann, wenn nicht außer diesen Ausbrüchen ernstere Maßregeln in Rußland Zweifel an der Friedensliebe des Zaren erweckten. In erster Linie stehn die ungeheuerlichen Rüstungen, die trotz finanzieller *Gêne* sofort nach dem Frieden begonnen haben, und die bedrohliche Dislokation der Truppen an unsrer Grenze. Ein weiteres ernstes Symptom bilden die publizistischen Verhetzungen, durch welche die Regierung sich eine friedliche Politik erschwert. Auf diesen Unterlagen gewinnt der drohende Brief vom 15. August doch die Bedeutung eines beachtenswerten Symptoms. Das abschriftlich anliegende Telegramm des Fürsten Hohenlohe und andre damit übereinstimmende Nachrichten über Italien und Frankreich sind geeignet, die russischen Freundschaftsversicherungen zu beleuchten, und nötigen, sie mit Vorsicht aufzunehmen.

Mich hat diese Entwicklung nicht überrascht; ich habe im Verlauf der letzten beiden Jahre zwar keine Anstrengung unterlassen, um die guten Beziehungen zu Österreich u n d Rußland zu pflegen; nachdem aber die jedes Maß unsrer Dankbarkeit übersteigenden Dienste, die wir Rußland im Kriege und auf dem Kongresse erwiesen haben, wirkungslos blieben, habe ich den Augenblick mit Besorgnis kommen sehn, wo wir zu einer Option zwischen beiden genötigt sein würden. Immerhin habe ich nicht geglaubt, daß wir so schnell und durch so ungerechte bedrohliche Forderungen Rußlands dazu gezwungen werden würden. Können wir mit beiden Nachbarreichen die gleiche Freundschaft nicht erhalten, so ist es notwendig, sie mit der Seite, welche uns verbleibt, zu befestigen. Ich sah deshalb der hiesigen Begegnung mit Graf Andrássy, wie Eurer Durchlaucht bekannt, mit einiger Ungeduld entgegen.

Seine Majestät der Kaiser hatte seinen ersten, von mir gebilligten Gedanken, den Drohbrief vorläufig mit einem aufschiebenden bedauernden Telegramm zu beantworten, leider nach wenig Tagen wieder aufgegeben. Dem Kaiser Alexander waren von Herrn Giers, der erschrocken über den Brief gewesen ist, Vorhaltungen gemacht, auf welche er den Eindruck desselben durch telegraphische Einladung preußischer Offiziere nach Warschau zu mildern suchte. Dies veranlaßte unseren Herrn zu der Sendung Manteuffels, die mir nach jenem Briefe im Range zu hoch gegriffen war. Als rein militärischen Akt konnte ich sie aber nicht ändern. Zugleich befahl mir der Kaiser sofortige Einsendung eines Antwortenwurfs. Aus der Anlage wollen Eure Durchlaucht entnehmen, daß ich denselben milde gefaßt habe, um alle Wege offen zu halten, solange mir die Fühlung mit dem

Grafen Andrássy fehlte. Daß Herr von Manteuffel in dieser Situation unsern Kaiser zu einer Begegnung und namentlich auf russischem Gebiete veranlaßt hat, kam mir unerwartet und unerwünscht. Meine telegraphische Abmahnung brachte mir aber nur die Antwort ein, daß der Zar, seiner persönlichen Sicherheit wegen, seine Grenze nicht überschreiten könne.

Abmachungen sind in Alexandrowo nicht getroffen, aber Aufklärungen auch nicht erlangt. In Warschau sowohl wie in Alexandrowo ist von unsrer Seite eine der Situation nicht entsprechende begütigende Sprache geführt worden. Der Kaiser Alexander hat gebeten, seinen Brief als nicht geschrieben zu betrachten, und Miljutin unserm Herrn gegenüber die russischen Rüstungen und Aufstellungen mit der Behauptung zu rechtfertigen gesucht, daß Rußland von einer österreichisch-englisch-französischen Allianz aggressiv bedroht sei.

Ich habe während dieser Vorgänge mich hier mit Graf Andrássy über die von uns für indiziert gehaltene Politik ausgesprochen. Wir waren dahin einig, nach wie vor beiderseits unsre freundschaftlichen Beziehungen zu Rußland eifrig zu pflegen und in dieser Richtung auch die durch Manteuffel und in Alexandrowo gewonnenen Anknüpfungen wirken zu lassen und zu benutzen, aber uns gegenseitig zuzusagen, daß wir einander beistehn wollen, wenn Rußland den Frieden gegen einen von uns bricht, resp. wenn es Deutschland oder Österreich allein oder im Bunde mit andern angreift. Graf Andrássy hat hierzu im Prinzip die Einwilligung seines Kaisers schon erlangt, ich von unserm Herrn wenigstens die Ermächtigung, mit Graf Andrássy zu verhandeln, vorbehaltlich der kaiserlichen Entscheidung über das Ergebnis. Dieser Vorbehalt ist ja eigentlich selbstverständlich; bei Seiner Majestät aber drückt sich darin Besorgnis aus, unsere Verabredung könnte doch etwa eine aggressive Tendenz haben, oder wenigstens, wenn sie bekannt wird, den kriegslustigen Russen zu sofortigem Angriff herausfordern und so den Frieden, zu dessen Erhaltung sie recht eigentlich bestimmt sein soll, noch früher stören, als er ohne diese deutsch-österreichische *assurance mutuelle* gestört werden würde. Ich zweifle aber doch nicht an dem schließlichen Einverständnis Seiner Majestät, der den Kronprinzen zugezogen und Seine Kaiserliche Hoheit vollständig mit meiner Meinung übereinstimmend gefunden hat. Nur wird es wichtig sein, die Redaktion, deren Genehmigung demnächst von mir bei Seiner Majestät erbeten werden soll, mit Sorgfalt so zu fassen, daß die gemeinsame Pflege des Friedens mit Rußland und die friedliche, rein defensive Tendenz der Verabredung ins Auge fällt.

Ich habe kein Vertrauen zu den russischen Versicherungen, die mit den

Tatsachen des Rüstens und des Suchens nach Bundesgenossen in Widerspruch stehen. Wenn es mir daher nicht gelänge, zu der mit Österreich zu vereinbarenden Assekuranz die allerhöchste Zustimmung zu gewinnen, so würde ich nicht in der Lage bleiben, die Verantwortung für eine Politik weiter zu übernehmen, die ich mit der Sicherheit des Reiches unverträglich halte. Meine Gesundheit würde auch nicht ausreichen, die Friktion in den Geschäften zu überwinden, die aus der prinzipiellen Abweichung meiner Überzeugung von den allerhöchsten Intentionen hervorgehn müßte. Die Hauptgefahr der Lage würde ich dann darin sehn, daß Österreich, wenn es eine s i c h e r e Anlehnung bei uns nicht findet, eine solche anderweit suchen würde, sei es bei den Westmächten, sei es in direkter Verständigung mit Rußland ohne uns. In beiden Fällen ist unsre Lage eine solche, für die ich nicht verantwortlich sein will. Mit Ausnahme dieser meiner persönlichen Stellung zur Sache ersuche ich Eure Durchlaucht ergebenst, das Vorstehende als Grundlage vertraulicher Besprechung mit Graf Andrássy zu nehmen. Derselbe wird Eurer Durchlaucht Information in bezug auf die Seiten unsrer Besprechung, die ich der Kürze wegen nicht berühre, selbst vervollständigen können.

Ich denke mir als Inhalt unsrer eventuellen Verabredung etwa folgendes: „Beide Monarchen, beseelt von dem Bestreben, Europa, und in erster Linie den eignen Völkern den Frieden zu erhalten, versprechen einander wiederholt, an den Abmachungen des Berliner Kongresses festzuhalten, die Ausführung der noch unausgeführten Bestimmungen in versöhnlichem Sinne zu vermitteln und namentlich in allen denjenigen Fragen, in welchen bisher zwischen Rußland und den übrigen Mächten eine Verständigung nicht hat erreicht werden können, dieselbe unter sorgfältiger Schonung ihrer beiderseitigen freundschaftlichen Beziehung zum Kaiser von Rußland im Wege freundlicher Verständigung anzustreben, und Streitfragen, welche auf diesem Wege nicht lösbar sein sollten, lieber zu vertagen, als sie unter Gefährdung des Friedens mit Rußland durch diesseitige Pression zum Austrage zu bringen. Sollte das gleiche Verfahren von russischer Seite nicht mehr beobachtet werden, so wollen beide Monarchen bemüht sein, auf diplomatischem Wege die friedliche Erledigung der Frage zwischen ihnen und Rußland g e m e i n s a m zu erstreben, und keine von Ihren Majestäten wird aus der weitern Verzögerung der Erledigung eines der bisher noch nicht erledigten Punkte der Berliner Kongreßakte Anlaß nehmen, das russische Reich seinerseits oder in Verbindung mit andern Mächten zu bedrohn oder anzugreifen. Geschähe dies dennoch von einem der hohen kontrahierenden Teile, so soll der andre zum Beistand nicht verpflichtet sein.“

„Ihre Majestäten können einander die Besorgnis nicht verhehlen, mit welcher beide von der durch keine Bedrohung des russischen Reiches erklärten unerklärten Vermehrung der russischen Streitkräfte seit dem Frieden, und von der Aufstellung eines unverhältnismäßig großen Teils derselben in bedrohlicher Nähe der Grenze erfüllt sind. Ihre Majestäten können nicht glauben, daß diese Rüstungen gegen das Österreichisch-ungarische oder das Deutsche Reich gerichtet seien, da ihrerseits weder eine Absicht noch ein Grund zu feindlichem Verhalten gegen Rußland vorliegt oder für die Zukunft in Aussicht steht. Da Ihren Majestäten aber dennoch eine andre Bestimmung der Vermehrung und der geographischen Verteilung der russischen Heere nicht erfindlich ist, so glauben Ihre Majestäten durch die ihnen obliegende Sorge für die Sicherheit ihrer Völker verpflichtet zu sein, gegenseitige Zusagen zu gemeinsamer Aufrechterhaltung des Friedens und zu gemeinsamer Abwehr eines Angriffs auf ihre Staaten austauschen zu sollen, indem ihre Majestäten zugleich einander feierlich versichern, daß sie ihrem rein defensiven Abkommen eine aggressive Tendenz nach keiner Richtung jemals beilegen wollen."

„In diesem Sinne versprechen sich beide Majestäten, wenn einer von ihnen wider Verhoffen von Rußland angegriffen werden sollte, einander mit der gesamten Kriegsmacht ihrer Reiche beizustehen, und demnächst den Frieden nur gemeinsam und übereinstimmend zu schließen."

„Würde einer der hohen kontrahierenden Teile von einer andern Macht als von Rußland angegriffen werden, so verspricht der andere hohe Kontrahent, dem Angreifer gegen seinen Verbündeten nicht beizustehn, bleibt aber berechtigt, in Neutralität zu verharren. Wenn aber in solchem Falle die angreifende fremde Macht den Beistand Rußlands fände, so tritt in diesem Falle die obige Zusage des gegenseitigen Beistandes mit voller Heeresmacht sofort in Kraft, und die Kriegführung der beiden hohen Kontrahenten wird auch dann eine gemeinsame bis zum gemeinsamen Friedensschluß."

So ungefähr denke ich mir den Inhalt der Verabredung, ohne an dem von mir aus Mangel an Zeit und Arbeitskraft nicht weiter geprüften und vorbereiteten Wortlaute festzuhalten. Ich hoffe im Gegenteil, daß Graf Andrássy und die geschulten Kräfte der Kaiserlichen Kanzlei mir eine bessere Fassung suppeditieren werden, und bin für jede Ergänzung empfänglich.

Eine wesentliche Frage bleibt noch die der eventuellen Dauer des Abkommens. Ein „ewiger" Vertrag würde sich logisch im Rückblick auf das alte Verhältnis des Deutschen Bundes rechtfertigen lassen, wenn nicht die Spitze des Vertrages ausschließlich gegen e i n e der europäischen Mächte gerichtet wäre. Auf eine bestimmte Jahresfrist läßt sich die Dauer der Konjunktur auch schwer bemessen. Die Berechtigung zu beliebiger Kündigung mit ein- oder zweijähriger Frist vermindert die beiderseitige Sicherheit, welche gewonnen werden soll, doch wesentlich. Ich möchte Graf Andrássy die Frage unterbreiten, was er dazu meinen würde, wenn eine Kündigung mit ein- oder zweijähriger Frist zwar zugelassen werden würde, aber nur im Wege der Reichsgesetzgebung, also in Deutschland mit Zustimmung des Bundesrates und Reichstages und in Österreich-Ungarn dem analog. Die Hineinziehung der Reichsvertretung und der öffentlichen Meinung der Nation würde beide Reiche davor sichern, daß eine Kündigung etwa das Ergebnis vorübergehender ministerieller Verstimmungen sein könnte.

Nach Zeit und Arbeitskraft muß ich mich auf diese flüchtige Skizze beschränken und sehe mit Interesse Eurer Durchlaucht Mitteilung über Ihre Besprechung mit Graf Andrássy, aber n u r mit d i e s e m entgegen. Sollte er nicht anwesend sein, so bitte ich einstweilen, nach allen Richtungen hin das dem Grafen von mir zugesagte Geheimnis zu wahren. Eine Mitteilung nach Berlin ist erst tunlich, wenn ich mich mit Graf Andrássy verständigt habe. Gelänge letzteres wider Erwarten nicht, so wäre die Geheimhaltung um so mehr geboten, damit nicht auch unsre Beziehungen zu Österreich durch unnötiges Bekanntwerden mißlungener Versuche geschädigt werden.

Zu der Zeit, als Herr von Schleinitz auswärtiger Minister war, wahrscheinlich im Sommer 1860, ist in Teplitz zwischen Preußen und Österrein ein Garantievertrag auf drei Jahre geschlossen worden. Eure Durchlaucht haben wohl die Güte, durch Graf Andrássy archivmäßige Ermittelungen über die damaligen Vorgänge nachzusuchen, während ich gleiches in Berlin telegraphisch veranlasse. v. Bismarck.

109. Gespräch mit Hohenlohe am 15. September 1879 in Gastein

W 8, 327, Nr. 248 = Hohenlohe II, 275.

Gestern die Akten gelesen und mit dem Fürsten gesprochen. Bismarck hat mich doch überzeugt von der Notwendigkeit der Allianz mit Oesterreich. Er sagt, Oesterreich kann nicht allein bleiben gegenüber den Bedrohungen durch Rußland. Es wird sich nach Allianzen umsehen entweder mit Rußland oder mit Frankreich. In beiden Fällen entsteht für uns die Gefahr der Isolierung. Mein Telegramm über die russischen Sondierungen in Paris ist dem Kanzler sehr gelegen gekommen.

Nun ist aber der Kaiser durch die fatale Zusammenkunft in Alexandrowo[99] *unzugänglich und will nicht auf das Bündnis eingehen, in dem er eine Perfidie gegen den Neffen sieht. Bismarck seinerseits hat sich so weit mit Andrássy engagiert, und so überzeugt von der russischen Gefahr, daß er die Verantwortung nicht tragen will und in diesem Falle mit Rücktritt droht. Der Kaiser dagegen droht mit Abdizieren. Es besteht beim Kaiser eine große Verlegenheit, was er tun soll. Bismarck scheint entschlossen, zu gehen, wenn der Kaiser nicht nachgibt. Nun ruft Bismarck die Hilfe der Botschafter an und bittet, daß ich und Münster mit dem Kaiser sprechen. So werde ich dann am Sonntag nach Straßburg*[1] *gehen und sehen, was sich machen läßt.*

110. Immediatbericht: Meldung über den Verlauf der Wiener Verhandlungen
GP 3, 92 ff., Nr. 482.

Wien, den 24. September 1879.

Euerer Majestät melde ich alleruntertänigst, daß ich am 21. abends hier eingetroffen, am Tage darauf von Seiner Majestät dem Kaiser zur Audienz und zur Tafel befohlen worden bin, und im übrigen die mir bleibende Zeit den Besprechungen mit Graf Andrássy und Baron Haymerle gewidmet habe. In Anknüpfung an unsere Gasteiner Unterhaltungen und an die Euerer Majestät bekannte Korrespondenz habe ich dem Grafen Andrássy auf Grund der amtlichen Mitteilung, welche mir Gaf Stolberg am 17. d. Mts. über Euerer Majestät Befehle gemacht hatte, erklärt, daß ich über ein generelles Defensivbündnis mit gewisser Aussicht auf Euerer Majestät Genehmigung zu unterhandeln ermächtigt sei, vorausgesetzt, daß der Text unsrer eventuellen Verabredung jede offensive und bedrohliche Tendenz, namentlich Rußland gegenüber, ausschließe. Euere Majestät wollen den Verlauf dieser Verhandlung aus dem unter II anliegenden Protokoll huldreich entnehmen.
Graf Andrássy sowohl wie Seine Majestät der Kaiser stellten meinem Vorschlage folgende Gründe entgegen.
„In keinem der europäischen Länder sei der gegenwärtige Zustand un-

---

[99] Am 3. und 4. September 1879, wo der Zar mit Erfolg versuchte, die Bedeutung des Drohbriefes vom 15. August herunterzuspielen.
[1] Der Kaiser hielt sich zu Manövern im Reichsland auf.

sicherer und gefährlichen Umwälzungen mehr ausgesetzt als in Frankreich, dort habe man gegenwärtig ein Ministerium, welches Bürgschaften für den inneren und äußeren Frieden des Landes gewähre, solange es am Ruder sei. Schon ein geringer politischer Luftzug könne aber die verschiedenartigen, im ganzen Lande glimmenden Zündstoffe zum Aufflammen bringen und die Existenz dieser friedliebenden, die Anlehnung an England suchenden und verhältnismäßig antirevolutionären Regierung gefährden. Innere Umwälzungen in Frankreich würden an sich im ganzen übrigen Europa das Vertrauen auf eine ruhige Zukunft wieder erschüttern, aber auch unvermeidlich auf die auswärtige Politik Frankreichs zurückwirken. Die gefährlichste Gestaltung für den Frieden Mitteleuropas bleibe immer das Bündnis der französischen Republik mit dem ohnehin von der panslawistischen Revolution unterwühlten Rußland, und dann der Zutritt des in seiner monarchischen Verfassung so wenig gefestigten und der Republik ohnehin entgegenschwankenden Italiens. Daß das französisch-russische Bündnis in kriegerischen Zwecken nicht schon zustande gekommen sei, davon sei durchaus nicht die Abneigung Rußlands die Ursache; man sei durch die französische Regierung davon unterrichtet, daß Rußland über seine Neigung zu dem französischen Bündnis in Paris keinen Zweifel gelassen habe, und die diesseitige Beobachtung der Tätigkeit des Fürsten Orlow in Paris habe eine sehr umfängliche Einwirkung dieses Botschafters auf die französische Presse im Sinne der russischen Allianz zweifellos konstatiert. Die Verhinderung der Verwirklichung dieser Allianz mit ihren bedrohlichen Folgen für den Frieden des übrigen Europa sei lediglich der verständigen und friedliebenden Weigerung des jetzigen französischen Kabinetts zu danken. Werde letzteres durch irgendwelche Symptome monarchischer Allianzen gegen die französische Republik erschüttert, so treibe man damit Frankreich in die russische Allianz hinein, welcher es bisher widerstrebe. Eine generelle, gegen jeden Angreifer gerichtete Defensivallianz Deutschlands und Österreichs würde aber, sobald etwas davon bekannt würde, in Europa und namentlich in Frankreich immer als eine solche angesehen werden, deren Spitze sich gegen Frankreich richtet. Die Tatsache, daß der Friede Österreichs, und namentlich, daß der Friede Deutschlands von Rußland gefährdet sei oder gefährdet werden könne, sei bisher nur den eingeweihteren Kreisen bekannt und in das öffentliche Bewußtsein noch nicht übergegangen; traditionell gelte immer nur Frankreich als mutmaßlicher Störer des Friedens, und Verabredungen, auch defensiver Natur, machten nach wie vor noch den Eindruck, in erster Linie einen antifranzösischen Charakter zu tragen. Dies sei auch die Meinung des englischen Kabinetts, welches im Interesse des Weltfriedens den höchsten Wert auf die Erhaltung des Ministeriums Waddington lege.

Aus diesen Gründen sei das Kaiserliche Kabinett zwar ganz bereit, gegen ein mit Rußland verbündetes Frankreich sich zum Beistande zu verpflichten; solange das jetzige friedliebende Kabinett aber bestehe, friedliebend bleibe und die russische Allianz ablehne, wolle der Kaiser Franz Joseph sich die Freiheit erhalten, dem befreundeten englischen Kabinett auf jede Frage wahrheitsgemäß antworten zu können, daß Österreich an keiner gegen Frankreich gerichteten Verabredung beteiligt sei, und sich an einer solchen auch so lange nicht beteiligen werde, als Frankreich sich nicht auf feindliche Bündnisse gegen Österreich oder Deutschland einlasse."

Ich habe diese Argumentation, nach ihrem sachlichen Inhalte, nicht zu widerlegen vermocht, weil sie meines ehrfurchtsvollen Dafürhaltens richtig ist, ich habe aber dem Grafen Andrássy und auch Seiner Majestät dem Kaiser nicht verhehlt, daß ich für einen Vertragsentwurf auf einer andern als der allgemeinen Basis Euerer Majestät Ermächtigung nicht hätte, und habe auf die Gefahr aufmerksam gemacht, daß möglicherweise gar kein Vertrag zwischen uns zustande käme, wenn die Form, für welche ich Euerer Majestät Einverständnis im Prinzip jetzt schon konstatieren könnte, hier keine Annahme fände. Der Kaiser sowohl wie Graf Andrássy gaben zu, sehr unerwünschte und unsichere politische Konstellationen zu befürchten, wenn die vertragsmäßige Sicherstellung der deutsch-österreichischen Beziehungen mißlingen sollte; aber sie wollten lieber die Erreichung dieses so dringend wünschenswerten und den Gesinnungen der Völker beider Reiche so sehr entsprechenden Zieles einstweilen noch hinausschieben, als gegenwärtig die Verantwortung dafür zu übernehmen, daß die bestehende günstige Situation der französischen Politik gefährdet, die wachsende Intimität Österreichs mit England erkältet und Frankreich veranlaßt werde, den Werbungen Rußlands um seine Allianz, die es bisher zurückweise, in Zukunft entgegenzukommen.

In bezug auf die Forderung Euerer Majestät, daß jede zu treffende Verabredung einen ausschließlich defensiven Charakter haben müsse, und daß jede Zustimmung zu aggressiven Unternehmungen absolut ausgeschlossen bleibe, erklärte Seine Majestät der Kaiser sowohl wie Graf Andrássy das unbedingteste Einverständnis. Der Kaiser sagte, er selbst würde sich nie dazu hergeben, einen Angriffskrieg zu führen, und am allerwenigsten einen so unfruchtbaren und gefährlichen wie den gegen Rußland. Auch wenn er in einem solchen siegreich bleiben sollte, so wüßte er gar nicht, welch einen Nutzen ein solcher Sieg für die österreichisch-ungarische

Monarchie haben könnte. Namentlich, wenn Österreich sich durch England und Frankreich zum Angriff auf Rußland wollte drängen lassen, so läge doch für jedermann auf der Hand, daß in einem solchen Kriege die Gefahr und die Hauptanstrengung ganz allein Österreich treffen würde, da England und Frankreich für die russischen Streitkräfte unerreichbar wären. Als ich erwähnte, daß der Minister Miljutin die Besorgnis vor einer österreichisch-englisch-französischen Koalition als Motiv der russischen Augmentationen angegeben habe, erwiderte Seine Majestät: „Das glaubt Miljutin doch selbst sicher nicht; für so töricht kann uns niemand halten." Graf Andrássy erklärte mir auf dieselbe Mitteilung, jene Angabe Miljutins sei eine „Lüge von ganz außergewöhnlicher Unverschämtheit".

Aus allen meinen Besprechungen hier habe ich die volle Überzeugung geschöpft, daß Seine Majestät der Kaiser sowohl, wie die deutschen und die ungarischen Minister von keinem dringenderen Wunsche beseelt sind als von dem der Erhaltung des Friedens mit Rußland sowohl, wie nach allen andern Seiten hin, daß nur ein Angriff oder die Furcht vor einem solchen Österreich zum Kriege nötigen würde, und daß Österreich alles tun wird, was man von ihm erwarten kann, um sich einem solchen Angriffe nicht auszusetzen.

Euere Majestät werden diesen Eindruck bestätigt finden aus dem von Graf Andrássy und mir gemeinsam aufgesetzten Memorandum unter I der Anlagen, in welchem wir unsere Auffassung der politischen Situation zu Papier gebracht haben. Wir haben beabsichtigt, in diesem Memorandum diejenigen Gedanken auszusprechen, welche sich nach unsrer beider Meinung zur Mitteilung an andre Kabinette eignen.

Unter Nr. II füge ich das Protokoll über den Verlauf meiner Verhandlungen mit dem Grafen Andrássy alleruntertänigst bei. Über den Inhalt desselben haben wir uns bis auf weiteres das Geheimnis versprochen.

Die Anlage III enthält den österreichischen Gegenvorschlag hinsichtlich der Zusicherungen, welche beide Reiche in betreff des Beistandes, den sie sich feindlichen Angriffen gegenüber leisten wollen, einander geben würden.

Dieser österreichische Entwurf weicht von Euerer Majestät mir erteilten Instruktionen nur in dem einen Punkte ab, daß der Fall eines russischen Angriffs darin ausdrücklich erwähnt wird. Es ist dies eine Frage der Form, durch welche im übrigen nicht gehindert wird, daß dieser österreichische Entwurf die Sicherheit vollständig gewährt, deren Deutschland gegen die Gefahren europäischer Koalitionen bedarf. Die Zwecke, an denen uns gelegen sein muß, und die wir durch den vorgeschlagenen Abschluß erreichen, sind meines ehrfurchtsvollen Dafürhaltens die nachstehenden:

1. Zu verhindern, daß die Tripel-Allianz: „Rußland, Frankreich, Österreich" sich gegen uns bilden könne.

2. Zu verhindern, daß Österreich entweder mit Rußland oder mit Frankreich ein Bündnis zum Nachteile Deutschlands eingehe.

3. Im Falle eines französischen Angriffs auf uns mindestens die wohlwollende Neutralität sicherzustellen.

4. Bei Eintritt derjenigen Gefahr, welche gegenwärtig die drohendste ist, der Gefahr eines russisch-französischen Bündnisses, uns der aktiven Hilfe Österreichs sofort bei Ausbruch des Krieges versichert zu wissen.

5. Einen Angriff Rußlands ohne Frankreich auf uns oder auf Österreich mit großer Wahrscheinlichkeit überhaupt zu verhüten, da Rußland eine der beiden deutschen Mächte schwerlich angreifen wird, sobald es sicher ist, sie in diesem Falle beide gegen sich zu haben.

Das deutsch-österreichische Bündnis ist in meinen Augen das einzige sichere Mittel, die russische Politik friedfertiger zu stimmen und dem Kaiser Alexander einen Halt gegen die Einwirkungen der kriegerischen und revolutionären Panslawisten und namentlich des Ministers Miljutin und seiner Gesinnungsgenossen zu geben. Ich habe deshalb gegenüber der österreichischen Forderung absoluter Geheimhaltung des Abkommens darauf bestanden, daß dem Vertragsentwurfe des Grafen Andrássy im Artikel IV eine Klausel beigefügt werde, nach welcher aus Gründen der Loyalität dem Kaiser Alexander, sobald kriegerische Dispositionen der russischen Politik erkennbar würden, gesagt werden müsse, daß gegen einen Angriff einer der beiden deutschen Mächte beide zusammenhalten würden.

Ich erlaube mir, noch einige Vorzüge hervorzuheben, welche meines ehrfurchtsvollen Dafürhaltens der anliegende österreichische Vorschlag im Interesse Deutschlands vor einer generellen Allianz gegen jede angreifende Macht haben wird.

1. Der Angriff, welchem Österreich zunächst am meisten ausgesetzt erscheint, ist der Italiens, sobald in diesem Lande die wenig konsolidierte monarchische Gewalt der Herrschaft revolutionärer Elemente unterliegen sollte. In diesem Falle würde die Agitation der *Italia irredenta* gegen Triest und Trient der staatsmännischen Erwägung der Italiener wahrscheinlich über den Kopf wachsen. Nach dem anliegenden Entwurf würde Österreich diesen Streit allein auszufechten haben, demselben aber auch allein gewachsen sein. Wäre Deutschland durch ein generelles Bündnis zur Teilnahme am Kampfe genötigt, so tritt die Gefahr ein, daß der österreichisch-italienische Krieg aus einem lokalen zu einem europäischen würde.

2. Nach dem österreichischen Entwurf würden wir zur Mitwirkung auch dann noch nicht verpflichtet sein, wenn Frankreich im Bunde mit Italien oder, was wenig wahrscheinlich, ohne Italien mit Österreich Händel bekäme.
3. Wenn aus den Beziehungen Österreichs zur Türkei in Novibazar oder durch die Albanesen Zerwürfnisse entständen, so würden auch diese uns noch nicht berühren. Erst der Krieg mit dem Gegner, dessen Auftreten auch Deutschlands Sicherheit gefährden würde, mit Rußland, würde einen *casus foederis* herstellen.
4. Die Verschiedenheit der Politik Rußlands und Frankreichs in ihrer Stellung zu Deutschland, welche bisher die Einigung beider Mächte hindert, bleibt nach dem Vorschlage des Grafen Andrássy unverändert, während ein auch gegen Frankreich von Hause aus sich richtendes Abkommen mit Österreich die französische Politik in eine bisher nicht vorhandene Gemeinschaft mit der russischen bringen würde.
Ich kann hiernach nicht umhin, nach meinem politischen Urteil das Bündnis in der Gestalt, wie es Graf Andrássy vorschlägt, den deutschen Interessen in höherem Maße entsprechend zu finden, als dies bei einem allgemeinen, gegen jede Macht anwendbaren Bündnisse der Fall sein würde.
Euere Majestät wollen mir huldreichst gestatten, noch mit wenig Worten auf die älteren Verabredungen des Grafen Moltke zurückzukommen. Dieselben sind, wie ich mich hier durch Einsicht der österreichischen Exemplare von neuem überzeugt habe, durch die späteren Wiener Verhandlungen zu Dreien dergestalt modifiziert worden, daß sie eine praktische Tragweite nicht mehr haben. Aber selbst wenn die erste Petersburger Verabredung der Feldmarschälle in unveränderter Geltung bestände, was rechtlich nicht der Fall ist und was auch offenbar der Kaiser Alexander nicht annimmt, da er in den Krisen der letzten Jahre nie von der Sache gesprochen hat, so wäre diese preußisch-russische Verabredung mit der anliegenden deutsch-österreichischen vollkommen verträglich. Euere Majestät würden damit zwischen Österreich und Rußland in eine ähnliche Stellung gebracht sein, wie sie der Kaiser Nikolaus zur Zeit von Olmütz zwischen Preußen und Österreich einnahm, indem er sich gegen denjenigen seiner beiden hohen Bundesgenossen erklärte, welcher den andern angreifen würde. Euere Majestät würden dann in der Lage sein, Rußland gegen einen österreichischen, Österreich gegen einen russischen Angriff zu verteidigen. Es liegt diese Situation aber nicht vor, weil in den Verabredungen von 1873 die Petersburger Version durch die spätere Wiener abgeändert wurde.
Ich kann aus allen vorstehenden Gründen Euere Majestät nur ehrfurchts-

voll bitten, das österreichische Anerbieten in Gestalt des unter III anliegenden Vertragsentwurfs huldreichst annehmen und genehmigen zu wollen, daß das Auswärtige Amt eine auf Euerer Majestät Botschafter Prinzen Reuß lautende Vollmacht zum Abschluß der allerhöchsten Vollziehung unterbreite.

Meine wiederholten und sorgfältigen Erwägungen der europäischen Situation haben mich mehr und mehr in der Überzeugung befestigt, daß nur durch feste und vertragsmäßige gegenseitige Anlehnung Deutschlands und Österreichs wir uns gegen die Gefahren sicherstellen können, welche der Schoß der Zukunft für uns birgt, und welchen ohne eine derartige Fürsorge entgegenzugehen, meiner Überzeugung nach ein gewissenhafter auswärtiger Minister, der sich seiner Verantwortlichkeit der Krone und dem Lande gegenüber bewußt ist, schwerlich den Mut wird finden können.

v. Bismarck.

111. Bericht von Lucius über die Sitzung des Staatsministeriums[2] am 28. September 1879 in Berlin und ein anschließendes Gespräch

W 8, 328 ff., Nr. 250 = Lucius, 173 ff.

Am 28. September um zwei Uhr fand ein Ministerrat statt, welcher exklusive Justizminister Leonhardt vollzählig war. Bismarck leitete die Sitzung ein mit einem meisterhaften Vortrag über die allgemeine politische Lage, unter Vorlesung von Aktenstücken: „Schon bei den Nikolsburger Verhandlungen stand es bei mir fest, daß das Ende dieses Krieges nicht ein dauernder Riß und Verfeindung mit Oesterreich sein dürfe, sondern vielmehr der Anfang zu einem Einverständnis, und womöglich zu einer Allianz.“ *Stammesgemeinschaft, geographische Lage, geschichtliche Entwicklung wiesen diese beiden Staaten aufeinander an. Zwischen Schlesien und Bayern sei eine offene langgestreckte Grenze, für Deutschland gebe es nur die Allianz mit Rußland oder Oesterreich oder mit beiden. Die Freundschaft mit Rußland habe er lange gepflegt und erhalten. Seit 1870 aber habe sich in Rußland eine steigende Feindseligkeit entwickelt, obwohl von Deutschland reichliche Gegendienste in allen politischen Fragen für die russische Haltung 1870 geleistet worden seien; eine Allianz mit einem Autokraten, einer halb barbarischen dummen Nation, verhetzt durch Panslawismus, sei an sich riskant, während die Allianz mit einem schwächeren Staat, wie Oesterreich, viel Vorzüge habe. Rußland nehme seit Jahren unter der Herrschaft Miljutins eine aggressive Haltung gegen*

[2] Dr. Lucius war seit dem 13. Juli 1879 Landwirtschaftsminister.

Preußen ein. Die Hetzereien der russischen Zeitungen, die Aeußerungen des Zaren gegen General von Schweinitz, endlich der Brief des Zaren, sowie die Sondierungen Gortschakows in Paris, ob man sich mit Rußland gegen Deutschland alliieren wolle, lassen keinen Zweifel über die herrschenden üblen Absichten. Alexander II. sei seit vier bis fünf Jahren sein eigener auswärtiger Minister, er behalte Gortschakow nur, weil er ihn als einen Toten betrachte, so mache er mit Miljutin eine unberechenbare Politik mit asiatischer Ueberhebung. Diese Betrachtungen hätten ihn mit Besorgnis erfüllt über die deutsche Zukunft. Ja, er habe aus dem frech drohenden Tone Rußlands den Argwohn geschöpft, dieses hätte bereits eine feste Allianz mit Oesterreich geschlossen. Dieser Gedanke sei aber geschwunden bei seinen Unterhaltungen mit Andrássy und besonders mit dem Kaiser von Oesterreich selbst. Dort sei man mit Begeisterung auf den Gedanken eines Bündnisses mit Deutschland eingegangen, gegen eine Tripelallianz habe man eingewandt, sie sei nicht haltbar. Gegen ein allgemeines Schutz- und Trutzbündnis sei einzuwenden, daß es uns in Händel mit Italien verwickeln könne, während andererseits Oesterreich in französische Konflikte durch uns kommen könne. Es sei Oesterreich nicht zuzumuten, für Elsaß-Lothringen zu fechten, ebensowenig könne Preußen gegen Italien zu Felde ziehen. Wohl aber empfehle sich ein einseitiges Defensivbündnis gegen Rußland, möge es aggressiv vorgehen, oder möge es sich einmischen wollen in einen Krieg, welchen eine der verbündeten Mächte für sich führe. In beiden Fällen gewähre es eine sichere Flankendeckung.

Tue Preußen nicht beizeiten solche Schritte, so könne sich die Koalition des Siebenjährigen Krieges wiederholen, wo Rußland, Oesterreich, Frankreich vereint gegen Preußen fochten. Während ein Bündnis mit Oesterreich auch England auf diese Seite ziehe. In Oesterreich sei die Erbitterung selbst beim Erzherzog Albrecht (sonst unser entschiedener Gegner) sehr lebhaft über die Lügen und die Anmaßung der russischen Politik. Albrecht habe gesagt: diese Freundschaft ist wenigstens für unsere Lebenszeit vorüber.

Bismarck verlas zwei Berichte von Schweinitz aus Petersburg, wonach der Zar neben einer Reihe von anmaßlichen Rektifikationen geradezu gedroht hatte: „Die Dinge würden eine sehr ernste Wendung nehmen, wenn die Haltung Deutschlands nicht eine freundlichere würde." Deutschland unterstütze überall die österreichischen und sonst gegnerischen Deutungen des Berliner Traktats. Er verlas dann auch den Brief des Zaren an unseren Kaiser, worin die beleidigende Wendung stand: „es sei nicht würdig eines Staatsmannes usw." Trotzdem sei unser Kaiser nach Warschau gereist, was ein zweites Olmütz bedeute, mit welchem wieder der Name Manteuffel verknüpft sei. Graf Stolberg habe die Abneigung des Kaisers gegen ein Bündnis mit Oesterreich zu überwinden gesucht und ihn so weit gebracht, daß er wenigstens ein allgemeines Bündnis, welches nicht ausschließlich gegen Rußland gerichtet sei, billige. Allem weiteren setze er ein taubes Ohr entgegen, indem er ihn absichtlich mißverstehe und noch neulich dem Fürsten Hohenlohe-Schillingsfürst gesagt habe, Bismarck wolle ihn zu einer allgemeinen Allianz mit Frankreich und England gegen Rußland verleiten. Er habe endlich, nachdem alle Gegenvorstellungen vergeblich geblieben seien, gestern in Baden-

Baden[3] *sein Abschiedsgesuch eingereicht, was ihm als Reichsbeamten nicht versagt werden könne. Er sei zwar bereit, noch einige Jahre mitzuarbeiten, wenn er sich im Einverständnis mit seinem Monarchen befinde, nicht aber, wenn er sich in Friktionen mit diesem aufreiben müsse, das halte er nicht aus. Wie jetzt die Sachen lägen, müsse der deutsche Kanzler vor allem das Vertrauen des russischen Zaren besitzen, er könne auch nicht selbst nach Baden reisen, um die Sache durchzusetzen, weil Seine Majestät daraus schließen dürfte, er wolle absolut im Amte bleiben. Zudem würde es erfolglos sein, und er würde nur wieder ähnliche Szenen erleben wie in Nikolsburg. Der Kaiser werde ihm in einer Weise begegnen, daß die Ehrfurcht verbiete, zu antworten, und werde weggehen, ohne ihn zu hören. Wenn das Staatsministerium seiner Meinung wäre und seine Auffassung teile, so sei es das Richtige, Graf Stolberg führe nach Baden und proponiere Seiner Majestät die Brücke eines Ministerkonseils. Damit habe man in früheren Jahren auch Erfolge erzielt, 1864 und 1866 seien in kritischen Perioden fast täglich solche gewesen, zuweilen seien auch Generale zugezogen worden, welche sich alle auf seine Seite gestellt hätten, eventuell müsse Seine Majestät den General Manteuffel zum Reichskanzler machen. Würde der auch Kollegen finden? meinte einer der Minister. Graf Stolberg verstand sich sofort zu dieser Mission und wollte morgen abreisen.*

Es herrschte völlige Uebereinstimmung mit Bismarcks Ideen und Plänen. Diese Allianz ist die Wiederaufrichtung des Deutschen Bundes in einer neuen, zeitgemäßen Form. Ein Bollwerk des Friedens für lange Jahre hinaus. Populär bei allen Parteien, exklusive Nihilisten und Sozialisten. Bismarcks Gedankenentwicklung war von einer großartigen Klarheit und Einfachheit. Jeder hatte das Gefühl, für eine große, wichtige Sache einzustehen. Bismarck klagte zwar wiederholt über sein Angegriffensein, es war aber so schlimm nicht. Trotz der vielen Arbeit und Sorge ist er leistungsfähiger und frischer wie je. Er hält fest an seiner Idee und wird sie auch durchsetzen.

Diese höchst fesselnde Sitzung dauerte über zweieinhalb Stunden. Als wir weggingen, begegnete uns Fürst Orlow. Bismarck meinte: „In Wien arbeiten die Russen sicher wie die Bienen, um alles zu Fall zu bringen. Der Zar hat Saburow direkt von Livadia hierhergeschickt, um zu begütigen, nachdem er Wind davon bekommen hat, wie die Sachen hier stehen. Rußland sieht sich ganz isoliert, nachdem es den einzigen Freund mit Fußtritten fortgestoßen hat. Drei russische Botschafter dinieren heute bei mir, um alles wieder zu applanieren, mit ihrer slawischen Verlogenheit und Beweglichkeit fließen sie über von freundschaftlichen Versicherungen. Wenn Seine Majestät das wüßte, würde er sagen: „Da sehen Sie ja, alles ist wieder in der Reihe.“ *Der Zar hat ihm mit Tränen in den Augen versichert, „er bliebe der Alte“. Dasselbe würde er tun, wenn er als Sieger auf dem Kreuzberg stände. Die Russen lügen mit einer ungewöhnlichen Frechheit usw.*

---

[3] Wo der Kaiser zur Kur weilte.

112. Schreiben an Graf Andrássy: Der deutsch-österreichische Vertrag auch von Rußland begrüßt W 14/II, 908 f., Nr. 1619 = Rothfels 399 f. Nr. 269.

Berlin, 29. September 1879.

Verehrter Graf,

Ich habe auf meinen von Wien aus an Se. M. den Kaiser abgesendeten Feldjäger eine Antwort noch nicht zu erlangen vermocht. In Folge dessen habe ich Sr. Majestät nicht vorenthalten können, daß mein Verbleiben im Amte von der Annahme des von uns Beiden in Wien verabredeten Entwurfs abhängt. Ich habe diesen meinen Entschluß gestern meinen preußischen Collegen mitgetheilt und dieselben mit der Tendenz unseres Entwurfes ohne Ausnahme einverstanden gefunden. Gf. Stolberg begibt sich heute als Vertreter des Staatsministeriums nach Baden, um Se. Majestät auch seinerseits und im Namen des Gesammtministeriums um Annahme meiner Vorschläge zu bitten.

Die Brücke, auf welcher mein ag. Herr dergleichen unhaltbare Positionen zu verlassen noch am ehesten geneigt ist, besteht in einem unter Vorsitz des Königs abzuhaltenden Minister-Conseil. Ich gebe die Hoffnung nicht auf, daß Se. Majestät zu diesem Zwecke nach Berlin kommen und dem einstimmigen Votum seiner Minister zugänglich sein werde. Sollte es wider Erwarten mißlingen, so würde ich in der That Ihrem Beispiele folgen und mein Amt niederlegen.

Inzwischen ist mir eine Erscheinung näher getreten, welche den Beweis liefert, wie richtig die von uns vereinbarte Politik wirkt. Ich habe directe Nachrichten aus Livadia, welche bekunden, daß man dort auf Grund — wie mir gesagt wird — hauptsächlich des Gesammteindruckes der Wiener Publicistik, über unsere Besprechungen ziemlich genau die Wahrheit vermuthet. Man setzt voraus, wir hätten einen territorialen Garantie-Vertrag geschlossen; das Eigenthümliche aber ist, daß diese Nachricht, weit entfernt mit Empfindlichkeit aufgenommen zu werden, in aller Ruhe als ein *fait accompli* angesehen wird, mit dem man zu rechnen habe und daß in der Politik des russischen Cabinets, insbesondere der des Kaisers Alexander, sich augenblicklich ein volles *revirement* zu friedlicher und defensiver Haltung vollzieht. Man stellt wieder die *entente à trois* mit uns Beiden in den Vordergrund und scheint bereit gegenseitige Verpflichtungen auszutauschen für Aufrechterhaltung des status quo in der europäischen Türkei, so wie er aus dem Berliner Vertrage hervorgeht, und für den Grundsatz, daß territoriale Veränderungen daselbst nur mit Zustimmung der drei befreundeten Kaiserhöfe gestattet sein sollen. Man äußert lebhafte Genugthuung darüber, daß durch die vorausgesetzte Verständigung zwischen Oestreich und Deutschland die Grundlage des Dreikaiserverhältnisses wieder hergestellt und gesichert sei. Ich darf Ihnen dieses Alles bisher nur unter dem Siegel der tiefsten Verschwiegenheit mittheilen, da meine Quelle eine sehr discrete ist, aber auch eine sichere. Ebenso darf ich Ihrer freundschaftlichen Verschwiegenheit den Eindruck anvertrauen, den mir gegenüber diesen livadischen Nachrichten die fortdauernde Sorge meines ag. Herrn, in Betreff russischer Eruptionen über unsere Verständigung, machen muß. Ich bin sehr angegriffen und ruhebedürftig und beschränke mich auf diese wenigen Zeilen, die ich aber doch für nothwendig hielt, um Ihnen Gewißheit zu geben, daß ich fest an unserer Abrede halte und das Geschäft nicht aufgebe. Ich bedauere, daß die Schwierigkeiten, denen ich begegne, zeitraubend sind, und Sie und mich in einer, mir wenigstens, schwer erträglichen Ungewißheit in *suspenso* erhalten. Das Ergebniß wird aber, wenn auch nicht prompt, doch meiner Ueberzeugung nach, das von uns erstrebte sein. Nur bitte ich Sie, nicht kurzer Hand die Geduld zu verlieren; hohes Alter und räumliche Trennung wollen ihr Recht haben. Mit der Bitte, mich der Frau Gräfin zu Gnaden zu empfehlen in freundschaftlicher Verehrung der Ihrige

Bismarck.

113. Gespräch mit Unterstaatssekretär von Scholz am 3. Oktober 1879 in Berlin
W 8, 331 ff., Nr. 252 = Scholz, 12 ff.

Am 3. Oktober d. J. wurde mir um ein Uhr bestellt, daß Fürst Bismarck mich bitten lasse, um zwei Uhr zu ihm zu kommen. Zu dieser Stunde wurde ich sofort gemeldet, und es folgte nun nach freundlichem Empfange die nachstehende, im Gedächtnis und dann sofort schriftlich festgehaltene Unterredung:

Bismarck: „Nun, wie ist es Ihnen gegangen? Sicherlich besser als mir?!"

Scholz: „Oh — ich habe geglaubt, daß es Euer Durchlaucht recht gut gegangen sei — und Ihr Aussehen, alles, was ich gelesen habe — —"

Bismarck: „Ja, zuerst in Kissingen ist es mir ja auch ganz gut gegangen; da hoffte ich, noch einmal für den Winter gesund zu werden. Aber diese letzten sechs Wochen haben mich um alles gebracht, um alles — ich bin so herunter, so abgewirtschaftet wie noch nie — und das nur im ununterbrochenen täglichen Kampfe mit dem Kaiser, der durchaus sein Olmütz von Rußland haben will, der die Anlehnung, die wir gegen Rußlands Uebermut und Bedrohungen jetzt in Oesterreich finden könnten, nicht will, meine Politik durchaus nicht mehr anerkennen will — — — Nun muß es sich aber bald entscheiden, vielleicht Sonntag, in drei Tagen, ob der Kaiser dann noch ein Ministerium hat oder ob alle mit mir abgegangen sind und ein neues gesucht wird!"

Scholz: „Ich bin ganz betroffen! Aber ich kann im Ernst diesen Gedanken gar nicht fassen! Ich bin sicher, daß es unmöglich kommen kann. Aber wenn es sich um solche Fragen und um solche Gegensätze gehandelt hat, dann kann es Euer Durchlaucht freilich nicht gut gegangen sein!"

Bismarck: „Nein, wahrlich nicht! Denken Sie, daß in Gastein kein Tag vergangen ist, wo ich nicht wenigstens sechs Bogen in der allersubtilsten Form zu schreiben gehabt habe — zu schreiben gehabt habe gegen die aufregendsten Weigerungen, dasjenige zu tun, was dem Land allein frommt! Es ist ja die allernatürlichste Politik, dem Reiche nach außen diejenige Sicherheit wieder zu verschaffen, die es unter den früheren Verhältnissen in der Verbindung mit Oesterreich gehabt hat. Darauf habe ich immer den Blick gerichtet. Alles ist gelungen. In Oesterreich denkt man jetzt ebenso; Ungarn betrachtet uns geradezu als seinen Hort. Man ist dort also bereit zu einer friedlichen, die beiderseitige Stellung sichernden Einigung — England würde sie aufrichtig begrüßen; das alles soll geopfert werden einer rein persönlichen, auf Täuschung beruhenden Neigung für einen fremden listigen Fürsten, die mit einer gewissen Furcht vor der russischen Macht verknüpft ist. Es muß dahin kommen, daß ich gehe! — Da lesen Sie den Schluß dieses Berichtes — das ist die neueste Phase!" *(Dabei übergab mir der Fürst einen bereits mundierten, etwa fünf bis sechs Bogen starken Immediatbericht so, daß ich die beiden letzten Seiten schnell lesen konnte, welche in dem mit zerrütteter Gesundheit motivierten Gesuch um Entlassung und dem Anheimstellen bestanden, die einstweilige Fortführung derjenigen Geschäfte, die dem Staatsminister von Bülow nicht übergeben werden könnten, dem Grafen zu Stolberg übertragen zu wollen. Das sehr bestimmt lautende ärztliche Attest lag bei.)*

Scholz: „Ja, dann ist's freilich schon sehr weit gekommen, und doch — ich kann nicht glauben, daß es so zu Ende kommen könnte! Der Kaiser wird nachgeben — daran kann ich nicht zweifeln. Euer Durchlaucht haben ja auch noch keine Gelegenheit genommen, persönlich auf ihn einzuwirken."

Bismarck: „Das geht gar nicht! Ich habe auch daran gedacht, ob ich mich in meinem Zustande aufsetzen und nach Baden reisen soll; aber ich habe mir sagen müssen, daß das ganz umsonst wäre. Käme ich hin, wo würde er nicht glauben, daß ich so krank und erregt wäre; er würde glauben, daß ich gern noch länger Minister bliebe, und nur um so fester bei seiner Weigerung beharren. Persönliche Einwirkung ist überhaupt so gut wie ausgeschlossen: einen Brief muß er doch bis zu Ende lesen; komme ich selber, dann dauert es nicht lange, plötzlich ist er auf und hinaus! Ohne die schuldige Ehrerbietung zu verletzen, bin ich gar nicht in der Lage, zu Worte zu kommen; eine ruhige sachliche Erörterung ist ganz unmöglich — das kenne ich schon von so vielen Malen!

Ich erzähle Ihnen das, weil ich weiß, daß Sie royalistisch gesinnt sind — ich muß mein Herz erleichtern! Ich liebe und verehre den Kaiser wahrhaftig; er ist voll Güte und Dankbarkeit für mich; wir wollen beide ernstlich uns nicht trennen. — Jetzt ist er ein eigenwilliger Greis, bei dem keine Vorstellungen helfen. Die Zeitungen, die immer alles wissen, haben natürlich keine Ahnung von alledem! Wer jemals die intime Geschichte der letzten Jahre zu schreiben hätte, würde

finden, daß mein Hauptverdienst darin bestanden habe, der Schild des Landes gegen seinen eigenen Herrn zu sein und es vor unseligem Tun oder Nichttun desselben zu hüten. Was nach außen sonst zu tun war, war eine Kleinigkeit dagegen; ich habe in drei Minuten immer gewußt, was ich zu tun hatte — aber dieser stete aufreibende Kampf mit meinem Herrn hat mich heruntergebracht!"
Scholz: „Das betrübt mich tief; ich habe selbst kürzlich, als ich dem Kaiser in Babelsberg meine Aufwartung machen durfte, einen so ganz anderen Eindruck gehabt. Er sprach zum Beispiel über die Zoll- und Steuersachen mit so lebhaftem Interesse, mit so warmer Anerkennung der von Euer Durchlaucht eingeleiteten Reformen: Wenn diese Sache gelinge, so sei sie doch wieder ein neues unverwelkliches Blatt in Ihrem Ruhmeskranze."
Bismarck: „Ja — zu so etwas reicht's noch! Zu Kindern, Reservisten, Generalen und anderen kann der Kaiser gut sprechen; in der auswärtigen Politik war und ist's leider anders. Ich traf ihn im September 1862 mit unterzeichneter Abdikationsurkunde; 1863 wollte er partout zum Fürstenkongreß, ich bot alles dagegen auf, es wollte nichts helfen! Damals wurde ich zum erstenmal krank; 1864 war er der reine Augustenburger, mit den Kleinen und Bayern wollte er damals durchaus losgehen gegen Oesterreich — alle wären über uns hergefallen! Die Zeit im Frühjahr und Sommer 1866 werde ich nie vergessen, wo ich Woche für Woche die Penelopearbeit zu verrichten hatte, immer von neuem bei ihm aufzubauen, was er immer wieder fallen ließ; denn ein so tapferer, furchtloser Degen er ist, ein so ängstlicher Politiker ist er doch! Und als er in den Krieg eingetreten war und die Erfolge hatte, da war wieder kein Halten. Er und die Generale und alle wollten weiter nach Ungarn — ohne Sinn und Ziel, nur für die Cholera! Ich hatte mir gesagt, daß ich der einzige war, der das vernünftige Ziel nicht aus den Augen lasse; ich sagte ihnen, wenn sie das byzantinische Kaiserreich erobern wollten, so möchten sie nach Ungarn ziehen! Rückkehr sei von dort nicht mehr! Ich setzte es endlich durch, aber wie?! sie hatten es so weit gebracht, daß mich fast niemand mehr im Lager grüßte, daß ich allgemein als der Questenberg angesehen wurde. Der Kronprinz hat mir damals geholfen — er hat seinen Vater zur Genehmigung des Friedens gebracht. Er suchte ihn in seinem Zimmer auf, fand ihn in der Sofaecke bedeckt, traurig, nur widerwillig sich finden lassend in dem schlecht erleuchteten Zimmer. Ich habe in meinen Familienakten eine Kabinettsorder aus jenen Tagen, die beginnt mit den Worten: „Nachdem Mich Mein Ministerpräsident im Angesicht des Feindes verlassen, nachdem mein Sohn, den Ich zu Rathe gezogen, Meinem Ministerpräsidenten beigetreten ist, so habe Ich diesen schmachvollen Frieden genehmigt, aber ich protestire vor Gott und der Geschichte dagegen, daß Mich eine Schuld trifft an diesem schmachvollen Frieden." — Das war der Frieden von Prag!
1870 hatte er sich ja in Ems zu allem schon verstanden, hatte gegen Benedetti schon alles versprochen, was verlangt war, als ich mit jenen zwei etwas verbesserten Depeschen dazwischenfuhr. Und in Versailles, wie hat er sich da gegen 'Kaiser' und 'Reich' gesträubt — wie ein Leutnant, der nur Graf genannt sein will, weil er das von Geburt ist; er wolle nicht Charaktermajor werden, hat er selbst gesagt;

er wollte alles fernerhin als König von Preußen tun, wie sehr das auch die anderen Menschen ärgern möchte. Was habe ich da aufbieten müssen, um ihn zum Nachgeben zu bringen! Es gelang ja, was unglaublich erschien, ihm den bayerischen König zu bringen; aber wenn auch nur ein Lippe gefehlt hätte, so wäre aus Kaiser und Reich nichts geworden! Und als das nun proklamiert war, wie böse war er auf mich! Ich stand vor ihm mitten im Saal, aber er tat, als sehe er mich nicht, als kenne er mich nicht; er ging dicht an mir vorüber, mit allen sprach er, mit mir nicht ein einziges Wort!

Jetzt nun hat ihn, allen meines Abratens ungeachtet, dieser Manteuffel unverantwortlicherweise allein, ohne Minister in die Hände des russischen Kaisers geliefert, dieses schlauen glatten Sarmaten! Ich hatte gesagt, der Kaiser dürfe nicht auf russischen Boden gehen; man erwiderte mir, der russische Kaiser könne unmöglich nach Preußen kommen, weil man ihn nicht vor Attentaten schützen könne. Welche Absurditäten! Der hat ihm nun gesagt: Die Königin Luise — meine Großmutter — deine Mutter usw. Damit war er gefangen worden, damit hat er sich sein Olmütz und ein viel tolleres als jenes bereiten lassen. Und nun will er von nichts sonst wissen, will ganz allein in seinem Eigenwillen beharren, die Interessen des Landes preisgeben! Und ganz allein steht er diesmal! Der Kronprinz ist mit uns, ja selbst die Kaiserin — diese zum erstenmal, seit ich Minister bin, auf der Seite meiner Politik; denn 1864 war sie noch augustenburgisch, 1866 hat sie den Kaiser auf den Knien gebeten, von dem Kriege abzustehen — immer, immer war sie gegen mich, nur jetzt nicht. —

Mit welchem großen Fonds royalistischer Empfindungen und Ehrfurcht vor dem Könige bin ich in mein Amt getreten, und wie traurig habe ich diesen Fonds mehr und mehr abnehmen sehen müssen! — Ich weiß also nicht, ob ich die nächsten sechs Monate noch in diesem Hause weilen oder fern auf dem Lande sein werde. Jedenfalls muß ich nun einen langen Urlaub machen, um mich etwas zu erholen. Die Kissinger Kur ist dahin — und solange man noch die Geschäfte zu verwalten hat, muß man ihnen doch auch gerecht werden. Ich habe Sie also bitten lassen, um einige mir am Herzen liegende Fragen mit Ihnen zu besprechen."

Es folgte nun eine spezielle Besprechung meines Eintritts und meiner Wirksamkeit im Bundesrat, über die für die nächste Reichstagssession in Aussicht zu nehmenden Gesetzesvorlagen, endlich auch noch über die räumliche Unterbringung des Reichsschatzamtes. Dann fuhr der Fürst fort:

„Es ist mir freilich alles ungewiß, aber in wenig Tagen muß es sich entscheiden. Ich weiß allerdings nicht, wen der Kaiser zu meinem Nachfolger nehmen könnte? Eigentlich müßte es Manteuffel übernehmen, und wenn man zu ihm von einem solchen Gedanken spricht, antwortet er mit einem sehr künstlichen homerischen Gelächter, das aber etwas anderes verbergen soll!"

Scholz: „Glauben Sie wirklich, daß Herr von Manteuffel sich die Befähigung dazu zutrauen sollte?"

Bismarck: „O ja, Was daraus würde, ist nicht zu sagen. Die Russen haben ihre Truppen an der deutschen Grenze bereits in der Art konzentriert und aufgestellt, daß sie jeden Tag bei uns einrücken können; sie wurden entsprechend unverschämter; aber seitdem die Dinge in Wien einen so guten Lauf zu nehmen begannen, schlugen sie gleich eine andere Tonart an, fanden den Berliner Vertrag[4] selbst schön und haltbar und wollten eigentlich nur noch mißverstanden sein! Die Oesterreicher sind natürlich noch zurückhaltend, und wenn wir nicht bald kommen, wenden sie sich notwendig von uns ab, andere Alliierte suchend. Frankreich ist ja natürlich immer bereit; und so stehen wir leicht bald total isoliert da, leicht derselben Koalition gegenüber, wie sie im Siebenjährigen Krieg bestand! Wer will das verantworten? Unter solchen Umständen wird man vom Kaiser abgewirtschaftet! Wie er meinen guten Herrn von Bülow inzwischen auch schon abgewirtschaftet hat; selbst Herr von Radowitz ist in diesen wenigen Wochen an das Ende seines Ertragens gekommen!"

Danach deutete eine Handbewegung des Fürsten an, daß er nichts mehr zu sagen habe, und so verabschiedete ich mich bald. Die Krisis war dann allmächlich überwunden worden ohne weitere Zwischenfälle.

114. Gespräch mit Lucius am 5. Oktober 1879 in Berlin

W 8, 334 f., Nr. 253 = Lucius 177 f.

Bismarck abends besuchend, traf gerade ein Telegramm Stolbergs aus Baden ein, wonach Seine Majestät schließlich nachgegeben und den Vertrag mit Oesterreich, vorbehaltlich einiger redaktioneller Aenderungen, genehmigt hat[5]. Bismarck war inzwischen auf seinen völligen Rücktritt vorbereitet und verlas mir sein wiederholtes, ausführlich motiviertes Entlassungsgesuch. Er setzte nochmals die Gründe des Bündnisses mit Oesterreich auseinander, zählte die Strapazen der letzten drei Jahre auf, wo er nominell zwar viel Urlaub, tatsächlich aber alle Arbeit gehabt habe. Er fing mit 1877 an — Eulenburgs I. Intrigen bei Bennigsens Ministerkandidatur, Interpellation über auswärtige Politik, Sozialistengesetz, Tarifreform, welche er gegen die widerstrebenden Kollegen, welche den Dienst versagten, durchsetzen mußte. Er war gezwungen, sich selbst in diese ihm bisher fremden Materien einzuarbeiten, Berliner Kongreß, die lästigen Anfragen aller Art, die Begegnung in Alexandrowo. Er habe nicht das Recht der Souveräne, seinen persönlichen Gefühlen der Verehrung und Verwandtschaft zu folgen, wo Staatsinteressen auf dem Spiel ständen. Er hat Seiner Majestät vier Tage vor Alexandrowo ausdrücklich abgeraten, den Zaren anders als auf deutschem Gebiet zu treffen nach jenem unverschämten Brief. Faktum sei, daß Seine Majestät vor Rußland eine große Angst habe. Er sei deshalb 1866 und 1870 nur mit größtem Widerstreben zu dem entscheidenden Entschluß gebracht worden. Auch nach Ems habe er 1870 zweimal Entlassungsgesuche telegraphisch eingereicht.

---

[4] Das Ergebnis des Berliner Kongresses 1878.

[5] Der Wiener Vertrag wurde am 15. Oktober 1879 vom Kaiser ratifiziert.

Bismarck erzählte wieder die Geschichte, wie der Prinzregent 1862 auf dem Punkt gewesen sei, wegen des Militärkonflikts zu abdizieren, und wie er ihn davon abgehalten habe.
Seine Majestät hatte ihm inzwischen allerlei Begütigendes geschrieben: „Sie hätten doch nie eine erhebliche Differenz in den siebzehn Jahren gemeinsamer Arbeit und Zusammenwirkens gehabt.“
Bismarck lachte herzlich dabei über dieses bequeme Gedächtnis.
Nun ist aber wieder Friede.

115. Gespräche mit Hohenlohe am 27. und 28. Oktober 1879 in Varzin

W 8, 338 f., Nr. 255 = Hohenlohe II, 278 ff.

Morgens kam Viktor[6]*, der mir riet, nicht gleich abzulehnen*[7]*, aber meine Bedingungen zu machen. Um halbneun Uhr auf die Bahn. Nachmittags traf ich auf einer Station mit Herbert Bismarck zusammen. Wir unterhielten uns, sprachen aber nicht von der Frage, die mich nach Varzin führte. Um halbsechs Uhr war ich dort. Diner und nachher Gespräch am Kamin. Als wie gewöhnlich um halbneun Uhr Bismarck sich auf zwei Stunden zurückzog, ging ich mit Holstein in den Garten. Holstein sprach lebhaft für meine Annahme des Postens. Ich machte meine Gegengründe geltend und hob besonders die Unmöglichkeit hervor, mit dem, was ich in Berlin bekommen würde, auszukommen. Schließlich kamen wir überein, ich solle nicht sofort ablehnen, sondern Bismarck sagen, ich würde Sachverständige über die Finanzfrage zu Rate ziehen. Nachher gingen wir in den Salon, wo man Tee trank. Ich fand den Kanzler noch etwas leidend, aber frisch und munter.*
Heute, den 28., ließ mir Holstein sagen, ich möchte mit ihm auf die Saujagd fahren. Das nahm ich an. Es kam mir wirklich ein Frischling oder Ueberläufer, den ich fehlte. Dann fuhr ich zurück, Holstein wollte noch weitere Triebe machen. Ich war gegen zwölf Uhr zu Hause, setzte mich an den Frühstückstisch zur Fürstin und wartete auf den Reichskanzler. Dieser kam bald nachher, frühstückte, las uns Artikel und Telegramme vor und lud mich dann ein, zu ihm zu kommen. Er begann die Unterredung, indem er mir sagte, es sei ihm von Wert, mit mir über die Wiederbesetzung der Bülowschen Stelle zu reden. Er glaubte nicht, daß ich die Stelle eines Staatssekretärs annehmen würde, was ich bestätigte. Nun gebe es einen Ausweg, der darin bestehe, daß mir die beiden Stellen des Vizekanzlers und des Staatssekretärs zusammen übertragen würden. Er wisse zwar nicht, wie

[6] Hohenlohes Bruder, Herzog von Ratibor.
[7] Hohenlohe wollte mit Bismarck die Nachfolge für den verstorbenen Bernhard Ernst von Bülow erörtern.

er es anfangen solle, Stolberg zu veranlassen, wieder nach Wien zurückzugehen, aber das werde sich finden. Auch könne er mir keine Besoldung anbieten, die meinen bisherigen Bezügen entspreche, da für diese Stellung nur zwölftausend Taler disponibel seien, und sich eine höhere Dotierung jetzt nicht durchführen ließe. Ich erwiderte, ich würde mich glücklich geschätzt haben, diese hohe und interessante Stellung anzunehmen, auf die Gefahr hin, daß meine geistige und körperliche Kraft sich als unzureichend erweise, allein ich müsse ihm offen sagen, daß meine finanzielle Lage mir nicht erlaube, ohne entsprechendes Gehalt in Berlin zu leben. Meine Verhältnisse, welche etwas derangiert gewesen, seien jetzt geordnet. Damit aber der Plan durchgeführt werden könne, sei das Gehalt eines Botschafters unentbehrlich. Ich könne jeden Augenblick auf das Gehalt verzichten, würde dann aber eingeschränkt auf dem Lande leben oder etwa in München. In einer großen Stadt könne ich ohne jenes Gehalt nicht leben. Das sah der Reichskanzler vollkommen ein und bestärkte mich in meiner Auffassung durch Angaben über seine eigenen Verhältnisse. Er, der nicht mehr Aufwand macht, als ich machen müßte, gibt jährlich fünfzig- bis sechzigtausend Taler aus. Er weiß also sehr gut, daß ich nicht mit zwölf- oder auch zwanzigtausend Talern in Berlin leben könnte. Ich fragte, ob er denn die Posten gleich besetzen müsse. Das verneinte er. Und ich sagte, wenn er mich während des Sommers als Vertretung brauche, sei ich stets bereit. Das nahm er für den eventuellen Fall dankbar an. Dann nannte er Keudell, Schlözer, Radowitz, Otto Bülow, Pfuel, Styrum, Alvensleben, charakterisierte jeden sehr richtig und fragte, für wen ich stimmen würde. Ich nannte Schlözer. Damit schloß die Unterredung.

Den Abend hatte ich noch Gelegenheit, manches zu hören. Es war die Rede von Schweinitz, und Bismarck meinte, er wünsche sehr, ihn zu sehen, da es nötig sei, ihn davon abzuhalten, jetzt in Petersburg einen falschen Ton einzuschlagen. Er dürfe nicht pikiert, nicht zugeknöpft, sondern ganz natürlich sein und liebenswürdig wie immer. Wenn man mit einem guten Freunde durch den Wald gehe, der auf einmal Zeichen der Verrücktheit bemerken lasse, so tue man gut, einen Revolver in die Tasche zu stecken; man könne aber dabei recht freundlich sein. Von Frankreich meint Bismarck, daß die Regierung Gefahr laufe, von der radikalen Masse überwältigt zu werden. Gefährlich sei die Kommune, wenn man sich auf die Truppen nicht verlassen könne. Ich erwiderte, daß die Kommune wenig Chancen habe, da sie nicht bewaffnet sei.

116. Privatschreiben an Lucius: Zur parlamentarischen Lage

W 14/II, 910, Nr. 1621.

Varzin, 5. November 1879.

Geehrter Freund!

Ich danke Ihnen verbindlichst, daß Sie sich des alten Ritsch erinnert haben; er ist einer solchen Anerkennung würdiger durch wirkliche Leistungen und Verdienste als viele andere und freut sich mehr darüber.

Ueber die parlamentarische Situation bin ich nicht ohne Sorge. Der erste Anschnitt ist kein glücklicher, die Regirung wird aber wenig thun können, um ihn zu verbessern. Nach der durch die Präsidentenwahl gegebenen Vertheilung werden die nihilistischen Fractionen Fortschritt und Polen es in der Hand haben, der conservativ-klerikalen oder der freiconservativen-nationalliberalen Hälfte die Mehrheit zu geben. Der erste Fehler lag in der Fusion der conservativen; in jeder Flügelpartei verfällt die Führung immer den extremsten Elementen. Die prinzipielle Exclusion, welche die Freiconservativen dem Zentrum gaben, hat die Entscheidung über die Gruppirung verfrüht; es war besser, wenn dieselbe nicht durch theoretische, sondern durch sachliche Differenzen im Laufe der Sitzung erfolgte. Mit einer Majorität, deren Fortbestand von dem freien Willen des Centrums abhängt, wird die Regirung nicht lange wirthschaften können, denn ich glaube kaum, daß das Centrum durch irgendwelche Concessionen jemals zu einer sicheren und dauernden Stütze irgend einer Regirung gewonnen werden könnte, selbst wenn das Maß der möglichen Concessionen für unsre Regirung ein größeres wäre.

Auch zur Zeit Raumers und Mühlers hat die Fraction Reichensperger jederzeit prinzipiell gegen jede Regirung in Preußen gestimmt, und doch war sie im Vergleich mit dem Centrum patriotisch zu nennen, denn weder Mallinckrodt noch Reichensperger hätten damals mit Welfen und Polen ein gleich enges Bündniß zulässig gefunden.

Eine Majorität, welche ohne das Centrum keine mehr ist, bietet also der Regirung keine Sicherheit, eine andere ist aber nur möglich, wenn die conservative Partei ganz oder zu mehr als der Hälfte, zu Kompromissen nicht nur mit der Reichspartei, sondern auch mit dem ehrlichen Theil der Nationalliberalen gebracht werden kann.

Es wird das sehr schwierig sein, solange die jetzige conservative und die jetzige nationalliberale Fraction ungetheilt bestehen. Die Fortschrittler unter nationalliberaler Maske, die Leute des Städtetages und der „großen“ liberalen Partei, mit andern Worten die Republikaner, halte ich für ebenso unsichere und vielleicht noch gefährlichere Stützen als das Centrum. Wenn

die theoretischen Fractionsgruppirungen, diese Art parlamentarischer Aktiengesellschaften, überhaupt nicht existirten, so würde sich an der Hand der Praxis die Gruppirung der Majorität besser und natürlicher machen. Es hängt die Heilung dieses Uebels aber nicht von uns ab, vielleicht indessen die Milderung desselben, indem man die Differenzen zwischen den regirungsfähigen Fractionen möglichst wenig accentuiert und ihre Verbitterung durch die Presse vermeidet. Ich hoffe, daß die demnächstigen Abstimmungen über practische Fragen den Landtag nach andern Linien, als die der Fractionsgrenzen sind, theilen werden, und daß es dann vielleicht gelingt, die Wirkung der Fractionskrankheiten zu mildern. Wenn die Sache im Sinne der Präsidentenwahl sich schroffer entwickelt, so fürchte ich, daß die Regirung schließlich zum Bruch mit einem Theil der Köllerschen Majorität gegen ihren Willen gedrängt wird. Damit würden viele mühsam gewonnene Errungenschaften wieder verloren gehen und die „Laskerei" von neuem in den Vordergrund treten.
Ich werde Ihnen, geehrter Freund, sehr dankbar sein, wenn Sie mich von Ihren Beobachtungen des Verlaufs der Krankheit auch ferner in Kenntniß halten wollen. Mit meiner Gesundheit geht es langsam besser, aber doch noch sehr schwach und nicht arbeitsfähig. In alter Freundschaft stets der Ihrige.

117. Schreiben an das Auswärtige Amt: Englands Haltung nach dem Wiener Vertrag (Diktat Niederschrift Graf Herbert Bismarck)

GP 3, 129 ff., Nr. 511.

Varzin, den 10. November 1879.

Den Wiener Bericht vom 6. d. Mts. remittiere ich anbei mit einigen ergebensten Bemerkungen.
Die Frage Lord Salisburys, ob kein geschriebenes Engagement bestände, ist eine Taktlosigkeit, wie sie der auch bei den vornehmsten Engländern oft so auffällige Mangel an guter Erziehung allein erklärlich macht. Ich bemerke dies rein akademisch, da nicht von unserer, sondern von österreichischer Seite das Geheimnis überhaupt verlangt worden ist; mein erster Vorschlag an Graf Andrássy ging auf ein Abkommen *publici juris*, welches den beiderseitigen Parlamenten amtlich mitzuteilen wäre: ich würde deshalb meinerseits auch kein Bedenken haben, wenn das Wiener Kabinett in seinen vertraulichen Mitteilungen — wenigstens an Lord Beaconsfield

— so weit ginge, wie es ihm den österreichischen Interessen entsprechend scheint.

Die Öffentlichkeit hätte meiner Ansicht nach den Vorteil, daß die beiderseitigen Bevölkerungen, namentlich in Österreich-Ungarn, sich mehr von der Nützlichkeit des Vertragsverhältnisses durchdringen, sich in das Vertrauen zu demselben einleben und dadurch beiden Regierungen vorkommendenfalls das Eintreten füreinander leichter machen würden, als es sein würde, wenn dies Verhältnis den großen Massen erst in dem Augenblick klar wird, wo *casus foederis* vorliegt; es gilt letzteres namentlich für Österreich und Ungarn, wo ich auf beide dortigen Parlamente als dauernde Anhänger des Vertrages rechne. Ich kann aber in dieser Beziehung Seiner Majestät dem Kaiser nicht vorgreifen und fürchte, daß bei allerhöchstdemselben meine Auffassung keinen Anklang findet.

Wenn ich, das allerhöchste Einverständnis vorausgesetzt, kein Bedenken dagegen habe, England vollständiger zu informieren, so ist dies eine Frage, die gar keine Verwandtschaft mit der von Baron Haymerle gestellten hat, „ob wir England in deutlicherer Weise unsere Unterstützung seiner Politik im Orient versprechen sollen". Es ist ein Irrtum, daß ein ähnlicher Gedanke in Gastein zwischen Graf Andrássy und mir besprochen sei. Wir haben ausschließlich die defensive Sicherstellung des Friedens und der Unabhängigkeit beider Reiche gegen russische Angriffe im Sinne gehabt, aber durchaus nicht die Unterstützung irgendwelcher Politik im Orient. Unsere Sympathie für die englische Politik daselbst wird natürlich in dem Maße wachsen, in welchem sich letztere als friedliebend, die russische aber als gefährlich für den Frieden Europas erweiset; aber die Übertragung dieser Sympathie auf unser defensives Bündnis würde das letztere in die Gefahr bringen, sich in eine aggressive Koalition zugunsten der Politik des Herrn Layard[8] und anderer Heißsporne zu verwandeln. Auch wenn wir mit Österreich im Bunde sind, und dabei gewiß wären, daß die Stärke des österreichischen Heeres nicht in noch weiterer Ausdehnung parlamentarischen Rücksichten geopfert wird, so bleibt doch ein russischer Krieg an sich, und besonders mit Frankreich im Hintergrunde, für beide Deutsche Mächte immer eine Eventualität, welche sie zu verhüten allen Grund haben, soweit nicht Rußland die eigenen Interessen

[8] Der englische Botschafter in Konstantinopel hatte mit einem Vorgehen der englischen Flotte gedroht, falls die Türkei in ihren asiatischen Provinzen die Christen weiterhin unterdrücken würde.

eines der beiden Reiche verletzt. Wir würden die Deutschlands für verletzt ansehen, wenn Österreich von Rußland angegriffen würde, und deshalb waren wir vollständig berechtigt, für diesen Fall den Frieden Deutschlands aufs Spiel zu setzen. Für die Unterstützung der englischen Politik im Orient aber liegt bei allen etwaigen Sympathien für dieselbe die gleiche Berechtigung nicht vor. Als Rußland uns bedrohte, für den Fall, daß wir fortfahren würden, die russische Politik nicht in allen Punkten zu unterstützen, habe ich das Kabinett von St. James vertraulich sondieren lassen, ob wir auf sofortige materielle Unterstützung Englands rechnen könnten, wenn wir uns durch unsere antirussische Haltung in Fragen, die für Deutschland objektiv kein Interesse hätten, einen russischen Krieg zuziehen sollten. Die Antwort war nicht so unumwunden zusichernd, daß ich daraufhin etwas hätte wagen mögen, wenn die Gefahr nähergerückt wäre; die englischen Äußerungen hatten mehr die Natur einer Versicherung, daß Frankreich uns in solchem Falle nicht angreifen werde, und ich habe darauf entgegnet, daß auch ohne den Zutritt Frankreichs ein russischer Krieg für uns, wenn auch mit Gottes Hülfe keine lebensgefährliche, so doch immer eine sehr unerwünschte Eventualität sein würde, welche Deutschland für andere als eigene Interessen nicht auf sich nehmen könne.

Für die Unterstützung der englischen Politik im Orient, bevor wir dieselbe kennen, einen Blankowechsel auszustellen, würde ich für sehr unvorsichtig halten; an dem *coup de tête*, den man in diesen Tagen Herrn Layard zuschrieb, muß doch etwas Wahres gewesen sein, und wir haben keine Sicherheit, daß solche leidenschaftlichen Politiker von London aus immer im Zaum gehalten werden. Ich bin überzeugt, daß Österreich den Frieden so gut wünscht wie wir, und daß es deshalb grade so wie wir Anlaß hat, englische Kriegsgelüste ebensowenig zu ermutigen wie russische. Ich würde es schon nicht für nützlich halten, wenn wir England ermutigen wollten, seine jetzige Fühlung mit Frankreich aufzugeben; es liegt in ihr das beste Mittel, die französische Politik in ruhigem Fahrwasser zu erhalten, während jede erkennbare Abwendung Englands von Frankreich zum Sturze des Ministeriums Waddington wesentlich beitragen würde. Das letztere steht außerdem nach meinen Nachrichten gegenwärtig fester als seit längerer Zeit, und gewinnt Anhänger durch seine mutigere Haltung in der inneren Politik. Baron Haymerle wird sich erinnern, daß der Wunsch, die englisch-französische Freundschaft und das Ministerium Waddington zu erhalten, eines der Hauptargumente des Grafen Andrássy bildete, welches derselbe meinen Vorschlägen entgegenstellte, beide Reiche durch ein einfaches Defensivbündnis gegen jedermann zu verbinden. Ich habe große Schwierigkeiten zu überwinden gehabt, um dieses Argument allerhöchstenorts annehmbar zu machen, und kann meinerseits die Hoffnung, das Ministerium Waddington zu erhalten, so leicht nicht aufgeben. Wir haben meiner Ansicht nach nicht zu fürchten, daß die französisch-englische Intimität zu innig werde: Sie könnte erheblich inniger werden, als sie ist, und würde für den Frieden Europas, wie ich glaube, keine andere Folge haben, als die, daß beide Westmächte einander an gewagten Unternehmungen hinderten und sich gegenseitig in friedlichen Bahnen erhielten. Daß für England das Bündnis mit Deutschland und Österreich-Ungarn wertvoller und sicherer ist wie das mit Frankreich, glaube ich gern, und es kann ja Konstellationen geben, in denen es sich verwirklicht im Sinne des Friedens und der Erhaltung; in diesem Sinne aber wird es auch nützlich sein, solange wie möglich Frankreich vor dem Gefühl zu bewahren, daß es sich in Europa entweder isoliert oder auf das russische Bündnis angewiesen findet.

Ich würde es für einen politischen Fehler halten, wenn Österreich der englischen Politik im Orient Unterstützung zusagen wollte, bevor die Ziele derselben klar formuliert sind, und England zugleich die österreichischen Interessen Italien gegenüber mehr als bisher zu den seinigen macht.

Es wird nicht erforderlich sein, im vorstehenden Sinne vor der Rückkehr des Prinzen Reuß uns in Wien auszusprechen. Ich habe nur das Bedürfnis für den Prinzen und für seine Aussprache Seiner Majestät dem Kaiser gegenüber, — und für einen etwaigen Fall der Anregung der Frage von englischer Seite, meine Auffassung darzulegen.

Die weitere Erläuterung kann ich mündlicher Besprechung vorbehalten.

118. Schreiben an Tiedemann: Zu den Eisenbahnverhandlungen im Abgeordnetenhause (Reinschrift Graf Herbert Bismarck) W 6 c, 164 f., Nr. 170.

Varzin, den 22. November 1879

Aus Ihrem Brief vom 20. d. M. ersehe ich mit Bedauern, daß die Konservativen ihre und unsere Zeit in der Eisenbahnfrage mit Theorien über Garantien vergeuden. Ich bin bezüglich dieser Frage sehr in Sorge und durchaus nicht so sanguinisch wie die meisten unserer Kollegen und Freunde. Es ist mir ganz zweifellos, daß das Ministerium aus der Annahme und aus der rechtzeitigen Annahme der Eisenbahnvorlage Kabinettsfrage machen muß; ich wenigstens würde nicht in der Möglichkeit sein, Minister zu bleiben ohne Auflösung, wenn die Sache fällt. Ich glaube nun nicht, daß die Gegner den Mut haben, die Vorlage offen abzulehnen, wohl aber den, sie durch Verschleppung zu Fall zu bringen. Ist die Sache nicht von heute in 4 Wochen in beiden Häusern erledigt, so ist sie tot, da die Verträge zu Neujahr erlöschen; über die Verschleppung in den Kommissionen mit Suchen nach Garantien und über die Fraktionsverhandlungen können aber sehr leicht einige Wochen hingehen. Die Plenarverhandlungen über alle einzelnen Eisenbahnen werden an sich mindestens eine Woche erfordern, und wir gelangen so bis zu einem Termin, nach dessen unbeachtetem Eintritt die faktische Möglichkeit der rechtzeitigen Erledigung gar nicht mehr vorhanden ist. Das ist, was ich fürchte, und in dieser Befürchtung bin ich sehr bestärkt, seit ich gestern von Stephan erfahren habe, daß für die Eisenbahnkommission des Herrenhauses Camphausen zum Vorsitzenden und Lippe zum Mitglied gewählt ist — also ein Sieg der malcontenten Beamten-Opposition. Camphausen ist an sich Gegner der jetzigen Regierung — noch mehr aber der jetzigen Eisenbahnvorlage, und bei seinem parlamentarischen Geschick und Einfluß kann er viel für die Verschleppung tun. Der arbeitende Stamm des Herrenhauses, der für gewöhnlich anwesend ist, besteht zum großen Teil aus verstimmten oder oppositionellen Beamten, resp. Stadtvertretern, und wir können durch die feindlichen Einflüsse der früheren oder zukünftigen Minister und der einflußreichen Gegner wie Camphausen und Friedenthal von dort her um den rechtzeitigen Abschluß gebracht werden. Wir haben unter dem Vorwande, Arbeitskräfte zu gewinnen, zu viel hohe Beamte hineingebracht, denen ihr früherer Austritt leid ist oder nicht ernst war.

Daß die Konservativen die Altenbekener Bahn einem Zentrumsreferenten gegeben haben, um sie vielleicht böswillig zu verhandeln, ist ja sehr erklärlich — denn die Konservativen haben ein Interesse daran, die Schwierigkeiten zu vermehren, welche die Verständigung der Regierung mit den hannöverschen Nationalliberalen hindern können; von unserer Seite kann wenig geschehen, um eine solche, dem Ganzen schädliche Fraktionspolitik zu verhindern: Die Nationalliberalen tun aber auch ihrerseits so gut wie nichts, um einer Annäherung zwischen ihnen und der Regierung Vorschub zu leisten. Mit der kühlen Zurückhaltung, mit Abwarten und die Regierung sich kommen lassen, haben sie den schweren Fehler begangen, daß nicht sie, sondern das Zentrum dieser Regierung die notwendigen Zölle verschaffte. Bennigsen namentlich hat noch nie in seinem Leben seinerseits eine Annäherung mit ihr gesucht, sondern immer abgewartet, daß ich ihn aufsuchte oder rufen ließ. Die Regierung braucht für ihre Vorlage Majoritäten, — wer sie ihr verschafft, mit dem tritt sie notwendig in Interessen-Gemeinschaft. Sie wissen, daß mir eine Majorität einer Rechten der Nationalliberalen die erwünschteste ist.

Wenn die letztere uns aber den Brotkorb zu hoch hängt, so zwingt sie dadurch die Regierung, wie sie es seit dem Januar 1873 ununterbrochen getan hat, anderweite Anlehnungen zu suchen und durch ihre politische Tätigkeit herzustellen. Es wäre sehr erwünscht, wenn diesen Doktrinärs ein Praktikum in der Politik gelesen werden könnte, und dafür mag Miquel vielleicht der empfänglichste sein, wenn er nur etwas offener wäre: Ich habe bisher den Boden seiner politischen Gewässer noch niemals erblicken können.

Zunächst müssen wir jeder Verschleppung der Vorlage im Abgeordnetenhause mit allem Regierungseinfluß entgegenwirken, und dazu gehört meiner Ueberzeugung nach, daß wir jeden Zweifel an der Kabinettsfrage für den Fall nicht nur der Ablehnung, sondern auch der tendenziösen Verschleppung rechtzeitig beseitigen. Man muß das Wort „Auflösung" dabei nicht aussprechen, sondern sich des Euphemismus „Rücktritt" dafür bedienen.

Ich bitte Sie, in diesem Sinne meine Besorgnisse zunächst Maybach mitzuteilen und ihn zu fragen, ob er nicht im Sinne derselben mit Graf Stolberg sprechen will. Sie können ihm zu diesem Zwecke Einsicht von diesem Briefe geben und ihn namentlich um seine Meinung über Camphausens Tendenz bitten. In vertraulichem Gespräch mit befreundeten Abgeordneten brauchen Sie daraus kein Geheimnis zu machen, daß ich ganz sicher mein Amt als Ministerpräsident niederlege, wenn die Vorlagen nicht rechtzeitig zustande kommen. Sollten S. M. dann verlangen, daß ich im Dienst bleibe, so würde ich die Auflösung als Bedingung stellen.

119. Glückwunschschreiben an den Schwiegersohn

W 14/II, 912, Nr. 1625 = Rothfels, Briefe, 400, Nr. 279.

V. 28. Nov. 79.

Lieber Rantzau

anbei in Würdigung Deiner neuen Stellung als Vater [9] eine doppelt so große Hasenpastete, damit der Junge auch davon ißt. Ich bin sehr glück-

---

[9] Bismarcks erster Enkel, Graf Otto von Rantzau, wurde am 26. November 1879 geboren.

lich, daß der Hauptact überstanden, daß es ein Junge ist u. daß Mutter u. Sohn nach Umständen wohl sind. Gott wird es ja so weiter führen. Grüße Marie herzlich, und sage ihr, daß ich mündlich und schriftlich den Ruhm ihrer Tapferkeit höre und lese. Ihr Erstgeborener wird gewiß ein neuer Marschall Rantzau [10], aber möge er auch außer dem Herzen noch einige gesunde Glieder sich erhalten.
Mir geht es etwas besser, aber langsam; mein Magen, der getreue aber viel mißbrauchte Knecht, versagt endlich den Dienst, weil ich ihm die Galle auf die er ein Recht hat, anderweit verbrauche. Aber ich hoffe doch daß ich den Weihnachtsbaum in greisenhaftem Wohlbefinden mit Euch werde anzünden können, wenn ich bis dahin Ruhe behalte und mir die Eisenbahnvorlage nicht gefährdet wird.
Habe Dank für den Enkel, küsse Marie für mich u. halte sie recht ruhig, und grüße meine Frau von Herzen. Halte auch darauf, daß sie des Nachts schläft und zügle ihren Wach- und Pflegeeifer nach Kräften. In treuer Liebe Dein v. Bismarck.

Varzin 21 [11].

Angeschnitten, gut befunden, abgeschickt. vB.

120. Schreiben an Finanzminister Bitter: Zur Ausdehnung der Staatssteuer auf Wein und Bier (Abschrift) W 6 c, 166, Nr. 171.

Varzin, den 30. November 1879.

Ew. pp. danke ich verbindlichst für die Mitteilung über das Schanksteuergesetz, welche Sie mir durch Tiedemann haben machen lassen. Ich bin in meiner Ueberzeugung nicht zweifelhaft, daß wir vor den Kommissionsbeschlüssen nicht die Flagge streichen dürfen, ohne uns der Verdächtigung auszusetzen, daß es uns mit dem Gesetz überhaupt nicht sehr ernst gewesen wäre. Unsere Gegner begehen mit der Ablehnung des Gesetzes einen taktischen Fehler, und wir würden nicht gut tun, ihnen durch verfrühte Zurückziehung des Gesetzes einen Teil davon abzunehmen, d. h. von der Verantwortlichkeit dafür.

---

[10] Französischer Marschall unter Ludwig XIII. und Ludwig XIV., der auf seinen Feldzügen einen Arm, ein Bein, ein Ohr und ein Auge einbüßte.
[11] Muß wohl 29. heißen.

Wir dürfen uns auch die Gelegenheit nicht abschneiden, in der Plenardiskussion die Nützlichkeit des Gesetzes in dem vollen Umfange unserer Vorlage mit allen dafür sprechenden Motiven öffentlich zu begründen. Bisher ist meiner Ansicht nach in der Diskussion die finanzielle Seite der Sache zu sehr zurückgetreten hinter der Moralitätsfrage der Verminderung des Branntweingenusses. Die Wirkung in letzterer Richtung halte ich für gering; in Rußland kostet, soviel ich weiß, die Lizenz 500 Rubel, und die Trunksucht leidet dadurch keine Einbuße. Würde bei uns dennoch eine Wirkung in dieser Richtung erreicht, so wäre das ja sehr nützlich; aber nur das Getränk des gemeinen Mannes zu treffen, dagegen die Völlerei und die Zeitvergeudung, inclusive Branntweingenuß, in den Bier- und Wein-Kneipen frei zu lassen, wäre nach mehr als einer Seite hin ein Fehler.

Der Schnaps mag als Getränk in der Häuslichkeit schlimmer wirken als Bier und Wein; aber beim Ausschank in öffentlicher Kneipe tragen Bier und Wein zur Verbummelung ihrer Konsumenten vielleicht mehr bei — weil ihre Verzehrung viel mehr Zeit in Anspruch nimmt. Dies alles sind aber doch nur Nebenzwecke, wir haben bei der Vorlage nicht die Volkserziehung, sondern den Geldertrag im Auge gehabt, und von dem würde nicht viel übrig bleiben, wenn alle Schankstätten ausscheiden, die nicht ausschließlich dem Schnaps gewidmet sind.

Das Zurückziehen einer Vorlage, ohne daß sie abgelehnt sei, schwächt jederzeit die Regierung viel mehr als eine Ablehnung. Hier aber glaube ich, daß die Ablehnung durch das Plenum uns gegen diejenigen, welche abgelehnt haben, eine Waffe für die Zukunft gibt.

Ich kann in dieser Ueberzeugung nur auf das Dringendste dazu raten, daß wir fortfahren, die Vorlage mit Festigkeit zu vertreten, und selbst wenn sie im Abgeordnetenhause uns nicht in annehmbarer Form bewilligt wird, dann doch die Diskussion der Sache im Herrenhause uns womöglich nicht abschneiden lassen.

Wir können dort die Breschen, welche die Abgeordneten machen, durch Amendierung vielleicht wieder ausfüllen.

Ich bin nicht ganz überzeugt davon, daß wir wohltun, die Vorlage zurückzuziehen, wenn wir sie schließlich auch nur für Branntwein durchbringen; es würde sich dann bald ergeben, daß der Branntwein-Ausschank sich in die Wein- und Bierkneipen verlegt, und man würde dann Anlaß haben, neue Vorlagen einzubringen, um nicht die „Kneipe des armen Mannes" ausschließlich zu besteuern. Nur in bezug auf die Höhe der Sätze sollten wir meines Erachtens unerbittlich sein. Wir dürfen uns mit Kleinigkeiten nicht abfinden lassen.

Die analoge Elsässer Vorlage halte ich für uns im Bundesrat nicht annehmbar, wenn sie nicht mit der preußischen in Uebereinstimmung gesetzt wird.

121. Privatschreiben an den Statthalter Frhr. von Manteuffel — Straßburg: Die Zuständigkeiten für das Reichsland (Reinschrift) W 6 c, 169 ff., Nr. 173.

Varzin, den 13. Dezember 1879.

Verehrter Herr Feldmarschall,

Ihren Brief vom 7. d. M. habe ich mit verbindlichstem Danke erhalten und bin mit Ihnen ganz einverstanden, daß die Einreichung der reichsländischen Vorlagen an den Reichskanzler zum Vortrage beim Kaiser nicht der richtige Weg sein würde: der König als Landesherr muß zugestimmt haben, bevor der Kaiser und der Kanzler konferieren. Unsere beiderseitigen Beziehungen zum Kabinett können aber sehr gut nebeneinander bestehen, wenn auch das Einverständnis über Entwürfe und dergl. mit Sr. M. als Landesherrn durch den Statthalter ohne Konkurrenz des Kanzlers hergestellt werden muß. Das Einverständnis und die Kontrasignatur des Kanzlers als Präsidenten des Bundesrates herbeizuführen, wird erst dann nötig, wenn es sich um einen Antrag im Bundesrate handelt, der dort im Namen Sr. M. als des Deutschen Kaisers zu stellen ist. Keine amtliche Tätigkeit des Statthalters außerhalb des Bundesrates bedarf der Mitwirkung des Kanzlers, soll aber im Bundesrat namens des Kaisers eine reichsländische Sache verhandelt werden, so muß über dieselbe die Verständigung des Elsässer Landesherrn und des Deutschen Kaisers durch die Organe des Statthalters resp. des Kanzlers erfolgen.

Der Kanzler darf nicht in die Lage gebracht werden, über Elsässer Landesangelegenheiten den Vortrag beim Kaiser und die Verantwortlichkeit zu übernehmen, denn hierin würde eine teilweise Rückkehr zum alten System liegen; nur dafür, ob im Bundesrate ein Antrag im Namen des Kaisers gestellt werden soll oder nicht, tritt die Verantwortlichkeit des Kanzlers ein. Letzterer hat dadurch faktisch ein Veto gegen solche reichsländischen Gesetze, welche kaiserlicher Anträge im Bundesrat bedürfen: aber er hat nicht den Beruf, positive Anträge, mögen es selbständige, oder mögen es Amendements sein, in elsaß-lothringischen Landessachen beim Kaiser zu vertreten.

Ew. Exz. Brief gibt mir ein anderes Bild, als mir im Sommer vorgeschwebt hatte. Ich habe den Wortlaut der Gesetze und Verordnungen nicht hier und kann deshalb die Auslegungen Herzogs nicht kritisieren. Wären sie richtig, so müßte der Wortlaut geändert werden, denn nur Ew. Exz. persönlich hat der Kaiser die Reichslande anvertraut. Es ist nicht statthaft, daß Gesetzentwürfe entstehen, ohne daß Ew. Exz. vor Beginn der Ausarbeitung Auftrag oder Genehmigung dazu erteilt haben, und ebensowenig ist es zulässig, daß der Staatssekretär ohne besonderen Auftrag des Statthalters an den Kaiser berichtet, — nur dem Statthalter selbst steht das zu. Letzterer bleibt in allen Punkten der verantwortliche Vorgesetzte des Staatssekretärs. Mitteilungen an die Regierung der Reichslande aus dem Reich oder dem Auslande können deshalb auch nur an den Statthalter als höchste Spitze der Landesbehörden und als Träger der diplomatischen Beziehungen zu den übrigen deutschen Regierungen ergehen. Alle Reichszentralbehörden haben ebenfalls nur mit dem Statthalter zu korrespondieren, und bedarf es m. E. zur Regelung dieses Verhältnisses nicht einer besonderen Deklaration der allerhöchsten Verordnung vom 23. Juli d. J., sondern nur des Erlasses einer Verfügung an den Staatssekretär, welche namens des Statthalters bestimmt, daß alle von nicht-Elsässer Behörden an die Landesregierung eingehenden Mitteilungen vom Statthalter zu eröffnen sind, und ferner einer amtlichen Mitteilung an den Reichskanzler, daß die Behörden der übrigen deutschen Länder bisher gewöhnlich an den Staatssekretär adressierten, daß hieraus eine weitere Korrespondenz der untergeordneten Behörden an den Statthalter entstände, die nicht richtig wäre, und daß der Reichskanzler deshalb die deutschen Regierungen davon verständigen möchte, in Zukunft direkt an den Statthalter zu schreiben.

Alle diese Bemerkungen gestatte ich mir natürlich nur vorbehaltlich der Beistimmung Ew. Exz. Soweit die bisherigen Verordnungen diese Konsequenzen aber nicht von selbst ergeben, sollte ihr Wortlaut geändert werden.

Wenn Herzog den Befehlen Ew. Exz. gegenüber auf seinen Ansprüchen beharren sollte, so würde für den Statthalter ja weiter nichts übrig bleiben, als den Wechsel des Ministers zu verlangen und bei Sr. M. zu beantragen. Mir ist es schon sehr bedenklich, daß Herzog eine solche Interpretation überhaupt versucht hat, und, ohne Ihrem eigenen besser informierten Urteil vorzugreifen, kann ich Ihnen nach dieser Wahrnehmung kaum zureden, die Schwierigkeiten Ihrer Stellung durch ein tägliches Ringen mit einem so geschulten und arbeitsamen Gegner, wie Herzog es dann sein würde, zu vermehren und sich damit die Aufgabe, die Sie in Ihrem Alter mit solcher Hingebung übernommen haben, zu verbittern.

Ich habe mit dem Kaiser stets in dem Sinne verhandelt, daß die Auswahl des Staatssekretärs ganz vom Statthalter abhängen müßte, und werde, wenn S. M. mich fragen, jeden von Ihren Wünschen mit allem Einfluß, den ich habe, befürworten.

Ich kann mich den ganzen Vorgängen gegenüber nicht des Eindruckes erwehren, daß Herzog Ihnen gegenüber nicht mit gleichen Waffen kämpft. Sie sind ihm mit voller Offenheit und vollem Vertrauen entgegengekommen, wogegen mir sein Verhalten den Eindruck uneingestandener Berechnung macht, — eingegeben teils von Streben nach Herrschaft, teils, was bedenklicher ist, bedingt durch den Zusammenhang der liberalen Ministerialbeamten unter sich und mit den parlamentarischen Fraktionen. Die preußische Lizenz-Vorlage war Herrn Herzog bekannt, ohne Zweifel auch die Richtung, in welcher sie von Räten des Finanzministeriums in Uebereinstimmung mit den liberalen Fraktionen bekämpft wurde: Genau mit dieser Richtung stimmt nun die Herzogsche Vorlage. Es würde mich sehr interessieren zu wissen, ob letztere von Anfang an die jetzige Gestalt gehabt hat, oder ob diese Gestalt vielleicht erst das Ergebnis von Meinungsaustausch mit der Opposition in Berlin gewesen ist.

Ich bitte Sie, verehrter Freund, sich in jeder Detailfrage immer gegenwärtig zu halten, daß Sie allein die Verantwortlichkeit für alles, im ganzen wie im einzelnen, haben, mögen Sie die Zeichnung Herzog überlassen oder selbst besorgen. An Herzogs Namen wird sich niemand halten, wenn die Sache etwa nicht nach Wunsch ginge, sondern nur an den Ihrigen. Daraus folgt aber auch, daß Sie zu befehlen haben und nicht Herzog; der letztere kann gesetzlich nichts tun, was gegen Ihren Willen ist.

Wenn dieser Gedanke des Statthalter-Gesetzes nicht klar genug zum Ausdruck gebracht ist, so muß dieser Ausdruck geändert werden. Ich glaube aber, daß das Gesetz an der Verschiebung des Schwerpunktes nicht schuld ist, sondern nur vielleicht die Verordnungen und Reglements, welche nachher in Herzogs Fassung vom Kaiser gezeichnet sind; vielleicht auch diese nicht notwendig, sondern nur die Auslegung, die Herzog ihnen gibt. Gegen den vom Gesetz gegebenen Knochenbau der Situation kann eigentlich Verordnung und Reglement aber nicht aufkommen. Nach dessen Grundzügen hat der Staatssekretär die Stellung eines Vertreters des Kanzlers im Reich, der Statthalter aber die des Kanzlers selbst. Beide können sich Konkurrenz machen, wenn der Artikel 3 des Stellvertretungsgesetzes nicht existierte, der den Kanzler berechtigt, jedes Geschäft selbst vorzunehmen, also in jedem Falle die Kompetenz des Staatssekretärs an sich zu nehmen. Diese Schneide des Gesetzes kann durch keine Reglements abgestumpft werden.

Halten Sie es für möglich, Herzog die Zügel, die er unberechtigt ergriffen hat, wieder aus der Hand zu nehmen und danach mit ihm ohne störende Friktionen weiter zu regieren, so werde ich mich darüber freuen, weil damit achtjährige Tradition und Sachkenntnis dem kaiserl. Dienste erhalten würde. Glauben Sie, daß sich das nicht wird machen lassen, so halte ich für unvermeidlich, daß Sie einen Personenwechsel im Staatssekretariat bei Sr. M. beantragen. Ein solcher kann Ihnen nicht abgeschlagen werden, da die Verantwortlichkeit vor Kaiser und Reich auf Ihnen allein ruht. Ich habe die ganze neue Einrichtung nur im Vertrauen auf das Gewicht eines verantwortlichen Statthalters und insbesondere auch Ihre Persönlichkeit angeregt und auf meine Verantwortlichkeit genommen. Hätte ich angenommen, daß Herzog hinreichend Staatsmann im großen Stile wäre und vor der Welt das Gewicht hätte, um die Leitung in seine Hände zu legen, so hätte ja er Statthalter werden müssen; oder wenn der Statthalter bloß ein ornamentaler Knopf auf der Kuppel sein sollte und der Staatssekretär selbständig leiten, so hätte man jeden reichen *princillon* zum Statthalter nehmen können. Die ganze neue Einrichtung zu hindern, hing von mir persönlich ab, und ich war entschlossen, sie zu hindern, wenn ich nicht grade in Ihnen, verehrter Freund, den Staatsmann gesehen hätte, in dessen Hände ich mit Vertrauen abdizieren konnte. Nur wenn Sie in freier Unabhängigkeit von anderen Einflüssen, lediglich nach Ihrer eigenen politischen Verantwortlichkeit in den Reichslanden das kais. Regiment führen, werde ich mich bei dem Bestehenden beruhigen können. Soweit Ihre freie Bewegung aber nach jetziger Lage wirklich gehindert und beschränkt sein sollte, würde mich das Bewußtsein meiner Verantwortlichkeit für die Gesamtheit der Reichspolitik jedenfalls nötigen, neue legislative oder politische Anträge an S. M. den Kaiser zu richten. In freundschaftlicher Verehrung und Ergebenheit der Ihrige.

122. Schreiben an Graf Julius Andrássy W 14/II, 912, Nr. 1626.

Varzin, 18. Dezember 1879.

Verehrter Freund,

ich hatte meinen Dank für Ihren freundlichen „Abschiedsgruß" aufschieben wollen, bis ich gesund wäre; aber es dauert zu lange; zwei Monate schon wechsele ich zwischen Bett und Sopha, ohne die verbrauchten Kräfte ersetzen zu können, verbraucht, um mir die Möglichkeit zu erkämpfen, das im Dienste Meines Herrn und meines Landes Nothwendige thun zu können! Wenn ich auf unsre gemeinsame Arbeit zurückblicke, so ist die einzige wohlthuende Erinnerung, die sich für mich daran knüpft, die an den persönlichen und geschäftlichen Verkehr mit Ihnen, verehrter Graf. Für das schließliche Ergebniß unsrer Anstrengungen steht uns allerdings die Genugthuung zur Seite, daß zwischen Aachen und Mehadia die Mehrheit der ehrlichen Leute uns dankbar für den Dienst ist, der beiden großen Reichen erwiesen ist. Die Sorge vor Krieg ist überall dem Vertrauen zum Frieden gewichen; aber *si vis pacem, para bellum*, nicht unsre guten Absichten, nur unsre verbündeten Streitkräfte sind die Bürgen des Friedens. Ihre Herbst-Zeitlosen in Wien wissen das so gut, wie unsre Fortschrittler in Berlin, aber die Fraction steht ihnen höher als das Vaterland und die eigene Person noch höher als die Fraction. Wenn aber Monarch und Volk in die Alternative gestellt werden, zwischen ihrer Armee und ihren Parlamentsrednern wählen zu müssen, so müssen sich schließlich auch 2/3 ehrliche Leute finden, oder die Maschine ist unrichtig construirt. Ich hoffe, daß ich bis zu unserm Reichstage wieder geschäftsfähig werde, bin aber ungewiß, noch sehr matt. Diese Zeilen sind die ersten, die ich seit Monaten schreibe. Giebt mir Gott noch wieder Gesundheit, so wird mir auch die Freude nicht versagt bleiben, Sie, verehrter Freund, wiederzusehen, und mit Ihnen gemeinsam im Sinne Ihres letzten Werkes beiden befreundeten Nachbarreichen ferner nützliche Dienste zu leisten.

Mit der Bitte, der Frau Gräfin den Ausdruck meiner Verehrung zu Füßen zu legen, bin ich in unwandelbarer Freundschaft und Verehrung der Ihrige v. Bismarck.

„*In tormentis pinxi*" pflegte Friedrich Wilhelm I. auf seine Gichtbilder zu schreiben; damit nehme auch ich Ihre Nachsicht in Anspruch!

123. Schreiben an Papst Leo XIII.: Antwort auf einen Brief des Papstes vom 18. 12. 1879 mit dem Appell zum Ausgleich zwischen Kirche und Regierung (Reinkonzept A. A. nach einem von Bismarck mehrfach korrigierten Entwurf Holsteins) W 6 c, 171 ff., Nr. 174.

Varzin le 17 Janvier 1880.

Sire,

Lorsque j'ai reçu la lettre que Votre Sainteté a daigné m'adresser, une maladie grave et dont je ne suis pas encore remis m'empêchait de répondre, et j'ai dû faire prier le Prince de Reuss d'avoir recours à l'entremise du

Cardinal Jacobini, afin de mettre aux pieds de Votre Sainteté mes excuses et mes très-humbles remerciements pour l'honneur dont j'avais été l'objet. Je prie Votre Sainteté d'agréer aujourd'hui l'expression réitérée de ma respectueuse gratitude.

Je suis heureux de pouvoir considérer la lettre de Votre Sainteté comme un témoignage de la confiance qu'Elle place à juste titre dans le sentiment d'équité, qui inspirera les conseils que je pourrais être appelé à soumettre au Roi, mon maître, en vue d'établir l'harmonie tant désirable entre les lois de l'Etat et les devoirs du Ministère apostolique. Les intentions généreuses et bienveillantes qui caractérisent les actes du gouvernement de Votre Sainteté et dont la lettre du 18 décembre porte l'empreinte, trouveront en moi un avocat convaincu. C'est dans ce sens que j'ai exercé mon influence officielle quand j'ai été appelé à donner mon avis sur le choix de la personne du Ministre des Cultes en Prusse. Mais l'autorité qu'à titre constitutionnel j'exerce dans ce pays est limitée par nos institutions, et le droit de proposer au Roi les personnes qui composent le conseil des ministres, n'implique pas la faculté de leur donner des instructions après leur entrée en fonctions. Je serais fondé, s'il y avait lieu, à conseiller au Roi de remplacer M. de Puttkamer, mais je n'ai pas le droit de prescrire à ce dernier tant qu'il est maintenu à son poste, les mesures qu'il doit prendre. C'est lui seul qui porte la responsabilité de ses actes, et si je voulais l'engager dans une voie politique où il ne croirait pas pouvoir se rallier la majorité du Landtag prussien, il donnerait sa démission. Ce serait là un résultat bien regrettable dans l'intérêt de notre œuvre de conciliation. Il est vrai que M. de Puttkamer, comme tout autre Ministre du Roi, se trouve en premier lieu appelé à faire donner à César ce qui est dû à César, plutôt qu'à défendre les droits du Saint Siège; mais fidèle à la foi Chrétienne et pénétré de respect pour les traditions de l'Eglise, il unit l'amour de la paix à l'autorité politique et à l'aptitude parlementaire indispensables pour mettre d'accord les amis de la paix, séparés par des nuances politiques et pour assurer par leur union les suffrages d'une assemblée, dont la majorité représente des populations acatholiques. Il serait difficile de trouver à M. de Puttkamer un successeur réunissant les mêmes qualités; sa retraite créerait un embarras pour le gouvernement du Roi en amenant une crise ministérielle dont la solution ferait perdre du terrain aux amis de la paix et rendrait plus difficile le rapprochement que de part et d'autre nous appelons de nos voeux sincères.

Ce rapprochement, à mon avis, ne saurait avoir le caractère d'une solution finale de la question huit fois séculaire de l'accord des pouvoirs spirituel et temporel. Les difficultés de cette question n'ayant pu être vain-

cues par les gouvernements forts et absolus des siècles passés, il est peu probable que ce résultat si important pour la paix intérieure des nations soit atteint plus facilement sous le régime constitutionnel de nos jours, lequel a besoin pour toutes ses décisions, de l'entente de plusieurs pouvoirs indépendants les uns des autres et mus par l'esprit de parti et par des ambitions personnelles, plus souvent que par des convictions religieuses. Ce régime sous lequel nous vivons, est-il fait pour résoudre en principe une question aussi complexe que celle qui nous occupe? En voulant chercher une solution également acceptable en théorie pour le St. Siège et pour l'Etat prussien, nous assumons une tâche qui, à mon avis, est au-dessus de nos moyens. Si les négociations qui se poursuivent entre nous depuis deux ans, ne montrent pas encore, à l'heure qu'il est, un résultat plus satisfaisant, ne faut-il pas peut-être en chercher la raison dans l'oubli du proverbe, que le mieux est l'ennemi du bien? Les concessions en matière de principes sont difficiles à faire pour l'un comme pour l'autre, souvent même impossibles; les bons procédés ne le sont jamais. Il y en a un auquel les principes de l'Eglise ne paraissent pas s'opposer, et qui cependant modifierait d'un seul trait le caractère de la situation: je veux parler d'une instruction de V.S. autorisant le clergé prussien à se régler, par rapport à la notification des nominations ecclésiastiques, sur le mode de communication mis en usage depuis de longues années par le clergé du Royaume de Wurttemberg.

L'esprit de paix et de conciliation dans lequel V.S. a inauguré Sa haute mission, est à mes yeux l'arme la plus puissante dont l'Eglise dispose vis-à-vis du pouvoir temporel, et la concession apparante que V.S. ferait en agréant la mesure indiquée, aurait l'effet de mettre en demeure le pouvoir temporel; et par le fait même des communications en question, la plus grande partie des procès actuellement pendant contre des membres de l'Eglise, ainsi que la majorité des autres obstacles locaux et personnels contre lesquels en beaucoup de paroisses le service des prêtres se heurte aujourd'hui disparaîtraient de plein droit. V.S. voudra bien, dans Sa sagesse peser cette idée que ma sympathie pour un grand nombre de mes compatriotes catholiques m'a fait soumettre à Son jugement. Quelle que soit la résolution à laquelle V.S. s'arrêtera, je La prie de croire que l'œuvre de conciliation a trouvé dans la personne du Ministre actuel des Cultes en Prusse un partisan convaincu et dévoué, que même les attaques parlementaires dirigées contre lui par les partis sur l'appui desquels il était en droit de compter ne détourneront pas du but qu'il s'est proposé.

Je ne m'attends pas à un succès prompt et complet dans une tâche où les résultats ne s'obtiennent que par un travail assidu et patient sur les ter-

rains parlementaire et administratif. Tant que nos lois aujourd'hui existantes restent en vigueur, le Ministre doit s'y conformer. Pour les modifier il a besoin de l'assentiment des parlements, et c'est lui qui devra mesurer jusqu'à quelle limite extrême il pourra compter sur l'assentiment des majorités indispensable pour tout acte de législation. Il m'a fait dire que des propositions conçues dans cet esprit seront soumises par lui au conseil des Ministres de Prusse aussitôt après l'examen des textes des pourparlers confidentiels qui ont eu lieu à Vienne.

Indépendamment de ce travail officiel j'emploirai dans toutes les occasions qui s'offriront à moi, l'influence personnelle qu'il me sera permis d'exercer, afin de nous faire avancer dans la voie conforme aux intentions dont V.S. a de nouveau daigné me faire part. Si nous n'allons pas aussi vite ni aussi loin que V.S. doit le désirer, je La prie de ne pas mettre en doute le zèle qui m'anime, mais de bien vouloir tenir compte, et des limites dans lesquelles mes attributions se trouvent circonscrites, et des devoirs que la confiance de l'Empereur m'a imposés envers la totalité de mes concitoyens, protestants aussi bien que catholiques.

Je suis avec les sentiments du plus profond respect Sire de Votre Sainteté le très-humble serviteur.

124. Erlaß an den Botschafter in Wien Prinz Heinrich VII. Reuß: Englands Rolle in der deutschen und österreichischen Politik (Konzept A. A.)

GP 3, 134 ff., Nr. 513.

Berlin, den 29. Januar 1880.

Nr. 63

Vertraulich

Die Unterhaltung mit dem Freiherrn von Haymerle, auf welche sich Ew. pp. Bericht vom 15. v. Mts. — Nr. 526 — bezieht, hat wieder auf die beiden Fragen geführt, welche der Herr Minister am 6. November angeregt hatte: ob noch eine eingehendere Mitteilung über die Tendenz der Wiener Abmachung nach London zu richten, und ob der englischen Regierung die Unterstützung Deutschlands und Österreich-Ungarns für ihre Politik im Orient deutlicher in Aussicht zu stellen sei. Diese beiden Fragen sind, wie schon in meinem Diktat vom 10. November bemerkt ist, für uns nicht konnex. Ew. pp. erinnern Sich, daß es in dem Entwurf des Schreibens an den Grafen Károlyi, auf Grund dessen dieser sich gegen Lord Salisbury auszusprechen hatte, hieß: es sei schon in Gastein als ausdrück-

liche Voraussetzung der Entente bezeichnet worden, daß beide Regierungen bestrebt sein würden, sich für ihr Programm der Zustimmung und Unterstützung Englands zu versichern.
Herr von Haymerle hat zwar auf meine tatsächliche Einwendung bereitwillig das Wort „Unterstützung“ gestrichen; aber der Gedanke, welcher ihm das Wort eingegeben hatte, in der Verständigung mit England weiterzugehen, als wir in Gastein und Wien beabsichtigt haben, ist ihm nicht fremd geworden; nur daß jetzt die Unterstützung unseres Programmes durch England mehr die Bedeutung einer Unterstützung der englischen Politik durch Deutschland und Österreich annimmt.
England wird im Falle eines Konflikts niemals um seine Existenz zu kämpfen haben, so groß auch die Interessen sein mögen, die es verteidigt, und die Gewinne, die es bei einem glücklichen Ausgange macht. Wir hoffen und wünschen mit Rußland im Frieden zu bleiben, gelingt das aber nicht, weil Rußland uns oder Österreich angreift, so entsteht mit Rußland allein oder mit Rußland im Bunde mit Frankreich und Italien ein Kampf von sehr viel ernsterer Tragweite, in welchem, auch im Falle unseres Sieges, es an jedem begehrenswerten Preise fehlt. Wir erhöhen unseren Militäretat und freuen uns, daß Österreich den seinigen wenigstens nicht vermindert. Zu gewinnen aber haben wir bei einem russischen Konflikte nichts, müssen ihn also zu vermeiden trachten und unsererseits nicht ohne Zwang eine Bahn betreten, an deren Ende der Bruch mit Rußland liegt. Im Sinne dieser Politik wäre es nicht nützlich, uns in Konstantinopel mehr englisch als russisch auszusprechen; das Umgekehrte zu tun, verbietet uns das Bedürfnis der Pflege unserer Beziehungen zu England, gesteigert durch den Umstand, daß die österreichischen und die englischen Interessen einander naheliegen; wir werden uns also in Konstantinopel unparteilich auszusprechen haben. Insofern ist es für uns nicht ratsam, dem Kabinett von St. James', wie Herr von Haymerle am 6. November gesagt hat, in etwas deutlicherer Weise unsere Unterstützung seiner Politik im Orient in Aussicht zu stellen oder, wie es in Ew. pp. Bericht vom 15. v. Mts. heißt, durch die Haltung unserer beiderseitigen Vertreter zu zeigen, daß wir dort mehr mit den englischen als mit den russischen Interessen sympathisierten, also prinzipiell als Attitude und ohne tatsächlichen Anlaß eine antirussische Haltung einnehmen. Es läge vielleicht auch im österreichischen Interesse, auf eine demonstrative Sympathiebezeigung zu verzichten und sich darauf zu beschränken, mit England zu gehen, so oft es sachliche Gründe dazu hat und England um eine Kopflänge vorauszulassen, da man nicht sicher ist, ob England folgt, wenn Österreich vorausgeht.

Es wird zunächst keine Veranlassung sein, an das Gespräch, über welches Ew. pp. unter dem 15. v. Mts. berichtet haben, wieder anzuknüpfen, und wir werden abwarten können, wann Herr von Haymerle den Augenblick gekommen glaubt, eine eingehendere Mitteilung in London zu machen. Sollte er diesen Punkt wieder zur Sprache bringen, so wollen Ew. pp. ihm gefälligst sagen, ich hätte durchaus kein Bedenken, würde aber für amtliche Äußerungen von *unserer* Seite die Genehmigung Seiner Majestät des Kaisers nachzusuchen haben.

Ich will nicht unbemerkt lassen, daß ich den Eindruck habe, als ob Herr von Haymerle in betreff Italiens sich einer sanguinischen Täuschung hingebe, vielleicht verleitet durch die vielen und guten persönlichen Beziehungen, welche er seinem früheren Aufenthalt in jenem Lande verdankt. Für mich steht es außer Zweifel, daß ein Bruch mit Rußland für Österreich zugleich ein Bruch mit Italien sein würde, welches die Gelegenheit benutzen würde zu einem Versuche, österreichische Gebiete an sich zu bringen. Wie die englische Regierung sich in dieser Beziehung benehmen würde, ob sie Italien wirksam im Zaum halten könnte, läßt sich bei dem Übergewicht, welches in England die innere Politik leicht über die auswärtige gewinnt, nicht mit Sicherheit, namentlich nicht für eine längere Zeit voraussehen. Nach unseren Londoner Nachrichten haben die Russen im vergangenen Sommer nicht bloß in Frankreich, sondern auch in Italien Fühlung genommen, um zu ermitteln, ob sie auf Unterstützung im Falle eines Krieges zu rechnen hätten, und ist die italienische Antwort erst dann eine ausweichende geworden, als man in Frankreich auf eingezogene Erkundigung keine Ermutigung und von England eine drohende Abmahnung erfahren hatte. v. Bismarck.

125. Diktat: Die russischen Sicherheitsvorstellungen (unsigniert, Niederschrift Bucher) GP 3, 143 f., Nr. 516.

Berlin, den 6. Februar 1880.

Sekret

In der Unterredung, welche ich gestern mit dem russischen Botschafter von Saburow hatte, gab derselbe eine lebhafte Besorgnis zu erkennen, daß die Engländer einmal Konstantinopel plötzlich besetzen resp. wegnehmen könnten. Die Tatsache, daß der englische Botschafter wiederholt mit Berufung der Flotte dahin gedroht habe, wie mit einer Maßregel, die jeden Tag in seiner Hand läge, müsse notwendig die Aufmerksamkeit Rußlands auf diese Frage richten. Rußland könne den Schlüssel der Dardanellen ohne Besorgnis in der Hand einer unabhängigen Pforteregierung sehen, aber nicht in der einer europäischen Macht. Die Meerengen wären kein offnes Meer, sondern bildeten türkisches Gebiet, und in ein solches könnten die Streitkräfte europäischer Mächte nicht nach Belieben einrücken, sei es zu Lande oder zu Wasser. Wenn fremde Flotten ohne Zustimmung der Türkei nach Belieben in die Dardanellen einfahren könnten, so liege darin eine Unsicherheit für die Küsten des Schwarzen Meeres. Rußland sei friedensbedürftig, aber auch sicherheitsbedürftig, und seine Sicherheit sei durch die drohende Stellung der englischen Flotte, namentlich wenn der Botschafter sich berechtigt glaube, dieselbe ohne andere Ermächtigung als die seiner eignen Regierung nach Konstantinopel zu berufen, gefährdet. Es würde daher im Sinne einer friedlichen Politik liegen, Rußland Garantien zu geben gegen den Einbruch fremder Flotten in das Schwarze Meer. Ausdrückliche Vorschläge hat Herr von Saburow nicht gemacht, und die ganze Unterredung war streng vertraulich, so daß ich mich zu Mitteilungen darüber noch nicht berufen fühle, und diese Aufzeichnung nur als Notiz zu den Akten zu nehmen ist.

Außerdem trat die Sorge vor Koalitionen kontinentaler Mächte gegen Rußland lebhaft in den Vordergrund. Die Frage eines Schutz- und Trutzbündnisses zwischen Rußland und Deutschland wurde für einen Augenblick ausdrücklich gestellt, aber fallen gelassen, sobald ich erklärte, daß wir gegen und ohne Österreich dergleichen nicht abschließen würden, daß ich mich viel in früheren Jahren mit solchen Gedanken getragen, daß aber die Vorgänge des letzten Sommers mir das Maß von Vertrauen, welches zu solchen Abmachungen nötig sei, nicht mehr gelassen hätten. Ich machte sondierungsweise einen Gegenvorschlag. Wenn Rußland Koalitionen fürchte, was Deutschland nach seiner geographischen Lage viel näher liege, so würden solche einen gefährlichen Charakter immer nur durch die Beteiligung Frankreichs oder Deutschlands erhalten können. Von Deutschland würde nicht die Rede sein; wenn Rußland aber ein Defensivbündnis gegen Frankreich wolle, welches bei jedem Angriff Frankreichs auf einen von uns beiden in Kraft trete, so wolle ich das bei Seiner Majestät befürworten; damit wären dann beide Mächte gegen eine Koalition, welche Frankreich einschlösse, durch eine Allianz gedeckt. Herr von Saburow wich einer direkten Antwort hierauf aus durch Übergang auf das Thema der Tripelallianz mit uns und Österreich und nahm in Aussicht, mir auf diesem Gebiete seine Ansichten in schriftlicher Skizze zu weiterer Besprechung mitzuteilen. Eine solche Skizze hat er heute vorgelegt.

126. Gespräch mit Waldersee am 6. Februar 1880 in Berlin

W 8, 344 f., Nr. 259 = Waldersee I, 200 ff.

Ich ging um zwei Uhr zum Kanzler und wurde sogleich vorgelassen; ich saß beinahe eine Stunde ihm gegenüber.

Das Gespräch[12] *begann, indem Bismarck sich über Miljutin und Obrutschew beklagte; es seien falsche und böswillige Leute, die ihren Kaiser durchaus zu einem Bündnis mit Frankreich treiben wollten. Namentlich Obrutschew, der eine Französin zur Frau habe, sei gefährlich und bedürfe der Ueberwachung. Sodann klagte er über unseren Botschafter in Petersburg,*[13] *durch den nicht viel zu erfahren sei; er, Bismarck, sei darauf angewiesen, alle möglichen Quellen zu erschließen und habe die Intrigen der Russen nicht allein in Paris, sondern auch in Rom konstatiert; merkwürdigerweise seien ihm aber die ersten Andeutungen, daß Rußland Frankreich zu einem Bündnis verleiten wolle, von Franzosen zugegangen. Die Russen leugneten alles ab, seien aber in kaum glaublicher Weise verlogen. Bei ihnen bestehe die Hauptschwierigkeit darin, die Motive zu erkennen, da fast immer rein persönliche Interessen mitwirkten; von wirklichem Patriotismus zeige sich keine Spur; Rußland könne zugrunde gehen, wenn nur die betreffenden Sonderinteressen dabei ihre Rechnung fänden.*

Er habe sich von der Notwendigkeit überzeugt, mit Oesterreich Fühlung zu nehmen, den Kaiser aber nur mit größter Mühe so weit gebracht. In Wien sei alles wider Erwarten gut und schnell gegangen. Mit Andrássy sei er bald zu einer Einigung gekommen, dieser habe erklärt, sein Kaiser sei bereit, auf Unterhandlungen einzugehn. Auf die Frage Bismarcks, ob Franz Joseph ihn empfangen würde, habe Andrássy erwidert: „Er wünscht nichts dringender.“ Bismarck: „Und Erzherzog Albrecht?“[14] *Andrássy: „Er hat seit Jahresfrist sich in seinen Ansichten völlig geändert und ist im höchsten Maße gegen die Russen aufgebracht, die nach seiner Aeußerung Oesterreich in der letzten Zeit zu arg belogen und betrogen haben.“ Die Schwierigkeiten hätten also allein bei unserem Kaiser gelegen, der sich die Russen als unsere Feinde gar nicht denken konnte.*

Augenblicklich seien übrigens die Russen sehr höflich und täten so, als ob sie unsere Freundschaft suchen. „Ich bin aber fest entschlossen,“ *sagte Bismarck,* „niemals wieder mit Rußland zu zweien zusammenzugehen, zu dreien ließe es sich überlegen. Lieber wäre es mir auch in diesem Falle, mit Oesterreich und England zusammenzugehen. England ist jetzt für uns sehr günstig gestimmt und würde bereit sein, Italien anzugreifen, falls sich dies gegen Oesterreich wenden sollte.“

Dann erging sich der Fürst in Klagen über den Tod des Staatssekretärs Bülow,

---

[12] Nachtrag. (Anm. des Herausgebers der Waldersee'schen Denkwürdigkeiten).

[13] General von Schweinitz.

[14] Der Erzherzog war als russophil bekannt.

der ihm ein so angenehmer Untergebener und Gehilfe gewesen sei; seine Arbeitslast sei durch diesen Todesfall sehr vermehrt, da er bisher keinen Nachfolger gefunden habe. Seine vier Abteilungsdirigenten seien nicht möglich; Philippsborn überhaupt nicht, Radowitz, der wohl die Fähigkeiten habe, dem Kaiser zu jung und zu heftig; gegen Bucher und Bülow[15] *lagen mehrere Bedenken vor; letzterer sei als Vorgesetzter zu scharf, und keiner von beiden wolle sich dem andern unterordnen.*

Der Fürst sprach dann auch noch sehr anerkennend von meinem Bericht über die französischen Manöver, in dessen politischem Anhang ich auch über Obrutschew gesprochen hatte; er sagte mir, es sei unglaublich, aber doch wahr, daß ihm dieser Bericht, der viel Wertvolles für ihn enthalte, erst vor einigen Wochen zugegangen sei.

127. Gespräch mit Hohenlohe am 22. Februar 1880 in Berlin

W 8, 346, Nr. 260 = Hohenlohe II, 290 f.

Der Fürst empfing mich sehr freundlich, sprach von den Bedenken, die Marie[16] *gegen die Uebernahme der Stellung*[17] *geäußert hatte, und von allerlei. Er will meine Vertretung nur während einiger Monate, dann könne Hatzfeld eintreten und dann nach einigen Monaten etwa Keudell. Mir kam es so vor, als hoffe er immer noch, daß ich mich doch noch entschließen würde, ganz dazubleiben. Ich bemerkte deshalb ausdrücklich, daß mir dies aus finanziellen Gründen unmöglich sei. Dann kam Bismarck auf verschiedene Minister zu sprechen, die reich geworden seien, sprach von Manteuffel, Schleinitz, Talleyrand und anderen. Endlich fragte er mich, wann ich kommen wolle, und sprach den Wunsch aus, daß ich schon Anfang April kommen möchte. Ich bin dann umso früher fertig und kann im September weg.*

Abends zum Diner zu Bismarck. Ich erwähnte die Befürchtungen, die man vor Gambetta hegen müsse. Er legte dem keinen großen Wert bei und meinte, man könne es nicht ändern, wenn dem so wäre. Bei Tisch wurde viel Portwein und Ungarwein getrunken. Nachher setzte ich mich neben den Reichskanzler und brachte das Gespräch auf allerlei. Von Kolonien will der Reichskanzler nach wie vor nichts wissen. Er sagt, wir haben keine genügende Flotte, um sie zu schützen, und unsere Bureaukratie ist nicht gewandt genug, um die Verwaltung solcher Länder zu leiten. Der Reichskanzler sprach auch über meinen Bericht über die

---

15 Geh. Legationsrat Otto von Bülow.

16 Gattin Hohenlohes.

17 Hohenlohe sollte vorübergehend als Nachfolger des verstorbenen Bernhard von Bülow die Leitung des Auswärtigen Amtes übernehmen.

französischen Pläne auf Marokko und meinte, wir könnten uns nur freuen, wenn sich Frankreich Marokko aneigne. Es habe dann viel zu tun, und wir könnten ihm die Vergrößerung des Gebietes in Afrika als Ersatz für Elsaß-Lothringen gönnen. Als ich ihn aber fragte, ob ich mich in diesem Sinne Freycinet gegenüber aussprechen solle, verneinte er dies. Das sei zu viel. Busch, mit dem ich heute dieselbe Frage besprach, meinte, die Engländer würden die Annexion von Marokko wegen Gibraltar nie zugeben.

128. Gespräch mit Hohenlohe am 29. Februar 1880 in Berlin

W 8, 346 f., Nr. 261 = Hohenlohe II, 292.

Mit Marie und Viktor[18] *in die Staatssekretärwohnung. Dort wurde mir ein Brief gebracht, der mich zum Reichskanzler berief. Der Reichskanzler las mir den Bericht vor, den er in meiner Angelegenheit an den Kaiser gerichtet hat. Es wird darin vorgeschlagen, ich solle auf vier bis sechs Monate von Ende März*[19] *an die Geschäfte des Staatssekretärs interimistisch führen und dann solle Hatzfeld das Provisorium übernehmen und das Amt dann definitiv bekommen, wenn er dem Kaiser entspräche. Ueber die Zeit sagte der Reichskanzler, er rechne auf Anfang April, der Zeitpunkt könne aber auch verschoben werden, wenn seine Gesundheit aushalte. Er sprach dann noch einiges, woraus ich entnahm, daß er mich doch gern definitiv hier haben möchte. Er meinte, ich könne, wenn ich es wünsche, jeden Augenblick mit Hatzfeld tauschen. Hierauf kam er auf die durch meinen Abgang veranlaßte Alarmierung der öffentlichen Meinung in Paris und sagte, es sei gerade ein Beweis für die bestehenden guten Beziehungen zu Frankreich, daß man sich nicht scheue, mich abzuberufen. Hätten wir Besorgnisse oder böse Absichten, so würde der Botschafter nicht abberufen werden. Gerade deshalb aber, weil wir weder das eine noch das andere haben, könnten wir ohne Bedenken den Posten in dieser Weise weniger vollständig besetzt lassen. Der Reichskanzler trug mir auf, in diesem Sinne mit St. Vallier*[20] *zu sprechen. Ich ging zu St. Vallier, richtete meinen Auftrag aus und beruhigte ihn namentlich über das Gerücht, das der „Temps" gebracht hatte, daß Reuß nach Paris kommen werde.*

---

[18] Gattin und Sohn Hohenlohes.

[19] Hohenlohe wurde am 30. April 1880 zum Vorstand des Auswärtigen Amtes und Stellvertreter des Reichskanzlers ernannt.

[20] Französischer Botschafter in Berlin.

129. Erlaß an den Staatssekretär des Innern und preußischen Handelsminister Hofmann: Der Stellvertreter des Reichskanzlers und preußischen auswärtigen Ministers im Bundesrat kann dessen Vertretung nur in Übereinstimmung mit diesem und seiner Politik ausüben (Konzept Tiedemann, von Bismarck weitgehend umgearbeitet) Goldschmidt 271 ff., Nr. 73.

Berlin, 8. März 1880.

Die Vorlage betr. die Anzeige der in Fabriken und ähnlichen Betrieben vorkommenden Unfälle, welche mir behufs amtlicher Mitteilung an den Reichstag zur Unterschrift vorgelegt worden ist, ohne daß mir bis dahin der Inhalt derselben oder die dazu gefaßten Bundesratsbeschlüsse bekannt gewesen wären, gibt mir zu folgenden ergebensten Bemerkungen Anlaß: Mit den verfassungsmäßigen Vorschriften über die Verantwortlichkeit des Reichskanzlers und des Preußischen Ministers der auswärtigen Angelegenheiten ist es, meiner Ansicht nach, nicht verträglich, daß Gesetzentwürfe, sei es auch in Form von preußischen Anträgen, im Bundesrat zur Beschlußnahme gelangen, ohne daß die beiden genannten verantwortlichen Stellen von der Existenz und dem Inhalt derselben amtlich und aktenmäßig Kenntnis erhalten. Der Preußische Minister der auswärtigen Angelegenheiten ist dasjenige Mitglied des Staatsministeriums, welchem die Verantwortlichkeit für die Reichspolitik Preußens und für dessen Beziehungen zu den außerpreußischen Bundesstaaten in erster Linie obliegt. Daraus folgt m. E., daß, wenn ich nicht als auswärtiger Minister und stimmführender Bevollmächtigter Sr. Maj. des Königs selbst das preußische Votum im Bundesrate abgebe, dasjenige preußische Bundesratmitglied, welches dies in meiner Vertretung tut, vorher versichert sein muß, daß das Votum in Übereinstimmung mit dem zur Instruierung desselben berechtigten preußischen Ressortministerium der auswärtigen Angelegenheiten abgegeben wird. Mag diese Instruktion nun das Ergebnis der eigenen Überzeugung des auswärtigen Ministers oder seiner Unterordnung unter Majoritätsbeschlüsse des Staatsministeriums sein; ohne Wissen des Ressortministers für die Beziehungen zum Bunde kann das preußische Votum nicht ausgeübt werden. Es ist, meiner Ansicht nach, die Sache des für Preußen Abstimmenden, sich zu vergewissern, daß der preußische Minister des Auswärtigen die Sache und die Abstimmung wenigstens kennt. In der ursprünglich bei den Beziehungen Preußens zum Reiche vorausgesetzten Sachlage wurde an diese Notwendigkeit nicht weiter gedacht, weil der Chef des auswärtigen Ministeriums zugleich das stimmführende preußische Mitglied des Bundesrats ist und anfangs diese

Funktion regelmäßig selbst versah. Gesetzlich bin ich in dieser Eigenschaft nicht vertreten, auch in der des preußischen auswärtigen Ministers nicht; wenn nun Ew. pp. infolge der ursprünglich nicht vorausgesehenen Seltenheit meiner Mitwirkung in den meisten Fällen für mich das preußische Votum abgegeben haben, so liegt hierfür bei allen Bundesregierungen so gut wie bei mir selbst die Voraussetzung zugrunde, daß diese Stimmabgabe in gesicherter Übereinstimmung mit mir als dem stimmberechtigten Vertreter des Königs von Preußen erfolgt. Ich glaube, daß die Rückwirkung der preußischen Stimme auf jene anderen Staaten nicht dieselbe sein würde, wenn letztere zu dem Bewußtsein kämen, daß die preußische Stimme ohne mein Wissen und im Widerspruch mit meiner Überzeugung abgegeben sei. Wenn Ew. pp. hierin, wie ich annehme, mit mir einverstanden sind, so darf ich schon daraus den Rückschluß ziehen, daß ein jedes der preußischen Mitglieder des Bundesrats, welches in die Lage kommt, an meiner, des auswärtigen Ministers, Stelle das preußische Votum abzugeben, vorher sicher sein muß, daß dies in meinem Sinne oder infolge meiner konstatierten Unterwerfung unter einen Staatsministerialbeschluß geschieht.

Die analoge Erwägung findet m. E. für Ew. pp. Tätigkeit in der Eigenschaft des substituierten Vorsitzenden des Bundesrats statt. Auf diesem Gebiete würde die Sache anders liegen, wenn der Herr Graf zu Stolberg in seiner Eigenschaft als Gesamtvertreter des Kanzlers ebenso wie die Einholung der Allerhöchsten Genehmigung, so auch die Obliegenheiten des Vorsitzenden des Bundesrats als mein gesetzlicher Vertreter damals besorgt hätte. Ew. pp. aber vertreten mich im Vorsitz des Bundesrats nicht vermöge kais. Verordnung, wie dies bei dem Herrn Vizepräsidenten des Staatsministeriums der Fall sein würde, sondern kraft meiner persönlichen Substitution auf Grund des Art. 15 des Reichsverfassung. Ich glaube, es bedarf keines Beweises, daß ich eine derartige Substitution nur in der Überzeugung einrichten kann, daß die Ausübung des damit verbundenen Rechtes in meinem Sinne und meiner Politik entsprechend erfolge. Wenn meinem Vertreter in bezug auf eine so wichtige Maßregel wie ein Reichsgesetz meine Ansicht nicht bekannt ist, so scheint mir eine Rückfrage nach derselben geboten. Ich hatte meinerseits angenommen, daß in bezug auf Vorbereitung von Reichsgesetzen überhaupt nach Maßgabe meiner ergebenen Mitteilungen vom 5. und 11. August, vom 14. September und vom 3. und 23. November 1877 kein Zweifel in dieser Beziehung obwalten würde[21]; namentlich aber dann nicht, wenn es sich um eine Erweiterung

---

[21] Auch dabei handelte es sich um die Fabrikgesetzgebung.

der ungenau begrenzten und deshalb dem Mißbrauch ausgesetzten Amtsgewalt der Fabrikinspektoren und um eine Vermehrung der statistischen Arbeiten handelt, mit denen nach meiner Überzeugung sowohl die Bevölkerung wie die Beamten schon in übertriebenem Maße belastet sind. Ich hatte mich über diesen Gegenstand allen Herren Staatsministern gegenüber so ausführlich ausgesprochen, daß meine Übereinstimmung mit d i e s e m Gesetzentwurf wohl nicht vorausgesetzt werden konnte.

Wenn ich nun dennoch in die Lage geraten bin, im Namen S. M. des Kaisers und auf Grund bereits gefaßter Beschlüsse des Bundesrats einen Gesetzentwurf mit meiner Unterschrift in den Reichstag bringen zu sollen, dessen Inhalt mir in mehr als einer Bestimmung schädlich und unannehmbar erscheint und den ich, wenn ich über ihn sprechen müßte, in diesen seinen Teilen bekämpfen würde, so kann ich mich weder dieser Eventualität aussetzen noch später, bei etwaiger unveränderter Annahme des Entwurfs im Reichstag, durch Kontrasignatur der Publikation desselben die Verantwortlichkeit für die von mir befürchtete Wirkung vieler und wesentlicher Bestimmungen des Entwurfs übernehmen.

Ich habe deshalb den weiteren Fortgang in der Beratung dieses Entwurfs mit allerhöchster Genehmigung einstweilen angehalten [22]. Welche Anträge ich auf Grund dieser Sachlage zunächst im Preußischen Staatsministerium zu stellen haben werde, darüber behalte ich mir meine Entschließung nach Rücksprache mit dem Herrn Grafen zu Stolberg vor. Ew. pp. bitte ich ergebenst, die staatsrechtliche Auffassung, von welcher ich in diesem meinem Schreiben ausgehe, mit mir besprechen und mir behülflich sein zu wollen, daß wir zu der unentbehrlichen Übereinstimmung auf diesem Gebiete gelangen. v. B.

130. Immediatbericht: Erwägungen zur Wiederherstellung der Preußischen Gesandtschaft beim Vatikan (Kanzleikonzept A. A.) W 6 c, 173 f., Nr. 176.

Berlin, den 28. März 1880.

Im Beginn meiner Verhandlungen mit dem Nuntius Masella habe ich mit allerh. Genehmigung als unsere Forderung die Erfüllung der Anzeige-

[22] Von Bismarck gestrichen wurde der Satz: „Ich würde lieber mein Amt aufgeben, als den Gesetzentwurf in dieser Gestalt mit meiner Unterschrift an den Reichstag gebracht sehen."

pflicht und als unser Anerbieten dafür die Wiederherstellung unserer Gesandtschaft am Päpstlichen Stuhle vorangestellt. Auch dem Kardinal Jacobini gegenüber bin ich mehrmals auf diesen ersten Austausch von annähernden Schritten zurückgekommen. In meinem Schreiben an den Papst vom 17. Januar d. J., welches den Anstoß zu dem Erlaß des Breves vom 24. v. M. gegeben hat, hatte ich, ohne unseres früher als Gegenleistung gemachten Anerbietens aufs neue zu erwähnen, mich darauf beschränkt, hervorzuheben, daß das Nachgeben des Papstes in betreff der Anzeige ein nützlicher Schritt zum Frieden sein würde, indem dadurch der Staat *„en demeure"* gesetzt, also zu einem entsprechenden Entgegenkommen veranlaßt werden würde. Der bezeichnete Schritt des Papstes ist nun zwar auf dem Gebiete der Praxis noch nicht geschehen, theoretisch aber durch das Breve geleistet; und meiner Ansicht nach ist jetzt der Moment gekommen, nicht etwa die Gesandtschaft wiederherzustellen, aber als, gleichfalls vorläufig theoretische, Gegenkonzession die Geneigtheit dazu zu erkennen zu geben. Es würde dies m. E. ein dem bisherigen päpstlichen Vorgehen äquivalenter Beweis unserer Friedensliebe sein; und ich erbitte deshalb allerunt. Ew. Kais. und Kgl. M. Erlaubnis, in der Erwiderung, welche ich nunmehr auf Grund des abschriftlich anliegenden Staatsministerialbeschlusses vom 17. d. M. durch den Prinzen Reuß indirekt an den Kardinal Jacobini richten werde, der Geneigtheit Ew. M. zur Wiederherstellung der Gesandtschaft erwähnen zu dürfen.

Es wird sich dabei, meines ehrf. Dafürhaltens, nicht um eine Gesandtschaft des Deutschen Reiches, sondern um eine preußische handeln. Die Beziehungen der katholischen Kirche in Deutschland zum Papste sind vorwiegend Beziehungen der Einzelstaaten, welche letztere und insbesondere Bayern, sich, so wenig wie Preußen es tut, auf diesem Gebiete durch das Reich werden vertreten lassen. Nur die überwiegend katholischen Reichslande könnten zu einer abweichenden Auffassung Anlaß geben; die Schwierigkeit, dem Bedürfnis derselben auch auf anderem Wege abzuhelfen, ist indessen nicht so groß, daß ich um ihretwillen dazu raten möchte, das Deutsche Reich in die ohne Zweifel auch künftig noch bevorstehenden Kämpfe mit der römischen Kirche hineinzuziehen und dadurch die politische Tragweite solcher Kämpfe zu erhöhen.

Wenn meine in vorstehendem dargelegte Anschauung den allerh. Intentionen Ew. M. entspricht, so werde ich eine Andeutung der letzteren in das Transmissoriale aufnehmen, mit welchem ich dem Prinzen Reuß den Staatsministerialbeschluß vom 17. d. M. behufs seiner Instruktionen zu übersenden beabsichtige. Mit Ew. M. Kultusminister habe ich vorstehende Frage besprochen, und teilt derselbe meine Auffassung.

131. Immediatbericht: Rücktrittsgesuch wegen der Schwierigkeiten im Bundesrat (Ausfertigung) W 6 c, 174 ff., Nr. 177.

Berlin, den 6. April 1880.

In der Bundesratssitzung am letzten Sonnabend [23] ist unter anderen Gegenständen auch über den Gesetzentwurf, betreffend die Erhebung von Reichsstempelabgaben Beschluß gefaßt worden. Seitens Ew. Kais. und Kgl. M. Regierung und der Kgl. Bayrischen war der Antrag eingebracht, die Bestimmungen über den Quittungsstempel, deren Streichung in den Bundesratsausschüssen beschlossen war, wiederherzustellen. Diesem Antrage wurde bezüglich aller Quittungen mit Ausnahme derjenigen über Auszahlungen auf Postanweisungen oder Postvorschutzsendungen entsprochen. Die Befreiung der letzteren von der Stempelabgabe, welche einen Ausfall von mehreren Millionen Mark für die Reichskasse zur Folge haben wird, wurde gegen die Stimmen von Preußen, Bayern, Sachsen und Waldeck mit 30 gegen 28 beschlossen.
Ew. M. ist bekannt, wie sehr ich meinerseits bemüht gewesen bin, bei den Abstimmungen im Bundesrat das Recht der Majorität, insbesondere dann, wenn die größeren Bundesstaaten oder einige derselben sich in der Minorität befanden, mit Schonung auszubeuten und die Abstimmung lieber zu vertagen, als sie mit geringer Majorität gegen eine Minorität von größeren Bundesstaaten zu unseren Gunsten zur Entscheidung zu bringen. Ich habe stets eine Gefährdung der verfassungsmäßigen Einrichtungen des Reiches darin gesehen, Beschlüsse von einiger Bedeutung mit geringer Majorität und ohne Rücksicht auf das Schwergewicht der Staaten, welche die Minorität bilden, formell durchzuführen. Eine gegenseitige Rücksichtnahme der Bundesstaaten aufeinander ist von unserer Seite stets geübt worden. Ich habe dabei natürlich für vorkommende Fälle auf Gegenseitigkeit gerechnet. Daß diese uns von den kleineren Staaten nicht gewährt wird, haben die Vorgänge in der Sitzung am vorigen Sonnabend bewiesen, wo von Seiten einer Majorität von 30 Stimmen Beschlüsse von großer Tragweite gegen eine Minorität von 28 Stimmen durchgesetzt wurden. Die Bevölkerung der Staaten, welche die Majorität bildeten, beträgt $7^1/_2$ Millionen, während die Staaten der Minorität über 33 Millionen repräsentieren. Schon diese Zahlenverhältnisse beweisen, daß Majoritätsbeschlüsse gegen bedeutende Minoritäten im Bundesrat nur mit Vorsicht und Schonung er-

[23] Am 3. April 1880.

strebt werden dürfen. Es wäre dies im vorliegenden Falle um so mehr angezeigt gewesen, als hinter den Vertretern der Majorität nur $^{3}/_{14}$, hinter denen der Minorität aber $^{11}/_{14}$ der deutschen Bevölkerung stehen. Hinter einzelnen Stimmen dieser Mehrheit, zum Beispiel Schaumburg-Lippe und Reuß älterer Linie stehen nur 33 000 resp. 46 000 Seelen und 8 der kleinsten Stimmen vertreten zusammen wenig über eine halbe Million. Von diesen Stimmen befanden sich durch Substitution im Besitze der Vertreter von Hessen und Braunschweig zusammen 16 Stimmen, womit als das Gewicht der 25 Millionen Preußen mit 17 Stimmen nahezu aufgewogen war. Es ist nicht möglich, daß die Reichsverfassung auf die Dauer eine so mechanische Ausnutzung der ziffernmäßigen Majorität ohne Schädigung vertragen kann. Preußen hat für jede einzelne seiner 17 Stimmen eine Einwohnerzahl von reichlich $1^{1}/_{2}$ Millionen, Bayern für jede seiner Stimmen fast 900 000, Sachsen noch etwa 700 000, bei den übrigen 31 Stimmen beziffert sich die Durchschnittsquote auf etwa 250 000 und geht bei 7 dieser Staaten bis unter 100 000 herunter. Das verfassungsmäßige Recht dieser Staaten wird durch die Geringfügigkeit ihrer Bevölkerung nicht alteriert, wohl aber empfehlen diese unverhältnismäßigen Unterschiede in der Verteilung der Stimmen des Bundesrats eine vorsichtige und zurückhaltende Ausübung desselben.

Ich halte den Beschluß, der am Sonnabend von der Majorität dieser kleinen Staaten den drei größten gegenüber gefaßt worden ist, den Interessen des Reichs nicht für entsprechend, und kann mich nicht dazu verstehen, die Verantwortlichkeit für die Konsequenzen desselben zu übernehmen. Nach Art. 16 der Reichsverfassung würde es nunmehr meine Aufgabe sein, im Namen Ew. M. eine dem Beschlusse entsprechende Vorlage an den Reichstag zu bringen, und nach Art. 17 würde ich die Verantwortlichkeit für diese Vorlage zu tragen haben. Ich bin hierzu außerstande und kann es auch nicht meiner Stellung als Reichskanzler entsprechend finden, von der Berechtigung des Art. 9 Gebrauch zu machen und als Reichskanzler Ansichten zu vertreten, mit welchen ich im Bundesrate in der Minorität geblieben bin. Es bleibt mir unter diesen Umständen zur Deckung meiner Verantwortlichkeit nach Art. 17 der Verfassung nichts anderes übrig, als Ew. M. um huldreiche Enthebung von meinem Amte als Reichskanzler allerunt. zu bitten. Die Allerh. Entscheidung auf diesen meinen ehrf. Antrag gewärtigend, bemerke ich allerunt., daß bis zur Erledigung desselben [24], resp. Ernennung eines Nachfolgers meines Dafür-

---

[24] Der Kaiser lehnte am nächsten Tag das Gesuch ab und wies Bismarck an, eine verfassungsmäßige Lösung des Konflikts herbeizuführen.

haltens auch in meiner Vertretung Amtshandlungen des Reichskanzlers nicht werden vorgenommen werden können.

Zugleich kann ich nicht umhin, mich bei Ew. M. über die Tatsache zu beschweren, daß in der Sitzung am Sonnabend die im Namen Ew. M. abgegebenen preußischen Abstimmungen in unberechtigter Weise von einem neu ernannten Beamten des Reichspostamtes, der zur Erscheinung in der Versammlung nicht legitimiert war, im Sinne unserer Gegner bekämpft worden sind. Die weiteren Anträge in betreff dieser Auflehnung gegen die Disziplin im Dienste Ew. M. behalte ich mir ehrf. vor.

132. Erlaß an Hohenlohe — Paris: Die deutsch-französischen Beziehungen (Konzept) GP 3, 395 f., Nr. 662 = Rothfels, Staat, 135 f. Nr. 34.

Berlin, den 8. April 1880.
[abgegangen am 9. April]

Nr. 165

pp. Uns liegt der Gedanke fern, jemals die durch die Gleichartigkeit der monarchischen Interessen geeinten Kräfte nach irgendeiner Seite hin, etwa gegen Frankreich, angriffsweise verwerten zu wollen.

Unser Verständigungsgebiet mit Frankreich erstreckt sich von Guinea bis nach Belgien hinan und deckt alle romanischen Lande; nur auf deutsche Eroberungen braucht Frankreich zu verzichten, um uns befreundet zu bleiben. Je weniger wir ihm Einbrüche nach Osten hin gestatten können, desto mehr sind wir — wie ja auch unsre Orientpolitik während der letzten Jahre bewiesen hat — bereit, ihm zu Entschädigungen in jeder anderen Richtung zu helfen. Nicht nur die neuerdings durch das Sahara-Eisenbahnprojekt angedeutete afrikanische Politik, betreffs welcher Ew. pp. in dem abschriftlich beigefügten Bericht aus Tanger einige Angaben finden, sondern auch das Streben Frankreichs nach vermehrter Einflußnahme auf die übrigen romanischen Staaten verletzt kein deutsches Interesse; die Abwesenheit politischer Bedenken gestattet uns vielmehr anzuerkennen, daß das französische Volk, welches dank der stärkeren Beimischung germanischen Blutes als die kräftigste unter den romanischen Nationen dasteht, die Stellung einer zivilisatorischen Vormacht in der romanischen Welt sowohl wie außerhalb Europas beanspruchen kann. Wenn daher Frankreich die Ausbreitung seiner politischen Operationsbasis als seinen Interessen entsprechend erachtet, so kann es dafür nicht nur auf unsere Enthaltung, sondern unter Umständen sogar auf unsere Rükkendeckung rechnen, sofern nur unsere Stellung in Deutschland und unser einziger Anspruch, Herren im eigenen Hause zu sein, nicht gefährdet wird.

Ew. pp. wollen diese Betrachtung in dem auf die monarchische Solidarität und deren logische Konsequenzen bezüglichen Teile als nur für Sie bestimmt ansehen, dagegen aber, anknüpfend an die durch Ihren Bericht Nr. 63 in Aussicht gestellte Ernennung des General Cialdini nach Paris, überall aussprechen, daß dieselbe, ebensowenig wie die Anlehnung Italiens an Frankreich überhaupt, für uns beunruhigend ist, wir darin vielmehr nur den natürlichen Ausdruck der romanischen Stammverwandtschaft sehen.

v. Bismarck

133. Gespräch mit dem Journalisten Moritz Busch am 12. April 1880 in Berlin
W 8, 360 ff., Nr. 269 = Busch II, 580 ff. [gekürzt].

Gegen das Ende der ersten Woche des April fingen die Zeitungen an, von einer Kanzlerkrisis zu sprechen, und als das einige Tage gedauert hatte, schrieb ich an den Chef, wenn ich hierbei nützen könne, möge er mich in der Sache informieren. Ich bekam darauf am 11. einen Brief von Sachsse, worin ich gebeten wurde, den Reichskanzler Montag um vier Uhr mit meinem Besuch zu beehren. Ich fand mich zur besagten Stunde ein und mußte eine Viertelstunde im Vorsaale warten, weil der Fürst im Garten verschwunden war. Endlich sah ich ihn aus dem zum Auswärtigen Amte gehörigen Garten, wo in die Scheidemauer eine breite Lücke gebrochen ist, zwischen den Baumstämmen und den vielen weißen Blümchen auf den Grasplätzen des Parkes daherkommen. Er trug Zivilkleider und in der Hand einen starken Stock. Seine beiden Doggen begleiteten ihn. Nach einigen Minuten wurde ich in das Arbeitszimmer gerufen. Er fragte: „Wie geht es, Herr Doktor?“ *Ich antwortete: „Danke, Durchlaucht, gut.“*

„Mir ist's in den letzten Tagen wieder schlecht gegangen,“ *versetzte er.* „Ich habe mich geärgert über unsre Beamten — über die Flegelei dieses Stephan —, und andre machen's ebenso. Die Zeitungen stellen die Ursache an der jetzigen Krisis unrichtig dar, und ich möchte Sie bitten, das zu rektifizieren. Es handelt sich nicht allein um das Verhalten der Vertreter nichtpreußischer Regierungen bei der Frage wegen der Besteuerung von Quittungen bei Postanweisungen und Vorschüssen, nicht einmal vorzugsweise, sondern ebensosehr um das ungehörige Benehmen unsrer Beamten. Sie wissen, ich habe wiederholt öffentlich über den preußischen Partikularismus geklagt gegenüber den Einrichtungen und Bedürfnissen des Reichs. Dann ist bei meiner häufigen langen Abwesenheit ein willkürliches Treiben entstanden, eine Art Republik im polnischen Sinne, wo jeder Chef der Verwaltung seine eigene Meinung nicht nur haben will, sondern auch geltend machte.

Vortragende Räte, deren Ansicht der Vorstand ihres Departements nicht approbiert hat, oder auch Minister, die von meinen Anschauungen abweichen, versuchen ihre Gedanken praktisch geltend zu machen, und zwar auf eine Manier, als ob es sich von selbst verstünde. Das versteht sich aber nicht von selbst, der oberste Leiter der Regierung des Kaisers und Königs kann das nicht gestatten — das liegt auf der Hand."

Er hielt inne und schien zu erwarten, daß ich nachschreiben werde. Er hatte mir, bevor ich eingetreten war, eine Unterlage von Löschpapier, mehrere große Briefbogen und zwei frisch gespitzte Bleistifte auf dem Schreibtische vor den Platz gelegt, den ich gewöhnlich einnahm. Ich hatte anfangs mit einigen abgerissenen Hauptsätzen begonnen, jetzt schrieb ich alles, was er sagte, wörtlich nieder, indem er langsamer und in ziemlich regelmäßigen Perioden sprach, und so wurde es in einem Artikel: „Die Ursachen der Kanzlerkrisis" betitelt, in den Grenzboten vom 15. April 1880 abgedruckt ...

Nach dem Diktat nahm er ein Heft zur Hand, über dem „Denkschrift" stand, korrigierte einiges darin und ließ den Sekretär Sachsse rufen, dem er den Befehl erteilte, „das von derselben Hand abschreiben zu lassen."

Dann wandte er sich wieder zu mir, ließ sich die letzten Sätze des Diktats vorlesen und sagte dann: „So wird's genug sein. Wollen Sie noch was wissen?"

Ich: „Wie denken Durchlaucht über den Ausfall der Wahlen in England?"

Er: „Die Sache ist nicht bedeutend für uns. Die Russen aber erwarten viel davon. Die Liberalen werden im großen und ganzen dieselben Wege gehen müssen wie Beaconsfield[25]. Das ist immer so, auch bei uns. Wenn die Nationalliberalen einmal regieren sollten, so würden sie finden, daß das nicht so geht, wie sie denken." ...

„Aber wenn die Engländer sich auch mit den Russen verständigen und Italien hinzukäme, das mit den englischen Liberalen immer Liebesblicke ausgetauscht hat, so gäbe das immer noch keine große Gefahr, und für die Italiener könnte das schlimm ablaufen. Je mehr England sich Rußland nähert, desto weiter entfernt es sich von Frankreich. Es entstünde dann im Orient eine Kombination, die dortige französische Interessen bedrohte — vorzüglich am Mittelmeer —, die andre sind als die russischen und die englischen. Von Englands Verhältnis zu Italien gilt ähnliches. — Es könnte dann zu einer Verständigung Frankreichs mit Oesterreich und uns kommen. Was wir dafür zu bieten hätten, ist mit Bestimmtheit noch nicht zu sagen. Elsaß-Lothringen würde es gewiß nicht sein, aber vielleicht — etwas andres. Italien würde schlecht dabei fahren; denn hier können sich Oesterreich und Frankreich leicht verständigen. Italien ist wie die Frau im Märchen vom Fischer, der den goldnen Fisch gefangen hat. Wie hieß sie gleich? — Ilsebill. Die nicht genug kriegen konnte. Die können wieder in ihrem Topfe wohnen müssen. Neapel und der Kirchenstaat können wieder hergestellt werden."

[25] Das konservative Ministerium Beaconsfield wurde nach dem Wahlergebnis von dem liberalen Ministerium Gladstone abgelöst.

Ich sagte: „Durchlaucht erwähnten vorhin gegen Tiedemann einer Denkschrift über die Ursachen der jetzigen Krisis, die dem Könige übergeben worden sei. Wie verhält sich denn der zu der Sache?“
„O, befriedigend,“ *antwortete er.* „Nur hat er die Denkschrift noch nicht gelesen weil sie ihm zu lang ist. Da hat er sie beiseite gelegt. Und nun kommt Wilmowski dazwischen, der sich verpflichtet und berechtigt fühlt, seinen Senf dazu zu geben und ihm zu raten — gegen mich; denn er ist liberal. Und so habe ich ihn mahnen lassen.“ *Er stand auf und sagte noch einmal:* „Die Flegelei von Stephan, der ganz disziplinlos ist. Das kommt aber davon, daß er soviel Selbstgefühl hat. König Stephan gegen König Wilhelm, das geht nicht; *(lächelt)* das könnte man ihm einmal sagen.“
Ich versprach, das nächstens zu tun und ging.

134. Erlaß an Prinz Heinrich VII. Reuß — Wien: Der Ausgleich mit der Kurie und die Haltung des Zentrums (Kanzleikonzept) W 6 c, 176 ff., Nr. 178.

Berlin, den 20. April 1880.

Vertraulich.
Daß in unseren Unterhandlungen Rückschläge, wie der in den Berichten Ew. pp. vom 15. und 16. d. M. — Nr. 177 — gemeldete, früher oder später eintreten würden, darauf war ich durch die Haltung des Zentrums vorbereitet. Wir müssen auch ferner darauf gefaßt sein, daß der Römische Stuhl jedes Mittel der älteren Diplomatie durch Wechsel zwischen den verschiedenen Affekten, die man für wirksam hält, erschöpfen wird, bevor wir mit ihm zu einem erträglichen *modus vivendi* gelangen, und wir werden noch mehr Phasen wie die gegenwärtige durchzumachen haben, da die Römischen Prälaten durch ihre mangelhafte Einsicht in die preußischen Verhältnisse stets verleitet werden, übertriebene Erwartungen zu hegen und ihre Ziele zu hoch zu stecken. Wenn man im Vatikan geglaubt hat, daß wir nicht bloß abrüsten, sondern unsere Waffen im Wege der Gesetzgebung vernichten wollten, so hat man uns eine große Torheit zugetraut, wozu ich durch keine meiner Aeußerungen Anlaß gegeben habe. Auf der anderen Seite ist der Pronuntius im Unrecht, wenn er der Preußischen Regierung einen Vorwurf daraus machen will, daß der Staatsministerial-Beschluß vom 17. v. M. die Wiener Besprechungen mit Schweigen übergeht und dieses Schweigen so deutet, daß man es nicht der Mühe wert halte, sich über seine und seiner Techniker Erklärungen auszusprechen. Dieser Beschluß nimmt in der Tat eine sehr wesentliche Modifikation der

Mai-Gesetze in Aussicht, [a] wenn er für die Reg[ierung] die Befugniß erstrebt, die Ausführung derselben im Interesse des Friedens zu unterlassen [a]. Bis jetzt ist die Regierung verpflichtet, sie streng durchzuführen; wird sie von dieser Verpflichtung entbunden, so kommt sie in die Lage, die Gesamtheit der betreffenden Gesetze friedlich, freundlich und entgegenkommend handhaben zu können, sobald und solange eine ähnliche Politik von der Kurie beobachtet wird. Sich mit den einzelnen Ergebnissen der Wiener Besprechungen eingehend zu befassen, wird für uns an der Zeit sein, sobald es sich darum handelt, die entsprechenden Fakultäten von dem Landtage zu erlangen [b] [u.] demnächst das Maß ihrer Ausübung zu erwägen [b]. Die Befürchtung Jacobinis, was denn werden solle, wenn etwa die Regierung wechselte, ist eine gegenseitige. Was kann uns nicht bedrohen, wenn die Regierung im Vatikan wechselt und wieder ein kämpfender Papst wie Pius IX. den Stuhl besteigt? Wir müssen also auf beiden Seiten in der Lage sein, daß ein Schwert das andere in der Scheide hält. Daß wir das unsrige zerbrechen sollen, während die Kurie jeweilig ihre Politik friedlich oder feindlich einrichten kann nach dem Willen des jeweiligen Papstes und seiner Ratgeber, ist von uns nicht zu verlangen. Wenn der Pronuntius Klarheit in dem Staatsministerialbeschlusse vermißt, so muß ich fragen, was denn auf Römischer Seite bisher klar ist. Wir haben erhebliche praktische Konzessionen, soweit wir das nach der bisherigen Gesetzgebung konnten, seit dem Amtsantritt des Ministers von Puttkamer gemacht; von dem Papste aber haben wir weiter nichts als eine unbestimmte theoretische Andeutung ohne rechtsverbindliche Verpflichtung, daß er ein unvollkommen definiertes Anzeige-System werde dulden können, oder wie der Pronuntius sich ausdrückt, es ist uns eine entgegenkommende Aktion „in Aussicht gestellt", während eine solche unsererseits bereits erfolgt ist. Diese „Aussicht" wird uns bis zum Gefühl des Mißtrauens getrübt durch die maßlos feindliche Haltung der Zentrumspartei im Preußischen Landtage und im Reichstage, in der wir nichts anderes als eine praktische Erläuterung, eine Interpretation der päpstlichen Instruktionen erblicken können. Was hilft uns die theoretische Parteinahme des Römischen Stuhls gegen die Sozialisten, wenn die katholische Fraktion im Lande, unter lauter Bekennung ihrer Ergebung in den Willen des Papstes, in allen ihren Abstimmungen den Sozialisten wie

---

a–a Eigenhändiger Zusatz Bismarcks.
b–b Eigenhändiger Zusatz Bismarcks.

jeder anderen subversiven Tendenz öffentlich Beistand leistet? [c]Unter unwahren Beteuerungen guter Absichten, welche niemals zur Ausführung gelangen und[c] unter dem durchsichtigen Vorwande, daß man gerade *so*, wie die Regierung es betreibe, die Sozialisten nicht bekämpfen wolle, im übrigen aber sie verurteile, stimmt das Zentrum stets mit den Sozialisten; und wählte die Regierung andere Wege, so würden auch gerade diese wieder für das Zentrum nicht die annehmbaren sein. Als vor einem Jahre die katholische Partei in der Zollfrage uns ihre Unterstützung lieh, glaubte ich an den Ernst des päpstlichen Entgegenkommens und fand in diesem Glauben die Ermutigung dazu, Sr. M. dem Könige Herrn von Puttkamer zum Nachfolger Falks vorzuschlagen. Seitdem hat die katholische Partei, die sich speziell zum Dienste des Papstes öffentlich bekennt, im Landtage die Regierung auf *allen* Gebieten, in der Eisenbahnfrage, bei dem Schanksteuer-Gesetz, bei dem Feldpolizei-Gesetz, in der polnischen Frage angegriffen. Ebenso in der Reichspolitik und gerade in Existenzfragen, wie der Militär-Etat, das Sozialistengesetz und die Steuer-Vorlagen, steht die katholische Partei wie ein Mann geschlossen uns gegenüber und nimmt jede reichsfeindliche Bestrebung unter ihren Schutz. Mag eine solche von den Sozialisten, von den Polen oder von den welfischen Verschworenen ausgehen, das System bleibt konstant dasselbe, die Regierung des Kaisers nachdrücklich zu bekämpfen. Wenn man nun sagt, daß diese Fraktion irregeleitet werde durch einige händelsüchtige Führer, welche vom Kampfe leben und bei dem Frieden fürchten, überflüssig zu werden, so ist mir das nicht glaublich angesichts der Tatsache, daß so viel Geistliche, hohe und niedere, unmittelbare Mitglieder dieser regierungsfeindlichen Fraktion sind, und daß deren Politik, den Sozialisten Beistand zu leisten, von den Mitgliedern des reichsten und vornehmsten Adels unterstützt wird, bei dem kein anderes Motiv denkbar ist, als die Einwirkung der Beichtväter auf Männer und noch mehr auf Frauen. Ein Wort von dem Papst oder von den Bischöfen, auch nur der diskretesten Abmahnung, würde diesem unnatürlichen Bunde des katholischen Adels und der Priester mit den Sozialisten ein Ende machen. Solange statt dessen die Regierung in den Basen ihrer Existenz durch die römisch-katholische Fraktion bekämpft wird, ist eine Nachgiebigkeit für die erstere ganz unmöglich. Die Regierung kann friedlichen Bestrebungen friedlich entgegenkommen; läßt sie sich aber durch Kampf und Drohungen die Hand zwingen, so hat sie als Regierung abdiziert. Wenn nun dazu kommt,

---

c–c Eigenhändige Korrektur Bismarcks.

daß auch der Papst oder wenigstens der Pronuntius Ew. pp. gegenüber jetzt von einer drohenden Sprache Nutzen für die Verhandlungen zu erwarten scheint, so sehe ich daraus mit Bedauern, wie fern man dort jedem hier annehmbaren Gedanken an einen *modus vivendi* steht. Die Andeutung von definitiven oder sonstigen Beschlüssen, wie Abbruch der Verhandlungen und jede andere Drohung macht uns durchaus keinen Eindruck. Die katholische Partei hat in bezug auf Agitation im Lande ihr Pulver zu früh verschossen; die Wühlereien der Geistlichen und ihre wohlfeilen Blätter haben in den ersten Jahren des Konfliktes alles versucht, was möglich war, um die Regierung des Königs in den Augen seiner Untertanen herabzusetzen und ihre Tätigkeit zu hemmen; die klerikale Presse hat darin mehr geleistet als die sozialistische und ist in der Wahl der Mittel ebensowenig skrupulös gewesen wie diese. Was auf diesem Wege uns Unangenehmes und Gefährliches bereitet werden k o n n t e, haben wir bereits erduldet und müssen das Fernere erdulden, wenn die Geistlichkeit diese Rolle fortsetzt, welche sie dem Staate und der Bevölkerung mehr und mehr entfremdet. Die Verminderung der Geistlichen, das Verschwinden der Bischöfe, der Verfall der Seelsorge flößen mir die lebhafteste Sympathie mit den katholischen Christen ein, die auf diese Weise von ihren Geistlichen verlassen werden, weil die Priester aus politischen, dem Laien schwer verständlichen Motiven die Seelsorge verweigern. Es ist Sache der Kirche und des Papstes, dies zu verantworten. Zu anderen Zeiten und in anderen Ländern haben wir gesehen, daß die katholische Geistlichkeit unter sehr viel härteren Bedingungen, ja unter großen Gefahren und Demütigungen, dennoch die Gläubigen, die ihrer bedurften, nicht unbefriedigt ließ, sondern das *tolerari posse* sehr viel weiter trieben, als es nötig sein würde, um in Preußen Seelsorge zu üben, ohne mit den Mai-Gesetzen in Konflikt zu kommen. [d]Wenn die heutige Hierarchie ihr Ziel und ihre Ansprüche sehr viel höher schraubt u. lieber den Gläubigen die Wohlthaten der Kirche versagt, als daß sie sich den weltlichen Gesetzen fügt, so werden Kirche und Staat die Folgen tragen müssen, welche Gott und die Geschichte darüber verhängen[d]. Bis jetzt sind wir es, die praktisch entgegengekommen sind; die polizeilichen, die gerichtlichen Verfolgungen sind sistiert, soweit das Gesetz es uns erlaubt; wir haben den Staatsanwälten und der Polizei, soweit wir es können, Schweigen und Enthaltung auferlegt, [e]u. beabsichtigen, Gesetze vorzulegen, welche uns

---

d–d Im ganzen Satz eigenhändige Korrekturen Bismarcks.

e–e Mehrere eigenhändige Korrekturen Bismarcks.

das in größerem Maße noch gestatten sollen; die Kirche aber läßt ihre Anwälte im Reichstage und Landtage und in der Presse den großen und den kleinen Krieg bei jeder Gelegenheit, die sich bietet, in etwas milderen Formen, aber mit derselben sachlichen Entschiedenheit fortsetzen wie zur Zeit Falks[e]. Es tut mir sehr leid, wenn der Papst glaubt, durch ungnädiges Drohn[f] mehr von uns erreichen zu können, als durch freundliches Nachgeben und wenn ein so liebenswürdiger Prälat, wie Jacobini, über unser Verhalten verstimmt zu sein Ursache hat; aber in bezug auf die Gleichheit der Konzessionen, das Vorgehen *pari passu* in denselben ist unser staatliches *non possumus* ebenso zwingend wie das kirchliche. Ich habe weder zu Masella noch zu Jacobini jemals eine Silbe gesagt, welche dahin hätte gedeutet werden können, daß wir in eine Revision resp. Abschaffung der Mai-Gesetze nach Maßgabe der klerikalen Forderungen[g] willigen würden; friedliebende Praxis, erträglicher *modus vivendi* auf der Basis beiderseitiger Verträglichkeit ist alles, was mir jemals erreichbar schien. Ich habe die Rückkehr zu der Gesetzgebung von vor 1840 im Prinzip für annehmbar erklärt, die Rückkehr zu dem von 1840 bis 1870 erwachsenen Zustande aber stets mit großer Bestimmtheit abgelehnt bei den drei oder vier Gelegenheiten, wo dieselbe von uns verlangt wurde. Diese Ablehnung war nicht ein Mangel an Gefälligkeit, der durch die Wahrnehmung, „peinlicher Eindrücke" beseitigt werden könnte, sondern sie war unabweisliche politische Notwendigkeit.

Wenn die Wiederherstellung diplomatischer Beziehungen für Rom keinen Vorteil bildet, für den ein Preis gezahlt werden würde, so werden wir darauf verzichten, dieselbe nochmals anzubieten; ich hatte allerdings geglaubt, daß es für den Papst nicht ohne Wert wäre, durch Beglaubigung eines Gesandten sich amtlich anerkannt zu sehen als eine Macht, mit der die Staaten diplomatisch verhandeln; es hätte darin ein Verzicht auf die Theorie gelegen, daß die Sache der katholischen Kirche in Preußen einfach Sache der inneren Gesetzgebung sei. Bei Fortsetzung des Kampfes ist es für den Staat nützlicher, die Anerkennung der Fiktion zweier souveränen Mächte, wie sie in diplomatischen Beziehungen liegt, nicht auszusprechen, und wollen daher Ew. pp. auf diesen Punkt nicht weiter zurückkommen. Ich habe die Gedanken, welche sich mir beim Lesen des Berichts Nr. 177 aufdrängten, sofort zu Papier gebracht und beehre mich Ew. pp. diese Aufzeichnung zu übersenden, damit Sie nicht in Zweifel darüber sind, in

f Korrektur Bismarcks statt „Verhalten".
g Korrektur Bismarcks statt „Bedürfnisse".

welcher Tonart auf fernere Klagen und Beschwerden des Pronuntius zu erwidern ist. Ich bitte jedoch, den gegenwärtigen Erlaß nicht als die amtliche Antwort auf die letzten Aeußerungen des Pronuntius und die darin erwähnte Depesche des Kardinals Nina betrachten, auch nicht zu erkennen geben zu wollen, daß Ew. pp. schon eine Mitteilung von mir auf ihren letzten Bericht erhalten haben. Welche amtliche Erklärung und ob eine solche abzugeben sei, unterliegt zunächst der Erwägung des Preußischen Staatsministeriums, vor allem des Herrn Kultusministers. Eine Hinweisung auf die Haltung des Zentrums im Reichstage wird, wenn sich eine Gelegenheit dazu bietet, kein Bedenken haben, da das gleichartige Verhalten dieser Fraktion im Landtage schon infolge des Erlasses vom 27. Dezember v. J. — Nr. 902 — Gegenstand Ihrer Unterhaltung mit dem Pronuntius gewesen ist, und die Abstimmungen über die Militär-Novelle und das Sozialisten-Gesetz aus den Zeitungen bekannt sind.

135. Erlaß an von Alvensleben-Darmstadt[26]: Zur Freihafen-Frage des preußischen Gebiets bei Hamburg (Diktat) W 6 c, 179 ff., Nr. 179.

Berlin, den 6. Mai 1880.

Auf Ew. pp. gef. Bericht Nr. 21 vom 5. d. M. erwidere ich erg., daß die Hamburger Frage inzwischen in den vereinigten Zoll- und Handels-Ausschüssen gestern ausführlich erörtert und infolgedessen der einstimmige Beschluß beider Ausschüsse gefaßt wurde, dem Bundesrate über die technische Seite der Anträge Preußens und Hamburgs Bericht zu erstatten, ohne die verfassungsrechtliche Frage zur Entscheidung zu stellen. In dieser Entschließung hat, wie ich glaube, insbesondere die Erwägung Anlaß gegeben, daß Entscheidungen über zweifelhafte Auslegungen der Reichsverfassung Schwierigkeiten und Bedenken darbieten; die preußische und die hamburgische Auslegung des Art. 34 der Verfassung stehen sich entgegen und schließen einander aus. Entscheidet sich die Mehrheit der Stimmen im Bundesrate für die preußische Auslegung, so wird Hamburg die Verfassung zu seinem Nachteil für verletzt halten; gewinnt dagegen die hamburgische Meinung die Mehrheit, so wird Preußen die Ueberzeugung

[26] Der gleiche Erlaß ging auch an die preußischen Vertretungen in Stuttgart, Karlsruhe, Hamburg und Oldenburg.

haben, daß diese Entscheidung gegen die Verfassung und gegen die derselben zugrunde liegenden Verträge laufe. Da diese Schwierigkeiten sich bei jedem Streit über Interpretationen der Verfassung wiederholen, so bin ich seit Einrichtung des Bundesrates mit Erfolg bemüht gewesen, zu verhüten, daß Fragen der Art zur Entscheidung gestellt werden, und ich werde auch im vorliegenden Falle in demselben Sinne jede Gefährdung der Eintracht unter den Bundesregierungen abzuwenden suchen.

Als Vertreter Preußens habe ich die Pflicht, die Rechte Preußens im Bunde zu wahren, und für die Interessen derjenigen preußischen Untertanen einzutreten, welche durch die gegenwärtige Gestaltung des hamburgischen Freihafenbezirks geschädigt und im Genuß der ihnen auf Grund der nationalen Einigung Deutschlands und des Art. 33 der Verfassung zustehenden Rechte beeinträchtigt werden. Als Reichskanzler aber liegt mir die Pflicht ob, die verfassungsmäßigen Rechte des Bundesrates wahrzunehmen und die Gesamtheit der verbündeten Regierungen in der Ausübung derselben zu vertreten, sowohl gegen die Wirkung partikularistischer Bestrebungen und Sympathien der Einzelstaaten wie gegen die zentralistische Neigung, verfassungsmäßige Rechte des Bundesrats zugunsten des Reichstags zu verkürzen.

Im Namen Preußens verlangt die Kgl. Regierung die Ausscheidung Altonas und der sonstigen preußischen Gebietsteile aus dem Freihafenbezirk und ist zu diesem Verlangen berechtigt, weil die Zugehörigkeit dieser Gebiete zur Erfüllung der Zwecke des der Hansestadt Hamburg gewährleisteten Freihafens nicht erforderlich ist. Ueber die Berechtigung dieses Anspruchs Sr. M. des Königs, meines allergn. Herrn, ist bisher im Bundesrate eine Meinungsverschiedenheit nicht ausgesprochen, im Gegenteil die allseitige Uebereinstimmung kundgegeben worden. Wenn nun durch das Ausscheiden der preußischen Gebietsteile aus dem Freihafenbezirk die unabweisliche Notwendigkeit einer neuen Begrenzung des letzteren eintritt, so wird der Bundesrat sich der Pflicht nicht entziehen können, nach Art. 7, Abs. 2 der Reichsverfassung, welcher in diese aus den Traditionen des Zollvereins entnommen ist, Beschluß zu fassen. Der preußische Antrag spricht vom technischen Standpunkte die Meinung aus, daß die künftige Zollgrenze auf dem Heiligengeistfelde zwischen Hamburg und St. Pauli zweckmäßiger liegen würde als auf der preußischen Landesgrenze. Wenn die preußische Verwaltung bei Gelegenheit ihres prinzipalen Antrags auf Ausscheidung des preußischen Gebiets aus dem Freihafenbezirk dieser zolltechnischen Ansicht Ausdruck gegeben hat, so ist sie dabei von *preußischen* Interessen nicht geleitet worden; die letzteren machen im Gegenteil, im Sonderinteresse der Stadt Altona, das Verbleiben St. Paulis außerhalb des Zollvereins wünschenswert. Nur das Pflichtgefühl, mit welchem die Regierung meines allergn. Herrn die Reichs-Zollinteressen wahrnimmt, hat sie veranlaßt, mehr im Interesse der Stadt Hamburg und Vorstadt St. Pauli, als in dem der Stadt Altona, jene Zollinie über das Heiligegeistfeld dem Bundesrat vorzuschlagen, welcher über dasselbe zu beschließen haben wird. Es ist nicht schwierig, einen solchen Beschluß zu treffen, ohne die Frage über die Interpretation der Verfassung bis zum Konflikt zu schärfen. Diejenigen Regierungen, welche glauben, daß durch Abtrennung der Vorstadt St. Pauli vom Freihafengebiet ein Verfassungsrecht verletzt oder auch nur berührt werde, werden gegen diese Linie stimmen können, und die Zollgrenze wird, wenn sie die Majorität bilden, dann mit der Landesgrenze des preußischen und Hamburger Gebietes zusammenfallen. Sollte aber eine nach preußischer Ansicht unrichtige Auslegung der Reichsverfassung zur Begründung der Vota aufgestellt werden, so wird es auch für Preußen notwendig sein, die nach diesseitiger Ansicht richtige Auslegung der Verfassung demgegenüber zu vertreten, und kann ich meinem allergn. Herrn in diesem Falle in seiner Eigenschaft als deutscher Kaiser zu einem Verzicht auf zweifellose Aufrechthaltung der Verfassung nicht raten. Ich würde ungern, aber notwendig aus solchen Vorgängen die Ueberzeugung entnehmen, daß mein bisheriges Bestreben, Verfassungsstreitigkeiten zu vermeiden, sich nicht durchführen läßt, und die Erkenntnis, daß die Entstehung solcher Streitigkeiten, wenn sie nicht mit Sorgfalt verhütet wird, bei den meisten wichtigen Fragen möglich ist, würde schwerlich lange auf sich warten lassen. Ich darf nur an die geschichtliche Tatsache erinnern, daß die Verhandlungen des Deutschen Bundestages in der Periode nach 1848 wesentlich von Verfassungs-Kompetenzfragen beherrscht waren, obschon das Gebiet der damaligen Bundesverfassung ein engeres und einfacheres war als das der heutigen Reichsverfassung. Es sind wesentlich meine geschichtlichen Erinnerungen an diese Zeit und an meine Erlebnisse im Deutschen Bundestage, welche mich seit Herstellung des Norddeutschen Bundes und des Reichs zum Anwalt derjenigen Vorsicht gemacht haben, mit welcher der Bundesrat bisher jeden Verfassungskonflikt nicht nur, sondern jede Erörterung, welche zu einem solchen führen konnte, vermieden hat. Nach meiner politischen Ueberzeugung enthält die politische Lage Deutschlands an sich und im Hinblick auf den Entwicklungsgang anderer europäischer Länder im Vergleich mit den ersten 10 Jahren, welche der Neubegründung deutscher Einheit folgten, eine verstärkte Aufforderung für die verbündeten Regierungen, ihre Einigkeit untereinander zu pflegen und auch den Schein einer Trübung derselben zu vermeiden. Ich kann deshalb meine Besorgnis darüber nicht unterdrücken, daß in dieser rein technischen und im Vergleich mit anderen Aufgaben der Zukunft nicht bedeutenden Frage im Bundesrate sowohl wie im Reichstage unsere Verfassung in der Art, wie es geschieht, auf die Probe gestellt werden soll.

Ich zweifle nicht, daß der preußische und der hamburgische Antrag im Bundesrate durch Verständigung, ohne Entscheidung durch Majoritäten und Minoritäten, wird erledigt werden können. Von seiten Preußens wird jeder dahin zielende Antrag, welcher sich im Rahmen der Reichsverfassung hält, gern erwogen werden, vorausgesetzt, daß die verbündeten Regierungen in dem Entschluß einig sind, den Versuchen, welche von einigen Mitgliedern des Reichstags im Sinne der Beschränkung der verfassungsmäßigen Autorität des Bundesrats gemacht werden, einmütig entgegenzutreten.

[a] Ew. pp. ersuche ich erg., diesen Erlaß Sr. Exc. den Gr[oßherzoglichen] Herrn Minister vorzulesen u. ihm Abschrift desselben zu hinterlassen [a].

136. Rede in der 48. Sitzung des Deutschen Reichstags am 8. Mai 1880

W 12, 133 ff. = Kohl 8, 170 ff.

Bei der zweiten Lesung der am 7. März 1880 zwischen Deutschland und Österreich unterzeichneten revidierten Elbschiffahrtsakte ergriff Bismarck das Wort zu Ausführungen über den Streit, die Freihafenzone bei Hamburg einzuschränken, um gemäß Artikel 33 der Reichsverfassung ganz Deutschland zu einem geschlossenen Zoll- und Handelsgebiet zusammenzufassen:

Ich erlaube mir zunächst meinem Bedauern darüber Ausdruck zu geben, daß es mir aus Gesundheitsrücksichten nicht vergönnt gewesen ist, den Verhandlungen des Reichstags früher und andauernd beizuwohnen. Wenn ich heute von der mir vorgeschriebenen Zurückhaltung eine Ausnahme gemacht habe, so bewegt mich dazu nicht die ungewöhnliche Bedeutung der Vorlage, die uns beschäftigt, und über die wir das Referat soeben gehört haben.

Die revidierte Elbschiffahrtsakte ist seit sechs Jahren, seit 1874, in Vorbereitung, in Verhandlung, in Superrevision. Sie ist ursprünglich, so viel ich weiß, entworfen von dem Herrn Abgeordneten, der soeben die Tri-

---

a–a Eigenhändiger Zusatz Bismarcks.

büne verläßt[27], in der Zeit, wie er Minister war, in ihrem ganzen ausnahmslosen Inhalt. Wir haben diese sechs Jahre hindurch über die Frage, ob sie ins Leben zu führen sei, beraten, — wir können auch noch sechs Jahre darüber beraten: es kommt dadurch nichts aus der Lage in Deutschland und in unseren Beziehungen zu Österreich. Die alte Elbschiffahrtsakte von 1821, die nunmehr 60 Jahre in Wirksamkeit gewesen ist, mit den Modifikationen, die sie durch die Herstellung des Deutschen Reiches, durch Verminderung der Elbuferstaaten von etwa zehn auf zwei, nämlich Österreich und Deutschland, erlitten hat, durch die Reichsgesetzgebung, welche die entgegenstehende Landesgesetzgebung seitdem aufgehoben hat, ist ein *modus vivendi* geworden, mit dem wir bisher ohne Schwierigkeiten gelebt haben. Es ist eben für uns keine Lebensfrage. — Wenn ich sage, für uns, so muß ich erwähnen, daß ich im Namen Sr. Majestät des Kaisers spreche; es handelt sich nicht um eine Gesetzvorlage, die Ihnen auf Grund von Bundesratsbeschlüssen gemacht wird, sondern um das Recht des Kaisers, Verträge zu schließen, und um die Herbeiführung der Genehmigung des Reichstags, die zur Gültigkeit eines solchen Vertrags erforderlich ist, nachdem die Zustimmung des Bundesrats zu demselben durch frühere Verhandlungen gesichert ist. Ich kann also hier ausnahmsweise sagen, die Reichsregierung würde ohne Bewilligung dieser Elbschiffahrtsakte ihre Funktionen ungestört fortsetzen können und befindet sich durchaus nicht in einer Notwendigkeit, bei Gelegenheit der Annahme derselben sich Bedingungen auferlegen zu lassen, die das Verfassungsrecht ihr nicht ohnehin schon auferlegt. Auch der Vorbehalt, von welchem die Mehrheit Ihrer Kommission die Annahme abhängig gemacht, hat für mich nicht die Bedeutung, auf seine Annahme oder Ablehnung erhebliches Gewicht zu legen. Entweder haben die Herren Recht, die behaupten, der Antrag beanspruche nur gültiges Recht, dann ist er überflüssig, oder er hat die Tendenz, neues Recht zu machen, dann, meine Herren, überschreitet diese Absicht die Machtvollkommenheit, die dem Reichstag durch die Reichsverfassung beigelegt ist. Der Reichstag kann allein für sich nicht neues Recht machen, am allerwenigsten sollte er es meines Erachtens versuchen, im Wege von Bedingungen, die er der Reichsregierung stellt in dem Augenblick, wo sie von ihm die Genehmigung eines an und für sich, wie der Herr Vorredner anerkannt hat, unbedenklichen Vertrags verlangt. Das ist eine Art Pression, die auf die Regierung geübt werden soll, damit sie in die Anerkennung einer Auslegung des Verfassungsrechts willige,

---

[27] Delbrück.

eine Pression, welche erhebliche Zweifel an der Sicherheit, mit welcher die Auslegung von anderer Seite für richtig gehalten wird, aufkommen läßt, eine Pression, der sich die Reichsregierung in keinem Falle fügt. Ich bitte also, wenn dieser Vorbehalt angenommen wird, nicht zu glauben, daß damit an unserer Verfassung etwas geändert würde; die Reichsgesetze sind vollkommen klar und lassen keine Zweifel übrig.

Der Herr Vorredner hat einen längeren Teil seiner Rede darauf verwendet, um das angebliche Vorhandensein von Landesgesetzen zu beweisen. Wenn es Landesgesetze überhaupt gäbe, welche den Reichsgesetzen entgegenstehen, so tritt die bekannte Wirkung der Reichsgesetze ein, daß sie den Landesgesetzen derogieren, am allermeisten aber die Wirkung der Reichsverfassung, die sich in ihrem Art. 33 [28] ganz unzweideutig darüber ausspricht, daß das Zollgebiet des Reichs mit seinen äußeren Grenzen zusammenfallen soll und damit den Einwohnern des Deutschen Reichs eins der wesentlichsten Grundrechte gibt, die sie überhaupt gegeben hat, das Recht des freien Verkehrs untereinander. Das angebliche Landesgesetz, soweit die praktischen Nachwirkungen seiner Bestimmungen überhaupt noch in Gültigkeit sind, besteht nur vermöge der Duldung von seiten des Bundesrats, welcher mit Bezug auf diesen Zollausschuß von der ihm zweifellos beiliegenden Berechtigung bisher noch keinen Gebrauch gemacht hat und, wie ich hoffe, keinen Gebrauch machen wird.

Was das Vertragsrecht anbelangt, so will ich in die Frage, inwieweit es durch die Reichsverfassung, durch die dazwischen liegenden Verhandlungen mit Österreich, durch die Zustimmung Österreichs, die hier vorliegt, alteriert sei, nicht eingehen, sondern abwarten, ob die österreichische Regierung reklamiert und uns Anlaß zu ähnlichen Reklamationen in Bezug auf die Elbschiffahrt jenseits der böhmischen Grenze geben wird. Jedenfalls glaube ich, daß es im Reichsinteresse liegt, hier nicht österreichisch-ungarischer zu sein als die österreichisch-ungarische Regierung, und das Reichsverfassungsrecht namentlich da, wo es die nationale Einheit anstrebt, nicht zu beugen durch Argumentationen, die ich für künstliche

[28] Artikel 33: „Deutschland bildet ein Zoll- und Handelsgebiet, umgeben von gemeinschaftlicher Zollgrenze. Ausgeschlossen bleiben die wegen ihrer Lage zur Einschließung in die Zollgrenze nicht geeigneten einzelnen Gebietsteile. Alle Gegenstände, welche im freien Verkehr eines Bundesstaates befindlich sind, können in jeden anderen Bundesstaat eingeführt und dürfen in letzterem einer Abgabe nur insoweit unterworfen werden, als daselbst gleichartige inländische Erzeugnisse einer inneren Steuer unterliegen."

halte. Es tritt hier auch der nicht immer vorliegende Fall ein, daß es sich um ein Verfassungsrecht handelt, dessen Übung bisher vollständig außer Zweifel war. Der Besitzstand des Bundesrats in der Ausübung seines Rechts kann nicht angefochten werden. Einmal wird er von neuem bestätigt durch das Zollgesetz von 1869, in dem im Anschluß an die Verfassung wiederholt gesagt wird, daß die Zollinie mit der Landesgrenze zusammenfallen soll und da, wo letztere an das Meer stößt, das Meer die Zollinie bilden soll, während die Landeshoheit bekanntlich etwa in das Meer hineinreicht. Dieses Reichsgesetz, das Reichszollgesetz in seiner Wirksamkeit zu entkräften zu Gunsten einer künstlichen Konstruktion, künstlich wegen ihrer sorgfältigen und berechneten Vermischung des Donauzolls mit dem alten Elbzoll, das, glaube ich, wird den Gegnern unserer Auffassung nicht glücken.

Der Herr Vorredner hat von Zoll ab und zu mit doppelter Tragweite gesprochen, wo er nach seiner genannten Sachkunde ausschließlich den alten abgeschafften Elbzoll gemeint haben kann, und die Bestimmungen, die dessen Aufhebung betreffen, in *discrimine* [29] anzuwenden gesucht; ob er dabei in seinem *for intérieur* [30] alle die logischen Schlüsse gemacht hat, die er dadurch in seinen Zuhörern hervorrufen wollte, stelle ich ihm anheim. Aber wenn wir diese beiden Zölle trennen, so fallen diese beiden Zölle, der Elbzoll und der Grenzzoll, auf der Elbe oberhalb Hamburg gerade so wenig zusammen, wie der Sundzoll und der Stader Schiffahrtszoll mit dem Zollvereinszoll. Der Elbzoll hat mit dem, was wir hier beraten, absolut nichts zu tun, wie auch die schon von dem Herrn Vorredner angeführten Artikel der Wiener Schlußakte, die vielleicht jedem, der sie nicht nachliest, Sand in die Augen streuen können, hierauf gar keinen Bezug haben; sie erwähnen nur in einem einzelnen Artikel die Frage der „*Douanen*" — sie sind französisch gefaßt — und dort zu Gunsten der *Douanen,* daß die nicht geniert werden sollen.

Aber auch die Ausübung des Besitzstandes! — Der Herr Vorredner hat vergebens versucht, einen rechtlichen Unterschied zwischen der Oberelbe und der Unterelbe, vom Hamburger Standpunkt gerechnet, nachzuweisen. Das Recht für die ganze Elbe, soweit es vermöge der Elbschiffahrtsakte besteht, ist ein einheitliches, gleiches und identisches; kein Fuß breit des Elbspiegels kann sich den Wirkungen entziehen, welche die Elbschiffahrtsakte von 1821 heutzutage noch wirklich für ihn haben kann.

---

[29] Als ausschlaggebend.

[30] Inneres Forum, Gewissen.

Wenn es richtig wäre, was der Herr Vorredner angeführt hat, daß früher es die Unbequemlichkeit war, welche die Schiffer wegen des Elbzolles hatten, die Anlaß gab, Douanenzölle an gewissen Orten zu erheben, so würde diese Bequemlichkeitsfrage noch immer kein Verfassungsrecht bei uns ändern und der Reichsverfassung nicht im Wege stehen, ebensowenig wie die Frage, ob das Anhalten unterhalb Hamburg für den Seehandel bequem oder unbequem ist, unser Verfassungsrecht ändert; das steht damit in keiner Beziehung, das sind Zweckmäßigkeitsfragen, die der Bundesrat zu erwägen haben wird und beachten wird. — Ich erwähne dabei, daß der Schiffahrtsverkehr in der Themse doppelt, vielleicht viermal so groß ist als der auf der Unterelbe, und daß man doch genötigt ist — und der freie Engländer, in der Hingebung für die Interessen seines Vaterlandes, fügt sich dem bereitwillig —, auf der unteren Themse viermal anzuhalten, um Zollbeamte aufzunehmen und sich der Kontrolle zu unterziehen.

Also diese Bedenken kann ich mit dem nationalen Standpunkte, den zu alten Zeiten der Herr Vorredner mit mir gemeinsam vertreten hat, als er mir beistand, die jetzige Verfassung ins Leben zu rufen, nicht vereinigen.

Aber dafür, daß bisher das Recht des Bundesrats, die Elbe mit einer Zolllinie zu durchschneiden, niemals bezweifelt worden ist, kann ich das Zeugnis aller höheren Beamten aller deutschen Staaten anführen, die mit der Sache zu tun gehabt haben, namentlich auch das Zeugnis desjenigen höheren Beamten, der augenblicklich als Abgeordneter die Tribüne verließ. Er ist damals über die Berechtigung des Bundesrats in keiner Weise zweifelhaft gewesen, und bei seiner Gewissenhaftigkeit würde er es nicht übernommen haben, dem Reichstage diese Tatsache zu verschweigen, — wie ich es vorher darstellte, als wenn gewissermaßen heimlich, schüchtern, daß der Reichstag es noch nicht erführe, diese Sache gemacht worden wäre und nur deshalb der Reichstag nicht angerufen wäre.

Kann heute die Unterelbe nicht von der Douanenlinie gekreuzt werden, so konnte es auch damals die Oberelbe nicht, so ist trotz der ganzen künstlichen Argumentation, die wir gehört haben, die Einbeziehung der Elbstrecke von Wittenberge bis Hamburg bisher nichtig und ungesetzlich, und die Zölle können zurückgefordert werden. Das war damals die Meinung des Herrn Vorredners nicht; er hat der Bundesratssitzung präsidiert, in welcher die Einverleibung jener Elbstrecke in das Zollgebiet beschlossen wurde, also die Verlegung der Zollrevision von Wittenberge, wo sie nach seiner Theorie auch schon unberechtigt gewesen wäre und doch ein halbes Jahrhundert bestanden hat, — seit 1821; er hat die Verlegung von Wittenberge nach Bergedorf respektive Hamburg selbst sanktioniert an der Spitze des Bundesratsbeschlusses. Ja, noch mehr, er hat den Antrag, welchen Preußen auf diese Verlegung damals gestellt hat, unter seiner Leitung konzipieren lassen. Der Antrag liegt mir vor im Konzept. Er ist, wenn ich nicht irre, von der Hand des damaligen Rats Herrn Jungmann geschrieben, vielfach durchkorrigiert von der Hand des damaligen Ministers Delbrück. Das Konzept fängt an:

„Die Bestimmung im Art. 6 des Vertrages vom 8. Juli v. J., nach welchem die Hansestadt Hamburg mit einem dem Zwecke entsprechenden Bezirke ihres oder des umliegenden Gebiets —"

und nun ist im ursprünglichen Kontexte fortgefahren:

„Freihafen außerhalb der Zollgrenze bleiben soll".

Darauf ist von der Hand des Ministers Delbrück hereinkorrigiert:

„vorläufig außerhalb der gemeinschaftlichen Zollgrenze" *(Heiterkeit),* also die Anerkennung des Provisoriums, und ich lade jetzt den Herrn Abgeordneten ein, seine eigene Handschrift zu rekognoszieren, nach der er dieses „vorläufig" für notwendig gehalten hat, um dem provisorischen Charakter des Zollausschusses Ausdruck zu geben, in seiner damaligen Eigenschaft als Minister; seitdem ist nichts geschehen, was das Recht in seinem Sinne hätte ändern können; nur in meinem Sinne hat es sich geändert. Ich hoffe also, er wird seine damalige Rechtsauffassung nicht diffitieren wollen; denn dieses „vorläufig" ist nachher auch in die amtliche Eingabe übergegangen, die Minister Delbrück hat abfassen lassen; es ist auch in den Ausschußbericht übergegangen vom 16. Juli 1868, nach Art. 6 des Vertrages. Es beginnt dieser Bericht vom 16. Juli 1868:

„Es soll die freie Hansestadt Hamburg mit einem dem Zwecke entsprechenden Bezirke ihres oder des umliegenden Gebiets vorläufig außerhalb der gemeinschaftlichen Grenze bleiben."

Dieser Ausschußbericht ist unterschrieben von den Herren v. Pommer-Esche, v. Dümmel, v. Philipsborn und v. Liebe. Diese Herren haben sich daher zur Anerkennung des provisorischen Charakters dieses Zollausschusses verstanden. Dieser Ausschußbericht hat den Beschlüssen des Bundesrats unterlegen und ist *verbotenus* [31] zum Beschluß erhoben worden mit ausdrücklicher Bezugnahme auf den Wortlaut, also einschließlich des Wortes „vorläufig", und der Beschluß lautete damals:

„Es wurde beschlossen:

a) Die Hereinziehung der in der Vorlage Nr. 58 näher bezeichneten hamburgischen Gebietsteile und der dortliegenden preußischen Enklave in den Zollverein zu verfügen."

---

[31] D. i. wörtlich.

Da ist gar nicht davon die Rede, beim Reichstage etwas zu beantragen, und nach meinem langjährigen Zusammenarbeiten mit dem Herrn Vorredner weiß ich, daß seine Gewissenhaftigkeit nach allen Seiten eine sehr große war, nach dem Verfassungsleben hin aber noch viel größer als nach einer anderen Richtung; er würde sich nie dazu verstanden haben, wenn er irgendeine Vermutung gehabt, daß der Reichstag etwas mitzureden hätte. Gefaßt ist dieser Beschluß unter dem Präsidium des Herrn Delbrück, unter der Mitwirkung der Herren Pommer-Esche, Philipsborn, Hennig, bayerischer Vertreter, sächsischer, badischer, hessischer, Mecklenburgs, des Großherzogtums Sachsen, Oldenburgs, der sächsischen Herzogtümer Anhalts, Schwarzburgs, Waldecks, von Reuß ältere Linie, von Schaumburg-Lippe und den Hansestädten Bremen und Hamburg, für welche zugegen waren Senator Gildemeister und Dr. Kirchenpaur. Auch die haben durch Beschluß dies „vorläufig" anerkannt und sie haben anerkannt, daß der Bundesrat hier zu entscheiden hat, und kein Zweifel ist ihnen irgend beigekommen über das Recht des Bundesrats, über diese Ausführungsmaßregeln zu entscheiden. Es ist im Art. 7 der Verfassung Nr. 2 in der allbekannten Fassung [32] ausdrücklich verzeichnet, und Se. Majestät der Kaiser kann unmöglich gesonnen sein, dieses Recht des Bundesrats irgend in Zweifel ziehen zu lassen oder einen Vorbehalt, welcher dasselbe nicht nur in Zweifel zieht, sondern außer Kraft zu setzen bestimmt ist, an den Bundesrat gelangen zu lassen. Wenn dieser Vorbehalt angenommen wird, muß ich namens Sr. Majestät des Kaisers erklären, daß damit die Genehmigung, welche wir für diesen Vertragsentwurf mit Österreich vom Reichstage erbeten haben, und ohne welche dieser Vertragsentwurf seine Gültigkeit nicht erlangen kann, versagt ist, und die Sache ist damit also abgetan, und wir werden das Weitere zu tragen haben, was daraus folgt, aber von dem Rechte des Bundesrats, so wie es verfassungsmäßig feststeht, werden wir nichts nachgeben.

Ich erlaube mir, obschon es nicht erforderlich sein wird, zur Bestätigung meiner Rechtsauffassung noch die Stellen einiger Staatsrechtslehrer, und zwar wesentlich liberaler zu verlesen, die denselben Punkt behandeln.

Laband [33] sagt im ersten Band, Seite 265:

„Ferner steht die Aufhebung bestehender Zollausschüsse dem Bundesrat zu."

---

[32] Der Bundesrat beschließt: über die zur Ausführung der Reichsgesetze erforderlichen allgemeinen Verwaltungsvorschriften und Einrichtungen, sofern nicht durch Reichsgesetz etwas anderes bestimmt ist.

[33] Das Staatsrecht des Deutschen Reichs.

v. Rönne[34] sagt im zweiten Teil, Seite 197:

„Darüber, daß der Bundesrat berechtigt ist, solche Bestimmungen der Zollvereinsverträge, welche lediglich allgemeine Verwaltungsvorschriften enthalten, oder sich bei der Ausführung der Bestimmungen der gedachten Verträge als mangelhaft herausstellen, auf Grund der Vorschriften im Art. 2, Ziffer 2, beziehungsweise Ziffer 3 des Art. 7 der Reichsverfassung im Wege der Verordnung oder der dem Mangel abhelfenden Verfügung abzuändern, kann kein Zweifel bestehen. Denn dies folgt einfach aus der im Art. 40 enthaltenen Hinweisung auf den ganzen Art. 7[35]."

Es folgt auch für jeden, der die Entstehung der Verfassung kennt, aus der Genesis dieses ganzen Art. 7, der aus den Zollverträgen herübergenommen ist und der in der Verfassung des Norddeutschen Bundes eine andere Stelle hatte, als er sie heute hat, so daß er sich im Norddeutschen Bunde nur auf Zollvereinseinrichtungen bezog, auf die aber ganz zweifellos;

---

[34] Das Staatsrecht des Deutschen Reichs.

[35] Artikel 7: „Der Bundesrat beschließt:

1. über die dem Reichstage zu machenden Vorlagen und die von demselben gefaßten Beschlüsse;

2. über die zur Ausführung der Reichsgesetze erforderlichen allgemeinen Verwaltungsvorschriften und Einrichtungen, sofern nicht durch Reichsgesetz etwas anderes bestimmt ist;

3. über Mängel, welche bei der Ausführung der Reichsgesetze oder der vorstehend erwähnten Vorschriften oder Einrichtungen hervortreten.

Jedes Bundesglied ist befugt, Vorschläge zu machen und in Vortrag zu bringen, und das Präsidium ist verpflichtet, dieselben der Beratung zu übergeben.

Die Beschlußfassung erfolgt ... mit einfacher Mehrheit. Nicht vertretene oder nicht instruierte Stimmen werden nicht gezählt. Bei Stimmengleichheit gibt die Präsidialstimme den Ausschlag.

Bei der Beschlußfassung über eine Angelegenheit, welche nach den Bestimmungen dieser Verfassung nicht dem ganzen Reiche gemeinschaftlich ist, werden die Stimmen nur derjenigen Bundesstaaten gezählt, welchen die Angelegenheit gemeinschaftlich ist."

Artikel 34: „Die Hansestädte Bremen und Hamburg mit einem dem Zwecke entsprechenden Bezirke ihres oder des umliegenden Gebietes bleiben als Freihäfen außerhalb der gemeinschaftlichen Zollgrenze, bis sie ihren Einschluß in dieselbe beantragen."

Artikel 40: „Die Bestimmungen in dem Zollvereinigungsvertrage vom 8. Juli 1867 bleiben in Kraft, soweit sie nicht durch die Vorschriften dieser Verfassung abgeändert sind, und so lange sie nicht auf dem im Art. 7, beziehungsweise 78, bezeichneten Wege abgeändert werden."

und seine Übertragung auf Nummer 7 in der heutigen Reichsverfassung bei den Modifikationen, die vorgenommen sind, hat nur die Wirkung gehabt, dieses Recht des Bundesrats über die Zollvereinsfragen auch auf andere Fragen auszudehnen; in Bezug auf die Zollvereinsfragen aber war es schon jederzeit ganz zweifellos, es bedurfte nicht der neuen Fassung. Das Recht des Bundesrats, darüber selbständig zu beschließen, ist meines Erachtens vollständig so klar, wie das Recht der Hansastadt Hamburg auf einen Freihafen, was ja niemand anzufechten beabsichtigt. Mir sind Suggestionen von anderer Seite und aus Hamburg gemacht, daß dieses ganze Freihafenrecht Hamburgs kein Singularrecht sei, sondern daß der Art. 34 durch Gesetz, wenn nicht 14 Stimmen widersprechen, aus der Welt geschafft werden könne. Ich habe darauf mit großer Bestimmtheit und auch schriftlich nach Hamburg erklärt, daß ich dieser Deduktion nicht beistimmen könne, sondern daß das Recht auf den Freihafen nur mit Hamburgs Bewilligung aufhören könne, und daß ich, so lange ich mitzureden hätte, auch darüber wachen würde, daß es nicht eingeschränkt werde auf kleinere Grenzen als diejenigen, welche notwendig sind, damit es seiner Bezeichnung in vollkommener und loyaler Weise entspreche: ein wirklich voller Freihafen, der allen Evolutionen, die in einem Freihafen vorgenommen werden sollen, und allem Nutzen, den man von einem Freihafen erwarten kann, entspricht. Daß aber die Grenze, welche der Freihafen zu diesem Zwecke haben muß, der Bestimmung des Bundesrats unterliegt, das hat nie einem Zweifel unterlegen, und es ist auch damals, wie der jetzige Grenzbezirk geschaffen wurde, zweifellos gehandhabt worden; ja es ist damals von dem Hamburger Senat 1868 in einer amtlichen Publikation anerkannt worden, in welcher derselbe, nachdem eine Beschwerde der Bürgerschaft eingegangen war über die Trennung Bergedorfs und einiger anderer Distrikte — sogar Geestehacht — vom Freihafenbezirk, dieser Beschwerde gegenüber ganz unzweideutig erklärte:

„Wir können uns auf die Beschwerde der Bürgerschaft nicht einlassen, da nicht der Staat, sondern der Bundesrat beschließt, wo die Grenze des Freihafens gehen soll."

Diese damalige Auffassung des Hamburger Senats ist, so viel ich weiß, in mehreren Blättern gedruckt, ich brauche sie wohl nicht zu verlesen, sie liegt mir vor, aber sie wird den Herren bekannt sein. Ich wünsche, daß davon doch auch Akt genommen wird, weil es mir überhaupt ankommt, die ganze Wandlung des Rechtsgefühls, des Rechtsbewußtseins und der Rechtsvertretung nachzuweisen, die in allen Behörden erkennbar ist, seit die Begeisterung für die Einheit, für die deutsche Einheit und für die Herstellung des neuen Reiches etwas matter geworden ist. *(Widerspruch links.)* Ja, matter geworden, meine Herren! Ich stehe auf der Stelle, wo jedermann das am deutlichsten fühlt; der Geist des Partikularismus ist gewachsen *(Sehr richtig! links.)*, die Kämpfe der Parteien — und das wirkt auf die Haltbarkeit des Verfassungsbodens als Tummelplatz für dergleichen Kämpfe; entweder man hält den Boden für unzerstörbar, oder man macht sich nicht viel daraus, ihn zu zerstören, und ich bin vollständig berechtigt, von meinem Standpunkt her ein vollwichtiges Zeugnis abzulegen; ich bin kompetenter Zeuge dafür.

Deshalb also, wenn Sie mich fragen, warum ich den Beschlüssen, die heut gefaßt werden können, eine praktische Tragweite nicht beilege und dennoch mich an der Debatte unter persönlichen Schwierigkeiten beteilige, so kann ich darauf nur erwidern, daß es mir ein Bedürfnis gewesen ist, doch noch einmal in meinem Leben von dieser Stelle aus die Perspektive auf den Reichstag zu haben *(Heiterkeit.)*, und zu ihm zu reden und noch einmal, wie ich es eben schon getan habe, von hier aus Zeugnis abzulegen für die nationalen Bestrebungen, und Zeugnis abzulegen gegen die partikularistischen und Parteibestrebungen, die der Entwicklung des Reiches im Wege stehen; und wenn ich nicht in der Lage sein werde, dieses Zeugnis von dieser Stelle her zu wiederholen, so glaube ich, wenn mir Gott das Leben gibt, doch vielleicht in der Lage zu sein, von denselben Sitzen, wo Sie sitzen, hernach auch dem großen Gedanken der Nationalität, der uns vor zehn Jahren noch beinahe alle begeisterte, auch dann als Reichstagsmitglied Ausdruck geben zu können, auch gegen eine partikularistische Handhabung der Reichsverfassung, die etwa dann von hier aus vertreten werden könnte. *(Bewegung.)*

Es ist also wesentlich meine Sorge für die weitere Entwicklung unserer Reichsverfassung und mein Bedürfnis, sie, soweit es an mir — ein einzelner Mann kann da nicht viel tun — liegt, vor Stillstand, ja vor Rückläufigkeit zu bewahren, die mich herführt, und ich muß sagen, wenn ich sehe, daß mein tätigster und bedeutendster Mitarbeiter, den ich bei der Herstellung der Reichsverfassung gehabt habe, heutzutage Arm in Arm mit dem Zentrum und mit den Parteien *(Widerspruch links.)*, die damals gegen die Reichsverfassung waren, mir gegenübertritt, so habe ich das Gefühl, daß die rückläufige Bewegung, die Minderung der Begeisterung für die nationale Entwicklung, die damals uns alle, alle beherrschte, einen ganz außerordentlich weiten Weg schon zurückgelegt hat. Ich kann ihn nicht aufhalten, aber ich kann wenigstens meine Stimme als Warner von einer Stelle her, wo ich sicher bin, gehört zu werden, gegen diese Wege erheben. Ich weiß nicht, ob der Boden der Reichsverfassung fest genug ist, ob der Baum, den sie bildet, fest genug gewurzelt ist, um zur Unterlage derjenigen Parteikämpfe und partikularistischen Strebungen zu dienen, welche heutzutage auf demselben ausgefochten werden sollen. Es ist meines Wissens das erste Mal, daß wir uns vor einer Verfassungsfrage zwischen Bundesrat und Reichstag befinden, wo der Reichstag im Begriff ist — wenigstens hat die Majorität Ihrer Kommission sich dafür entschieden —, dem Bundesrat ein Recht zu bestreiten, welches im Verfassungsrecht ganz zweifellos feststeht, und für welches die preußische Regierung auf jede Gefahr hin einzutreten entschlossen ist. Es ist das erste Mal, es ist auch das erste Mal, daß im Bundesrat der Antrag, Verfassungsstreitigkeiten durch Majoritätsbeschluß zu entscheiden, so weit getrieben worden ist, daß nur die Machtvollkommenheit, die mir nach der Verfassung in Bezug auf die Leitung der Geschäfte beiwohnt, mich in den Stand gesetzt hat, weitergehende Abstimmungen darüber zu verhindern.

Ich komme auf die Gefahr, die darin liegt, zwischen den Bundesregierung Zwietracht zu säen, nachher zurück: ich will mich hier nur einstweilen zu der Konstellation wenden, die uns — ich meine, den Vertretern der Reichspolitik — in dieser Session entgegengetreten ist. Unser Hauptgegner ist die Partei des Zentrums gewesen. Das Zentrum hat seit sechs Monaten in allen Fragen des Preußischen Landtages und in allen Fragen des Reiches ausnahmslos mit wenig Diskussion und wenig Aufwand von Argumenten geschlossen gegen die Regierung gestimmt. Das ist ein Gegner, der an und für sich so stark, so diszipliniert ist, daß er von seinen über 100 Mann ja an den meisten Tagen reichlich die Hälfte der Präsenzzahl, die augenblicklich in diesem Jahre üblich war, zu stellen imstande ist. Das ist ja eine sehr gewichtige Tatsache, mit der gerechnet werden muß. Bei der Abstimmung über Samoa war genau die Hälfte der Majorität dieser Versammlung vom Zentrum gestellt, 64 von 128. Die Herren vom Zentrum werden wissen, was sie dabei bezwecken und was sie dabei erreichen. Mein Gravamen, worauf ich nachher zurückkomme, wendet sich mehr gegen die Appendizes des Zentrums, die diesen Belagerungsturm, welcher der Regierung ununterbrochen kampfbereit, angriffsbereit gegenübersteht, die dieses Passivum, mit dem unser parlamentarisches Vermögen belastet ist, dieses tote Gewicht benutzen, um hinaufzuspringen, um von diesem Turm — damit ich bei dem Bilde bleibe — den Mauerbrecher gegen die Regierung einzusetzen und, gestützt auf die Bundesgenossenschaft des Zentrums, die Regierung anzugreifen und gegen sie zu stimmen. Früher war es ja üblich, daß in allen diesen Bestrebungen des Zentrums — Zentrum, Polen, Fortschritt war die Firma, gegen die wir zu kämpfen hatten, neuerdings ist denen nun noch die Firma des Freihandels hinzugetreten, und wir können in Sachen wie Samoa u. a. sagen: wir haben gegen uns

Zentrum, Fortschritt, Freihandel; der Freihandel reicht ja bis in die konservativen Parteien hinein *(Große Heiterkeit.)*, Gott sei Dank, nur in sehr geringem Maße — von allen diesen ist die Regierung stets sicher, daß alle ihre Vorlagen abfällig beurteilt und bekämpft werden. Zunächst also wende ich mich gegen diese Parteigruppierung und ihre Einwirkung auf die Entwicklung unseres Verfassungslebens. Das Zentrum wird ja selbst wissen, warum es so handelt, und ich kann es mir wohl denken; ich kann nur Rechenschaft davon geben, welchen Eindruck das Verfahren der Zentrumspartei mir seit dem vorigen Herbst gemacht hat, oder vielmehr, wie es auf meine praktische Tätigkeit zurückgewirkt hat.

Im vorigen Jahre verließ ich den Reichstag mit der aufrichtigen Überzeugung, daß die Herren vom Zentrum beabsichtigten, sich der Regierung zu nähern und zu einem Kompromiß mit derselben zu gelangen, nicht bloß über Schutzzollfragen, sondern auch über Fragen, die hier nicht vorliegen, mit denen Sie ja in 14 Tagen, hoffe ich, im Preußischen Landtage sich beschäftigen werden. Durch diese Wahrnehmung fühlte ich mich ermutigt, mit Vertrauen an die Verhandlungen mit der römischen Kurie zu gehen, denn ich versprach mir damals wirklich ein Ergebnis davon. Dieses mein Vertrauen zu Ergebnissen dieser Verhandlungen ist durch das inzwischen ausnahmslos im Landtage und Reichstage vom Zentrum beobachtete Verhalten erschüttert worden. Für mich liegt in dem Auftreten des Zentrums gegen die deutsche respektive preußische Regierung eine Interpretation für die Intentionen des Römischen Stuhls, ein Barometer für das, was wir von Rom schließlich zu erwarten haben. *(O! O!)* Meine Herren, unter Ihnen sind viele Priester; andere, ich glaube, die meisten von Ihnen sind unter priesterlichem Einfluß gewählt worden und werden unter demselben wiedergewählt werden, also Ihr „Oh!" ist nicht ganz gerechtfertigt. Ich glaube, Sie sind doch alle in der Lage, auf die Meinung des Papstes Rücksicht zu nehmen, und wenn diejenigen Intentionen vorhanden wären, auf die wir rechnen müssen, um Frieden zu machen, so hätten Sie die Rolle nicht spielen können, die Sie im Landtag und Reichstag seit dem vorigen Herbst gespielt haben, sondern Sie würden dasjenige Verhalten fortgesetzt haben, welches zu meiner Freude und zur Belebung meiner Friedenshoffnungen im vorigen Sommer von Ihnen bekundet wurde. Indessen das ist Ihre Sache, Sie werden ja Ihre Politik treiben, wie Sie sie verstehen, und wir müssen schließlich unsere Rechnung machen so, wie die Dinge liegen.

Dann komme ich nun zu den anderen Fraktionen, die ich vorhin Appendizes des Zentrums nannte, die das Zentrum für geschaffen halten, um unter seiner Deckung gelegentlich gegen die Regierung Ausfälle zu machen. Es ist danach bei der großen Macht des Zentrums, bei der Gewißheit seiner Opposition und bei dem unregelmäßigen Besuch des Reichstages eine ziemlich kleine Anzahl von Gegnern der Regierung in einer bestimmten Sache hinreichend, um die Majorität gegen die Regierung zu sichern. Die Bereitwilligkeit, von dieser immer bereiten Opposition des Zentrums Gebrauch zu machen, gewissermaßen auf die Schultern des Zentrums zu springen, um von dort aus die Regierung zu bekämpfen, hat doch ihr Bedenkliches, meine Herren! Alle diejenigen Parteien, die das Reich haben bilden und bisher vertreten helfen, — haben die wirklich dabei zu gewinnen, in diesem Kampf die Bundesgenossenschaft eines mächtigen Elements zu suchen, welches seinen Frieden mit uns, wie ich mit Bedauern wahrgenommen habe, noch nicht zu machen an der Zeit hält? Haben Sie sich nicht überlegt, was für Folgen und Rückwirkungen das auf die Reichsverfassung und auf ihre fernere Entwicklung, auf die Auffassungen der Regierung, auf die Hoffnungen haben muß, mit denen die Regierung in die Zukunft sehen muß?

Ich erwähnte schon vorhin, ich halte den Boden, auf dem das Reich gegründet ist, noch nicht gewachsen und solide genug, um mit dieser Vergessenheit, mit dieser Sicherheit sich der deutschen Neigung hinzugeben, der Regierung Opposition zu machen. Gegen die Regierung mit allen Mitteln zu kämpfen, ist ja ein Grundrecht und Sport eines jeden Deutschen, und wenn man da einen allezeit bereiten Bundesgenossen findet, der alles mitmacht, so ist das sehr willkommen für jemand, der etwas gegen die Reichsregierung hat, aus besonderen Gründen, aus Überzeugung oder aus Fraktionsgründen. Ich wende meine Klage gegen keine Fraktion insbesondere; jede hat geglaubt, ab und zu am Zentrum eine feste Anlehnung nehmen zu können, und hat sich gewundert, aber nach kurzer Zeit gewundert, wenn die Wand, an die sie sich zu lehnen glaubte, eine Schwenkung machte. Jeder greife da in seinen eigenen Busen! Aber die Fortsetzung dieses Systems, die Partei, mit der zu meinem Bedauern ein prinzipieller Zwiespalt herrscht, als einen willkommenen Kristallisationspunkt für jedes Oppositionsgelüste zu benützen, halte ich für die Reichsverfassung verderblich, namentlich verderblich im Sinn der Liberalen, noch mehr als im Sinn der Konservativen. Ich werde Ihnen nachher sagen, warum; — aber ich richte besonders an die liberale Partei die Frage: Ist es nützlich, Verfassungsentscheidungen anzuregen und bis zum Äußersten zu verfolgen, den Punkt auf das i zu setzen im Streit zwischen Reichstag und Bundesrat? Ist es nützlich, den Partikularismus zu unterstützen? Er ist stark genug ohne Sie, meine Herren! Die Haltung der Majorität der Kommission wie sie vorliegt, appelliert an den Partikularismus, und ganz zweifellos nicht ohne Erfolg. Es gibt Regierungen, die aus partikularistischen Bedürfnissen, weil sie sagen: Jedes Sonderrecht wollen wir bereitwillig schützen, denn wir haben auch Sonderrechte, und deshalb wollen wir es hier mit dem Buchstaben der Bundesverfassung nicht so genau nehmen, wir sind also bereit, die vorhandene Opposition im Reichstag zu stützen, mag sie ausgehen, von wem sie will, für sie mit einzutreten, das Hemd ist uns näher als der Rock, es geht uns der Partikularismus über die Reichsinteressen ... Es finden sich auch andere Regierungen, die sich durch den Reichstag einschüchtern lassen — die Furcht vor parlamentarischen Unannehmlichkeiten ist ja bei den meisten Politikern und auch bei denjenigen, die ihr ganzes Leben darunter zugebracht haben, vielleicht viel größer, als sie bei mir ist. *(Heiterkeit.)*

Ich habe in meinem Leben Gelegenheit gehabt, meine Probe dahin zu machen, daß ich mich nicht überlaufen lasse; ich habe mich weder von parlamentarischen noch von partikularistischen Bestrebungen überlaufen lassen, und ich hoffe, Gott wird mir auch für mein jetziges Alter, obschon ich körperlich geschwächt bin, die geistige Energie nicht verkümmern, daß ich jedem solchen Versuch des Überlaufens dauernd und fest entgegentrete. *(Bravo! rechts.)*

Vor allem möchte ich warnen vor dem Versuch — also ich spreche von den Einschüchterungsversuchen gegen einzelne Regierungen —, vor allem möchte ich warnen vor der Tendenz, bei diesen Einschüchterungen zwischen den Regierungen Unfrieden zu säen. Meine Herren, der Friede der Regierungen, der feste, vertrauensvolle Friede der Regierungen untereinander ist der unentbehrliche Hort der Sicherheit unserer Verfassung. Glauben Sie nicht, daß irgendein Reichstagsrecht fester steht als ein Regierungsrecht, als die Bundesratsrechte, als die Rechte des Präsidiums; alles beruht auf derselben Basis des Vertrags, den die Regierungen untereinander geschlossen haben, des Bundesvertrages *(Sehr wahr! links)*, und jeder Zweifel bei einer Regierung, namentlich bei einer mächtigen Regierung, ob dieser Bundesvertrag gehalten wird, hat seine sehr bedenklichen Nachwirkungen. Der König von Preußen hat seine Zollrechte den Händen der Majoritätsbeschlüsse des Bundesrats anvertraut, den Händen der Reichsgesetzgebung hat er sie nicht anvertraut; man kann ja auf ein anderes System kommen. Ich habe es mir bisher zur Aufgabe gemacht, die Rechte der Regierungen sorgfältig zu vertreten, dieses mein Bestreben beruht aber auf der Voraussetzung der vollsten Gegenseitigkeit in genauer Beobachtung der Verfassung. Wenn ich mich darin täusche, so bin ich gar nicht abgeneigt — in der Notwendigkeit, vor allen Dingen für die Erhaltung der Reichsinstitutionen eine feste Basis zu suchen —, auch den

Weg zu gehen, den die Majorität Ihrer Kommission vorschlägt, nämlich alles auf die Zentralisation der Gesetzgebung durch den Reichstag hinauszudrängen; nur kann ich das nicht in meiner Stellung als Reichskanzler, es würde mich aber freuen, wenn mir Grund zu dieser Art Kriegführung gegeben wird, als Mitglied der Versammlung, die ich vor mir zu sehen die Ehre habe, einen festen Kampf auch für zentralistische Politik zu kämpfen, wenn ich finde, daß die Regierungen die verfassungstreue, zuverlässige Stütze für unsere Einheit nicht bilden, deren wir bedürfen. Deshalb sage ich: Sie spielen ein für das Ganze bedenkliches Spiel, wenn Sie darauf spekulieren, Unfrieden zwischen den Regierungen zu säen, wenn Sie daran Freude haben, daß die Regierungen gegeneinander stimmen. In Utilitätsfragen mögen die Regierungen gegeneinander stimmen, soviel sie wollen — in einer Frage über Verfassungsrechte Preußen in die Minorität zu bringen, meine Herren, das ist nicht unbedenklich. *(Heiterkeit.)* Ich sage das in vollem Bewußtsein der ganzen Geschichte, die ich seit 30 Jahren durchlebt habe; aber wenn ich sage: nicht unbedenklich, so nehmen Sie nicht an, daß ich mich vor Bedenklichem scheue und davor zurücktrete — jetzt so wenig wie früher.

Ich wollte noch darauf zurückkommen, warum ich dieses Benutzen des Zentrums von seiten solcher Parteien, die nach ihren politischen Überzeugungen gar nichts mit dem Zentrum gemeinsam haben, für bedenklich in ihrem eigenen Interesse halte. Ich habe nunmehr den Kampf für die deutsche Einheit seit 30 Jahren geführt; es sind nahezu 30 Jahre, daß ich am Bundestag zuerst dafür eingetreten bin, es sind 18 Jahre, daß ich in einer Stellung bin, in der ich mit einem französischen Historiker, den ich vor einiger Zeit in einer schlaflosen Nacht las, wohl sagen kann — er spricht von einem Staatsmanne, dem man mehr Verdienst zuschrieb, als ich für mich in Anspruch nehme —: „*Il devait succomber au poids des haines inassouvies qui s'accumulent sur la tête de tout ministre qui reste trop longtemps au pouvoir*“ [36]. Ich fürchte, daß ich nach 18 Jahren längst in dieser Lage war, ich hatte alle Parteien wechselnd zu bekämpfen, gegen jede hatte ich einen heftigen Strauß zu kämpfen — davon kommen „*les haines inassouvies*“, von denen der französische Historiker spricht. Nun, ich bin nicht mehr jung, ich habe gelebt und geliebt — *(Heiterkeit)*, gefochten auch, und ich habe keine Abneigung mehr gegen ein ruhiges Leben.

---

[36] „Er mußte erliegen unter der Last des ungesättigten Hasses, der sich über dem Haupte eines jeden Ministers ansammelt, der zu lange im Besitze der Macht bleibt.“

Das einzige, was mich in meiner Stellung hält, ist der Wille des Kaisers, den ich in seinem hohen Alter gegen seinen Willen nicht habe verlassen können, — versucht habe ich es mehrmals. Aber ich kann Ihnen sagen: Ich bin müde, todmüde, und namentlich, wenn ich erwäge, gegen was für Hindernisse ich kämpfen muß, wenn ich für das Deutsche Reich, für die deutsche Nation, für ihre Einheit eintreten will. Ich will das nicht charakterisieren, ich würde den Gleichmut verlieren; aber ich möchte die Parteien darauf aufmerksam machen: Ich muß, wenn ich dem Kaiser vorschlage, die Last, die ich nicht zu tragen vermag, in andere Hände zu geben, doch Vorschläge machen; ich bin auch überzeugt, daß Se. Majestät, nach dem langen Vertrauen, was mir geschenkt worden ist, auf diese Vorschläge einige Rücksicht nehmen wird. Nun, wenn ich sehe, daß die Macht des Zentrums unüberwindlich ist, daß die Zerrissenheit aller übrigen Deutschen die gleiche bleibt, so muß ich in meinem Interesse für den inneren Frieden, wenn ich zurücktrete, Sr. Majestät vorschlagen, das Kabinett, welches mir nachfolgen wird, in einer Sphäre zu suchen, der es möglich sein wird, die Wünsche des Zentrums und die der konservativen Parteien miteinander zu vereinigen. Wenn ich die Hoffnung, daß, weil ich mich dem System, welches das Zentrum vertritt, nicht unterwerfen kann und auch glaube, daß mir den Ansprüchen, die die Herren vertreten, der Friede in Preußen dauernd nicht zu finden sein wird, wenn sie die Ansprüche nicht modifizieren — — ich will es ihnen wünschen, mir ist es ja ziemlich einerlei, ob nach mir „Fortschritt und Freihandel" meinen Nachfolger auf den Weg nach Canossa drängen, ich kann es aushalten so gut wie andere; der andere Weg ist nur dann möglich, wenn alle diejenigen, die mit den Bestrebungen der Zentrumspartei nicht einverstanden sind, ihrerseits geringere Streitigkeiten als diejenigen, die die Erhaltung und Fortbildung des Reiches betreffen, so lange ruhen lassen; kurz, wenn die ganzen liberalen Parteien sich dazu entschließen können, dem Zentrum die Heerfolge absolut und für immer zu versagen. Können sie das nicht, dann sind meine Voraussichten trübe; können sie das, so will ich meine letzten Kräfte dem Streben dazu widmen, — aber ich kann jeden Mißerfolg so ruhig mit ansehen wie irgendeiner von Ihnen. Ich weiß nicht, warum mir das Deutsche Reich und seine Zukunft näherstehen sollte als irgend jemand unter Ihnen. Sie sind alle Deutsche; Minister kann jeder eine Zeitlang sein und nicht mehr sein; daß ich gerade ein stärkeres Interesse als andere Deutsche am Reich haben müßte, weil ich zufällig lange Kanzler gewesen bin, das glaube ich nicht, wenn ich mich auch nicht zu der saturnischen Politik meines früheren Kollegen, der vor mir gesprochen hat, verstehen kann — das nicht! — so ruhig zusehen, daß das Deutsche Reich, welches ich mit

Aufwand meiner Lebenskraft habe begründen helfen, zurückgeht, das vermag ich nicht! In meinem Alter wird man aber ruhiger und stiller, ich habe ein Bedürfnis nach beschaulicher Einsamkeit; — dann richten Sie sich das Reich ein, wie Sie wollen, aber verlangen Sie meine Mitwirkung nicht, wenn jeder sich für berechtigt und berufen hält, die Grundlagen des Reiches in Frage zu stellen. *(Lebhaftes Bravo rechts, Zischen links und im Zentrum.)*

137. Erlaß an Prinz zu Ysenburg-Büdingen — Oldenburg: Das Freihafengebiet bei Hamburg und der Bundesrat (Konzept Graf zu Rantzau)

W 6 c, 181 f., Nr. 180; (auszugsweise Goldschmidt, 276).

Berlin, den 9. Mai 1880.

Ew. pp. gef. Berichte Nr. 18 und 19 vom 8. d. M. sind mir richtig zugegangen.

Danach scheinen sich die Regierungen von Oldenburg und Lippe im Irrtum zu befinden über die Bedeutung der Differenzen, die in der Sitzung der Bundesratsausschüsse III u. IV am 6. d. M.[37] zur Sprache gekommen sind. Es handelt sich dabei gar nicht um die Frage einer Verständigung zwischen Preußen und Hamburg wegen der Begrenzung des Freihafengebiets, sondern darum, ob der Bundesrat sein verfassungsmäßiges Recht ausüben will oder nicht. [a]Der Bundesrath kann aus technischen Gründen gegen uns entscheiden[a]; aber wenn er ablehnt, darüber Beschluß zu fassen, so würde S. M. der König von Preußen berechtigt sein, dies dahin aufzufassen, daß Preußen die Ausführung der geschlossenen Verträge versagt wird. Der König hat seine Zollhoheit in die Hände des Bundesrats niedergelegt, aber weder in die des Reichstages noch in die der Stadt Hamburg, und wenn der Bundesrat der mit der Uebernahme dieser Befugnisse verbundenen Kompetenz sich versagt, so würde, falls diese Frage zur Entscheidung kommt, Preußen wegen Nichterfüllung der Verträge berechtigt sein, seine Zollhoheit aus den Händen des Bundes zurückzunehmen. Die Forderung, die wir an unsere Bundesgenossen stel-

[37] Richtig: am 5. d. M.,

a–a Eigenhändiger Zusatz Bismarcks.

len, ist die Ausübung eines verfassungsmäßigen Rechtes [b] u. einer verfassungsmäßigen Pflicht des Bundesrats [b]; verweigert er dieselbe oder macht er den Versuch, sie auf andere zu übertragen, so versagt er sich der Verfassung und den ihr zugrunde liegenden Verträgen, [c] und Preußen wird in die Lage gesetzt, seine Zollhoheit wieder selbst und ohne Concurrenz seiner Nachbarn zu handhaben [c].

Ew. pp. ersuche ich erg., sich im Sinne des Vorstehenden gegen Sr. Exz. den Herrn Minister Jansen auszusprechen. Mit der Fürstl. Lippeschen Regierung dagegen wollen Sie sich auf weitere Verhandlungen nicht einlassen, bei vorkommender Gelegenheit indes von dem befremdenden Eindruck kein Hehl machen, den die reservierte und anspruchsvolle Haltung dieser Regierung, wie sie sich in dem Schreiben vom 7. d. M. kundgibt, bei uns hinterlassen. [d] Der Zeitpunkt, uns dessen zu erinnern, wird gelegentlich eintreten [d].

138. Gespräch mit dem Journalisten Moritz Busch am 11. Mai 1880 in Berlin
W 8, 363 ff., Nr. 271 = Busch II, 587 ff.

Ich ließ mich durch Sachsse schriftlich beim Chef melden und wurde von ihm fünf Minuten nach neun Uhr in seinem Arbeitszimmer empfangen, worauf wir eine anderthalbstündige Unterredung hatten.

Er begann: „Nun, Sie waren in der Erholung?"

„Ja Durchlaucht, ich war auf ein paar Tage in Leipzig, hatte aber zu Hause hinterlassen, man solle, wenn Sie schickten, mir telegraphieren, und so bin ich hier."

Er versetzte: „Da haben Sie zu viel getan. Es sind bloß prinzipielle Dinge, über die ich mit Ihnen sprechen wollte. Ich möchte Ihrem Studium zwei Themata empfehlen. Zuerst das ungewöhnlich laute und innige Vergnügen der Liberalen in ihren Blättern darüber, daß ich die inneren Fragen künftig sein lassen und mich auf die auswärtigen Angelegenheiten beschränken will. Ich soll von den innern Fragen nichts verstehen, in bezug auf sie nichts geleistet haben. Da wäre denn doch einiges dagegen zu bemerken. Sie können dazu das Hahnsche Buch nachlesen, wo Sie das Detail zusammengestellt finden. Wer hat denn die Maigesetze angeregt und sie Falk abgewonnen, der allerhand juristische Bedenken dagegen hatte und sich nur nach langem Widerstreben fügte? Jetzt halten sie sie hoch wie ein Palla-

b–b Eigenhändiger Zusatz Bismarcks.
c–c Eigenhändiger Zusatz Bismarcks.
d–d Eigenhändiger Zusatz Bismarcks.

dium, und er auch. Als dekretierender und verwaltender Minister ist er keineswegs so schneidig gegen die Klerikalen vorgegangen, wie jetzt als Kammerredner. Und wer hat denn die Pläne zur Verstaatlichung der Eisenbahnen durchgesetzt? Doch nicht ihr Camphausen, der sich vielmehr dagegen sträubte mit allen Kräften und die Sache zu verschleppen bemüht war. Und die Sache ist gut ausgefallen, schon jetzt; denn Maybach macht Geld und wird uns das Defizit decken. Dann haben die Herren, die das Reich durch Ausbildung der konstitutionellen Einrichtungen stärken wollen, wie sie behaupten, dann haben sie vergessen, daß ich zweimal das Militärseptennat zustande gebracht und so einem gefährlichen Konflikt vorgebeugt habe durch Vermittlung zwischen der Krone, die ein eisernes Militärbudget wollte, um den Streit ein für allemal los zu werden, und dem Reichstage, der seine konstitutionelle Bewilligung festhielt. Beide Male; denn der damals drohende Konflikt würde sich jetzt wiederholt haben. Diesmal machte es sich mit der Verstärkung der Armee, die von der Krone als Aequivalent akzeptiert wurde, und auf die die Liberalen im Reichstage eher eingingen als auf einen Verzicht auf ihr verfassungsmäßiges Bewilligungsrecht. Dann können Sie an das Sozialistengesetz erinnern, das ich vorgeschlagen habe, und dem die Liberalen allerlei Schwierigkeiten in den Weg legten. Als Hauptverdienst aber darf ich mir die neue Zollpolitik gutschreiben, die ich gegen Delbrück in Gang gebracht habe, und wo ich es nicht nur mit den Freihändlern im Reichstage zu tun hatte, sondern auch mit freihändlerischen Regierungen und deren Räten. Die Initiative ist hier, wie Sie wissen, von mir ausgegangen und die Hauptarbeit ebenfalls, die Kur dieser Delbrückschen Krankheit."

Ich erlaubte mir, ihn zu unterbrechen, indem ich bemerkte: „Dieser Brightschen Niere am nationalökonomischen Körper der Nation."

„Ja," *versetzte er lachend,* „das ist's, was ich meinte, die Brightsche Krankheit. Wir sind durch diese Delbrücksche Krankheit im Laufe der Jahre immer mehr heruntergekommen, immer ärmer geworden, und es war Zeit, daß etwas dagegen geschah. Ohne die fünfhundert, ich wollte sagen, ohne die fünf Milliarden von 1871 wären wir dem Bankerott schon ein paar Jahre eher nahe gekommen. Das wollen sie freilich nicht anerkennen, aber das Volk weiß es; denn das empfindet die Folgen. Seine Vertreter aus den gelehrten Ständen, die Advokaten und Rentiers, merken nichts davon. Wiederholt gingen mir aus Volkskreisen Dankadressen zu, zum Beispiel von westfälischen Bergleuten. Sie werden aber noch an mehr glauben müssen, wenn ich ihnen erst mit den Kampfzöllen komme, wo sie wieder Opposition machen werden, mit den Kampfzöllen zuerst gegen Rußland. Dann bin ich der einzige Verfechter der nationalen Interessen gegenüber dem Hamburger Partikularismus gewesen, in der Freihafenfrage. Die Nationalliberalen, besonders der linke Flügel, sind hier nicht national, sondern liberal und partikularistisch. Lasker, Bamberger, Wolfssohn, Rickert — auch ein Jude, wenn auch protestantisch getauft — sind hier nicht besser als Sonnemann, die Sozialisten, die Polen und die Welfen. National sind sie nur, wenn es einmal gegen die Ansprüche eines Monarchen geht, zum Beispiel gegen den König von Bayern. Aber wenn es sich um den Partikularismus einer sozialdemokratischen Republik handelt, wie hier, wo die Sozialisten die Oberhand haben, bei den Wahlen, da ist es etwas andres, da muß er unterstützt werden, da muß man mir Opposition machen. Daß ich fest gegen die Leute gewesen bin, darf ich mir auch als Verdienst um die innern Angelegenheiten anrechnen."

Es schwieg einen Augenblick und fuhr darauf fort: „Dann das Zentrum und seine Auftraggeber, gegen die habe ich und nur ich den Kampf aufgenommen und trotz aller Intrigen des Hofes fortgesetzt, und wenn die kirchenpolitische Vorlage in einigen Paragraphen wie Nachgiebigkeit aussieht, so ist das Augentäuschung. Wir paktieren nicht mit Rom, gehn nicht nach Kanossa, wir versuchen, selbständig, für uns allein mit den preußischen Katholiken zum Frieden zu kommen. Wenn Bischöfe triumphierend wieder einziehen, so ist das besser als mit Trauern und Klagen. Sie erkennen dann an, daß ihnen etwas gewährt ist — viel meinethalben. Aber wenn sie sich mit uns dann nicht stellen, so haben wir sie ja mit der diskretionären Gewalt in der Hand und können sie wieder entfernen oder sonst unschädlich machen. Das verstehen aber die am Dönhoffplatze nicht, auch die Freikonservativen nicht. Darum gehe ich auch nicht hin; denn ich mag nicht in den Wind sprechen. Es könnte kommen, daß ich dann ohne Bewilligung des Königs meinen Abschied nehmen müßte. Und dann — ein bayerischer Maler — Lenbach — machte neulich eine gute Bemerkung. Er sagte: ‚Eine geistreiche Rede halten vor denen, heißt ein Feuerwerk vor Blinden abbrennen.' Ihre Politik ist Fraktionspolitik. — Da waren Bennigsen und Miquel bei mir vor einigen Tagen und wollten mich von der Vorlage abreden, ließen sich aber dann von meinen Gründen überzeugen. Da fand den Abend darauf eine Fraktionsberatung statt, und jetzt kamen sie wieder und waren zu ihrer alten Meinung zurückgekehrt. Hiervon aber dürfen Sie in der Presse nichts sagen, das ist — ich meine unsre Stellung zu der Vorlage und zu den Parteien — nur zu Ihrer persönlichen Information. Sie sollen nicht denken, daß wir sie beeinflussen wollen, und wenn Sie etwas darüber sagen, ist's gleich ein Communiqué. Sie wissen ja wohl, daß Windthorst Sie neulich als Oberoffiziösen bezeichnet hat. Nun, wir werden ja sehen, was sie zuletzt aus der Vorlage machen werden, und vielleicht genügt uns das, vielleicht auch nicht."

Er hielt wieder einen Augenblick inne. Dann fuhr er fort: „Und nun das zweite Thema, das Sie behandeln können. Ich möchte eine Charakteristik des Zentrums haben, aus der hervorginge, daß wir bei einer Auflösung oder Umgestaltung dieser Partei nicht viel gewinnen würden. Die Konservativen würden dadurch nicht erheblich gestärkt werden — durch Nachgiebigkeit der Regierung in Sachen der kirchenpolitischen Gesetze."

Er sann einen Augenblick nach und sagte dann, von diesem Gedankengange abbiegend: „Sie wissen, wie Rußland uns nie zu stark gegen Frankreich werden lassen wollte, weil dann der Wert seiner Freundschaft und seines etwaigen Beistandes gesunken wäre. Wir sollten von ihm abhängig bleiben, ihm zu Gegendiensten verpflichtet. Genau so ist's mit den Liberalen, auch denen vom rechten Flügel. Sie denken zuerst an sich, an die Partei, und daß die Regierung sie als Macht betrachten soll, deren guter Wille seinen Preis hat. Sie fühlen sich eigentlich als Fremde und der Regierung gegenüber als Opposition, die gewonnen werden muß durch Konzessionen, deren Unterstützung geschätzt werden muß und belohnt, möglichst hoch und möglichst bald. Immer soll ich ihre Unentbehrlichkeit fühlen, damit ich mich genötigt sehe, mit ihnen zu paktieren. Darum darf die Regierung nicht zu stark werden, keine sichre Majorität haben, und so ist ihnen die Existenz des Zentrums im stillen willkommen. Es ist eine an Zahl starke Opposition, die zu ihren Absichten paßt, so wenig sie auch direkt mit ihnen als Ultramontanen gemein haben. Die Regierung soll diesen fünfundneunzig oder hundert Oppositionellen von der katholischen Seite gegenüber jeden Augenblick ihre Schwäche zu empfinden haben für den Fall, daß die Liberalen sie ohne Beistand lassen. Sie soll mit ihnen rechnen müssen, mit ihnen handeln, ihnen, der Partei, ihr Wohlwollen abkaufen. Das ist aber Fraktionspolitik, keine solche, die den Staat im Auge hat."

Er kam nun auf die Charakteristik des Zentrums zurück und setzte mir auseinander, daß nur etwa ein Drittel dieser Fraktion durch Nachgiebigkeit der Regierung gegen die Ansprüche der Kurie zu gewinnen sein und die Anhänger der Regierung verstärken würde. „Das sind," *so fuhr er fort,* „die bayerischen Adligen, die süddeutschen Adligen überhaupt und die aus Schlesien. Schon die westfälischen nicht. Die sind niemals mit der preußischen Herrschaft zufrieden und immer gegen die Regierung gewesen, schon vor der Existenz des Reichs, auch als der Papst sich mit Preußen sehr zufrieden erklärte — ich meine Pius, der sagte, in Preußen befände sich die katholische Kirche besser als irgend anderswo. Dieser westfälische Adel schmollt aus Partikularismus wie die Welfen. Sie können die alten bischöflichen Zeiten nicht vergessen, und die Vorteile, die mit ihnen verloren gegangen sind — die ägyptischen Fleischtöpfe und Bratpfannen. Anders wieder verhält es sich mit den andern Gruppen des Zentrums, mit den Rheinländern zum Beispiel. Das sind in erster Linie liberale und demokratische Katholiken und erst in zweiter ultramontane katholische Fortschrittler, die Partei Reichensperger. Auf ihr liberales Programm hin wären die meisten nicht gewählt worden. Man schickte sie in den Reichstag und ins Abgeordnetenhaus, weil sie dem Klerus die Vertretung der Ansprüche der Bischöfe und des Papstes versprachen. Sie wären, wie die Partikularisten des Zentrums, auch bei den größten Konzessionen in dieser Richtung nicht zu haben; denn sie gehören zum Fortschritt oder gleich daneben."

Ich wollte nun gehen. Er machte aber eine Bewegung, als sollte ich noch bleiben, und klingelte, um eine Flasche Selterwasser zu bestellen, und als sie vom Kanzleidiener gebracht worden war, wies er auf sie und auf eine volle Flasche Kognak, die schon vor ihm auf dem Tische stand, und sagte: „Nun, alter Yankee, ist Ihnen gefällig? Brandy and water, help yourself to it. — Es ist sehr guter Kognak; wenigstens hat man ihn mir sehr gerühmt. Er kann zwanzig bis dreißig Franken die Flasche kosten und ist eine Liebesgabe. Ich habe aber welchen, der besser ist, obwohl er nur tausend Franken den Hektoliter kostet."

Ich fragte, wie viel Bouteillen das gebe, wohl hundertundfünfzig?

Er antwortet: „O nein! Nur etwa so viel wie eine Ohm, ungefähr hundertundfünfundzwanzig Weinflaschen. Ich beziehe ihn aus guter Quelle und habe schon vier Hektoliter genommen, obwohl meine Frau dagegen ist, daß ich so viel Schnaps kaufe."

Ich fragte: „Dabei haben doch andre Leute geholfen?"

„O!", *erwiderte er lächelnd,* „der erste Hektoliter ist noch nicht alle; und ich lasse immer, was über hundert Bouteillen ist, in die unterirdischen Verliese der Burg in Schönhausen schaffen. Ich werde davon wohl nichts trinken, aber es gibt was Gutes für die Enkelkinder."

„Hm," versetzte ich, „das ist unter dem Kellerhals in der Vorhalle links, wo auch drei Faß rechtlicher alter Nordhäuser liegen." Dann fragte ich, was der Enkel in Berlin[38] *mache. Er gediehe gut, erwiderte er, hätte neulich einmal am Halse gelitten, wäre aber jetzt wieder munter. Darauf erkundigte ich mich, wie es mit seiner eignen Gesundheit beschaffen sei, und ob er diesen Sommer wieder nach Gastein wolle. Er entgegnete, mit der Gesundheit ginge es, nur könne er wieder nicht gut schlafen und fühle sich matt.*

Er hatte unterdessen eine große Schachtel mit Papierzigaretten geholt, bot mir davon an und nahm selbst eine, bemerkte indes, sie schmeckten ihm nicht, und an der Pfeife finde er auch keinen rechten Gefallen mehr. Ebenso wollte das Ausreiten schon seit anderthalb Jahren nicht mehr gehen, da er davon Kreuzschmerzen bekäme.

Wir tranken jeder zwei Glas Selterwasser mit Kognak. Ich fragte, ob er das Judenbuch bekommen hätte, das ich etwa acht Tage vorher dem Kanzleidiener für ihn übergeben hätte,

„Welches?"

„Israel und die Gojim."

„Nein."

„Ich übergab es mit einem Briefe, worin gesagt war, daß es von mir sei, und daß ein Blick auf das Vorwort Durchlaucht vielleicht bewegen würden, sich's in Varzin oder Friedrichsruh genauer anzusehen."

Er erinnerte sich des Briefes, suchte nach dem Buche auf dem Schreibtisch und dem Regale daneben und meinte zuletzt: „Wahrscheinlich habe ich es mit hinaufgenommen, um im Bette darin zu lesen, oder Tiedemann hat sich's geholt."

Ich brachte das Gespräch auf Lenbach und bemerkte, das Bild, das den Chef in Profil und etwas nach oben blickend darstelle, sei nach meinem Gefühle das beste, von dem ich wüßte.

Er versetzte: „Er hat eine ganze Menge gemacht. Das aber, das Sie meinen, ist entstanden, als ich nach einem Fluge Vögel aufblickte, in Friedrichsruh. ‚Halt', sagt er da, ‚das ist gut, stehen Sie still. Das wollen wir gleich skizzieren.'"

Ich erwähnte dann die Photographie des andern Porträts, wo er so kraus emporgesträubte Augenbrauen und einen romantisch gekräuselten Schnurrbart hat, und bemerkte, daß mir das nicht recht gefiele, da es von der Wahrheit abweiche.

---

[38] Bismarcks ältester Enkel Otto von Rantzau, geb. 26. November 1879.

„Ach nein,“ *erwiderte er,* „es ist Natur, es wächst bei mir so, bis ich es mit der Papierschere verstutze.“

Wir sprachen dann von dem unternehmenden Thorndike Rice, einem Amerikaner, dem Herausgeber der Newyorker Monatsschrift Northamerican Review, indem ich fragte, ob er die Blowitzsche Erzählung von dem angeblichen Besuche und Anliegen Rices gelesen hätte. Dieser hatte mir einige Wochen vorher mehrmals Besuche gemacht und zunächst einen Artikel zur Charakteristik Bismarcks bestellt, dann aber mit der Einleitung: „Sie dürfen mir's nicht übel nehmen, aber wir Yankees sind dreist, wenn wir was im Auge haben,“ gefragt, ob ich ihm nicht einen Aufsatz von Bismarck selbst für sein Blatt verschaffen könnte. Er sei gern bereit, mir fünfhundert Pfund Sterling, die Hälfte im voraus, zu zahlen, wenn ich das ermöglichte. Ich erklärte das für utterly impossible, selbst wenn er mir tausend Pfund geben wollte. Nach einem Blowitzschen Bericht in der Times war Rice nach seinem letzten Besuche bei mir im Palais des Chefs erschienen, um sich dessen Mitarbeiterschaft zu erbitten, war aber selbstverständlich auch hier abschlägig beschieden worden.

„Die Geschichte ist richtig,“ *versetzte er.* „Er hat aber nur mit meinem Sohn gesprochen, durch den ich ihm sagen ließ, daß ich zu sehr von Geschäften in Anspruch genommen wäre, um meinen starken journalistischen Neigungen nachleben und das viele Geld, das er mir anböte, verdienen zu können.“

Ich erzählte ihm nun meine Unterhaltung mit Mr. Rice und fragte darauf nochmals wegen Gastein. Nein, erwiderte er, da ginge er diesen Sommer nicht hin, er müsse sich erholen, wolle einsam sein, fern von Menschen. Dann kam er darauf, daß seine Wirtschaft ihn viel Geld koste. Ein Nachfolger könne nicht auskommen, wenn man ihm nicht auch mit Dotationen unter die Arme griffe, denn sein Gehalt als Reichskanzler genüge nicht.

Ich bemerkte, ich wäre immer der Ansicht gewesen, er habe bloß als preußischer Minister Gehalt.

„Umgekehrt,“ *sagte er,* „ich bekomme als Reichskanzler achtzehntausend Taler, als Ministerpräsident und Minister des Auswärtigen nichts, und ich brauche jetzt jährlich sechzigtausend Taler. Ich gebe allein in diesem Hause zweitausend mehr für Beleuchtung aus. Es ist unpraktisch gebaut, voll lauter dunkler Gänge und Hintertreppen, und nur die Diensträume unten habe ich nicht selbst zu beleuchten. Die Mietsteuer haben sie mir auch erhöht, die Wohnung ist zu fünftausend Talern veranschlagt, was ich unbillig finde, obwohl sie besser ist als die drüben, deren Dürftigkeit Sie ja kennen.“

Ich erwiderte darauf noch einiges, worauf wir uns erhoben. Sein Hund, der anfangs mißwollende Absichten auf meinen Rock oder meine Gurgel verraten, sich aber auf ein „Leg dich!“ *seines Herrn beruhigt hatte und in den Raum unter der Platte des Schreibtisches gekrochen war, wo er mir die Schnauze zwischen die Knie legte, stand gleichfalls auf. Er befahl ihm, auf das Sofa zu springen, von wo er mit einem Holzscheit zurückkam. Der Fürst nahm es und warf es in eine Nische neben einem der beiden Fenster, wohin das Tier nachsprang. Es soll ein tückisches Tier sein, das schon mehreren im Hause wohlbekannten Leuten, zum Beispiel*

Kanzleidienern, die Kleider zerrissen oder sie blutig gebissen und sich dadurch Prügel mit der auf dem Tische liegenden schweren Lederkarbatsche zugezogen haben soll, ohne daß es in sich gegangen wäre und sich auf höflichere Manieren besonnen hätte. Mir schien es gewogen, und ich hatte mich auch später seines Wohlwollens zu rühmen.

139. Votum an das Preußische Staatsministerium: Zur Steuerfragen und gegen die Freihandelspolitik (Kanzleikonzept)

W 6 c, 183 f., Nr. 182 = Poschinger, Wirtschaftspolitik I, 333 ff.

Berlin, den 13. Mai 1880.

In Anknüpfung an das Schreiben des Herrn Finanzministers vom 4. Mai d. J., den Rückgang der Klassensteuer betreffend, schließe ich mich dem Wunsche an, bei neuen Aufwendungen aus der Staatskasse mit möglichster Sparsamkeit zu verfahren, und kann auch mit dem Herrn Finanzminister nur die schonendste Rücksichtnahme auf die geminderte Leistungsfähigkeit der Gemeinden und Sozietäten empfehlen.

In bezug auf die beachtenswerte Mitteilung, welche der Herr Finanzminister über die Gestaltung der Klassen- und Einkommensteuer gibt, gestatte ich mir, nachstehende Bemerkung hinzuzufügen.

Der Rückgang der Klassensteuer bildet ein Kriterium des Rückganges der Wohlhabenheit der Bevölkerung. Derselbe hat sich nach der Anlage des Schreibens Sr. Exz. schon seit mehreren Jahren fühlbar gemacht und würde meiner Ueberzeugung nach noch früher eingetreten sein, wenn nicht der Zuschuß, den unser Nationalvermögen durch 4000 und einige hundert Millionen Mark französischer Kontribution in den Jahren 1871 bis 1874 erhielt, den Verfall aufgehalten hätte, dem unser wirtschaftliches Leben durch die freihändlerische Gesetzgebung entgegengeführt wurde, die seit dem Beginn der sechziger Jahre an die Stelle der alten Zollvereinstraditionen getreten war. Wenn diese Tatsache weiterer Beweise noch bedurft hätte, so würde der vorliegende Nachweis über den Rückgang der Wohlhabenheit in den Massen unserer Bevölkerung sie liefern. Derselbe hat begonnen mit dem Inslebentreten und der Vollendung der freihändlerischen Aenderung unserer Zollgesetzgebung, welche sich von 1862 ab vollzog, bis sie mit der Aufhebung der letzten Eisenzölle 1876 ihren Abschluß fand. Nur die französische Kontribution und das durch die ungewöhnliche und deshalb unrichtig geschätzte Summe derselben künstlich gesteigerte wirtschaftliche Leben hat den Rückgang unseres Wohlstandes eine Zeitlang aufgehalten, welcher infolge der Lossagung von den alten, seit 1823 heilsam wirkenden Traditionen des Zollvereins eintrat. Wir dürfen deshalb hoffen, diesen Rückgang mit Erfolg bekämpft zu sehen, wenn unsere Gesetzgebung den Weg festhält, welchen sie in der Reichstagssession von 1879 betreten hat, und wenn sie ihn fortsetzt, unbeirrt durch den mehr auf der Fraktionstaktik als auf der Erwägung der öffentlichen Wohlfahrt beruhenden Widerspruch im Reichstag. Ich glaube, daß eine Erleichterung des Fortschreitens auf diesem Wege darin gefunden werden könnte, wenn die preußische Gesetzgebung sich bald, und womöglich noch für die Landtagssession des Herbstes, die Aufgabe stellte, die Verwendung derjenigen Ueberschüsse aus Reichseinnahmen gesetzlich festzulegen, welche durch neue Steuervorlagen an den Reichstag erstrebt werden. Es läßt sich hoffen, daß letztere im Reichstage leichter zur Annahme zu bringen sein werden, wenn vorher in Preußen gesetzlich festgestellt sein wird, zur Abschaffung, Erleichterung oder Ueberweisung welcher direkten Steuern die erstrebten Mehreinnahmen verwendet werden müssen, und wenn andere größere Bundesstaaten diesem Beispiel des größten zu folgen sich entschließen. Ich behalte mir vor, diesen Gedanken zunächst mit dem Herrn Finanzminister zu besprechen, und, soweit derselbe bei Sr. Exz. Anklang findet, mich desfallsigen Anträgen an das Staatsministerium anzuschließen.

Von einer Publikation der Denkschrift des Herrn Finanzministers möchte ich nicht abraten, weil ich glaube, daß der Nutzen einer solchen die entgegenstehenden Bedenken überwiegen wird, namentlich wenn die Darlegung der tatsächlichen Verhältnisse mit derjenigen der Intentionen der Regierung bezüglich der Abhilfe Hand in Hand geht. Der Rückgang der Klassensteuer in so wesentlichem Maße, und bei gleichzeitigem Steigen der Bevölkerung, hat als Symptom eine Bedeutung, der sich die öffentliche Meinung, die Abgeordneten und die Wähler nicht werden verschließen können, und ich glaube, daß diese bedauerliche Tatsache den Argumentationen mit Erfolg entgegengehalten werden kann, welche unter Leitung der Fortschrittspartei jede Steuerreform bekämpfen und ein scheinbares Gleichgewicht des Budgets durch fingierte Einnahmen und Verwendung des Kapitalbesitzes anstreben.

Die gleichzeitige Steigerung der Einkommensteuer von 30 auf 33½ Millionen seit 1875, während die Klassensteuer rückgängig geblieben ist, kann ich nicht für das Ergebnis einer richtigeren und schärferen Erfassung des wirklichen Einkommens ansehen, sondern nur als ein Resultat drückender Steigerung der Ansätze von seiten der Veranlagungsorgane, durch welche der Einkommensteuerpflichtige grundsätzlich erhöht wird, bis er reklamiert. Zur Reklamation entschließen sich die Kaufleute und andere Geschäftsmänner, die ihres Kredits bedürfen, nur schwer aus Rücksicht auf diesen Kredit. Aber auch diejenigen Steuerpflichtigen, welche auf ihren Kredit nicht angewiesen sind, werden in den meisten Fällen eine Erhöhung über das gesetzliche Maß, solange sie nicht zu hart fällt, lieber eine Zeitlang ertragen, als sich den Unbequemlichkeiten einer Reklamation zu unterziehen. Es kommt dazu, daß nur diejenigen, welche ihr Vermögen aus regelmäßig und bar fließenden Quellen beziehen, mit Sicherheit in der Lage sind, die Ziffer ihres Einkommens selbst beurteilen und nachweisen zu können. Ich kann nur einen bedenklichen Beweis für die Fiskalität, mit welcher die Veranlagungsorgane der Einkommensteuer verfahren, in dem Umstande erblicken, daß in der Zeit von 1875 bis 80, wo notorisch alle nicht aus festen Geldquellen fließende Einnahmen, und namentlich die der wohlhabenderen und besitzenden Klassen zurückgegangen sind, das Ergebnis der Einkommensteuer um beinahe 12 % hat gesteigert werden können. Ich kann im Hinblick auf die drückenden Zeitverhältnisse und den Rückgang der Erträge aller Vermögen nicht glauben, daß eine solche Steigerung in den Grenzen der Veranlagung möglich gewesen ist, innerhalb welcher die Regierung keine Gefahr läuft, berechtigte Unzufriedenheit zu erregen.

Wenn ich nach vorstehender Darlegung mich den Mahnungen des Herrn Finanz-Ministers zur Sparsamkeit aus vollster Ueberzeugung anschließe, so kann ich nicht umhin, in den Momenten, mit welchen die Denkschrift Sr. Exz. begründet ist, eine verstärkte Aufforderung für Inangriffnahme der Reform unserer Steuern und einen Beweis dafür zu erblicken, wie sehr die freihändlerische Störung, welche in den sechziger Jahren die Tradition des Zollvereins betroffen, den Wohlstand der Nation geschädigt hat, und wie notwendig es ist, in der Abwehr des freihändlerischen Schadens fortzufahren. Die Geschichte des Zollvereins bis zum Ende der sechziger Jahre weist zum Teil unter sehr viel engeren und erschwerenderen Verkehrsverhältnissen, als es die des Deutschen Reichs sind, ein ununterbrochenes Fortschreiten Preußens auf der Bahn der Wohlhabenheit und Steuerfähigkeit seiner Einwohner nach, und schon die kurze Zeit von einem halben Jahre, seit welcher das fehlerhafte System im Prinzip verlassen worden ist, ohne noch das der Vergangenheit wiederherzustellen, weist eine, wenn auch geringe Besserung des wirtschaftlichen Lebens nach, auf deren Anwachsen wir rechnen dürfen, wenn auf diesem Wege fortgefahren wird.

140. Erlaß an Prinz Heinrich VII. Reuß — Wien: Der Ausgleich mit der Kurie wird durch die Politik des Zentrums behindert (Kanzleikonzept A. A.)[39]

W 6 c, 185 ff., Nr. 184.

Berlin, den 14. Mai 1880.

In Beantwortung der gefl. Berichte Nr. 177 und Nr. 196 über Ew. pp. Unterredungen mit dem Pronuntius am 15. u. 22. v. M. habe ich zunächst daran zu erinnern, daß die Depesche des Kardinalstaatssekretärs vom 23. März und der Staatsministerial-Beschluß vom 17. d. Monats, welchem das Breve vom 24. Februar zugrunde liegt, einander dergestalt gekreuzt haben, daß die erstere am 4. April zu unserer, der letztere am 6. April zu des Pronuntius Kenntnis gelangt ist. Während auf die Mitteilung des Staatsministerial-Beschlusses die amtliche Antwort der Kurie noch aussteht, ist die Depesche vom 23. März, sind insbesondere die darin gestellten drei Fragen von dem Preußischen Herrn Kultusminister und demnächst in einer neuerlichen Beratung des Kgl. Staatsministeriums mit der achtungsvollen Sorgfalt erwogen worden, welche einer auf den ausdrücklichen Befehl Sr. Heiligkeit erfolgten Aeußerung gebühren.

Die Beratung konnte sich nicht auf die mit der Römischen Kurie seit zwei Jahren geführte Erörterung, konnte sich noch weniger auf eine Vergleichung des päpstlichen Breve und der Erläuterung desselben durch den Kardinal Nina allein gründen; sie mußte die Entstehung und den Verlauf des Zerwürfnisses zwischen der Staatsgewalt und einem Teile des preußischen Klerus, die Erfahrungen, welche die Regierung daran gemacht hat, und die Situation, wie sie sich nach dem erfolgten Schlusse des Deutschen Reichstags und der bevorstehenden Eröffnung des Preußischen Landtags darstellt, umfassen.

Der Widerstand gegen die kirchenpolitischen Gesetze ist aus dem Kreise des höheren Klerus in die Vertretungskörper verpflanzt worden durch die Zentrumsfraktion, die sich als Anwalt der katholischen Interessen, als dem Päpstlichen Stuhle unbedingt ergeben geriert, eine erhebliche Anzahl von Priestern enthält und zum größten Teil unter priesterlichem Einfluß gewählt ist. Von der Bekämpfung jener Gesetze, während sie beraten wurden, von dem Verlangen nach ihrer Aufhebung, seit sie verfassungsmäßig zustande gekommen waren, ist diese Fraktion allmählich zu einer grund-

---

[39] Der Erlaß wurde von Bismarck am 17. Mai 1880 auch König Ludwig II. von Bayern zur Kenntnis gegeben.

sätzlichen Opposition gegen alle Vorlagen und Maßregeln der Preußischen und der Deutschen Regierung übergegangen. Nur in der Tarifreform [a] stimmte das Zentrum im vorigen Jahre ausnahmsweise für die Regierung. [b] Ich hatte aus dieser Annäherung das Vertrauen geschöpft, daß unsre Verhandlungen mit Rom mehr als früher Aussicht auf Erfolg hätten, u. war denselben bereitwillig nähergetreten. Dieses mein Vertrauen hat nach analogem Gedankengange der Entmuthigung weichen müssen [b], nachdem während der abgelaufenen Session des Preußischen Landtags das Zentrum in Angelegenheiten, welche nicht entfernt das kirchliche Gebiet berühren, geschlossen gegen die Regierung gestimmt hat, so in betreff der Verstaatlichung der Eisenbahnen, bei dem Schanksteuergesetz, bei dem Feld- und Forstpolizeigesetz, in betreff der polnischen Frage. In den noch wichtigeren, zum Teil die Existenzbedingungen des Preußischen Staates und des Deutschen Reiches angehenden Fragen, welche den Reichstag beschäftigt haben, hat das Zentrum zuweilen Schweigen, immer aber wie Ein Mann gegen die Regierung gestimmt und jede reichsfeindliche Bestrebung unter seinen Schutz genommen, so in dem Militäretat, den Steuervorlagen, der Samoagarantie.

Am auffallendsten war das bei der Beratung über die Verlängerung des Gesetzes gegen die gemeingefährlichen Bestrebungen der Sozialisten. Obgleich diese Bestrebungen erst in dem Breve vom 24. Februar in Uebereinstimmung mit vielen vorangegangenen Kundgebungen des Päpstlichen Stuhles auf das nachdrücklichste verurteilt waren, obgleich in einem Schreiben des Kardinal-Staatssekretärs vom 23. Januar 1879 an mich unter den erfreulichen seit der Thronbesteigung Sr. Heiligkeit erreichten Resultaten die offene und laute Erklärung der katholischen Untertanen ihres vollen Vertrauens und ihrer völligen Ergebung in den Willen des Heiligen Stuhles hervorgehoben ist, so hat das Zentrum unter dem Vorwande, die Sozialisten allerdings bekämpfen zu wollen, nur nicht gerade so wie die Regierung es wolle, mit den Sozialisten gestimmt, während die anderen Parteien, soweit sie nicht auf einen Umsturz hinarbeiten, ihre sonstigen Meinungsverschiedenheiten vergessend, die Verlängerung des Gesetzes genehmigt haben. [c] Mit diesem Verhalten der katholischen Frak-

---

a Von Bismarck gestrichener Zusatz: „welche vorzugsweise und direkt das Interesse katholischer Wahlkreise berührte und sehr bestimmte Willensäußerungen derselben, dieses ihr Interesse gewahrt zu sehen, hervorrief."

b–b Eigenhändige Korrektur Bismarcks.

c–c Eigenhändiger Zusatz Bismarcks, der Schluß des Satzes Diktat Bismarcks an Bucher.

tion steht das entgegenkommende der Preußischen Regierung in eigentümlichem Contrast[c], indem diese Regierung innerhalb des ihr gelassenen Spielraums eine zunehmend milde Praxis in der Anwendung der kirchenpolitischen Gesetze bis auf den heutigen Tag hat walten lassen, wie das anliegende Verzeichnis der betreffenden Maßnahmen nachweist.

Es drängt sich die Frage auf, ob der Päpstliche Stuhl nicht den Willen oder nicht die Macht hat, die klerikale Fraktion von der Beschützung und Beförderung derjenigen Bestrebungen abzuhalten, die er selbst so entschieden verdammt. Ohne sich auf die Entscheidung für die eine oder andere Alternative einzulassen, ist die Regierung Sr. M. des Königs mit Bedauern zu dem Ergebnis gelangt, daß eine den in der Depesche vom 23. März formulierten Fragen entsprechende Erwiderung nur auf Differenzpunkte zurückführen würde, welche in einer zweijährigen Korrespondenz und in der eingehenden Erörterung der beiderseitigen Sachverständigen unausgeglichen geblieben sind, und daß sie auf eine Fortsetzung der Verständigungsversuche mit der Römischen Kurie für jetzt[d] verzichten müsse.

In derselben friedliebenden Gesinnung, welche sie den ersten Eröffnungen Sr. Heiligkeit entgegenbrachte, und in der Teilnahme, welche sie stets für die infolge des Ungehorsams der meisten Bischöfe gegen die Landesgesetze verwaisten Gemeinden empfunden hat, wird die Kgl. Regierung nicht länger zögern, aus ihrer eigenen Initiative heraus diejenigen Maßregeln zu ergreifen, beziehungsweise den gesetzgebenden Faktoren vorzuschlagen, welche mit den unveräußerlichen Rechten des Staates verträglich sind und nach ihrer Ueberzeugung und nach ihren Wahrnehmungen an andern Ländern die Wiederherstellung einer geordneten Diöcesan-Verwaltung und die Abhilfe des eingetretenen Preistermangels möglich machen. [e]Ueber den Moment, in welchem wir die Verhandlungen mit der Kurie fortsetzen können, werden wir uns zu erklären erst imstande sein, nachdem der Landtag über die beabsichtigte Vorlage entschieden hat, was, wie wir hoffen, in wenigen Wochen der Fall sein wird. Es wird sich dann m. E. hauptsächlich darum handeln, daß im Wege der Begnadigung unter Benutzung der von dem Landtage zu erlangenden freieren Bewegung auf dem Boden der Gesetze die Ausübung der bischöflichen Funktionen möglich gemacht wird, sei es durch die früheren Inhaber, sei es durch neue, vorausgesetzt, daß die einen wie die anderen die Anzeigepflicht erfüllen[e].

Ew. pp. ersuche ich ganz erg., das Vorstehende unter Ueberreichung des

---

d In der Ausfertigung von Bismarck unterstrichen.

e–e Diktat Bismarcks an Bucher.

anliegenden Verzeichnisses mündlich, jedoch amtlich zur Kenntnis des Pronuntius bringen zu wollen mit dem Anheimstellen, ihm eine französische Uebersetzung davon zu geben [f].

141. Schreiben an Fürst Karl von Rumänien W 14/II, 915 f., Nr. 1636.

Berlin 20. Mai 1880.

Durchlauchtigster Fürst,
Gnädigster Herr!

Ew. Königlichen Hoheit gnädigen Brief vom 14. d. M. hat der Ministerpräsident Bratiano mir übergeben u. ich fühle mich in hohem Grade geehrt, daß Höchstdieselben die Gnade gehabt haben, mir eigenhändig zu schreiben.

Es hat mich namentlich sehr erfreut, aus diesem Schreiben zu ersehen, daß Ew. Königlichen Hoheit trotz mancher großer Schwierigkeiten, welche sowohl die äußeren Beziehungen wie die innere Lage Rumäniens mit sich bringen, mit einem sicheren Vertrauen in die Zukunft blicken, welches ich meinerseits vollständig theile.

Der letzte Krieg [40] wird Ihrem Lande ohne Zweifel viele Wunden geschlagen, aber auch eine sehr werthvolle Consequenz für die Erprobung des Selbstgefühls und der Tüchtigkeit des Heeres gehabt haben.

Daß die Errungenschaften, die der Frieden brachte, abgesehen von der Lösung der Beziehungen zur Pforte den Leistungen und der Tapferkeit des Heeres Ew. Königlichen Hoheit nicht äquivalent waren, bedauere ich mit Höchstdenselben; aber bei der Massenhaftigkeit und dem Schwergewicht der Mächte, von welchen Rumänien umgeben ist, u. bei der Schwierigkeit zwischen denselben einen *modus vivendi* zu sichern, der uns einstweilen Frieden gewährt, wußte auch ich keinen gangbaren Ausweg, auf welchem sich größere Vortheile für Rumänien hätten erreichen lassen. Die Schwierigkeit der historisch gegebenen Situation ist die, daß jenseits der Donau die nationalen Anknüpfungspunkte für eine Verstärkung Rumäniens fehlen u. auf der anderen Seite die stammverwandten Bevölkerungen den beiden großen Nachbarreichen angehören, mit welchen in Frie-

---

f Korrektur Bismarcks statt „vorzulesen".

40 Gemeint ist der russisch-türkische Krieg von 1877/78, an dem Rumänien auf russischer Seite teilnahm.

den zu leben für die Consolidirung der Zustände ein Bedürfniß ist, u. von welchen wenigstens eins zum sicheren Bundesgenossen zu haben immer das Ziel rumänischer Politik bleiben wird. In dieser geschichtlich gegebenen Situation war der Erwerb der Dobrudscha ein *pis-aller*, dessen günstige Seite der Besitz der Seeküste, in der weiteren Entwicklung der Verhältnisse sich als steigender Werth herausstellen wird.

Der Verkehr mit Ew. Königlichen Hoheit Ministerpräsidenten ist für mich dießmal von besonders hohem Werthe gewesen, weil meine eingehenderen Besprechungen mit ihm u. im Rückblick auf seine polit. Haltung seit dem Kriege die Zweifel, welche ich früher in Betreff seiner persönlichen Ergebenheit zu Ew. Königlichen Hoheit hatte, wesentlich geschwunden sind [!], so daß ich mich mit Vertrauen u. Offenheit zu ihm ausgesprochen habe. Ew. Königlichen Hoheit haben jedenfalls einen einsichtigen und unter Umständen zu entschlossenem Handeln befähigten Rathgeber an ihm. Ich habe demselben über unsere friedlichen und defensiven Interessen, welche Oestreich dergestalt mit uns theilt, daß sie den Character der Gemeinsamkeit haben, ohne Rückhalt gesprochen und glaube bei ihm Verständniß und Befriedigung gefunden zu haben.

Ew. Königlichen Hoheit danke ich ehrerbietigst für den Beweis der Fortdauer Ihres gnädigen Wohlwollens, den Höchstdieselben mir durch die Verleihung des Sterns von Rumänien von Neuem gegeben haben.

Die huldreichen Wünsche, welche Ew. Königliche Hoheit für meine Gesundheit aussprechen, nehme ich mit tiefgefühltem Danke entgegen; leider aber bin ich seit dem vorigen Herbst noch dergestalt unter dem Druck neuralgischer Leiden u. der daraus folgenden Schwäche, daß es mir nicht möglich ist, auch nur das Wesentlichste von den mir obliegenden und leider eher wachsenden als abnehmenden Arbeiten zu leisten. Insbesondere bin ich im Schreiben einigermaßen behindert und wollen Ew. Königliche Hoheit deshalb gnädigst verzeihen, daß ich mich für diese Zeilen nicht, wie ich bisher noch gehofft hatte, der eigenen sondern der Hand meines Sohnes bediene.

In Ehrerbietung verharre ich Ew. Königlichen Hoheit unterthänigster Diener.

142. Brief an den Abgeordneten Adalbert Falk W 14/II, 916 f., Nr. 1637.

Berlin, den 31. Mai 1880.

Ew. Excellenz hatten die Güte, bei Ihrem Rücktritt vom Amte sich auf meinen Wunsch schriftlich darüber zu äußern, ob meine Stellung zu Ihrem Ressort und zu Ihrer Leitung desselben Antheil an Ihrem Entschlusse zum Rücktritt habe. Ew. Excellenz erkannten damals das Bedürfniß an, welches ich haben könnte, über meine Beziehungen zu den von Ihnen vertretenen Grundsätzen auch in der Oeffentlichkeit jeden Zweifel zu beseitigen. Solche Zweifel, wenn sie überhaupt bestanden, sind mir bisher nicht von der Bedeutung erschienen, um ihnen Ew. Excellenz Zeugniß gegenüberzustellen. Die Sitzung des Abgeordnetenhauses vom 28. d. M. hat an dieser Sachlage aber eine Aenderung hervorgebracht [41]. Die Kritik, welcher Ew. Excellenz die Regirungsvorlage unterziehen, trifft auch meine amtliche Stellung zu letzterer, wie sie durch die veröffentlichte Instruction, die ich nach Wien gerichtet habe, sich kennzeichnet.

Ich glaube, mit der Unterstützung dieser Vorlage keine andere Richtung eingeschlagen zu haben als diejenige welche ich sieben Jahre lang gemeinsam mit Ew. Excellenz und, nach Herstellung der nöthigen Verfassungsänderung, soviel ich mich erinnere, ohne Meinungsverschiedenheit zwischen uns vertreten habe. Innerhalb dieser Richtung fanden namentlich auch die Erwägungen Raum, denen Ew. Excellenz in Ihrem Abschiedsgesuche dahin Ausdruck gaben, daß alle Freunde des Vaterlandes die Herstellung friedlicher Zustände auf kirchenpolitischem Gebiete wünschen, und daß Ew. Excellenz zu der Ueberzeugung gelangen müssen, Sie seien für eine gedeihliche Mitwirkung zur Erreichung dieses Zieles nicht geeignet, würden hierfür vielmehr ein ernstes Hinderniß bilden. Mit dieser, nicht meiner, sondern Ihrer Meinung motivirten Ew. Excellenz Ihren Rücktritt.

Wenn nun die Art, wie Ew. Excellenz die Vorlage der Regirung kritisiert haben, bei dem Gewicht, welches Ihrem Worte innewohnt, den Wert, den die Regirungsvorlage, falls sie angenommen wird, für die Staatsregirung und insbesondere für die liberale Partei hat, erheblich geschädigt und heruntergedrückt hat, so kann ich nichts daran ändern. Wenn aber nach dem Obengesagten die Empfindungen, welchen Sie Ausdruck gegeben

---

[41] Der frühere Kultusminister hatte sich gegen den sich ankündigenden Abbau der Maigesetze ausgesprochen.

haben, nothwendig auch auf die Beurtheilung meiner Stellung zur Sache und zur Person Ew. Excellenz zurückwirken müssen, so halte ich es heute im sachlichen und staatlichen Interesse für geboten, durch Veröffentlichung Ihres hierfür von Haus aus bestimmten Schreibens vom 1. Juli 1879 den Beweis zu liefern, daß Ihr Abschiedsgesuch durch Meinungsverschiedenheit zwischen uns nicht veranlaßt worden ist. Ich habe meine Ansichten auch in der Zwischenzeit nicht gewechselt.

143. Brief an König Ludwig II. von Bayern

W 14/II, 917 f., Nr. 1638 = Rothfels, Briefe, 402, Nr. 272.

Berlin, den 1. Juni 1880.

Allerdurchlauchtigster König
Allergnädigster Herr
Wenn ich auch über die Entwickelung der politischen Verhältnisse, welche Eure Majestät Allerhöchstihrer Aufmerksamkeit würdigen, im Augenblick nichts zu melden habe, was nicht schon durch die Oeffentlichkeit bekannt wäre, so kann ich doch den Ausdruck der ehrfurchtsvollen Dankbarkeit nicht länger zurückhalten, mit welcher ich Eurer Majestät huldreiches Schreiben vom 17. d. M. empfangen habe. Ich werde nach dem Stande meiner Gesundheit leider genöthigt sein, unter allen Umständen den Geschäften eine Zeit lang fern zu bleiben, da mir die Aerzte Ruhe und Einsamkeit zur Pflicht machen. Wenn aber meine Kräfte soweit wiederkehren, daß ich mich den Geschäften gewachsen fühle, so werde ich zur Wiederübernahme derselben eine besondere Ermuthigung in der Fortdauer der gnädigen Gesinnung finden, mit welcher Eure Majestät mich beehren. Ich darf diese auch ferner um so sicherer in Aussicht nehmen, als ich die föderative Grundlage der Reichsverfassung und die durch letztere verbürgte Selbständigkeit und Stärke der einzelnen Staaten, wie sie Eurer Majestät Intentionen entspricht, auch meinerseits für die sichere, aber auch unentbehrliche Bürgschaft unseres Verfassungsrechtes, unsres Friedens und der Macht, die uns den letzteren erhält, ansehe.
Ich habe im Beginne meiner ministeriellen Amtsthätigkeit schwere und bedrohliche Kämpfe im Innern zu bestehen gehabt, ich habe aber vor denselben niemals zurückgeschreckt, weil ich mich im Besitze des Vertrauens fühlte, mit dem der König, mein allergnädigster Herr, mich beehrte. Seitdem ich nicht mehr im alleinigen Namen Seiner Preußischen Majestät, sondern im Namen der verbündeten hohen Regirungen Deutschlands den

Bewegungen der Zeit und den Angriffen der Gegner monarchischer Ordnung gegenüberstehe, würde die verstärkte Macht des gesamten Vaterlandes mir auch eine verstärkte Zuversicht im Kampfe gewähren, wenn ich diese Macht jederzeit sicher und fest geeinigt wüßte in der Entschlossenheit, sich gegen die steigende Flut der die Monarchie und ihre Ordnungen bedrohenden Bewegungen gemeinsam zu wehren. Sobald aber bei einigen der verbündeten Regirungen entweder in Folge der liberalen Sympathien der Minister und Ministerialbeamten mit den parlamentarischen Bewegungsparteien, oder in Folge der Furchtsamkeit und des parlamentarischen Popularitätsbedürfnisses der Minister und der maßgebenden Beamten, die Erscheinung zu Tage tritt, daß die starke Phalanx der verbündeten Regirungen durch Furcht oder durch Parteinahme für den Gegner sich auflöst, und wenn dieß namentlich angesichts von Uebergriffen des Parlaments gegen die Rechte der Regirungen geschieht, dann würde ich allerdings mir den Muth nicht bewahren können, meine Aufgabe weiter zu führen, weil ich dann an deren befriedigender Lösung den Glauben verlieren würde.

Was mich in dem Kampfe gegen die verfassungswidrigen Eingriffe des Reichstages in die Rechte des Bundesrathes bei der Frage der Zollgränzen am meisten und mehr als die Verworrenheit der parlamentarischen Situation entmuthigt hat, war die amtliche Eröffnung einiger einflußreichen Bundesregirungen, daß dieselben „aus Rücksicht auf die Stellung, welche der R e i c h s t a g zur Sache genommen habe“ auf die Ausübung der Rechte des Bundesrathes zu verzichten beabsichtigten.

Wenn der Reichstag in einer starken und conservativen Mehrheit den verbündeten Regirungen gegenüber eine wohl erwogene Stellung einnimmt, so wird eine verständige Politik gewiß mit derselben rechnen wollen; wenn aber gerade die turbulenten, demokratischen und unitarischen Elemente des Reichstags unter Benutzung der Stimmvortheile, welche sie aus der principiellen Opposition des Centrums ziehn, in die Rechte der Regirungen eingreifen wollen, so darf meines Erachtens unter letzteren die Nachgiebigkeit keine Vertretung finden. Der Verlust der Regirungsrechte ist überall gewiß, wo der Muth zu ihrer Vertretung fehlt. Die Wahrnehmung, daß diese meine Ueberzeugung nicht von allen Regirungen getheilt wurde und die Befürchtung, daß auch die Mehrheit des Bundesrathes zum Nachgeben gegen unberechtigte parlamentarische Forderungen geneigt sein könne, war für meine Auffassung maßgebend, in welcher ich den Schluß meines ehrfurchtsvollen Schreibens vom 13. an Eure Majestät niederschrieb. Die huldreiche Antwort, mit welcher Ew. Majestät auf diese meine Sorgen einzugehen geruht haben, ermuthigt mich, Allerhöchstdenselben auch über die Entstehungsgründe der politischen Niedergeschlagenheit, welcher ich Ausdruck gab, Rechenschaft zu geben und auf eine gnädige Aufnahme dafür zu rechnen. — In tiefer Ehrfurcht verharre ich Eurer Majestät allerunterthänigster Diener v. Bismarck.

144. Schreiben an den Vizepräsidenten des Staatsministeriums Graf zu Stolberg-Wernigerode: Die Parteiverhältnisse in der Provinz Hannover (Diktat Reichskanzlei) W 6 c, 188 f., Nr. 186.

Berlin, den 22. Juni 1880.

Vertraulich.

Auf Grund persönlicher Beziehungen und Mitteilungen erlaube ich mir Euerer Erlaucht nachstehende Ansichten über politische Vorgänge in der Provinz Hannover während der letzten Jahre ergebenst mitzuteilen.

Meiner Ueberzeugung nach haben wir in dieser Provinz nur einen Gegner zu bekämpfen, das Welfentum im ultramontanen Verbande, und wir haben gegen dasselbe nur einen nennenswerten Bundesgenossen, die national-liberale Partei. Ich habe es deshalb nicht ohne Sorge angesehen, daß sich in den letzten Jahren auf Kosten der Nationalliberalen in Hannover die dort nicht heimische Parteibildung der Deutsch-Konservativen und, wie anzunehmen, unter Mitunterstützung der gouvernementalen Einflüsse bei den Wahlen ein Terrain erworben hat, welches den Nationalliberalen zwar verloren geht, aber der Regierung nicht zugute kommt. In Hannover wäre es meines Erachtens die Aufgabe der Kgl. Regierung gewesen, das vorhandene starke und preußenfreundliche Element der Nationalliberalen mit dem vollen Einfluß der Regierung öffentlich zu unterstützen. Den Versuch, eine spezifisch preußische konservative Partei dort zu schaffen, halte ich für einen verfehlten. Die Hoffnung, mit einer solchen die angeblich gemäßigten Anhänger des Welfentums für uns zu gewinnen, dürfte sich jetzt schon als eine trügerische bewährt haben.

Meiner Ueberzeugung nach hat die Spaltung der preußenfreundlichen Elemente in Hannover die Schwächung ihrer Gesamtwirkung und eine Stärkung der Welfen zur Folge gehabt. Ich halte es für erklärlich, daß die in der Provinz Hannover stehenden alt-preußischen Beamten und Offiziere auf den Gedanken gekommen sind, eine preußisch-konservative Partei zu bilden, welche nicht bloß zu den Welfen, sondern auch zu den Nationalliberalen bei den Wahlen im Widerspruche steht. Ich halte diese Bewegung aber für einen politischen Fehler, den m. E. die Kgl. Regierung nicht hätte fördern, sondern hindern sollen. Ich glaube, daß dies noch jetzt in Vorbereitung auf die nächsten Wahlen indiciert ist, und bitte Euere Erlaucht, im Staatsministerium die Frage anzuregen, ob ich für diese meine Ueberzeugung auf die Unterstützung der Herren Kollegen rechnen darf.

Ich halte für jetzt und vielleicht für die ganze Dauer der Generation, welche bei Langensalza focht, das deutsche konservative Unternehmen in Hannover für ein fruchtloses. Es kann die nationalliberalen Bestrebungen wesentlich schädigen und ihnen einen besonders kräftigen Teil des ursprünglichen Bestandes entziehen; denn ursprünglich stimmten meines Wissens die preußisch gesinnten Konservativen in Hannover mit den Nationalliberalen antiwelfisch, indem sie mit Recht für ihre Aufgabe erkannten, zunächst für Preußen und demnächst erst für die konservative Fraktion zu wirken. Die welfischen Elemente, auf deren Heranziehen die deutschkonservativen Bestrebungen berechnet sein können, also der Adel, die Geistlichkeit und ein Teil des Bauernstandes stehen noch für Jahre, und namentlich solange sie Anlehnung an den Kulturkampf haben, auf einem so extremen und feindlichen Standpunkte und in einem so fundamentalen Gegensatze zu dem preußischen Royalismus der Deutsch-Konservativen, daß sie noch heute die Rechtsgültigkeit der Annexion negieren und eine Stellung einnehmen, zu der den Deutsch-Konservativen der Zugang fehlt. Unser Bestreben muß meines Erachtens sein, die reichsfreundlichen Elemente den Welfen gegenüber zu vereinen und nach Möglichkeit zu verhindern, daß diejenigen, welchen die Nationalliberalen nicht sympathisch sind, gegen dieselben stimmen oder wirken. Alle Elemente, welche die Annexion als dauernde Einrichtung ansehen und wollen, sollten einheitlich wirken und den Nationalliberalen, als dem stärksten unter ihnen, die Führung überlassen.

Die publizistischen und die Wahl-Bestrebungen der Deutschkonservativen Partei an sich sind nicht lebenskräftig. Ihr Organ hat keine Zukunft, seine Leser beschränken sich auf die nach Hannover verzogenen Altpreußen, die wir nicht zu gewinnen brauchen, und die publizistischen und rhetorischen Feindseligkeiten, welche von dort her gegen die Nationalliberalen verübt werden, haben kein weiteres Ergebnis, als ein Gegenstand der Freude und des Spottes der feindlichen Welfen zu sein. Diese Bestrebungen der Konservativen in Hannover, die ich für einen politischen Fehlgriff halte, dienen meiner Ansicht nach nur dazu, den Gegensatz zwischen der preußischen Kolonie und der einheimischen Bevölkerung in Hannover zu verschärfen und, ähnlich wie in Hessen, die Nationalliberalen zu schwächen, resp. weiter nach links zu drängen.

Euere Erlaucht bitte ich um eine gefällige Aeußerung, ob Sie geneigt sein wollen, die vorstehende Auffassung mit mir gemeinsam den Herren Kollegen gegenüber zu vertreten.

145. Privatschreiben an den Landwirtschaftsminister Freiherrn Lucius von Ballhausen W 14/II, 919, Nr. 1642.

Kissingen, den 20. August 1880.

Verehrter Freund und College!

Mit verbindlichstem Dank für Ihre freundlichen Zeilen gestatten Sie mir die Bitte zu verbinden, daß wir vor irgend einer auf den Ausfall der Ernte zu begründenden Maßregel denselben doch vollständig abwarten. Daß einzelnen Förstern die ganze Ernte verregnet ist, glaube ich gern, in größerem oder geringerem Maße wird dieß auf ausgedehnten Flächen der Fall sein. Wir werden dem geschädigten Landwirt aber damit nicht aufhelfen, daß wir ihm die Preise dessen, was ihm zum Verkauf geblieben ist, herabdrücken. Auf das fortschrittliche Geschrei dürfen wir nichts geben, wenn wir uns nicht die Wahlaussichten bei der ländlichen Bevölkerung ruiniren wollen. Letztere erwartet von ihrem Minister mehr wie von jedem andern, Schutz der landwirtschaftlichen Interessen, und hat darauf auch wohl ein zweifelloses Recht; eine Erleichterung des inländischen Verkehrs mit inländischem Getreide würde ich gern befürworten, damit die bessere Ernte der meisten deutschen Länder den Notleidenden zugeführt werden kann; einer Begünstigung der ausländischen Einfuhr aber würde ich mich nicht anschließen können. Die Agitation gegen die Kornzölle wird sich, wie ich hoffe, in eine Agitation gegen die ungleiche Besteuerung der inländischen Landwirtschaft umdrehen lassen, und ich hoffe hierbei auf Ihren freundlichen Beistand. Hier scheint mir der „Ressortpatriotismus" zu Gunsten des landwirtschaftlichen Steuerpackesels nicht nur erlaubt, sondern geboten.

Daß die Forstdienstländereien wegen Frostschaden Mißernte haben, ist bei ihrer Lage im Walde keine Seltenheit, und darf Sie nicht erschrecken.

Ich hoffe, Ende nächster Woche in Friedrichsruh zu sein, und würde mich freuen, wenn wir uns dort noch früher, als in Berlin, wiedersehen könnten. Der Ihrige.

146. Brief an den Vizepräsidenten des Staatsministeriums Graf zu Stolberg-Wernigerode W 14/II, 920 f., Nr. 1644 = Rothfels, Staat, 67 ff., Nr. 77.

Friedrichsruh 10. September 1880.

Ew. Erlaucht
gefälliges Schreiben vom 5. d. M. habe ich bisher wegen heftiger neuralgischer Leiden nicht beantworten können und bin auch heute nicht imstande es mit eigner Hand zu thun, sondern muß mich der meines Schwiegersohnes bedienen. Die Schwierigkeiten, welche das Zerrgewicht der parlamentarischen Situation der Erfüllung dringlicher ministerieller Aufgaben entgegenstellt und denen meine Gesundheit, wenn sie nicht besser wird, nicht gewachsen ist, würden durch die Ausführung des Entschlusses, den Ew. Erlaucht mir zu meinem Bedauern kundgeben[42], wesentlich gesteigert werden; die Versuchung, mich denselben auch meinerseits durch den Rücktritt aus dem Dienst zu entziehen, wird dadurch gesteigert. Das Gefühl, Sr. Maj. dem Könige Verlegenheiten zu ersparen, und die Ueberzeugung, daß ein Minister nicht bloß für seine Amtsführung, sondern auch für seinen Rücktritt und dessen Folgen eine Verantwortlichkeit trägt, halten mich bisher in meiner Stellung, können mir aber die schwindenden Kräfte nicht ersetzen, und ich habe schließlich doch nicht allein die Verpflichtung, dafür aufzukommen, daß die Continuität der gegenwärtigen Regirung erhalten werde. Meine Privatverhältnisse machen es mir von Jahr zu Jahr dringlicher, mich, wenn nicht ausschließlich, doch mehr als bisher mit meinen eignen Angelegenheiten zu befassen, und mit der wachsenden Stärke der dem Staat und seiner Regirung entgegenstehenden Parteien und ihrer Anstrengungen wächst auch die Arbeit meiner ministeriellen Stellung und vermindert sich die Möglichkeit, meine eignen Geschäfte im Auge zu behalten. Ich bin auch, wenn ich zurücktrete, gegen den Vorwurf gesichert, daß ich dem Dienst des Vaterlandes meine Schuld nicht bezahlt hätte. Dem Bedürfniß nach Wiedererlangung meiner Freiheit steht außerdem die steigende Nothwendigkeit, meiner Gesundheit zu leben, zur Seite.

In dieser meiner Situation bin ich noch mehr als früher auf die Unterstützung der Collegen angewiesen, und wenn Ew. Erlaucht mir die Ihrige entziehen, so kann dieses für mich unerwartete Ergebniß auch nicht ohne Einfluß auf meine Entschließung bleiben. Sie sagen, daß Sie Ihre amtliche

---

[42] Graf Stolberg wollte sich aus dem Staatsdienst zurückziehen, verzichtete aber nach Bismarcks Brief auf diese Absicht.

Leistung gering anschlagen, aber ich glaube, Sie unterschätzen dieselbe. Es kommt in Ew. Erlaucht Stellung gar nicht darauf an, daß Sie in die Details der Geschäfte regelmäßig eingreifen; es kommt vielmehr darauf an, ob das Gewicht Ihrer Persönlichkeit und Ihrer Stellung im Lande in die Wagschale des Ministeriums gelegt wird oder nicht, sowohl dem Lande gegenüber als auch in der Vertretung unsrer Politik bei Sr. Maj. dem Könige. Ich habe manche Collegen im Staatsministerium gehabt, welche bei ununterbrochener eigenhändiger Betheiligung an den laufenden Geschäften dennoch in langjähriger Amtsthätigkeit dem Lande nicht dieselbe Summe von Diensten geleistet haben, wie Ew. Erlaucht allein in der Zeit des Oktobers v. J.[43]. In diesen und andern Vorkommnissen von politischem Schwergewicht, wie die kirchliche Gesetzgebung, die Reformen unsres Steuerwesens, kurz in allen größeren principiellen Fragen ist das Gewicht Ihres Namens und Ihrer Person nicht so leicht zu ersetzen, wie Sie annehmen. Ew. Erlaucht werden mir darin Recht geben, wenn Sie auch nur den Versuch machen wollten, den Nachfolger zu nennen, den ich dem Könige vorschlagen könnte. Der Versuch, ähnlich wie früher z. Z. Camphausens, einem der andern Minister die Vertretung im Präsidium zu übertragen, würde, wie ich fürchte, sofort weitere Personalkrisen im Gefolge haben. Gleichgültig, auf welchen von unsern Collegen die Allerhöchste Wahl fiele: die Ernennung des Einen würde, wie ich fürchte, mit Sicherheit den Austritt Andrer zur Folge haben.

Ich bin Ew. Erlaucht aufrichtig dankbar für das freundliche Wohlwollen und die Offenheit, welche auch aus dieser für mich nicht erfreulichen Mittheilung zu mir sprechen, und in Rechnung auf diese Gefühle hoffe ich keine Fehlbitte zu thun, wenn ich Ew. Erlaucht dringlich ersuche, wenigstens in diesem Augenblicke keinen Entschluß zu fassen und denselben mindestens bis nach persönlicher Rücksprache zwischen uns zu verschieben. Es liegen augenblicklich nur solche Geschäfte vor, welche sich durch schriftliches Votum abmachen lassen, wie namentlich die Herstellung der Vorlagen für den Landtag, und diese, soweit Ew. Erlaucht sie den Ressortministern nicht anheim geben wollen, lassen sich auf dem Wege der Correspondenz erledigen, so daß ich mir mit der Hoffnung schmeichle, daß Sie selbst auf die Entscheidung nicht drängen werden. Wenn Ew. Erlaucht dabei, wie Sie sagen, die persönliche Freudigkeit fehlt, so kann ich Ihnen das sehr nachempfinden; ich kenne dieß Gefühl seit fast 10 Jahren nicht

---

[43] Bei den Verhandlungen über den Abschluß des deutsch-österreichischen Bündnisses.

mehr, sondern nur das der Pflicht gegen Gott und Menschen, und zwar einer Pflicht, die ich nicht mit Liebe zur Sache erfülle, sondern unter dem Zwange meines eignen Gewissens. Die Kämpfe, deren ununterbrochene Kette bei uns ein ministerielles Leben bildet, können nach meiner Erfahrung eine wahre Freude an der ministeriellen Wirksamkeit nur bei den Naturen aufkommen lassen, welche in der Stellung an sich Befriedigung finden, die ein Kampf nicht gewähren kann, in dem man des definitiven und dauernden Erfolges niemals sicher ist. In der Hoffnung, daß meine Bitte Ew. Erlaucht mindestens zu einer Vertagung Ihres Entschlusses bewegen werde, bin ich mit der aufrichtigsten Verehrung.

147. Gespräch mit dem Hausarzt Dr. Cohen am 25. September 1880 in Friedrichsruh W 8, 378 f., Nr. 284.

Bismarck meint, die äußere Politik mache ihm jetzt kein Kopfzerbrechen. Für uns beständen gar keine Schwierigkeiten. In England und Oesterreich treibe man Kindereien.

Unser neuer Freund[44] *sei feige, fürchte immer das aggressive Rußland. Er wollte, daß die Russen nur wieder mit der Türkei anfangen. Wenn sie im Orient beschäftigt seien, so hätten wir Ruhe vor ihnen, dann wären sie traitabel. — Hunderttausend Türken erforderten dreihunderttausend Russen und sie hätten gelernt, was ein Krieg bedeute. Dulcigno sei ein Unsinn*[45]*. Weil Kaiser Alexander sein Wort gegeben hätte, daß Montenegro Dulcigno haben sollte, so verwandelt man die Stadt erst in einen Schutthaufen. — Gladstone sei ein verrückter Professor. Die Bulgarienschwärmerei reiner Blödsinn. — Da sei ihm sein phantastischer Freund Disraeli lieber. — Gambetta sei krank, habe eine enorme Leber, werde sehr bald abgetan sein. — Auf meine Bemerkung, daß ich immer nach dem Kriege auf eine Allianz mit Frankreich gedacht, sagte er:* „Ja, die könnten wir jeden Augenblick haben, wenn wir Metz wieder herausgeben wollten, aber ‚das Messer meinem Mörder?', wie König Philipp sagte." *Mit zweien könnten wir es schon auf-*

---

[44] Gemeint sind Österreich und das Bündnis mit diesem vom 29. Oktober 1879.

[45] Nach den Beschlüssen des Berliner Kongresses hatte die Türkei die Hafenstadt Dulcigno an Montenegro zu übergeben, verweigerte dieses jedoch. Eine auf Betreiben Gladstones veranstaltete Flottendemonstration der Großmächte im September 1880 sollte die Übergabe erzwingen. Da die Stadt jedoch nicht beschossen wurde, führte erst die Drohung der Engländer, die Zollstation Smyrna zu besetzen, zum Rückzug der Türken aus Dulcigno.

nehmen, aber drei seien unangenehm. Deshalb die Allianz mit Oesterreich. — Die russisch-französisch-österreichische Allianz sei ja oft geplant.
Dann kam er auf die Versicherungskassen für Arbeiter zu sprechen. Das Haftpflichtgesetz sei sehr hart für die Fabriken. Er wolle, daß jeder Arbeiter bei der Staatsversicherung gegen Unfälle versichert werde. — Zunächst nur in den Fabriken, aber er sehe nicht ein, warum sich Matrosen und Feuerwehrleute usw. nicht auch versichern könnten.

148. Gespräch mit dem Hausarzt Dr. Cohen und anderen Tischgästen am 27. September 1880 in Friedrichsruh W 8, 379 f., Nr. 285.

Mit Maybach[46]*, Tiedemann und Dietze zu Tische beim Fürsten Bismarck. Viel Gespräch über die neue Eisenbahn durch Friedrichsruh. — Dann über die Sezession*[47]*. Die Leute hätten einen großen Fehler gemacht, daß sie den Freihandel mit in ihr Programm genommen. Er liebe im ganzen keine Prophezeiungen, aber davon sei er überzeugt, daß der Freihandel in Preußen ein für allemal abgetan sei und nie wieder eine Regierung finde. Das Land sei dabei verarmt und man mache ein solches Experiment nicht zum zweiten Male. Die Herren irren sich auch, wenn sie glauben, es mit dem Kronprinzen leichter zu haben. Derselbe sei ganz Bismarcks Ansicht. Die Sezessionisten seien sehr eitle Leute, die gern an die Regierung wollten. Es sind lauter Generäle ohne Mannschaft. — Bennigsen habe doch Mannschaften unter sich. Er würde noch mehr haben, wenn er aktiver wäre, sich weniger in der Defensive verhielte. — Für den Freihandel seien jetzt nur noch die Seestädte.*
Für die Versicherungsanstalt bat er Maybach sich zu interessieren. Die meisten Minister seien mehr Leute von der Feder als vom Leder. Er und Lucius stehen aber mitten im praktischen Leben.
Heftige Klagen gegen die Steuerschraube der Magistrate in Preußen. Seine Söhne müßten auch Steuer bezahlen von dem Gelde, das Bismarck ihnen gebe, das also schon einmal besteuert sei. Seine Dienstboten müßten selbst für ihre Livree steuern. Ebenso sei es mit den Grundsteuern. Für ganz leerstehende Gebäude müßte ebensoviel gesteuert werden wie für vermietete. Bismarck habe deshalb aus Aerger einmal ein Ziegeleigebäude abbrechen lassen.

---

[46] Als Minister für öffentliche Arbeiten bereitete Maybach die Verstaatlichung der Eisenbahnen in Preußen vor.

[47] Seit Mai 1880 spalteten sich als „Sezessionisten" zahlreiche freihändlerisch gesinnte Abgeordnete ihres linken Flügels von der Nationalliberalen Partei ab, die sich dann 1881 in der Liberalen Vereinigung zusammenschlossen und 1884 gemeinsam mit dem bisherigen Fortschritt die neue Freisinnige Partei bildeten.

149. Immediatbericht: Übernahme des preußischen Handelsministeriums durch Bismarck von der Notwendigkeit einer einheitlichen deutschen Wirtschaftspolitik geboten (Abschrift) Goldschmidt, 282 ff., Nr. 80 [gekürzt].

Friedrichsruh, 12. Oktober 1880.

Die Vorarbeiten zu den Reichsgesetzen und Verordnungen, welche die Regelung wirtschaftlicher Angelegenheiten zum Gegenstande haben, sind bisher teils von den Reichsbehörden, teils von Ew. pp. Preußischem Ministerium für Handel und Gewerbe ausgegangen, ohne daß zwischen beiden Stellen die direkte Beziehung und der Gedankenaustausch stattfand, welche ein einheitliches Zusammenwirken zur Herstellung der Entwürfe möglich machen, die demnächst Ew. pp. den übrigen preußischen Ministerialressorts, den verbündeten Regierungen und dem Bundesrat zur Beschlußnahme unterbreiten werden. Wenn die Kritik und die Richtigstellung, welcher jeder Entwurf, nachdem Ew. pp. ihn im Prinzip sanktioniert haben, auf dem Wege durch die genannten Behörden unterzogen wird, die Mannigfaltigkeit der Einwirkungen, denen er ausgesetzt ist, nicht nur verfassungsmäßig geboten, sondern auch sachlich nützlich sind, so halte ich doch für die Herstellung der ersten Ausarbeitung, welche demnächst der Läuterung durch abweichende Urteile unterzogen werden soll, eine einheitliche Bearbeitung für geboten. Die Friktion, welche sich über Einzelheiten und Fassungsfragen in betreff der ersten Entwürfe dann jederzeit bildet, wenn die beteiligten Ressorts jedes für sich ihre Entwürfe machen, ist mit einem unverhältnismäßigen Zeitverlust verbunden und erfordert zu ihrer Überwindung eine dem schließlichen Resultat nicht zugute kommende Aufwendung von Arbeitskräften seitens des Reichskanzlers, dem seine Verantwortlichkeit für die im Bundesrat vom Präsidium oder von Preußen zu machenden Vorlagen die Aufgabe stellt, die Verständigung der verschiedenen Gesichtspunkte zu vermitteln. Daß diese Aufgabe wesentlich erleichtert wird, wenn das Ministerium für Handel und Gewerbe in eine engere organische Beziehung zum Reichskanzler tritt, haben Ew. pp. zunächst dadurch anzuerkennen geruht, daß Allerhöchstdieselben dem Präsidenten des Reichskanzleramts als gesetzlichem Vertreter des Reichskanzlers auf diesem Gebiete in der Person des Staatsministers Hofmann und demnächst dem Reichskanzler selbst die Leitung des k. Handelsministeriums übertragen haben. Wenn durch diese . . . Anordnungen eine Erleichterung des Geschäftsganges schon vorbereitet ist, so kann diese Erleichterung doch erst dann in volle Wirkung treten, wenn die Möglichkeit gegeben wird, daß die Arbeiten, welche in verschiedenen Ressorts erforderlich sind, um eine vorläufige Unterlage für die Beschlüsse des Staatsministeriums und Bundesrats zu gewinnen, an einer Stelle konzentriert werden, ohne daß die Mitwirkung eines der bisher dabei tätigen Faktoren verloren geht.

Um dieses Ziel zu erreichen, erlaube ich mir, den ... Antrag, daß E. M. die Errichtung einer neuen Abteilung im Reichsamt des Innern für wirtschaftliche Angelegenheiten ... anordnen wollen. Die Aufgabe derselben würde hauptsächlich in der Vorbereitung der wirtschaftlichen Reichsgesetze bestehen, also in der Versorgung derjenigen Geschäfte des k. Handelsministeriums, welche nicht auf dem staatlichen, sondern auf dem Reichsgebiete liegen, und welche das Handelsministerium nicht selbständig besorgen kann, weil es dazu des Einverständnisses des Reichskanzlers und der Mitwirkung der Minister für Landwirtschaft und für öffentliche Arbeiten, soweit letzterer die Bergwerke und sonstigen Staatsindustrien verwaltet, und in vielen Fällen auch des Finanzministers bedarf. Die Aufgaben des Handelsministeriums zerfallen in zwei ganz heterogene Gebiete, von denen das eine eine große Anzahl preußischer Verwaltungsgeschäfte umfaßt, in welchen dieses Ministerium als Aufsichts- oder Rekursbehörde tätig ist; auf diesem Gebiete hat das Ministerium mit dem Reiche keine wesentlichen Berührungspunkte und keine politischen, nur technische und administrative Fragen zu behandeln. Für Ew. pp. Reichskanzler liegt an und für sich kein Bedürfnis vor, im Interesse des Reichs auf diesem Gebiete eine Einwirkung zu üben. Die auf demselben zur Verhandlung kommenden Fragen sind wesentlich lokale lassen sich indessen ohne Gesetzänderung bis jetzt von der Mitwirkung nicht trennen, welche dem Ministerium für Handel und Gewerbe auf dem großen und wichtigen Gebiete der wirtschaftlichen Reichsgesetzgebung zusteht. Ich habe deshalb den für den Reichskanzler, wie ich glaube, unentbehrlichen Einfluß auf das letztere Gebiet nur dadurch erlangen können, daß ich mit der Gesamtheit der Geschäfte des Handelsministeriums auch jene das Reich nicht berührenden übernahm. Die politische und legislative Tätigkeit dieses Ministeriums aber findet auf einem Gebiete statt, welches seiner Natur nach der Bearbeitung durch Ew. pp. Behörden im Reich unterliegt, da es in Deutschland einen gesonderten preußischen Handel ebensowenig gibt wie einen sächsischen, bayerischen oder württembergischen. Das ganze Gebiet Deutschlands erfordert vielmehr in bezug auf wirtschaftliche Gesetzgebung die gleiche und einheitliche Behandlung. Eine Sonderung zu erstreben, welche den Reichskanzler von den Detailarbeiten des Handelsministers entlastet, ihm aber die nötige Einwirkung auf die Reichsgesetzgebung beläßt, wird der Zukunft vorbehalten bleiben müssen.

Unabhängig davon läßt sich das Bedürfnis, die politische und legislative Tätigkeit des Handelsministeriums in nähere organische Verbindung mit dem Reiche zu bringen, ohne Verzicht auf die nötige Fühlung mit den Ministerien für Landwirtschaft und für öffentliche Arbeiten schon jetzt erreichen, indem die von mir befürwortete wirtschaftliche Abteilung des Reichsamtes des Innern hauptsächlich aus Räten und Beamten des Handelsministeriums unter Beifügung eines oder zweier Mitglieder des landwirtschaftlichen und eines Beamten des Ministeriums für öffentliche Arbeiten gebildet wird. Kosten würden aus dieser Einrichtung so, wie sie mir vorschwebt, nicht verursacht werden, da den Ministerialräten und Beamten der angedeuteten Kategorien die betreffenden Funktionen in der wirtschaftlichen Abteilung des Reichsamts des Innern als unbesoldete Nebenämter übertragen werden könnten, welche sie neben den von ihnen im preußischen Staatsdienste bekleideten Ämtern für die Dauer der letzteren zu versehen haben würden. Zur Erlangung der Eigenschaft von Reichsbeamten würde es genügen, wenn Ew. pp. geruhen wollten, die betreffenden preußischen Beamten gleichzeitig und für die Dauer ihres preußischen Amtes zu vortragenden Räten im Reichsamt des Innern zu ernennen . . v. Bismarck.

150. Schreiben an das Preußische Staatsministerium: Entwurf einer Verordnung über die Errichtung eines preußischen Volkswirtschaftsrates

Poschinger, Wirtschaftspolitik II, 10 ff., Nr. 4 = Kohl 8, 197 ff.

Friedrichsruh, den 15. Oktober 1880.

Dem Königlichen Staatsministerium beehre ich mich in der Anlage den Entwurf einer Verordnung, betreffend die Errichtung eines Volkswirthschaftsraths, mit der Bitte um Berathung und Beschlußfassung zu übersenden.

Zur Begründung des Entwurfs erlaube ich mir Nachstehendes zu bemerken:

Die Vorbereitung von Gesetzesvorlagen, welche das wirthschaftliche Leben der Nation berühren, hat sich, seitdem der Staatsrath seine frühere Bedeutung verloren, als ungenügend erwiesen. Es fehlt an einer Stelle, wo derartige Vorlagen einer Kritik durch Sachkundige aus den zunächst betheiligten Kreisen unterzogen werden können.

Wie sehr die Wirthschaftsgruppen der Industrie, des Handels und der

Gewerbe und der Landwirthschaft das Bedürfniß einer größeren Berücksichtigung ihrer Interessen gefühlt haben, geht aus der Thatsache hervor, daß im Laufe der beiden letzten Jahrzehnte aus der freien Initiative der Betheiligten in dem „Deutschen Handelstag", in dem „Central-Verbande deutscher Industrieller" und in dem „Deutschen Landwirthschaftsrath" drei Körperschaften entstanden sind, deren Aufgabe im Wesentlichen darin besteht, in der Gesetzgebung wie in der Handels- und Zollpolitik den Wünschen der produktiven Volksklassen Geltung zu verschaffen.

Im Hinblick auf die Gemeinsamkeit vieler, und zwar der wichtigsten Interessen ist sowohl im Deutschen Handelstage wie in dem Central-Verbande deutscher Industrieller wiederholt der Wunsch laut geworden, aus oder neben jenen drei Körperschaften ein einheitliches Centralorgan errichtet zu sehen.

Der vorliegende Entwurf einer Verordnung, betreffend die Errichtung eines Volkswirthschaftsraths, kommt den Wünschen der Vertreter des Handels und der Industrie entgegen. Er bezweckt, eine Institution zu schaffen, welche bei der Vorbereitung aller das wirthschaftliche Gebiet berührenden Gesetzentwürfe, sei es in der Ministerial-Instanz, sei es im Bundesrath, die gemeinsamen und besonderen Interessen der Industrie, des Gewerbes, des Handels und der Landwirthschaft durch gutachtliche Aeußerungen wahrzunehmen hat.

In den einzelnen Bestimmungen des Entwurfs darf Folgendes bemerkt werden:

Für die Errichtung des Volkswirthschaftsraths genügt der Weg der Königlichen Verordnung; die Vorlage eines Gesetzentwurfs ist nicht erforderlich, und würde nach den Erfahrungen der letzten Jahre zu Diskussionen führen, bei welchen die Taktik der Fraktionen und der Hinblick auf die Wahlen der sachlichen Behandlung im Wege steht.

ad §. 2. Für die Zusammensetzung des Raths ist theils (cfr. §. 1) die direkte Berufung, theils die Ernennung auf Präsentation der vorhandenen Interessentenvertretungen unter gleicher Vertheilung der letzteren Zahl auf jede der drei Sektionen in Aussicht genommen.

Hierbei ist nicht übersehen worden, daß die Zahl der in der Landwirthschaft beschäftigten Personen die Zahl der in den beiden anderen Gruppen zusammen Beschäftigten übersteigt. Undurchführbar ist aber eine Vertretung aller Interessen nach Maßgabe ihres Gewichts. Wenn eine solche stattfinden sollte, so würde sie sich nur etwa nach der Kopfzahl und der Steuerleistung in gemischtem Maßstabe herstellen lassen.

Das auf den ersten Anblick auffällige Mißverhältniß in der Vertretung verliert an Bedeutung, wenn erwogen wird, daß für den Volkswirthschaftsrath die sektionsweise Berathung zulässig ist (cfr. §. 8), und daß es sich überhaupt bei diesen Berathungen nicht um entscheidende Beschlußfassungen, sondern nur um eine gutachtliche Beleuchtung handelt, welche für die Entschließungen der Staatsregierung bei Herstellung ihrer dem Reichstage und Landtage zu machenden Vorlagen verwerthet werden soll. Die Staatsregierung hat in den vorbereitenden Stadien das Gewicht der Gutachten, die sie erhält, nicht nach dem numerischen Verhältniß der Abstimmungen, sondern nach verantwortlicher Würdigung des Inhalts zu bemessen. Noch weniger soll durch die Gutachten den Beschlüssen der parlamentarischen Körperschaften vorgegriffen werden. Hier, wo die thatsächlichen Verhältnisse der einzelnen Bevölkerungsklassen durch den Schwerpunkt, welche die letzteren bei den Wahlen ausüben, direkt zum Ausdruck kommen, hat jede Gruppe unseres wirthschaftlichen Lebens die Gelegenheit, ihre numerische Bedeutung geltend zu machen.

ad §. 3. Für die Präsentationswahlen der Handels- und Gewerbevertretungen ergeben sich die auf Gesetz beruhenden Organe — die Handelskammern und kaufmännischen Korporationen — von selbst.

Das landwirthschaftliche Gewerbe hat zwar keine offizielle, aber doch eine auf freier Vereinigung beruhende, organisch aufgebaute und in den Interessentenkreisen in hohem Ansehen stehende Vertretung in den über ganz Preußen sich erstreckenden landwirthschaftlichen Lokal- und Provinzial-Vereinen. Letzteren dürfte, soweit ihnen die Vertretung im deutschen Landwirthschaftsrath und im Zusammenhang hiermit nach dem Regulativ vom 1. Mai 1878 auch die Delegirung von Mitgliedern für das preußische Landesökonomie-Kollegium zusteht, ein Präsentationsrecht unbedenklich eingeräumt werden können.

Die Vertheilung der Gesammtzahl der zu Präsentirenden auf die einzelnen Provinzen ist unter Zugrundelegung der Bevölkerungsziffer erfolgt.

ad §. 4. Die direkte Berufung von 30 Mitgliedern des Volkswirthschaftsraths empfiehlt sich aus folgenden Gründen:

Für die Sektionen des Handels, der Industrie und der Gewerbe können nur die vorhandenen Organe — die Handelskammern und kaufmännischen Korporationen — zur Präsentation berechtigt erklärt werden. Dieselben umfassen aber nicht alle Landestheile; selbst industriereiche Bezirke, wie z. B. das ganze oberschlesische Montangebiet, sind nicht vertreten. Die direkte Berufung kann daher hier als ein passendes Mittel zur Ausfüllung etwaiger durch die Präsentationswahlen sich ergebender Lükken dienen. Derartige Lücken können auch dadurch entstehen, daß bei den Präsentationswahlen die verschiedenen Handels- und Industriezweige nicht gleichmäßig berücksichtigt werden.

Wenn ferner schon der Kleinhandel und die Kleinindustrie durch die Handelskammern und kaufmännischen Korporationen nicht immer zu einer angemessenen Interessenvertretung gelangen, so besitzt vollends der Handwerkerstand eine offizielle Vertretung innerhalb Preußens überhaupt nicht, und es erscheint daher die direkte Berufung als das einzige geeignete Mittel, ihm eine Mitwirkung in dem Centralorgan zu sichern. Falls in Folge der beabsichtigten Revision der Gewerbeordnung und der normativen Regelung des Innungswesens die Bildung lebensfähiger Innungsverbände in größerer Anzahl sich verwirklichen sollte, würde später auf Gewährung eines Präsentationsrechtes auch an dergleichen Innungsverbände, wie im §. 2 des Entwurfs bereits angedeutet, Bedacht genommen werden können.

Endlich gewährt die direkte Berufung die einzige Möglichkeit, auch dem Arbeiterstande eine Vertretung zu schaffen, da ein annehmbarer Wahlmodus zur Herstellung derselben nicht erfindlich ist.

ad §. 5. Die Provinzen werden am meisten geeignet sein, zugleich als Wahlkreise für die Präsentationswahlen zu dienen. Das hauptsächliche wirthschaftliche Gepräge der einzelnen Landestheile dürfte mit dieser Abgrenzung der Wahlbezirke im Großen und Ganzen zum Ausdruck gelangen. Die Konstituirung Berlins als eines besonderen Wahlkreises entspricht der Bestimmung des §. 2 der Provinzialordnung vom 29. Juni 1875, wonach Berlin aus dem Kommunalverbande der Provinz Brandenburg ausgeschieden ist.

Da Berlin nur ein einziges präsentationsberechtigtes Organ, die kaufmännische Korporation daselbst, besitzt, so ergiebt sich hier die direkte Wahl der zu Präsentirenden von selbst.

Für die übrigen Wahlkreise wird ein Wahlmodus geschaffen werden müssen, nach welchem Delegirte der vorschlagsberechtigten Organe am Sitze des Ober-Präsidenten zu einem Wahlkörper zu vereinigen sind.

Das verschiedene Gewicht, welches den einzelnen Handelskammern und kaufmännischen Korporationen innerhalb derselben Provinz je nach dem Umfange ihres Bezirks und der Bedeutung der in demselben vorhandenen gewerblichen Thätigkeit zukommt, bedingt eine verschiedene Normirung der bei der Präsentationswahl abzugebenden Stimmen. Der zuverlässigste Maßstab für diese Normirung wird die innerhalb des Bezirks jeder Handelskammer veranlagte Gewerbesteuer sein . . .

Die Ungleichheit, welche aus der ungleichen Vertheilung der Handelskammern über das Gebiet der Monarchie erwächst, wird, wenn das Interesse der Bevölkerung sich der neuen Institution überhaupt zuwendet, durch Bildung neuer Handelskammern ausgeglichen werden . . .

Bei der Wahl wird es darauf ankommen, womöglich jeder wirthschaftlichen Gruppe der Provinz eine Vertretung zu sichern. Es empfiehlt sich deshalb, von dem Erforderniß der absoluten Majorität im ersten Wahlakte abzusehen und Jeden für gewählt zu erklären, auf den sich im einfachen Wahlakt ohne Stichwahl mehr wie $^1/_3$ der abgegebenen Stimmen vereinigen.

ad §. 8. Die Bildung dreier Sektionen im Volkswirthschaftsrath wird die Behandlung solcher Fragen erleichtern, bei welchen nur die besonderen Interessen einer einzelnen wirthschaftlichen Gruppe in Betracht kommen. Auch in Fragen, durch welche die gemeinsamen Interessen aller Gruppen berührt werden, wird es nicht immer nöthig sein, das Plenum des Volkswirthschaftsraths zu hören. Zur Erzielung einer Vereinfachung des Geschäftsganges und um die Schwerfälligkeit zu vermeiden, welche den Berathungen großer Kollegien anzuhaften pflegen, dürfte es sich vielmehr empfehlen, in der Regel nur einen Ausschuß in Thätigkeit treten zu lassen. Derselbe wird nach Analogie des Plenums des Volkswirthschaftsraths zu bilden sein.

ad §. 11. Daß die aus Präsentationswahlen hervorgegangenen Mitglieder des Volkswirthschaftsraths weder Reisekosten noch Diäten erhalten, erscheint im Hinblick auf den ehrenamtlichen Charakter ihrer Stellung angemessen. Dagegen wird die Frage offen bleiben können, ob und inwieweit den direkt berufenen Mitgliedern, namentlich denjenigen, welche dem Arbeiterstande angehören, Diäten und Reisekosten aus den den betheiligten Ministerien zu Gebote stehenden Fonds zu gewähren sein werden.

Entwurf einer Verordnung, betreffend die Errichtung eines Volkswirthschaftsraths.

Wir Wilhelm ... verordnen auf den Antrag Unseres Staatsministeriums, was folgt:

§. 1.

Entwürfe von Gesetzen und Verordnungen, welche die Interessen der Industrie, des Handels und der Gewerbe einschließlich der Landwirthschaft betreffen, sind, bevor sie Meiner Genehmigung unterbreitet werden, von Sachverständigen aus den betheiligten wirthschaftlichen Kreisen zu begutachten. Dasselbe gilt für diesseitige Anträge und Abstimmungen im Bundesrath zum Zweck reichsgesetzlicher Anordnungen auf dem gedachten wirthschaftlichen Gebiete.

Die Begutachtung erfolgt durch den nach den Bestimmungen dieser Verordnung zu bildenden Volkswirthschaftsrath.

§. 2.

Der Volkswirthschaftsrath besteht aus 75 von Mir für eine Sitzungsperiode von je 5 Jahren zu berufenden Mitgliedern. Von diesen sind 45 durch die Minister für Handel und Gewerbe, der öffentlichen Arbeiten und für Landwirthschaft, Domänen und Forsten auf Grund der Präsentation einer doppelten Anzahl durch Wahl der Handelskammern, der Vorstände der kaufmännischen Korporationen und der landwirthschaftlichen Vereine vorzuschlagen. Ergänzende Bestimmungen für die Betheiligung von Handwerker-Innungen, sobald solche gesetzlich ins Leben treten, behalte Ich Mir vor.

§. 3.

Die Präsentationswahl erfolgt in der Weise, daß gewählt werden:

a) von den Handelskammern und Vorständen der kaufmännischen Korporationen:

1. der Rheinprovinz	11
2. der Provinz Schlesien	9
3. der Provinz Sachsen	5
4. der Provinz Westfalen	6
5. der Provinz Brandenburg (ausschließlich des Stadtkreises Berlin)	4
6. des Stadtkreises Berlin	5
7. der Provinz Hannover	5
8. der Provinz Hessen-Nassau	3
9. der Provinz Schleswig-Holstein	2
10. der Provinz Pommern	2
11. der Provinz Westpreußen	2
12. der Provinz Ostpreußen	4
13. der Provinz Posen	2
im Ganzen	60;

b) von den landwirthschaftlichen Vereinen, und zwar:

1. in der Rheinprovinz:	
von dem landwirthschaftlichen Central-Verein	2
2. in der Provinz Schlesien:	
von dem landwirthschaftlichen Central-Verein	3
3. in der Provinz Sachsen:	
von dem landwirthschaftlichen Central-Verein	3
4. in der Provinz Westfalen:	
von dem landwirthschaftlichen Central-Verein	2

5. in der Provinz Brandenburg:
   a) von dem landwirthschaftlichen Central-Verein für den Regierungsbezirk Potsdam 1
   b) von dem landwirthschaftlichen Central-Verein für den Regierungsbezirk Frankfurt a. O. 1
6. in der Provinz Hannover:
   von der Königlichen Landwirthschafts-Gesellschaft . . . 2
7. in der Provinz Hessen-Nassau:
   a) von dem landwirthschaftlichen Central-Verein für den Regierungsbezirk Kassel 1
   b) von dem Verein nassauischer Land- und Forstwirthe . . . 1
8. in der Provinz Schleswig-Holstein:
   von dem landwirthschaftlichen General-Verein 2
9. in der Provinz Pommern:
   a) von der pommerschen ökonomischen Gesellschaft 2
   b) von dem baltischen Verein zur Beförderung der Landwirthschaft 1
10. in der Provinz Westpreußen:
   von dem Hauptverein westpreußischer Landwirthe . . . 3
11. in der Provinz Ostpreußen:
   a) von dem landwirthschaftlichen Verein für Litthauen und Masuren 1
   b) von dem ostpreußischen landwirthschaftlichen Central-Verein 2
12. in der Provinz Posen:
   von dem landwirthschaftlichen Provinzial-Verein . . . 3

im Ganzen . . . 30.

§. 4.

Von den 90 auf diese Weise Gewählten sind Mir durch die betreffenden Minister 15 Vertreter der Industrie, 15 des Handels und 15 der Landwirthschaft, außerdem aber nach Wahl dieser Minister noch 30 Mitglieder, unter denen mindestens 15 dem Handwerker- und dem Arbeiterstande angehören, zur Berufung in den Volkswirthschaftsrath vorzuschlagen.

§. 5.

Für die Wahlen der Handelskammern und Vorstände der kaufmännischen Korporationen gelten folgende Bestimmungen:

Der Stadtkreis Berlin und jede einzelne Provinz bilden je für sich einen Wahlkreis.

Die Präsentationswahl im Stadtkreise Berlin ist von dem Vorstande der kaufmännischen Korporation daselbst nach Maßgabe der für die sonstigen Wahlen gültigen statutarischen Bestimmungen zu vollziehen.

Im Uebrigen erfolgen die Präsentationswahlen in jedem Wahlkreise am Sitze des Ober-Präsidenten unter Vorsitz des Letzteren oder des von demselben ernannten Stellvertreters. Der Vorsitzende hat die Einladung zu den Wahlen auf den von ihm festzusetzenden Termin an jede der innerhalb des Wahlkreises bestehenden Handelskammern und an die Vorstände der kaufmännischen Korporationen mit der Aufforderung zu erlassen, je einen Delegirten aus ihrer Mitte mit Vollmacht zur Ausübung der Stimmberechtigung zu entsenden.

Die Bestimmung der jeder Handelskammer und jeder kaufmännischen Korporation zukommenden Stimmenzahl erfolgt vor jeder Wahl durch den Ober-Präsidenten nach Verhältniß der veranlagten oder fingirten Gewerbesteuerbeträge, welche für die Wähler der Mitglieder jeder Handelskammer das Beitragsverhältniß zu den Kosten der Handelskammer bestimmen (§. 23 des Gesetzes vom 24. Februar 1870, Gesetz-Sammlung S. 134), beziehungsweise nach Maßgabe der auf die Mitglieder jeder kaufmännischen Korporation veranlagten Gewerbesteuern.

Wählbar ist jeder zum Vorstandsmitglied einer in dem Wahlkreise bestehenden kaufmännischen Korporation und jeder zum Mitglied einer innerhalb des Wahlkreises bestehenden Handelskammer Wählbare, der das dreißigste Lebensjahr zurückgelegt hat.

Die Wahl erfolgt durch Stimmzettel in der Art, daß Jeder gewählt ist, auf welchen mehr als 1/3 der im ersten Wahlakte abgegebenen Stimmen sich vereinigen. Hat bei einer Wahl eine Stimmenzahl von mehr als 1/3 sich nicht ergeben, so sind diejenigen beiden Kandidaten, welche die meisten Stimmen erhalten haben, auf eine engere Wahl zu bringen, in welcher die absolute Majorität entscheidet. Im Falle der Stimmengleichheit entscheidet das Loos.

§. 6.

Bei den Wahlen der landwirthschaftlichen Vereine bleibt die Feststellung des Wahlmodus jedem einzelnen Verein überlassen.

Gewählt kann von ihnen nur werden, wer

1. das dreißigste Lebensjahr zurückgelegt hat, und
2. innerhalb der Provinz des präsentationsberechtigten Vereins die Landwirthschaft betreibt.

§. 7.

Die Namen der von Mir berufenen Mitglieder werden durch den Staatsanzeiger bekannt gemacht.

§. 8.

Der Volkswirthschaftsrath zerfällt in die drei Sektionen:

1. des Handels,
2. der Industrie und des Gewerbes,
3. der Landwirthschaft.

Jede dieser Sektionen wählt 5 Mitglieder, welche mit weiteren 10 von den Ministern für Handel und Gewerbe, der öffentlichen Arbeiten und für Landwirthschaft, Domänen und Forsten aus der Zahl der von ihnen Mir vorgeschlagenen 30 zu ernennenden Mitgliedern zusammen den permanenten Ausschuß des Volkswirthschaftsraths bilden, so daß letzterer aus 25 Mitgliedern besteht. Die Berufung des Ausschusses erfolgt nach Bedürfniß durch den Minister, von dessen Ressort der Mir zu unterbreitende Entwurf ausgeht. Ich behalte Mir vor, zu bestimmen, ob das Gutachten des Ausschusses über eine Mir unterbreitete Vorlage Mir genügt, oder ob das Plenum des Volkswirthschaftsraths einberufen werden soll.

§. 9.

Den Vorsitz im Volkswirthschaftsrath oder dessen Ausschuß führt nach Verständigung der drei Minister für Handel und Gewerbe, der öffentlichen Arbeiten und für Landwirthschaft, Domänen und Forsten einer von ihnen, im Zweifel der älteste im Dienst.

§. 10.

Jeder der Staatsminister ist befugt, zu den Sitzungen des Volkswirthschaftsraths, der Ausschüsse und der Kommissionen Kommissarien zu entsenden.

§. 11.

Die aus Präsentationswahlen hervorgegangenen Mitglieder des Volkswirthschaftsraths erhalten weder Reisekosten noch Diäten.

§. 12.

Diese Verordnung ist durch die Gesetz-Sammlung zu veröffentlichen.

Urkundlich . . .

151. Schreiben an den Kultusminister von Puttkamer: Gegen die judenfeindliche Agitation des Hofpredigers Stöcker (Konzept Tiedemann)

W 6 c, 198 f., Nr. 197.

Friedrichsruh, den 16. Oktober 1880.

Ew. pp. beehre ich mich, den mir mittels gefälligen Schreibens vom 30. v. M. übersandten Entwurf eines Immediatberichts über die Stöcker-

Bleichrödersche[48] Sache hierneben ganz ergebenst zurückzusenden, nachdem ich in Ermangelung von Schreibkräften mir erlaubt habe, durch Bleistift-Randbemerkungen einige Aenderungen in Vorschlag zu bringen.
Ich kann der Gesamt-Auffassung Ew. pp. nicht unbedingt beitreten. Die Tätigkeit des Hofpredigers Stöcker bleibt m. E. auch dann eine bedenkliche, wenn die von ihm veranstalteten Versammlungen ihren tumultuarischen Charakter verlieren sollten. Die Tendenzen, welche er verfolgt, decken sich in mehr wie einem Punkte mit denjenigen der andern Sozialdemokraten. Ew. pp. erlaube ich mir in dieser Beziehung auf die Rede aufmerksam zu machen, welche Herr Stöcker vorgestern in der General-Versammlung des Central-Vereins für Social-Reform gehalten hat (cfr. Nr. 473 der „Nordd. All. Ztg.). Er bezeichnet hier die Intentionen der Regierung als ungenügend und als das zu erstrebende Ziel die ökonomische Sicherstellung des Arbeiters in Fällen der Arbeitslosigkeit; er fordert die Normalarbeitszeit u. die progressive Einkommensteuer. Daß letztere nur eine verhältnismäßig sehr geringe Erhöhung der jetzigen Einkommensteuer bedeuten würde, sollte er wohl wissen. Seine Zuhörer aber wissen es nicht. Wenn er die Normalarbeitszeit verlangt, so arbeitet er auf den Ruin unserer Industrie zugunsten ihrer Konkurrenten in England, Belgien, Frankreich usw. hin, u. wenn er die ökonomische Sicherstellung des Arbeiters in Fällen der Arbeitslosigkeit fordert, so muß er sich klar sein, daß dieses Ziel ein faktisch unerreichbares ist. Er regt damit unerfüllbare Begehrlichkeiten auf.
Was speziell die Judenfrage betrifft, so glaube ich, ist es ein Irrtum, wenn angenommen wird, daß die r e i c h e n Juden bei uns einen großen Einfluß auf die Presse ausüben. In Paris mag dies anders sein. Nicht das Geld-Judentum, sondern das politische Reformjudentum macht sich bei uns in der Presse und in den parlamentarischen Körperschaften geltend. Die Interessen des Geldjudentums sind eher mit der Erhaltung unserer Staatseinrichtungen verknüpft, und können der letzteren nicht entbehren. Das besitzlose Judentum in Presse u. Parlament, welches wenig zu verlieren, viel zu gewinnen hat und sich jeder Opposition anschließt, kann unter Umständen auch zu einem Bündnis mit der Sozialdemokratie einschließlich Stöcker gelangen. Gegen dieses richtet sich auch die Agitation des

---

[48] Stöcker hatte am 11. Juni 1880 in einer tumultuarischen öffentlichen Versammlung den Bankier Bleichröder heftig angegriffen. Dieser hatte sich daraufhin beim Kaiser beschwert. Der angeforderte Bericht war dann von Puttkamer als zuständigem Minister erheblich verzögert worden.

Herrn Stöcker nicht vorzugsweise; seine Reden sind auf den Neid und die Begehrlichkeit der Besitzlosen gegenüber den Besitzenden berechnet. Ich habe schon in Anregung gebracht, gegen Herrn Stöcker die Bestimmungen des Gesetzes wider die Sozialdemokratie in Anwendung zu bringen u. bedaure, daß diese meine Anregung bei dem Herrn Minister des Innern keinen Anklang gefunden hat.

Den hierneben zurückgehenden Brief bin ich zwar *mutatis mutandis* mitzuzeichnen bereit, objektiv durch mein Ressort bin ich aber bei der Sache gar nicht beteiligt u. der Spezialbefehl Sr. M. begründet nur meine Teilnahme an der Berichterstattung, nicht an weiteren amtlichen Maßregeln. Ich bin deshalb der Meinung, daß die zu erlassende Allerhöchste Ordre nur an Ew. pp. u. nicht zugleich an mich zu richten sein werde.

152. Schreiben an den Staatssekretär des Reichsamts des Innern von Boetticher: Die Institution des preußischen Volkswirtschaftsrates (Konzept Graf Herbert Bismarck)

W 6 c, 202 f., Nr. 200.

Friedrichsruh, den 30. November 1880.

Wenn die Fortschrittspartei morgen bei der Debatte über den landwirtschaftlichen Etat die Errichtung des Volkswirtschaftsrat[s] zur Sprache bringen sollte, so würde m. E. der Minister Lucius [a] darauf einfach durch Vorlesung der Motive oder nach Maßgabe derselben mündlich antworten können.

Er könnte auch [a] die Gelegenheit wahrnehmen, um darauf hinzudeuten, daß es die Absicht sei, die Institution des Volkswirtschaftsrates aus einer preußischen zu einer Reichsinstitution zu entwickeln, und es würde der Ausführung derselben näher getreten werden, wenn die Einrichtung sich bewähren und bei den verbündeten Regierungen Anklang finden sollte.

Mehr zu sagen als dies, möchte ich aber um so entschiedener abraten, als die Frage von der fortschrittlichen Opposition gestellt werden wird: ich halte es nicht für nützlich, die Gewohnheit einreißen zu lassen, daß jede unberechtigte Interpellation eines Gegners der Regierung vom Ministertische aus beantwortet würde. [b] Gewinnen werden wir Richter u.

a–a Eigenhändige Korrektur Bismarcks.
b–b Eigenhändiger Zusatz Bismarcks.

Consorten doch nicht dafür, ihnen nur Stoff zu Nörgeleien liefern. Verpflichtet ist kein Minister, übelwollende Fragen einzelner Gegner zu beantworten, so lange das Haus sie sich nicht aneignet, u. auch dann juristisch noch nicht, nur Anstandshalber [b].

Die durch allerhöchste Anordnung [49] befohlene Errichtung des Volkswirtschaftsrates geht den Landtag eigentlich gar nichts an, es handelt sich hier lediglich um ein Internum zwischen dem Könige und dem Staatsministerium, welches nur der königlichen Entschließung unterliegt, und die Minister sind nicht verpflichtet, dem Landtage oder gar nur einem Mitgliede der Opposition darüber Rede zu stehen, wie S. M. sich seine Meinung über seinen Teil an der Mitwirkung bei der Gesetzgebung bildet. Am richtigsten würde ich es finden, wenn der Minister Lucius sich auf den Hinweis auf die Motive der Verordnung beschränkte.

Was die Beantwortung einer eventuellen Anfrage über die Abwesenheit des Handelsministers [50] betrifft, so bitte ich Ew. Exz. erg., der Wahrheit gemäß erklären zu wollen, daß ich durch meinen Gesundheitszustand verhindert wäre, jetzt nach Berlin zu kommen: die Mitglieder des Staatsministeriums wären aber bekanntlich nach außen hin und dem Landtage gegenüber solidarisch, und wenn einer der verantwortlichen Staatsminister in Vertretung der Regierung sich äußert, so wäre das alles, was nach der Verfassung verlangt werden könnte. Ein Unterstaatssekretär kann solche Erklärung genau genommen nicht abgeben, sondern nur die Einzelheiten des Budgets tatsächlich erläutern u. motiviren. Ich bitte deshalb, daß entweder Euere Exzellenz oder der Herr Graf zu Stolberg im obigen Sinne antworte, wenn die Beantwortung nicht ganz unterbleiben kann; letztres würde ich vorziehn, so lange nur Richter u. Consorten oder Zentrumsgegner Fragen stellen. Solchen, auf deren Gegnerschaft wir mit u. ohne Erklärung sicher rechnen müssen, sind wir keine Aeußerung schuldig.

---

49 Verordnung vom 17. November 1880.

50 D. i. Bismarck.

153. Schreiben an den Staatssekretär des Reichsschatzamtes von Scholz: Matrikularbeiträge und preußische Steuerreform (Konzept Graf zu Rantzau)
W 6 c, 203, Nr. 201.

Friedrichsruh, den 3. Dezember 1880.

Ich lese in Zeitungen, daß die Veranschlagung der Matrikular-Beiträge im Reich gegenüber der dem Preußischen Budget zugrunde gelegten Berechnung eine Verschiedenheit der Ergebnisse herstellt, welcher durch die Presse und die Kommissionsverhandlungen des Abgeordnetenhauses eine politische Bedeutung beigelegt wird.

[a] Ich weiß nicht, ob eine solche Divergenz der Berechnungen u. deren Umfang als feststehend gegeben sind. Vorkommen kann sie gewiß in zwei parallelen Schätzungen desselben Ertrages; aber zu Angriffen der Opposition wird dann stets die den Finanzen nachtheiligere Auffassung gewählt werden. Die Vermeidung, wenn sie möglich, ist also wünschenswerth. Bei der im Bundesrath erfolgenden Feststellung der Ueberweisungen an die Einzelstaaten wird, wie ich annehme[a], die Aufstellung nach der Natur der Sache nicht auf Fraktions-Berechnung gegründet sein können, sondern unter Heranziehung von mehr oder minder wahrscheinlichen Hypothesen über Minderung der Einfuhr infolge der Belegung mit höheren Zöllen bewirkt werden müssen. [b] Ueber die Richtigkeit der einen oder der andern dieser Hypothesen können verschiedene Ansichten berechtigt sein, u. diese können von Seiten der einzelnen Regirungen bei den Verhandlungen über Feststellung der definitiv anzunehmenden hypothetischen Ziffer zum Ausdruck gebracht werden[b]. Unterstützt würden Anträge auf höhere Veranschlagung dadurch werden, daß, wie ich höre, die Ergebnisse der letzten Monate eine ansehnlich steigende Tendenz der Zollintraden erkennen lassen, welche zu der Annahme berechtigt, daß die unverzollt oder zu geringeren Zollbeträgen auf Vorrat eingeführten Warenmengen nunmehr anfangen aufgebraucht zu sein, und daß wir auch mit den Erträgen der letzten Monate den Kulminationspunkt der Zollintraden noch nicht erreicht haben. [c] Ew. pp. gef. Erwägung stelle ich erg. anheim, zu prüfen, welcher Werth auf die Uebereinstimmung der Wahrscheinlichkeitsberechnungen beider Budgetentwürfe zu legen ist, u. bitte ich, mir Ihre Ansicht privatim

a–a Eigenhändige Korrektur Bismarcks.
b–b Eigenhändige Korrektur Bismarcks.
c–c Eigenhändiger Zusatz Bismarcks.

gef. mittheilen zu wollen. Wenn Sie glauben, daß es thunlich u. nützlich ist, so würde ich dann dem Herrn Finanz-Min[ister] davon Mittheilung machen [c].

154. Erlaß an Prinz Heinrich VII. Reuß — Wien: Für eine österreichisch-russische Annäherung (Konzept Graf Herbert Bismarck) GP 3, 151 ff., Nr. 521.

Friedrichsruh, den 22. Dezember 1880.

Ew. Durchlaucht gefälliges Schreiben vom 18. cr. habe ich zu erhalten die Ehre gehabt und bin einigermaßen überrascht von der Dringlichkeit, mit welcher Baron Haymerle russische Vorschläge erwartet, nachdem ich auf seinen Wunsch mich jeder Förderung solcher enthalten habe und damit glaubte fortfahren zu sollen, bis ich von meinem Herrn Kollegen weitere Mitteilung erhielte. Mir ist diese Ungeduld nicht unerwünscht, aber ich bin nicht berechtigt, die mir bisher allein bekannten persönlichen Ansichten des Herrn von Saburow, deren Geheimhaltung ich habe zusagen müssen, ohne dessen Erlaubnis weiterzugeben und kann diese Erlaubnis so lange nicht beanspruchen, als er nicht die Sanktion seines Kaisers für seine Ansichten erhalten hat. Wie Ew. bekannt ist, geht er zu diesem Behuf nach Petersburg und erwartet dann, vor amtlicher Mitteilung dessen, was der Kaiser Alexander etwa billigen wird, zunächst durch mich einige Wahrscheinlichkeit darüber zu erhalten, daß russische Vorschläge bei Seiner Majestät dem Kaiser Franz Joseph überhaupt ein geneigtes Ohr finden werden. Diese Sondierung hat ihre Schwierigkeiten, — und doch glaube ich, wird sie in irgendeiner Weise vorgenommen werden müssen; denn wenn der Kaiser Alexander so entgegenkommende Vorschläge macht, wie Herr von Saburow hofft, und diese begegneten in Wien einer einfachen Ablehnung auf Grund des nach Ew. Schreiben in gleicher Stärke wie früher vorhandenen Mißtrauens, so würden die Beziehungen unserer beiden Nachbarreiche schlechter werden wie bisher, und ich müßte mit meiner diplomatischen Kampagne und ihren Ergebnissen sehr unzufrieden sein.

Mir scheint, daß Baron Haymerle an die Wirkung eines Abkommens mit Rußland zu hohe Anforderungen stellt, wenn er von einem solchen erwartet, daß die in der Natur der Dinge liegenden Rivalitäten beider Mächte auf der Balkanhalbinsel damit sofort gegenseitigem Vertrauen und gegenseitiger Liebe Platz machen sollen. Diese Gefühle bestanden auch von 1815 bis 48 zwischen beiden Nachbarn nicht, und doch gelang es ihnen, die Wohltat des Friedens miteinander über 30 Jahr lang zu erhalten. Allerdings ist die russische Macht nicht mehr so einheitlich, wie sie damals war: ein Vertrag mit dem Kaiser und selbst mit dem Thronfolger dazu, bindet heutzutage nur einen Teil der russischen Macht; ein anderer bleibt unbotmäßig und treibt Politik auf eigene Hand. Daß man durch einen solchen Dualismus bei Abschlüssen „betrogen" werden kann, wie Baron Haymerle sagt, ist nicht zu leugnen; aber ohne Vertrag mit dem Kaiser wird das noch leichter möglich sein. Ein Vertrag mit Rußland hat immer seinen Wert als Schutz gegen Schädigung, und die Garanten gegen eine solche, welche Österreich in unserem Bündnis bereits besitzt, würden durch Hinzutritt eines Abkommens beider mit Rußland weder geschwächt noch gelockert. Wenn Baron Haymerle der Meinung ist, daß ohne „vorgängige Beweise der Freundschaft" eine russische „Garantie" nicht viel Wert habe, so klingt das, als ob er die Garantie erst dann haben will, wenn er sie wegen der Freundschaft nicht mehr braucht, und wenn er mich fragt, ob ich Vertrauen zu Rußlands Dispositionen hätte, so antworte ich darauf: „Mit Vertrag doch immer noch mehr als ohne." Ein solcher Vertrag, eine solche Garantie, könne aber nur äußerlich erkennbare Staatsaktionen zum Gegenstand haben. Gegen unkontrollierbare diplomatische Einwirkungen und Intrigen kann ein Vertrag keine Bürgschaft herstellen. Der Kampf der diplomatischen Rivalität hat auch zwischen den besten Freunden und Bundesgenossen nicht immer abgeschafft werden können: zwischen Österreich-Ungarn und Rußland aber liegt augenblicklich die Interessenfrage nicht so, daß wir Freundschaft und Liebe gegenseitig erwarten können, sondern wir wenigstens sind froh, wenn es nur gelingt, in Frieden mit einem Nachbar zu leben, mit dem der Krieg nicht nur ein Übel wie alle Kriege ist, sondern auch ohne jeden wünschenswerten Kampfpreis im Fall des Sieges.

Ich weiß nicht, ob ich überhaupt in die Lage kommen werde, artikulierte russische Vorschläge in Wien befürworten zu können; aber für den erwünschten Fall, daß es soweit käme, bitte ich Ew., mit Vorsicht und Wohlwollen das Mißtrauen meines österreichischen Herrn Kollegen nach Kräften zu mildern und ihm das Sprichwort vorzuhalten: *que le mieux est l'ennemi du bien*. Wenn Baron Haymerle „überall" auf offnen und versteckten Widerstand Rußlands stößt, so möchte ich vermuten, daß die russischen Staatsmänner auf der Balkanhalbinsel *vice versa* den analogen Eindruck von der österreichischen Politik haben. Die Unmöglichkeit, das Ringen um Einfluß auf diesem gemischten Gebiete ganz abzustellen, sollte uns nicht abhalten, die Garantien des Friedens zu erstreben, welche uns erreichbar sind.

Ich würde schon jetzt Ew. bitten, offen mit Baron Haymerle zu sprechen — nicht über russische Vorschläge, solange ich zum Schweigen über dieselben verpflichtet bin, sondern in der Form, daß ich eigene diesseitige machte — wenn ich nicht fürchtete, daß die Fühlfäden der Presse dort auch in Verhandlungen eindringen, zu deren Gelingen Geheimhaltung unentbehrlich ist. Diese Besorgnis macht mich vorsichtiger, als ich sonst verfahren würde. —

155. Schreiben an den Kultusminister von Puttkamer: Entwurf einer Königlichen Ordre an Stöcker (Reinkonzept) W 6 c, 204, Nr. 202.

Friedrichsruh, den 23. Dezember 1880.

Vertraulich.

Ew. pp. reiche ich die Anlage des gef. Schreibens vom 18. cr., Herrn Stöcker betr., mit erg. Danke zurück. In dem Immediatbericht möchte ich nur eine kurze Bemerkung über die Stöcker-Eingabe vom 23. September[51] einschalten, entweder so, wie ich sie am Rande entworfen oder in jeder Ew. pp. annehmbaren Modifikation. Diese Eingabe zeigt mit besonderer Unbefangenheit die Leidenschaftlichkeit, den Mangel an Selbstkenntnis und an Urteilsfähigkeit überhaupt, und das ungewöhnliche Maß von Selbstüberschätzung, welche grade d i e s e n Geistlichen zu der Aufgabe, die er sich gestellt hat, besonders ungeeignet macht. Die Eingabe ist außerdem voller Unwahrheiten und Entstellungen. Das Theaterstück „Gräfin Lea" ist von einem Magdeburgischen Bauernsohn verfaßt, der keinen Tropfen jüdischen Blutes in den Adern hat.

Die Blößen, welche seine [Stöckers] Unbesonnenheit gibt, sind für die Gegner ebensoviel willkommene und wirksame Angriffspunkte, und das ist um so übler, als die Stellung zum Hof und Dom den Kaiser in Mitleidenschaft zieht, und für alle Roheiten, die noch jetzt in den Stöckerschen Versammlungen täglich vorkommen, indirekt als Deckung erscheinen läßt.

Für den Ordre-Entwurf erlaube ich mir ein Reinkonzept zu geneigter Prüfung beizufügen. Der erste Entwurf erscheint mir in der durch den Ordre-Stil gebotenen Kürze in der Form zu hart; außerdem lege ich besonderen Wert darauf, dem p. Stöcker sowohl die denunziatorische Hin-

[51] Stöcker hatte sich beschwerdeführend an den König gewandt.

weisung auf reiche Juden, als auch die Tatsache vorzuhalten, daß er in einer seiner Reden, die mir hier nicht vorliegt und die vielleicht in der Ordre mit Datum angeführt werden kann, die Absichten der Regierung als ungenügend bezeichnete, über dieselben hinaus ganz unerfüllbare eigene Zusagen machte, und die ganz unberechenbaren Mittel dazu mit den wenigen Millionen decken wollte, welche „progressive" Einkommensteuer etwa bringen kann. Hierin liegt die übelste Hetzerei, welche er, wie ich glaube aus Unwissenheit, überhaupt begangen hat, indem er Pläne, die Hunderte von Millionen kosten, als leicht erfüllbar hinstellte.

Anlage.

Entwurf einer Ordre Kaiser Wilhelms I. an den Hof- und Domprediger Stöcker in Berlin.

Ueber Ihre Tätigkeit als Leiter des von Ihnen gegründeten christlich-sozialen Arbeitervereins habe Ich, mit Bezug auf Ihre Vorstellung vom 23. September d. J., aus Anlaß einer Immediateingabe des Geheimen Kommerzienrats von Bleichröder Bericht von dem Reichskanzler und dem Minister der geistlichen Angelegenheiten erfordert und die Ueberzeugung gewonnen, daß, wenn Sie auch bei Ihren sozialen Bestrebungen von guter Absicht geleitet werden, so doch Ihre bisherige Tätigkeit von Ausschreitungen nach Form und Maß nicht freigeblieben ist.

Ich kann [a]insbesondere Ihnen meine Mißbilligung darüber nicht vorenthalten, daß Sie durch Hinweisung auf einzelne große Vermögen und auf die Unzulänglichkeit der von Meiner Reg. zu Gunsten der Arbeiter beabsichtigten Schritte, denen Sie weitergehende Ziele gegenüberstellen, Begehrlichkeiten, zu deren Befriedigung auch Sie keine Mittel kennen, mehr erregt als beruhigt haben. Ich erwarte, daß Sie fortan überall wo Sie öffentlich auftreten, auch außerhalb Ihres geistlichen Amtes, die dem letzteren besonders obliegende Pflege des Friedens unter allen Klassen Meiner Unterthanen unbeirrt im Auge behalten werden[a].

---

a–a Eigenhändige Korrektur Bismarcks.

156. Erlaß an Prinz Heinrich VII. Reuß — Wien: Vorbereitung des Dreikaiserbündnisses (Reinkonzept nach Diktat) GP 3, 158 ff., Nr. 524.

Berlin, den 17. Januar 1881.

Nr. I
Geheim

Bei meinem letzten Schreiben an Euere pp. war ich noch nicht imstande, die Frage des Baron Haymerle in betreff des Standes der russischen Annäherung zu beantworten, weil die Vorschläge des Herrn von Saburow, die ich nach Wien hätte übermitteln können, nur dann einen Wert hatten, wenn ihnen die Zustimmung des Kaisers Alexander gesichert war. Es war dies in bezug auf einige in Friedrichsruh von mir vorgeschlagene Amendements zu den russischen Propositionen noch ungewiß, und erst die Reise des Herrn von Saburow nach St. Petersburg und seine mündlichen Vorträge bei dem Kaiser Alexander haben darüber Klarheit geben können. Die Form, welche die russischen Vorschläge unter der Einwirkung meiner Verhandlungen mit dem russischen Botschafter erhalten haben, wollen Euere pp. aus dem anliegenden Entwurf des Abkommens entnehmen. Herr von Saburow sagt mir, daß auch der Großfürst-Thronfolger von seinem Herrn Vater zu den geheimen Beratungen zugezogen worden sei und sich in Gegenwart Saburows unumwunden für Sicherstellung des Friedens ausgesprochen habe.

Daß durch das fragliche Abkommen, wenn es von den drei Kaisern angenommen wird, eine starke Bürgschaft für den Frieden mehr geschaffen wird, als bisher existiert, ist nicht zweifelhaft. So groß auch das Mißtrauen Baron Haymerles gegen Rußland sein mag, so wird mein österreichischer Herr Kollege doch nicht bestreiten, daß ohne vertragsmäßige Versprechungen das Mißtrauen in die russische Politik immer noch berechtigter bleibt als nach einer kaiserlichen Zusage, Frieden halten zu wollen.

Wenn die russische Politik gegenwärtig bedenkliche Absichten hätte, so würde sie vermeiden, sich die Verwirklichung derselben durch die Herstellung der Barriere zu erschweren, welche durch ein kaiserliches, zwei benachbarten Monarchen gegebenes Wort neu errichtet werden soll. Suchte Rußland gegenwärtig Krieg oder Verwirrung, so würde es die Dinge in *statu quo* lassen und unsere Annäherungsversuche in freundlicher Form dilatorisch behandelt haben. Daß dies in keiner Weise der Fall gewesen, daß Rußland im Gegenteil die Initiative ergriffen hat, um das Wort des Kaisers für friedliche Politik zu verpfänden, darin sehe ich einen Beweis des Sieges der friedliebenden und konservativen Elemente der russischen

Politik über die chauvinistischen; ein Eindruck, der dadurch bestätigt wird, daß auch der General Miljutin gegenwärtig Frieden und Ersparnis predigt, wenn es ihm auch technisch schwer sein wird, das Prinzip der Sparsamkeit plötzlich und schon in diesem teuern Jahr praktisch zur Anwendung zu bringen, nachdem er bisher die entgegengesetzte Strömung so eifrig gefördert hat.

Wie Euerer pp. bekannt ist, hat die Gewißheit, daß Deutschland wie Österreich-Ungarn von Rußland isoliert nicht angegriffen werden können, bei uns die Überzeugung nicht vermindert, daß ein Krieg mit Rußland, auch wenn er siegreich geführt würde, für keinen der beiden Bundesgenossen ein erwünschtes Ereignis sein würde, weil es immerhin ein gefährlicher Krieg und ein Krieg bleibt, der für uns kein annehmbares Kampfziel hat. Es bleibt deshalb nach wie vor unsere Aufgabe, dahin zu wirken, daß die Wahrscheinlichkeit eines solchen Krieges vermindert und kein Mittel zurückgewiesen werde, welches diesem Zwecke dienen kann. Ein Abkommen auf der Basis der Anlage wäre ein wesentliches Hülfsmittel zu diesem Zweck, und ich sehe kein Bedenken von gleichem Gewichte, welches uns abhalten könnte, es in Anwendung zu bringen. Seine Majestät der Kaiser, unser allergnädigster Herr, teilt diese meine Ansicht vollständig und hat in dem anliegenden eigenhändigen Schreiben an den Kaiser Franz Joseph derselben in dem gleichen Gedankengange, wie er hier entwickelt ist, Ausdruck gegeben. Seine Majestät hat mir das Schreiben, soweit es fertig war, gestern vorgelesen; der sachliche Inhalt desselben deckt sich, wenn auch in kürzerer Form, mit dem dieser Instruktion, und hoffe ich, Euerer pp. auch von dem Text selbst, soweit der Kaiser Konzept behalten hat, Abschrift schicken zu können. Das Original bitte ich Seiner Majestät dem Kaiser Franz Joseph übergeben zu wollen.

Was den Inhalt des anliegenden Entwurfes betrifft, so wollen Euere pp. dem Baron Haymerle gegenüber die Gründe, die seine Annahme auch durch Österreich wünschenswert erscheinen lassen, in folgendem geltend machen.

Der Artikel I gewährt für Deutschland die Sicherheit gegen Beteiligung Rußlands an französischen, und für Österreich-Ungarn gegen Ermutigung italienischer oder italienisch-französischer Unternehmungen durch Rußland. Die italienische Regierung, insbesondere wenn die republikanische Partei französische Anlehnung findet, ist vielleicht nicht immer imstande, gesetzlose Unternehmungen zu hindern, wenn solche von russischer Seite Ermutigungen fänden, und in Frankreich haben wir bei der zweideutigen Haltung Gambettas keine Sicherheit für die Fortdauer der jetzigen friedlichen Politik uns gegenüber. Aber es ist nicht wahrscheinlich, daß Österreich von Italien oder Deutschland von Frankreich werde angegriffen werden, wenn nicht Aussicht auf russische Beteiligung gegen den Angegriffenen vorher zur Wahrscheinlichkeit geworden ist. Der Artikel I würde die Quelle für solche russischen Ermutigungen abschneiden. Für Rußland selbst hat dieser Artikel nur den Westmächten und der Türkei gegenüber Bedeutung. Er würde den russischen Chauvinisten den Vorwand benehmen, die nationale Stimmung durch das Gespenst einer europäischen Koalition gegen Rußland aufzuregen, und wenn Rußland Händel mit der Türkei suchte, so würde das 3. Alinea des Artikels II, noch mehr aber die von mir vorgeschlagene alternative Fassung des Artikels I Anwendung finden, nach welcher das ganze Abkommen auf einen türkischen Krieg nur in dem Falle Anwendung findet, daß alle drei Mächte sich vorher über das Resultat eines solchen Türkenkrieges verständigt haben. Mißlänge diese Verständigung, so fände auch das ganze Abkommen auf einen solchen Türkenkrieg keine Anwendung.

Der Artikel II wiederholt zunächst das russische Anerkenntnis des österreich-ungarischen Besitzstandes in der Türkei und deutet in seinem Schlußsatze den Weg an, wie dieses Anerkenntnis unter die Punkte aufzunehmen sei, über welche *« une entente a déjà été établie en principe »*; unter diese Punkte würde namentlich Novibasar gehören. Das 2. Alinea des Artikels II hat den Zweck, die Kämpfe der lokalen Agenten auf der Halbinsel durch den Einfluß der Regierungen abzustellen. Das 3. Alinea macht Veränderungen im status quo auch in Bulgarien und Rumelien, da beide zur europäischen Türkei gehören, von dem Einverständnis aller 3 Mächte abhängig. Das 4. Alinea des Artikels II bildet die abgeschwächte Wiederholung des in dem 3. Alinea Artikels I (alternative Fassung) ausgedrückten Prinzips. Diese Wiederholung ist die Folge der späteren Einfügung des Satzes in die jüngere (alternative) Redaktion von Artikel I; sie beizubehalten, scheint mir unschädlich, wenn auch nicht notwendig.

Der Artikel III enthält meiner Ansicht nach nur die Wiederholung eines auch ohne neues Abkommen feststehenden völkerrechtlichen Satzes; da indessen Rußland auf das ausdrückliche Bekenntnis zu dem bestehenden Rechte Wert legt, so haben wir meines Erachtens keinen Grund, uns dessen zu weigern.

Ich würde mich freuen, wenn es Euerer pp. gelänge, bei Baron Haymerle und Seiner Majestät dem Kaiser Franz Joseph den vorstehenden Gesichtspunkten, die unsere Politik leiten, Eingang zu verschaffen, um auch dieses diplomatische Mittel zur Sicherung des Friedens in demselben Sinne mit uns Hand in Hand nutzbar zu machen, wie wir es vor einem

Jahr mit unsern militärischen Mitteln eventuell in defensivem Sinne in Aussicht genommen haben. Der jetzige Vorschlag eines Abkommens zu Dreien geht nicht so weit, wie unser mit Österreich bestehendes Abkommen, es würde zu keiner aktiven Leistung verpflichten; es nimmt eine kriegerische Leistung für keinen Fall in Anspruch, sondern nur gegenseitige kaiserliche Versprechungen, Frieden untereinander halten und auf Beteiligung an kriegerischen Koalitionen gegeneinander verzichten zu wollen.

Ich habe durch Herrn von Saburow die amtliche Zusicherung erhalten, daß man in St. Petersburg an den anliegenden Text sich binden wolle, wenn derselbe in Wien eine entgegenkommende Aufnahme fände. Unter letzterer verstehe ich nicht notwendig die einfache Annahme des Vorgeschlagenen, obschon ich über diese sehr erfreut sein würde, sondern nur die Bereitwilligkeit, auf der gegebenen Basis über gegenseitigen Austausch von Friedensbürgschaften verhandeln zu wollen. Für Amendierungen, welche dieser Tendenz nicht widersprechen, würde ich die weitere Vermittlung gern übernehmen.

Euere pp. wollen hiernach dem Baron Haymerle die Eröffnungen machen, zu welchen Sie vorstehend ermächtigt sind, und mir über die Aufnahme gefälligst Bericht erstatten.

157. Gespräch mit dem Journalisten Moritz Busch am 21. Januar 1881 in Berlin
W 8, 395 ff., Nr. 299 = Busch III, 9 ff.

Zehn Minuten nach ein Uhr kam die Reihe an mich, und ich blieb bis einundeinhalb Uhr. Der Fürst saß hinter seinem Schreibtisch, und zwar so, daß er wieder der Tür das Gesicht zukehrte, und sah ungemein wohl und frisch aus. Er sagte: „Na, Sie kommen, um sich Stoff zu holen, es gibt aber nicht viel. Doch da fällt mir ein, wenn Sie mein neues Arbeiterversicherungsgesetz freundlich besprechen wollten, so würde ich Ihnen sehr dankbar sein. Die Liberalen werden nicht recht daran wollen, und ihre Presse greift meine Vorschläge an. Die Regierung soll sich in solche Sachen nicht mengen, *laissez aller*. Die Sache muß aber angeregt werden, und der jetzige Vorschlag ist nur ein Anfang, ich habe mehr vor. Ich gebe zu, daß manches daran verbessert werden kann, und anderes ist vielleicht nicht praktisch und darum zu beseitigen. Aber einmal mußte ein Anfang gemacht werden mit der Versöhnung der Arbeiter mit dem Staate. Wer eine Pension hat für sein Alter, der ist viel zufriedener und viel leichter zu behandeln als wer darauf keine Aussicht hat. Sehen Sie den Unterschied zwischen einem Privatdiener und einem Kanzleidiener oder einem Hofbedienten an; der letztere wird sich weit mehr bieten lassen, viel mehr Anhänglichkeit an seinen Dienst haben als jener; denn er hat Pension zu erwarten. In Frankreich sorgt auch der kleine Mann, wenn er rechtschaffen denkt und irgendetwas zurückzulegen imstande ist, für seine Zukunft: er kauft Rente. Etwas Aehnliches soll für unsere Arbeiter eingerichtet werden. — Man nennt das Staatssozialismus und denkt die Sache damit abgetan zu haben. Mag es das sein. Es ist notwendig, und was sind denn die jetzigen Einrichtungen mit dem Unterstützungswohnsitz? Gemeindesozialismus."

Er hielt einen Augenblick inne, dann fuhr er fort: „Derartige Pläne würden zu ihrer Ausführung große Summen erfordern, wenigstens hundert Millionen Mark, wahrscheinlich aber zweihundert. Aber auch dreihundert Millionen würden mich nicht abschrecken. Es müssen die Mittel geschafft werden, staatlich freigebig zu sein gegen die Armut. Die Zufriedenheit der besitzlosen Klassen, der Enterbten, ist auch mit einer sehr großen Summe nicht zu teuer erkauft. Sie müssen einsehen lernen, daß der Staat auch nützlich ist, daß er nicht bloß verlangt, sondern auch gibt. Und wenn dieser die Sache in die Hand nimmt, der Staat, der nichts verdienen will, keine Verzinsung und keine Dividende erstrebt, so wird es schon gehen."

Wieder sann er ein paar Sekunden nach, dann sagte er: „Man könnte ja das Tabakmonopol dazu verwenden. Das Monopol würde dann gestatten, für die Armen eine Fideikommißrente zu schaffen. Sie brauchen aber auch das Monopol nicht in den Vordergrund zu stellen; es ist nur das Aeußerste, der höchste Trumpf. Sie können sagen, auch den Aermsten könne durch höhere Besteuerung von Genußmitteln wie Tabak, Bier und Branntwein aus ihrer Angst vor der Zukunft geholfen und ihnen ein kleines Erbe verschafft werden. Die Engländer, die Amerikaner haben kein Monopol, die Russen auch nicht, und doch gewinnen sie aus der höheren Besteuerung dieser Genußmittel sehr erhebliche Summen. Wir können als das niedrigst besteuerte Land in dieser Beziehung viel vertragen, und wenn wir das Ergebnis zur Sicherstellung der Zukunft unserer Arbeiter verwenden, deren Ungewißheit der Hauptgrund zu ihrem Hasse gegen den Staat ist, so ist das eine Sicherstellung unserer eigenen Zukunft, so ist das eine gute Anlegung des Geldes auch für uns: wir beugen damit einer Revolution vor, die in fünfzig Jahren ausbrechen kann, aber auch schon in zehn Jahren, und die, selbst wenn sie nur für ein paar Monate Erfolg hätte, ganz andere Summen verschlingen würde, direkt und indirekt durch Störung der Geschäfte als unser Vorbeugungsmittel. Die Liberalen sehen die Vernünftigkeit der Vorschläge auch ein — im stillen — gönnen es aber dem Kerl nicht, der sie macht, wollen es selber tun und sich damit populär machen. Sie werden die Sache vielleicht in der Kommission zu begraben versuchen, wie sie es mit anderen Entwürfen getan haben. Es muß aber bald was geschehen, und es ist möglich, daß sie im großen und ganzen zustimmen; denn sie denken an die Wahlen. Die schlimmsten sind die Fortschrittspartei und die Freihändler. Die einen wollen ihre Herrschaft, die anderen wollen keinen Staat, es soll sich alles von selber machen."

„Ja," sagte ich, „gewiß, die Freihändler, die Sezessionisten sind die schlimmsten, Bamberger, sprich Bambergé und Rickèrt."

„Ja, Bambergé," *wiederholte er lächelnd.* „Der hat in seinem Buche wieder eine Menge von Lügen vorgebracht [51]. Ich soll mich von den Nationalliberalen getrennt und dann auf die Reaktion losgesteuert haben. Ich habe aber, seit ich Minister bin, nie einer Partei angehört, weder der liberalen noch der konservativen. Der König war mein einziger Fraktionsgenosse, und mein einziger Zweck war Herstellung und Weiterausbildung des Deutschen Reiches und Verteidigung der monarchischen Gewalt. Das sollte auch einmal hervorgehoben und weiter ausgeführt werden. Die Konservativen waren, soweit sie Reaktion wollten, immer gegen mich, weil ich keine wollte. Sie erinnern sich an die Angriffe der Kreuzzeitung beim Schulaufsichtsgesetz [52] und später, zur Zeit der großen Verleumdungen."

„Diest-Daber und Konsorten," sagte ich [53].

„Ja, da haben sie sich ganz von mir losgesagt," *fuhr er fort,* „und mich auf alle mögliche Weise angegriffen, weil ich nicht mit ihnen zurück wollte. Ganz ähnlich war es 1877 mit den Nationalliberalen. Als das Ministerium Bennigsen nicht zustande kam, weil der Dinge verlangte, die ich vielleicht bewilligen konnte, die aber der König nicht bewilligt hätte, da ließen sie mich im Stich, und ihre Blätter bliesen zum Sturme gegen mich. So legen sie auch in die Veröffentlichung der Bülowschen Briefe jetzt allerlei hinein, was nicht darin ist. Sie sollten zum Beispiel gegen Bitter gerichtet sein, woran ich nicht gedacht habe."

Er kam wieder auf die jüdischen Parlamentarier zu sprechen und sagte: „Ja, Bambergé, Laskère und Rickèrt, die Streber."

Ich bemerkte: „Lasker arbeitet jetzt wohl nur im stillen, in ihrem Kränzchen. Er hat erfahren, daß er nicht mehr gilt, was er galt. Dreimal bei der Wahl durchgefallen, der große Mann, und die beiden ersten Male in Judenstädten, in Breslau und Frankfurt, dann in Magdeburg."

Er erwiderte: „Ja, ich mache aber bei den Juden einen Unterschied. Die reichgewordenen sind nicht gefährlich. Die gehen nicht auf die Barrikade und zahlen pünktlich ihre Steuern. Die Strebsamen sind's, die noch nichts haben, besonders die von der Presse. Doch sind auch hier wohl die Christen die schlimmsten und nicht die Juden."

Ich: „Rickert will zwar kein Jude sein, ist aber doch wohl einer. Er steht im Parlamentalmanach als evangelisch verzeichnet."

Er: „Schlagen Sie nur mal in den älteren Jahrgängen nach, da steht weder über seine Herkunft noch über seinen Glauben was. Und ich habe Bleichröder gefragt, der sagte mir, N. N. *(Name unverständlich)* sei kein Jude, wohl aber Rickert."

Ich: „Jüdisch genug räsonniert er jedenfalls."

---

[51] In seiner Schrift „Die Sezession" hatte Bamberger die Abspaltung des linken Flügels von den Nationalliberalen begründet.

[52] Im Februar 1872.

[53] Im Jahre 1873, aber auch schon vorher.

Er (nach einigem Nachdenken): „Sie haben den Grenzboten ein Ansehen zu geben gewußt, daß sie wie der Staatsanzeiger betrachtet wurden. Hänel in der Kieler Zeitung behauptete, das Blatt sei durch und durch offiziös, Sie sagten nur, was ich dächte und wollte."

Ich: „Ich habe mich dessen nirgends gerühmt. Es kommt aber wohl davon, daß man in den Aufsätzen hin und wieder Ihrer Ausdrucksweise, Ihrem Stile begegnet, der anders ist als der anderer Leute. ..."

Ich fragte darauf: „Darf man wohl wissen, wie es mit der äußeren Politik beschaffen ist? Wie stehen wir, um einen zuweilen vorkommenden etwas komischen Intervieweráusdruck zu gebrauchen, gegenwärtig mit Frankreich?"

„O, ganz gut!" *antwortete er,* „sie wollen den Frieden, wir auch, und wir sind ihnen vielfach gefällig, nur nicht am Rhein; das geht nicht. Auch mit England standen wir unter Beaconsfield gut. Aber der Professor Gladstone macht lauter Dummheiten, er hat sich die Türken entfremdet, er treibt Torheiten in Afghanistand, am Kap, und er weiß nicht mit Irland zurecht zu kommen. Mit dem ist nichts anzufangen."

Er fragte dann noch, wie es mir, und ich, wie es ihm ginge. Er sehe, sagte ich, so wohl aus, wie ich ihn lange nicht gesehen habe.

„Je nun," *erwiderte er,* „es geht mir jetzt wirklich recht gut; nur hat sich eine Neuralgie eingestellt, daß ich oft schlaflos bin — nervöse Gesichtsschmerzen, Zahnweh und dergleichen. Auch rauche ich seit vierzehn Tagen nicht mehr."

Darauf empfahl ich mich und machte sofort den zuerst von ihm gewünschten Aufsatz, der dann unter dem Titel: „Das Arbeiterversicherungsgesetz" in Nr. 5 der Grenzboten von 1881 erschien.

158. Rede zur Eröffnung des Preußischen Volkswirtschaftsrates am 27. Januar 1881

W 12, 146 ff. = Kohl 8, 211 ff.

Indem ich Ihnen, meine Herren, für die Bereitwilligkeit, mit welcher Sie dem Rufe Seiner Majestät zum Eintritt in den Volkswirtschaftsrat gefolgt sind, den verbindlichen Dank der Staatsregierung ausspreche, empfinde ich das Bedürfnis, mit einigen Worten den Gedanken Ausdruck zu geben, welche bei der Schaffung der neuen wichtigen Institution leitend gewesen sind.

Bei der Diskussion über den bedauerlichen Rückgang, in dem sich unser volkswirtschaftliches Leben einige Jahre hindurch bewegte, und bei den Verhandlungen über die Reformen, welche Seine Majestät der König in Gemeinschaft mit den übrigen Bundesfürsten erstrebte, haben sich wesentliche Meinungsverschiedenheiten darüber ergeben, welchen Ursachen dieser nicht minder auf landwirtschaftlichem wie auf gewerblichem Gebiete hervorgetretene Rückgang zuzuschreiben sei. Eine ebenso verschiedene Auffassung haben die Erscheinungen gefunden, welche in neuester Zeit auf die allmähliche Rückkehr regelmäßigerer Verhältnisse auf dem wirtschaftlichen Gebiete hindeuten.

In dieser Wahrnehmung lag der letzte entscheidende Grund, dem schon lange gefühlten Bedürfnis entsprechend, Seiner Majestät eine Einrichtung vorzuschlagen, welche ich heute zu meiner Freude verwirklicht sehe — eine Einrichtung, welche die Garantie bietet, daß diejenigen unserer Mitbürger, auf welche die wirtschaftliche Gesetzgebung in erster Linie zu wirken bestimmt ist, über die Notwendigkeit und Zweckmäßigkeit der zu erlassenden Gesetze gehört werden. Es fehlte bisher an einer Stelle, wo die einschlagenden Gesetzesvorlagen einer Kritik durch Sachverständige aus den zunächst beteiligten Kreisen unterzogen werden konnten, und die Staatsregierung war außerstande, für ihre Überzeugung von der Angemessenheit der Vorlagen das Maß von Sicherheit zu gewinnen, welches nötig ist, um der von ihr zu übernehmenden Verantwortlichkeit als Grundlage zu dienen.

Sie, meine Herren, werden uns die Sachkunde aus dem praktischen Leben entgegenbringen, Sie sind berufen, ein einheitliches Zentralorgan zu bilden, welches durch ausgleichendes Zusammenwirken die gemeinsamen und besonderen Interessen von Handel, Gewerbe und Landwirtschaft durch freie Meinungsäußerung wahrzunehmen hat.

Es ist nicht Zufall, sondern Folge ihrer an den heimatlichen Herd gebundenen Tätigkeit, daß die Vertreter der Landwirtschaft und noch mehr die Vertreter von Handel und Gewerbe nicht in gleichem Maße, als die gelehrten Berufsstände, an der parlamentarischen Tätigkeit teilnehmen können, und daher in derselben in der Regel als Minderheit erscheinen, obschon sie die Mehrheit der Bevölkerung bilden. Innerhalb der Regierungskreise, in welchen die Vorbereitung der Gesetzvorlagen erfolgt, muß der Natur der Sache nach der Stand der Beamten und Gelehrten überwiegen. Es erscheint daher als ein Bedürfnis, nicht nur für die Regierungen, sondern auch für die Parlamente selbst, daß auch diejenigen an geeigneter Stelle zu Worte kommen, welche die Wirkung der Gesetze am meisten zu empfinden haben.

Wie bei anderen Einrichtungen, so handelt es sich auch hier zunächst, den richtigen Weg im Vorgehen zu suchen; nicht in dem Sinne, daß die neugeschaffene Institution etwa wieder aufgegeben werden könnte, sondern um zu ermitteln, welche Änderungen und Zusätze sich im Laufe der Zeit auf dem Grunde praktischer Erfahrung als notwendig oder nützlich erweisen werden. Schon heute darf in einer erheblichen Beziehung die Bildung des Volkswirtschaftsrats als abgeschlossen nicht angesehen werden. Die Gemeinschaftlichkeit des deutschen Wirtschaftsgebiets und der deutschen Wirtschaftsinteressen, wie die Bestimmungen der Reichsverfassung, wonach die wirtschaftliche Gesetzgebung der Hauptsache nach dem Reiche zusteht, führen von selbst dahin, die Errichtung auch eines Volkswirtschaftsrats für das Deutsche Reich ins Auge zu fassen. Es würde dies von vornherein geschehen sein, wenn nicht zur Erreichung dieses Zieles eine längere Vorbereitung nötig gewesen wäre, für welche die Zeit bis zur nächsten Reichstagssitzung nicht ausgereicht hätte. Damit wäre die Möglichkeit ausgeschlossen gewesen, die wichtigen Vorlagen, welche gerade in nächster Zeit die Gesetzgebung beschäftigen werden, dem sachverständigen Urteil der Beteiligten rechtzeitig zu unterbreiten. Der Preußische Volkswirtschaftsrat wird sicher nicht zu einer partikularistischen Institution werden, die Einrichtung desselben erscheint vielmehr als der kürzeste Weg, um zur Herstellung einer entsprechenden Reichsinstitution zu gelangen. Daß dieses Ziel alsbald erreichbar sein werde, dafür habe ich gegründete Hoffnung.

Die ersten Gegenstände, welche Ihrer Beratung unterbreitet werden sollen, sind zwei Gesetzentwürfe

über die Versicherung von Arbeitern gegen Unfälle und
über die Neugestaltung des Innungswesens.

Die Möglichkeit besteht, daß Ihnen auch noch andere Vorlagen im Laufe Ihrer ersten Sitzungsperiode zugehen.

Mit jenen Entwürfen wird sich zunächst der permanente Ausschuß zu beschäftigen haben. Die Staatsregierung ist sich bewußt, daß sie die Tätigkeit der Herren nicht für zu lange Zeit in Anspruch nehmen darf; soweit indessen die Resultate der Beratungen in den Ausschüssen nicht ausreichen, um den Faktoren der Gesetzgebung die nötige Aufklärung geben zu können, wird es sich nicht vermeiden lassen, auch die Meinungsäußerung des Plenums herbeizuführen. Auch in diesem Falle aber wird sich die Tätigkeit des letzteren durch die von den Ausschüssen ausgegangene Vorarbeit wesentlich abkürzen.

Dieselben, auf Erleichterung des Geschäftsganges abzielenden Erwägungen sind es gewesen, welche das Staatsministerium bestimmt haben, für jedes Mitglied der Ausschüsse die Wahl eines ersten und zweiten Stellvertreters in Aussicht zu nehmen. Hierdurch wird es ermöglicht, daß die Herren nach eigener Wahl und Vereinbarung in ihrer Tätigkeit abwechseln und daß der einzelne nicht für zu lange Zeit seinen Berufsgeschäften entzogen wird. Für künftig wird es sich vielleicht auch empfehlen, daß die der Beratung zu unterstellenden Vorlagen den Mitgliedern einige Zeit vor der Berufung zugesendet werden. Es würde auf diese Weise Gelegenheit gegeben sein, sich schon im Kreise der Fachgenossen ein Urteil zu bilden und eine engere Beziehung zwischen den in den Ausschüssen tätigen und den übrigen Mitgliedern herzustellen.

159. Telegramm an Prinz Heinrich VII. Reuß—Wien: Das deutsch-österreichische Bündnis von 1879 hat Vorrang vor dem Dreikaiserbündnis (Eigenhändiges Konzept) GP 3, 165, Nr. 525.

Berlin, den 1. Februar 1881.

Nr. 8

Expedition vom 29. u[nd] 30. erhalten. Inhalt des Kaiserlichen Schreibens kenne ich noch nicht.

Bitte einstweilen zu sagen, daß unser Vertrag von 79 unter allen Umständen intact u[nd] maßgebend bleibt. Ich halte deshalb den neuen öst[er]r[eichischen] Entwurf in allen Punkten für unbedenklich, bis auf das letzte alinea, die „Kriegsmacht" betreffend. Darin würde eine Erweiterung der Tragweite unsres bestehenden Bündnisses liegen, für die ich der Genehmigung S[eine]r M[ajestät] bedürfen würde. Ich bin bereit die rumänische Frage u[nd] die andren Ausstellungen in die Verhandlung zu Drei aufzunehmen; in der ersteren liegt in der That eine Lücke. Vielleicht könnte man jedes Einrücken beider Nachbarmächte von der Übereinstimmung der Drei abhängig machen. Ich müßte nur vorher wissen wie das in Pet[e]r[s]burg u[nd] in Wien aufgenommen wird.

Unser Bündniß von 79 beruht nicht bloß auf dem Buchstaben des Textes, sondern auf der politischen Überzeugung, daß wir einander nicht im Stich lassen können. Ich erinnre daran, daß ich es ursprünglich „für immer" u[nd] beiderseits nur durch „Reichsgesetz" kündbar u[nd] die amtliche Verlautbarung vorgeschlagen habe. Die Abminderung war Gr[a]f Andrassy's u[nd] die Geheimhaltung sein u[nd] unsres Kaisers Wille.

Den Text des Immediatberichts von B[ar]on Haymerle erkenne ich auch heut als richtig. Weitres schriftlich, nach Immediat-Vortrag.

v. Bismarck

160. Gespräch mit dem Journalisten Moritz Busch am 19. Februar 1881 in Berlin
W 8, 400 f., Nr. 303 = Busch III, 21 ff.

Am 19. Februar nachmittags halbdrei Uhr zum Fürsten entboten, trat ich um vier Uhr bei ihm ein. Er war in Uniform und schien ausgehen zu wollen. Nachdem er mir die Hand gereicht hatte, sagte er: „Aus unserem neulich besprochenen Artikel über die Nationalliberalen kann nichts werden, wegen notwendiger Frontveränderung gegen die Partei, die darin zum Zielpunkt des Angriffs gemacht worden ist. Der Aufsatz war gut. Aber wir wollen ihn nicht drucken. Sie gelten nun einmal für offiziell. Aber ich möchte was anderes besprochen wissen, die Debatte über den Steuererlaß nämlich, im Herrenhause, und die unrichtige Zusammensetzung des letzteren. Es sind zu viele Berliner drin und zu viele höhere Beamte, a. D.s und i. D.s."

Er nahm das Staatshandbuch her und las: „Frühere Minister Bernuth, Borries — der war freilich in Hannover, nicht hier —, zwei Camphausen, der edle und der unedle, Friedenthal, Patow, Lippe, Manteuffel, Rabe, Rittberg — von dem ist mir's zweifelhaft, ob er Minister war, dann Sulzer, Unterstaatssekretär, siebzehn oder achtzehn Wirkliche Geheime Räte und andere höhere Beamte, die aus besonderem königlichen Vertrauen berufenen Mitglieder werden neunundsechzig oder siebzig sein. — Na, ich habe was darüber aufgesetzt, lassen Sie sich das doch von Rantzau geben, und benutzen Sie es, aber nicht wörtlich; man merkt sonst, daß es mein Stil ist. Machen Sie Ihren daraus!"

Ich sagte ihm, das werde geschehen, und äußerte dann meine Freude darüber, daß er mit großer Majorität gesiegt, und daß er bei der Debatte Camphausen so kräftig aus dem Sattel gerannt habe [54].

Er lachte und erwiderte: „Sie hätten ihn sehen sollen und seine ganze Gesellschaft: zornige Gäule und verzerrte Gesichter. Und Camphausen, der mich sieben Jahre hingehalten, weil er nichts konnte, als mit Milliarden wirtschaften, die er nach Bestreitung der Kriegskosten übrig behielt — es blieben immer noch ein paar hundert Millionen übrig, die er nicht anzulegen verstand. Der erinnerte mich an den Witz über den König Ludwig und die Lola Montez." *Er zitierte den Vers mit den Reimen: Lola Montez und selber habend nie gekonnt es, dann fuhr er fort:* „Wenn der im Ministerrate von zwei Millionen hörte, lächelte er bloß; wenn aber von hundert Millionen die Rede war, lachte er, daß ihm der Mund aufging und man seine zwei Zähne sah. Der Milliardenvater, der träge Mann, den ich immer bitten und betteln mußte um Vorschläge zu einer Steuerreform, und bei dem doch nichts herauskam, bis zuletzt, und das war was Unbrauchbares."

Ich erinnerte daran, daß ich in seinem Auftrage schon 1877 in den Grenzboten darauf aufmerksam gemacht hätte.

---

[54] Bismarck hatte in der Herrenhaussitzung am 17. Februar 1881 gegen den früheren Finanzminister (bis 1878) Camphausen scharf polemisiert und gegen diesen falsche Behauptungen aufgestellt.

„Ei, das lassen Sie doch wieder abdrucken," *versetzte er,* „das wird gut sein; denn es bestätigt, was ich ihm jetzt sagte. Zuletzt kam er freilich und hatte was fertig und ging mit der nicht zu gebrauchenden Tabaksteuer vor, wollte auch in der Eisenbahnsache was tun; in jener stolperte er über Bamberger, statt ihn mit Verachtung zu strafen. Camphausen war der Führer bei dem Sturm im Herrenhause. Der hat die ganze Geschichte angeblasen, indem er sich mit anderen Giftmischern und enragierten Freihändlern zusammentat. — Aber ich muß gleich gehen. Sprechen Sie mit Rantzau, der soll Ihnen das Aufgeschriebene geben. Aber Sie dürfen's niemand zeigen."

Er zog die Klingel, und Graf Rantzau kam mit dem Bogen. Er sagte, er habe sehr undeutlich nachgeschrieben und viele Worte abgekürzt; er wolle mir's daher drüben vorlesen. Der Kanzler versetzte lächelnd: „Ach, das schadet nichts, das Undeutliche. Da kann er's nicht gut rauskriegen und nicht wörtlich wiederholen."

Ich kriegte es aber, wenn auch mit einiger Mühe, zu Hause doch heraus und machte aus dem Diktat einen Artikel: „Das Herrenhaus," der in Nr. 9 der Grenzboten erschien.

161. Immediatberichte: Zum Rücktritt des Grafen Botho zu Eulenburg als Innenminister (Eigenhändiges Konzept bzw. Reinkonzept)

W 6 c, 206 f., Nrn. 204 u. 205.

Berlin, den 19. Februar 1881.

Ich glaube mit Ew. M., daß hier ein Mißverständniß vorliegt. Ich bin wegen Unwohlsein nicht im Hause gewesen, habe aber die Erklärung meines Commissars im Druck gesehn. Sie enthält meine Zustimmung zu zwei Artikeln der Vorlage, über die ich mit Gr. Eulenburg verschiedner Meinung war. Die Zustimmung ist damit motivirt, daß ich den Inhalt der beiden Artikel Ew. M. nicht würde zur Annahme empfehlen können, wenn sie nicht in 5 Provinzen schon geltendes Recht wären; wenn sie jetzt auf die andern Provinzen auch ausgedehnt werden sollten, so stimmte ich ihnen in der Voraussetzung zu, daß sie vor Einführung der neuen Kreisordnung in diese andern Provinzen revidirt werden würden. Ich weiß nicht, was Gr. Eulenburg gegen diese meine Aeußerung haben kann; da ich durch dieselbe, gegen meine eigne Ueberzeugung, seiner Abstimmung öffentlich beitrat, nur hinzufügte, daß ich auf Revision rechnete, wenn die Bestimmung, die leider in den alten Provinzen schon gilt, in Zukunft auch in Posen, in den Welfischen u. in den ultramontanen Gegenden eingeführt werden sollte.

Mein Commissar hatte Auftrag, dem Gr. Eulenburg meine Erklärung vorher vorzulegen, u. ich glaube, daß er es gethan haben wird. Ich glaubte, daß sie dem Gr. Eulenburg willkommen sein werde.

Berlin, den 19. Februar 1881.

Als Nachtrag zu meinem heutigen ehrf. Schreiben erlaube ich mir, Ew. M. im Druck die Erklärung vorzulegen, welche mein Kommissar heut im Herrenhause für mich abgegeben hat.

Der Inhalt derselben war bestimmt, einmal mein Einverständnis mit der Vorlage zu konstatieren, dann aber auch die künftige Revision des Textes vorzubehalten, dem ich augenblicklich zustimme, um das Zustandekommen des Gesetzes nicht zu hindern, den ich aber für die Dauer für einen zweckmäßigen und beizubehaltenden Bestandteil der Gesetzgebung nicht ansehe. Ich habe von dieser rein sachlichen und inoffensiven Erklärung die Wirkung nicht erwarten können, die sie durch den Zufall gehabt hat, daß kurz vor ihrer Verlesung Graf Eulenburg sich im anderen Sinne ausgesprochen hatte. Ich konnte darauf, daß mein Kollege den von mir angezweifelten Stellen eine besondere Anerkennung widmen würde, nicht vorbereitet sein, da ihm mein Widerstreben, denselben überhaupt zuzustimmen, bekannt war, und die Kommission des Herrenhauses in ihrem Bericht diese Punkte gar nicht berührte. Daß inzwischen durch Gegenanträge aus dem Hause Graf Eulenburg zu einer Vertretung dieser von mir kritisierten Punkte veranlaßt worden war, konnte ich nicht vorhersehen; ich würde, wenn ich zugegen gewesen wäre, meine abweichende Ansicht und meinen Vorbehalt in schicklicher und unauffälliger Form haben zum Ausdruck bringen können. Da ich wegen Krankheit nicht zugegen war, so hat der mich vertretende Rat des Handelsministeriums, der sich nicht berufen geglaubt hat, die flüchtige ihm übergebene Skizze meiner Gedanken zu ändern oder einen besseren Moment dazu zu wählen, die nach meiner Instruktion gemachten Notate in ihrer hierauf nicht berechneten Kürze und Trockenheit vorgelesen. Ich kann das bei dem unerwarteten Eindruck, den der Vorgang auf Graf Eulenburg gemacht hat, bedauern und habe es nicht beabsichtigt, aber ich kann es nicht mehr ändern.

Wenn Ew. M. huldr. gestatten, so werde ich mich morgen am Sonntag zu gewöhnlicher Zeit zum Vortrage melden.

162. Rede in der 4. Sitzung des Deutschen Reichstags am 24. Februar 1881
W 12, 188 ff. = Kohl 8, 316 ff.

Bei der ersten Beratung des Reichshaushalts 1881/82 griff der Abgeordnete Eugen Richter die Finanzpolitik des Reiches, die innere Politik Bismarcks und das von diesem geübte Regierungssystem heftig an. Ihm antwortete der Reichskanzler:

Die Äußerungen des Herrn Vorredners haben den uns in der Tagesordnung vorliegenden Gegenstand, das Budget, wenig berührt, seit ich hier bin; ich bin also auch wohl davon dispensiert, dem, was der Herr Staatssekretär des Schatzamts darüber gesagt hat, etwas hinzuzufügen. Der Herr Vorredner hat sich wesentlich mit der Kritik meiner Person beschäftigt. Die Gesamtzahl, in welcher das Wort „Reichskanzler" in seiner Rede vorkommt, zur Gesamtzahl der Worte seiner Rede überhaupt, wird das Resultat meiner Ansicht hinreichend rechtfertigen. Nun, ich weiß nicht, zu welchem Zwecke diese Kritik dient, wenn nicht zu meiner Belehrung, zu meiner Erziehung; ich bin aber im sechsundsechzigsten Jahre und im zwanzigsten Jahre meiner Amtstätigkeit — recht viel zu bessern ist an mir nicht mehr, man wird mich verbrauchen müssen, wie ich bin, oder man wird mich beseitigen müssen. Ich habe meinerseits nie den Versuch gemacht, den Herrn Abgeordneten Richter zu erziehen, ich würde mich dazu nicht berufen halten; ich habe auch nicht das Bestreben, ihn aus der Tätigkeit, in der er sich befindet, zu verdrängen — mir würden die Mittel dazu fehlen, ich habe auch keine Neigung dazu; aber mich aus der meinigen zu verdrängen, dazu, glaube ich, werden ihm auch die Mittel fehlen. Ob er mich nun in der Weise wird einengen und zurechtdrücken können, wie er das am Schluß seiner Rede für wünschenswert erklärte, wenn ich noch länger erhalten werden sollte, weiß ich nicht; bin aber für die Besorgtheit, mit der er meiner Gesundheit dabei gedacht hat, aufrichtig dankbar. Ich kann mich aber leider, wenn ich meine Pflicht tun will, nicht in dem Maße schonen, wie es der Fürsorge des Herrn Richter wünschenswert erscheint *(Heiterkeit)* — ich muß meine Gesundheit einsetzen.

Wenn derselbe gesagt hat, daß alle Übel, die uns plagen, auch der Diskontosatz, und ich weiß nicht, was sonst noch, in der Unsicherheit unserer Zustände ihren Grund hätten, wenn er das Wort eines anderen Kollegen [55]

---

[55] Abg. Hänel.

zitiert hat von einer heillosen Verwirrung bei uns — nun, meine Herren, dann muß ich wiederholen, was ich an einer anderen Stelle gesagt habe und in Gegenwart des Herrn Abgeordneten Richter: Sehen Sie sich doch vergleichend in anderen Ländern um! Wenn der Zustand, der bei uns herrscht, die geordnete Tätigkeit, die Sicherheit der Zukunft nach innen und nach außen, wenn das eine heillose Verwirrung ist, ja, wie sollen wir dann die Zustände in manchen anderen Ländern charakterisieren? Ich sehe in keinem europäischen Lande einen gleichen Zustand von Sicherheit und von Beruhigung, mit der man in die Zukunft blicken kann, wie im Deutschen Reich. Ich habe schon damals gesagt, meine Stellung als Auswärtiger Minister hindert mich an Exemplifikationen; aber jeder, der mit der Karte und der Zeitgeschichte der letzten zwanzig Jahre in der Hand meiner Bemerkung nachspüren will, der wird mir recht geben müssen, und ich weiß nicht, wozu die Übertreibung von „heilloser Verwirrung" und „Ungewißheit und Unsicherheit der Zukunft"; es glaubt im Lande niemand daran, und das ist doch die Hauptsache. Die Leute im Lande wissen sehr gut, wie es ihnen geht, und jeder, dem es nicht nach Wunsch geht, ist ja gern bereit, die Regierung dafür verantwortlich zu machen, und wenn ein Kandidat zur Wahl kommt und sagt ihm: An dem allen ist die Regierung oder — um mit dem Herrn Vorredner zu sprechen — der Reichskanzler schuld, so mag er viele Gläubige finden; er wird in der Mehrzahl aber Leute finden, die sagen: Gewiß hat er seine üblen Eigenschaften und Kehrseiten — aber daß ich an allen diesen Übeln schuld sei, davon wird man die Mehrheit nicht überzeugen. Es geht mir freilich wie vor zwölf Jahren und länger dem Kaiser Napoleon, der auch, nicht in seinem Lande, aber in Europa als die Ursache alles Übels angeklagt wurde, von der Tatarei bis nach Spanien hin, und der bei weitem keine so böse Natur war, wie man ihm schuld gab — und ich möchte dieses Benefizium auch bei Herrn Richter in Anspruch nehmen: Ich bin auch so schlimm nicht, wie er mich schildert. Sein Angriff richtet sich in der Hauptsache, wenn er es recht überlegt, auch nicht so sehr gegen mich, gegen meine Person, gegen diejenige Tätigkeit von mir, in welcher ich freien Willen habe; er richtet sich in der Hauptsache gegen die Verfassung des Deutschen Reiches. Die Verfassung des Deutschen Reiches kennt keinen anderen verantwortlichen Beamten wie den Reichskanzler. Ich könnte behaupten, daß meine verfassungsmäßige Verantwortlichkeit lange nicht so weit geht wie diejenige, die mir faktisch aufgelegt wird; ich könnte mich vielmehr zurückziehen und sagen: Die Reichspolitik geht mich in inneren Beziehungen gar nichts an, ich bin nur des Kaisers Exekutivbeamter. Ich will das aber nicht tun, ich habe die Verantwortung von Anfang an übernommen, ich habe die

Verpflichtung übernommen, die Beschlüsse des Bundesrats, obschon ich in ihm in der Minorität sein kann, zu vertreten, nur muß ich das mit meiner Verantwortlichkeit verträglich finden. Ich will sie annehmen, wie sie liegt in der öffentlichen Meinung. Es kann aber jedermann doch nur für seine eigenen Entschließungen und Handlungen verantwortlich sein, es kann niemand eine Verantwortlichkeit auferlegt werden — und auch die Reichsverfassung hat das nicht tun wollen — für Handlungen, welche von seinem freien Willen nicht abhängen, zu denen er gezwungen werden kann. Es muß daher der Verantwortende innerhalb des Rayons seiner Verantwortlichkeit einer vollständigen Unabhängigkeit und Freiheit genießen, sonst hört die Verantwortlichkeit auf, und wer sie dann im Reiche trägt, das weiß ich nicht, sie schwindet gänzlich.

So lange Herr Richter also die Reichsverfassung nicht ändert, müssen Sie selbst darauf bestehen, daß Sie einen in seinen Entschließungen vollständig freien und selbständigen Kanzler haben, denn für alles das, worin er nicht frei und selbständig sich hat entschließen können, kann ihn kein Mensch verantwortlich machen.

Herr Richter hat nun dem Wunsch Ausdruck gegeben, diese verfassungsmäßige Selbständigkeit des Kanzlers nach mehreren Seiten hin einzuschränken; einmal nach einer Seite hin, wo sie ja schon eine beschränkte ist, wo er sie aber vollständig verschwinden lassen will: das ist gegenüber den Beschlüssen des Bundesrats und des Reichstags die Verantwortlichkeit für die Tätigkeit, die die Verfassung dem Kaiser in unserem Staatsleben beilegt. Es steht in der Verfassung, daß die Anordnung des Kaisers ihre Gültigkeit durch die Unterzeichnung des Reichskanzlers erlangt, welcher damit die Verantwortlichkeit übernimmt. Zu diesen Anordnungen des Kaisers sind doch ohne Zweifel auch die Akte zu rechnen, von denen die Verfassung sagt, daß sie im Namen des Kaisers zu geschehen haben, also beispielsweise die Vorlage eines bundesrätlichen Beschlusses vor den Reichstag, wie Herr Richter nach der „Norddeutschen Zeitung“ eine Tatsache ganz richtig angeführt hat, über die Unfallstatistik, über welche Beschlüsse vorlagen, die weiter zu befördern im Namen des Kaisers ich mit meiner Verantwortlichkeit nicht verträglich gefunden habe. Ich habe deshalb diese Handlung unterlassen. Man kann nun das Verfassungsrecht fragen: War ich berechtigt, diese Handlung zu unterlassen? War der Kaiser berechtigt, die Handlung zu unterlassen? Oder war Seine Majestät der Kaiser verfassungsmäßig verpflichtet, den Beschluß des Bundesrats vorzulegen?

Ich habe diese Frage einmal bei Herstellung der Verfassung mit einem sehr scharfen Juristen erörtert, der lange in einer hohen juristischen Stellung bei uns war und noch ist, Herrn Pape[56]. Der sagte mir: Der Kaiser hat kein Veto. Ich sagte: Verfassungsmäßig hat er es nicht, aber denken Sie sich den Fall, daß dem Kaiser eine Maßregel zugemutet wird, die er nicht glaubt erfüllen zu können, oder eine solche, die er glaubt erfüllen zu können, sein zeitiger Kanzler warnt ihn aber und sagt: Hierzu kann ich nicht raten, das kontrasigniere ich nicht. Gut nun, ist der Kaiser denn dann in diesem Falle verpflichtet, einen anderen Kanzler zu suchen, seinen Widerstreber zu entlassen? Ist er verpflichtet, einen jeden zum Kanzler zu nehmen, der ihm etwa von anderer Seite vorgeschlagen wird? Wird er sich den zweiten, dritten suchen, die beide sagen: Die Verantwortlichkeit hierfür, für diesen Gesetzentwurf, können wir nicht durch die Vorlage im Reichstag übernehmen? Darauf hat mir Herr Pape geantwortet: Sie haben recht, der Kaiser hat ein indirektes und faktisches Veto.

Ich gehe soweit nicht einmal, sondern alle diese Sachen werden nicht so haarscharf durchgedrückt. Nehmen Sie also einen konkreten Fall, an dem sich solche Sachen am besten erläutern, nehmen Sie an, daß die Majorität des Bundesrats mit Zustimmung Preußens dieses Gesetz beschlossen hat, und wobei in Preußen der Formfehler gemacht worden ist, daß der zur Instruktion der Vertretung im Bundesrat berufene preußische Minister der auswärtigen Angelegenheiten nicht zugezogen worden ist, um die Instruktion zur Zustimmung zu erteilen; aber ich nehme an, Preußen hat zugestimmt, dieser Minister wäre zugezogen und wäre auch im preußischen Ministerium in der Minorität geblieben, und der Kaiser trägt ihm auf, nun die Beschlüsse dem Bundesrat und dem Reichstag vorzulegen; der Kanzler sagt: Das glaube ich nicht verantworten, nicht verantwortlich vollziehen zu können, dann ist die erste Möglichkeit, daß Seine Majestät der Kaiser sagt: Dann muß ich mir einen anderen Kanzler suchen — die ist nicht eingetreten, die zweite ist eingetreten, daß die Vorlage unterblieben ist. Dadurch ist nun die Situation geschaffen, in der, wenn es einen Klageberechtigten gibt, ein solcher nur in der Majorität der Regierungen, im Bundesrat, die diesen Beschluß gefaßt haben, gesucht werden kann.

Es ist nun der weitere Weg gegeben — ich glaube auch, daß solcher Weg in schweren Fragen bis ans Ende gegangen werden würde; aber wenn man jetzt die tatsächliche Probe machen wollte, was schließlich rechtens wird, dann müßte in diesem vorliegenden Falle die Majorität des Bundesrats Seiner Majestät dem Kaiser erklären: Hier haben wir Beschlüsse gefaßt, unser verfassungsmäßiges Recht ist, daß der Kaiser sie dem Reichstag vor-

---

[56] Bis 1879 Präsident des Reichsoberhandelsgerichts.

legt, und wir fordern das. Der Kaiser könnte darauf antworten: Ich will den Rechtspunkt nicht untersuchen, ob ich dazu verpflichtet bin; ich will annehmen, ich wäre es, ich weigere mich nicht, aber ich habe augenblicklich keinen Kanzler, der bereit ist, das zu unterschreiben — kann dann dem Kanzler befohlen werden: Du sollst und mußt das unterschreiben!? Kann er mit Gefängnis wie bei Zeugenzwang bedroht werden? Wo bliebe da die Verantwortung? Bleibt also der Kanzler bei seiner Weigerung, so kann die Majorität des Bundesrats dem Kaiser sagen: Du mußt dir einen Kanzler schaffen, diesen entlassen; wir verlangen, daß unser Beschluß vor den Reichstag gebracht werde, und die Verfassung ist gebrochen, wenn das nicht geschieht. Nun, meine Herren, warten wir doch ab, ob der Fall eintritt, ob der Klageberechtigte diesen Weg befolgen will, und wenn er ihn verfolgt, ob Seine Majestät der Kaiser dann nicht doch bereit ist zu sagen: Gut, ich werde suchen, einen Kanzler zu bekommen, der bereit ist, den Beschluß weiterzubefördern. — Ich will hier natürlich in eine Kritik der Gründe nicht eingehen, die mich im konkreten Fall abgehalten haben; es waren eben Gründe, die sich nicht am grünen Tisch, sondern im grünen Lande draußen finden, die mich veranlaßt haben, die Durchführung dieses Gesetzes für untunlich zu halten; ich hatte nicht die Sicherheit, daß diese Unmöglichkeit der Durchführung auch von der Majorität dieses Hauses angenommen würde, wollte aber das Land der Gefahr nicht aussetzen — Gefahr war es meines Erachtens — dieses Gesetz zu bekommen; der Moment, wo ich diese Gefahr verhüten konnte, war einzig und allein der der Vorlage im Namen des Kaisers. Das verfassungsmäßige Remedium gegen diese Benutzung liegt im Wechsel der Person des Kanzlers; ein anderes sehe ich nicht.

Ich komme dabei, da ich eben den Reichstag berührte, auf mein Zusammenwirken mit dem Reichstage. Das Ideal des Herrn Richter scheint zu sein ein schüchterner, vorsichtiger Kanzler, der sorgfältig hinhorcht: Kann ich hier anstoßen, wenn ich dieses tue, kann ich da anstoßen — der einen ablehnenden Beschluß des Reichstags nicht abwartet, sondern, wie ich häufig bei Kollegen erlebt habe, aufgeregt nach Hause kommt und sagt: Mein Gott, das Gesetz ist verloren, der und der ist dagegen — und nach drei Wochen ist es durchgegangen. Auf solche Konjekturalpolitik, auf solche Indizienbeweise über das, was im Reichstag etwa beschlossen werden kann, weil die Stellung von denen, die am lautesten sprechen, aber nicht immer das entscheidende Gewicht haben, dagegen ist, auf die kann ich mich nicht einlassen, und ich würde Ihnen wirklich raten, einen solchen ängstlich und besorgt nach jedem Wink hinhörenden Kanzler, wenn es dem Herrn Richter möglich ist, sich einen solchen zu verschaffen, auf dieser Stelle möglichst kurze Zeit zu dulden. Denn wenn ein leitender Minister — und ein solcher ist er im Reich — keine eigene Meinung hat und erst von anderen hören muß, was er glauben und tun soll, dann brauchen Sie ihn gar nicht. Was Herr Richter dabei vorschlägt, ist die Regierung des Landes durch den Reichstag, die Regierung des Landes durch sich selbst, wie man das in Frankreich genannt hat, und durch seine gewählten Vertreter. Ein Kanzler, ein Minister, der nicht wagt, etwas einzubringen, wovon er nicht sicher weiß, daß er es durchbringt, der ist eben kein Minister, der könnte ebensogut mit dem weißen Zeichen der Parlamentsdiener hier unter uns herumgehen und sich erkundigen, ob Sie erlauben, daß er dieses oder jenes einbringen will. Dazu bin ich nicht gemacht!

Inwieweit ich die Unterordnung unter den Bundesrat annehme, das habe ich vorher auseinanderzusetzen versucht, ich habe aber zugleich damit geschlossen, daß noch *sub judice lis est,* der Prozeß ist nicht geschlossen. Ob ich nach meiner verfassungsmäßigen Überzeugung der Mehrheit des Bundesrats mich fügen würde, wenn sie es verlangte, darüber habe ich mich nicht auszusprechen, das ist eine Frage, die bisher nicht vorliegt; die Mehrheit hat es nicht verlangt. Ob ich bei Durchsetzung der Forderung berechtigt bin, meinen Widerspruch aufrechtzuerhalten, darüber sage ich: *non liquet,* wir werden es künftig sehen. Dergleichen entscheidet sich schließlich durch das uralte Recht, was schon die Römer bei den Deutschen zu ihrem Erstaunen fanden, wovon sie sagten: „Herkommen *vocant.*" Dieses Herkommen hat sich bezüglich der Handhabung der Verfassung noch nicht ausgebildet.

Dann hat Herr Richter bei mir noch nach einer dritten Richtung hin zu viel Selbständigkeit gefunden, gegenüber den Chefs der Reichsämter. Er hat, wenn ich recht gehört habe, sich mit der Hoffnung geschmeichelt, daß das Stellvertretungsgesetz mir eine willkommene Gelegenheit gäbe, mich auf einen mehr ornamentalen Standpunkt, wie er sich ausdrückte, zurückzuziehen und die Geschäfte und Tätigkeit denen zu überlassen, die mich vertreten, und das berühmte Arkanum der Majoritätsabstimmung auch in die Reichsregierung einzuführen. Auch da muß ich sagen, muß Herr Richter, ehe ich mich den höchsten Reichsbeamten unterordnen darf, doch die Verfassung ändern. Kann ich denn vor Sie treten und sagen: Ja, meine Herren, ich bin sehr zweifelhaft, ob ich dieses wohl verantworten kann, aber der Herr Staatssekretär aus diesem Ressort war der Meinung, und nach Anleitung des Herrn Richter habe ich mich dessen Autorität gefügt; wenn Sie es verhindern, tun Sie mir einen Gefallen, dem Staatssekretär aber nicht? Das wäre doch auch wieder eine ganz unmögliche Stellung, die Herr Richter mir zumutet. Die Herren Chefs der Reichsämter sind nicht für mich verantwortlich, außer insoweit sie vermöge des Stellvertretungsgesetzes substituiert sind, sondern ich bin für ihre Handlungen verantwortlich; ich habe dafür aufzukommen, daß es Politiker sind, die sich mit der Gesamtrichtung der Reichspolitik, so wie ich sie verantworten will, im Einverständnis halten, und wenn ich dieses Einverständnis dauernd und prinzipiell bei einem von ihnen vermisse, so ist es meine Pflicht und Schuldigkeit, ihm zu sagen: Wir können beide zusammen nicht im Amte bleiben. Das ist auch eine Aufgabe, der ich mich, wenn sie an mich herantrat, niemals entzogen habe *(Heiterkeit links)*, es ist einfach meine Pflicht. Ich habe dazu nie so künstliche Maschinerien und Feuerwerke gebraucht, wie man mir zuschreibt, daß ich sie in der vorigen Woche[57] absichtlich und berechnet ins Werk gesetzt hätte. Sie müssen nicht glauben, daß Minister heutzutage an ihrem Posten so kleben wie manche andere hochgestellte Beamte, bei denen auch der stärkste Wink nicht hinreicht, um sie zur Einsicht zu bringen, daß es Zeit wäre. Ich habe noch keinen Minister heutzutage gefunden, bei dem es nicht notwendig wäre, ihm ab und zu zuzureden, daß er auf seinem Posten doch noch länger aushalten möge, daß er sich nicht daran stoßen möge, daß die harte und aufreibende Arbeit eine konkurrierende Friktion mit mindestens drei parlamentarischen Körpern, einem Abgeordnetenhaus, einem Herrenhaus und einem Reichstag, gibt, wo einer den andern ablöst, ja nicht einmal auf die Ablösung wartet, sondern alle gleichzeitig fungieren; und wenn der Kampf beendigt ist, und wenn die Abgeordneten zufrieden in ihre Heimat zurückkehren, dann kommt den anderen Tag ein Rat zum Minister und sagt: Jetzt ist es Zeit, die Vorlagen für die nächste Sitzung zu bearbeiten. Dabei ist das ganze Geschäft vielleicht ein sehr ehrenvolles, aber kein sehr vergnügliches. Wer ist überhaupt in der Lage wie ein deutscher Minister, sich so öffentlich mit einer solchen Schärfe und in einer solchen Tonart kritisieren zu lassen, gegen wen gilt es außerdem noch unter gebildeten Leuten, daß die Gewohnheit des gesellschaftlichen Lebens ihm gegenüber außer Geltung tritt? Man sagt einem Minister ohne das mindeste Bedenken öffentlich Dinge, die man, wenn er nicht Minister wäre, sich genieren würde, ihm auch nur privatim zu sagen, wenn man ihm etwa in einem Salon begegnet.

---

[57] In der 17. Sitzung des preußischen Herrenhauses am 19. Februar 1881 hatte Oberregierungsrat Rommel eine Instruktion Bismarcks in dessen Auftrag verlesen, die im diametralen Gegensatz zu den gerade geäußerten Ansichten des Innenministers Graf Botho zu Eulenburg stand und diesen zum Rücktritt veranlaßte.

Ich würde das im Reichstag nicht sagen, wenn derselbe nicht auch auf diesem Gebiet wie in allem übrigen eine Ausnahmestellung in Deutschland einnähme — ich habe hier so scharfe Dinge wie in anderen Versammlungen meines Wissens kaum zu hören gehabt, ich habe wenigstens ein versöhnliches Gedächtnis bis jetzt für sie gehabt, aber im ganzen werden Sie mir doch recht geben, daß in unseren politischen öffentlichen Debatten die Tonart nicht auf der Höhe steht wie in unserem gewöhnlichen gesellschaftlichen Verkehr, namentlich den Ministern gegenüber. Auch untereinander kommt es mitunter vor, aber darüber steht mir keine Kritik zu. Auch die ministerielle Seite kritisiere ich nicht, ich bin dagegen abgehärtet durch langjährige Erfahrung und kann es aushalten; aber ich schildere hier nur die Gründe, die es machen, daß kein Minister an seinem Posten klebt, und daß man mir Unrecht tut, wenn man glaubt, es gehörte irgendeine künstliche Anstrengung dazu, um einen Minister zu bewegen, daß er aus dem Posten weicht. Nicht jeder war gewohnt an die Behandlung, daß öffentlich in der Presse der unwissendste Korrespondent einen alten erfahrenen Minister herunterreißt wie einen dummen Jungen. Das lesen wir in jeder Zeitung alle Tage, und das mag man sich ja gefallen lassen. Darüber klagt man nicht so; aber können wir sagen, daß in unseren parlamentarischen Debatten den Mitgliedern der Regierung — den Kommissaren gegenüber wird mitunter noch härter verfahren — aber den Mitgliedern der Regierung gegenüber dieselbe Urbanität des Tones herrschte, durch die sich die gute Gesellschaft in Deutschland auszeichnet? Ich sage nicht nein, sondern ich überlasse Ihnen die Beantwortung dieser Frage, ich sage nur, daß das Geschäft ein sehr mühsames und freudeloses, nicht bloß Verdrießlichkeiten ausgesetztes, sondern ein aufreibendes und anstrengendes ist. Das bringt die Herren Minister in die Stimmung, daß sie mit großer Leichtigkeit ihre Posten aufgeben, sobald sie ein anderes Motiv dafür finden können als das einfache: Ich will nicht mehr, ich mag nicht mehr, es ist mir über.

Übrigens ist bei uns, was ich Herrn Richter gegenüber als Zeugnis für meine kollegialische Liebenswürdigkeit anrufen darf, der Wechsel nicht so rasch und so häufig gewesen wie in allen anderen Ländern. Zählen Sie doch die Zahl der Minister, die seit meinem Antritt, seit 1862, über die Bühne gegangen sind, und addieren Sie die Rücktritte, die aus anderen als parlamentarischen Gründen erfolgt sind, und Sie werden im Vergleich mit allen anderen Ländern für die Verträglichkeit der Minister in Deutschland ein außerordentlich günstiges Fazit finden. Ich halte also diese Anspielungen, die auf meine Unverträglichkeit und auf meine wechselnde Überzeugung gemacht worden sind, für völlig unzutreffend.

Ich erlaube mir bei dieser Gelegenheit auf diese in der Presse und auch hier so oft vorkommenden Vorwürfe noch mit einem Worte zurückzukommen, als hätte ich meine Ansichten über diese oder jene Sachen häufig und schroff gewechselt. Nun, ich gehöre allerdings nicht zu denen, die jemals im Leben geglaubt oder heute glauben, sie könnten nichts mehr lernen, und wenn mir einer sagt: Vor 20 Jahren waren Sie mit mir gleicher Meinung, heute habe ich dieselbe Meinung noch, und Sie haben eine entgegengesetzte, so antworte ich ihm darauf: Ja, so klug, wie Sie heute sind, war ich vor 20 Jahren auch, heute bin ich klüger, ich habe gelernt in den 20 Jahren. Aber ich will mich auf diesen berechtigten Einwand nicht zurückziehen, daß ein Mensch, der nicht lernt, nicht fortschreitet mit seiner Zeit und also auch der Zeit nicht gewachsen bleibt; der bleibt zurück, wer feststeht auf dem Standpunkt, den er einmal gehabt hat. Ich will mich damit gar nicht entschuldigen; für mich hat immer nur ein einziger Kompaß, ein einziger Polarstern, nach dem ich steuere, bestanden: *Salus publica!* Ich habe von Anfang meiner Tätigkeit an vielleicht oft rasch und unbesonnen gehandelt, aber wenn ich Zeit hatte, darüber nachzudenken, mich immer der Frage untergeordnet: Was ist für mein Vaterland, was ist — so lange ich allein in Preußen war — für meine Dynastie, und heutzutage, was ist für die deutsche Nation das Nützliche, das Zweckmäßige, das Richtige? Doktrinär bin ich in meinem Leben nicht gewesen; alle Systeme, durch die die Parteien sich getrennt und gebunden fühlen, kommen für mich in zweiter Linie, in erster Linie kommt die Nation, ihre Stellung nach außen, ihre Selbständigkeit, unsere Organisation in der Weise, daß wir als große Nation in der Welt frei atmen können. *(Bravo! rechts.)*

Alles, was nachher folgen mag, liberale, reaktionäre, konservative Verfassung — meine Herren, ich gestehe ganz offen, das kommt mir in zweiter Linie, das ist ein Luxus der Einrichtung, der an der Zeit ist, nachdem das Haus festgebaut dasteht. In diesen Parteifragen kann ich zum Nutzen des Landes dem einen oder dem andern nähertreten, die Doktrin gebe ich außerordentlich wohlfeil. Schaffen wir zuerst einen festen, nach außen gesicherten, im Innern festgefügten, durch das nationale Band verbundenen Bau, und dann fragen Sie mich um meine Meinung, in welcher Weise mit mehr oder weniger liberalen Verfassungseinrichtungen das Haus zu möblieren sei, und Sie werden vielleicht finden, daß ich antworte: Ja, ich habe darin keine vorgefaßte Meinung, machen Sie mir Vorschläge, und wenn der Landesherr, dem ich diene, beistimmt, so werden Sie bei mir prinzipielle Schwierigkeiten wesentlich nicht finden. Man kann es so machen oder so, es gibt viele Wege, die nach Rom führen. Es gibt Zeiten, wo man liberal regieren muß, und Zeiten, wo man diktatorisch regieren muß, es wechselt alles, hier gibt es keine Ewigkeit. Aber von dem Bau des Deutschen Reiches, von der Einigkeit der deutschen Nation, da verlange ich, daß sie fest und sturmfrei dastehe und nicht bloß eine passagere Feldbefestigung nach einigen Seiten hin habe; seiner Schöpfung und Konsolidation habe ich meine ganze politische Tätigkeit vom ersten Augenblick, wo sie begann, untergeordnet, und wenn Sie mir einen einzigen Moment zeigen, wo ich nicht nach dieser Richtung der Magnetnadel gesteuert habe, so können Sie mir vielleicht nachweisen, daß ich geirrt habe, aber nicht nachweisen, daß ich das nationale Ziel einen Augenblick aus den Augen verloren habe. *(Bravo! rechts.)*

163. Immediatbericht: Die Neubesetzung des preußischen Innenministeriums (Eigenhändig) W 6 c, 207 f., Nr. 206.

Berlin, 9. März 1881.

Auf das gnädige Handschreiben vom heutigen Tage erwidre ich ehrfurchtsvoll, daß ich heut dem Staatsministerium den allerhöchsten Erlaß von gestern mitgeteilt habe; die Berathung darüber führte nicht zu einer Einigung über einen neuen Vorschlag für die Besetzung des Innern. Die dringlichen Arbeiten, welche für Letztres in diesen Tagen, wegen Publication oder Zurückhaltung der Organisationsgesetze, vorliegen, machen es nothwendig, daß zunächst einer der bisherigen Minister, welche Entstehung und Inhalt der neuen Gesetze kennen, die Geschäfte übernimmt, und ich lege deshalb einen Ordre-Entwurf für die einstweilige Beauftragung des Ministers von Puttkamer allerunterthänigst vor. Die Ausdehnung dieses Interimisticums auf 6 Wochen wird kaum erforderlich sein. Wenn das Staatsministerium nicht im Laufe dieses Monats März im Stande ist, Ew. M. anderweite Vorschläge zu machen, welche die allerhöchste Genehmigung erhalten, so wird es auf seine bisherigen Anträge verzichten, und dem Befehl vom gestrigen Tage entsprechend die Ernennung des Präsidenten von Wolff zum Min[ister] des Innern Ew. M. anheimstellen. Heut dürfte dieser nicht hinreichend vorbereitet sein, um die verwickelte und ihm fremde Geschäftslage zu übernehmen.

So sehr ich den Präsidenten von Wolff für ein Ober-Präsidium empfehlen möchte, falls er nicht Minister wird, so stelle ich doch ehrfurchtsvoll anheim, ihm vor der Entscheidung hierüber kein Ober-Präsidium in Aussicht zu stellen. Er würde, wenn er eines Ober-Präsidiums sicher

wäre, vielleicht nicht mehr Minister werden wollen. Würde er nicht Minister, so wäre er gewiß ein ebenso guter Ober-Präsident für Magdeburg, wie Graf Eulenburg es unter allen Umständen für Cassel ist. Die Bedenken gegen Bitters Ernennung für das Innre erlaube ich mir mündlichem Vortrage ehrf. vorzubehalten.
Ew. M. bitte ich alleruntertänigst mir huldreichst gestatten zu wollen, daß ich den Präsidenten von Wolff zunächst mit der vertraulichen Zusage, daß er von Allerhöchstdenselben entweder zum Minister oder zum Ober-Präsidenten in Aussicht genommen sei, nach Trier zu entlassen [!]. Wenn der Wille Ew. M., Puttkamer im Cultus zu behalten, unabänderlich bleibt, so wird der Entwurf für Ernennung des Präs. von Wolff für das Innre Ew. M. noch vor dem 22. vorliegen [58].

164. Brief an Kaiser Wilhelm I. W 14/II, 924 f., Nr. 1655.

Berlin 13. März 1881.

Ich kann dem Bedürfniß nicht widerstehn, Eurer Majestät die ehrfurchtsvolle und herzliche Theilnahme an den Gefühlen auszusprechen mit welchen das heutige erschütternde Ereigniß [59] Eurer Majestät Herz bewegen muß. Der Verlust welchen die so eng befreundeten beiden Herrscherhäuser erleiden trifft Eure Majestät persönlich als den nächsten Freund den der Kaiser Alexander, vielleicht mit Einschluß der eignen Familie, besaß, und nur Gott kann Eurer Majestät Trost geben für die Leere, welche dieser Verlust läßt und über das furchtbare Verbrechen, durch welches der Schmerz darüber gesteigert wird.
Es ist ein ähnliches Attentat seit Heinrich dem IV nicht gelungen, und das Entsetzen über das Gelingen des Frevels wird die Einigkeit und die Energie in der Verhütung neuer Verbrechen kräftigen.
Politisch erwarte ich von dem Regirungswechsel keine Aenderung der auswärtigen Politik. Sowohl die Gesinnung des Thronfolgers wie der

[58] Die Ministerkrise endete erst Ende Juni 1881 mit der Ernennung des bisherigen Kultusministers von Puttkamer zum Innenminister und von Goßlers zum Kultusminister. Nach Eulenburgs Abgang hatte Puttkamer das Innenministerium bereits interimistisch geleitet.
[59] Die Ermordung des Zaren Alexander II.

Zustand Rußlands geben der Ueberzeugung Grund, daß die ruhige u. friedliche Politik des letzten Jahres andauern werde.
Meine Grippe hindert mich leider am Arbeiten wie am Ausgehn, sonst hätte ich um die gnädige Erlaubniß gebeten, Eurer Majestät meine ehrfurchtsvolle Theilnahme und meinen Schmerz mündlich auszusprechen, zumal ich die Feder nur schwer führe. v. Bismarck.

165. Schreiben an Staatsminister von Puttkamer: Gegen die sozialdemokratische Presse (Konzept Tiedemann) W 6 c, 208 f., Nr. 207.

Berlin, den 24. März 1881.

Ew. pp. danke ich verb. für Ihre gef. Mitteilungen vom 18. d. M. über die sozialdemokratische Agitation in Sachsen.
Die sozialdemokratische Presse aller Länder liefert in Anknüpfung an die Ermordung des Kaisers Alexander II.[60] schlagende Beweise dafür, daß die russischen Nihilisten mit ihren auf den gewerbsmäßig betriebenen Fürstenmord gerichteten Tendenzen nicht isoliert stehen, sondern daß ihre Lehren und ihre Pläne Gesamtgut der sozialdemokratischen Partei aller Länder sind. Es wurde dies von seiten der letzteren bisher in Abrede gestellt und bestritten. Aber die einfach sozialdemokratischen Blätter, welche in Dänemark, in England, in Amerika, in Frankreich, in der Schweiz erscheinen, stellen die Tatsache ganz außer Zweifel, daß überall die Sozialdemokratie den Kaisermord billigt und ähnliche Unternehmungen gegen andere Monarchen generell und speziell empfiehlt. Die letzte Nummer der „Provinzial-Correspondenz" hat bereits eine Zusammenstellung derartiger Kundgebungen gebracht. Ew. pp. geneigter Erwägung stelle ich erg. anheim, ob und wie auch ferner die officiöse Presse die Zusammengehörigkeit der sozialdemokratischen Partei mit den mörderischen Tendenzen der Nihilisten durch fortlaufende Wiedergabe einschlägiger Zeitungsartikel zur öffentlichen Anerkennung wird bringen können. Ich habe die Gesandtschaften angewiesen, für diesen Zweck und für die bevorstehenden Verhandlungen über das Sozialistengesetz[61] weiteres Material einzusenden.

---

[60] Am 13. März 1881.
[61] Der Reichstag debattierte am 30. und 31. März über das bis zum 30. September 1884 verlängerte Ausnahmegesetz.

166. Immediatbericht: Gemeinsames Vorgehen der Großmächte gegen die internationale Arbeiterbewegung (Ausfertigung A. A.) W 6 c, 209 f., Nr. 208.

Berlin, den 25. März 1881.

Ew. Kais. und Kgl. M. beehre ich mich auf das allergn. Handschreiben vom 24. d. M. allerunt. anzuzeigen, daß ich Allerh. Intentionen schon, soweit mir tunlich schien, entgegengekommen bin. Von der Ansicht ausgehend, daß die Initiative zu gemeinschaftlichen Schritten gegen die Mordpropaganda, nach dem Verbrechen vom 13. cr., Rußland zusteht und von Rußland, als der am direktesten bedrohten Macht, mit dem größten Gewicht betrieben werden kann, habe ich die Sache mit dem Botschafter von Saburoff vor seiner Abreise nach Petersburg besprochen und erwarte, daß er für seine Rückkehr, vielleicht schon früher, Instruktionen erhalten wird. Ich habe ihm gesagt, ich glaubte der Allerh. Genehmigung sicher zu sein, wenn ich zunächst die Erlaubnis erbitten würde, die Vorschläge, die Rußland machen wird, in Wien zu befürworten. Außerdem habe ich den General von Roeder beauftragt, mit leitenden Persönlichkeiten in Bern sich vertraulich darüber zu besprechen, ob die schweizerische Gesetzgebung Mittel gewähre, die Versendung von Brandschriften wie der „Sozialdemokrat" zu verhindern; dabei möge er andeuten, daß wir uns einer Aufforderung zu gemeinsamen Schritten, wenn sie an uns heranträte, nicht würden entziehen können.
Einen ähnlichen Auftrag würde ich an den Grafen Münster richten, wenn Ew. M. sich damit einverstanden zu erklären geruhen.
In Frankreich liegen die Verhältnisse insofern anders, als die dortige Regierung sich durch das scharfe Gesetz vom 14. März 1872 schon zu schützen versucht hat, welches unter anderem die bloße passive Mitgliedschaft einer internationalen Arbeiterverbindung mit Gefängnis bis zu zwei, die aktive Mitgliedschaft mit Freiheitsstrafe bis zu fünf Jahren bedroht. Die Internationale tritt daher in Frankreich nicht mit der Einwirkung auf andere Länder wie in der Schweiz und in England in die Erscheinung, Einschmuggelung von heimlichen Schriften von dort her ist wenig bemerkt worden; und die Frage, ob es ratsam wäre, dort auf ein schärferes Vorgehen gegen die öffentliche Presse zu dringen, glaube ich späterer Prüfung vorbehalten zu müssen.

167. Rede in der 28. Sitzung des Deutschen Reichstags am 2. April 1881
W 12, 236 ff. = Kohl 9, 10 ff.

Der Entwurf des ersten Unfallversicherungsgesetzes wurde im Reichstag am 1. und 2. April 1881 beraten. Auf die Kritik des Abgeordneten Eugen Richter, eines Gegners der Zwangsversicherung, der in dieser Frage eine breite Öffentlichkeit weit über die Liberalen hinaus hinter sich wußte, entgegnet Bismarck:

Ich will, bevor ich auf die Sache eingehe, kurz auf einige der letzten Bemerkungen des Herrn Vorredners antworten, weil ich sie bei ihrem geringeren Schwergewicht sonst vielleicht vergessen möchte. Er hat damit geschlossen, daß mein Prestige im Schwinden wäre. Ja, wenn er recht hätte, möchte ich sagen: Gott sei Dank! Denn Prestige ist etwas furchtbar Lästiges, etwas, an dem man schwer zu tragen hat und das man leicht satt wird. Mir ist es vollkommen gleichgültig. Ich habe, wie ich sehr viel jünger war, ungefähr im Alter des Herrn Vorredners, als vielleicht noch mehr Ehrgeiz in mir steckte, jahrelang ohne jedes Prestige, im Gegenteil als Gegenstand der Abneigung, wenn nicht des Hasses der Mehrheit meiner Mitbürger mich wohler, zufriedener und gesünder befunden, als in den Zeiten, wo ich am populärsten gewesen bin. Das alles hat für mich keine Bedeutung; ich tue meine Pflicht und warte ab, was daraus folgt.

Der Herr Vorredner hat das hauptsächlich damit begründet, daß die Arbeiter den Beistand ablehnen, den ihnen die Reichsregierung zu bringen sucht. Darüber kann der Herr Vorredner noch gar keine Nachricht haben; was die Masse der Arbeiter denkt, das weiß der Herr Vorredner gar nicht; er weiß, was die eloquenten Streber, die an der Spitze der Arbeiterbewegungen stehen, was die gewerbsmäßigen Publizisten, die die Arbeiter als ihr Gefolge brauchen und die unzufriedenen Arbeiter als Gefolge brauchen — was die darüber denken, darüber wird der Herr Vorredner ganz gewiß genau unterrichtet sein. Aber was der Arbeiter im allgemeinen denkt, das wollen wir abwarten. Ich weiß nicht, ob diese Frage in ihrer Bedeutung überhaupt schon bis zu ihrer Erwägung außerhalb der gelehrten Arbeiterklubs, außerhalb der leitenden Streber und Redner vollständig durchgedrungen ist. Wir werden ja bei den nächsten Wahlen die erste Probe davon haben, ob der Arbeiter sich dann, geschweige jetzt, ein volles Urteil darüber schon gebildet hat.

Das Feld der Gesetzgebung, welches mit diesem Gesetz betreten wird und von dem der Herr Vorredner ganz mit Recht urteilt, daß es noch eine sehr weite Perspektive hat, die vielleicht auch gemäßigte Sozialdemokraten milder in ihrem Urteil über die Regierung stimmen kann — dieses Feld, welches hiermit betreten wird, berührt eine Frage, die wahrscheinlich von der Tagesordnung so bald nicht abkommen wird. Seit fünfzig Jahren sprechen wir von einer sozialen Frage. Seit dem Sozialistengesetz ist immer an mich die Mahnung herangetreten von amtlicher, hochstehender Seite und aus dem Volke: es sei damals versprochen, es müsse auch positiv etwas geschehen, um die Ursachen des Sozialismus, insoweit ihnen eine Berechtigung beiwohnt, zu beseitigen; die Mahnung ist bis zu diesem Augenblick an mich *toto die* herangetreten, und ich glaube nicht, daß mit der sozialen Frage, die seit fünfzig Jahren vor uns schwebt, unsere Söhne und Enkel vollständig ins reine kommen werden. Keine politische Frage kommt überhaupt zu einem vollständigen mathematischen Abschluß, so daß man Bilanzen nach den Büchern ziehen kann; sie stehen auf, haben ihre Zeiten und verschwinden schließlich unter anderen Fragen der Geschichte; das ist der Weg einer organischen Entwicklung. Ich halte es für meinen Beruf, diese Fragen, ohne Parteileidenschaft, ohne Aufregung — ich bedaure, daß die Parteifragen so hineinspielen — in Angriff zu nehmen, weil ich nicht weiß, wer sie mit Erfolg in Angriff nehmen soll, wenn es die Reichsregierung nicht tut.

Der Herr Vorredner hat, was ich nur beiläufig erwähnen will, weil es vor einigen Tagen auch in einer anderen Rede vorkam, angespielt auf einen angeblich lebhaften Telegrammwechsel zwischen „gewissen Kreisen und einer hochstehenden Person", unter welcher Bezeichnung ich mich in diesem Falle verstehen muß. Meine Herren, es ist dies eine sehr einfache Sache; ich bekomme Tausende von Telegrammen — ich bin ein höflicher Mann und würde sogar wahrscheinlich auf ein Telegramm von Herrn Richter antworten *(Heiterkeit)*, wenn er mich mit einem freundlichen Telegramm beehren wollte; ich kann auf ein freundliches Telegramm zur Begrüßung nur freundlich antworten und keine polizeiliche Recherche darüber anstellen, welcher politischen Richtung diese Absender etwa sind. Ich bin auch nicht so ängstlich in meinen Anschauungen, daß ich besondere Katechisationen über die politische Partei der Absender anstelle. Macht es jemand Vergnügen, mich als Mitglied der antisemitischen Verbindungen darzustellen, so gönne ich ihm das. Ich habe mich, wie es mir meine amtliche Stellung gebietet, von allen diesen Bewegungen, die mir nicht erwünscht sind, ferngehalten; ich möchte nur wünschen, daß auch die übrigen Herren und namentlich diejenigen, welche die Regierung und mich in Person mit ihrem Wohlwollen beehren, sich von den Aufhetzungen der Klassen gegeneinander, von Wendungen der Rede, die den Klassenhaß schüren, mehr als bisher entfernt halten möchten. Wenn wir neulich von dem Herrn Abgeordneten Lasker die Bezeichnung hörten, die wirtschaftliche Politik, welche die Regierung treibe, sei eine „aristokratische" Politik, und damit alles, was zur Aristokratie gehört, als des Eigennutzes verdächtigt, dem armen Manne, auf dessen Kosten sie angeblich lebten, denunziert wird — wie sollen nicht, wenn solche Äußerungen auf antisemitischen Boden fallen, dort die richtigen Repressalien für ein solches Wort gefunden werden? so daß man die Politik, die uns entgegensteht, mit einem anderen Epitheton, was ich gar nicht aussprechen will, was aber jeder selbst finden wird, bezeichnete? Wenn nachher eine Zeitung, wie die „Tribüne", von der gesagt wird, daß sie Eigentum des Herrn Bamberger sei, diesen Ausdruck des Herrn Lasker noch durch ihr Sprachrohr weitergibt und weiterverfolgt, daß dies die richtige Bezeichnung, daß dies eine Kolumbusentdeckung sei, dieses Wort gefunden zu haben, daß Fürsorge für den armen Mann und Aristokratie nicht in derselben Gedankenordnung nebeneinander stehen können, ja, dann denken Sie sich das umgekehrt im Munde des Antisemiten, was für ein Element der statt Aristokraten setzen wird, ob er ganz dasselbe setzen wird, in alle den Wendungen, mit welchen das Organ des Herrn Bamberger der Aristokratie egoistische Ungerechtigkeiten unterschiebt. *(Bravo! rechts.)*

Der Herr Abgeordnete Richter hat auf die Verantwortlichkeit des Staates für das, was er tut, auf dem Gebiet, welches er heut betritt, aufmerksam gemacht. Nun, meine Herren, ich habe das Gefühl, daß der Staat auch für seine Unterlassungen verantwortlich werden kann. Ich bin nicht der Meinung, daß das *„laisser faire, laisser aller"*, „das reine Manchestertum in der Politik", „Jeder sehe, wie er's treibe, jeder sehe, wo er bleibe", „Wer nicht stark genug ist, zu stehen, wird niedergerannt und zu Boden getreten", „Wer da hat, dem wird gegeben, wer nicht hat, dem wird genommen" —, daß das im Staat, namentlich in dem monarchischen, landesväterlich regierten Staat Anwendung finden könne, im Gegenteil, ich glaube, daß diejenigen, die auf diese Weise die Einwirkung des Staates zum Schutz der Schwächeren perhorreszieren, ihrerseits sich dem Verdacht aussetzen, daß sie die Stärke, die ihnen, sei es kapitalistisch, sei es rhetorisch, sei es sonstwie, beiwohnt, zum Gewinn eines Anhangs, zur Unterdrückung der anderen, zur Anbahnung einer Parteiherrschaft ausbeuten wollen und verdrießlich werden, sobald ihnen dieses Beginnen durch irgendeinen Einfluß der Regierung gestört wird.

Dem Herrn Abgeordneten reicht die Konsequenz dieser Gesetzgebung nicht weit genug. Ja, wenn er nur Geduld haben will, so werden wir seinen Erwartungen und seinen Wünschen in dieser Beziehung vielleicht später entsprechen können —, nur nicht zu schnell und nur nicht alles auf einmal! Solche Gesetze entstehen ja nicht auf der Basis einer theoretischen Willkür, die darüber grübelt, was wäre jetzt wohl für ein Gesetz zu machen, sondern sie haben ihre Genesis, ihre Vorgeschichte, aus der sie entstehen. Daß wir bis heute nur mit einem Unfallversicherungsgesetz kommen, hat seinen Grund darin, daß gerade diese Seite der Fürsorge für den Armen und Schwachen schon früher besonders lebhaft betrieben ist, in Zeiten, wo ich diesen Dingen überhaupt noch nicht nähergetreten bin. Ich habe Aufforderungen, Andeutungen, Anfänge zu diesem Gesetz schon vorgefunden, es war das Gesetz, was nach Lage der Akten am meisten urgierte und am meisten dringend erschien, und wie ich ihm zuerst nähergetreten bin, habe auch ich anfangs das Gefühl gehabt, daß das Gesetz seiner Theorie nach nicht umfassend genug sei, mir ist die Versuchung nahegetreten, in dem ersten Paragraphen, in dem, glaube ich, der Satz vorkommt: „Alle Arbeiter, die" und „müssen so und so entschädigt werden" —, anstatt dessen zu sagen: „Jeder Deutsche". Wenn man diesem Gedanken, der etwas Ideales hat, näher tritt, wenn man namentlich auch die selbständigen Arbeiter, die in niemandes Auftrage verunglücken, umfassen will, dann hat die Sache auf dem Wege der Versicherung ihre noch größeren Schwierigkeiten, und das erste, was uns da beschäftigt hat, und sehr viel ernster beschäftigt, als irgendeine zweistündige Rede irgendeines Abgeordneten tun kann, das war die Frage: Wie weit läßt sich das Gesetz ausdehnen, ohne daß wir in den Beginn dieser Gesetzgebung gleich im Anfang eine nachteilige Lage, einen zu weitgehenden Griff, also einen Mißgriff bringen? Mir lag als Landwirt wohl die Frage sehr nahe: Läßt es sich beispielsweise auf die Landwirtschaft, der bei weitem die größte Anzahl der Arbeiter, wenigstens in den östlichen Provinzen, angehören, ausdehnen? Ich will die Hoffnung, daß dies möglich sei, nicht aufgeben, aber doch über die Schwierigkeiten, die uns für den ersten Augenblick abgehalten haben, einige Worte sagen. Daß die landwirtschaftlichen Gewerbe, soweit sie sich der Maschinen- und elementaren Kräfte bedienen, nicht ausgeschlossen sind, versteht sich von selbst. Nun ist aber auch die übrige größere Masse der landwirtschaftlichen Bevölkerung vielfach in Berührung mit Maschinen, die nicht von elementaren Kräften, sondern von Pferden, mitunter auch von Menschenhänden geleitet werden, und diese Berührung ist vielfach eine lebens- und gesundheitsgefährliche; es ist aber außerordentlich schwer, den Prozentsatz dieser Bevölkerung, das Beitragsverhältnis, welches daraus hervorgeht, zu fixieren. Der Herr Abgeordnete hatte ja seinerseits schon fertige Erfahrung, wieviel in jedem Zweige der menschlichen Beschäftigung der Prozentsatz beträgt, und er hat ihn mit großer Sicherheit angeführt; ich würde ihm dankbar sein, wenn er diesen Schatz und die Quelle, aus der er ihn gezogen hat, uns mitteilen wollte. Wir haben versucht, uns zu helfen, die Vorarbeiten waren sorgfältig nach Daten — *nota bene* nach sicheren, nicht nach beliebigen statistischen, auf Konjunkturen begründeten Ziffern, sondern sicher begründeten Ziffern ausgesucht, und wenn wir die gefunden hätten, die der Herr Abgeordnete ja mit seinem schärferen Blick sofort entdeckt zu haben scheint, wenn sie uns zugänglich gewesen wären, und wenn wir sie für richtig gehalten hätten, würden wir in dieser Vorlage weitergegangen sein.

Wenn ich sage, ich gebe die Hoffnung nicht auf, daß die Landwirtschaft auch schließlich hineingezogen wird, so schwebt mir dabei eine Organisation vor, die so rasch in einer Session nicht hergestellt werden kann, mit der das Kind, wenn es überhaupt zur Welt kommt, überhaupt nicht geboren werden kann, sondern in die muß es erst allmählich hineinwachsen, nämlich eine Organisation, nach welcher die Zweige, die ihre Arbeiter versichert haben, in sich korporative Genossenschaften bilden, welche ihren wirklichen Bedarf an Entschädigungen durch Prämien in sich aufbringen, und welche zugleich die genügende Kontrolle über ihre Mitglieder dahin ausüben, daß die Einrichtungen überall so sind, daß der Genossenschaft mit denselben wenig Lasten erwachsen, mit anderen Worten, daß man das Interesse der mitzahlenden Mitgenossen zum Wächter der Zweckmäßigkeit der Einrichtungen für Verhinderung der Unfälle macht. Gelingt es, im Wege der Erfahrung dahin zu kommen, dann wird man auch für die nicht mit elementaren Kräften wirtschaftende Landwirtschaft wahrscheinlich den richtigen Prozentsatz im Wege der Erfahrung finden. Der Mangel an Erfahrungen auf diesem Gebiete hat uns auch bestimmt, in der Frage, wie die Beitragspflicht verteilt werden soll, vorderhand sehr vorsichtig zu sein, und ich muß sagen, ich würde meinerseits nicht den Mut haben, den Entwurf weiter zu verfolgen, wenn die Ausgaben, die er als Gesetz mit sich bringt, ausschließlich zu Lasten der Industrie geschrieben werden sollen. Wenn die Staatshilfe, sei es in Form der Landarmenverbände, sei es in Form der Provinz, sei es in Form des Staats, vollständig fortbleibt, dann werde ich nicht den Mut haben, für die Folgen dieses Gesetzes der Industrie gegenüber einzustehen. Es ist möglich, und wir werden das vielleicht in wenig Jahren der Erfahrung nach beurteilen, und wir können ja den Staatszuschuß unter Umständen zunächst auf drei Jahre limitieren, oder wie man das will, aber ohne jedes schon gemachte Experiment, ohne jede praktische Ermittelung dessen, was uns da bevorsteht, habe ich nicht den Mut, die Industrie mit den vollen Kosten dieser staatlichen Einrichtungen zu belasten, sie in höherem Maße zu belasten wie bisher, um ihr dasjenige aufzuerlegen, was die Lokalarmenverbände bisher an Fürsorge für den verunglückten Fabrikarbeiter zu tragen gehabt haben, und was künftig in einem höheren, vollkommeneren und würdigeren Maß durch die Versicherer getragen werden soll in Gemeinschaft mit dem Staat. Es handelt sich hier nicht um eine Schöpfung ganz ausschließlich neuer Lasten, sondern um eine Übertragung von Lasten aus den Armenverbänden auf staatliche Leistungen. Daß die Last des Gebers oder der Vorteil, den der Arbeiter überhaupt zu empfangen hat, erhöht wird, das bestreite ich nicht, nur nicht um dieses volle Drittel, welches dem Staate zugemutet wird, sondern nur um den Unterschied zwischen dem, was die bisherige Lokalarmenpflege für verunglückte Arbeiter zu leisten hat, und demjenigen, was ihm in Zukunft zukommen soll, was also rein eine Verbesserung der Lage und des Loses des Arbeiters sein wird. Nur diese Differenz können Sie als Neuleistung dem Staate anrechnen, und es fragt sich da: ist diese Differenz des damit erstrebten Zieles wert, daß der Arbeiter eine würdigere und reichlichere Verpflegung hat, wenn er verunglückt ist, und nicht vor Gericht erst sein Recht zu erkämpfen, sondern von Hause aus den mäßigen Zuschuß hat, der dabei vom Staate gefordert wird, ist der gleichwertig mit dem Vorteile, welcher erreicht wird? Ich glaube dies im allerhöchsten Maße bejahen zu können. Vor dem Verhungern ist der invalide Arbeiter durch unsere heutige Armengesetzgebung geschützt. Nach dem Landrechte wenigstens soll niemand verhungern; ob es nicht dennoch geschieht, weiß ich nicht. Das genügt aber nicht, um den Mann mit Zufriedenheit auf sein Alter und seine Zukunft blicken zu lassen, und es liegt in diesem Gesetze auch die Tendenz, das Gefühl menschlicher Würde, welches auch der ärmste Deutsche meinem Willen nach behalten soll, wach zu erhalten, daß er nicht rechtlos als reiner Almosenempfänger dasteht, sondern daß er ein *peculium* an sich trägt, über das niemand außer ihm verfügen kann, und das ihm auch nicht entfremdet werden kann, über das er als Armer selbständig verfügen kann und das ihm manche Tür leichter öffnet, die ihm sonst verschlossen wird, und ihm in dem Hause, in dem er Aufnahme gefunden hat, eine bessere Behandlung sichert, wenn er den Zuschuß, den er mit hineinbringt, aus dem Hause auch wieder entfernen kann. Wer den Armenverhältnissen in großen Städten selbstprüfend nähergetreten ist, wer auf dem Lande namentlich den Gemeindearmen nachgespürt hat, und selbst bei den bestverpflegten, guten Gemeinden hat beobachten können, wie ein Armer, namentlich wenn er körperlich schwach und verkrüppelt ist, unter Umständen behandelt wird im Hause von Stiefmüttern, von Verwandten irgendeiner Art, von sehr nahen Verwandten mitunter, der muß eingestehen, daß jeder gesunde Arbeiter, der dies mit ansieht, sich sagt: Es ist doch fürchterlich, daß ein Mensch auf diese Weise durch die

Behandlung in dem Hause, was er früher bewohnte, herunterkommt, wo der Hund seines Nachfolgers es nicht schlimmer hat. Das kommt vor! Welche Waffe hat ein schwacher Krüppel dagegen, wenn er in die Ecke gestoßen und hungrig ernährt wird? Er hat gar keine! Hat er aber nur 100 oder 200 Mark für sich, so besinnt sich das Haus schon sehr, bevor es ihn drückt. Wir haben es bei den Kriegsinvaliden sehen können, wenn nur 6 oder 5 Taler monatlich gegeben werden, das ist für einen Armenhaushalt auf dem Lande schon etwas Bares, wo die kleinrechnende Frau sich sehr besinnt, daß sie den Kostgänger, der Geld einbringt, nicht verdrießlich macht und los wird. Also sage ich, wir haben das Bedürfnis, in diesem Gesetze auf eine menschenwürdige Behandlung zunächst dieser Sorte von Armen zu wirken, und ich werde Herrn Richter in den weiteren Konsequenzen im nächsten Jahre — mag dieses Gesetz abgelehnt werden oder nicht — vollständig befriedigen in Bezug auf die Masse und Ausdehnung der staatlichen Fürsorge für eine bessere und würdigere Behandlung der Erwerbslosen. Aber zunächst ist dieses Gesetz gewissermaßen eine Probe, die wir machen, und auch eine Sonde, wie tief das Wasser finanziell ist, in das wir Staat und Land vorschlagen hineinzutreten. Man kann gegen diese Dinge nicht in der Weise sich decken, daß man eine geläufige, glatte Rede hält, in der man die Ausbildung des Haftpflichtgesetzes empfiehlt, ohne nur mit einer Silbe anzudeuten, wie man sich diese Ausbildung denkt. Damit kann man diese Sache nicht erledigen, damit spielt man den Strauß, der den Kopf versteckt, um die Gefahr nicht zu sehen. Die Aufgabe der Regierung ist es, den Gefahren, wie sie uns vor einigen Tagen von dieser Stelle hier aus beredtem Munde mit überzeugenden Belegen geschildert wurden, ruhig und furchtlos ins Auge zu sehen, aber auch die Vorwände, die zur Aufregung der Massen benutzt werden, die sie für verbrecherische Lehren erst gelehrig machen, so viel an uns ist, zu beseitigen. Nennen Sie das Sozialismus oder nicht, es ist mir das ziemlich gleichgültig. Wenn Sie es Sozialismus nennen, so liegt natürlich der wunderliche Hintergedanke dabei, die Regierung des Kaisers dieser Vorlage der verbündeten Regierungen gegenüber gewissermaßen in die Schußlinie der Kritik zu stellen, die Herr v. Puttkamer uns hier über die Bestrebungen der Sozialisten darlegte, man sollte daran glauben, daß von dieser Vorlage bis zu der Mörderbande von Hasselmann und den Brandschriften von Most und bis zu den Umsturzverschwörungen, die uns vom Wydener Kongresse enthüllt wurden *(Ruf: Oho!)*, daß uns davon nur ein ganz kleiner Raum noch trennt, der allmählich auch überschritten wird. Nun, meine Herren, im Gegenteil, das sind mehr oratorische Ornamente, mit welchen man kämpft, die keinen Hinterhalt haben, man bedient sich dabei der Vielseitigkeit des Wortes „Sozialismus". Nach dem, wie die Sozialisten es in ihrem Programm getrieben haben, ist das eine Bezeichnung, die mit „verbrecherisch" in der öffentlichen Meinung beinahe gleichbedeutend ist. Nun, diese Bestrebungen der Regierung, den verunglückten Arbeiter in Zukunft besser und namentlich würdiger zu behandeln wie bisher, seinen noch gesunden Genossen nicht das Beispiel eines sozusagen auf dem Kehricht langsam verhungernden Greises zu gewähren —, das kann man doch nicht in dem Sinne als sozialistisch bezeichnen, wie diese Mörderbande uns neulich dargestellt worden ist, und das ist ein ziemlich wohlfeiles Spiel mit dem Schatten an der Wand, wenn man „sozialistisch" darüber ruft.

Wenn der Herr Abgeordnete Bamberger, der ja an dem Worte „christlich" keinen Anstoß nahm, für unsere Bestrebungen einen Namen finden wollte, den ich bereitwillig annehme, so ist es der: praktisches Christentum, aber *sans phrase*, wobei wir die Leute nicht mit Reden und Redensarten bezahlen, sondern wo wir ihnen wirklich etwas gewähren wollen. *(Bravo! rechts.)*

Aber umsonst ist der Tod! Wenn Sie nicht in die Tasche greifen wollen und in die Staatskasse, dann werden Sie nichts fertig bekommen. Die ganze Sache der Industrie aufzubürden —, das weiß ich nicht, ob sie das ertragen kann. Schwerlich geht es bei allen Industrien. Bei einigen ginge es allerdings; es sind das diejenigen Industriezweige, bei welchen der Arbeitslohn nur ein minimaler Betrag der Gesamtproduktionskosten ist. Ich nenne als solche Produktionszweige chemische Fabriken, oder Mühlen, die in der Lage sind, mit einigen zwanzig Arbeitern bei einem Umsatz von einer oder mehreren Millionen ihr Geschäft zu machen; aber die große Masse der Arbeiter steckt eben nicht in solchen, ich möchte sagen, aristokratischen Betrieben, womit ich aber keinen Klassenhaß erregen will, sondern sie steckt in denen, wo der Arbeitslohn bis zu 80 und 90 Prozent der Kosten beträgt, und ob die dabei bestehen können, weiß ich nicht. Ob man den Beitrag auf die Arbeiter oder auf die Unternehmer legt, das halte ich für ganz gleichgültig. Die Industrie hat ihn in beiden Fällen zu tragen, und was der Arbeiter beiträgt, das ist doch notwendig schließlich zu Lasten des ganzen Geschäfts. Es wird allgemein geklagt, daß der Lohn der Arbeiter im ganzen keinen Überschuß und keine Ersparnis gestatte. Will man also dem Arbeiter zu dem eben noch ausreichenden Lohn noch eine Last auferlegen, ja, dann muß der Unternehmer diese Mittel zulegen, damit der Arbeiter die Last tragen kann, oder der Arbeiter geht zum anderen Geschäft über. Der Herr Vorredner sagte, gerade das sei ein Mangel des Gesetzes, daß der Grundsatz der Freiheit des Arbeiters von

Beiträgen nicht vollständig durchgeführt sei. Er tat so, als wenn er gar nicht eingeführt wäre; er gilt allerdings nicht für die Arbeiter, die über 750 Mark Lohn in 300 Arbeitstagen beziehen. Das beruht eben auf der Genesis des Gesetzes, daß es so gekommen ist; es stand ursprünglich im ersten Entwurf, daß ein Drittel der Beiträge von den Ortsarmenbehörden geleistet werden sollte, denen im Falle der Invalidität des Arbeiters seine Ernährung aus dem Gesichtspunkt der vom Staate auferlegten Armenpflege zur Last fallen würde, und es ist kein Grund, diesen Gemeinden, respektive der gesamten Armenpflege, denen bisher die 80 Prozent der vom Haftpflichtgesetz nicht betroffenen Verunglückten zur Last fallen, einfach ein Geschenk damit zu machen, und deshalb wurde als der Gerechtigkeit entsprechend der Satz angenommen, daß der Armenverband, dem im anderen Falle die Verunglückten zur Last fallen würden, ein Drittel tragen solle. Dieses Raisonnement findet aber auf diejenigen, die in ihrem Lohne so hoch stehen, daß sie, wenn sie verunglückten, dem Armenverband schwerlich zur Last fallen würden nach ihrer ganzen Wohlhabenheit, nicht mit derselben Sicherheit Anwendung. Ich bin sehr gern bereit, diese Beschränkung fallen zu lassen. Es ist schon oft davon die Rede gewesen. Nachdem die Gesamtheit des Reichstags aber sich bisher gegen einen Staatszuschuß überhaupt zu meinem Bedauern ausgesprochen hat, würde ich damit dem Gesetz auch nicht mehr Stimmen zuführen. Ich erkläre indessen, daß diese Grenze von 750 gegenüber der ganzen Theorie, die dem Gesetz zugrunde liegt, kein wesentlicher Punkt ist. Das ist ein Billigkeitsgefühl gegen die Armenverbände ursprünglich gewesen, denen man keine höheren Lasten auferlegen würde, als man ihnen Ersparnisse durch dieses Gesetz ungefähr in genereller Berechnung zuführte. Es stellte sich nachher heraus, daß aus vielen praktischen Beispielen den einzelnen der Begriff des Ortsarmenverbandes ein ganz unanwendbarer war wegen der ungerechten Verteilung, die in unserer Armenpflege, die eigentlich dem Staate zur Last steht, die er aber auf die Gemeinden abgebürdet hat, überhaupt stattfindet. Nach der geographischen Lage sind kleine impotente Gemeinden sehr häufig mit Armenpflege überlastet und große reiche Gemeinden haben darin sehr wenig, und es hätte das eine zu ungleiche Verteilung der Prämienbeiträge gegeben, wenn man bei dem Ortsarmenverbande stehen blieb. In dieser Überzeugung schlug ich vor, statt Ortsarmenverband zu sagen Landarmenverband. So hat der Entwurf ein paar Wochen lang sein Leben gefristet, bis endlich auf Einfluß der verbündeten Staaten und auch des Wirtschaftsrats diese Bezeichnung fallen gelassen und statt dessen dem Einzelstaat überlassen bleiben sollte, wie er entweder selbst eintreten wollte als Landarmenverband oder wie er seine

Landarmenverbände heranziehen wollte. So ist die Grenze von 750 Mark entstanden, daß wir zuletzt auf reine Staatshilfe in dieser Form, die immer noch das Moderamen der Staatsgesetzgebung im Wege der Verteilung auf die Landarmenverbände oder die Kreisarmenverbände ist, hinausgekommen sind; wir werden ja doch einer Revision unserer Armengesetze überhaupt bedürfen; wie man das nachher wenden will, ist gleichgültig.

Es wundert mich nicht, wenn über einen neuen, so tief in unser Leben eingreifenden und so wenig von der Erfahrung urbar gemachten Gegenstand die Meinungen sehr weit auseinandergehen, und ich bin vollständig darauf gefaßt, daß wir wegen dieser Divergenz der Meinungen in dieser Session einen annehmbaren Gesetzentwurf nicht zustande bringen. Mein Interesse an der ganzen Bearbeitung der Sache wird sehr abgeschwächt, sobald ich erkennen sollte, daß das Prinzip der Unterlassung des Staatszuschusses definitiv zur Annahme käme, daß die Stimmung der Landesgesetzgebung gegen den Staatszuschuß sich ausspräche. Dann würde damit die Sache rein in das Gebiet des freien Verkehrs sozusagen gewiesen werden, man würde dann die Versicherer der Privatindustrie vielleicht besser überlassen, als daß man eine staatliche Einrichtung ohne Zwang übt. Denn ich würde nicht den Mut haben, den Zwang auszusprechen, wenn der Staat nicht auch gleichzeitig einen Zuschuß anbietet. Würde der Zwang ausgesprochen, so ist es notwendig, daß das Gesetz zugleich ein Versicherungsinstitut beschafft, das wohlfeiler und sicherer ist wie jedes andere. Man kann nicht den Sparpfennig des Armen dem Konkurse aussetzen, man kann auch nicht zugeben, daß ein Abzug von den Beiträgen als Dividende oder zur Verzinsung von Aktien gezahlt würde. Der Herr Abgeordnete Bamberger hat ja gestern seinen Angriff auf das Gesetz wesentlich mit der Klage über den Ruin der Versicherungsgesellschaften begründet —, er hat sich stark ausgedrückt: daß die erdrückt, zermalmt werden würden, und hat gesagt, daß diese Versicherungsgesellschaften sich um die Dankbarkeit ihrer Mitbürger bewürben. Ich habe immer geglaubt, sie bewürben sich um das Geld ihrer Mitbürger. *(Heiterkeit.)* Wenn sie aber auch dafür die Dankbarkeit noch zu Buch bringen können, so ist das eine geschickte Operation. Daß sie aber als edle Seelen sich für die Arbeiterinteressen bei der Einrichtung ihrer Versicherungsgesellschaften auf Aktien zu opfern bereit waren, habe ich nie geglaubt, ich würde mich auch schwer davon überzeugen. *(Abgeordneter Bebel: Sehr gut!)*

Und für solche Privatversicherungsgesellschaften, die in Konkurs geraten können, auch bei guter Verwaltung, durch Konjunkturen, durch große Unglücksfälle, die genötigt sind, ihre Beiträge so einzurichten, daß noch für den, der sein Kapital dazu hergibt, Dividende übrigbleibt, wenigstens eine gute Verzinsung und auch die Hoffnung auf Dividende, zu solchen Versicherungen können wir nach meinem Rechtsgefühl niemand zwingen, und da möchte ich meinen Beistand dazu versagen. Das Korrelat für den Zwang bildet meines Erachtens auch die Übernahme der Versicherung durch den Staat in der Form des Reiches oder in der Form des Einzelstaats —, ohne das kein Zwang! Ich habe auch nicht, wie ich schon erwähnte, den Mut, den Zwang auszuüben, wenn ich nicht etwas dafür zu bieten habe. Dieser Drittelbeitrag des Staates ist ja viel geringer, wie ich schon vorher gesagt habe, als er aussieht, weil dafür den Verbänden, auf die der Staat seine ihm obliegende Armenpflege abgebürdet hat, doch auch sehr wesentliche Leistungen abgenommen werden. Ist dies Kommunismus, wie der Herr Vorredner sagte, nicht Sozialismus, so ist das mir wiederum gleichgültig, ich nenne es immer wieder praktisches Christentum in gesetzlicher Betätigung —, aber ist es Kommunismus, dann ist der Kommunismus ja längst in den Gemeinden im höchsten Maß getrieben, ja sogar durch staatlichen Zwang. Der Herr Vorredner sagte, daß auf unsere Weise die unteren Klassen durch indirekte Steuern belastet würden, um für die Armenpflege den Beitrag aufzubringen. Ja, meine Herren, was geschieht denn aber in den großen Städten, in dem nach seiner Meinung vom fortschrittlichen Ringe so glänzend verwalteten Berlin? Da wird der Arme dadurch verpflegt, daß der Verarmende, der morgen sein gleich armer Bruder sein wird, wenn er wegen der Mietsteuer ausgepfändet ist, durch Mietsteuer den Beitrag aufbringen muß, um den schon Armen zu verpflegen. Das ist viel härter, als wenn das aus der Tabak- oder Branntweinsteuer käme.

Der Herr Vorredner hat gesagt, ich hätte eine Rede gegen die Branntweinsteuer gehalten. Das ist mir wirklich nicht erinnerlich, und ich wäre sehr dankbar, wenn er mir das aus irgendeinem Worte nachwiese. Ich habe immer den Tabak und den Branntwein als die Gegenstände zu stärkerer Belastung genannt, ich habe nur in Zweifel gezogen, ob es nützlich ist, den Branntwein im Fabrikationsstadium zu besteuern, welches manche anderen Staaten, wie Frankreich, ganz frei lassen, oder in einem anderen Stadium zu treffen. Der Herr Abgeordnete hat also — gewiß unfreiwillig — einen Irrtum begangen. Indessen der Irrtum macht sich, indem er später in vielen Blättern, auf die der Herr Abgeordnete Einfluß hat, ohne Widerlegung gedruckt erscheint, immer nicht übel im Eindruck.

Auf die Fehler des Haftpflichtgesetzes will ich nicht weiter zurückgehen; sie werden von sachkundigen und mehr beteiligten Herren besprochen werden. Es war dies eines der Motive, die mich neben den Versprechungen, die beim Erlaß des Sozialistengesetzes gegeben worden sind, deren Sie sich alle erinnern werden und an deren Erfüllung ich oft gemahnt worden bin —, die unerwartet nachteilige Wirkung der Haftpflichtgesetzgebung war eins der Hauptmomente, indem ich mich aus der Praxis überzeugte, daß die aus der Haftpflicht entstehenden Prozesse einen ganz ungewissen und oft unverhältnismäßigen Ausgang haben, wenn sie gelingen, und einen ebenso unverhältnismäßigen Ausgang in vielen Fällen, wo sie verlorengehen, daß mir von vielen und glaubwürdigen Seiten versichert worden ist, daß, statt daß das Verhältnis zwischen Arbeitgebern und Arbeitnehmern durch die Haftpflicht verbessert wurde, an vielen Orten, wo die Prozesse häufig sind, besonders wo Winkeladvokaten, denen an Erregung der Unzufriedenheit in Hinsicht auf die Wahlen liegt, schüren, daß dort die Erbitterung zwischen Arbeitgebern und Arbeitnehmern im Gegensatze zu der wohlmeinenden Absicht, welche das Gesetz gehabt hat, nur gesteigert worden ist, und daß der Arbeiter durch die Wirkung des Gesetzes sich geschädigt und verkürzt fühlt, weil er auch bei einem gerichtlichen Erkenntnis schwerlich je überzeugt wird, daß er unrecht hat, namentlich wenn er einen Advokaten hat, der ihm das Gegenteil sagt: und wenn es vier oder fünf Instanzen gäbe, er würde seine Sache so weit bringen.

Deshalb war ich der Ansicht, ein leichter fungierendes System einzuführen, wo von Prozessen nicht die Rede ist und die Frage, ob irgendein Verschulden obliegt, nicht untersucht wird. Für den Betroffenen ist es ja gleichgültig, er bleibt unglücklich, er bleibt verstümmelt, er bleibt erwerbsunfähig, wenn er das geworden ist, und seine Hinterbliebenen bleiben ohne Ernährer, es mag *dolose* oder *culpa lata,* oder auf die unschuldigste Weise gekommen sein. Wir haben es daher nicht mit der strafenden und distributiven Gerechtigkeit zu tun, sondern mit dem Schutz eines ohne das Gesetz ziemlich wehrlosen Teils der Bevölkerung gegen die Unbilden des Lebens und gegen die Folgen ihrer Unglücksfälle, und gegen die Härte der Situation eines ohne jedes eigene *peculium* der Gemeindeverpflegung verfallenen Ortsarmen.

Ich gehe auf den Vorwurf des Kommunismus nicht weiter ein; ich möchte nur bitten, daß man sich in Fragen, wie diese, wo wir wirklich alle unseren Weg noch nicht sicher vor uns liegen sehen, sondern ihn eben mit Stab und Sonde mühsam erforschen, daß man da doch nicht alles aus dem Gesichtspunkt der Parteitaktik, aus dem Gesichtspunkt der Fraktionstaktik, aus dem Gefühl „Fort mit Bismarck“ und dergleichen betreiben möge. Ich wünsche ja, so schnell wie möglich, an meiner Stelle einen anderen, wenn er nur das fortsetzen wollte, ich würde gern sagen: „Sohn, hier hast du meinen Speer", wenn er auch nicht mein eigener Sohn wäre. *(Heiterkeit.)*

Diese unerwünschte Art der Diskussionen hat sich schon neuerlich gezeigt. Da hat man sich um den „armen Mann" gerissen, wie um die Leiche des Patroklus. *(Heiterkeit.)* Herr Lasker hat ihn an dem einen Ende gefaßt, ich suchte ihn ihm nach Möglichkeit zu entreißen. Und wohin kommen wir denn mit diesen Unterschiebungen von Motiven und mit dieser Zuhilfenahme des Klassenhasses, der Verstimmung, des Elends und des Leidens? Darin liegt schon eher Sozialismus, getrieben in der Art, wie Herr v. Puttkamer ihn neulich hier brandmarkte.

Das Almosen ist das erste Stadium christlicher Mildtätigkeit, wie sie zum Beispiel in Frankreich in weiter Verzweigung existieren muß.

In Frankreich hat man kein Armenpflichtgesetz, jeder Arme hat dort das Recht, zu verhungern, wenn nicht mildtätige Leute ihn davon abhalten.

Das ist die erste Pflicht. Die gesetzliche Hilfe des Armenverbandes ist die zweite. Aber ich möchte gern, daß ein Staat, der — wenn Sie auch die Benennung „christlicher Staat" perhorreszieren — doch in seiner großen Mehrheit aus Christen besteht, die Grundsätze der Religion, zu der wir uns bekennen, namentlich in Bezug auf die Hilfe, die man dem Nächsten leistet, in Bezug auf das Mitgefühl mit dem Schicksal, dem alte, leidende Leute entgegengehen, sich einigermaßen durchdringen läßt. *(Bravo!)*

Die sehr weitgehenden Auseinandersetzungen, die ich teils heute gehört, teils gestern in dem vielleicht nicht ganz vollständigen Oldenbergschen Auszug gelesen habe, nötigen mich noch zu einigen Erwiderungen. Der Herr Abgeordnete Richter hat gesagt, die ganze Vorlage wäre eine Subvention für die Großindustrie. Nun, das ist wieder die Frage des Klassenhasses, die neue Nahrung bekommen würde, wenn man dies allgemein glauben könnte. Ich weiß nicht, warum Sie gerade bei der Regierung eine blinde, parteiische Vorliebe für die Großindustrie voraussetzen. Es sind die Großindustriellen ein allerdings meistens vom Glück begünstigter Teil unserer Bevölkerung, das erregt kein Wohlwollen bei anderen; ihre Existenz aber zu schwächen und zu schmälern, wäre doch ein sehr leichtsinniges Experimentieren. Wenn wir die Großindustrie, wie wir sie haben, fallen lassen, wenn wir es dahin kommen ließen, daß sie mit dem Auslande nicht mehr konkurrenzfähig bleibt, wenn wir ihr Lasten auferlegen wollten, von denen nicht bewiesen ist, ob sie dieselben wird tragen können, so würden wir damit vielleicht Beifall bei allen finden, die mit Ärger jeden sehen, der reicher ist wie andere, namentlich wie sie selbst. Aber bringen Sie die Großindustriellen zu Falle, was machen Sie dann mit den Arbeitern? Dann stünden wir wirklich vor der Frage, die der Herr Abgeordnete Richter sorgend anregte, daß wir an die Organisation der Arbeit gehen müßten; denn wir können, wenn ein Etablissement zugrunde geht, das zwanzigtausend und mehr Arbeiter beschäftigt, wenn es zugrunde geht, weil die Großindustriellen stets der öffentlichen Meinung und der Gesetzgebung denunziert werden als gemeinschädlich und als lange nicht genug besteuert, wenn sie dann erlägen —, wir könnten doch nicht zwanzigtausend und mehrere hunderttausend Arbeiter verkommen und verhungern lassen. Wir müßten dann zu wirklichem Staatssozialismus greifen und für diese Leute Arbeit finden, wie wir das ja bei jedem Notstande tun. Wenn die Einwendung des Herrn Abgeordneten Richter richtig wäre, daß man sich wie vor einer ansteckenden Krankheit vor der Möglichkeit des Staatssozialismus hüten müsse, wie kommen wir darauf, bei Notständen in einer oder der anderen Provinz Arbeiten zu organisieren, Arbeiten einzurichten, die wir sonst nicht machen würden, wenn die Arbeiter Beschäftigung und Verdienst hätten? Wir veranlassen in solchen Fällen den Bau von Eisenbahnen, deren Rentabilität zweifelhaft ist; wir veranlassen Meliorationen, die wir sonst jedem auf eigene Rechnung überlassen. Ist das Kommunismus, so bin ich in keiner Weise dagegen, aber mit solchen prinzipiellen Stichworten kommt man wirklich nicht vom Fleck. Ich bemerkte schon das Eintreten des Herrn Abgeordneten Bamberger für die Privatversicherungsanstalten; ich bin der Überzeugung, daß wir keine Verpflichtung haben, gegenüber jenem großen wirtschaftlichen Bedürfnis für jene allein und in erster Linie einzutreten. Er hat ferner erwähnt die „vier Wochen", die außerhalb des Versicherungswesens fallen. Es ist das, wie erwähnt, geschehen in der Hoffnung, daß die Knappschaften und Genossenschaften ihrerseits das Bedürfnis haben würden, auch etwas zu tun. Man kommt uns immer mit dem Grunde, der Arbeiter hält es wider sein Ehrgefühl, wenn er gar nichts beitrüge. Wir haben diese vier Wochen dazu ungedeckt gelassen. Ich weiß das so genau nicht, aber wenn es anders besser wäre, so bin ich der Meinung, daß dies Gesetz auch diesen Hiatus decken sollte. Darin liegt kein prinzipielles Hindernis.

Wie erheblich die Lasten sind, die unter Umständen dem „Gemeindekommunismus" in Gestalt der Armenpflege abgenommen werden und auf den Staatskommunismus in dieser Gestalt übergehen würden, darauf wirft eine vereinzelte Tatsache einen Lichtblick. Es hat mir nicht gelingen wollen, die Zahl der überhaupt in Armenunterstützung sich befindenden Personen im Reich oder in der Monarchie zu ermitteln, noch weniger den Betrag, der dafür verwendet wird, weil auf dem Lande und in sehr vielen anderen Verhältnissen die Privatwohltätigkeit und die gesetzliche Armenpflege so ineinander fließen, daß die Grenze nicht zu ziehen ist, auch nicht Buch darüber geführt wird. Nur von den 170 Städten über 10 000 Einwohnern steht fest, daß dieselben für ihre Armenpflege im Durchschnitt einen Aufwand von 4 Mark pro Kopf machen. Es wechselt dieser Aufwand zwischen 0,63 und 12,84 Mark —, also sehr verschieden.

Am auffallendsten ist das Ergebnis aber da, wo die Mehrzahl der arbeitenden Klassen sich in Knappschaften und ähnlichen Verbänden befinden. Man sollte glauben, daß stark bevölkerte Fabrikorte, wie Oberneunkirchen und Duttweiler, in dieser Berechnung einen außerordentlich starken Appoint haben müßten. Berlin, was nur teilweise ein industrieller Ort ist, teils auch nicht, also gewissermaßen, wenn es richtig und geschickt in seinen Finanzen verwaltet wäre, eine Art von Durchschnittspunkt geben könnte, zahlt weit über den Durchschnitt für seine Armenpflege, ohne daß die Armen — wie jeder, der sich Privatwohltätigkeit und das Aufsuchen der Armen in ihren Wohnungen etwas zur Aufgabe stellt, sich leicht überzeugen kann, was für beklagenswerte Zustände der Armut in Berlin mitunter vorhanden sind —, also ohne daß die Armen brillant verpflegt werden; aber dennoch beläuft sich das Armenbudget in Berlin auf 5 200 000 Mark nach den neuesten Angaben, und die Armenkrankenpflege — ich weiß nicht, aus welchen Gründen sie davon geschieden ist — auf zirka 2 000 000 Mark, also zusammen auf über 7 Millionen Mark, also 7 Mark pro Kopf, während der Durchschnitt der großen Städte nur 4 Mark pro Kopf beträgt. 7 Mark pro Kopf würden, wenn man diese Armensteuer in ähnlicher Weise auf das ganze Reich verteilte, die Summe von über 300 Millionen Mark machen, ebenso wie, wenn man die Berliner direkte Belastung von 23 Mark pro Kopf auf das ganze Reich erweitern wollte, man über eine Milliarde Mark direkte Steuern, teils aus der Mietsteuer, teils aus der Einkommensteuer haben würde. Indessen, es leben ja nicht alle im Reich unter dem fortschrittlichen Ring *(Heiterkeit)*, namentlich aber an diesen Orten, wo die Tatsache vorliegt, daß die meisten der Arbeiter Knappschaften und dergleichen Verbänden angehören; wo sich vorwiegend dichte Fabrikbevölkerung befindet, ist die auffallende Tatsache zu verzeichnen, daß Oberneunkirchen nur 58 Pfennige pro Kopf Armenlast hat, wenig über eine halbe Mark, und Duttweiler 72 Pfennige. Das sind Beispiele, die recht schlagend beweisen, welche Last unter Umständen, wenn man das Knappschaftssystem oder etwas Ähnliches in Anwendung brächte — ich bin weit entfernt, eine so teure Anlage jetzt zu erstreben; aber ich habe auch gesagt, wir werden ein Menschenalter an dieser Gesetzgebung arbeiten — hier liegt das Ergebnis recht schlagend vor, daß die Gemeindearmenlasten in Duttweiler und Oberneunkirchen, die sonst, wenn sie sich auch nicht über den Durchschnitt, wenn auch nicht auf die Berliner Höhe erheben würden, doch wohl 5 Mark pro Kopf betragen könnten, daß sie unter 1 Mark, beinahe bis auf 1/2 Mark heruntergehen. Welche gewaltige Last in einer Stadt von 10 000 Einwohnern wird mit einem solchen Gesetz dem Armenverbande abgenommen! Warum sollte also nicht für ähnliche Interessen eine Leistung den Armenverbänden angesonnen werden? Nur kann es nicht der Lokalverband sein, es muß ein größerer Armenverband sein, und der größte ist der Staat, und deshalb halte ich unbedingt fest an dieser Staatshilfe und würde, wenn diese den verbündeten Regierungen nicht gewährt wird, auch ruhig und *sine ira* einer weiteren Verhandlung, einer weiteren Legislaturperiode entgegensehen. Ich betrachte dies als integrierenden Teil des Gesetzes, ohne welchen es nicht mehr denselben Wert für mich haben würde, den ich ihm bisher beilege, und der mich veranlaßt, mich dafür einzusetzen.

Der Herr Vorredner hat, wie ja auch der Herr Abgeordnete Bamberger, einige scheele Seitenblicke auf den Volkswirtschaftsbericht geworfen. Ja, meine Herren, ich finde ja das ganz erklärlich; die Konkurrenz in der Beredsamkeit wird ebenso gescheut, wie in der Industrie *(Heiterkeit)*, und es sind unter diesen volkswirtschaftlichen Mitgliedern des Wirtschaftsrates nicht nur überragende Sachkenner, sondern sogar sehr gute Redner, die, wenn das Institut besser entwickelt sein wird, vielleicht ebensolange und noch sachkundigere Reden halten werden, als hier von den Herren, die sich vorzugsweise als sachkundige Vertreter der Arbeiter ausgeben, geschieht. Mit solcher Geringschätzung von den Männern zu sprechen, die hier auf den Ruf ihres Königs gekommen sind, um Zeugnis von ihrer Meinung abzulegen, halte ich wirklich kaum für höflich, aber auch staatlich nicht nützlich. Aus den meisten Wäldern ruft es so heraus, wie man hineinschreit, und warum will der Herr Abgeordnete Richter sich unnötig noch mehr Feinde machen, als er hat? Er teilt das mit mir, daß die Zahl im Wachsen und schon nicht ganz gering ist; sein Ohr ist nur nicht so geschärft für die Existenz der Gegner, wie das meinige, und ich warte da ruhig ab, wer von uns zuletzt das Richtige getroffen haben wird, vielleicht entscheidet sich das in unserem Leben gar nicht. Auch das würde ich mir gefallen lassen.

Der Herr Abgeordnete Bamberger hat beim Wirtschaftsrat seine Verwunderung darüber ausgesprochen, daß den Vertretern der Seestädte die Frage des Schießpulvers und der Spielkarten überlassen wird. Ja, meine Herren, die Delegierten der Binnenländer sind außerordentlich viel zahlreicher als die der Seestädte, und wir haben diese Teilung nicht mutwillig getroffen. Sie können doch unmöglich verlangen, daß, wenn wir die Freihandelstheorien für eine gemeinschädliche Krankheit halten, die ähnlich wie der Koloradokäfer und dergleichen uns heimsucht *(Heiterkeit)*, wir nun gerade da, wo wir irgendwie die Wahl haben, den Freihändler als den Vertreter der Interessen des gesamten Landes anrufen. Der Freihändler vertritt im allgemeinen die Interessen des Seehandels, der Kaufmannschaft und einer sehr kleinen Anzahl von Persönlichkeiten. Dem steht das ganze große Binnenland mit stärkerem Gewicht gegenüber, und je mehr sich dieser Volkswirtschaftsrat ausbildet — und ich freue mich, daß er alle Aussicht hat, sich über das Reich auszudehnen — desto mehr wird die Zweckmäßigkeit und Vernünftigkeit dieser Einrichtung allgemeine Anerkennung finden; das Wohlwollen der Herren Richter und Bamberger glaube ich mir durch die Andeutungen allerdings nicht zu erwerben, das wäre für mich freilich auch ein *argumentum e contrario*; ich glaube stets, daß das Gegenteil ihrer Meinung für den Staat und für die vaterländischen Interessen, wie ich sie auffasse, nützlich ist.

Über den Vorwurf des inländischen Sozialismus äußerte ich mich bereits, der Herr Vorredner geht aber so weit, daß er mich, weil ich die Verantwortung und die intellektuelle Urheberschaft für dieses Gesetz gern übernehme, mit Ausländern identifiziert, die in ihrer Art gewiß ausgezeichnet sind, die aber Ausländer sind und mit unseren Interessen nichts zu tun haben, nämlich mit der Kategorie Nadaud, Clemenceau, Spuller, Lockroy und anderen. Es soll dies, wie ich glaube, ein komplizierter Vorwurf des Sozialismus und des Kommunismus sein, aber immer noch dieselbe Melodie. Dann kommt auch die „Unerschrockenheit", welche die Regierung kennzeichnet, was ich für meinen inneren Menschen übersetze mit leichtfertiger Dreistigkeit, mit der die Regierung diese Sachen vorbringt, die der Vorredner aller mit höflichem Wohlwollen Unerschrockenheit nennt. Meine Herren, unsere Unerschrockenheit beruht auf dem guten Gewissen, auf der Überzeugung, daß das, was wir bringen, das Ergebnis sorgfältiger pflichtmäßiger Überlegung ist und nicht die mindeste Färbung von Parteipolitik hat, und dadurch sind wir den Angreifern überlegen, weil die Gegner von ihrem Ursprung, von dem Boden der Parteikämpfe, der an ihren Schuhen klebt, sich niemals werden freimachen können.

Wenn der Herr Vorredner in seinen weiteren Vorwürfen uns mit den Römern vergleicht — seine historischen Exkurse sind, nicht bloß nach Frankreich, sondern in die Vergangenheit gegangen — so liegt der Unterschied zwischen unserer Auffassung, die Herr Lasker immerhin eine aristokratische nennen mag, und der des Herrn Bamberger schon in dessen Ausdrucksweise; er spricht von Theatern, die wir dem „süßen Pöbel" bauen.

Nun, ob der Pöbel für den Herrn Vorredner etwas Süßes hat, weiß ich nicht, für uns ist es ein angenehmes Gefühl, für die weniger vom Glück begünstigten Klassen, die der Herr Vorredner mit dem Namen Pöbel bezeichnet, auf dem Wege der Gesetzgebung sorgen zu können, wenn Sie uns die Mittel dazu geben, und sie auf diesem Wege, soweit es möglich ist und an uns liegt, dem verderblichen Einfluß einer ihrer Intelligenz überlegenen Beredsamkeit der eloquenten Streber, die die Massen auszubeuten suchen, zu entreißen. Der Ausdruck Pöbel ist nicht aus unserem Munde gekommen, und wenn der Herr Abgeordnete einerseits von „Pöbel" und dann von „Kuponabschneidern" spricht — so habe ich auch den Ausdruck nicht gebraucht. „Kuponabschneider", er ist mir sprachlich nicht geläufig, ich glaube, ich habe gesagt „Kuponschneider" *(Heiterkeit)*, indessen der Begriff bleibt derselbe. Ich halte diese indessen für eine achtbare und vom ministeriellen Standpunkt aus sehr zahlreich wünschenswerte Klasse von Staatsbürgern, weil sie Reichtum mit einer gewissen Schüchternheit verbinden, die sie hindert, an Handlungen teilzunehmen, die mit einem Vorwurf oder mit Gefahren verbunden sind. Ein hoher und dabei friedliebender Steuerzahler ist immer für den ministeriellen Standpunkt der angenehmste Staatsbürger *(Heiterkeit)*, nur muß er sich den Lasten, die seine leicht erhobenen Revenuen in Konkurrenz mit den anderen tragen sollten, nicht entziehen wollen, und Sie werden sehen, daß er das schließlich auch nicht tut. Er ist ein ehrlicher Mann, und haben wir erst das finanzministerielle Mißtrauen der alten Zeit — meine heutigen Kollegen teilen es nicht mehr — überwunden, so werden wir sehen, daß nicht jedermann bereit ist, zu seinem finanziellen Vorteil zu lügen, und daß auch der Kuponschneider sich selbst richtig einschätzen und besteuern wird.

Der Herr Abgeordnete Bamberger hat ferner gefragt: Woher nehmen Sie denn die Mittel, die dazu nötig sind?

Wie ich schon bemerkte, dieses Gesetz erfordert im ganzen wenig neue Auslagen, die Regierung verlangt nur die Erlaubnis, den Staat an die Stelle der armenpflegenden Gemeinden treten zu lassen und dann eine kleine, mäßige Zulage für den Erwerbsunfähigen, die aber von dessen Willen absolut abhängig bleibt und ihm anklebt, ohne daß sie von ihm getrennt werden kann, ihm also eine gewisse Unabhängigkeit auch in seiner Stellung als Invalide im Leben läßt; nur ein mäßiger Zuschuß zu dem bisherigen — ich weiß nicht, ist er auf die Hälfte des Drittels, auf ein Sechstel zu veranschlagen, oder geringer, aber das sollte meines Erachtens ein Staat, der sich im Kampf mit diesen infernalen Elementen befindet, die Ihnen dieser Tage hier näher charakterisiert wurden — ein Staat, der seiner großen Mehrzahl nach aus aufrichtigen Bekennern des christlichen

Glaubens besteht, der sollte dem Armen, Schwachen und Alten auch in einem noch weiteren Maße, als es hier gefordert ist, in dem Maße, wie ich hoffe, wenn ich es erlebe, im nächsten Jahre von Ihnen fordern zu können, das sollte ein Staat, der praktisches Christentum treiben will, sich nicht versagen und dem armen Manne nicht. *(Bravo rechts.)*[62]

168. Diktat für das Auswärtige Amt: Warnung vor radikaler Infiltration aus England (Reinschrift) W 6 c, 210 f., Nr. 209.

Anfang April 1881.

Die „*Pall Mall Gazette*", welche Lord Rosebery, dem Freunde Gladstones, gehört, findet es ganz natürlich und unschädlich, daß in England ein Blatt wie die „Freiheit" erscheint, welches in deutscher Sprache zum Königsmord auf dem Kontinent auffordert und in Tausenden von Exemplaren in Deutschland verbreitet wird, weil das für England ganz gleichgültig ist. Die Völker Europas wohnen aber infolge der heutigen Verkehrsverhältnisse so nahe aneinander, daß es keinem auf die Dauer möglich sein wird, die Sicherheit und das Wohlergehen seiner Nachbarn als eine gleichgültige Sache zu behandeln. Wenn der eine Staat, das eine Land, auf die andern beliebig seinen Unrat, seine Gifte, seine Mörder und Räuber, seine Brandbriefe, über die Grenze wirft, so wird der Egoismus, der in England mit dem Christentum verträglich ist, darüber leicht hinweggehen, so lange keine Rückwirkung erfolgt. Wenn aber andere Länder die Mittel ergreifen, welche notwendig sind, um sich gegen dergleichen nachbarfeindliche Prozeduren zu decken, so wird das auch vielleicht dem englischen Verkehr mit den Nachbarn auf die Dauer Schwierigkeiten bereiten müssen. Wenn England seine Nachbarn zur Notwehr gegen die Importationen von Mördern und Brandstiftern zwingt, so werden die Nachbarn diese Notwehr nur dadurch üben können, daß sie die Importation von Personen und Sachen aus England an ihren Grenzen einer sorgfältigen Ueberwachung unterwerfen. Deutschland hat keine Neigung, Mörder und Brandschriften zu importieren, und wenn England der Ausgangspunkt für

---

[62] Der Entwurf wurde einer Kommission überwiesen und in völlig veränderter Form am 15. Juni 1881 vom Reichstag angenommen. Der Bundesrat versagte dieser neuen Fassung seine Zustimmung.

die Einfuhr derartiger unerwünschter Produkte ist und die englische Nation und ihre Regierung dagegen eine Abhilfe nicht beschaffen können oder beschaffen wollen, so werden die Staaten des Kontinents sich selbst dadurch helfen müssen, daß sie alle Personen und Sachen, welche aus England zu ihnen kommen, einer sehr gründlichen und durchgreifenden Kontrolle unterwerfen. Wenn die kontinentalen Mächte, die mit der Erhaltung der gesellschaftlichen Ordnung nicht so leichtsinnig experimentieren, wie es bisher in Irland geschehen ist, wenn Rußland, Deutschland und Oesterreich von jeder Person, die aus England kommt, eine sichere und bescheinigte Legitimation verlangen und jede Warensendung, die aus England eingeht, in Beziehung auf Brandschriften und Dynamit-Patronen *funditus* untersuchen, so wird der Handel und die Industrie Englands dem Lord Rosebery und der „*Pall Mall Gazette*" wahrscheinlich bald zur Anschauung bringen, daß irgend etwas faul auf dieser Seite der englischen Politik ist.

169. Schreiben an Staatsminister Maybach: Vorzugsstellung für einheimische Massenprodukte durch Revision der Eisenbahn-Gütertarife (Abschrift eines Diktats) W 6 c, 211 f., Nr. 210.

Berlin, den 19. April 1881.

Durch die von Ew. pp. in den Bahntarifen herbeigeführten Reformen ist der deutschen Kohlenindustrie ein Aufschwung gegeben worden, welcher seine heilsame Rückwirkung auf die in diesen Zweigen beschäftigten Unternehmer und Arbeiter in kurzer Zeit bewährt hat. Durch die Herabsetzung der Frachten für inländische Kohlen ist das Absatzgebiet derselben bis an die Küsten der Nord- und Ostsee ausgedehnt worden, wo sie mit der englischen Kohle in erfolgreiche Konkurrenz haben treten und dieselbe ersetzen können. Diese Wirkung entspricht den Zielen, welche die Bestimmungen der Reichsverfassung im siebenten Abschnitt und namentlich im Art. 45 unter 2 im Auge hatten. Es fragt sich nur, ob die Vorteile, welche in dieser Richtung der Kohlenindustrie zugewandt worden sind, nicht auch für die übrigen daselbst aufgeführten Massenprodukte wie Holz, Erze, Steine, Roheisen usw. erreichbar sind, für welche alle die Reichsverfassung einen „dem Bedürfnis der Landwirtschaft und der Industrie entsprechenden" ermäßigten Tarif in Aussicht nimmt. Die Verwertung des einheimischen Holzes unterliegt seit Jahren noch größeren

Schwierigkeiten, als diejenigen waren, welche die Kohlenwerke betrafen, bis dieselben durch Ew. pp. eine Aufhilfe erhielten. Der einheimische Holzabsatz und infolgedessen die Holzproduktion unterliegt der ausländischen, von Rußland, Oesterreich, Schweden, Norwegen ausgehenden Konkurrenz in höherem Maße als früher die inländische Kohle der Konkurrenz der englischen. Das ausländische Holz vermöge der Wohlfeilheit seines Preises an Ort und Stelle und der verhältnismäßigen Geringfügigkeit der Frachten auf lange Fahrten macht den einheimischen Hölzern bis in die Wälder selbst hinein eine überlegene Konkurrenz. Der Ausfall, welchen diese verursacht, trifft zuerst die Staatsforsten und deren Erträge in einem für das Budget nicht unerheblich fühlbaren Maße. Die dadurch entstehenden Ausfälle an Staatseinnahmen müssen natürlich von den Steuerpflichtigen ersetzt werden, so daß auf diesem Umwege ein Teil unserer Steuern zum Vorteil des ausländischen Holzhandels erhoben werden muß. Die Schädigung trifft demnächst die Privat-Forstbesitzer, in allen Fällen aber die Arbeiter jeder Art, einschließlich der lokalen Transportunternehmer, welche früher in den inländischen Wäldern eine lohnende Beschäftigung fanden. Es handelt sich dabei nicht um unentbehrliche Lebensbedürfnisse, da Brennholz bisher für weitere Transporte nicht in Betracht kommt; es handelt sich vielmehr um Bau- und Nutzhölzer und vielfach um solche, welche durch ausländische Arbeit schon vorbereitet sind und also auch den inländischen Holzarbeiter der Konkurrenz der ausländischen Arbeit preisgeben. Die fiskalischen und Privat-Waldbesitzer sind auf die Ausnutzung von Nutzhölzern um so mehr angewiesen, als die Transportbegünstigungen, deren die inländische Kohle sich mit Recht erfreut, den Absatz an Brennholz erheblich eingeschränkt haben. Diese Verhältnisse werden dadurch noch häufig erschwert, daß die Bahnverwaltungen für die verschiedenartigen Hölzer je nach ihrem aus der darauf verwendeten Arbeit hervorgehenden W e r t e steigende Sätze erheben und also die Arbeit des Holzhauers resp. Schneidemüllers mit einer Steuer belasten. In welcher Weise dies auf die Waldwirtschaft zurückwirkt, wollen Ew. pp. aus dem abschriftlich anliegenden Bericht entnehmen. Die Erhöhung der Fracht für behauene oder besägte Hölzer im Vergleich mit rohem Holz scheint um so weniger rationell, als die Hölzer, je mehr sie behauen oder besägt sind, um so weniger Raum im Verhältnis zu ihrem Gewicht bei der Verpackung einnehmen. Auch für die Bergwerke, welche Grubenhölzer beziehen, wird der Betrieb durch die Höhe der Fracht auf diese ihnen unentbehrlichen Hölzer erschwert und verteuert.

Meines unmaßgeblichen Dafürhaltens sollte die Berechtigung der Eisenbahnen, ihre Frachten nicht nach Raum und Gewicht, resp. Gefahr und

Belästigung, sondern nach dem Werte der verfrachteten Gegenstände zu berechnen, ganz fortfallen oder doch erheblich eingeschränkt werden. Es liegt in dem Ansatz der Fracht nach dem Wert des Gegenstandes ein Moment des Uebergriffes auf dem Gebiet der Auflage von Steuern, welches sonst nur für Akte der Gesetzgebung zugänglich ist. Es ist mir namentlich fraglich, ob dieses Prinzip auf Gegenstände Anwendung finden sollte, für welche im Interesse der Landwirtschaft und der Industrie die Reichsverfassung ermäßigte Tarife in Aussicht nimmt. Meines erg. Dafürhaltens sollte, dieser wohlmeinenden Intention der Verfassung entsprechend, für diese Massenprodukte insbesondere eine Revision der Tarife eingeleitet werden, um dahin zu gelangen, daß alle einheimischen Produkte in den Reichsgrenzen um einen bestimmten Prozentsatz wohlfeiler gefahren werden müssen als die entsprechenden ausländischen, sei es bei der Einfuhr, sei es bei der Durchfuhr durch Deutschland, und zweitens, daß die Tarife für Güter in Richtungen, welche dem deutschen Exportgeschäft dienen, prinzipiell wohlfeiler gestellt werden, als diejenigen, welche auf den Import der gleichartigen Güter Anwendung finden.

Ew. pp. würde ich zu Dank verpflichtet sein, wenn Sie die Güte haben wollten, mir zu einer mündlichen Besprechung dieser Frage Gelegenheit zu geben.

170. Rede in der 38. Sitzung des Deutschen Reichstags am 5. Mai 1881

W 12, 257 ff. = Kohl 9, 60 ff.

Der Versuch der verbündeten Regierungen, die Etatperioden des Reiches und die Legislaturperioden des Reichstags zu verlängern, wurde vom gesamten Liberalismus als eine Schwächung der Parlamentsautorität betrachtet. So sprach sich bei der Beratung der Abgeordnete von Bennigsen gegen die — bereits abgemilderte — Vorlage aus, weil auch sie noch geeignet sei, die Stellung des Reichstags auszuhöhlen und den durch ihn vertretenen Einheitsgedanken zu trüben. Bismarck weist dagegen auf die Gefahren eines Berufsparlamentariertums und einer Parlamentsbürokratie hin:

Ich bin überzeugt, daß der Herr Vorredner mit seiner letzten, mit erhobener Stimme gesprochenen Versicherung, daß er und die Seinigen beabsichtigen, das Reich vor Schaden zu wahren, nicht hat ausdrücken wollen, daß uns und namentlich denjenigen, die berufen sind, einen amtlichen Einfluß auszuüben, dieses Bedürfnis, dieses Streben auch nur um ein Haar breit ferner läge als dem Herrn Vorredner und seinen Genossen. Es kommt nur darauf an, wie der Schaden abgewehrt werden soll, und wodurch der Schaden dem Reiche getan wird, über den der Herr Vorredner klagte.

Ich will zunächst einige Fragen, einige Teile des Gebiets, auf dem wir uns in der Diskussion befinden, mit kurzen Worten beiseite schieben. Zunächst habe ich dabei den Vorwurf im Auge, daß die Diskussion von seiten der Regierung mit Rücksicht auf die zukünftigen Wahlen und die Wähler geleitet, auch die Vorlagen zum Teil darauf berechnet wären. Dem muß ich entgegenstellen, daß die Reichsregierung und die verbündeten Regierungen meines Erachtens gar nicht das Recht haben, die Wähler und die Nation darüber im Dunkeln zu lassen, was sie beabsichtigen, namentlich wenn diese Absicht durch parlamentarische Reden und durch eine monopolisierte Presse in den Augen des Wählers verdunkelt zu werden *(Heiterkeit)* Gefahr läuft. Allerdings ist ein wesentlicher Teil meines Bestrebens und der Ausübung meiner Pflicht gegen die Nation und ihre Wähler, sie darüber vollständig ins klare zu setzen, wo die Reichsregierung hinaus will. Ob es mir gelingt, sie auch darüber ins klare zu setzen, wo die einzelnen Parteien hinauswollen und was die Motive ihres Verhaltens und ihrer Fraktionspolitik sind *(Aha! links)*, das weiß ich nicht. Ich will mich nach Kräften bemühen, bei den Wahlen und durch Vorlagen und bei allen Diskussionen, und ich will die Publizität und das Tribünenrecht, was mir meine Stellung hier dazu gibt, jeden Tag dazu benutzen, die Nation darüber aufzuklären, wo jeder von uns hin will. Ich fürchte nicht, daß ich irgendwie meine Wege, die offen daliegen, daß ich die Beleuchtung meiner vergangenen Wege im Dienste des Reiches zu scheuen habe. Ich habe an dem, was wir besitzen, gearbeitet, unter Beihilfe der Fraktionen, bald von der einen unterstützt, bald von der anderen, was sie „unterstützt" nennen. Sie haben mit mir gemeinsam gearbeitet, das heißt: sie haben die Heckenschere angelegt und das, was beantragt war, verkürzt, vielleicht verstümmelt, vielleicht verbessert, vielleicht in eine mehr künstlerische, den allgemeinen politischen Grundsätzen entsprechendere Form gebracht. Für mich hat der Beistand, den ich von den Fraktionen erfahren habe, sehr häufig doch die Natur eines Kampfes, einer Verkürzung des Erreichbaren angenommen, demgegenüber ich meine besten Kräfte habe aufreiben müssen *(Unruhe links)*, und wenn wir noch nicht weiter gekommen sind, so mache ich den Fraktionen den Vorwurf, auch auf die Gefahr hin, daß von der äußersten Linken noch einmal der Ausdruck des Verdrusses darüber laut wird, daß ihre Kämpfe untereinander hauptsächlich schuld daran sind, daß das Reich nicht besser vorwärts kommt, daß man zweifelhaft wird an dem, was man errungen hat, daß eine gewisse Abspannung und

Verstimmung eintritt. Das Volk ist es müde, sich mit hoher Politik und mit Fraktionspolitik zu befassen. *(Bravo! rechts; Oho! links.)* Es will seine praktischen Interessen wahrgenommen sehen, die Streitigkeiten der Fraktionen halten es davon ab und sind ihm langweilig; und das werden Sie finden bei dem Ausgang der Wahlen *(Bravo! rechts)*, und wenn nicht bei diesen, dann bei den folgenden.

Der Herr Vorredner hat ferner gegen Schluß seiner Rede darüber geklagt, daß die parlamentarischen Körperschaften mit Arbeiten überhastet und mit Gesetzesvorlagen überschüttet würden, auch mit solchen, die schon einmal vorgelegt wären. Ja, da komme ich auf das eben erwähnte Argument zurück. Wir wiederholen die Gesetzvorlagen, in denen die Überzeugung der Regierung sich ausdrückt, um den Wählern dadurch zu sagen: Wir haben die Überzeugung, daß unsere Vorlagen richtig waren, keineswegs deshalb aufgegeben, weil wir an der Majorität von 103 gegen 101 damit gescheitert sind; wir halten vielmehr an unserer Überzeugung fest, wir haben sie nicht frivol gefaßt, sondern nach sorgfältigem Nachdenken und halten daran fest, solange der einzelne von uns lebt und strebt. Das haben wir sagen wollen mit der Wiederholung unserer Vorlage! Auch sie ist eine Sprache zu den Wählern, zu der ich uns berechtigt und verpflichtet halte, um dieselben aufzuklären über die Ziele der Regierungen. Gerade die Hast und die Überlastung der Geschäfte, über die der Herr Vorredner klagt, wollen wir ja vermindern dadurch, daß wir Ihnen die Möglichkeit geben zu längeren Sitzungen, indem Sie nicht eingeengt sind durch die Notwendigkeit, in jedem Jahre zwei große Körperschaften, groß oder klein, den Reichstag und die Landtage, nebeneinander fungieren zu lassen, und die Zeit, die eine dieser Versammlungen braucht, der anderen zu verkümmern, wenn wir dahin kämen, und allerdings ist, wenn die Annahme des Systems, welches die Vorlage zum Ausdruck bringt, sich auf das Reich beschränkt, das Werk nur halb getan, es muß auf sämtliche Landtage übergehen, es muß die Gesetzgebung des Reiches ein Verbot bringen, daß Reichstag und Landtag gleichzeitig tagen; ein Jahr soll der Reichstag haben für seine Geschäfte. Daneben sind ja Berufungen nicht ausgeschlossen. Die Hauptarbeit liegt eben im Budget und dem Zwang der Termine. Die dringende Hast, über die der Herr Vorredner klagt, liegt hauptsächlich in dem Zwang zum Fertigwerden des Budgets, welches in jedem Jahre neu geschaffen werden muß. Man hat mit berechtigtem parlamentarischem Egoismus bisher nur von den Schwierigkeiten gesprochen, die Ihnen aus dem Landtage nur die eine oder andere Entwickelung der Sache bringt. Eine leise Anwandlung von Mitgefühl mit der Lage der Minister oder des Bundesrats habe ich in keiner der Reden bisher finden können, und doch sind diese gerade die Gehetzten bei dem bisherigen System, und es gibt keine Ministernatur, die ledern und interesselos genug wäre, um das auf die Dauer aushalten zu können. Wollen Sie andere Minister und Leute, so hetzen Sie die tot, die gegenwärtig am Ruder sind, aber jeder geht bei dieser Überarbeitung zugrunde, und nicht bloß die leitenden Minister, auch alle gouvernementalen Kräfte nutzen sich ab. Ich habe erlebt, daß im Preußischen Landtage bei der Budgetberatung die Blüte der Geheimräte, fünfzehn vielleicht, weil am Budget ihre Aufgabe herankommen konnte, am Montage erschienen sind, am Dienstag, und so an jedem Wochentag bis Sonnabend — ich kann das Beispiel tatsächlich mit Daten belegen — und am folgenden Montag ist endlich der Gegenstand der Etatberatung herangekommen, für den diese, außerhalb der Minister zirka ein Dutzend der höchstgestellten und am meisten beschäftigten Beamten, eine Woche lang im Landtage gesessen und Reden, die für sie kein Interesse hatten, stundenlange Reden angehört haben, und die ganze Sache ist für alle fünfzehn am nächsten Montage ohne ein Wort der Diskussion vorübergegangen, sie konnten am nächsten Montag abend, ohne gebraucht zu sein, nach Hause gehen. Das ist ein Zeittotschlagen, welches von dem System vielleicht nicht ganz zu trennen, aber doch etwas zu vermindern ist. Auch den Ministern ist es so gegangen, den Leitern der Ressorts im Reich, die gerade in dieser Zeit viel zu tun haben, daß sie hier im Reichstage drei, vier Tage hintereinander erschienen sind auf die Gefahr hin, ob der zweite Gegenstand der Tagesordnung daran kommen werde oder nicht, und daß sie nachher nach Hause gegangen sind und so viel Arbeitstage verloren haben. Man kann arbeiten, auch wenn man hier sitzt und zuhört, aber doch nicht jede Arbeit machen, namentlich die ernsteren nicht.

Ich möchte deshalb all die Argumente, die der Herr Vorredner vorhin gegen das jetzige System „der Hast" anbrachte, wegen der Art der Vorlagen der Regierung in engere Schranken führen; und sie fallen mit erheblichem Gewicht in die parlamentarische Wagschale. Wir werden beiderseits Zeit haben, wenn der Reichstag oder der Landtag in dem Jahre, wo er sich versammelt, sich von Haus aus der Hoffnung hingeben kann, daß es kein Unglück ist, wenn er seine Sitzungen auf drei oder fünf Monate ausdehnt, und die Arbeitszeit der Minister in der Zwischenzeit so bemessen ist, daß sie wirklich die Vorlagen rechtzeitig fertigstellen können. Das ist sehr leicht gesagt, daß die Säumigkeit der Minister, die die Vorlagen nicht rechtzeitig bringen, schuld am Zeitmangel ist — wie ein Diener, der nicht rasch genug die Treppe heraufgekommen ist. Aber die Herren sollten doch einmal sehen, ob sie imstande wären, in dieser kurzen Zwischenzeit, die bleibt, die Dinge früher fertigzustellen. Das Budget ist kaum votiert, so habe ich drei Tage darauf schon die Vorlagen für das neue zur Arbeit bekommen, die bereits in vorrätiger Arbeit waren. So geht es in Preußen, so geht es im Reich. Die Herren, wenn sie hier mit ihren parlamentarischen Geschäften auseinander sind, dann mag es für einige unangenehm sein, in ihre Büros wieder zurückzukehren, für sie hören die Ferien dann auf, allerdings *(Heiterkeit)*, für die anderen aber, die wirklich nur hierher gekommen sind, um den Beruf eines Volksvertreters zu erfüllen, die diesen Beruf nicht mit dem eines Redakteurs einer Zeitung verbinden, kombinieren und so das ganze Jahr für denselben Beruf beschäftigt sind, für diese fangen dann ihre eigentlichen und regelmäßigen Geschäfte erst wieder an. Für die Minister ist in beiden Zeiten die Arbeit gleich schwer, gleich ermüdend, gleich aufreibend, und das ist, glaube ich, nicht nützlich, die Minister zu nötigen, daß sie ihre Arbeiten flüchtig und mit mehr Gleichgültigkeit machen sollen. Sie würden, wenn Sie immer solche Minister gehabt hätten, gar nicht soweit gekommen sein, wie wir uns hier beieinander sehen, und es ist nicht nützlich, die Träger der Staatsarbeit auf diese Weise zu ermüden und ihnen die Zeit zur Besinnung nicht zu lassen. Diese Rücksichtslosigkeit auf die ministerielle Menschenklasse liegt auch in dem Antrag, daß der Reichstag im Oktober zusammentreten solle. Es ist ja klar, daß der Bundesrat in diesem Falle drei bis vier Monate früher zusammentritt; wir können das auf drei Monate abkürzen, aber unter drei Monaten vorher wird der Bundesrat seine Arbeit nicht erledigen können. Wenn Sie also den Reichstag im Oktober hier haben wollen, dann müssen Sie von dem Bundesrat verlangen, daß er Ende Juli etwa zusammentritt. Alle die bundesstaatlichen Minister, welche eben noch im Gefechte mit ihren Landtagen waren, kommen nicht her, um sich an dem Bundesrat zu beteiligen. Dann wird der Bundesrat schließlich etwas, was dem alten Frankfurter Bundestage mehr und mehr ähnlich sein wird. Die Hauptsache, daß dieses Zentrum der Regierungsautorität im Reich in Ansehen und wirksamer Tätigkeit bleibt, ist die, daß die dirigierenden Minister selbst im Bundesrat erscheinen. Wir haben deshalb in unserer Geschäftsordnung im Bundesrat die Änderung getroffen, daß alle wichtigen, entscheidenden Beschlüsse auf eine kürzere Zeit der Sitzung konzentriert werden.

Ich wage nicht, dem Reichstage etwas Ähnliches vorzuschlagen, denn dieser, wie ich glaube, fruchtbare Gedanke würde dadurch unannehmbar werden, daß er von ministerieller Seite zuerst gebracht wäre; aber im Bundesrate spüren wir seitdem eine große Erleichterung und die Möglichkeit, daß auch diejenigen Herren, die zu Hause notwendig sind, sich an wichtigen Beschlüssen persönlich beteiligen können, und wir haben dort noch eine zweckmäßigere Einrichtung, wir haben gar keine Grenze der Beschlußfähigkeit, und ich glaube, daß der Reichstag auch gewinnen würde, wenn er die nicht hätte, so daß diejenigen, die ein Vergnügen daran haben, Reden zu hören, jederzeit erscheinen können, ohne ausgezählt zu werden, daß aber eine höhere Beschlußfähigkeit wie die jetzige gesetzt wird, wenn solche Beschlüsse gefaßt werden sollen, welche die Zukunft des Reiches durch Gesetze binden. Das Reich hat ein Recht darauf, daß mehr wie die Hälfte der im Lande gewählten Abgeordneten bei einem solchen Beschlusse anwesend sei, der auf die Geschicke der Nation einen wesentlichen, dauernden und schwer wieder zu beseitigenden Einfluß übt. Die Hälfte des Reichstags ist nicht mehr der Reichstag, so wie die Verfassung ihn kennt, er hat auch nicht das Ansehen im Publikum und in der öffentlichen Meinung. Die Abspannung, von der der Herr Vorredner so viel sprach und die er, wie es schien, der ministeriellen Politik zuschrieb, geht vorzugsweise von dem Beispiel aus, welches eine große Anzahl der Herren Abgeordneten gibt, und davon, daß es eine reichliche Anzahl dieser Herren nicht der Mühe wert hält, den Sitzungen beizuwohnen; bei einer der letzten Abstimmungen ist mir gesagt worden, daß ohne Angabe des Grundes, ich glaube, 111 Mitglieder des Reichstags gefehlt haben. Wie wollen Sie da annehmen, daß die Bevölkerung noch mit demselben Eifer wie früher an den Geschäften des Reiches teilnehme, wenn ihre gewählten Vertreter ihr ein solches Beispiel geben?

Der frühere Eifer hatte auch wohl darin seinen Grund, daß das Deutsche Reich anfangs etwas Neues war, man hatte eine gewisse Weihnachtsfreude daran, es zu besitzen, und nahm mit Vergnügen teil daran. Aber das „*beati possidentes*“ findet hier keine Anwendung; was man hat, verliert an Wert, der Besitz macht gleichgültig; was man hat, das will man nicht, und was man nicht hat, das will man, und so geht es mit dem Deutschen Reich. Seitdem es als wohl besessen erscheint, hat man nicht mehr dieselbe lebendige Teilnahme, es ist nichts Neues mehr, es kommt vielen Leuten vor, als wenn es immer so gewesen wäre, namentlich denjenigen, die keine Erinnerung an die Vergangenheit haben, und als ob es immer so bleiben müßte. Ich möchte doch darum sehr inständig bitten, daß man sich diesem Wahne nicht hingibt, als ob ohne eigene Mitwirkung, ohne eigene patriotische und selbstlose Hingebung für das Vaterland je eine Nation die Wohltaten, deren sich jetzt die deutsche nach langer Entbehrung erfreut, sich auf die Dauer bewahren könnte. *(Sehr richtig!)*

Ich wollte ferner noch eine Frage womöglich aus der Diskussion ausscheiden, das ist die Frage von der Prärogative des Kaisers. Es ist ja zweifellos, daß hierin, in der Beschränkung des Berufungsrechts des Kaisers auf den Oktober, oder vielmehr in der Nötigung zur Berufung dadurch, daß Sie also im Art. 13 einschalten hinter: der Kaiser kann berufen: der Kaiser muß im Oktober berufen — eine Beschränkung der Prärogative liegt, aber ich meine, diese Frage sollte nicht Gegenstand der Diskussion dieses Hauses sein, solange Seine Majestät der Kaiser Seine Ansicht darüber nicht geäußert hat. Wenn der Kaiser es den Interessen des Reiches entsprechend findet, Seine Prärogative zu beschränken, so wird die Frage der Prärogative Seine Majestät nicht abhalten, dem Land dieses Opfer an Machtvollkommenheit zu bringen; aber wohl kann es Ihn empfindlich berühren, daß man über Seine Rechte aburteilt, ehe Er Seine Meinung geäußert hat, und Beschlüsse faßt, ob Er sie aufgeben soll oder nicht. Ich glaube, da könnte man eine Initiative oder Andeutung des Kaisers durch Seine berufenen Organe abwarten, ob Er dazu geneigt sei, denn ohne Seine Bereitwilligkeit kommen Sie doch nicht darüber hinweg, und das ist deshalb eine Frage — ich kann die Diskussion nicht hindern, sich beliebig zu bewegen, aber ich muß sagen, das hängt allein von der Entschließung des Kaisers ab. Der Kaiser hat bisher Seine persönlichen Rechte noch nicht zur Diskussion und Beschlußfassung durch den Reichstag gestellt.

Die Frage der Priorität des Reichs, die durch den Oktober erreicht werden soll, und die der Herr Abgeordnete Rickert durch seinen Antrag ganz allgemein erreichen will, wäre ganz einfach dadurch zu erreichen, daß man den Anfang des Budgets noch um drei Monate verschiebt; und dann würde bei jährlichem Budget für die Landtage der Zeitraum nach der Reichstagssitzung von Ostern bis Johanni ein vollkommen geeigneter sein zur Beratung. Daß der Reichstag und der Bundesrat im allgemeinen auf eine für sie unbequeme Zeit abgeschoben werden sollen, damit kann ich als Reichskanzler mich nicht einverstanden erklären, und schon diese Zurücksetzung des Reichstages und des Bundesrats würde mich zu einem Gegner solcher Bestimmung machen, welche die angenehmere Sitzungszeit den Landtagen zuwiese. Das Deutsche Reich ist uns noch lange nicht, bei unserem angeborenen Partikularismus, nicht nur staatlichem, sondern auch provinziellem und Ressortspartikularismus, noch nicht so in Fleisch und Blut eingedrungen, daß wir nicht wohltäten, es stets vor aller Augen auf den ersten Platz zu schieben und ihm den Ehrenplatz zu lassen, und ich werde, solange ich irgend mitzureden habe, für den Reichstag oder den Bundesrat die günstigste Zeit, den Winter, nicht aufgeben, das heißt natürlich für die Regel — es kann ja notwendig werden, auch im Sommer Reichstage und Landtage zu berufen, wir waren früher darin nicht verwöhnt —, ich erinnere an die Jahre 1848 bis 1852 und 1853, da haben wir im Monat Juni, Juli, August, ja das ganze Jahr hindurch hier und auch in Erfurt getagt, hier auch in den heißesten Sommertagen, wo Berlin von allen denen, die nicht hier bleiben müssen, sorgfältig gemieden wird. Da bitte ich nun also die Herren, deren Interesse sich mehr den Landtagen als dem Reich zuwendet, ihr Wohlwollen für jene nicht so weit zu treiben, daß die Landtage im Januar und Februar in der Stadt bleiben wollen, und nachher die Sommerzeit für den Reichstag respektive für den Bundesrat übrigbleibt. Wann müßten denn die Mitglieder des Bundesrats mit ihren Arbeiten beginnen, um im Oktober mit der Pünktlichkeit, die Herr Abgeordneter v. Bennigsen verlangt und gegenwärtig vermißt, als fertige Arbeit abzuliefern sowohl das Budget als auch die übrigen Vorlagen? Hoch im Sommer! Es ist als eine Ungeheuerlichkeit in der Diskussion bezeichnet worden, daß jetzt überhaupt noch Vorlagen kommen; ja, meine Herren, Sie werden auch noch später manche erhalten, und ich will mich fragen, ob meine Pflicht nicht von mir fordert, außer denen, die jetzt in Arbeit sind, Ihnen noch andere zuzuschicken. Sie sind ja nicht gezwungen, sie zu verarbeiten, aber die Regierung hat doch das Bedürfnis, ihre eigene Meinung vollständig kundzugeben und über dieselbe in der Öffentlichkeit keinen Zweifel zu lassen.

Der Herr Vorredner hat gesagt, es sei früher Großes geschehen und jetzt nicht — so verstand ich ihn —; nun, wir haben auch jetzt, glaube ich, große Aufgaben vor uns, und ich habe die Hoffnung, daß auch weiter Großes geschehen werde. Es ist zum Beispiel vor anderthalb Jahren Großes geschehen dadurch, daß wir in der Zollgesetzgebung aus dem Wege, auf welchem das Land der langsamen Aushungerung unterzogen wurde, wieder in eine verständige Bahn eingelenkt sind, in die alte gute Gesetzgebung des Zollvereins — lange nicht so weit wie früher —, wir hatten damals, als wir prosperierten, einen viel höheren Schutzzoll als heute und als wir ihn jetzt erstreben, namentlich aber, als wir ihn bisher erreicht haben. Aber dieses Herausrücken des Staatswagens und des Reichswagens aus der fehlerhaften freihändlerischen Richtung, bei der das Land von Tag zu Tag, von Jahr zu Jahr mehr ausgehungert wurde, und ohne den gleichzeitigen Zuschuß der Milliarden viel früher an Verblutung und Entkräftung zugrunde gegangen wäre — das Ausbiegen aus der falschen Bahn war eine große Leistung, für die ich Anerkennung erwarte, soweit ich dabei mitgewirkt habe, wenn auch nicht von denen, denen dadurch ihre politischen Zirkel gestört worden sind. Das Interesse an theoretischen Prinzipien und großen Grund-, Rechts- und Verfassungsfragen und parlamentarischen Gleichgewichtsfragen im Staate ist eben, nachdem man den ersten Durst an der parlamentarischen Quelle dreißig Jahre lang gestillt hat, im Lande sehr vermindert, und man sieht sich jetzt um und fragt, was erfordert unser praktisches Interesse? Die praktischen Interessen leichter zur Vertretung zu bringen, ist der Zweck der Vorlage, und ich würde erfreut sein, wenn — nicht in dieser Session, worauf ich nach der Lage der Dinge wenig Aussicht habe, aber in der nächsten — dieser Zweck erreicht würde, wo ich, wenn ich lebe, wiederum und zum vierten- oder fünftenmal, wenn es sein muß, dieselben Vorlagen mache — ich muß nach meiner Überzeugung handeln, wenn ich ein ehrlicher Mann bleiben will. Wenn ich die Vorlage immer wieder vorbringe, so verbinde ich damit allerdings das Interesse, denjenigen, die im Volke eine produktive Beschäftigung haben, der sie für die Dauer ihrer Teilnahme an den parlamentarischen Debatten entsagen müssen, wenn sie den ehrenvollen Auftrag ihrer Mitbürger annehmen, denen die Teilnahme am Parlament dadurch entwas zu erleichtern, daß sie nicht genötigt sind, in jedem Jahre an zwei Parlamenten teilzunehmen. Wenn wir das nicht tun, machen wir den Leuten, die im praktischen Leben stehen, ich meine, die irgend etwas materiell produzieren, Handwerker, Kaufleute, Advokaten und Ärzte mit wirklicher Praxis *(Heiterkeit)*, Landwirte, Fabrikbesitzer, Industrielle, Leute, deren praktische Erfahrungen uns von hohem Wert sind und die ein volles Recht haben, ihre Interessen hier vertreten zu sehen und deshalb von den Wählern hierher geschickt werden — denen machen wir es bisher ja beinahe unmöglich, daß sie an den parlamentarischen Sitzungen auf die Dauer teilnehmen. Einer nach dem anderen wird es müde, hierher zu kommen und — verzeihen Sie, ich will niemand persönlich verletzen, ich selbst verfalle in den Fehler, zu lang zu reden — bei der ungeheuerlichen Länge der einzelnen Reden und bei den sehr geringen Bezirken politisch betrachtet, bei dem sehr geringen Bruchteil der politischen Elemente des Reichstages, von dem die Redner gestellt werden — das ermüdet zuletzt außerordentlich; namentlich da man viele von den Reden vorher zu Hause gedruckt gelesen hat, lieber als daß man sie hier anhört, wo man dazu die Natürlichkeit des Redners vor sich hat. Wir bekommen auf diese Weise schließlich zwei verschieden veranlagte Kategorien von Abgeordneten: die einen, die die Zeit des Schlusses gar nicht abwarten können, um ihre Geschäfte, worin sie schwer vermißt werden, wieder aufzunehmen; die anderen, die bedauern und seufzen, wenn sie der lieb gewordenen Gewohnheit, hier öffentlich zu sprechen und den Fraktionen und Kommissionen beizuwohnen und den ganzen öffentlichen und kameradschaftlichen Beziehungen entsagen zu müssen, weil sie in Gottes Welt weiter Beschäftigung eigentlich nicht haben, wenigstens keine solche, die sie lieben. *(Heiterkeit.)* Wenn ich mir einen Beamten in guten oder geringen

Verhältnissen denke, der nach einer Reichstagssitzung bei gutem Sommerwetter wieder seine staubigen Büros besuchen und seinen strengen Dienst tun soll und demselben Vorgesetzten wiederum eine gewisse Anerkennung zollen soll, auf den er bis dahin von seinem kurulischen Sessel mit einer gewissen Geringschätzung herabgeblickt hat, von der Höhe des Abgeordneten, so begreife ich, daß den, wenn er an die Annehmlichkeiten des vergangenen parlamentarischen Lebens zurückdenkt, ein gewisses Heimweh beschleicht und er wegen Ermüdung durch die parlamentarischen Arbeiten einen berechtigten Badeurlaub anstrebt. *(Heiterkeit.)* Aber dabei läuft ein solcher Abgeordneter, der mit dem Lande nicht die Fühlung hat, welche gemeinsame Arbeit, gemeinsames Schaffen und Erwerben mit den Wählern geben, auch sehr leicht Gefahr, jede Fühlung und jede Möglichkeit der richtigen Beurteilung der Interessen und der Wünsche des Kreises, der ihn gewählt hat, zu verlieren. Es ist ja schwierig und langdauernd, bis der Wähler in seiner Provinz sich über diesen Mangel vollständig klar wird, denn es gibt immer sehr viele Mittel, ihn darüber zu einer unerwünschten Ansicht nicht kommen zu lassen. Ich habe ja selbst früher Wahlreden zu halten gehabt — stenographiert werden sie in der Regel nicht — und ich habe sehr oft das Gefühl gehabt, wenn der Wähler mich vollständig und meine ganze Tätigkeit kannte, würde er mich nicht wählen *(Heiterkeit)*; ich habe aber von anderen das Gefühl, wenn er mich kannte und wüßte, was ich erstrebe, so würde er mich wählen. Also es ist nicht leicht, eine vollständig klare Ansicht über seine Vertreter zu gewinnen. Aber ich halte es im Interesse des Reichs für eine große Gefahr, wenn es dahin kommen sollte, daß die Mehrheit unter die Herrschaft derjenigen Abgeordneten fallen sollte, die eine andere, eine bürgerliche Beschäftigung eben nicht haben, die gewerbsmäßig Volksvertreter und deshalb im Reden die geübtesten sind, und die die Stoffe, über die gesprochen wird, auf Monate und Wochen vorher sorgfältig durchgearbeitet haben, weil sie dieselben auch in der Publizistik vertreten und ihnen Anklang zu verschaffen suchen — ihre Zeit erlaubt es ja, sie sind ausschließlich darauf angewiesen. Und sie stehen dann, so wie es auf die Geschicklichkeit, auf die rhetorische Mensur ankommt, ja, vermöge der größeren Mensurpraxis, die sie haben, außerordentlich im Vordergrunde. In den Volksversammlungen kennen wir ja die Typen, die sich bis zu rhetorischen Klopffechtern ausbilden — die es natürlich hier nicht gibt *(Heiterkeit)* —, aber dort sieht man, wie die jeden Widerstand sofort niederrennen und scharf im Zaume halten. Aber ich wiederhole, wie ich das schon neulich bemerkt habe, daß im Reichstage die Reden zwar zur Orientierung dienen, aber daß sie keine Herrschaft üben dürfen; der Wähler hat ein Recht auf einen unabhängigen, auch von der überlegenen Beredsamkeit weder beeinflußten noch eingeschüchterten Vertreter.

Ich erwähnte, daß mein System, von dem ich ja hier nur die ersten Jalons zu stecken suche, dahin gehen würde, daß auch die Landtage durch Reichsgesetz genötigt werden sollen, diesem selben System zu folgen, und dann wird auch die Priorität des Reichsbudgets zu erreichen sein, das Reichsbudget von 1881/83 wird die Unterlage sein des Landesbudgets von 1882/84, und so werden sie eins in das andere greifen und sich rechtzeitig ergänzen und korrigieren.

Die finanzielle Schwierigkeit, die der Herr Vorredner in der Vorlage fand, kann ich doch in dem Maße, wie er sie schilderte, nicht anerkennen. Schwierig sind beide Wege. Aber wir haben früher manches Schwierigere überwunden, es gibt in einzelnen Bundesstaaten schon längst mehrjährige Budgets, und ich habe nicht gehört, daß deren Finanzen schlechter verwaltet werden wie die anderen — vielleicht im Gegenteil!

Wenn man durch die Übertreibung und Häufung der parlamentarischen Sitzungen und durch die Übertreibung der Dauer der einzelnen, denen, die auch noch andere Geschäfte haben, denen, die nicht bloß *fruges consumere nati* sind, die nicht bloß von Gehalt, Honorar und Kapital leben, wenn man denen die Beteiligung am Reichstag schwer macht, dann wird man mit der Zeit dahin kommen, daß die Volksvertretung nur eine neue Spezies, oder ich will lieber sagen Gattung der „Bureaukratie" wird, daß wir, wie wir erbliche Beamtenfamilien haben, so auch erbliche Parlamentarierfamilien haben werden, die von Hause aus ihr Studium darauf richten, und die, wie der volkstümliche Mund sich ausdrückt, sagen: „Ich will Abgeordneter lernen" *(Heiterkeit)*, und wenn man findet, daß dieses Gewerbe auch seinen Mann nährt und zuweilen einen recht gut in die Höhe bringt — meine Karriere ist ja auch lediglich eine parlamentarische, von mir hätte niemand etwas erfahren in meiner ländlichen Zurückgezogenheit, wenn ich nicht zufällig Mitglied des Vereinigten Landtages von 1847 gewesen wäre —, also ich rechne mich immer ein, wenn ich von Parlamentariern rede. *(Heiterkeit.)* Aber die Bureaukratie weiter hinaus und auf das parlamentarische Leben auszudehnen, und auch dieses zu einem Zweige der Reichs- und Landesbeamtenverwaltung werden zu lassen, der mit der *misera contribuens plebs*, die da schafft und arbeitet, wagt und wettet, erwirbt, gewinnt oder verliert, wenig Berührungspunkte und namentlich nicht gemeinsame Interessen und Denkungsweise hat, halte ich für schädlich; denn der beste Beamte, dessen Großvater und Vater Beamte waren, dessen ganze Erziehung darauf gerichtet war, weiß bestimmt nicht, wie seinem Wähler, der nie Beamter gewesen ist, der auch in seiner Familie nicht einen Beamten gehabt hat, in seinem Hause, seinem Streben, seinem Wesen zu Mute ist. Wir haben früher auf dem Lande gesehen: wenn die Herren Regierungsräte auf das Land kamen, um praktische Dinge zu untersuchen, so hatte man leicht den Eindruck: Na, recht viel versteht er nicht davon, aber man hatte bei dieser Bureaukratie doch noch die Beruhigung, daß sie kein anderes Streben kannte, als zu finden, was Rechtens war. Letzteres ist jetzt leider mehr in Hintergrund gedrängt durch manche neuere Einrichtungen; die ehrliche, rechtliche Überzeugung, der dringende Wunsch, zu finden, wer recht hat, war unserer Verwaltungsbureaukratie vollständig treu geblieben und ist bei ihr durch politisches Parteiwesen noch heute nicht so beeinflußt, wie bei anderen Kategorien.

Nun weiß ich nicht, ob ich die mannigfachen und mir im Munde des Herrn Vorredners nach ihrer Schärfe unerwarteten Ausstellungen, die er an der Vorlage und an der Tendenz derselben machte in der ganzen Politik der Regierung, indem er sie als die Ursache des Zurückgehens des öffentlichen Interesses am Deutschen Reiche anführte, ob ich die werde alle beleuchten können, es ist mir ja nicht möglich; obschon ja der Herr Vorredner nach seiner Gewohnheit klar und verständlich sprach, so würde ich doch darauf nicht eingehen können, indem ich mich physisch nicht beherrsche. Aber ich möchte ihn bitten, sich persönlich und mit den Freunden, die ihm anhängen, doch nicht dieser traurigen pessimistischen Auffassung hinzugeben, die ich im Namen der Fraktion, welcher er angehört, zuerst ankündigen hörte von seiten der „Nationalzeitung“, etwa vom Ende 1877 an, wo alle unsere Zustände geflissentlich in den düstersten Farben gemalt wurden, es gehe zurück, die Reaktion sei im Anzug, die Reaktion jeder Art, die schließlich doch nur darauf sich konzentrierte, daß auch die Schutzzölle zur Reaktion gerechnet wurden, ohne zu bedenken, daß die beiden freiesten Republiken, die wir augenblicklich haben, Amerika und Frankreich, recht tüchtige Schutzzölle uns gegenüberstellen. Also diese Klagen über Befürchtung der Reaktion, die düstere Mißstimmung — ich verweise jeden auf den Stil der Leitartikel in der „Nationalzeitung“, mir ist er nicht geläufig, weil er zu beladen und zu schwer ist in den Schilderungen der Wolken, die über uns herabhängen. Die „Nationalzeitung“ betrachte ich jetzt nicht mehr als Blatt der Fraktion, aber sie war es damals.

Ich möchte den Herrn Vorredner bitten, der mir unter seinen Fraktionsgenossen der Mitkämpfer gewesen ist, dem ich wirklichen Beistand verdanke, und dem das Deutsche Reich für seine Herstellung, für seine Konsolidierung so viel schuldig ist, für seine Politik von langen Jahren her —

an ihn möchte ich persönlich doch die Bitte richten, sich durch Bestrebungen und Einflüsse, die ich für sachliche nicht halten kann, nicht der Reichspolitik, wie sie jetzt getrieben wird, weil ich, solange ich die Leitung in den Händen habe, keine andere gegen meine Überzeugung treiben kann — und sich nicht der Reichsregierung in dem Maße zu entfremden, wie ich es befürchten muß, wenn ich die Richtung und Tonart seiner Rede höre. Es wäre das meines Erachtens ein großer Verlust für unsere parlamentarische Entwicklung auf der Basis der Verständigung zwischen Parlament und Reichsregierung nach allen Seiten hin, und mir persönlich sehr schmerzlich, nicht bloß wegen meiner persönlichen Gefühle für den Herrn Vorredner, sondern auch wegen der Pläne, die ich an die Möglichkeit geknüpft hatte, daß zwischen den Herren, die der Führung des Herrn Vorredners folgen, und denen, die sich rechts an ihn anschließen, eine Verschmelzung eher möglich sein würde, als zwischen denen, die sich links an ihn anschließen, und deren äußerster linker Flügel überhaupt im Ende gar nicht abzusehen ist. *(Große Heiterkeit.)*

Nachdem wir bei mehreren Wahlen gesehen haben, daß die Sozialdemokraten einstimmig für fortschrittliche Kandidaten stimmen, müssen wir befürchten, daß zwischen diesen Verbindungen eine Art Kartellverhältnis für die Wahlen doch eingetreten ist; nachdem wir gesehen haben, daß die Herren, die aus der nationalliberalen Fraktion nach links hin ausgeschieden sind, ihre Fühlung bei der Fortschrittspartei nehmen, so kann ich wohl sagen, daß auf diese Weise, wenn die jetzige nationalliberale Fraktion die Anlehnung nach links fester nimmt, die Kontinuität der gegenseitigen Beziehungen von dem rechten Flügel der Nationalliberalen bis in die Sozialdemokratie hinein, wenigstens in dem praktischen Zusammengehen, wieweit sie in der Theorie auch voneinander entfernt sein mögen, nicht ausgeschlossen ist, sondern zu meinen Befürchtungen für die Zukunft gehört. Und deshalb möchte ich dem Herrn Vorredner noch zurufen, was in dem bekannten Gedicht von Bürger ihm in Erinnerung sein wird, das auf hannoverschem Grund und Boden entstand, und worum ich ihn mit der vollen Herzlichkeit bitte: „Laß nicht vom Linken dich umgarnen!“ *(Heiterkeit; Bravo! rechts.)* [63]

---

[63] Die Vorlage wird in der dritten Lesung am 16. Mai 1881 vom Reichstag abgelehnt.

171. Schreiben an Kronprinz Friedrich Wilhelm: Zur angeregten internationalen Konferenz über das politische Verbrechertum (Kanzleikonzept A. A.)[64]

W 6 c, 212 f., Nr. 211.

Berlin, den 7. Mai 1881.

Die Verhandlungen, welche die russische Regierung auf Anlaß des Verbrechens vom 13. März durch das in Abschrift untertänigst beigefügte hier am 15. April übergebene Zirkular angeregt hat, sind nach den uns aus Petersburg vertraulich zugehenden Mitteilungen ins Stocken geraten, weil England die Beteiligung ablehnt. Noch ehe Rußland die Einladung zu einer Konferenz erlassen hatte, wurde mir durch Lord Ampthill auf den Grund von Zeitungsberichten, daß Deutschland allein oder in Verbindung mit Rußland die Initiative ergreifen wolle, der Wunsch ausgedrückt, darauf zu verzichten. Ich erwiderte, daß wir eine solche Absicht nicht gehabt hätten.

Nach Rußland hin habe ich mit Ermächtigung Sr. M. des Kaisers die Bereitwilligkeit der deutschen Regierung erklärt, sich an der Konferenz auf Einladung beteiligen zu wollen. Von Oesterreich-Ungarn ist die gleiche Zusage zu erwarten. Von den übrigen Regierungen hat die italienische eine Aeußerung über den Zweck der Konferenz abgegeben, welche die Absicht erkennen läßt, sich einer englischen Ablehnung anzuschließen. Der französische Botschafter in Petersburg hat am 5. d. M. die amtliche Antwort auf die Einladung übergeben. Dieselbe bezeichnet in verbindlicher Form die Schwierigkeiten, auf legislativem Wege vorzugehen, und erklärt die Bereitwilligkeit der französischen Regierung, auf administrativem Wege entgegenzukommen und über einen Auslieferungsvertrag zu verhandeln, der bis jetzt zwischen Frankreich und Rußland nicht vorhanden ist. Vorher hatte der Graf St. Vallier sich mehrmals vertraulich hier geäußert und die Schwierigkeiten hervorgehoben, welche dem guten Willen seiner Regierung entgegenständen, namentlich den üblen Eindruck, den es machen würde, wenn Frankreich sich an der Konferenz beteiligte, während England und Italien von derselben fernblieben.

In London ist die Einladung erst am 29. April übergeben worden; daß sie abgelehnt wird oder schon ist, erscheint nicht zweifelhaft. Das Ministerium wird zur Erhaltung der Majorität im Unterhause auch der Stim-

---

[64] Mit zahlreichen kleineren Korrekturen und ausgedehnten Streichungen Bismarcks.

men der Radikalen bedürfen, deren linker Flügel in Interpellationen und in der Presse aus seinen Sympathien für Most keinen Hehl macht.
Sobald alle amtlichen Antworten auf die russische Einladung eingegangen sind, wird zu erwägen sein, ob und wie die drei Kaiserhöfe sich untereinander über gemeinsame Haltung verständigen wollen. Außerdem werden alle drei, jeder einzeln, dahin zu streben haben, daß in die bestehenden oder in erst abzuschließenden Auslieferungsverträgen mit den beteiligten Staaten Bestimmungen aufgenommen werden, wonach Mord niemals als politisches Verbrechen betrachtet werden könne.
Nachdem Lord Granville vertraulich dem Fürsten Lobanoff seine Bereitwilligkeit, auf eine solche Unterhandlung einzugehen, zu erkennen gegeben hatte, hat der letztere über die einschlagende englische Gesetzgebung an seine Regierung einen sachlich wertvollen Bericht erstattet, den Herr von Giers uns vertraulich mitgeteilt hat.
Eine Abschrift desselben beehre ich mich zu Ew. K. H. gnädigster Kenntnisnahme untertänigst beizufügen.
Dieser Bericht ist auch noch insofern interessant, als er eine Wahrnehmung bestätigt, welche ich in Geschäften und im persönlichen Verkehr mit verschiedenen russischen Diplomaten neuerdings zu machen Gelegenheit gehabt habe. Nach einem Bericht aus Konstantinopel zum Beispiel ist es dort aufgefallen, daß der russische Botschafter das Vorgehen gegen einige dahin geflüchtete, ihm als Mitschuldige an dem Attentat vom 13. März signalisierte Nihilisten mit einer Schlaffheit betreibt, welche unvorteilhaft gegen den von der türkischen Regierung bei dieser Gelegenheit gezeigten guten Willen absticht. Aehnlich verhielt sich der Fürst Lobanoff, bis er den Befehl zur Ueberreichung der Einladung erhalten hatte, indem er die von dem Grafen Münster ohne Anweisung von hier gegen das Mostsche Journal die „Freiheit" unternommenen Schritte dazu benutzen wollte, uns vorzuschieben, und dem Grafen Granville sagte, er vermute, daß ein Antrag von Berlin zu erwarten sei. Ich habe den Eindruck, daß in den höheren russischen Gesellschaftskreisen die Vorstellung verbreitet ist, eine Konstitution sei ein sicheres Heilmittel für alle inneren Schäden des russischen Lebens, und die Nihilisten seien nützlich, um eine solche zu erlangen; — eine Vorstellung, deren Irrtümlichkeit sich bald erweisen würde, wenn Rußland sich auf konstitutionellem Boden versuchen wollte.

172. Schreiben an den württembergischen Ministerpräsidenten Freiherrn von Mittnacht: Erwägung, Bischof Hefele als Vermittler nach Rom zu senden (Reinschrift aus dem Nachlaß Mittnacht) W 6 c, 213 f., Nr. 212.

Berlin, den 11. Mai 1881.

Ew. Exz.

Rückkehr nach Stuttgart und ein ungewöhnlicher Andrang von Geschäften am Tage vor Ihrer Abreise haben mich zu meinem Bedauern der Gelegenheit beraubt, die nachstehende Angelegenheit mündlich mit Ew. Exz. zu besprechen.

Ein preußischer Geistlicher hatte den Gedanken angeregt, daß die Bestellung eines württembergischen Prälaten zum apostolischen Vikar für die unbesetzten Bistümer Trier und Fulda die Möglichkeit gewähren würde, den württembergischen Modus der Anzeige in den genannten Diözesen und vielleicht in einer für Rom annehmbaren Form und Zeit auch in den andern einzuführen und so das größte Hindernis einer Verständigung zwischen der preußischen Regierung und dem päpstlichen Stuhle zu umgehen. Als eine Persönlichkeit, deren Hilfe bei jeder Bemühung um Herstellung des Friedens sehr wertvoll sein würde, war mir der Bischof von Rottenburg[65] seit längerer Zeit bekannt, und da als dessen intimer Freund der Professor Kuhn in Tübingen bezeichnet wurde, übernahm es der Freiherr von Varnbüler auf meinen Wunsch, Herrn Kuhn darüber zu sondieren, ob der Bischof wohl auf eine Besprechung dieser Kombination eingehen werde. Herr Kuhn verneinte die Frage; der Bischof, meinte er, werde sich auf nichts einlassen, solange er nicht sicher sei, wie man im Vatikan denke, werde wahrscheinlich antworten: *si casus datur, respondebimus*.

Vor einigen Tagen nun habe ich von dem Kardinal Jacobini, mit welchem ich inzwischen eine von ihm angeknüpfte Korrespondenz fortgesetzt hatte, ein Schreiben erhalten, dessen betreffende Stellen ich in Abschrift beizulegen mich beehre. Diese Mitteilung beweist, daß im Rate des Papstes die Einflüsse nicht mehr überwiegen, welche die von mir vorgeschlagene Zuziehung des Bischofs Hefele zu den zwischen dem Prinzen Reuß und dem damaligen Nuntius Jacobini in Wien geführten Erörterungen hintertrieben hatten. Damit erscheint das Hauptbedenken des Professors Kuhn beseitigt und eine direkte Sondierung des Bischofs Hefele indiziert. Ew. Exz. würde ich daher zu ganz besonderem Danke verpflichtet sein,

---

[65] Hefele.

wenn Sie sich der Mühe unterziehen könnten, zu ermitteln, ob derselbe geneigt wäre, seiner Zeit die Reise nach Rom zu machen und vermittelnd dazu behilflich zu sein, daß wir über die Zukunft der Diözesen Trier, Fulda und Köln mit Rom ins Klare kommen. Es gibt in Rom meines Wissens niemanden, der wie er die drei Eigenschaften vereinigte, die deutschen Verhältnisse zu kennen, mit den im Vatikan obwaltenden Bedürfnissen und Nötigungen vertraut zu sein und nicht Jesuit zu sein. Und einer solchen Person werden wir bedürfen. Es ist meine Absicht, S. M. den Kaiser um die Ermächtigung zu bitten, die Wiederherstellung einer Gesandtschaft am Vatikan vorzubereiten, etwa zunächst eine *mission extraordinaire* zu entsenden, die später in eine budgetmäßige Vertretung zu verwandeln wäre. Damit würde den Prinzipienfragen nicht präjudiziert werden, denn um sie hat es sich auf dem Teile des Kampfgebietes, auf welchem unsere frühere Mission beim Papst zu Fall kam, nicht gehandelt. Eine Vertretung Preußens am päpstlichen Hofe hat bestanden, nachdem die Maigesetze eingebracht waren, und ist erst später aufgehoben worden, weil Pius IX. sich hatte zu verletzenden Aeußerungen über S. M. den Kaiser hinreißen lassen. An dem gegenwärtigen Papste sind wir vollkommener Höflichkeit begegnet; und die Wiederherstellung der Gesandtschaft, die darin liegende Anerkennung seiner Stellung, dürfte zu den Formalien gehören, welche die gegenseitigen Beziehungen, die Stimmung verbessern. Ich beabsichtige daher, S. M. für die *mission extraordinaire* einen Diplomaten, nicht einen Techniker vorzuschlagen, dem später nach Bedürfnis ein Rat aus dem Kultusministerium beigegeben werden könnte. Wenn zunächst zwischen dieser Mission und dem Papste der Bischof Hefele eine Vermittlerrolle übernehmen wollte, so würde er ein Feld fruchtbarer Tätigkeit finden. Er gerade würde am leichtesten feststellen können, ob die Ernennung eines apostolischen Vikars für die vakanten Diözesen oder die Besetzung des Stuhles von Trier, resp., wenn er dazu geneigt, die Uebertragung eines preußischen Bistums an ihn, ohne Verzicht auf Rottenburg, Chancen hätten. Er würde bei seiner Persönlichkeit und bei der, wie es scheint, jetzt im Vatikan herrschenden Stimmung auch sonst, ohne Berührung der Differenzpunkte prinzipieller Natur, den Frieden fördern können im Interesse und zum Danke derjenigen katholischen Untertanen Preußens, die sich kirchlich unbefriedigt fühlen, und deren Wünsche und kirchlichen Bedürfnisse die Regierung nicht unbeachtet lassen will, wenn sie selbst auch ferner mit dem gegenwärtigen Zustande sehr wohl auskommen kann.

Das Verhalten der liberalen Partei macht es notwendig, die Beziehung dieser Frage auch zu den parlamentarischen Verhältnissen ins Auge zu fassen. Es gewinnt den Anschein, daß die liberale Seite der Abgeordneten, einschließlich der Nationalliberalen, der Führung der Fortschrittspartei zu verfallen bestimmt sei. Die Aussichten und Erwägungen, die sich daran knüpfen, lassen mich auf Ew. Exz. gütigen Beistand rechnen, indem ich die Bitte ausspreche, den Bischof Hefele darüber sondieren zu wollen, ob er geneigt, eine Reise nach Rom zu dem bezeichneten Zweck zu unternehmen, zu der es jedenfalls wegen der Einleitungen zur Wiederherstellung des diplomatischen Verkehrs nicht vor einigen Wochen kommen würde. Sobald ich darüber vergewissert wäre, glaube ich auf Genehmigung meines Planes durch S.M. den Kaiser, der heut hier wieder eintrifft, rechnen zu können. Eine päpstliche Antwort auf den in Abschrift beigefügten Brief S. M. an den Papst [66] dürfte demnächst eingehen und mir zu weiterer Mitteilung Anlaß geben.

173. Erlaß an Prinz Heinrich VII. Reuß—Wien: Schwierigkeiten mit Österreich (Konzept nach Diktat) GP 3, 172 f., Nr. 530.

Berlin, den 17. Mai 1881.

Geheim

Die amtliche Eröffnung, welche mir Graf Széchényi vorlas und wahrscheinlich mir auszuhändigen beauftragt war, unter dem ersichtlichen Eindruck, den sie mir machte, aber nicht aushändigte [67], kann ich Ew. pp. im Vertrauen nur als ein ziemlich grobes und taktloses Aktenstück bezeichnen, welches mir wörtlich „Gesinnungswechsel“, verblümt Wortbruch und *illoyale procédés* vorwirft. Es zeigt, daß die heutige Wiener Diplomatie auf dem Wege ist, die Formen der Parlamente und der Presse auf ihre Aktenstücke zu übertragen. Es ist das vielleicht nicht Absicht, verrät aber bedauerliche Gleichgültigkeit gegen die Bedeutung, welche die Urbanität des Tones in den amtlichen Aktenstücken zwischen befreundeten Kabinetten für deren Beziehungen erfahrungsmäßig hat. Wenn Baron Haymerle an die leitenden Minister der kleinen Donaustaaten in ähnlicher Tonart schreibt wie an mich, so kann ich mich allerdings nicht wundern, wenn

[66] Dankschreiben Wilhelms I. vom 26. März 1881 für den Glückwunsch des Papstes Leo XIII. vom 18. März 1881.

[67] Sie bezog sich auf die zwischen Deutschland und Österreich laufenden Handelsvertragsverhandlungen.

jene Regierungen trotz ihres guten Willens und ihres Bedürfnisses nach der Protektion Österreichs durch die Tonart, in der mit ihnen verkehrt wird, immer wieder empfindlich gemacht und entfremdet werden. Wir, und namentlich ich persönlich, lassen uns durch dergleichen Mangel an Form und Höflichkeit in den Wegen nicht irre machen, die wir für die richtigen erkannt haben. Jene Staatsmänner der kleinen Balkanstaaten haben aber nach Stellung und Herkunft mehr Eitelkeit, mehr Empfindlichkeit und weniger Selbstgefühl als der Minister einer europäischen Macht, welcher die Absicht der Nichtachtung niemals voraussetzt. — Bereits in der Korrespondenz über die Verhandlungen mit Rußland habe ich mich wiederholt verletzt gefühlt durch die Neigung des Baron Haymerle, jedes Zugeständnis oder jede Ablehnung mit einer unverbindlichen oder spitzen Äußerung zu begleiten, die den Vorwurf involvierte, daß wir im Dienste der österreichischen Politik nicht hinreichenden Eifer zeigen. Es ist wünschenswert, daß dergleichen Geschmacklosigkeiten aus unsern Verhandlungen herausbleiben; sie tun uns gegenüber zwar nicht viel Schaden, sie erschweren mir nur das Geschäft und machen unnötige Arbeit, wie die vorliegende. Aber wenn derselbe Mangel an Stil und Schule auch nach anderer Seite hin fühlbar wird, so kann er dort, wo übler Wille herrscht, sehr wirksam ausgebeutet werden. —

Ich bin leider nicht berechtigt, und Ew. pp. sind es auch nicht, den Baron Haymerle, der vielleicht keine Ahnung von der Ungewöhnlichkeit seiner diplomatischen Stilistik hat, auf dieselbe aufmerksam zu machen, aber ich bin fest entschlossen, künftig nicht ohne Rüge den Ausdruck solcher diplomatischen Gewohnheiten zu akzeptieren, wie sie vielleicht im Verkehr mit orientalischen Völkern erwachsen können, auf europäischem Boden aber weder angebracht noch üblich sind. Ich erlaube mir, Ew. pp. von diesem meinem Eindruck *au fait* zu setzen, damit Sie auch Ihrerseits, wenn Baron Haymerle Ihnen wieder „Vorwürfe“ über unsere Politik macht und uns wegen Mangel an Eifer für Österreich tadelt, ihm zu verstehen geben, daß zu einer derartigen Kritik unseres geschäftlichen und persönlichen Verhaltens nur Seine Majestät der Kaiser ein Recht hat.

174. Privatschreiben an Staatsminister von Puttkamer: Über die zweckmäßige Art der Pressebeeinflussung (Konzept Tiedemann) W 6 c, 214 f., Nr. 213.

Berlin, den 9. Juni 1881.

Vertraulich.

Eine große Zahl von Blättern und darunter auch solche, welche die Politik der Regierung unterstützen, drucken die Mitteilungen des literarischen Bureaus unter der Ueberschrift ab: „Officiös wird uns geschrieben". Eine solche an die Spitze gestellte Kennzeichnung des Ursprungs jener Mitteilungen schädigt m. E. die Wirkung derselben, [a] indem sie die Kritik der Gegner herausfordert u. die Freunde in der Vertretung des Gesagten lau und widerwillig macht [a]. Ist die Provenienz der vom literarischen Bureau ausgehenden Artikel von vornherein zweifellos, so werden letztere immer den regierungsfeindlichen Preßorganen ein willkommenes Angriffsobjekt bieten und ihr Zweck, einen Einfluß auf die öffentliche Meinung zu gewinnen, geht verloren. Es wäre dann m. E. schon richtiger, die Anonymität ganz fallen zu lassen und die Artikel des literarischen Bureaus im nichtamtlichen Teile des Reichs-Anzeigers abzudrucken. Aus diesem müßten dann die übrigen Zeitungen die ihnen wertvoll erscheinenden Mitteilungen entnehmen, während jede directe Zusendung der letzteren unterbliebe.

Ew. pp. geneigter Erwägung erlaube ich mir erg. anheimzustellen, ob sich nicht eine Aenderung dieser seit einiger Zeit erst eingerissenen Praxis empfehlen dürfte. Die befreundeten Zeitungs-Redaktionen würden sich wohl entschließen, dieselbe aufzugeben, wenn den regierungsfeindlichen Redaktionen überhaupt keine direkten Mitteilungen aus dem literarischen Bureau mehr zugingen. [b] M. E. wirkt das lit[erarische] Bureau dadurch, daß es seine Informationen an Gerechte u. Ungerechte in *discrimine* austeilt, mehr gegen als für die Regir[ungs]-Interessen u. deckt mit seinem Effect seine Kosten nicht. [b]

---

a–a Eigenhändiger Zusatz Bismarcks.

b–b Eigenhändiger Zusatz Bismarcks.

175. Immediatschreiben: Zum Rücktritt des Grafen zu Stolberg-Wernigerode (Reinschrift nach Diktat) W 6 c, 215 f., Nr. 214.

Berlin, den 15. Juni 1881.

Ew. M. muß ich zu meinem Bedauern allerunt. melden, daß meine Hoffnungen auf baldige Wiederherstellung sich bisher nicht zu verwirklichen scheinen, indem ich nach jedem Versuch, meine geschäftliche Tätigkeit wieder aufzunehmen, auch wenn ich von jeder Gemütsbewegung dabei freibleibe, neuen Krankheitserscheinungen ausgesetzt bin. Nach ärztlicher Meinung wird meine Herstellung nur erfolgen, wenn ich mich wenigstens für einige Monate, namentlich aber während der mir bevorstehenden Kissinger Badekur, jeder geschäftlichen Tätigkeit ausnahmslos enthalte.

Aus diesem Grunde bitte ich Ew. M. allerunt., mir bis zu meiner Genesung huldr. Urlaub bewilligen zu wollen, in dessen Benutzung ich, sobald meine Kräfte mir die Reise gestatten, zunächst mich zum Kurgebrauch nach Kissingen begeben würde.

Um meine Abreise und meine Enthaltung von Geschäften zu ermöglichen, wird Ew. M. huldr. Mitwirkung durch Neuordnung der Stellvertretung, welche bisher dem Grafen Stolberg oblag, und zu diesem Behufe zunächst die Ausfertigung des Abschiedes für denselben erforderlich sein. Ich erlaube mir, mit Rücksicht hierauf einen Ordreentwurf mit Immediatbericht vom heutigen Tage ehrf. vorzulegen.

Die Beibehaltung des Ministertitels liegt, wie ich weiß, nicht im Wunsche des Grafen. Ob Ew. M. demselben eine Dekoration zu verleihen beabsichtigen, stelle ich Allerh. Ermessen ehrf. anheim. Seinem Geburtsrange nach würde er an sich zu den Kandidaten für den Schwarzen Adler-Orden zu rechnen sein, sobald er das Alter erreicht, in welchem Ew. M. Häuptern standesherrlicher Häuser diese hohe Auszeichnung unter Umständen zuteil werden lassen. Graf Stolberg ist 43 Jahre alt; in seinen ministeriellen Leistungen vermag ich, wenn ich von einigen besonders wichtigen Momenten absehe, ein hervorragendes Maß von Diensteifer nicht zu erkennen, — im Gegenteil würde das Maß seiner Zurückhaltung in Geschäften keinem anderen der aktiven Minister Ew. M. zugestanden werden können. — Vom Hohenzollernschen Hausorden besitzt Graf Stolberg das Großkomturkreuz und würde es sich eventuell um den Stern der Großkomture handeln können.

Ich bitte um Ew. M. gnädigen Befehl drüber, ob und mit welchem Inhalt ein Ordre-Entwurf vorgelegt werden soll.

Für meine Vertretung als Reichskanzler bestehen die Allerh. Ordres in Kraft, welche dieselbe auf dem Gebiete der Finanzverwaltung, der Postverwaltung, der Eisenbahnen geregelt haben. Für die Reichsjustizverwaltung beehre ich mich gleichzeitig einen amtlichen Antrag vorzulegen. Für das Auswärtige Amt wird sich die Vertretung heute noch nicht regeln lassen, weil Graf Limburg-Stirum, der die Geschäfte führt, in wenigen Tagen einen Urlaub antritt, wo dann die Geschäfte auf den Unterstaatssekretär Busch übergehen, der sie aber nur so lange behalten würde, als Ew. M. nicht die Uebertragung an den Grafen Hatzfeldt genehmigen. Der Letztere aber wird, wenn ich auch seiner Ankunft in nächster Woche entgegensehe, doch zunächst zur Herstellung seiner Gesundheit einer Badekur bedürfen. Ich bin daher für das Auswärtige Amt noch nicht in der Möglichkeit, Ew. M. einen Ordre-Entwurf für einen bestimmten Vertreter vorlegen zu können. Für die Geschäfte, welche nach dem Stellvertretergesetz vom 17. März 1878 nur meinem generellen Vertreter, wie es Graf Stolberg war, übertragen werden können, ist der Staatsminister von Bötticher der geeignete Vertreter, da das Reichsamt des Innern, welches das Hauptkontingent dazu stellt, ohnehin unter ihm steht. Ich schlage ihn deshalb als Generalvertreter ehrf. vor, wenn er auch die auswärtigen Geschäfte aus Mangel an Vertrautheit mit denselben nicht wird übernehmen können. Für letztere werde ich, bis ich selbst wieder arbeitsfähig bin, oder bis Graf Hatzfeldt in der Lage ist, sie zu übernehmen, Ew. M. den Unterstaatssekretär Busch, und eventuell, wenn er späterhin zurückkehren sollte, den Grafen Limburg-Stirum vorzuschlagen haben. Da der Wiedereintritt des letzteren in sein jetziges Provisorium demnächst ungewiß ist, so erlaube ich mir, gleichzeitig den Antrag ehrf. zu stellen, die Hingebung, mit welcher derselbe seit fast einem Jahre in uneigennütziger Gefälligkeit und nur in Berücksichtigung der Schwierigkeit der Lage, die große Geschäftslast des Auswärtigen Amtes übernommen hat, durch eine Ordensverleihung in Gnaden anerkennen zu wollen. Derselbe hat bei großen eigenen Besitzungen und umfänglichen Privatgeschäften und trotz der Schwierigkeiten einer solchen provisorischen Stellung dem Allerh. Dienste seine eigenen Interessen und Gewohnheiten derart geopfert, daß er dieses Jahr hindurch eine Existenz ohne eigenes Domizil und ohne Hausstand geführt und seine Besitzungen weder bewohnt noch direkt verwaltet hat. Ich bitte deshalb Ew. M. ehrf., diese in der heutigen Zeit nicht gewöhnliche selbstlose Hingebung für den Kgl. Dienst durch Verleihung des Sterns zum Roten Adler-Orden zweiter Klasse mit Eichenlaub anerkennen zu wollen, nachdem er die zweite Klasse im regelmäßigen Wege der Anziennetät erworben hat.

Ich erlaube mir zu diesem Zwecke den Entwurf einer eventuellen Ordre allerunt. beizuschließen.
Für die Herstellung einer geordneten Wirksamkeit des Staatsministeriums bleibt meiner ehrf. Ueberzeugung nach als notwendige Vorbedingung die definitive Besetzung des Ministeriums des Innern. Solange diese nicht erfolgt ist, wird nicht einmal die Verteilung der Vorarbeiten für die wichtigen Aufgaben des nächsten Herbstes möglich sein. Ohne diese vor Antritt jedes Urlaubs nötige Verteilung der Geschäfte für die Sommerzeit bin ich selbst nicht imstande, mit freiem Gewissen meinen Posten zu verlassen, wenn ich die Verantwortlichkeit für denselben im nächsten Winter soll tragen können.
Ich wage deshalb, meine allerunt. Bitte um Beschleunigung der Besetzung des Ministeriums des Innern ehrf. zu erneuern.

176. Immediatbericht: Das Dreikaiserbündnis unterschriftsreif (Ausfertigung)
GP 3, 173 ff., Nr. 531.

Berlin, den 15. Juni 1881.

Eurer Majestät hat Graf Limburg-Stirum [68] am 7. d. Mts. vor Allerhöchstdero Abreise über die geheimen Vertragsverhandlungen zwischen den drei Kaiserhöfen alleruntertänigsten Vortrag gehalten.
Damals bestanden, abgesehen von einzelnen Bedenken redaktioneller Bedeutung, zwei wesentlichere Differenzpunkte zwischen St. Petersburg und Wien. Eurer Majestät kann ich jetzt ehrfurchtsvoll melden, daß vollständiges Einverständnis nunmehr erzielt ist, und daß der Unterzeichnung des Vertrages hierselbst nichts mehr im Wege steht.
In Wien verlangte man die russische Zustimmung dazu, daß der Sandschak von Novibasar ebenso nach Belieben von Österreich annektiert werden dürfte, wie Bosnien und Herzegowina. Der Kaiser Alexander III., der gegen die eventuelle Annexion von Bosnien und Herzegowina nichts einwendet, will aber für Novibasar den Österreichern nicht mehr zugestehen, als was durch seinen Herrn Vater in dem Eurer Majestät bekannten geheimen Abkommen vom 13. Juli 1878 zwischen den russischen und österreichischen Kongreßbevollmächtigten Österreich wörtlich eingeräumt wor-

---

[68] Interimistischer Leiter des Auswärtigen Amtes seit September 1880.

den war, nämlich das Recht, den Sandschak von Novibasar zu besetzen und in Verwaltung zu nehmen, weil er generell Bedenken hat, über die von dem verewigten Kaiser gemachten Zugeständnisse hinauszugehen.

Der zweite Differenzpunkt betraf die Eventualität der Vereinigung von Bulgarien und Ostrumelien. Daß diese, wenn die Macht der Tatsachen darauf hindränge, erfolgen d ü r f e, hatte man in Wien dem russischen Kabinett zugestanden, aber dabei das Versprechen verlangt, man werde die Vereinigung nicht zu beschleunigen suchen, vielmehr sie hinausschieben. Diese meines Erachtens praktisch bedeutungslose Verheißung zu geben, weigerte sich das russische Kabinett; es wiederholte, daß es nicht die Absicht habe, die Vereinigung bald herbeizuführen, aber man wolle sich nicht vertragsmäßig binden. Dabei blieb man in St. Petersburg stehen, bot aber dafür eine bindende Fassung des für Österreich sehr wertvollen Versprechens, die Ausdehnung der bulgarischen Agitation auf die übrigen Provinzen der Türkei, namentlich Mazedonien, hindern zu wollen.

Ich habe, nachdem ich mich durch Rücksprachen mit Herrn Saburow von der äußersten Grenze der in Petersburg erreichbaren Zugeständnisse überzeugt hatte, dem Baron Haymerle die definitive Annahme dessen, worüber Einverständnis zu erzielen war, durch Eurer Majestät Botschafter empfehlen lassen, und es ist dem Prinzen Reuß gelungen, die vielen kleinlichen Bedenken des österreichischen Ministers durch den Hinweis darauf zu beschwichtigen, daß eine fernere Verschleppung des Vertragsabschlusses das schon erwachte Mißtrauen des Kaiser Alexander gegen Österreich steigern und den revolutionären friedensfeindlichen Bestrebungen in Petersburg den Erfolg erleichtern müsse.

Ich bedarf nun, um mit den hiesigen bevollmächtigten Botschaftern Ihrer Majestäten des Kaisers von Österreich-Ungarn und Rußland den Vertrag, dessen schließlichen Entwurf ich Eurer Majestät ehrfurchtsvoll zu überreichen mir gestatte, unterzeichnen zu können, einer allerhöchsten formellen Ermächtigung. Eure Majestät wage ich daher um huldreiche Vollziehung der anliegenden Vollmacht und um allergnädigste direkte Rücksendung derselben zu bitten.

In dieser Beziehung darf ich ehrfurchtsvoll melden, daß Graf Széchényi bereits im Besitz seiner Vollmacht ist, und daß Herr Saburow die seinige morgen erwartet, so daß die Unterzeichnung des Vertrages am Sonnabend stattfinden könnte, wenn ich bis dahin im Besitz der allerhöchsten Vollmacht bin.

Eurer Majestät habe ich gewagt, diesen alleruntertänigsten Bericht zur allerhöchsten eigenhändigen Eröffnung zugehen zu lassen, weil ich auf Verlangen des russischen Kabinetts, dem das österreichische sich in dringlicher Weise angeschlossen hat, das Versprechen gegeben hatte, keine Kanzleien und nur die zur Bewältigung der Arbeiten unentbehrlichen höheren Beamten in das Geheimnis zu ziehen. Dementsprechend kennt der Gesandte von Bülow die Verhandlungen bisher nicht, ebensowenig weiß irgendein Subalternbeamter von denselben.

Nach meinem ehrfurchtsvollen Dafürhalten ist das Zustandekommen dieses Vertrages, welcher, obschon gerade Österreich das stärkste Interesse an der Erhaltung des Friedens hat, doch durch die wenig geschickte und noch weniger staatsmännische Behandlung der Sache durch Baron Haymerle fast gescheitert wäre, ein sehr erfreulicher Zuwachs zu den Bürgschaften des allgemeinen Friedens. Für Eurer Majestät Politik ist es immer eine besonders wichtige Aufgabe, den Frieden zwischen den beiden uns benachbarten und befreundeten großen Monarchien zu erhalten. Jeder Bruch zwischen ihnen würde uns in die schwierige Lage bringen, die Feindschaft des einen direkt auf uns zu nehmen oder es mit beiden zu verderben und würde außerdem die Festigkeit des monarchischen Prinzips in Europa dem revolutionären gegenüber wesentlich erschüttern.

Da der Kaiser Alexander für einen Monarchen gilt, auf dessen Wort sicher gebaut werden kann, so dürfen wir den Frieden unserer beiden Nachbarn auf Jahre hinaus als gesichert ansehen. Außerdem aber wird für Deutschland die Gefahr einer französisch-russischen Koalition vollständig beseitigt und dadurch das friedliche Verhalten Frankreichs gegen uns so gut wie verbürgt; ebenso wird den Versuchen der deutschfeindlichen Kriegspartei in Rußland, Einfluß auf die Entschließungen des jungen Kaisers zu gewinnen, durch das gegebene Wort des letzteren der Boden entzogen.

Ich zweifle nicht, daß nach Ablauf der drei Jahre, für welche der Vertrag zunächst gelten soll, für alle drei Kaiserhöfe, jedenfalls aber für Deutschland und Rußland eine weitere Verlängerung dieses Abkommens zu erreichen sein wird. Eurer Majestät kann ich daher die Genehmigung des zwischen den beiden anderen Kaiserhöfen hergestellten Übereinkommens aus voller Überzeugung ehrfurchtsvoll empfehlen. v. Bismarck.

177. Das Drei-Kaiser-Bündnis vom 18. Juni 1881 (Ausfertigung)

GP 3, 176 ff., Nr. 532.

Les Cours d'Allemagne, d'Autriche-Hongrie et de Russie, animées d'un égal désir de consolider la paix générale par une entente destinée à assurer la position défensive de Leurs Etats respectifs, sont tombées d'accord sur certaines questions qui touchent plus spécialement à Leurs intérêts réciproques.

Dans ce but les trois Cours ont nommé:

Sa Majesté l'Empereur d'Allemagne, Roi de Prusse

le Sieur Othon, Prince de Bismarck, Son Président du Conseil des Ministres de Prusse, Chancelier de l'Empire,

Sa Majesté l'Empereur d'Autriche, Roi de Bohème etc. et Roi Apostolique de Hongrie,

le Sieur Eméric Comte Széchényi, Son Ambassadeur Extraordinaire et Plénipotentiaire près Sa Majesté l'Empereur d'Allemagne, Roi de Prusse,

Sa Majesté l'Empereur de Toutes les Russies

le Sieur Pierre de Sabouroff, Conseiller Privé, Son Ambassadeur Extraordinaire et Plénipotentiaire près Sa Majesté l'Empereur d'Allemagne, Roi de Prusse,

Lesquels munis de pleins pouvoirs, qui ont été trouvés en bonne et due forme, sont convenus des articles suivants:

Article I.

Dans le cas où l'une des Hautes Parties Contractantes se trouverait en guerre avec une quatrième Grande Puissance, les deux autres maintiendront à son égard une neutralité bienveillante et voueront leurs soins à la localisation du conflit.

Cette stipulation s'appliquera également à une guerre entre l'une des trois Puissances et la Turquie, mais seulement dans le cas où un accord préalable aura été établi entre les trois Cours sur les résultats de cette guerre.

Pour le cas spécial où l'une d'Elles obtiendrait de l'un de Ses deux alliés un concours plus positif, la valeur obligatoire du présent article restera dans toute sa vigueur pour la troisième.

Article II.

La Russie, d'accord avec l'Allemagne, déclare Sa ferme résolution de respecter les intérêts qui découlent de la nouvelle position assurée à l'Autriche-Hongrie par le Traité de Berlin.

Les trois Cours, désireuses d'éviter tout désaccord entre Elles, s'engagent à tenir compte de Leurs intérêts respectifs dans la Péninsule des Balcans. Elles se promettent de plus que de nouvelles modifications dans le statu quo territorial de la Turquie d'Europe ne pourront s'accomplir qu'en vertu d'un commun accord entre Elles.

Afin de faciliter l'accord prévu par le présent article, accord dont il est impossible de prévoir d'avance toutes les modalités, les trois Cours constatent dès à présent dans le protocole annexé à ce traité les points sur lesquels une entente a déjà été établie en principe.

Article III.

Les trois Cours reconnaissent le caractère européen et mutuellement obligatoire du principe de la fermeture des détroits du Bosphore et des Dardanelles, fondé sur le droit des gens, confirmé par les traités et résumé par la Déclaration du second Plénipotentiaire de Russie à la séance du 12 Juillet du Congrès de Berlin (protocole 19).

Elles veilleront en commun à ce que la Turquie ne fasse pas d'exception à cette règle en faveur des intérêts d'un Gouvernement quelconque, en prêtant à des opérations guerrières d'une Puissance belligérante la partie de Son Empire que forment les détroits.

En cas d'infraction, ou pour la prévenir si une pareille infraction était à prévoir, les trois Cours avertiront la Turquie qu'Elles la considéreraient, le cas échéant, comme s'étant mise en état de guerre vis-à-vis de la partie lésée, et comme s'étant privée dès lors des bénéfices de sécurité, assurés par le Traité de Berlin à son statu quo territorial.

Article IV.

Le présent Traité sera en vigueur pendant l'espace de trois ans à dater du jour de l'échange des ratifications.

Article V.

Les Hautes Parties Contractantes se promettent mutuellement le secret sur le contenu et sur l'existence du présent Traité aussi bien que du protocole y annexé.

Article VI.

Les conventions secrètes conclues entre l'Allemagne et la Russie et entre l'Autriche-Hongrie et la Russie en 1873 sont remplacées par le présent Traité.

Article VII.

Les ratifications du présent Traité et du protocole y annexé seront échangées à Berlin dans l'espace de quinze jours ou plus tôt si faire se peut.

En foi de quoi les Plénipotentiaires respectifs ont signé le présent Traité et y ont apposé le sceau de leurs armes.

Fait à Berlin, le dix-huitième jour du mois de Juin mil huit cent quatre-vingt et un.

(L.S.) v. Bismarck
(L.S.) Széchényi
(L.S.) Sabouroff

Zusatzprotokoll

Les soussignés Plénipotentiaires de Sa Majesté l'Empereur d'Allemagne, Roi de Prusse,

Sa Majesté l'Empereur d'Autriche, Roi des Bohème etc. et Roi Apostolique de Hongrie,

et

Sa Majesté l'Empereur de Toutes les Russies,

ayant constaté conformément à l'article II du Traité secret conclu aujourd'hui les points touchant les intérêts des trois Cours d'Allemagne, d'Autriche-Hongrie et de Russie dans la Péninsule des Balcans sur lesquels une entente a déjà été établie entre Elles sont convenus du protocole suivant:

1. Bosnie et Herzégowine.

L'Autriche-Hongrie se réserve de s'annexer ces deux provinces au moment qu'Elle jugera opportun.

2. Sandjak de Novibazar.

La déclaration échangée entre les Plénipotentiaires Austro-Hongrois et les Plénipotentiaires Russes au Congrès de Berlin en date du $^{13}/_{1}$ *Juillet 1878 reste en vigueur.*

3. Roumélie Orientale.

Les trois Puissances sont d'accord pour envisager l'éventualité d'une occupation soit de la Roumélie Orientale soit des Balcans comme pleine de périls pour la paix générale. Le cas échéant Elles emploieront leurs efforts pour détourner la Porte d'une pareille entreprise, bien entendu que la Bulgarie et la Roumélie Orientale devront de leur côté s'abstenir de provoquer la Porte par des attaques partant de leurs territoires contre les autres provinces de l'Empire Ottoman.

4. Bulgarie.

Les trois Puissances ne s'opposeront pas à la réunion éventuelle de la Bulgarie et de la Roumélie Orientale dans les limites territoriales qui leur sont assignées par le Traité de Berlin, si cette question venait à surgir par la force des choses. Elles sont d'accord pour détourner les Bulgares de toute agression contre les provinces voisines, nommément la Macédoine et pour leur déclarer qu'en pareil cas ils agiraient à leurs risques et périls.

5. Attitude des agents en Orient.

Afin d'éviter des froissements d'intérêts dans les questions locales qui peuvent surgir, les trois Cours muniront leurs représentants et agents en Orient d'une instruction générale pour leur prescrire de s'efforcer à aplanir leurs divergences par des explications amicales entre eux dans chaque cas spécial et pour les cas où ils n'y parviendraient pas, d'en référer à leurs Gouvernements.

6. Le présent protocole fait partie intégrante du traité secret signé en ce jour à Berlin et aura même force et valeur.

En foi de quoi les Plénipotentiaires respectifs l'ont signé et y ont apposé le cachet de leurs armes.

Fait à Berlin, le 18 Juin 1881.

(L.S.) v. Bismarck
(L.S.) Széchényi
(L.S.) Sabouroff

178. Schreiben an den Kultusminister von Goßler: Die Parteienkonstellation und der Abbau des Kulturkampfes (Konzept Graf Wilhelm Bismarck nach Diktat)
W 6 c, 218 f., Nr. 217.

Kissingen, den 22. Juli 1881.

Nach der augenblicklichen Stellung der Parteien, wie sie voraussichtlich aus den Wahlen wiederum hervorgehen wird, und wie sie seit etwa 4 Jahren die Reformen der Gesetze und die Konsolidierung des Reichs verhindert, kann die Regierung eine Mehrheit im Reichstag nur dadurch gewinnen, daß den konservativen Stimmen entweder die liberalen oder die des Zentrums hinzutreten. Daß eine rein konservative Majorität aus den Wahlen hervorginge, ist leider nicht zu erwarten. Ich habe in Erkenntnis dieser Sachlage seit vier Jahren daran gearbeitet, einen Kompromiß zwischen dem rechten Flügel der Liberalen und den Konservativen herzustellen; ich bin in der Richtung so weit gegangen, daß ich 1877 mit Herrn von Bennigsen unterhandelt habe in der Absicht, ihn S. M. zum Minister vorzuschlagen. Mein Bestreben ist erfolglos geblieben und seitdem der rechte Flügel der Liberalen mehr und mehr der Führung der Fortschrittspartei verfallen, so daß die gesamten Liberalen in Verbindung mit dem Zentrum die meisten Regierungsvorlagen zu Fall bringen und die Entwicklung des Reiches augenscheinlich eine rückläufige geworden ist. Die im Liberalismus tonangebende fortschrittliche Partei ist eine republikanische. Wer sich darüber täuscht, wer den gegenteiligen Versicherungen des Fortschritts Glauben schenkt, mit dem bin ich außerstande, gemeinsam Politik zu treiben. Mein Urteil ist das Ergebnis einer mehr als 30jährigen Erfahrung und einer erfolgreichen Tätigkeit auf dem Gebiete der Politik.

Ich müßte mich selbst für urteilslos erkennen, wenn ich am Schluß meiner Laufbahn mir hierüber noch nicht klar wäre. Die mir erwünschtere Anlehnung der Regierung an die Liberalen ist deshalb unmöglich, so lange letztere unter Leitung der Fortschrittspartei stehen, und diese über die Mehrheit aller Organe der öffentlichen Meinung verfügt. Ich habe den Kampf gegen die päpstlichen Anmaßungen energischer geführt als irgendeiner meiner Kollegen, den Minister Falk mit eingerechnet, denn letzterer ist nur von mir durch wiederholte Stellung der Kabinettsfrage schließlich bewogen worden, auf Anregung der Verfassungsänderungen einzugehen, welche 1873—75 stattgefunden haben. Ich habe auch allen Einfluß, den ich hatte, seinerzeit angewandt, um mit Rücksicht auf den Kampf gegen Rom Falk von dem Rücktritt abzuhalten, zu welchem er schon einige Jahre vor seinem definitiven Austritt geneigt war, weil er sich außeramtlichen Einflüssen gegenüber nicht stark genug fühlte. Ich darf mich deshalb als den intellektuellen Träger des Kampfes gegen Rom die letzten 10 Jahre hindurch ohne Ueberhebung ansehen. Wenn ich mich nun aber überzeugen muß, daß die liberale Partei, anstatt der Regierung in dem Kampf gegen die Hierarchie ehrlich beizustehen, die Schwierigkeiten, welche dieser Kampf der Regierung macht, benutzt, um auch ihrerseits die Regierung anzugreifen und zur Schwächung derselben Konzessionen von ihr zu erpressen, so muß ich mir sagen, daß die Regierung diese beiden Gegner gleichzeitig nicht bekämpfen kann, ohne selbst Schaden zu nehmen. Sie kann m. E. den Kampf gegen Rom erst dann fortsetzen, wenn sie sich außerhalb des Zentrums auf eine Majorität zu stützen vermag, welche sie nicht durch das Preisgeben von Kronrechten zu erkaufen braucht. Sobald wir eine solche Majorität ohne das Zentrum haben werden, können wir den Kampf gegen Rom mit Aussicht auf Erfolg fortsetzen; bis dahin aber müssen wir uns gegen den Fortschritt als den gefährlicheren Feind wehren. Was der Fortschritt der Krone abgewinnt — und das ist unter dem Ministerium Eulenburg nicht unerheblich gewesen — das bleibt unwiederbringlich verloren und bildet eine Etappe auf dem Wege von der Monarchie zu republikanischen Institutionen. In dem Kampf gegen Rom aber können wir nach Belieben eine Pause eintreten lassen, während welcher jedes für den katholischen Wähler aufregende Symptom eines Kampfes nach Möglichkeit von der Bildfläche verschwindet. Es gehört die Beruhigung des katholischen Wählers und der Eindruck, daß ein Kampf überhaupt nicht mehr stattfände, zu den Mitteln der Bekämpfung der Fortschrittspartei, indem man ihr und ihren Freunden den Glauben nimmt, daß sie der Regierung für den Kampf gegen Rom unentbehrlich sei. Wenn wir zur Herbeiführung solcher Eindrücke auch unter Umständen Bischöfe akzeptieren, deren wir nicht sicher sind, so verlieren wir dadurch nichts Definitives: wir können mit jedem Bischof auf Grund der Maigesetze, wenn wir wollen, in Jahr und Tag so weit kommen, daß er gerichtlich abgesetzt wird, und können dann den Kampf, wenn es passend scheint, jederzeit wieder aufnehmen, indem wir, wenn die Kirche uns dazu zwingt, die Maigesetze wieder in aller Schärfe geltend machen, resp. durch neue oder weitergehende Vorlagen verschärfen. Ich lege dabei wenig Wert darauf, ob wir über die Person eines Bischofs im Augenblick, wo wir ihn akzeptieren, gute oder nachteilige Zeugnisse erhalten. Derselbe Mann ist unter Umständen nach wenig Monaten ein ganz anderer, und alle stehen in der unbedingten Abhängigkeit vom Papst: sogar Hefele ist heut auf einem Standpunkt, der für uns nicht annehmbar sein würde.

Solche Bischöfe, wie wir sie brauchen und früher zum Teil gehabt haben, gibt es heute kaum, und der Papst würde ihre Wahl so wenig dulden, wie die Franzosen preußische Offiziere in ihrem Generalstabe.

Nach dieser meiner politischen Ueberzeugung bin ich als Mitglied des Preußischen Staatsministeriums für die Annahme des vom Papste vorgeschlagenen Korum zum Bischof und würde die Verantwortlichkeit für die Ablehnung nicht auf mich nehmen wollen; ich halte sie politisch nicht für richtig, da ich nicht glaube, daß S. M. der Kaiser geneigt sein wird, in seiner Politik den Wünschen der liberalen Parteien näher zu treten, in der Weise, wie ich es vor vier Jahren bezügl. des Herrn von Bennigsen anzubahnen versuchte. Wenn nichts Derartiges geschehen soll, so halte ich für angezeigt, daß wir Rom gegenüber bis zu besseren Wahlen faktischen Waffenstillstand beobachten.

Meine Gesundheit erlaubt mir nicht, neben den auswärtigen und Reichsgeschäften auch in dieser Frage meine Ueberzeugungen so zu vertreten, daß ich damit auf S. M. und meine Kollegen eine Einwirkung üben könnte. Als Reichskanzler liegt mir diese innere preußische Angelegenheit fern, und meine Arbeitskraft ist zu verbraucht, als daß ich außerhalb meines engsten Ressorts Ansichten über andere Gebiete kämpfend vertreten sollte. Ich beschränke mich darauf, sie auszusprechen, aber ich kann nicht weiter dafür fechten, namentlich nicht gegen Einflüsse, die von ministerieller Verantwortlichkeit frei sind.

179. Brief an die Gattin W 14/II, 927, Nr. 1664 = Rothfels Briefe, 403, Nr. 274.

Kissingen 28. Jul. 81.

Mein geliebtes Herz

Mit Freuden empfing ich heut Dein Telegramm [69] und danke mit Dir Gott für alle Gnade, die uns in diesen 34 Jahren wiederfahren ist. Schon daß Seine Barmherzigkeit uns und alle die Unsrigen bis heut erhalten hat und, wie ich fest vertraue, ferner erhalten wird, ist eine besondre und nicht häufige Wohlthat, und wie wunderbar hat Seine schützende Hand über jedem von uns 5 wiederholt gewaltet. Ich habe viel Sorgen, Arbeit und Aerger gehabt; aber im Rückblick auf 1/3 Jahrhundert fließt mein Herz in demüthiger Dankbarkeit über, in dem Bekenntniß, daß es mir, über alles Verdienst und Hoffen, gut ergangen ist. Möge Gottes Gnade ferner mit uns sein. Wärmer wie heut war es 1847; wir hatten heut früh nur 9 und jetzt 11 Grad. Zu Mittag war die Wallenberg und Schlözer bei uns, und wir aßen einen Haasen aus Barby; dann fuhr ich mit Herbert nach der Brücke über die Eisenbahn, und wir gingen zu Fuß bis Arnshausen zurück mit einem Blick auf die blaue Röhn. Mir bekommt die Cur fortschreitend gut, wenn ich auch ab und zu noch Schmerzenstage habe; ohne solche kann das Uebel nicht ausgetrieben werden, und so schlimm wie früher ist keiner mehr. Heut war ich fast ganz frei; dabei sind Schlaf und Appetit vorzüglich in Gang. Ich gehe täglich früher zu Bett (10 1/2) und trank heut um 9 schon Rakoczy. Ich freue mich herzlich über alle guten Nachrichten von Dir, und noch netter wird es sein, wenn wir beide erst wieder in strotzender Gesundheit bei einander sein werden. Viele Grüße an Täntchen [70] und Frau Lully [71] von Deinem treusten vB.

180. Brief an Christoph von Tiedemann W 14/II, 927, Nr. 1665.

Kissingen, 28. Juli 1881.

Euerer Hochwohlgeboren gefälliges Schreiben vom 27. d. M. habe ich dankend erhalten und freue mich nicht nur in Ihrem, sondern im dienst-

---

[69] Zum Hochzeitstag.

[70] Eugenie von Reckow.

[71] Frau von Stülpnagel.

lichen Interesse, daß Sie Bromberg gewählt haben [72], welchen Posten ich für zuverlässiger und sicherer für Ihre zukünftige Laufbahn halte.
Ueber den Zeitpunkt des Antritts Ihrer neuen Stellung werde ich in Berlin mit Ihnen Rücksprache nehmen können, wo ich mit dem Ausgang der nächsten Woche einzutreffen hoffe, mir wäre es nur erwünscht, daß Rottenburg vor Ihrem Abgange so weit eingearbeitet ist, daß er die Geschäfte der Reichskanzlei auch ohne meine Anwesenheit in Berlin leiten kann.

181. Brief an König Ludwig II. von Bayern W 14/II, 928 f., Nr. 1666.

Kissingen, 31. Juli 1881.

Allerdurchlauchtigster König
Allergnädigster Herr!
Eurer Majestät sage ich meinen ehrfurchtsvollen Dank für die gnädige Fürsorge, welche Allerhöchstdieselben auch in diesem Jahre durch das Marstall-Amt für meinen jetzigen Aufenthalt huldreichst haben treffen lassen. Die Benutzung der schönen und schnellen Pferde ist von wesentlichem Nutzen für den Erfolg meiner Cur, indem sie mir möglich macht, entfernte und einsame Wege aufzusuchen, in denen ich mich der immer zahlreicher werdenden Badegesellschaft entziehen kann, durch welche mir die Cirkulation in der Nähe der Stadt wesentlich erschwert wird.
In der auswärtigen Politik herrscht für uns gegenwärtig noch größere Stille, als die Sommerzeit in der Regel mit sich bringt. Die Kriegsgefahren, welche in der orientalischen Frage liegen konnten, sind bis auf weiteres beseitigt, und auch der wundeste Punkt, welchen die Deutschland näher angehenden Verhältnisse an sich tragen, der Antagonismus zwischen Oesterreich und Rußland, der schon vor vier Jahren auszubrechen drohte, ist einstweilen durch eine in Berlin vermittelte geheime Verständigung der drei Kaiser unschädlich gemacht [73]. Nach dem Inhalt derselben, und da von jedem der drei Herren die Heilighaltung der gegebenen Zusage sicher zu erwarten ist, darf der Frieden unter ihnen für mindestens die nächsten drei Jahre als zweifellos angesehen werden, und hat weder Frankreich noch Italien irgendwelche Aussicht auf ein russisches Bündniß. Ich bin

---

[72] Tiedemann war als Chef der Reichskanzlei zurückgetreten und zum Regierungspräsidenten in Bromberg ernannt worden.
[73] Das Dreikaiserbündnis vom 18. Juni 1881.

überzeugt, daß die Zustimmung der drei Monarchen zu diesem friedlichen Bunde auch für längere Zeit zu gewinnen sein wird, da weder in Wien noch in Petersburg eine baldige Aenderung der gegenwärtigen friedlichen Stimmung wahrscheinlich ist. Es kommt dazu, daß gegenwärtig die Beziehungen des Deutschen Reichs zu Frankreich günstiger sind, als zu irgend einer früheren Zeit, wie dies schon daraus hervorgeht, daß Frankreich in seiner afrikanischen Politik und in seinen Beziehungen zur Pforte, zu England und zu Italien sich mit der unbefangenen Sicherheit bewegt, welche ihm nur ein festes Vertrauen auf ungestörte nachbarliche Beziehungen zu Deutschland gewähren kann. Niemand kann indessen voraussehen, wie schnell im heutigen Frankreich die Machthaber und die Politik wechseln werden. Wenn die Zukunft und die Politik Englands unter der jetzigen Regirung fast ebenso unsicher erscheint, wie die französische, und wenn wir in diesen beiden mächtigen und einflußreichen Ländern möglicherweise fernere Störungen der staatlichen Autorität und der gesellschaftlichen Ordnung befürchten müssen, so wird die Beruhigung umso werthvoller sein, welche das deutsche Reich aus den neugeschaffenen Beziehungen zu den beiden östlichen großen Monarchien schöpfen darf. Die Unsicherheit aller staatlichen Einrichtungen im Westen Europas, Italien mit eingerechnet, bildet für alle monarchischen Elemente eine Aufforderung, sich enger zusammenzuschließen, unter sich Frieden zu halten, und die gemeinsame Gefahr gemeinsam abzuwehren. Ich rechne namentlich auf die Erwägung in Wien und in Petersburg, wenn ich hoffe, daß auch späterhin das Bedürfniß monarchischer Solidarität an beiden Orten stärker sein werde, als die Rivalität bezüglich der Donauländer. Unser, Eurer Majestät bekanntes Bündniß mit Oestreich vom Oktober 1879 ist durch das neue dreiseitige Abkommen mit Rußland unberührt geblieben und besteht unabhängig von demselben weiter: Rußland gegenüber ist es amtlich geheim geblieben, und der Eintritt des *casus foederis*, ein russischer Angriff auf einen von beiden, ist ohne Vertragsbruch nicht möglich, so lange unser jüngstes Abkommen mit Rußland dauert. Letzteres wird, namentlich auf Wunsch Oesterreichs, streng geheim gehalten und ist deshalb an keinem der drei Höfe in den Kanzleien, sondern durch die auswärtigen Minister und ihre vertrautesten Räthe bearbeitet worden.

Ueber die gegenwärtigen Zustände in Rußland erlaube ich mir Euerer Majestät eine mir vertraulich zugegangene Mittheilung ehrfurchtsvoll vorzulegen, welche allerdings keinen erfreulichen Blick in die Zukunft dieses großen Reiches gewährt. Für den Frieden und die Sicherheit Deutschlands und Oesterreichs aber wird durch die Lockerung der inneren Zustände Rußlands keinenfalls eine größere Gefahr entstehen, namentlich da auch eine Verminderung des aggressiven Werthes der russischen Streitkräfte mit einer Schwächung der Staatsgewalt sicher verbunden sein wird. Auch die andere Armee, von der Deutschland möglicherweise bedroht sein könnte, die französische, hat in ihrer Gefährlichkeit für uns nach allen mir zugehenden Berichten und nach den Wahrnehmungen bei der afrikanischen Expedition dieses Sommers gegen 1870 keine Fortschritte gemacht.

Wenn ich hiernach in Betreff unserer äußeren Sicherheit, ohne die Gefahren unvorhergesehener Wendungen zu unterschätzen, sorgenfreier als vor dem türkischen Kriege und vor unserem Bündniß mit Oesterreich in die Zukunft blicke, so bin ich auf dem Gebiete der inneren Politik nicht gerade besorgt, aber doch weniger befriedigt; die Verhandlungen mit Rom über den Preußischen Kirchenstreit geben mir wenig Hoffnung auf praktische Erfolge, weil von päpstlicher Seite in allen Verhandlungen, deren keiner ich mich versagt habe, immer noch ein principieller Verzicht des Staates auf seine Rechte und seinen Besitzstand, nicht aber das einzig praktisch Mögliche, ein *modus vivendi* ohne principielle Entscheidung, erhofft und erstrebt wird. Die Aufgabe der preußischen Politik wird meiner Ansicht nach zunächst die sein, die in den Maigesetzen liegenden Machtmittel festzuhalten und auf keines der zur Stärkung der weltlichen Gewalt dienenden Gesetze zu verzichten — dagegen thatsächlich alle Symptome zu verhüten resp. zu beseitigen, welche den Eindruck eines fortbestehenden Kampfes machen, also zur Wiederbesetzung geistlicher Stellen die Hand zu bieten, der Polizei und den Staatsanwaltschaften die mildeste Praxis anzuempfehlen und das Schwert des Gesetzes in der Scheide zu behalten, so lange von der kirchlichen Seite nicht Angriffe erfolgen, welche den Staat zwingen, in das Arsenal seiner Maigesetze hineinzugreifen, — dann aber von den Waffen dieses Arsenals ebenso scharfen Gebrauch zu machen wie früher. Der Kampf gegen die Centrumspartei, für deren Führer die kirchliche Frage nur ein Vorwand, die Machtfrage die Hauptsache ist, läßt sich so lange nicht mit Aussicht auf Erfolg führen, als die Regirung von Seiten der liberalen Parteien nicht ehrlichen und uninteressirten Beistand zu erwarten hat; so lange diese liberalen Parteien für ihren Beistand als Bezahlung den Verzicht auf die noch vorhandenen, unentbehrlichen Rechte der Krone und die Einführung der sogenannten parlamentarischen Majoritätsregirung verlangen, sind sie staatlich gefährlicher als das Centrum, und gegen beide gleichzeitig läßt sich der Kampf erfolgreich nicht führen: mit einem der Gegner wenigstens ist ein Waffenstillstand nothwendig. Wenn die neuen, in diesem Herbst stattfindenden Wahlen für den Reichstag ein analoges Ergebniß liefern wie die früheren, so daß annehmbare Majoritäten überhaupt nicht zu combiniren sind, so wird die Reichsgesetzgebung zu einer Art Stillstand genöthigt werden, den ich nur nach einer Richtung hin bedauern würde, nämlich nach der der angebahnten und geplanten Reform auf dem financiellen und dem wirthschaftlichen Gebiete. In der Durchführung dieser Reform liegt meiner Ueberzeugung nach der wirksamste Schutz gegen die Gefahren, mit welchen politische oder socialistische Bewegungen das Reich bedrohen könnten. Je früher es gelingt, unser bisheriges fehlerhaftes Finanzsystem vorwiegend auf Zölle und indirecte Steuern zu basiren, — und dadurch die Mittel zu gewinnen, daß die directen Abgaben und die Kreis- und Gemeindelasten vermindert werden können, — und dem besitz- und erwerbslosen Arbeiter erhöhte Fürsorge zuzuwenden, so daß er im Staat und seinen Einrichtungen Schutz und Anlehnung findet — je früher es gelingt, Einrichtungen der Art ins Leben zu führen, desto früher werden die Fortschritte politischer und socialer Revolutionen zum Stillstand gebracht, und ein um so größeres Gebiet monarchischer Einrichtungen und Gesinnungen wird gegen ihre Invasion geschützt werden. Ich hoffe nach dem bisher günstigen Erfolge meiner Cur wieder die Arbeitskraft zu gewinnen, um mich dieser Aufgabe mit Erfolg widmen zu können. Für jetzt bin ich allerdings noch nicht so weit, meine Geschäfte wieder übernehmen zu können, und namentlich durch neuralgische Schmerzen noch am Schreiben verhindert.

Eure Majestät wollen daher gnädigst verzeihen, wenn ich mich für diese Zeilen der Hand meines mich begleitenden Sohnes bediene.

Mit dem wiederholten Ausdruck meiner unterthänigsten Dankbarkeit verharre ich in tiefer Ehrfurcht Euerer Majestät allerunterthänigster Diener.

182. Aufzeichnung: Das kirchenpolitische Programm für die nächste Zeit (Eigenhändig) W 6 c, 220 f., Nr. 220.

[14. August 1881.]

Thun was nach den Maigesetzen für katholische Unterthanen thunlich ist, Priester zulassen, Gesetze milde handhaben, aber nichts davon aufgeben. Hauptsache für uns ist, Schule und Schulaufsicht mehr wie bisher. Die Bischöfe sind einer ziemlich wie der andere, päpstliche Instrumente; gute in unserem Sinne werden nicht sein; die Frage ist für uns nur, wollen wir Bischöfe wieder zulassen oder nicht; wollen wir, so ist nur darauf zu sehn, daß wir, Anstands halber, keinen hier compromittirten nehmen. Wer heut gut scheint, kann morgen schon sehr übel sein. Facultäten, *tolerari posse* brauchen wir, um ein Schwert durch das andere in der Scheide zu halten. Kein zweiseitiges Abkommen, wir müssen freie Hand behalten, wenn die Priester bös werden. Kein Bedürfniß zeigen, dem nur der Papst abhelfen könnte.

183. Bericht an den Kronprinzen Friedrich Wilhelm (Abschrift A. A.)
W 6 c, 222 ff., Nr. 222.

Varzin, den 23. August 1881.

Wie Eure Kais. Hoheit, so habe auch ich die Notiz über die Absicht, Baden zum Königreich zu machen, zunächst für eine Sommerfrucht der Presse gehalten, wie sie in stoffarmer Zeit zu wachsen pflegt, und auch heut bin ich, wenn ich mir eine feste Meinung bilden müßte, geneigt, bei dieser Ansicht zu verbleiben.

Mir fehlt jede amtliche Nachricht darüber, weil ich dem betreffenden Zeitungsartikel so wenig Glauben schenkte, daß ich mich nicht einmal danach erkundigt habe.

Der Plan, auf der Basis eines Bruchteils der Deutschen Nation einen neuen Königstitel nach rheinländischer [74] Art zu errichten, widerspricht zu sehr der Meinung, die ich von der nationalen Gesinnung und von dem Fürstlichen Selbstgefühl Sr. Kgl. Hoheit des Großherzogs habe, daß ich noch jetzt der Nachricht Glauben zu schenken nicht vermag.

Noch unwahrscheinlicher in der praktischen Ausführung wird der Plan durch den Zusatz, den dieser Tage eine Zeitung brachte, daß Baden, um Königreich werden zu können, durch das Elsaß vergrößert werden solle. Allerdings war dies zur Zeit des letzten Friedensschlusses ein Plan, der mir gegenüber zur Sprache gebracht worden ist, aber soviel ich weiß, ohne Zutun Sr. Kgl. Hoheit des Großherzogs. Schon 1866 hatte Herr von Roggenbach mir gegenüber dem Gedanken Ausdruck gegeben, Baden durch die bayerische Rheinpfalz zu vergrößern. Ich habe mich lebhaftem Andrängen gegenüber aber unbedingt geweigert darauf einzugehen, weil ich für den nationalen Gedanken keinen Nutzen darin sah, der den Schaden

[74] Soll sicher „rheinbündischer" heißen.

der dauernden Verminderung und Entfremdung Bayerns aufgewogen hätte. Wenn heute die betreffende Frage in irgendeiner Form an mich herantreten sollte, so würde ich der Intention Eurer Kais. Hoheit gern und nach eigener Ueberzeugung durch entschiedene Bekämpfung derselben entsprechen und dabei von der gesamten öffentlichen Meinung Deutschlands unterstützt werden. Wenn Absichten der Art am badischen Hofe beständen, wenn die rumänische Königskrone dort Velleitäten angeregt hätte, so würden sich solche zunächst allerdings auf Wegen kundgeben, welche sich meiner Beobachtung entziehen durch direkte oder von Damen vermittelte Anregung bei Sr. M. dem Kaiser. Allerhöchstderselbe hat mir indessen bei dem längeren und umfassenden letzten Vortrage keine Andeutung in dieser Richtung gemacht. Ich werde, natürlich ohne Eurer Kais. Hoheit Besorgnis zu erwähnen, nur unter Bezug auf die Zeitungsnachrichten unsere Gesandtschaft in Baden zum Bericht auffordern und Eurer Kais. Hoheit das Ergebnis untertänigst melden.

Herr von Schlözer hatte Rom, um die Heimlichkeit zu wahren, früher als ich erwartet, verlassen [75]: er fand dort versöhnliche Stimmung, was man päpstlicherseits darunter versteht, und hat wesentlich dazu beigetragen, Unwissenheiten aufzuklären und namentlich die Hoffnung zu entmutigen, als könnten wir die Maigesetze preisgeben; die Hergabe eines Bischofs für Trier und schon vorher des Verwesers für Osnabrück und Paderborn unter dem vollen *régime* der Maigesetze involviert eine wesentliche Annäherung an das System des *modus vivendi* unter Verzicht auf prinzipielle Entscheidung. Der Kampf zwischen König und Priester, der älter ist als das Christentum (Agamemnon und Kalchas) und insbesondere der Kampf zwischen Kaiser und Papst kann seiner Natur nach niemals durch einen definitiven Friedensschluß beseitigt werden. Nachdem wir durch die Maigesetze die Bollwerke in der Hauptsache wiedergewonnen haben, die wir im Landrecht besaßen, 1840 und 48 aber preisgegeben haben, wird es für uns, wie ich glaube, darauf ankommen, unter sorgfältiger Aufbewahrung dieser Waffen im Arsenal, den Kulturkampf in seinen äußerlichen Erscheinungen nach Möglichkeit von der Bildfläche verschwinden zu lassen, so daß der katholische Wähler womöglich nichts vor Augen hat, was ihm als Bedrückung der Kirche dargestellt werden könnte. Die Schulen und die

[75] Der Gesandte in Washington, Kurd von Schlözer, hielt sich seit Juni 1881 zu geheimen Verhandlungen, vor allem über die Besetzung des Trierer Bischofsstuhles, in Rom auf.

Zeit werden, wie ich glaube, zugunsten des Staates wirksam sein, und nur auf der polnischen Seite der Frage werden Regierung und Gerichte unter nationaler, nicht unter kirchlicher Rubrik fortdauernd eingreifen müssen. In der deutschen Bevölkerung können die Priester dem Reich sehr gefährlichen Schaden kaum tun, und wenn sie es versuchten, so ist es Zeit, die Waffen zu benutzen, welche die Maigesetze uns lassen. Wir müssen so situiert sein, daß ein Schwert das andere in der Scheide hält, daß auch wir nach Bedürfnis gegen die Priester wohlwollend oder hart sein können. Nach diesem Ziele strebte die leider sehr verstümmelte Vorlage im vorigen Jahre, welche wir wieder einzubringen beabsichtigen. Auf die persönliche Beurteilung des Charakters der von uns anzunehmenden Bischöfe lege ich, wenn nicht Tatsachen vorliegen, welche Unzuträglichkeit klar beweisen, keinen so sehr hohen Wert: wer heut wohlgesinnt ist, ist es nach einem Jahr päpstlicher Bearbeitung oft nicht mehr: sie hängen alle vom Papst ab und keiner von ihnen ist eine sichere Stütze für uns, so daß wir ihm vertrauen könnten. Dabei ist der Papst mit seinen Prälaten für uns noch nicht so feindlich, wie die Zentrumsfraktion, die aus verschiedenartigen weltlichen Gegnern des Reiches zusammengesetzt ist. Ich habe noch eher Hoffnung, an der römischen Kurie eine Stütze gegen das Zentrum zu gewinnen, als an unseren Landsleuten von der Zentrumspartei Bundesgenossen gegen die römische Kurie.

Ich habe deshalb Herrn von Schlözer gebeten, nach Rom zurückzukehren; ich glaube, daß es auf die bevorstehenden Wahlen nützlich wirken wird, wenn es bekannt wird, daß wir mit dem Papst unterhandeln, und wenn der Papst in friedlicher Stimmung und Hoffnung erhalten wird.

Der für Trier designierte Bischof Korum hat sich gegen Feldmarschall von Manteuffel in einer über mein Erwarten befriedigenden Weise ausgesprochen, aus der ich schließe, daß das staatliche Pflichtgefühl bei ihm wie bei allen Prälaten der französischen Schule entwickelter ist wie bei den unsrigen. Ich bedaure, daß die Annahme Korums im Kabinett Schwierigkeiten gefunden hat, deren Ursprung auf den für Rom nicht annehmbaren badischen Geistlichen Kraus zurückzuführen sein wird. Dieser will selbst Bischof von Trier werden, ist aber ohne jede Aussicht auf pästliche Zustimmung, und wenn wir auf Kraus bestehen wollten, so wäre der Verständigungsversuch über Trier mißlungen und der Konflikt mit dem Papste schlimmer als vorher. Dies würde auf die bevorstehenden Wahlen einen für die Fortschrittspartei nützlichen und ermutigenden, für die Regierung aber nachteiligen und für mich persönlich vollständig entmutigenden Eindruck haben.

Daß Windthorst Minister in Braunschweig wird, glaube ich nicht. Der

Herzog müßte denn mit allen seinen Gewohnheiten und bisherigen persönlichen Beziehungen brechen.
Wenn Windthorst eine derartige Stelle anzunehmen bereit ist, so möchte ich daraus schließen, daß er seine Führerschaft im Zentrum nicht mehr haltbar findet. Es wäre dies ein Glück, denn unter Windthorsts Führung dient das Zentrum nicht der römischen Kirche, sondern nur den welfischen Hoffnungen durch Kampf gegen die Preußische Regierung. Die Kirche ist für Windthorst ein Vorwand, er glaubt weder an den Papst noch an sonst etwas.
Sehr erfreut bin ich, daß Ew. Kais. Hoheit und den höchsten Herrschaften der Aufenthalt an der See wohlgetan hat. Mit untertänigstem Danke für die huldreiche Teilnahme an meinem Ergehn erlaube ich mir zu melden, daß meine körperlichen Kräfte sich zwar heben, ich aber noch immer an neuralgischen Schmerzen derart leide, daß ich noch nicht absehen kann, wann ich wieder dienstfähig sein werde.

184. Immediatbericht: Wiederherstellung der preußischen Gesandtschaft beim Vatikan (Ausfertigung Graf Herbert Bismarck nach Diktat)

W 6 c, 224 ff., Nr. 223.

Varzin, den 18. September 1881.

Ew. M. habe ich über meinen Eindruck von der Danziger Zusammenkunft noch nicht berichten können, weil mein Gesundheitszustand und die Schmerzen, unter denen ich täglich leide, sich seit meiner Rückkehr wesentlich verschlimmert haben, so daß ich zu geschäftlichen Arbeiten nicht imstande bin. Wenn Ew. M. Handschreiben vom 15. d. M. mich dennoch zu einer Berichterstattung nötigt, so bitte ich, allergn. zu verzeihen, wenn ich dieselbe nicht so erschöpfend zu geben vermag, wie der Gegenstand es erfordern würde.
Telegraphisch habe ich bereits gemeldet, daß in den Aufträgen, die ich Herrn von Schlözer erteilt habe, von einer in Berlin zu errichtenden Nuntiatur niemals die Rede gewesen ist; weder der Gesandte noch ich selbst sind bei Besprechung des Gegenstandes auf den Gedanken gekommen, die Frage der Nuntiatur auch nur zu berühren, und nach den mir bisher zugekommenen Berichten darf ich annehmen, daß auch der Papst und seine Organe dem Gesandten gegenüber von der Nuntiaturfrage gar nicht gesprochen haben; wenn es der Fall gewesen wäre, so würde eine

einfache Zurückweisung voraussichtlich schon durch Herrn von Schlözer stattgefunden haben. Alles, was in den deutschen Zeitungen über eine Nuntiatur in Berlin gestanden hat, beruht auf Erfindungen und Entstellungen der liberalen Blätter, welche durch Verbreitung derartiger Gerüchte in regierungsfeindlichem Sinne auf die Wahlen zu wirken bemüht sind. Daß in der „Norddeutschen Allgemeinen Zeitung“ etwas Aehnliches gestanden haben sollte, beruht, wie ich hoffe, auf Mißverständnissen, denn, wenn es wahr wäre, so würde mich das an der Tendenz auch dieser Zeitung irremachen. Ich würde Ew. M. für nähere Bezeichnung des Artikels zu allerunt. Danke verpflichtet sein, um mich über denselben bei den Eigentümern des Blattes beschweren zu können, von denen ich gewiß bin, daß sie die Verbreitung solcher Unwahrheiten mißbilligen würden. Ich selbst erinnere mich nicht, etwas Aehnliches in der „Norddeutschen Allgemeinen Zeitung“ gelesen zu haben, bin aber in meiner Krankheit nicht imstande, sie täglich vollständig zu lesen.

Soweit Ew. M. Handschreiben sich auf die Nuntiusfrage bezieht, darf ich es durch Vorstehendes als beantwortet ansehen; nach dem Text aber könnte sich dasselbe auch auf die Wiederherstellung einer Gesandtschaft Ew. M. beim Römischen Stuhle beziehen. In betreff dieses Punktes erlaube ich mir Ew. M. ehrf. daran zu erinnern, daß ich schon vor drei Jahren mit dem Nuntius Masella in Kissingen im gleichen Sinne amtlich verhandelt hatte, und daß Allerhöchstdieselben mich vor zwei Jahren bei den weiteren Verhandlungen mit dem Kardinal Jacobini, ebenso im vorigen Jahre bei der Einbringung der kirchlichen Gesetzvorlage in den Landtag, namentlich aber bei Gelegenheit der Besuche, mit denen Ew. M. mich am 10. Juni und am 16. August in meiner Wohnung beehrten, ermächtigt haben, die Wiederherstellung einer Preußischen Gesandtschaft beim Papst in Aussicht zu nehmen, insbesondere habe ich bei den beiden letzten Gelegenheiten im Juni und August d. J. die Ehre gehabt, Ew. M. die Gründe, welche für eine solche Maßregel sprachen, und welche Ew. M. bei den früheren Gelegenheiten schon gebilligt hatten, wiederholt vorzutragen, und habe ich dabei Ew. M. allerh. Genehmigung erbeten und erhalten, den Gesandten von Schlözer wiederholt nach Rom zu schicken und dahin zu instruieren, daß er der Römischen Kurie von dieser Absicht Ew. M. zunächst vertraulich Mitteilung mache, ohne sich in zweiseitige Unterhandlungen und Versprechungen einzulassen. Dieses ist geschehen, und der Kardinalstaatssekretär hat mich gebeten, Ew. M. für diese huldreiche Intention den Dank des Römischen Stuhls auszudrücken. Die Verwirklichung derselben kann einstweilen nur im Wege vertraulicher Missionen wie die jetzt beendete des Gesandten von Schlözer stattfinden, bis der

Landtag im nächsten Budget eine Position deshalb genehmigt haben wird.

Bei den früheren Gelegenheiten, namentlich bei den Verhandlungen mit dem Nuntius Masella, die durch den Tod des Kardinals Franchi unterbrochen wurden, war es die Absicht gewesen, die Wiederherstellung des diplomatischen Verkehrs unter gewissen Gegenbedingungen in Form von einer zweiseitigen Abmachung anzubieten. Geschäftlich verdient indessen der in diesem Jahre von Ew. M. genehmigte Weg den Vorzug, nach welchem die Ernennung eines Gesandten beim Papst ein freiwilliger und jederzeit widerruflicher Akt des Entgegenkommens sein würde, den Ew. M. im Interesse Allerhöchstihrer katholischen Untertanen aus landesväterlichem Herzen vollziehen. Der Abbruch der diplomatischen Verbindungen mit dem Römischen Stuhl fand seinerzeit nicht im Zusammenhang mit der kirchlichen Gesetzgebung statt, sondern ganz unabhängig von derselben wegen der unziemlichen Sprache, die Papst Pius IX. gegen Ew. M. führte, und wegen der unmotivierten Ablehnung des von Ew. M. in der Person des Kardinals Hohenlohe vorgeschlagenen Vertreters. Nachdem nun der jetzige Papst es an Höflichkeit und Entgegenkommen im diplomatischen Verkehr nicht hat fehlen lassen, besteht der Grund nicht mehr, der uns früher veranlaßt hat, auf amtliche Mitteilungen an den Römischen Stuhl in den üblichen diplomatischen Wegen zu verzichten. Der geschäftliche Verkehr mit dem Papst mußte seitdem, wenn es notwendig wurde, durch direkte Korrespondenzen Ew. M. unterhalten werden. Die tatsächliche und laufende Information des Papstes über deutsche Verhältnisse aber blieb in den Händen katholischer Intriganten und Parteimänner. Ich bin heute außerstande, das ganze Feld der Gründe zu reproduzieren, mit welchen ich bei früheren Gelegenheiten die Wiederherstellung diplomatischer Beziehungen zum Papste zu unterstützen mir erlaubt habe: nur darauf mache ich noch ehrf. aufmerksam, daß bei den bevorstehenden Wahlen den Agitatoren nicht die Gelegenheit gegeben werden sollte, der katholischen Bevölkerung vorzuhalten, daß Ew. M. Regierung im Auslande auf jedem Fleck der Erde, den der Handelsverkehr berührt, Konsulate zur Vermittlung unseres Warenabsatzes unterhält, den neun Millionen katholischer Untertanen aber einen Beamten versagt, welcher die Vermittlung ihrer kirchlichen Bedürfnisse bei der Römischen Kurie von Amts wegen zu besorgen hätte.

Der Ausfall der bevorstehenden Wahlen ist schwer zu berechnen, aber zweifellos würden die Aussichten der konservativen Partei wesentlich geschädigt werden, wenn die friedliche Stimmung, welche infolge unserer Verhandlungen mit Rom auf dem Gebiete des Kirchenstreites jetzt die

Situation beherrscht, vor den Wahlen in ihr Gegenteil umschlüge. Die fortschrittlichen Parteien wünschen das, weil sie das Bedürfnis haben, die Regierung durch Feinde aller Art geschwächt zu sehen. Durch offene und verdeckte Einflüsse suchen die Gegner, welche Ew. M. Regierung nach Allerhöchstderen Willen zu bekämpfen hat, den Kirchenstreit in hoher Spannung zu erhalten, um die Regierung durch die Zahl ihrer Feinde liberalen Forderungen zugänglich zu machen. Daß eine Nachgiebigkeit gegen diese liberalen Forderungen nicht in Ew. M. Intentionen liegt, haben Allerhöchstdieselben mir vor drei Jahren bei den Erwägungen über den Eintritt des Herrn von Bennigsen in das Ministerium unzweideutig zu erkennen gegeben, und das jetzige Ministerium ist in seiner Mehrheit gerade der Ausdruck dieser allerh. damals kundgegebenen Intentionen, wie dieselben namentlich in der Besetzung des Kultusministeriums nach dem Rücktritt des Ministers Falk betätigt worden sind. Diese Zusammensetzung des Staatsministeriums würde politisch nicht mehr zweckmäßig sein, wenn der Weg, der mit der Ernennung von Herrn von Puttkamer betreten worden ist, und der, wie in vielen anderen Einzelheiten, so auch in den Verhandlungen des Herrn von Schlözer in Rom uns unsere Aufgaben vorzeichnet, — wenn dieser Weg nach Ew. M. Willen jetzt verlassen und der Kampf gegen die katholische Kirche wieder mit größerer Schärfe aufgenommen werden sollte.

Ich würde dann doch Ew. M. allerh. Erwägung anheimstellen müssen, ob nicht eine Annäherung an die Elemente, welche durch die Namen Falk und Bennigsen gekennzeichnet sind, politisch geboten erscheinen würde. Solange Ew. M. mir das Vertrauen erweisen, die Geschäfte in meinen Händen zu lassen, halte ich, wie ich zuletzt in meinen beiden erwähnten Vorträgen im Juni und August zu entwickeln die Ehre hatte, zwar an den Positionen fest, welche der Staat der Kirche gegenüber auf dem Gebiete der Gesetzgebung erkämpft hat, namentlich im Bereich der Schulaufsicht, aber ich halte auch für meine Pflicht, bei Ew. M. zu befürworten, daß den katholischen Untertanen auf kirchlichem Gebiete alle diejenigen Freiheiten wiedergewährt werden, welche durch jene vom Staat erkämpften und festzuhaltenden Gesetze nicht ausdrücklich ausgeschlossen sind.

Die Mission des Herrn von Schlözer ist mit dem heutigen Tage beendet, und kehrt derselbe auf seinen Posten nach Amerika zurück, wenn Ew. M. es nicht anders befehlen. Ich habe meinerseits die Instruktion dieses Diplomaten bei seinem Römischen Aufenthalt, soweit sie nicht die einfache Mitteilung über Ew. M. Absicht zur Herstellung der diplomatischen Beziehungen betraf, dem Kultusminister überlassen und stelle Ew. M. anheim, weitere Berichterstattungen von diesem huldr. erfordern zu wollen.

Mein Gesundheitszustand und die Entfernung der Aussicht auf Besserung nötigt mich außerdem zu der allerunt. Bitte, daß Ew. M. huldr. geruhen wollen, den Staatsminister von Puttkamer in ähnlicher Form wie früher den Finanzminister Camphausen mit den Funktionen eines Vizepräsidenten des Staatsministeriums dauernd zu beauftragen und mir demnächst eine absolute Enthaltung von allen Geschäften bis auf weiteres gestatten zu wollen, damit ich mich ausschließlich der Pflege meiner Gesundheit und der Bekämpfung der Krankheit widme, welche mich seit vier Monaten ohne Unterbrechung und mit steigender Heftigkeit heimsucht. Ich werde mir allerunt. gestatten, den bezüglichen amtlichen Antrag durch das Staatsministerium Ew. M. zu unterbreiten.

185. Brief an Staatsminister von Kameke W 14/II, 931, Nr. 1671.

Varzin 26. 9. 1881.

Eurer Exc. gefälliges Schreiben vom 24. d. M. habe ich zu erhalten die Ehre gehabt. Die darin ausgesprochene Auffassung, als hätten E. E. sich über einen Mangel an Rücksichten meinerseits zu beklagen, ist mir eine unerwartete Ueberrraschung gewesen. Wie ich annehmen darf, ist es Ihnen nicht unbekannt, daß mein leidender Zustand mich genöthigt hat, einen längeren Urlaub und gänzl. Verschonung mit Geschäften bei S. M. dem Kaiser nachzusuchen, u. daß in letzter Zeit eine schwere Verschlimmerung meiner Krankheit eingetreten war, welche mich bettlägerig machte. Ohne diese hätte ich, wie es in meiner Absicht lag, die Frage der Besetzung der vacanten Vicepräsidentenstelle [76] für jetzt ruhen lassen u. erst bei meiner Rückkehr nach Berlin in Anregung gebracht. Die neue Erkrankung machte es mir aber unmöglich, den dienstl. Anforderungen zu genügen, welche S. M. in wiederholten Handbillets gerade jetzt an mich stellten, u. ich mußte deshalb mit Beschleunigung darauf Bedacht nehmen, in dem geschäftl. Verkehr des Staatsministeriums mit S. M. so vertreten zu werden, daß ich selbst frei werde.

Hierüber, während ich mit großen Schmerzen zu Bett lag, mit E. E. und

---

[76] Kameke führte nach dem Rücktritt des Grafen zu Stolberg-Wernigerode als dienstältester Minister die Geschäfte des Staatsministeriums und hatte um die Ernennung eines neuen Vizepräsidenten gebeten.

den einzelnen Herrn Collegen in Briefwechsel zu treten war mir physisch unmöglich u. geschäftlich auch nicht angezeigt. Ich glaube den allein richtigen Weg gewählt zu haben, indem ich, da ich eigenhändig nicht schreiben konnte, den Auftrag gab, das gegenwärtig E. E. Verwaltung unterstehende Staatsministerium zu benachrichtigen, daß ich bei meiner Arbeitsunfähigkeit die Beantragung der Ernennung eines ständigen Vicepräs. für geboten hielt. Diese Mittheilung ist von hier an den Unterstaatssekretär in der Erwartung ergangen, daß er sie E. E. vortragen werde. Nach dem Dienstwege konnte m. E. nichts anderes geschehen: auf Vortrag des Unterstaatssekr. konnten E. E. demnächst eine Staatsministerialsitzung anberaumen u. die erwähnte Frage auf die Tagesordnung setzen oder mir geschäftlich antworten, daß E. E. dieß nicht für angezeigt hielten.
Ich konnte natürlich nur annehmen, daß in dieser Art verfahren werden würde, u. wußte nicht, wie meine Anregung sonst an E. E. als den vorsitzenden Herrn Staatsminister hätte gelangen sollen. Ich habe geglaubt, durch die Einschlagung dieses Weges eine besondere Rücksichtnahme gegen E. E. zu üben, da ich nicht im Stande war selbst eine Feder zu führen u. E. E. amtlich zu schreiben; auch dann aber wäre der Geschäftsgang m. E. derselbe gewesen, indem der Unterstaatssekr. Homeyer E. E. Bestimmung über die geschäftl. Behandlung meiner Mittheilung zu extrahiren hatte.
Ich hatte erwartet, daß E. E. darauf entweder, falls Sie zustimmen, eine Staatsministerialsitzung berufen oder, falls Sie Bedenken gegen den Vorschlag des Herrn v. Puttkamer hätten, mir dieselben vorher schriftlich aussprechen würden.
Ich freue mich aus Ihrem gefälligen Schreiben zu ersehen, daß Sie mit mir unter unseren Collegen Herrn v. Puttkamer für den zum Vicepräsidenten Geeignetsten halten, könnte aber, auch wenn ich gesund wäre u. Arbeitskräfte zur Hand hätte, den Vorwurf nicht für berechtigt halten, E. E. Rang u. Stellung außer Acht gelassen zu haben.

186. Immediatbericht: Vorschlag, Puttkamer zum Vizepräsidenten des Staatsministeriums zu ernennen (Ausfertigung) W 6 c, 229 f., Nr. 225.

Varzin, 6. Oktober 1881.

Ew. M. haben durch Allerh. Ordre vom 17. Juni d. J. zu bestimmen geruht, daß bis zur Wiederbesetzung der von dem Grafen Stolberg bis dahin bekleideten Stelle des Vizepräsidenten des Staatsministeriums, wegen welcher Allerhöchstdieselben meinen Vorschlägen entgegensehen wollten, der geschäftliche Vorsitz im Staatsministerium von dem dienstältesten der in Berlin anwesenden Mitglieder desselben wahrzunehmen sei.

Ich habe seitdem die Vorschläge erwogen, welche ich Ew. M. im Sinne der Allerh. Ordre machen könnte, weiß aber außerhalb der Mitglieder des Staatsministeriums Ew. M. auch gegenwärtig keine Persönlichkeit zu nennen, deren Ernennung zum stellvertretenden Vorsitzenden des Staatsministeriums ich Ew. M. als zweckmäßig und als annehmbar für meine Kollegen im Staatsministerium zu bezeichnen vermöchte.

Auch hat mir die Zeit der Amtsdauer des Grafen Stolberg den Eindruck hinterlassen, daß die Stellung eines Ministerpräsidenten und eines Vizepräsidenten ohne Portefeuille, welcher lediglich auf die Präsidialfunktionen mit seiner Tätigkeit angewiesen ist, sich erfahrungsmäßig nicht bewährt: sie hat für mich die Folge gehabt, daß ich den Geschäften des Staatsministeriums in größerem Maße entfremdet wurde, als mit der formellen Fortdauer meiner Verantwortlichkeit für die Gesamtpolitik verträglich war. Diesem Uebelstande wäre nur dadurch vorzubeugen, daß der Vizepräsident sich über alle Vorkommnisse seines Präsidialressorts in naher und ununterbrochener Fühlung mit dem Ministerpräsidenten hielte, so daß die Richtung, in welcher der Vizepräsident die Gesamtpolitik leitet, von derjenigen des Ministerpräsidenten in wesentlichen Punkten nicht abwiche: die Vertretung des letzteren durch einen Staatsminister, dessen Aufgabe sich auf die Präsidialfunktionen beschränkt, wird notwendig mehr eine politische, wie eine geschäftliche werden, mehr eine Ersetzung wie eine Vertretung. Bei dem besten gegenseitigen Willen, wie solcher zwischen Graf Stolberg und mir vorhanden war, hat es sich doch nicht verhindern lassen, daß in den wichtigsten politischen Fragen das legislative Vorgehen des Staatsministeriums und meine Ueberzeugungen als Ministerpräsident weiter auseinandergingen, als ich mit meiner Verantwortlichkeit für die Gesamtpolitik verträglich fand, und zu meinem Bedauern die zwischen dem Grafen Eulenburg und mir entstandene Divergenz so groß durch meine Nichtbeteiligung geworden war, daß sie sich der Oeffentlichkeit nicht mehr entziehen konnte.

Hiernach möchte ich ehrf. bitten, daß Ew. M. auf die Vorschläge, denen Allerhöchstdieselben bezüglich eines Nachfolgers von Graf Stolberg laut Allerh. Ordre vom 17. Juni d. J. entgegensehen wollten, huldr. verzichten und mir gestatten wollen, in analoger Weise, wie früher der Finanzminister Camphausen das Vizepräsidium führte, Ew. M. aus der Zahl der bereits vorhandenen Mitglieder des Staatsministeriums einen Stellvertreter im Präsidium vorzuschlagen. Das in der Allerh. Ordre vom 17. Juni d. J. genehmigte Interimistikum, vermöge dessen der dienstälteste der anwesenden Minister den Vorsitz führt, ist für die seitdem verflossene Zeit ohne dienstliche Unzuträglichkeiten wirksam gewesen; wenn aber mit dem Herannahen der parlamentarischen Arbeiten der Drang der Geschäfte und ihre Bedeutung sich wesentlich steigern, so stellt sich das Bedürfnis heraus, daß die Präsidialgeschäfte und die Verantwortlichkeit für dieselben auch formell dauernd in einer Hand bleiben. Es ist dies für die Verantwortung sowohl Ew. M. wie dem Parlament gegenüber, als auch für die Staatsministerialbeamten ein Bedürfnis; ich allein bin aber nach dem Stande meiner Gesundheit und nach dem Maße, in welchem die Reichsgeschäfte mich in Anspruch nehmen, auch jetzt diesem Bedürfnis zu genügen nicht fähig, und richte deshalb an Ew. M. die ehrf. Bitte, mir in der Führung des Präsidiums die dauernde Unterstützung und Vertretung eines meiner Kollegen in ähnlicher Form, wie dies zur Zeit des Vizepräsidiums des Ministers Camphausen geschehen ist, huldreichst gewähren zu wollen.

Ew. M. Minister des Innern von Puttkamer erfreut sich für eine solche Stellung, wie Ew. M. mir bereits mitzuteilen geruht haben, des vor allen Dingen unentbehrlichen Allerh. Vertrauens, und hat mit Rücksicht hierauf das Staatsministerium in wiederholten Besprechungen sich mit dem Antrage einverstanden erklärt, welchen ich dahin allerunt. stelle:

daß Ew. M. den Minister des Innern von Puttkamer zum Vizepräsidenten des Staatsministeriums allergn. ernennen wollen.

Im Hinblick auf die Geneigtheit zur Genehmigung dieses Antrages, welche Ew. M. mir gegenüber bereits auszusprechen geruht haben, beehre ich mich, die Entwürfe zweier Ordres an den Minister des Innern und an mich mit der Bitte um huldr. Vollziehung beifolgend in Ehrfurcht zu unterbreiten.

187. Schreiben an den früheren österreichischen Minister Dr. Schäffle: Die Unfallversicherung als Staatsaufgabe (Abschrift von eigenhändiger Reinschrift)
W 6 c, 230 f., Nr. 226 = Poschinger, Wirtschaftspolitik II, 71 f. = Rothfels, Staat, 359 f., Nr. 36.

Varzin, den 16. Oktober 1881.

Euerer Exzellenz danke ich verbindlichst für Ihr gefl. Schreiben und habe mich gefreut, in den beiden mir gütigst übersandten Zeitungsartikeln in der Hauptsache den prinzipiellen Ausdruck desselben Systems zu finden, wie es mir, seitdem ich durch die Vorlagen über Haftpflicht und Unfallversicherung genötigt bin, der Sache näher zu treten, vorgeschwebt hat: das System der Berufsgenossenschaft mit Gegenseitigkeit der Versicherung sowohl wie der Kontrolle, und letzterer namentlich auch bei der Unfallversicherung bezüglich der Einrichtungen, aus welchen Unfälle entstehen. Ohne Zuschüsse von Reich und Staat glaube ich allerdings nicht, daß sich etwas anderes erreichen läßt als eine verbesserte, aber auch entsprechend verteuerte Armenpflege auf Kosten der Gemeinden und Berufskorporationen. Das Reich kann die erforderlichen Mittel in weniger drückender Weise beschaffen, als nur Korporationen und Gemeinden es können. Umfassen die Versicherungen alle Berufsklassen, so decken sie die ganze Nation, und liegt keine Ungerechtigkeit darin, wenn die Gesamtheit einen wesentlichen Teil der nötigen Barmittel aufbringt, weil sie es leichter vermag als jede der Korporationen und Gemeinden in sich. Die Statistik ist über mein Erwarten arm an Unterlagen für legislative Arbeiten. Es wird unmöglich sein, die letzteren zum Abschluß zu bringen, ohne diesem Mangel abzuhelfen. Ich würde mich freuen, wenn ich bei den Vorarbeiten hierzu und bei der Prüfung der Wege zum Ziel den Beistand einer auf diesem Gebiete so bewährten Kraft wie der Ihrigen haben könnte, und bitte zunächst um eine gefl. Aeußerung, ob ich auf eine freundliche Bereitwilligkeit Ihrerseits rechnen kann, zuvörderst behufs mündlicher Besprechung, demnächst auch zu geschäftlicher Mitwirkung bei den nötigen Vorarbeiten und Entwürfen. In bezug auf letztere glaube ich nicht an die Möglichkeit eines baldigen Abschlusses in einer parlamentarisch diskutierbaren Form, auch nicht an eine schnelle und vollständige Erreichung des erstrebten Ziels, sondern nur an die Möglichkeit, die zukünftigen Arbeiten in Wege zu leiten, welche nicht vom Ziele abführen.

188. Schreiben an Kronprinz Friedrich Wilhelm: Beziehungen zu Italien und Verwendung des Grafen Eulenburg (Eigenhändig) W 6 c, 231 f., Nr. 227.

Varzin 17. October 1881.

Mit unterthänigstem Danke habe ich Euerer Kaiserlichen Hoheit gnädiges Schreiben von gestern erhalten und mich gefreut, daraus die Absicht des Königs von Italien bezüglich der oesterreichischen Zusammenkunft zu ersehen. Für unsere eigenen Beziehungen zu Italien ist bei unserem jetzigen Verhältniß zu Oestreich vor allen Dingen die Beseitigung aller Verstimmungen zwischen Italien und Oestreich wünschenswerth, und der König Umberto kann für die Pflege seiner Beziehungen zu uns nichts Nützlicheres thun, als die mit Oestreich nach Möglichkeit wohlwollend und friedlich zu gestalten.

Wenn er gleichzeitig Seine Majestät den Kaiser besuchen sollte, so würde dies gegenwärtig das Gewicht der Annäherung an beide Deutsche Mächte kaum verstärken, wohl aber mag der König Umberto die Rückwirkung fürchten, die eine deutsche *Entrevue* auf die schon unfreundliche Stimmung der öffentlichen Meinung Frankreichs Italien gegenüber voraussichtlich haben würde. Ich glaube deshalb kaum, daß ihm gegenwärtig eine Einladung von unserer Seite erwünscht sein würde. Wenn es der Fall wäre, so würde Seine Majestät sich bei den guten persönlichen Beziehungen zu Euerer Kaiserlichen Hoheit vielleicht schriftlich darüber geäußert haben. Ich habe deshalb das Gefühl, daß der König Umberto es als eine rücksichtsvolle Discretion auffassen würde, wenn wir nichts thun, um ihn über die schon nach Frankreich hin wirkende Demonstration der oestreichischen *Entrevue* hinauszuführen.

Für die Vacanz in Lissabon hatte ich mit Rücksicht auf Euerer Kaiserlichen Hoheit gnädiges Handschreiben vom 12. Januar d. J. an den Legationsrath von Schmidthals gedacht. Daß Graf Eulenburg bereit sein würde, seine jetzige Stellung mit der eines Gesandten in Lissabon freiwillig zu vertauschen, möchte ich kaum glauben, wenn ich auch keine Andeutung von ihm darüber habe. Ich fürchte fast, daß er es als ein Übelwollen von meiner Seite betrachten würde, wenn ich ihm diesen geographisch entlegenen und politisch unwichtigen Posten anbiete. Wenn ich Gewißheit haben könnte, daß ich mich darin irre, so würde ich Euerer Kaiserlichen Hoheit Wunsch sehr gern erfüllen. Aber die Meinungsverschiedenheit, in die ich mit seinem Bruder, dem früheren Minister des Innern, gerathen bin, und der Kampf, den ich gegen den Leichtsinn und die Arbeitsscheu seines Vetters meines verstorbenen Collegen, lange Jahre

hindurch habe führen müssen, haben mich bei allen, die den Namen tragen, schon in den Verdacht unfreundlicher Gesinnung gebracht, wie ich ja leider so häufig die Erfahrung mache, daß Alles, was ich nach dienstlicher Nothwendigkeit pflichtmäßig thue, mir als persönliches Übelwollen ausgelegt wird. Ich hatte für Graf Eulenburg bisher einen Posten, wie etwa den Haag in Aussicht genommen, da die Unfähigkeit meines Jugendfreundes, des Gesandten von Canitz, mich leider nöthigt, eine Erledigung dieses Postens zu erstreben und für denselben eine tüchtigere Kraft vorzuschlagen. Zu den Bewerbern um den Haag bei eintretender Vacanz gehört allerdings auch Herr von Radowitz; wenn aber Seine Majestät der Kaiser den Grafen Hatzfeldt schließlich definitiv zum Staatssecretär ernennt, so würde für Herrn von Radowitz der Botschafterposten in Constantinopel frei, der ihm für diesen Fall mit Allerhöchster Bewilligung schon früher in Aussicht gestellt ist.
Der heftige Sturm hat auch hier einige starke Buchen und Eichen, und viele Kiefern gebrochen, aber im Ganzen ist es bei der mehrtägigen Dauer des Orkans doch noch gnädig abgegangen.
Erlauben mir Euere Kaiserliche Hoheit, daß ich diesem Schreiben, von dem ich hoffen darf, daß es morgen noch an seine hohe Bestimmung gelangt, meine ehrfurchtsvollen und herzlichen Glückwünsche zum Geburtstage unterthänigst beifüge. v. Bismarck.

189. Votum an das Preußische Staatsministerium: Schutz des kleinen ländlichen Besitzes (Abschrift)

W 6 c, 232 f., Nr. 228 = Poschinger, Wirtschaftspolitik II, 79 ff.

Berlin, den 13. November 1881.

Mit dem von dem Herrn Justizminister mittels Votums vom 4. Juli d. J. — I 2030 — dem Kgl. Staatsministerium vorgelegten Entwurf einer neuen Subhastations-Ordnung erkläre ich mich einverstanden. Ich kann nur der Ansicht des Herrn Justizministers beitreten, daß die in diesem Entwurfe befürworteten Abänderungen des im Geltungsbereiche der Subhastations-Ordnung von 1869 bestehenden Rechts dazu geeignet sind, den dem Grundbesitzer selbst verderblichen Kredit zu beschränken, zugleich aber auch den Schutz des gesunden Kredits zu erhöhen. Der Entwurf betrifft zwar zunächst nur die legislative Regelung der für die Zwangsvollstreckung in das unbewegliche Vermögen maßgebenden Form. Da jedoch auch einige materielle Rechtsbestimmungen in dem Entwurfe enthalten sind, so darf ich die Vorlage desselben zum Anlaß nehmen, um die Aufmerksamkeit des Kgl. Staatsministeriums auf die Frage hinzulenken, ob es sich nicht empfehlen würde, die Exekution in den kleinen ländlichen Besitz gewissen Beschränkungen zu unterwerfen. In den Vereinigten Staaten von Amerika ist die Exekution gegen den ländlichen Besitzer, wenn letzterer eine bezügliche Willenserklärung abgegeben und dieselbe hat eintragen lassen, in der Weise beschränkt, daß ein gewisser Teil seines Grund und Bodens dem Zwangsverkaufe nicht unterliegt, und diese Bestimmung hat sich dort durchaus bewährt. Damit unser kleiner ländlicher Besitz erhalten werde, würde es m. E. eines ähnlichen Schutzes vermittelst einer gesetzlichen Bestimmung bedürfen, wonach bei Exekutionen gegen den kleinen ländlichen Besitzer ein gewisses zur Erhaltung einer Familie erforderliches Quantum seines Besitzes von der Zwangsvollstreckung nicht ergriffen werden darf.

Abschrift dieses Votums habe ich sämtlichen Herren Staatsministern mitgeteilt.

190. Gespräch mit Freifrau von Spitzemberg und anderen Tischgästen am 15. November 1881 in Berlin W 8, 424, Nr. 316 = Spitzemberg, 193 f.

Zu Tische hinüber gebeten. Nur Oberpräsident Steinmann aus Schleswig, Minnigerode und Rottenburg, Tiedemanns Nachfolger, waren außer der Familie anwesend. Der Fürst sieht gut aus, scheint auch nicht allzu erregt über den Ausfall der Wahlen[77]*, von denen natürlich ausschließlich die Rede war. Sehr angenehm ist's ihm, daß er mit Kaiser und Kronprinz über den einzuschlagenden Weg sich sofort verständigen konnte. Was er tun wird, darüber verlautete natürlich nichts; einmal wollte er im Reichstage erscheinen, sonst aber ihn tunlichst meiden, um sich nicht Infamien auszusetzen. Er komme sich vor, so meinte der Fürst, wie einer, der mit vier Strangschlägern fahren solle, während auf ihn geschossen werde; wenn er den Reichstag anrede, werde er beginnen wie jener Mann, der beim festlichen Mahle also anhub: „Gemeine Bande" — lange Pause und noch längere Gesichter — „vereinigen uns hier" usw. — das ist doch ganz er! Nach Friedrichsruh geht er nicht, die Bevölkerung hat ihn durch Wahl und*

[77] Die für Bismarck sehr ungünstig ausgefallenen Reichstagswahlen vom 27. Oktober 1881, die den Freikonservativen und den Nationalliberalen starke Verluste gebracht hatten.

sonstiges Benehmen zu sehr verzürnt. — Daß Gambetta, der ja jetzt Ministerpräsident ist, in Varzin nicht war, erfuhr ich mit Gewißheit; die höchsten Würdenträger zweifelten noch kürzlich, ob ja oder nein.

191. Schreiben an den Kultusminister von Goßler: Die legislatorischen Maßnahmen zur Milderung der Kulturkampfgesetze (Kanzleikonzept)
W 6 c, 233 ff., Nr. 229.

Berlin, den 25. November 1881.

Ew. pp. gefl. Schreiben vom 9. d. M., betreffend eine dem Landtage vorzulegende kirchenpolitische Novelle, habe ich mit Dank erhalten und die in der beigefügten Denkschrift enthaltenen Vorschläge zunächst unter dem Gesichtspunkt des auswärtigen Ressorts erwogen. Ich bin einverstanden damit, daß die Verhandlungen eines diesseitigen Vertreters sich jederzeit auf die einzelnen Fragen werden beschränken müssen, die sich gerade fühlbar machen; wie ich denn auch in der direkt mit den Kardinälen Franchi und Nina und mit dem Papste selbst geführten Korrespondenz jede Erörterung des Gesamtverhältnisses zwischen dem Staate und der katholischen Kirche als gefährlich betrachtet und als aussichtslos abgelehnt habe. Dagegen habe ich mich nicht mit dem Gedanken befreunden können, v o r Einbringung der Vorlage in eine Diskussion mit der Kurie einzutreten. Abgesehen von der zu befürchtenden Weitläufigkeit, über die wir in Wien reiche Erfahrung gemacht haben, würde alle Vorsicht in der Erteilung und in der Ausführung der Instruktionen es schwerlich verhüten, daß die Verhandlungen, wenn auch nicht die Natur, doch den Schein eines zweiseitigen Vertrages über die Ausübung unserer innern Gesetzgebung annehmen, den die Regierung durch den Inhalt und die Durchfechtung der Vorlage zu erfüllen hätte. Und gerade das, was den Verhandlungen in der Tat den Charakter des Paktierens nehmen würde, die Mündlichkeit, der Mangel eines von beiden Teilen genehmigten Textes der beiderseitigen Erklärungen, würde uns die Verteidigung erschweren, wenn der andere Teil es zweckmäßig finden sollte, hinterher den Vorwurf der *mala fides* gegen uns zu erheben. Ich halte es daher für das Richtige, den Gesetzentwurf zunächst in dem Kgl. Staatsministerium festzustellen, alsdann ungefähr gleichzeitig mit der Vorlegung an den Landtag der Kurie mitzuteilen, ihr erläutern und die Vorteile, welche das Zustandekommen des Gesetzes für sie haben würde, ihr klarmachen zu lassen. In letzterer Beziehung würde ich glauben, auf Ew. pp. Zustimmung rechnen zu dürfen, wenn ich von dem Argumente Gebrauch machen ließe, daß es doch ungewiß sei, wie lange die Leitung unserer Kirchenpolitik in Ew. pp. und meinen Händen ruhen und ob sie nicht wieder einem Minister von der Farbe des Herrn Falk, vielleicht sogar des Hl. Gambetta zufallen werde. Da die Ernennung eines Gesandten erst erfolgen kann, wenn der Etat angenommen ist, so werde ich für eine nicht offizielle Vertretung während der Landtags-Session Sorge tragen, sobald ich dazu die allerh. Genehmigung habe, und Ew. pp. von der getroffenen Wahl der Person in Kenntnis zu setzen nicht unterlassen.

Bei der Redaktion der Novelle und bei der Motivierung und Verfechtung derselben wäre m. E. davon auszugehen, daß S. M. der König in der landesväterlichen Sorge für das Wohlergehen der katholischen Preußen, aus welcher die Vorlage vom 19. Mai v. J. hervorgegangen ist, denselben weitere Erleichterungen, die nach den bestehenden Gesetzen möglich sind, gewähren und die Möglichkeit erweitern will, soweit das geschehen kann, ohne das Wohlergehen der gesamten Staatsangehörigen, die Sicherheit des Staates und die Unabhängigkeit seiner Gesetzgebung zu gefährden. Die Durchführung dieses Gedankens wird es nötig machen, den diskretionären Befugnissen ein größeres Gebiet zu eröffnen, als ihnen in der Denkschrift zugedacht ist. Ich teile freilich die in der letzteren ausgesprochene Besorgnis, daß wir dadurch in einen lebhaften Kampf geraten werden mit dem von Robert von Mohl erfundenen Kunstausdruck Rechtsstaat, von welchem noch keine einen politischen Kopf befriedigende Definition und keine Uebersetzung in andere Sprachen gegeben ist, und mit den Leuten, welche Politik wie nach mathematischen Sätzen treiben wollen, ohne sich zu erinnern, daß die Mathematik sich mit Begriffen beschäftigt, die nirgends verkörpert sind. Aber diesem Kampfe würden wir auch bei dem geringsten Umfange der Fakultäten nicht entgehen, und er scheint gerade auf diesem Gebiete günstigere Chancen zu bieten als anderswo. Es ist unmöglich, aus dem Verhältnis des Staates zur katholischen Kirche das internationale Element auszuscheiden; und die Beziehungen der Staaten zu auswärtigen Mächten wie das *contentieux* unter den Instanzenzug des Rechtsstaates bringen zu wollen, ist doch bisher nur vereinzelten Fanatikern eingefallen. Der Papst besaß schon nach dem kanonischen Rechte sehr ausgedehnte und besitzt seit den vatikanischen Beschlüssen fast unbegrenzte Befugnisse, von der Regel zu dispensieren; das natürliche und unentbehrliche Gegengewicht gegen seine Dispensations-Befugnisse sind diskretionäre Befugnisse der Regierung. Wir dürfen hoffen, es, wenn zunächst auch nicht den durch vorgefaßte Programme gebundenen Fraktionen, doch einem großen Teile des gebildeten Publikums einleuchtend zu machen, daß die Regierung sich nicht selbst in Fessel schlagen kann bei der Abwehr eines Gegners, der für den Angriff die freieste Bewegung hat. Ein verwandter Gedanke ist auch in der Denkschrift ausgedrückt, aber nicht bis zu der Konsequenz entwickelt, hinter der wir, wie ich glaube, nicht zurückbleiben dürfen.

Einer entsprechend freien Bewegung für die Abwehr bedarf die preußische Regierung mehr als manche andere wegen ihrer polnischen Bevölkerung, in welcher der Katholizismus mit national-revolutionären Bestrebungen sozusagen chemisch verbunden ist. Ich erlaube mir die retrospektive Bemerkung einzuschalten, daß dieser Umstand mich vorzugsweise bestimmt hat, die Aufhebung der katholischen Abteilung in Ew. pp. Ministerium, das Schulaufsichtsgesetz und andere Maßregeln, [a] welche mich in den sogenannten Kulturkampf aus politischen, nicht aus konfessionellen Gründen hineingezogen haben, [a] zu beantragen bzw. zu unterstützen. Die deutschen und die polnischen Landesteile sind mit verschiedenem Maße zu messen, und wir müssen uns die Möglichkeit wahren, das zu tun. Da es bisher vermieden worden ist, Spezialbestimmungen für die letzteren zu erlassen, so wird es m. E. von einer im letzten Augenblick zu treffenden Erwägung abhängig zu machen sein, wie stark wir dieses Motiv für die Forderung diskretionärer Befugnisse in der Begründung des Gesetzentwurfes und in den Debatten hervortreten lassen.

Mit diesem Vorbehalt muß ich mich dagegen erklären, dem Landtage über die Grundsätze, nach welchen die Regierung ihre diskretionären Befugnisse zu handhaben gedenke, Auskunft zu geben, oder gar die von dem Staatsministerium mit Kgl. Genehmigung festzustellenden Normen zu veröffentlichen. Wir würden dadurch uns doch wieder eine, wenn auch längere Kette anlegen und durch die Kundgebung, wie lang wir sie zu machen gedenken, das Zentrum (resp. den Papst) gewiß zur Ablehnung der Novelle veranlassen.

Aus dem Gesagten ergeben sich für mich folgende Bemerkungen:

1. zu dem Gesetz vom 14. Juli v. J.

Ich bin damit einverstanden, daß die Art. 2, 3 und 4 wieder in Kraft gesetzt werden, und zwar ohne Zeitbeschränkung, evtl. auf so lange, als es zu erreichen ist. Wir würden die Motivierung auf das Interesse der katholischen Preußen zu gründen und anstatt der in einer Frist liegenden, doch

a–a Eigenhändige Korrektur Bismarcks.

nicht ausreichenden Pression den Wirkungen der Fakultäten zu vertrauen haben.

2. zu der Vorlage vom 19. Mai 1880,
durch deren Verstümmelung das obige Gesetz entstanden ist.

Der Aufnahme des Art. 1 Nr. 1 und 2 in der am Schlusse der Denkschrift vorgeschlagenen Fassung stimme ich mit der Maßgabe zu, daß durch die von dem Staatsministerium festzustellenden Grundsätze die Dispensation der Lehrer an kirchlichen Unterrichtsanstalten von den Bedingungen der Vorbildung und die Zulassung ausländischer Geistlichen für die Landesteile mit polnischer Bevölkerung ausgeschlossen werden. Auch bin ich damit einverstanden, daß von einem neuen Modus der wissenschaftlichen Prüfung nichts erwähnt wird, da derselbe nach den Motiven der Vorlage vom 19. Mai v. J. (Anl. zu d. sten. Ber. S. 3194) „kirchlichen Wünschen" entgegenkommen, die Beteiligung der Staatsbehörden an der Prüfung abschwächen sollte.

Der Art. 2 würde nicht wieder aufzunehmen sein, weil er den Geistlichen den *recursus ab abusu* abschneidet, der zwar seit 1873 nicht vorgekommen ist, aber doch einmal im Staatsinteresse wünschenswert werden könnte.

Welche Erklärungen in den Debatten über Art. 4, den sog. Bischofsparagraphen, abzugeben, wird nach Lage der in Rom zu führenden Verhandlungen zu beurteilen sein. Wenn dieselben nicht zu einem Verständnis über die Ausschließung von Ledochowsky, Melchers und evtl. Brinckmann geführt haben sollten, so wird dem Andringen des Zentrums wie des Fortschritts damit zu begegnen sein, daß die Regierung sich durch diesen Paragraphen nicht verpflichten wolle, die Anerkennung eines jeden abgesetzten Bischofs bei Sr. M. zu beantragen, die Nennung von Namen aber abzulehnen sein. Den in der Denkschrift befürchteten Deklamationen des Zentrums werden wir unter allen Umständen nicht entgehen.

Die Art. 7, 9 und 11 würden aus den in der Denkschrift angegebenen Gründen nicht aufzunehmen sein.

Der sonstige Inhalt der letzteren betrifft

3. die Taktik, die bei den Debatten zu beobachten, und behandelt

a) die beiden Windthorstschen Anträge
auf Aufhebung des Sperrgesetzes vom 22. April 1875 (Ges. S. S. 194) und auf Straflosigkeit des Messelesens und der Sakramenten-Spendung. Der erstere würde abzulehnen sein. Den letzteren kann ich nicht so bedenklich finden, wie in früheren Erklärungen von dem Regierungstische geschehen ist. Ich gehe davon aus, daß an der Herstellung einer regelrechten *cura animarum* dem Papste ebensoviel gelegen sein muß wie der Regie-

rung, und daß der gegenwärtige Inhaber des päpstlichen Stuhles in den deutschen Landesteilen es schwerlich in seinem Interesse finden wird, die ordnungsmäßige Seelsorge ferner zu verwüsten, nur um an den nicht instituierten Klerikern Werkzeuge der Agitation zu haben. Anders liegt die Sache, aus den oben angeführten Gründen, in den polnischen Bezirken. Sollte die Annahme der Novelle und das Gelingen der nebenher gehenden Verhandlungen durch die Bewilligung dieses Windthorstschen Antrages zu erreichen sein, der auch bei konservativen Evangelischen eine mir nicht unerklärliche Sympathie gefunden hat, so würde es darauf ankommen, eine Form zu finden, unter welcher die Regierung die fraglichen Strafbestimmungen in den deutschen Landesteilen außer Wirksamkeit zu setzen, in den polnischen aufrechtzuerhalten vermöchte. Was
b) die Anzeigepflicht
betrifft, so ist dieselbe allerdings noch immer das, als was sie nach den Wiener Besprechungen bezeichnet wurde, der Schlüssel der ganzen Situation. Welche Erklärungen die Regierung über dieselbe wird abzugeben haben, läßt sich heute noch nicht beurteilen.

192. Gespräche mit dem württembergischen Staatsminister Freiherrn von Mittnacht am 25. und 30. November sowie am 2. Dezember 1881 in Berlin

W 8, 433 f., Nr. 318.

Am 25. und 30. November war ich bei Bismarck zu Tisch.
Wie gewöhnlich sprach er über die parlamentarische Lage und die Beziehungen zu den verbündeten Regierungen. Er denke nicht daran, jetzt den Reichstag aufzulösen, beabsichtige aber, in einer Frühjahrssession sich wenigstens die Quittungen für seine Vorlagen zu holen. Lasse sich nichts ausrichten, so müsse man eben zuwarten und sich auf das Budget beschränken. Möglicherweise könne einmal ein Moment kommen, wo die deutschen Fürsten erwägen müssen, ob der jetzige Parlamentarismus mit dem Wohle des Reichs noch vereinbar sei. Auf meine Bemerkung, wenn er nicht mehr vorwärts könne und gehen würde, würden in sechs Monaten alle nach ihm rufen und würde er weniger Widerstand finden, meinte der Fürst, in sechs Monaten könne viel Schlimmes geschehen, und seine Kollegen, die preußischen Minister, seien nicht ebenso in der Lage, gehen zu können wie er. Windthorst, sagte er, sei Agent des Herzogs von Cumberland und Welfe, Bennigsen ein ausgezeichneter Redner, der aber politisch nicht auf gleicher Höhe stehe; die von ihm geführte Partei sei von hundertundzwanzig auf einige vierzig heruntergekommen, und nun sitze der Führer da, schweige und warte, bis ihm etwas in den Schoß falle. Uebrigens habe er den Kaiser, dem noch vor kurzem Bennigsen zu rot gewesen, vermocht, ihn zu ermächtigen, mit Franckenstein und

Bennigsen darüber zu verhandeln, daß sie wenigstens einmal ein Programm vorlegen.
Die bayerischen Minister, fuhr der Fürst fort, sprechen davon, ob sie im Amte bleiben können, mit der Andeutung, daß das Verhältnis der Reichsregierung zum Zentrum auch für sie von Bedeutung sei. Mit dem König von Sachsen stehe der Kanzler sehr gut; derselbe habe ihm auch den Gefallen getan, zum Kaiser von Oesterreich zur Jagd zu fahren, um auf die Beziehungen Oesterreichs zu Rußland einzuwirken. Die sächsischen Minister seien zurückhaltender. Die badische Regierung sei nationalliberal und stehe nicht einmal auf dem rechten Flügel dieser Partei.
Der Fürst kam dann auf meinen Landsmann, den früheren Professor und österreichischen Minister a. D., Dr. Albert Schäffle, zu sprechen. Derselbe habe ihm seine Artikel aus der Augsburger Allgemeinen Zeitung übersandt; er habe mit der Aufforderung geantwortet, als Mitarbeiter bei der Gesetzgebung über Arbeiterversicherung mitzuwirken. Darauf habe Schäffle einen ausgearbeiteten, äußerst umfangreichen Gesetzentwurf eingeschickt mit der Bitte, denselben zunächst nicht zu veröffentlichen. Der Entwurf scheine an dem Mangel zu leiden, daß Schäffle statt einer mehr allmählichen Entwicklung alles sofort bis in das Kleine definitiv regeln wolle. Einer weiteren Bemerkung über Schäffle enthielt sich der Fürst.
Am 2. Dezember, dem Tage nach der Ablehnung der Etatsposition für einen deutschen Volkswirtschaftsrat, für welche Bismarck lebhaft eingetreten war, durch den Reichstag, ließ mich der Kanzler rufen und legte mir die Frage vor, ob ich nicht auch in dem Verhalten des Zentrums, das in seiner Mehrheit gegen die Forderung gestimmt hatte, einen Akt der Feindseligkeit erblicke. Ich konnte es nicht unbedingt bejahen, sprach indes meine Meinung dahin aus, daß die verbündeten Regierungen auf das Zentrum sich niemals dauernd werden stützen können; komme das, was man jetzt die kirchliche Frage nenne, zur Ruhe, so werden vermutlich neue Forderungen erhoben werden, und wären auch diese erfüllbar und das Zentrum gänzlich befriedigt, so würde es wahrscheinlich in Konservative und Demokraten auseinanderfallen.

193. Rede in der 5. Sitzung des Deutschen Reichstags am 29. November 1881

W 12, 291 ff. = Kohl 9, 147 ff.

Der Abgeordnete Haenel hatte die vorangegangenen Angriffe Bismarcks auf die Fortschrittspartei zurückgewiesen und den Reichskanzler verdächtigt, sich nicht immer an die Spielregeln des Konstitutionalismus zu halten. Bismarck antwortet ihm mit weiteren Angriffen gegen den Linksliberalismus:

Der Herr Vorredner hat damit begonnen, mir vorzuwerfen, daß ich mit meiner Ansicht, daß die Fortschrittspartei unbewußt republikanischen Zielen entgegengleite, dieselbe irrtümliche Prophezeiung ausgesprochen hätte, wie sie zu jeder Zeit, wo sich das, was er „wahres konstitutionelles Leben" nennt, entwickelt hatte, von seiten der Reaktion, des Absolutismus, ausgesprochen worden sei. Ich bin weder Reaktionär, noch Absolutist, ich halte den Absolutismus für eine unmögliche Sache; aber ich halte mich an unsere geschriebenen Verfassungen, die wir in Deutschland und in Preußen besitzen, die mir genügen, die aber von dem parlamentarischen System, wie es dem Herrn Vorredner vorschwebt, nichts enthalten. Die Preußische Verfassung behandelt die drei Faktoren der Gesetzgebung auf gleichem Fuß, nicht etwa die Regierung und die beiden Häuser, sondern den König und die beiden Häuser, und die Reichsverfassung gibt nicht der Reichsregierung, von der hier immer die Rede ist, sondern dem Kaiser ganz bestimmte Rechte. Die Politik, die da getrieben wird im Reiche, ist von mir als Reichskanzler zu verantworten, aber sie bleibt deshalb doch die Politik des Kaisers; ich vertrete die Politik des Kaisers, bin verantwortlich für dieselbe, und der sachliche Kampf gegen die Politik des Kaisers wird mich immer bereit finden, diese Vertretung zur Wahrheit zu machen und die Verantwortlichkeit für die Politik des Kaisers zu übernehmen. Ihr Prinzip aber ist insofern nicht das monarchische, als dem, was der Herr Vorredner unter „wahrem Konstitutionalismus" versteht, zur ersten Grundlage das kluge Wort dient, welches die englische Aristokratie nach der großen Revolution, um ihre Herrschaft zu befestigen, erfunden hat: *The king can do no wrong*; dann kann der König aber gar nichts tun, wenn er kein Unrecht tun kann; den König mundtot zu machen, den König als eine Waffe für die Erhaltung der Herrschaft der englischen Aristokratie zu ihrer Verfügung zu behalten, ihn zu sequestrieren, das ist der Sinn davon; seine Beziehungen zum Volk in ihrer Gewalt zu haben, sie nicht zu stark und mächtig werden zu lassen, sich möglichst zwischen König und Volk zu schieben, über seine Unterschrift zu disponieren — denn die braucht das englische Volk, um zu gehorchen: noch heute glaubt es das nicht zu müssen, wenn nicht „Victoria" darunter steht; die Unterschrift ist unentbehrlich. Das war vom Standpunkt der herrschsüchtigen Aristokratie eine weise Einrichtung, daß sie den König obsolet werden ließ, seine Unterschrift aber zur Verfügung behielt. In England hat sich diese Tradition entwickeln können; bei uns aber ist es nicht möglich. Wir unterscheiden uns von England dadurch, daß wir eine geschriebene Verfassung haben, die ganz klar die Rechte des Königs und Kaisers in Deutschland und Preußen, in Bayern und Sachsen, in Württemberg und in allen übrigen Staaten definiert, und daran allein habe ich mich zu halten. Danach muß ich erklären, daß ich auf dem Standpunkt durchaus nicht stehe, als ob der Kaiser im Deutschen Reich nicht zu seinem

Volke sprechen dürfte, nicht zur Nation. Daß ich mich mit meiner Namensunterschrift als verantwortlich einstelle, daß ich bereit bin, die Meinung, die der Kaiser ausspricht, zu vertreten, das ändert an der Tatsache gar nichts, daß dies die berechtigte, verfassungsmäßige Äußerung des Kaisers ist. Es heißt in der Verfassung: Der Kaiser macht Anordnungen und Verfügungen, und in solchen besteht eben die kaiserliche Politik im ganzen, und für diese habe ich die Verantwortlichkeit zu tragen und trage sie gern, weil meine Überzeugungen mit denen meines hohen Herrn durch langjähriges Zusammenleben und von Hause aus, schon vor dem Vereinigten Landtag von 1847, wesentlich zusammenfielen. Es bedurfte für mich nicht einmal des Gefühls des Untertanen gegenüber seinem hundertjährig angestammten Herrscher, um mich dem kaiserlichen Gedanken zu beugen. Das Verhältnis ist durch die Verfassung das, daß die Politik des Kaisers nicht ins Leben treten kann, wenn der Kanzler nicht durch seine Kontrasignatur die Verantwortlichkeit dafür übernimmt, also entweder sein Einverständnis oder seine Bereitwilligkeit, sie zu vertreten, aus anderen Gründen, weil er es nicht für *tanti* hält, um deshalb dem kaiserlichen Willen zu widersprechen, dadurch dokumentiert. Wenn der Kaiser einen Kanzler hat, der das, was die kaiserliche Politik ist, nicht kontrasignieren will, so kann er ihn jeden Tag entlassen. Der Kaiser hat eine viel freiere Verfügung als der Kanzler, der von dem Willen des Kaisers abhängig ist. Der Kanzler kann ohne die kaiserliche Genehmigung keinen Schritt tun, und wenn er einen Schritt täte, so würde er nach unseren dienstlichen Begriffen eine Art Prävarikation treiben, eine Art Mißbrauch des Amts, indem er der Kenntnis des Kaisers etwas entzieht, um eine von der kaiserlichen unabhängige Politik zu üben. Das würde bei uns dienstlich bis zu dem Grade gemißbilligt werden, daß es bei den strengen Ansichten des Kaisers vielleicht die Entlassung des Kanzlers nach sich ziehen würde. Also, während der Kaiser eine freie Bewegung in der Politik hat, indem er den Kanzler wechseln und die monarchische Autorität ihm gegenüber eintreten lassen kann, namentlich wenn ein Kanzler etwa lebhaft an seinem Posten hängen sollte, kann der Kanzler seinerseits auch nicht einen einzigen Schritt tun, kann ich hier keine Meinung vertreten, für die ich nicht des Einverständnisses Seiner Majestät sicher bin oder es vorher eingeholt habe. Ich kann keinen Antrag einbringen, für den ich nicht die kaiserliche Unterschrift habe; und wenn Sie glauben, daß diese Unterschrift immer leicht zu haben ist, so sind Sie in einem großen Irrtum. Ich vertrete die kaiserliche Politik, und ich bin bei den vielen Äußerungen, die über die kaiserliche Botschaft gefallen sind, nicht zum Wort gekommen, deshalb konstatiere ich erst hier meine Überzeugung: Es wird

Ihnen nicht gelingen, dem Kaiser Wilhelm im Deutschen Reich zu verbieten, daß er zu seinem Volke spricht. Den Kaiser Wilhelm nach zwanzig Jahren unserer Geschichte mundtot zu machen — das ist ein ganz vergebliches Beginnen. Wie wollen Sie dem Monarchen, der auf seine Verantwortung und Gefahr die große nationale Politik gemacht hat, die Möglichkeit abschneiden, eine eigene Überzeugung zu haben, wenn er sie hat, sie auszusprechen; wie wollen Sie einem Könige verbieten, über die Geschicke des Landes, welches er regiert, eine eigene Meinung zu haben und sie zu äußern! Wenn die andere Ansicht richtig wäre, so wäre es gleichgültig, wer regierte. Wo kommt es denn in Preußen her, daß die Regierung des hochseligen Königs nach ganz anderen Prinzipien geleitet wurde als die des jetzigen, wenn nicht eine königliche, eine monarchische Politik der ganzen Sache erst den Trieb und Stempel aufdrückte? In demselben Sinne will ich gleich eine meiner Notizen antizipieren, die ich mir gemacht habe erst am Ende der Rede des Herrn Vorredners. Er sagt, der Monarch ist der feste Punkt. Nun, meine Herren, glauben Sie doch nicht, daß ich Ihnen diene! Ich diene dem Kaiser, dem festen Punkt, den Sie anerkennen; das ist das Motiv, welches mich 1862 unter sehr schwierigen Verhältnissen, unter großen Bedrohungen meiner persönlichen Sicherheit, meines Vermögens — ich meine gesetzlichen Bedrohungen — in den Dienst gezogen hat, daß ich sah, mein angestammter Herr brauchte einen Diener und fand ihn nicht; da habe ich gesagt: Hier bin ich. *(Bravo rechts.)* Ich fand keinen, der es mir vormachen wollte, und sehr wenige, die es mit mir haben versuchen wollen. Es ist dasselbe Prinzip der angeborenen Untertanen- und Vasallentreue und Dienstbereitschaft, die mich vor zwanzig Jahren bewog, alle übrigen Rücksichten beiseite zu lassen und dem König mich zu Diensten zu stellen. Das ist auch noch heute die Basis meiner Politik. Diese Gesinnung — ich hoffe nicht, daß sie mit mir ausstirbt, aber so lange ich lebe, wird es einen Royalisten und einen sicheren Diener des Kaisers geben. *(Bravo rechts.)*

Der Herr Vorredner sagt, ich hätte dem Volk das Ohr des Kaisers verschlossen. Glauben Sie doch nicht, daß der Kaiser ein Mann ist, der sich die Ohren zuhalten läßt von einem anderen; der Kaiser kennt vollkommen die Situation, kennt vollkommen die Gefahren, die ihm von der extremen Entwicklung des Liberalismus drohen; er hat mit zu offenen Augen die 85 Jahre seines Lebens die Verhältnisse beobachtet. Wäre aber die Möglichkeit vorhanden, daß Sie das Ohr des Kaisers finden könnten mit Gedanken, die ich für gefährlich halte für die Monarchie, so wäre es meine Pflicht, Sie daran nach Möglichkeit zu verhindern. Ich wüßte aber nicht, wie ich es anstellen könnte; sollte ich Seiner Majestät die Zeitungen vorenthalten? Außerdem, meine Herren, haben Sie ja das große Sprachrohr hier; warum — wie der Herr Abgeordnete Windthorst mit Recht sagte — anstatt meine Person zu kritisieren, stellen die Herren denn nicht Anträge öffentlich? Sie könnten eine Adresse an Seine Majestät beantragen. Sie könnten einen Antrag hier einbringen, der Kaiser möge diesen unheilvollen Kanzler, der seine, des Kaisers, Ohren dem Volke verschließt, entlassen. Ich will den Antrag mit Vergnügen befördern; will einer der Herren eine Adresse einreichen, ich will sein Introdukteur sein, Sie sollen meiner Unterstützung nicht entbehren, wenn Sie glauben, daß der Kaiser die Wahrheit nicht erfährt. Ja, in der öffentlichen Presse, da macht sich das ganz schön: „Das Ohr des Kaisers dem Volke zu verschließen." Ich habe allerlei Reminiszenzen aus der Zeit der ersten revolutionären Bewegungen im Jahre 1830 und 1848; da schwirrte es mir vor den Ohren, daß die Minister angeklagt wurden, daß sie dem Volke „das Ohr des Monarchen verschlössen". Das sind Dinge, die ich als Student erlebte; ich habe sie auch in späterer Zeit, 1848, gehört. Meine Herren, das gehört in unsere Zeit wirklich nicht mehr hinein, das sind unpraktische Worte, die keinen Wert mehr haben *(Heiterkeit)*, solange Sie nicht entsprechende Anträge hier, wo Sie dazu berechtigt sind, ausdrücklich stellen, die Ihrer Meinung Ausdruck geben. Der Kaiser liest die Verhandlungen — da reden Sie doch nicht davon, daß ich dem Kaiser das Ohr verschließe; soweit reicht meine Macht nicht.

Der Herr Vorredner erklärte jene Prophezeiungen bezüglich des Nachlinksgleitens in immer beschleunigterem Tempo, die früher wohl ausgesprochen sind, für falsch. Ja, dem Herrn Vorredner kann doch nach seiner Stellung zur Universität und zur Wissenschaft unmöglich unbekannt sein, wo diese Prophezeiungen sich auf das Glänzendste bewahrheitet haben: es sind stets die Girondins gewesen, die den Staatswagen bis an den Rand des Abgrundes schoben, sie haben überall die konstitutionelle Entwicklung fördern wollen in demjenigen liberalen humanen Sinne, wie es dem Herrn Vorredner vorschweben mag, sind aber schließlich immer über ihr Ziel hinausgeraten. Es sind immer Leute gewesen, die sich beispielsweise auf einen Potsdamer Zug gesetzt haben, während sie nur bis Kohlhasenbrück wollten, und denen der Schaffner sagt: Der Zug hält da niemals; so meinen sie: Er hat bisher da zwar nie gehalten, wird aber vielleicht heute da halten. So werden sie nicht nach Kohlhasenbrück gelangen, sondern darüber hinaus nach Potsdam. So ist es auch in der Politik; der Liberalismus gerät immer weiter, als seine Träger wollen. Sie können die Wucht von 40 Millionen, einmal in Bewegung, nicht anhalten, wo Sie wollen. So ist es in Frankreich gegangen. Ist denn nicht in Frankreich eine erbliche, tausendjährige, solid erbaute Monarchie mit manchmal sehr verständigen Verfassungen, die das Ergebnis von 1789 und später waren, vorhanden gewesen mit allen möglichen Sorten der Monarchie, mit dem Kaisertum, mit der Restauration? Ist der Weg aber nicht unaufhaltsam an der Hand der äußersten konstitutionellen Linken in die republikanische Bahn geglitten? Und haben Sie irgendwelche Voraussicht, daß in nächster Zeit eine Monarchie dort wieder möglich sein werde? Und halten Sie das Untergehen einer erblichen, angestammten Monarchie für das französische Land und das französische Volk nicht für ein Unglück? Ich weiß nicht, ob Sie es tun. Ich halte es dafür.

In anderen Ländern, außer Frankreich, haben wir allerdings das gleiche geschichtliche Experiment, ich möchte sagen, die konstante Praxis der Vorsehung, nicht in gleichem Maße sich verwirklichen sehen, weil nicht alle Länder so selbständig und unbeeinflußt sich entwickeln, wie Frankreich. Nehmen Sie unsere beiden kleineren Nachbarstaaten Belgien und Holland. Ja, wenn diese von der Größe Frankreichs wären, von gleicher Selbständigkeit in ihrer politischen Entwicklung, dann weiß ich nicht, ob sie noch innerhalb des Stadiums der Monarchie sich befinden würden. Nehmen Sie Italien: Haben wir da nicht die Republik vorübergehend teilweise — ich weiß nicht, ob im Einverständnis der Gesamtheit — schon gehabt? Jedenfalls spukt sie in vielen Köpfen, und man ist dort dem deutschen Fortschritt schon voraus. Können Sie irgendwelche Garantie für die Zukunft übernehmen, namentlich wenn Gott die Dynastie, die auf wenigen Augen steht, nicht im Leben erhielte? Sind Sie gewiß, daß die Prophezeiungen, die der Herr Vorredner für falsch erklärt, dann sich dort nicht verwirklichen könnten? Das ist unmöglich vorherzusagen. Ist der Weg, den Italien seit zwanzig Jahren gegen dieses Ziel hin zurückgelegt hat, nicht erkennbar, und ist nicht der Endpunkt — ich will nicht behaupten, daß es ihn erreicht — ist dieser Endpunkt nicht erkennbar? Ist dort nicht von Ministerium zu Ministerium der Schwerpunkt immer mehr nach links geglitten, so daß er, ohne ins republikanische Gebiet zu fallen, nicht mehr weiter nach links gleiten kann? Haben Sie nicht in Spanien temporär die Republik gehabt, ja sogar verschiedene Arten von Republiken, die sich untereinander bekämpften? Haben Sie denn nicht in Deutschland, in Baden, sobald der Fortschritt sich selbst überlassen war, und so lange der preußische Militarismus dem nicht einen Damm entgegensetzte — haben Sie nicht in Baden zur Zeit von Struve und Hecker dieselbe Bereitwilligkeit gesehen, die liberalste Monarchie über Bord zu werfen und die Republik zu proklamieren?

Also so ganz windig und unberechtigt sind die Prophezeiungen, die der

Herr Vorredner in seinem Ton der sichersten Überzeugung als frivol und unhaltbar hinstellte, doch nicht. Die Geschichte spricht für mich. Die Doktrinäre der Wissenschaft haben sich durch den Mund des Vorredners gegen mich geäußert. Ich halte mich an die Geschichte. Und, meine Herren, über diese Dinge — ich kann Ihnen ja das nicht beweisen, ich bin auch nicht hier, um in die Beweisführung einzutreten, sondern um Zeugnis zu geben; ich lege Zeugnis für meine Meinung ab. Ich bin in einer Stellung, wo ich beobachten kann, ich habe wenigstens in der auswärtigen Politik, wie Sie mir zugestanden haben, zwanzig Jahre lang den Beweis geliefert, daß meine Augen nicht ganz blind sind für die Eventualitäten, denen die Geschichte uns entgegenführen kann. Also mit dem Gewicht meiner Erfahrung und Stellung spreche ich als Zeuge mich dahin aus, daß meiner Überzeugung nach die Politik der Fortschrittspartei uns der Republik langsam näher führt — nicht die jetzigen Herren, ich bin weit entfernt, die Herren dessen zu beschuldigen, ich glaube, sie bleiben der Monarchie treu; aber die Stellung, die sie sich für Minister denken, ist nicht die Art Stellung, die die Monarchie von ihren Ministern verlangt und verlangen muß, wenn sie bestehen will. Darum zweifle ich Ihren aufrichtigen Willen, die konstitutionelle Monarchie in ihren äußersten liberalen Grenzen zu verwirklichen, noch in keiner Weise an; ich glaube nur, Sie beherzigen die Lehren der Geschichte nicht, Sie drücken die Augen denselben gegenüber zu; Sie werden nicht imstande sein, die Maschine aufzuhalten, wenn sie da angekommen ist, wohin Sie sie geleitet haben — der Weg wird abschüssig, und Sie sind nicht imstande, der gewaltigen Last von 45 Millionen auf Kommando Halt zu gebieten — das können Sie nicht, es wird Sie überwältigen und fortreißen. Es wird, wie ich hoffe, so nicht kommen — es könnte aber sein, ich spreche nur das Ergebnis meiner politischen Erfahrung und Beobachtung aus — dazu bin ich berechtigt, es kann ein irrtümliches sein, aber es ist meine Überzeugung.

Dann hat der Herr Vorredner auch wieder Worte der Kritik meiner Persönlichkeit und meiner Bestrebungen gesprochen — es ist also, wenn ich nicht irre, die Rede Nummer 4, die ich in meine Sammlung aufnehmen kann — indem er mich anklagte, daß ich eine Diktatur anstrebte oder übte. Ich habe gestern schon gesagt: Für Sie, meine Herren, ist Nichtherrschen immer schon Unterdrückung durch eine Diktatur, und wenn ich mich darauf beschränke, Vorlagen zu machen, die Ihnen nicht gefallen, heißt es Diktatur. Wenn ich von meiner Zunge denselben Gebrauch mache wie Sie und meine Meinung auch verteidige, welche der Ihrigen widerspricht, so heißt es Diktatur. Das heißt doch mit anderen Worten: Wer nicht will, was wir wollen, ist ein Diktator, der alle freie Überzeugung unterdrückt, denn wir allein besitzen das Monopol der freien Überzeugung, und unsere Überzeugung nicht anerkennen, sich unserer Herrschaft nicht unterwerfen, das ist Diktatur. Ja, womit soll ich mich denn beschäftigen, wenn ich Ihnen keine Vorlagen mache? Müssen die immer gerade so beschaffen sein, wie es Ihnen gefällt? Ich habe neulich noch im kleineren Kreise eine Reminiszenz aus meinem Leben erzählt, daß ein witziger alter Herr, der Baron Rothschild in Paris, von einem Geschäftsfreund gefragt wurde: „Herr Baron, was denken Sie über amerikanische Häute?“ Rothschild drehte sich um und sagte über die Schulter: „Herr Meyer, was ist meine Meinung über amerikanische Häute?“ Soll ich nun vielleicht auch, wenn ich Steuervorlagen mache, fragen: Herr Bamberger, was ist meine Ansicht über Zölle? *(Heiterkeit.)* Das können Sie nicht von mir verlangen, ich kann nur meiner Meinung Ausdruck geben, und wenn Sie einen Kanzler brauchen, der gar keine hat — ja, meine Herren, Sie können ja die Entwicklung der Geschäfte zur vollständigen Stagnation bringen, Sie brauchen nur zu allem Nein zu sagen; gut, dann wird die Regierung sich auf die Vorlage des Budgets beschränken können, und wenn wir das Budget vereinbart haben, werden wir nicht weiter zusammenkommen und lassen dem Reichstage Ruhe bis zum Februar 1883; dann wird eben Ruhe, Sie werden gar keinen Streit haben, Sie werden nicht den Verdruß haben, daß ich vor Ihnen hier abweichende Meinungen entwickele, es wird eben eine Stagnation in den Reichsgeschäften eintreten. Ob das für die Entwicklung des Reichs nützlich ist, das überlasse ich Ihnen — meiner Gesundheit wird es jedenfalls nützlich sein.

Der Herr Vorredner hat mir einen Vorwurf daraus gemacht, daß ich nicht die Parteien zu nützen wüßte zum Heil des Ganzen — ich glaube, er sagte, die großen Strömungen in der öffentlichen Meinung oder in den Fraktionen nicht zu pflegen wüßte, in der Nation, die großen Strömungen. Ja, meine Herren, ich sehe von diesen großen Strömungen nichts, ich sehe nur eine Masse von kleineren. Eine große kann ich nur eine solche nennen, die das Maß einer Majorität überschreitet. Ich sehe, glaube ich, acht oder zehn größere oder kleinere Fraktionen: Sie haben da die Konservativen, die Freikonservativen, Sie haben das Zentrum, Sie haben die Nationalliberalen, Sie haben die Partei, die der Herr Abgeordnete Windthorst nicht liberal nennen wollte *(Heiterkeit)*, Sie haben den Fortschritt — dies sind sechs, Sie haben dann eine recht beträchtliche Zugabe noch, die bei diesen schwankenden Majoritäten die Zunge der Wage in der Hand hält: da sind die Polen, das sind sieben; da sind die Elsässer — das sind acht. Wir haben das aufgehende Gestirn der Volkspartei noch nicht erwähnt — die könnte man sehr wohl als die neunte ansehen — und die Sozialdemokratie, die recht stark ist und jeder einzelnen liberalen Fraktion die Waage hält, das wäre die zehnte. — Wie soll ich denn diese großen Strömungen nun pflegen? Ja, der Anspruch steht mir wohl gegenüber, und ich bin ja nicht kurzsichtig genug, um den nicht zu erkennen. Die stärkeren Fraktionen stellen an mich den Anspruch, ich soll ihnen nicht nur meine Person, sondern das kaiserliche Gewicht zur Verfügung stellen für ihre Fraktionszwecke, dann würden sie wohl auskommen können und mit mir zusammen wirtschaften. Ja, wenn das meine Überzeugung wäre, wenn meine Überzeugung mit einer dieser Fraktionen vollständig übereinstimmte, so würde ich mich gern der Fraktion anschließen und würde aus meinem Herzen keine Mördergrube machen, vorausgesetzt, daß ich voraussähe, mit dieser Fraktion kann ich mein Jahrhundert in die Schranken fordern, und die ist stark genug, um das Deutsche Reich mit ihrer Hilfe zu festigen, auszubilden, zu regieren. Wo ist denn aber die Fraktion, an deren Spitze, oder, wie Sie sagen würden, in deren Gefolge ich dies leisten könnte? Zeigen Sie mir die, und dann will ich sie als große Strömung behandeln, ich würde sie studieren und mit ihr in Beziehung treten. Jetzt ist mir aber die schwierige Aufgabe zuteil geworden, zwischen allen Parteien, die sich gegenseitig ohne Sieg bekämpfen bis aufs Blut, zu balancieren und zu lavieren und die Regierung in solcher Lage, ohne besondere Krisen, so lange zu führen, wie ich sie geführt habe. Das ist eine Leistung, der Sie Anerkennung zollen sollten. Ich habe schon vor recht langer Zeit, im Jahre 1847, auf dem Vereinigten Landtage, einmal meine Überzeugung ausgesprochen, daß das englische System der Majoritätsregierung ein ganz zweckmäßiges sei, so lange es nur Whigs und Tories, so lange es nur zwei Fraktionen in der Hauptsache gegeben habe, die untereinander abzählen, wer die Majorität hat, und sobald abgezählt ist, heißt es: „Ablösung vor", und das Ministerium geht ab, und das andere tritt vor. Das spielt sich leicht ab und ist, was die Franzosen nennen, *« le jeu de nos institutions »*. Ich habe schon gesagt im Jahre 1847: Warten wir ab, bis wir verschiedene Parteien in England haben. Schon wenn Sie drei Parteien haben, ist das Rezept nicht mehr durchführbar; wenn Sie aber fünf haben, wie sie eine Zeitlang bestanden haben, so wird es ganz unmöglich; ich sagte damals, dann sind nur Koalitionsministerien möglich; solchen sind dann weite Gebiete der Politik, die der Regelung bedürfen, zu betreten verboten, weil auf ihnen die Koalition sich löst. Solche Koalitionsregierungen sind also notwendig schwache. Bei uns aber liegt eine Notwendigkeit dafür nicht vor, weil es ganz unmöglich ist, eine Majorität zu bilden; auch die Koalition würde dazu nicht führen. Sie glauben vielleicht, durch Neuwahlen, wenn also ein liberales Ministerium jetzt ans Ruder käme und auflöste und mit dem ganzen Hochdruck des Einflusses der Wahltechnik, deren Geheimnis die Herren besitzen, nun auf die Wahlen wirkte, daß Sie dann eine volle und große liberale Majorität haben würden. Es ist ja möglich. Sie haben den Beweis aber noch nicht geliefert, und ich glaube, Sie überschätzen den Regierungseinfluß. Die Herren sind darin im Irrtum: Wenn einige aus Ihrer Mitte Minister würden, so würden sie zunächst den Widerstand derjenigen ihrer eigenen Fraktion, die nicht Minister geworden sie, zu bekämpfen haben. Sie irren sich, wenn Sie glauben, daß Sie die Majorität, wenn Sie dieselbe überhaupt erreichen, was ich nicht glaube — die Maschine ist dazu nicht stark genug — wenn Sie im Volk die Majorität erreichten, so würden Sie dieselbe doch nur so lange besitzen, wie Sie in der Opposition sind; Sie würden mit derselben das Ministerium, so lange es sich dazu hergibt, bedrücken und beeinflussen können, das ist ja wohl möglich. Aber sobald Sie Minister werden, würden diejenigen von Ihnen, die Minister geworden sind, sofort mit der *nota levis* oder mehr behaftet werden, die nach dem Begriffe eines deutschen Liberalen jedem Minister anklebt. *(Widerspruch links.)* Ihre bisherigen Genossen würden es für Schmach halten, eine ministerielle Partei zu sein; sie würden von der Unmöglichkeit, eigene Überzeugung aufzugeben, reden, von Byzantinismus, Adulation — was ist da alles zu hören gewesen — das würde sofort in der eigenen Partei ihren alten Führern der Bruder dem Bruder vorwerfen. Die Meinung, daß ein Parteiführer glaubt, er könne seine Fraktion als Minister mit in die Regierung nehmen und sie werde ihn auch da unterstützen, ist eine ganz irrtümliche, und wer das glaubt, der kennt die Deutschen nicht, und mag er achtzig Jahre alt sein. Ich habe darüber meine Erfahrung, da ich mit allen Fraktionen über das Thema im Kampf gewesen bin. Wenn ich mit zehn Fraktionen und in den schwierigsten Verhältnissen, häufig mit Sturm und Wind, so lange zu kämpfen gehabt habe, und wenn ich da die Regierung zwischen zehn Fraktionen im Kampf habe führen können, ohne daß es zu weiteren Zwistigkeiten als zum Auswechseln böser Worte gekommen ist, meine Herren, das hat man mir wenig gedankt. Es war das eine angreifende Arbeit. Diese hätte ich aber nicht leisten können, wenn ich mich einer Fraktion so zu Dienste hätte geben wollen, wie es ab und zu von der einen wie von der anderen beansprucht worden ist. Denn den Anschluß an die eine Fraktion involviert den Bruch mit der andern, und die Schmach, ministeriell zu sein, wird jedem vorgeworfen, der mit dem Minister stimmt. Dieses Vorurteil findet ja auch an meinen besten und nächsten Freunden in der konservativen Partei, der mein eigener Bruder angehört und meine nächsten Verwandten angehören, vollen Anklang; sie sagen mir: Glaube doch nicht, daß wir ministeriell seien, eine solche demütigende Meinung von uns muß man nicht haben, wir sind unabhängige Leute, die eine eigene Meinung haben. Wo es für eine Schande gilt, ministeriell zu sein, da ist eine konstitutionelle Regierung eine vollständige Unmöglichkeit. Ich habe oft Engländer gesprochen, die dem Parlament angehörten, und die mir sagten in Bezug auf irgendeine bestimmte Maßregel: ich halte diese Maßregel für töricht, für gefährlich und für unglücklich, aber der Minister, der die Partei führt, der Führer der Partei hat es gewollt, er muß die Verantwortung dafür übernehmen — ich glaube, er begeht eine Torheit. Ja, meine Herren, zu dieser Entsagung werden Sie den deutschen Partikularismus, der sich in dynastischen Ländern, in Reichsdörfern wie in Reichsstädten, in Häusern, in Farben, in Fraktionen verkörpert oder Dorf gegen Dorf abschachtelt, wo jeder in seiner stolzen Unabhängigkeit allein die Meinung sich nach seinem Kopfe bildet — dazu werden Sie es bei uns nie bringen, und deshalb glaube ich, daß wir nicht zu der Regierungsform, die dem Herrn Abgeordneten Haenel vorschwebt, befähigt sind. Ich habe in allen diesen Kämpfen nur eine einzige Magnetnadel gehabt, die mich leitete. Das war das: Was ich in diesem Falle für das Reichsinteresse erkannte, das habe ich vertreten, mochte die Fraktion, die ich dabei bekämpfen mußte, mir nahe stehen oder nicht; eine andere Aufgabe kann ich mir auch künftig nicht stellen. Daß ich dabei meine Position habe wechseln müssen, war natürlich; das lag aber nicht an einem Wechsel meiner Überzeugungen, sondern an der Notwendigkeit, zu tun, was unter so oder so veränderten Umständen für das Reich zu tun war. Die Versatilität lag auf der Seite der Fraktionen, nicht bei mir; sie sind alle allmählich weiter nach links geglitten, so daß sie mit dem, womit sie im Jahre 1866 noch zufrieden waren, heute nicht mehr zufrieden sind, sie verlangen heute mehr. Seitdem haben wir einen weiten Weg zurückgelegt. Sie haben jede einzeln den Punkt, bis zu dem ich mit ihnen gehen konnte, überschritten, und jetzt suche ich zu hemmen und zu halten. Es liegt also die Versatilität nicht an mir, sondern an den Fraktionen. Denken Sie zurück, was war früher Liberalismus? Zu den Zeiten, wo wir alle schon im Parlamente waren, da waren Fraktionen wie Camphausen und Beseler, die sogenannten Altliberalen, schon der schärfste Ausdruck der Opposition, vor deren Blick jeder Minister, der zu den Höflingen der Majorität gehörte, den seinigen niederschlug. Wo ist die Herrlichkeit geblieben? Jetzt gelten die Altliberalen für Reaktionäre, für einen überwundenen Standpunkt der großen liberalen Partei gegenüber, und so werden hinter dieser immer wieder neue Größen auftauchen, die das, was Sie, meine Herren, schließlich als Äußerstes erreicht haben, als Ausgangspunkt für neue Forderungen und Bestrebungen betrachten. Das können Sie nicht ändern, und deshalb seien Sie doch mit dem Vorwurf, daß ich veränderlich in meiner Überzeugung wäre, etwas sparsamer. Es kommt mir das gerade so vor, als wenn man meinem verehrten Freunde, dem Grafen von Moltke, hier vorwerfen wollte: Warum haben Sie nicht in der Schlacht von Sedan dasselbe Manöver wie in der Schlacht von Mars la Tour ausgeführt? Das ist auch eine Inkonsequenz, die man von einem so einsichtigen Strategiker nicht erwartete. Er wird sagen: Der Fall lag eben anders, der Feind stand anders, er schoß mit anderem Material. So ist es auch bei mir, verlangen Sie von mir keine Konsequenzmacherei, sondern ich führe die Regierung nach meiner Überzeugung, die immer auf seiten des Reichs und nie auf der Seite einer Fraktion stehen wird. *(Bravo! rechts.)*

194. Rede in der 6. Sitzung des Deutschen Reichstags am 30. November 1881
W 12, 299 ff. = Kohl 9, 162 ff.

Bei der Beratung des Etats des Auswärtigen Amtes kommen mehrfach die Beziehungen zur Kurie und die Möglichkeiten des Abbaus des Kulturkampfes zur Sprache. Dem Abgeordneten Virchow antwortet Bismarck:

In dem Budget, über das wir diskutieren, befindet sich eine Position, welche zu der Interpellation über Beziehungen des Reichs zum Papst Anlaß geben könnte, nicht. Ich kann jedoch dessenungeachtet die Anfrage des Herrn Vorredners dahin beantworten, daß Verhandlungen des Deutschen Reichs mit dem römischen Stuhl überhaupt nicht stattfinden. Ich kann seine Ansicht nicht teilen, daß es dem Lande oder dem Reiche nützlich wäre, die Beziehungen, in denen beispielsweise das Königreich Preußen, auch andere Bundesstaaten, zu Rom steht, hier zum Gegenstand der Diskussion zu machen. Die konfessionellen Fragen gehören nicht zu den unter Artikel 4 der Reichsverfassung aufgeführten, und ich halte es für nützlich, den Streit darüber auf diejenigen Grenzen zu beschränken, in die er sachlich möglicherweise eingegrenzt werden kann. Die Beziehungen, die dem Herrn Vorredner vorschweben, sind wohl nicht die des Reichs, sondern die Preußens, und ich wäre gern bereit, näher auf die Frage einzugehen, wenn er mir im Preußischen Landtage eine ähnliche Anfrage vorlegte; dann würde ich über die Absichten der preußischen Regierung dort Auskunft geben. Der König von Preußen sowohl, wie andere Mitglieder des Reichs — ich meine wie andere Bundesstaaten — haben ein wesentliches Interesse oder fühlen die Pflicht, können sie fühlen, und der

König von Preußen fühlt sie jedenfalls, die Interessen ihrer katholischen Untertanen in Rom auch vom Standpunkte der weltlichen Gewalt wahrzunehmen, und deshalb ist die Absicht, demnächst in das preußische Budget eine Position einzufügen, die den Zweck hat, direkte Beziehungen und Verhandlungen über die vielen Personal- und anderen Fragen, die vorkommen, über viele Lokalfragen, auch über wichtigere und prinzipiellere Fragen, wieder direkt möglich zu machen. Die Aufhebung derjenigen Gesandtschaft, die von Preußen auf den Norddeutschen Bund und dann noch auf das Deutsche Reich übergegangen war, die früher in Rom bestand, hat an und für sich prinzipielle Gründe, die mit dem, was man Kulturkampf in Preußen nennt, in einem logischen Zusammenhange ständen, nicht. Sie werden sich aus den Verhandlungen erinnern, daß wir damals empfindlich berührt wurden durch die Tonart der Sprache, die von Rom aus in Bezug auf die preußische Regierung, respektive den Kaiser, der ja gleichzeitig König von Preußen ist, geführt wurde, und daß das Grund war, warum wir zuerst die Verhandlungen abbrachen und demnächst die Gesandtschaft nicht wieder in Ansatz brachten. Dieses Motiv der Verstimmung unsererseits ist seitdem weggefallen. Wir stehen in den höflichsten und freundlichsten Beziehungen mit dem jetzigen Inhaber [78] des römischen Stuhles, und es liegt kein Grund mehr vor, die Interessen der katholischen Untertanen der einzelnen Staaten nicht wahrzunehmen. Wenn diese Aufgabe nach meiner Auffassung zunächst durch den preußischen Staat mehr als durch das Deutsche Reich zu erfüllen ist, so leitet mich dabei kein prinzipielles Bedenken, sondern nur die Logik der geschäftlichen Lage. Das Reich hat die konfessionellen Fragen und den Schutz der Eingesessenen der einzelnen Länder, die Vertretung und Befürwortung ihrer Interessen in Rom, die ja von evangelischen und katholischen Staaten seit Jahrhunderten immer stattgefunden hat, in einer eingestandenen oder offiziösen Form — das Reich hat sie unter seinen Attributionen in der Verfassung nicht aufgezählt. Es würde das an sich kein Hindernis sein, da auch andere Landesinteressen, die mehreren Bundesstaaten gemeinsam sind, wie diese, unter Umständen durch Beamte des Reichs wahrgenommen werden, und das Interesse, mit dem höchsten Priester der katholischen Kirche, welcher ein so wesentlicher Teil der deutschen Untertanen angehört, direkt zu verhandeln, ist geschäftlich nicht nur in Preußen vorhanden, es ist in allen deutschen Staaten vorhanden, welche katholische Untertanen haben. Von Bayern wird es durch einen eigenen bayrischen

[78] Papst Leo XIII.

ständigen Gesandten wahrgenommen, und logisch zunächst lag mir die Lösung der Sache in der Form nahe, daß der König von Preußen die Interessen seiner Untertanen selbst wahrzunehmen habe. Das würde nicht hindern, wenn beispielsweise, was bisher nicht der Fall gewesen ist, in Sachsen, in Württemberg, in Baden, in Hessen die gleiche Auffassung der Dinge bestände, daß dieselbe Vertretung auch von seiten des Reichs stattfinden könnte, nicht als eine Vertretung bei einer auswärtigen Macht, sondern als eine Vertretung bei dem Haupte einer Kirche. Ich habe mir dabei die Frage vorgelegt: Kann ich die katholische Kirche in Deutschland als eine ausländische Institution betrachten, die dem rein diplomatischen Verkehr unterworfen ist? Ich habe geglaubt, diese Frage verneinen zu sollen. Ich rechne die Bekenner der katholischen Kirche zu unseren gleichgestellten Landsleuten und die Institutionen der katholischen Kirche in Deutschland mitsamt der päpstlichen Spitze, die zu ihr gehört, für eine einheimische Institution der deutschen Bundesstaaten, respektive des Deutschen Reichs, insofern komme ich infolge der Logik der Tatsachen, nicht durch irgendein Prinzip, immer nur dahin, daß ich die Einzelvertretung zunächst indiziert halte, daß ich aber die Gesamtvertretung derjenigen Bundesstaaten, die hierin ein gleiches Interesse haben, durch das Reich nicht ausgeschlossen finde. Die schwebenden Verhandlungen haben bisher keine Tragweite, die selbst den Herrn Vorredner beunruhigen könnte. Wir wünschen, daß nicht bloß im Reiche, welches keinen Kulturkampf hat, sondern auch in den einzelnen Bundesstaaten wir dem Frieden näher und näher kommen und so nahe kommen, wie es irgend mit der traditionellen und seit Jahrhunderten den Gegenstand des Kampfes bildenden staatlichen Unabhängigkeit, auf die der Staat bestehen muß, verträglich ist. Diese Quadratur des Zirkels wird sich in Vollkommenheit niemals lösen lassen und hat sich nie lösen lassen, aber wir hoffen, daß ein für beide Teile annehmbarer *modus vivendi* durch eine direkte Vertretung bei Rom möglich und nützlich ist. Wir haben bisher diese Vertretung im Sinne und im Namen des Einzelstaates Preußen ins Auge gefaßt; wir könnten aber von dort, wenn es der Wunsch der übrigen Regierungen *notabene* ist, die darüber doch erst zu befinden haben, wie sie ihre Interessen vertreten zu sehen wünschen — wir könnten aus dieser Situation, wie wir sie erstreben, in jedem Jahre und an jedem Tage leicht in die der Reichsvertretung übergehen.

Über den materiellen Stand der Verhandlungen mit dem römischen Stuhle hier Auskunft zu geben, beabsichtige ich nicht; ich teile, wie gesagt, die Ansicht des Herrn Vorredners nicht, daß es dem Reiche oder dem Lande nützlich wäre, wenn ich es täte.

Nach einer Kontroverse zwischen den Abgeordneten Windthorst und Virchow fährt Bismarck fort:

Der Herr Vorredner [79] hat ja vollständig recht, wenn er sagt, daß dieser Kampf, den er selbst Kulturkampf genannt hat, seine wesentliche politische Seite hat. Die römische Kirche ist von jeher nicht bloß eine geistliche und kirchliche, sondern auch eine politische Macht gewesen, und der Herr Vorredner hat uns darüber nichts Neues gesagt, die wir unsere deutsche Geschichte tausend Jahre rückwärts kennen. Das Papsttum ist, wie jede Kirche gelegentlich, eine sehr starke politische Macht gewesen. Rein konfessionelle Kämpfe würde ich überhaupt nicht führen, wenn der politische Beisatz, die Machtfrage, nicht wäre, eine Machtfrage, die auch in der vorchristlichen Zeit sich zwischen Königen und Priestern kenntlich gemacht hat — wenn die nicht da wäre, würde ich ja mit einer solchen Entschiedenheit in diesen Kampf nicht eingetreten sein, da ich konfessionelle Stellungen nicht bekämpfe.

Der Herr Vorredner hat mir vorgeworfen und hat auch darin wieder den üblichen Mangel an Konsequenz bei mir entdeckt, daß ich diesen Kampf nicht fortgesetzt hätte, daß ich ihn eine Zeit hindurch mit Lebhaftigkeit betrieben und nachher fallen gelassen hätte. Nun, jeder Kampf hat seine Höhe und seine Hitze, aber kein Kampf im Innern zwischen Parteien und der Regierung, kein Konflikt, kann von mir als eine dauernde und nützliche Institution behandelt werden. *(Heiterkeit links.)* Ich muß Kämpfe führen, aber doch nur zu dem Zweck, den Frieden zu erlangen; diese Kämpfe können sehr heiß werden, das hängt nicht immer von mir allein ab — aber mein Endziel ist dabei immer doch der Friede. Wenn ich nun glaube, in der heutigen Zeit diesem Frieden mit mehr Wahrscheinlichkeit näher zu kommen als in der Zeit, wo des Kampfes Hitze entbrannte, so ist es ja an sich meine Pflicht, dem Frieden meine Aufmerksamkeit zuzuwenden und nicht weiter zu fechten, bloß um zu fechten gleich einem politischen Raufbold *(Heiterkeit)*, sondern ich fechte, um den Frieden zu erlangen. Kann ich ihn haben, kann ich auch nur einen Waffenstillstand, wie wir deren ja gehabt haben, die Jahrhunderte hindurch gedauert haben, erlangen durch einen annehmbaren *modus vivendi,* so würde ich pflichtwidrig handeln, wenn ich diesen Frieden nicht akzeptieren wollte. Aber selbst wenn ich händelsüchtiger wäre und den Kampf fortsetzen wollte, so würde ich das haben aufgeben müssen, nachdem die Bundesgenossen, mit denen ich in Gemeinschaft damals gefochten habe, mich verlassen

[79] Abg. Virchow.

haben oder für ihre weitere Unterstützung Preise gefordert haben, die ich im Rückblick auf das Reich und das Land Preußen nicht gewähren konnte. Es berührt das ja dieselben Fragen, über die wir gestern reichlich diskutiert haben. Wenn ich zuletzt durch die Bewegungen und Verschiebungen, welche innerhalb der liberalen Parteien vorgehen, die mir damals beistanden, jetzt aber nicht mehr, in die Alternative gestellt werde, zwischen einer Annäherung an das Zentrum und einer Annäherung an den Fortschritt zu optieren, so wähle ich aus staatsmännischen Gründen das Zentrum. *(Hört! links.)* Das Zentrum kann für den Staat sehr unbequem werden und ist es geworden, aber nicht so gefährlich, wie meines Erachtens der Fortschritt werden kann *(Unruhe links)* — wenigstens in den deutschen Provinzen nicht, in Polen ist es anders. Da wähle ich als Politiker, der zu einem Urteil, zu einer Meinung verpflichtet ist, notwendig das kleinere Übel, wenn es eins ist — ich will damit keine unhöfliche Bezeichnung verbinden — was mir das kleinere erscheint. Ich will sagen, ich wähle die Seite, durch welche meiner Ansicht nach das Staatsschiff weniger periklitiert, sondern nur in seiner Steuerung einigermaßen geniert und gehemmt wird, ohne geradezu Gefahr zu laufen. — Sie sehen, ich lege auch hierin meine Ansicht offen dar, und ich bitte, Sie an das gestrige Bild erinnern zu dürfen, daß, wenn ich im Kampf gegen die Parteien und gegen die ununterbrochen sich drehenden Strömungen und Wirbel der Parteien am Steuerruder des Staates stehe, ich nicht alle Jahre, alle Tage und in jedem wechselnden Moment wie ein theoretischer Narr dasselbe tun kann, was ich vor fünfzehn Jahren etwa getan habe, während eine vollständig veränderte Situation da ist, und der Kampf, den ich pflichtmäßig vielleicht, ich weiß nicht wie viel Jahre und, ich gestehe gern ein, mit der mir eigenen Lebhaftigkeit geführt habe, jetzt meines Erachtens nicht mehr notwendig ist. Ich ordne diese meine Lebhaftigkeit, wie ich glaube, immer, vielleicht nach meinem gestern getadelten Temperament mitunter nicht schnell genug, doch dem mich beherrschenden Gesetz der *salus publica* bereitwillig unter. *(Bravo! rechts.)*

Auf die Feststellung des Abgeordneten Haenel, die Haltung des Reichskanzlers gegenüber dem Zentrum habe sich geändert, antwortet Bismarck:

Ich muß mich von neuem gegen den ungerechten Vorwurf eines willkürlichen oder schnellen Wechsels meiner Überzeugungen verwahren, der in keiner Rede von jener Seite gestern und heute mir erspart geblieben ist, und den ich in keiner Rede vorübergehen lassen werde, ohne ihn zu berichtigen. Der Herr Vorredner hat gesagt, meine Stellung zu den Parteien sei von mir wesentlich verändert worden. Er hat das mit Bezug auf meine Äußerung gesagt, daß ich von den Bundesgenossen, die ich gehabt hätte, verlassen worden sei. Zu diesen Bundesgenossen habe ich nun die Fortschrittspartei niemals zählen können. Der Herr Vorredner wird wohl von mir nicht behaupten können, daß in meinem ganzen politischen Leben ein Moment existierte, wo ich mich in irgendeiner Intimität mit der Fortschrittspartei befunden hätte, die ich hätte aufgeben können. In allen meinen Bestrebungen, und zum Teil erfolgreichen, im Preußischen Landtag und im Deutschen Reichstag habe ich immer und unwandelbar die Fortschrittspartei zu Gegnern gehabt. Sie hat immer versucht, das zu verhindern, was ich erstrebt habe; ich habe sie immer auf der gegnerischen Seite gefunden. Ich kann mich also in der Beziehung nicht geändert haben; sie hat mich die Farbe der Unterstützung, die ich aufgegeben haben soll, nie kennenlernen lassen. Der Herr Vorredner hat also unrecht, zu sagen, ich hätte erklärt, oder es läge überhaupt vor, daß ich, zwischen der Unterstützung der Fortschrittspartei und der Unterstützung des Zentrums wählen sollend, die des Zentrums vorzöge. Ich darf gar nicht sehr wählerisch sein in den Unterstützungen; ich bin verpflichtet, wenn ich das Wohl des Reichs erstrebe oder zu erstreben glaube, die Unterstützungen anzunehmen, die mir gewährt werden. Ich sage nur, wenn ich mich in einem gewissen Maße zu einer Heerfolge mit einer Fraktion engagieren soll, daß ich dann die Wege des Zentrums für weniger reichsgefährlich halte als die der Fortschrittspartei, weniger gefährlich für unsere monarchische Ordnung. Die Unterstützung des Zentrums habe ich selten gehabt, aber doch in einer sehr wichtigen Frage, in der Zollfrage, und von da ab wurde die Änderung in der Haltung der liberalen Fraktionen zu mir definitiv, die im Frühjahr 1878 begann, wo man mich für die Unfolgsamkeit strafte und mir Sukkurs entzog, mich politisch auszuhungern bemüht war, um mich folgsam zu machen. Das wurde dadurch besiegelt, daß im Jahre 1879 mit den Liberalen über diese Zollsache nicht zu verhandeln war, ohne wie ich vorhin sagte, einen Preis dafür zu zahlen, den ich nicht geben wollte, während das Zentrum auf bloß sachlichem Grunde seine Unterstützung anbot *(Widerspruch links)*, ohne andere Bedingungen als formelle zu stellen. Ja, meine Herren, man gewinnt auf eine Regierung nicht Einfluß dadurch, daß man sie bekämpft, reizt, beschimpft, sondern man gewinnt Einfluß dadurch, daß man sie unterstützt. Diejenigen Regierungen, die für den Druck, für Grobheit, möchte ich sagen, empfänglicher sind, als für Unterstützungen, taugen überhaupt nicht viel. *(Heiterkeit.)* Das sind, wie ich sie gestern nannte, die Höflinge der Majorität, die Registratoren der Majorität. Solche Leute können Sie in untergeordneten Schichten finden, die bloß fragen: Wie fällt die Majorität aus, der werden wir gehorsam sein ohne Kopfzerbrechen; es wird abgezählt: 150 gegen

140 — was nun dem Staate nützlich ist, darüber bildet man sich kein Urteil, das hängt allein von der Majoritätsfrage ab. Es wird abgezählt, das ist so ungemein bequem, dazu brauchen Sie keine Männer von Fähigkeit, von Diensteifer oder von derjenigen Sachkenntnis, die auch an mir von Ihnen so sehr vermißt wird, dazu brauchen Sie mich nicht, dazu brauchen sie einfache Protokollführer der Majorität, denn der Byzantinismus ist in unseren Zeiten nie so weit getrieben worden als in der Anbetung der Majoritäten *(sehr wahr! rechts)*, und die Leute, die der Majorität unter Umständen fest ins Auge sehen und ihr nicht weichen, wenn sie glauben im Rechte zu sein, die finden Sie nicht sehr häufig, aber es ist immerhin nützlich, wenn der Staat einige davon in Vorrat hat. *(Bravo! rechts.)*

Wenn ich vorher von der Unterstützung gesprochen habe, die ich früher hatte, und die ich verloren habe, so habe ich damit gar nicht die Fortschrittspartei gemeint, sondern die nationalliberale Partei. Allmählich ist in ihr der linke Flügel der stärkere geworden, vielleicht ist er auch der beredsamere, und die Beredsamkeit hat ja ein viel größeres Gewicht, als sie eigentlich in politischen Dingen verdiente; denn es ist nicht immer geschrieben, daß der beste Redner auch der beste politische Urteiler wäre. Ich habe das schon im vorigen Jahre zu sagen Gelegenheit gehabt, und ein Ministerium, zusammengesetzt aus lauter Leuten, die auch nur so viel sprechen wie ich, würde schon dadurch unbrauchbar sein. *(Heiterkeit.)* Ich fühle, daß ich darin sündige; ich verlasse keine Sitzung ohne eine gewisse Beschämung, daß ich eine erhebliche Zeit meiner und anderer mit Reden, die die Sache selbst weiter nicht fördern, verbracht habe. Aber, meine Herren, Sie können von mir als Minister doch nicht verlangen, daß ich hier dabeisitze — und hier bleiben muß ich, weil mein Etat zur Beratung steht — und nun ruhig mit anhöre, daß jeder Redner seine sachlichen Darlegungen mit einigen Hieben gegen den Reichskanzler, seine Vergangenheit, das, was er gesagt hat, das, was von ihm zu erwarten ist, verbindet, und ich soll mich ruhig schlagen lassen! Das bin ich nicht gewohnt; ich schlage wieder, wenn ich geschlagen werde. *(Heiterkeit.)* Dann heißt es in den Blättern, der Reichskanzler allein habe — darüber ist alles einig — die Debatte von dem sachlichen Gebiete auf das persönliche geführt. Ich muß dagegen sagen: Dazu habe ich mich nicht vermietet, daß ich mich injurieren lasse, sondern ich wehre mich und antworte; aber dann suchen Sie die Ursache, warum die Sachlichkeit aufhört, in den Spitzen und Hieben, die gegen mich eingeflochten werden in den sachlichsten Debatten. Lesen Sie doch den Ursprung unserer dreitägigen Debatte hier nach! Wie bin ich denn hereingezogen? Immer durch die Spitzen, die gegen mich geschleudert werden; ehe ich wußte, was die Tagesordnung war, habe ich schon solche Angriffe abzuwehren gehabt. Das werde ich immer tun. Sie können mich bis zu einem gewissen Grade ermüden und aufreiben, aber so lange meine Kräfte reichen, fechte ich, und ich bitte Sie doch auch, daß Sie nicht bloß die Leistungen der Abwehr und der Verteidigung zählen und öffentlich besprechen, sondern auch die Angriffe. Das ist ja bei den Kämpfen unter erwachsenen Leuten zwar seltener als unter den anderen Teilen unserer Familien der Fall, daß jeder sich nur der Schläge erinnert, die er empfängt, aber nie derer, die er gegeben hat. *(Sehr richtig! rechts.)*

195. Gespräch im Familienkreis mit Freifrau von Spitzemberg am 29. November 1881 in Berlin W 8, 434 f., Nr. 320 = Spitzemberg, 194.

Dann ging ich zu Bismarcks, wo nur Rantzaus und Bill waren; dort ist die ganze Lebensweise verändert dadurch, daß er schon um halbneun bis neun aufsteht, dafür aber schon um elf zu Bette geht. Damit fallen die Abende für die Intimen weg, außer man wird besonders geladen. Heute war der Fürst anfangs ganz grimmig vom Korrigieren seiner zwei Reden von gestern und heute[80]*, ward aber allmählich äußerst heiter und witzig.* „Ich kam mir heute gerade vor wie ein großer Hund," *sagte er unter anderem,* „der würdevoll zusieht, wie kleinere Köter sich balgen und beißen. Allmählich aber wird er auch gereizt und benimmt sich dann ebenso unvernünftig wie sie. Den ganzen Tag schwatzen und sein eigen Geschwätz noch korrigieren — das kommt mir doch nachgerade meiner 67 Jahre unwürdig vor, besonders da ich weiß, es hilft zu gar nichts gegen diese Leute. Den ganzen Tag bin ich in ‚Kammern und Unzucht'" — *und als wir schrien* — „ja, Zucht ist dort jedenfalls keine." *Aus der Zeitung las er, daß heute der Jahrestag des vom Könige von Bayern an den Kaiser gerichteten Briefes sei!*[81] *Da erzählte er denn wörtlich folgendes:* „Der Gedanke kam mir so über die Essenszeit. Rasch schrieb ich also einen Brief an den König und zugleich das Konzept des von ihm an den Kaiser zu richtenden Schreibens. Es dauerte ewig, bis die großen Züge auf dem durchlassenden Papiere trockneten, Sand wollten wir nicht darauf tun, Fließblatt hatten wir keines. Endlich konnte Holnstein abfahren, der sich wirklich ein Verdienst dadurch erwarb; die Reise dauerte damals 9 Tage, und seinen König mußte er

---

80 Bismarcks Reichstagsreden vom 28. und 29. November 1881.

81 Bismarcks Brief an König Ludwig II. von Bayern vom 27. November 1870 mit dem Konzept des an Wilhelm I. zu richtenden Schreibens des bayerischen Königs.

weiß Gott wo tief in den Bergen aufsuchen. Er lag mit einem Zahngeschwür zu Bette und wollte ihn gar nicht sehen, bis Holnstein sagte, er bringen einen Brief von mir. Darauf empfing er ihn und schrieb im Bett mein Konzept ab, das H. sofort zurückbrachte. So kam König Ludwig dazu, der eigentlich nie davon geredet hatte, während die andern gleich dazu bereit waren."

196. Runderlaß an sämtliche Reichsämter[82]: Deutliche Unterschriften (Metallographierte Abschrift A. A.) W 6 c, 236, Nr. 230.

Berlin, den 2. Dezember 1881.

Mehrere der Herren, welche Aktenstücke an mich einreichen, schreiben ihren Namen so, daß die Unterschrift zwar ihnen selbst als Ausdruck desselben gelten kann, für andre indessen unverständlich bleibt. Es ist dies absolut unzulässig und eine deutliche Unterschrift nicht allein aus Pflichten des Amtes, sondern schon aus denen der Höflichkeit notwendig. Auch abgesehn von meiner Person hat jedermann, welcher eine amtliche Zuschrift erhält, das Recht, den darunter befindlichen Namen mühelos und ohne Zuhilfenahme des Staatshandbuchs außer Zweifel zu stellen.
Es wird mir unerwünscht sein, einzelne Herren besonders und persönlich auf diese Verpflichtung aufmerksam zu machen; ich werde aber dazu schreiten, sobald mir wieder Veranlassung geboten werden sollte.
Ich stelle die dienstliche Forderung, daß jeder Beamte seinen Namen so schreibt, daß er nicht allein entziffert, sondern auf den ersten Blick geläufig gelesen werden kann.

[82] Der Erlaß ging auch an die Bismarck unmittelbar unterstehenden preußischen Ministerien.

197. Erlaß an Unterstaatssekretär Busch[83]: Das Zentrum in der deutschen Innenpolitik (Kanzleikonzept A. A.) W 6 c, 236 ff., Nr. 231.

Berlin, den 2. Dezember 1881.

Sekret.

Zur Vervollständigung meiner Instruktion teile ich Ihnen zur Benutzung bei Ihren Besprechungen mit dem Kardinalstaatssekretär noch das nachstehende Material mit.

Der ganze Kirchenstreit wäre bei uns nicht zu der Höhe und Erbitterung gewachsen, die er vorübergehend erreichte, wenn nur kirchliche Motive bei den hiesigen Trägern desselben tätig gewesen wären. Er ist verbittert worden durch die Einmischung persönlicher Verstimmungen polnisch-nationaler Umtriebe und weltlicher Parteibestrebungen.

Schon im ersten Ursprung der Zentrumspartei sind auf die Färbung und Richtung des Zentrums die persönlichen Verstimmungen eines seiner Begründer, des Herrn von Savigny übertragen worden. Derselbe war zum Kanzler des Norddeutschen Bundes designiert, seine Ernennung dazu wurde aber unmöglich, weil bei der Revision der Verfassung durch den Reichstag der Bundeskanzler zu etwas anderem gemacht wurde, als ursprünglich gemeint war, nämlich zum Premierminister. Bis zu dem Augenblick war Herr von Savigny ein tätiger Freund der Regierung, von dem Augenblick an ein bitterer Feind, ohne daß kirchliche Fragen mit den Motiven dazu irgend etwas gemein hatten. Eine weitere Vermischung mit weltlichen Fragen erfuhr die Politik des Zentrums dadurch, daß ihre Führung in die Hände eines früheren liberalen Ministers des Königs von Hannover und Bevollmächtigten der vertriebenen Königsfamilie, des Ministers Windthorst, fiel, der die parlamentarischen Truppen, die im Namen des Papstes geworben sind, für die Zwecke des Herzogs von Cumberland und der hannöverschen Welfen, d. h. einstweilen für die Schwächung und Schädigung der Preußischen Monarchie ins Gefecht führte. Die Führung fällt in seine Hände, weil er der Begabteste in der Fraktion ist. Er teilt diese Führung mit dem Redakteur der „Germania", Majunke, der seinerseits wiederum von polnischen Sympathien beherrscht wird und seinen Einfluß auf das Zentrum in polnisch-revolutionärem

[83] Der in Italien auf Urlaub weilende Unterstaatssekretär hatte es auf Bismarcks Wunsch übernommen, die Kurie während der Beratungen über die kirchenpolitische Novelle laufend und direkt zu informieren, da die preußische Gesandtschaft beim Vatikan noch nicht wiedererrichtet war.

Sinne ebenfalls zur Schädigung der Regierung nicht bloß in den ehemals polnischen Provinzen, Posen und Westpreußen, benutzt, sondern auch unter der polnisch sprechenden Landbevölkerung von Oberschlesien, wo er in Verbindung mit einem anderen Zeitungsschreiber, Miarka, unter Begünstigung der niederen Geistlichkeit eine polnische Partei und Propaganda ins Leben gerufen hat, von welcher bis zu der Regierung Friedrich Wilhelms IV. jede Spur in der Geschichte fehlt. Erst seit 1840, und namentlich 1848, hat sich unter Begünstigung der Geistlichkeit, von welcher auch in Rom das Beispiel des Priesters Schaffraneck erinnerlich sein wird, eine polonisierende Partei gebildet, welche in dieser bis dahin treuen und konservativen Bevölkerung revolutionäre Sympathien verbreitet hat. Außerdem wirkt bei dem Verhalten des Zentrums der althergebrachte Liberalismus eines Teils seiner Mitglieder ein. Die Fraktion zerfällt in einen konservativen Teil, zu dem im großen Durchschnitt die süddeutschen Mitglieder gehören, und in einen liberalen, meist norddeutsche Katholiken, an deren Spitze Windthorst und Reichensperger stehen. Letzterer charakterisiert sich dadurch, daß schon in der Zeit, wo der Papst mit der Haltung Preußens mehr wie mit jeder anderen Regierung zufrieden war, bei uns eine katholische liberale Fraktion bestand, 36—40 Köpfe, mit zwei Reichensperger an der Spitze, welche ungeachtet der befriedigenden Lage der katholischen Kirche in Preußen in jeder schwierigen Frage wie ein Mann gegen die Regierung stimmten. Wenn die Zentrumspartei von diesen weltlichen Beisätzen gereinigt, lediglich Kircheninteressen verträte, so würde die Verständigung mit ihr gar nicht schwierig sein, da wir auf dem kirchlichen Gebiete in den rein deutschen Provinzen [a] nach meiner persönlichen Auffassung [a] keinen Anlaß haben, uns in die Angelegenheiten der Kirche zu mischen; nur in den Provinzen mit polnisch sprechenden Einwohnern läßt sich keine klare Grenze ziehen zwischen der Tätigkeit eines katholischen Geistlichen und der eines polonisierenden Agitators. Die polnische Geistlichkeit hat sich zu dieser letzteren Rolle, schließlich auch unter der Leitung des Grafen Ledochowski bereitwillig hergegeben und durch ihren früheren Einfluß auf den Schulen es dahin gebracht, daß in vielen deutschen Dörfern nur noch die ältesten Leute deutsch sprechen, die jüngere Generation aber polonisiert ist. Diese Wahrnehmung war es, welche mich vor 10 Jahren nötigte, die Aufhebung der katholischen Abteilung anzuregen, und welche mich dadurch persönlich in den mir bis dahin fremden Kampf hineinzog. Ich habe das damals dem

a–a Eigenhändiger Zusatz Bismarcks.

Bischof Ketteler wiederholt ans Herz gelegt und versucht, ihn für die Uebernahme des Erzbistums Gnesen geneigt zu machen, da wir dort jedes Maß von katholischem Eifer, nur keine Polonisierungsversuche vertragen könnten. Er hat das schließlich wegen Sprachunkenntnis abgelehnt.

Nicht die kirchlichen Interessen, welche im Zentrum vertreten werden, sondern die Vermischung derselben mit weltlichen, zum Teil revolutionären Bestrebungen, lassen mich befürchten, daß unsere Versuche, mit dieser Partei im Reichstage und im Preußischen Landtage in Frieden zu leben, scheitern werden, und daß das beabsichtigte Entgegenkommen der Regierung eine Annäherung nicht herbeiführen wird. Die Politiker wie Windthorst und Majunke bedürfen für ihre weltlichen Zwecke der Fortsetzung des kirchlichen Kampfes. Ihre Bedeutung fällt, wenn Friede wird; ihr Bestreben ist deshalb dahin gerichtet, bei jeder friedlicheren Wendung in unauffälliger Weise Friedensstörungen einzuschieben. Die Unaufrichtigkeit und das doppelte Spiel der preußischen Führer des Zentrums haben auch neuerdings dahin geführt, nicht allein der Regierung großes Mißtrauen gegen die angeblich kirchliche Politik dieser Partei einzuflößen, sondern auch das Vertrauen, mit welchem die evangelischen Konservativen dem Zentrum vor den Wahlen entgegenkamen, großenteils zu zerstören. Die feindselige Hinterhältigkeit, mit welcher bei den Wahlen die Wahlkomitees des Zentrums gegen die Konservativen verfahren sind, das Entgegenkommen, welches sie im Vergleich damit den fortgeschrittensten Liberalen bei allen Wahlen bewiesen haben, die gleiche Unaufrichtigkeit in der Taktik der seitdem begonnenen Reichtagsverhandlungen, insbesondere auch das Verhalten des Abgeordneten Windthorst, hat meine Hoffnungen auf eine Verständigung sehr herabgestimmt, infolgedessen auch meine Neigung zum Entgegenkommen, weil letzteres sich als fruchtlos erweist und der Abgeordnete Windthorst, der Hauptredner der Fraktion, in jeder scheinbaren Zustimmung für die Regierung Angriffe und Verdächtigungen derselben als Aufreizung anderer Parteien zum Kampf gegen die Regierung einflicht. Aus rein katholischen Motiven wird er dabei nur von wenigen besonders fanatischen und kampflustigen Kollegen, wie beispielsweise Dr. Franz, unterstützt. Gestern fand eine Abstimmung bezüglich des Wirtschaftsrates statt, bei welcher sich die regierungsfeindlichen Mitglieder des Zentrums um Windthorst gruppierten. Die Liste ist charakteristisch. Sie enthält die beiden Herren von Arnswaldt, Graf Bennigsen, alle drei Welfen, Bönninghausen, Custodis, Dieden, Franz, Gielen, Haanen, Horn, von Kehler, Kochann, Maier aus Hohenzollern, Majunke, Menken, Müller aus Pleß, Dr. Perger, Reichensperger, Reichert, Rudolphi, Freiherr von Schele (Welfe), Utz, von Wangenheim (Welfe), Westermayer, Windthorst. Dagegen sind zur Unterstützung der Regierung geneigt, sobald es ihnen eben nicht durch besonderen Einfluß verboten wird, die Zentrumsmitglieder Graf Adelmann, von Aulock, Bernards, Bostelmann, Graf Droste, Edler, Freiherr von Fürth, Freiherr von Gruben, Freiherr von Heeremann, Graf Kageneck, Dr. Kolberg, Landmesser, Dr. Moufang, Graf Neyhaus-Cormons, Freiherr von Pfetten, Graf Quadt, Schmidt-Eichstädt, Graf Schönborn, Freiherr von Schorlemer-Vehr, Strecker, Freiherr von Vequel, Graf Waldburg.

Ich führe diese Einteilung nach der Liste einer gestrigen Abstimmung um deshalb an, weil diese Abstimmung von jeder konfessionellen und politischen Beimischung frei war und nur zur Kennzeichnung der Feindschaft gegen die Regierung oder Geneigtheit zum Frieden diente. Sie betraf die Bewilligung von 84 000 Mark für Kosten wirtschaftlicher Beiräte bei Ausarbeitung der Regierungsvorlagen; auch finanziell war dies ohne Bedeutung, nur die tendenziösen Feinde der Regierung haben in ihrer Feindschaft allein ein Motiv der Versagung dieser Bewilligung gefunden. Die in beiden Listen n i c h t aufgeführten Mitglieder des Zentrums haben bei der Abstimmung gefehlt, indessen ist die Liste auch so schon bezeichnend für die politische Verschiedenheit der Zentrumsmitglieder untereinander und für das, was man von denselben zu erwarten hätte, wenn es gelänge, die kirchlichen Wirren befriedigend zu ordnen; die in der ersten Liste angeführten Zentrumsmitglieder würden auch dann Feinde der Regierung bleiben; — eine Voraussicht, welche das parlamentarische Interesse, was wir an der Herstellung des Friedens haben, vermindert, wenn dies auch meine Neigung, den Frieden herbeizuführen, nicht abschwächt. Dagegen gebietet diese Erwägung mir immerhin Vorsicht in bezug auf das, was ich dem Könige raten kann, an Konzessionen zu bewilligen.

Ein lebhaftes Befremden wollen Ew. pp. jedenfalls darüber aussprechen, daß man es hat versuchen können, den geistig beschränkten, aber auf polnischem wie auf katholischem Gebiete kampflustigen jungen Radziwill, Kaplan in Ostrowo, in Vorschlag zu bringen, sowohl für Breslau wie für Westpreußen, also für zwei Stellen, wo wir gerade über die polnisch-revolutionäre Tätigkeit der Geistlichen zu klagen haben. Die Antecedentien dieses jungen Mannes mögen in Rom unbekannt sein, in Breslau und in Pelplin ist das aber unmöglich. Jedermann muß dort wissen, daß er, ungeachtet seine Großmutter eine preußische Prinzessin war und er von S. M. gleich allen Mitgliedern seiner Familie mit vielem Wohlwollen behandelt worden ist, dennoch bösartige und unehrerbietige Reden im Landtage wie in der Provinz öffentlich gehalten und sich bis vor kurzem, bis die Neubesetzung mehrerer Bischofsstühle in Aussicht kam, im höchsten

Maße regierungsfeindlich benommen hat. Aber selbst, wenn diese Antecedentien nicht vorlägen, wäre immerhin kein Pole in Breslau möglich und in Vergleich mit diesem (Radziwill), wäre selbst Graf Ledochowski weniger unmöglich, weil dieser wenigstens ein kluger Pole ist, Radziwill aber nicht. Solche Vorschläge wie diese, verbunden mit der Haltung der Führer des Zentrums, müssen nicht nur mich, sondern auch S. M. den Kaiser mit einem Mißtrauen erfüllen, welches uns abgeneigt macht, auf irgendeine der gesetzlichen Waffen, die wir bisher in Händen hatten, zu verzichten. Ew. pp. wollen nicht verhehlen, daß diese Eindrücke entmutigend auf mich wirken und in mir die Befürchtung beleben, daß wir auf Frieden doch niemals zu rechnen haben, wir mögen konzedieren, was wir wollen. Wir werden uns durch diese Wahrnehmungen nicht abhalten lassen, in unseren Vorlagen an den Preußischen Landtag diejenigen Aenderungen der Gesetzgebung zu erstreben, welche den König und seine Regierung in den Stand setzen, den katholischen Preußen alle die Freiheiten in ihrem kirchlichen Leben zu gewähren, welche mit der Sicherheit des Staates verträglich sind. Diese letztere Rücksicht macht aber eine verschiedene Behandlung der deutschen und der polnischen Landesteile notwendig. In den deutschen Provinzen kann uns die Haltung der katholischen Geistlichen unbequem, aber nicht leicht gefährlich werden; in den polnischen Provinzen aber liegt die Gefahr sehr nahe, da die polnischen Geistlichen Polonismus und Katholizismus vermischen und ihre priesterliche Stellung auch ferner zu politischen Umtrieben mißbrauchen. Die polnischen Bestrebungen sind auf Losreißung der polnischen Provinzen von Preußen in letzter Instanz gerichtet, und daß wir lieber auf Tod und Leben fechten, als darin willigen werden, davon wird auch der Kardinalstaatssekretär wohl überzeugt sein, wenn er die Karte von Europa ansieht. Um in den Landesteilen mit polnisch redenden Einwohnern, Schlesien mit eingerechnet, Frieden und Sicherheit zu behalten, müssen wir dort schärfere Mittel gegen die polnischen Geistlichen in der Hand behalten als in unseren Westprovinzen. Das können wir nur auf dem Wege der fakultativen Gesetzgebung, und ich bin deshalb außerstande, auf eine solche zu verzichten. Wir beanspruchen für die Konzessionen, die wir auf diesem Wege werden machen können, und dafür, daß wir uns den Kreis der Möglichkeit von Konzessionen erweitern wollen, keine Gegenleistung von Rom; soweit mein Einfluß reicht, bin ich im Gegenteil entschlossen, diese Konzessionen den preußischen Katholiken auch dann zu gewähren, wenn die freundschaftliche Gestaltung unserer Beziehungen zum Römischen Stuhle wieder erkalten sollte.

Es wird sich lediglich um das Bedürfnis der Bestätigung des landesherrlichen Wohlwollens gegen die katholischen Untertanen des Königs handeln. Zweiseitige Geschäfte mit Rom können wir darüber nicht abschließen. Wir stellen vielmehr die Reziprozität wohlwollender Behandlung ganz in das Ermessen Sr. Heiligkeit. Ich glaube aber, man kann in Rom die Augen dagegen doch nicht schließen, daß die Zustände auch in Deutschland, wenn ihre Besserung nicht gelingt, einmal wieder sehr viel schlimmer werden können, sehr viel friedloser werden können, als sie bisher je gewesen sind. Nach meinen Jahren und meiner Gesundheit ist es nicht wahrscheinlich, daß ich noch lange an der Spitze der Geschäfte bleibe, und wenn ich im Landtage außer den liberalen Parteien auch das Zentrum gegen mich habe und mich von demselben unaufrichtig und im Herzen feindlich behandelt fühle, so kann auch ich einem König von Preußen und Deutschen Kaiser auf die Dauer nur raten, die Verständigung mit den liberalen Elementen wieder aufzusuchen. Ich weiß nicht, ob man in Rom die politische Eventualität unserer Zukunft sich hinreichend klarmacht; wenn man das tut, so muß man wissen, daß ein Ministerium Gambetta, ein Ministerium Gladstone auch bei uns nicht zu den Unmöglichkeiten gehört, und daß ein deutscher Kultusminister nach der Analogie von Paul Bert im Gefolge des liberalen Systems auch bei uns notwendig auftreten würde, welches bei einem Regierungswechsel als politische Möglichkeit ins Auge gefaßt werden muß.

Wenn bei uns ein liberales Ministerium an die Spitze der liberalen Parteien träte und gestützt würde von einem Kaiser, der seinerseits die liberalen Ueberzeugungen teilt, so würde bei einer Auflösung des jetzigen Reichstages die liberale Majorität unter dem Beistande der Regierung wesentlich verstärkt werden können. Eine solche Regierung aber, liberal in dem Monarchen, im Ministerium, in der Mehrheit des Reichstags würde ein Gewicht haben, welches dahin führte, auch in Deutschland, gleich wie heutzutage in Frankreich, die parlamentarischen Vertreter der katholischen Kirche zu isolieren und ihnen eine schonungslose, durch keine Rücksicht eingeengte Regierungs- und Parlamentsgewalt gegenüberzustellen. Gewiß zweifelt die Römische Kurie nicht daran, aus einem solchen Kampfe schließlich siegreich hervorzugehen, und glaubt mit dem Nuntius Meglia, daß es den Menschen recht schlecht gehen müsse, damit sie Zuflucht im Schoße der Kirche suchen, es kann aber doch kommen, daß zu den Menschen, denen es recht schlecht geht, auch die katholischen Priester hoch und niedrig gehören. Im ganzen kann man doch nicht sagen, daß der Kampf, der seit dem Vatikanischen Konzil in Italien wie in Frankreich, neuerdings in Irland und schon länger in Deutschland geführt wird, der katholischen Kirche bessere Situationen, als die vom Jahre 1869 waren, geschaffen hätte. Ich sollte deshalb meinen, daß auch in dem Römischen Kirchenregiment eine Bereitwilligkeit vorhanden sein müßte, von dem jetzigen Kaiser und seinen Ratgebern einen annehmbaren *modus vivendi* sichergestellt zu erhalten, bevor die Gewinnung eines solchen durch eine Entwicklung unserer Zustände in dem angedeuteten Sinne unmöglich wird, und namentlich nicht auf meine Bereitwilligkeit, den Kampf ohne Dank und ohne Erfolg ziellos fortzusetzen, eine zu große Hoffnung zu bauen. Ich weiß, daß darauf gerechnet wird, daß ich Mitglied auch einer gambettistischen Regierung bei uns werden könnte, und daß vielleicht von denen, die ohne Sympathie für eine solche sind, auf meine moderierende Tätigkeit auch dann noch gehofft wird. Die Rechnung ist aber eine falsche, ich würde nicht Mitglied einer solchen Regierung sein. [b] Sie würde durch mich nicht gehemmt werden, ihren Weg bis ans Ende zu gehen [b].

198. Schreiben an den Vizepräsidenten des Staatsministeriums von Puttkamer: Vordringen der polnischen Sprache in Schlesien und Westpreußen (Konzept Graf Wilhelm Bismarck) W 6 c, 241 f., Nr. 234.

Berlin, den 18. Dezember 1881.

Im Laufe der letzten zehn Jahre habe ich wiederholt den Eindruck gewonnen, daß in Schlesien und Westpreußen, namentlich in der Graudenzer Gegend, die polnische Sprache Fortschritte auf Kosten der deutschen gemacht hat und vielleicht auch jetzt noch macht. In manchen Dörfern soll es vorkommen, daß, während die Großeltern das Deutsche noch als Verkehrssprache führen, die Kinder es nur aushilfsweise, die Enkel aber gar nicht mehr sprechen. Zahlreiche Gemeinden in Westpreußen — [a] wie ich mich zu erinnern glaube [a] — mit über 30000 Seelen sollen auf diese Weise der deutschen Sprache völlig verloren und der polnischen gewonnen worden sein. [b] Gewiß ist das Streben der geistlichen Schulinspektoren seit langer Zeit u[nd] mit Erfolg seit Einführung der Verfassung auf derartige Ergebnisse gerichtet gewesen u[nd] hat in der tendenziösen Thätig-

---

b–b Eigenhändiger Zusatz Bismarcks.

a–a Eigenhändige Korrektur Bismarcks.

b–b Eigenhändiger Zusatz Bismarcks.

keit der früheren katholischen Abteilung des Kultusministeriums eine Förderung gefunden, die wohl noch heute in den Provinzen eine Nachwirkung üben mag[b].

Ich würde es für sehr ersprießlich halten, wenn das Maß dieser Polonisierung während des letzten halben Jahrhunderts durch beweiskräftige Zahlen festgestellt würde, damit wir sie bei den bevorstehenden kirchenpolitischen Verhandlungen des Preußischen Landtags benutzen können, und stelle demnach Ew. pp. ergebenst anheim, ob Sie die Aufnahme einer derartigen Statistik für durchführbar halten, eventuell eine solche gefälligst veranlassen wollen.

199. Brief an A. W. Hildebrandt[84] W 14/II, 933 f., Nr. 1679.

Berlin 27. December 1881.

Lieber Hildebrandt! Ihren Brief vom 9. habe ich erhalten und mich gefreut, daß es Ihnen gut geht, wenn Sie auch im Laufe der Zeit von Trauerfällen nicht verschont geblieben sind. Ihr Bruder war danach älter, wie ich glaubte. Es war übrigens nicht in Soldin, sondern in Lippehne, wo er Gefahr lief, zu ertrinken.

Ihre erste Frau war 1851 ein ganz junges Mädchen, ist also nicht alt geworden. Ich freue mich, daß Sie auch mit der jetzigen glücklich leben und daß sie noch an Deutschland denkt. August wird wohl ein feiner Yankee geworden sein. Mir geht es insoweit gut, als die Meinigen nach Gottes Gnaden leben und gesund sind und meine Tochter mir zwei Enkel geschenkt hat; meine Söhne sind leider noch nicht verheiratet; Herbert ist bei der Botschaft in London, der Jüngste arbeitet hier unter mir; beide sind Gott sei Dank gesund, was ich von meiner Frau leider nicht immer sagen kann, und von mir gar nicht; ich jage nicht mehr und reite selten, weil ich zu matt bin, und wenn ich nicht bald mich zur Ruhe setze, so wird meine Lebenskraft verbraucht sein. Wie alt sind Sie jetzt? und was für ein Geschäft treiben Sie, oder haben Sie sich schon zur Ruhe gesetzt? Ihrer Frau können Sie sagen, daß Lauenburg sich sehr aufnimmt; ich bin im

---

[84] Hildebrandt war der nach Amerika ausgewanderte Bruder des gerade verstorbenen früheren Reitknechts und Kammerdieners Bismarcks, den dieser 1842 vom Ertrinken gerettet hatte.

Herbst seit dreißig Jahren wieder dort gewesen, bin auch Ehrenbürger der Stadt und grüße als solcher Ihre Frau besonders.

200. Erlaß an Prinz Heinrich VII. Reuß—Wien: Italien in der deutsch-österreichischen Politik (Konzept) GP 3, 195 ff., Nr. 541.

Berlin, den 31. Dezember 1881.
[abgegangen am 3. Januar 1882]

Nr. 596
Geheim

Wie Ew. pp. aus der Meldung von Keudell vom 20. Dezember ersehen haben, trägt der Graf Robilant Bedenken, die von Herrn Blanc gewünschte Sondierung in betreff eines Garantie- oder eines Neutralitätsvertrages zwischen Italien und Österreich-Ungarn vorzunehmen. Gleichwohl gehe ich gern und mit Dank auf den Vorschlag des Grafen Kálnoky — Bericht vom 23. Dezember Nr. 379 — ein, unsere Gedanken weiter darüber auszutauschen, wie ein derartiger Antrag, wenn er doch an uns herantreten sollte, zu behandeln sein würde. Ich tue das um so lieber, als seit den vertraulichen Mitteilungen des Baron Blanc an den Grafen Wimpffen und Herrn von Keudell etwas vorgegangen ist, was vielleicht im Quirinal das Bedürfnis einer Anlehnung steigert und zu einem bestimmten Vorschlage reifen läßt, zugleich aber auch auf eine der Fragen, die unsererseits zu erwägen sein würden, eine neue Beleuchtung wirft. Ich meine die Weihnachtsansprache des Papstes an die Kardinäle, in welcher er, im Gegensatz gegen seine bisherige Zurückhaltung, den gegenwärtigen Zustand für absolut unverträglich mit der Freiheit und Würde des Heiligen Stuhles erklärt und unter Berufung auf seinen Krönungseid die weltliche Herrschaft reklamiert.

Diese Erinnerung daran, daß eine Garantierung des Besitzstandes von Italien auch den ehemaligen Kirchenstaat decken würde, berührt eine der Rückwirkungen, welche die Übernahme einer Garantie auf unsere Beziehungen zu dritten Mächten haben würde. Die Garantie würde gegen die neuerlich kundgegebenen Ansprüche des Papstes gerichtet erscheinen. Für jede Macht, die eine erhebliche Zahl katholischer Untertanen hat, ist eine Parteinahme in dem Streit zwischen dem Papst und dem italienischen Staate immer nicht ohne Bedenken. Letztere würden schwinden, wenn es der italienischen Regierung gelänge, sich mit dem Papste über Herstellung eines Zustandes zu verständigen, der ihm die Möglichkeit gewährte, unabhängig und würdig in Rom zu existieren.

Mit dieser Bedingung, deren Berechtigung die Italiener würden anerkennen müssen, wäre zugleich der Weg gewiesen, ihre etwanigen Vorschläge wegen eines Garantievertrages in einer nicht ablehnenden, freundlichen Weise aufzunehmen und die Überleitung derselben auf erreichbare Ziele anzubahnen. Sollte die italienische Regierung eine solche Verständigung mit dem Papste versuchen, deren außerordentliche Schwierigkeit, um nicht zu sagen Hoffnungslosigkeit, nicht zu verkennen ist, so dürfte der erst neuerdings im „*Diritto*" wieder zur Schau getragene Stolz sie abhalten, die helfende Einwirkung eines Dritten in Anspruch zu nehmen. Wenn das aber doch geschähe, so würde ich das Ansinnen ablehnen, ebenso wie ich es mit Anregungen gleicher Art getan habe, die aus dem Kreise friedlich gesinnter Prälaten ganz neuerdings an mich herangetreten sind. Selbst wenn eine solche Vermittelung gelänge, so würde doch der Vermittler sich den Undank beider durch ihn versöhnten Parteien gleichmäßig zuziehn.

Wie ich aus Ew. pp. gefälligem Bericht vom 23. Dezember zu ersehen mich gefreut habe, begegne ich mich mit dem Grafen Kálnoky in dem Urteil über die angeborene und durch die Persönlichkeit des gegenwärtigen Trägers gesteigerte Schwäche des italienischen Königtums und über die Gefahr einer republikanischen Entwickelung. Nur in einem Punkte möchte ich, wenn wir uns überhaupt auf Wahrscheinlichkeitsberechnungen einlassen wollen, einen Zweifel aussprechen, nämlich gegen die Ansicht des Grafen, daß mit dem Sturze der italienischen Monarchie auch die Existenz des päpstlichen Stuhles in Rom notwendig würde in Frage gestellt werden. Ich halte das allerdings für sehr wahrscheinlich, möchte aber doch daran erinnern, daß Louis Napoleon, der als ehemaliger Carbonaro mit allem unterirdischen Treiben in Italien Fühlung gehalten hatte, einmal den Gedanken lancierte, den Papst zum Ehrenpräsidenten eines italienischen Föderativstaates zu machen. Er stieß allerdings damit in dem unitarischen Republikaner Mazzini auf einen unermüdlichen und starken Gegner, dessen Jünger heute noch in allen republikanischen Kundgebungen voranstehen. Aber es liegen doch viele Zeugnisse darüber vor, daß auch die unkirchlichen Italiener mit einem gewissen patriotischen Stolze das Papsttum mit seiner Gewalt über alle Katholiken der Erde als eine italienische Institution betrachten. Auch wäre es denkbar, daß die französische Republik als lateinische Vormacht eine Schwesterrepublik auf der Halbinsel lieber in der loseren Form einer Föderation sehen würde. Ich halte es daher für möglich, daß der Päpstliche Stuhl sich auch mit einer republikanischen Gestaltung Italiens würde einzurichten wissen, vielleicht sogar leichter als mit der monarchischen.

Wenn die Persönlichkeit des jetzigen Papstes eine derartige Entwickelung unwahrscheinlich macht, so kann eine künftige Papstwahl doch leicht auf einen Prälaten von der Energie und politisch liberalen Richtung fallen, die Pio IX. 1847 zeigte.

Eine Föderation italienischer Republiken mit dem Papste an ihrer Spitze sieht wie eine Unmöglichkeit aus, ist aber keine für einen Papst von jesuitischer Richtung. Jede Form der Republik würde aber das republikanische Italien mit der Schwesterrepublik Frankreich in enge und dauernde Verbindung bringen.

Angesichts solcher Möglichkeiten bin ich nur um so mehr mit dem Grafen Kálnoky dahin einverstanden, daß die Kräftigung des italienischen Königtums, ebenso wie seine Aussöhnung mit dem Papste, im monarchischen Interesse liegt. In welcher Weise jene Ziele angestrebt werden können, darüber werden wir meines Erachtens Vorschläge von italienischer Seite abzuwarten haben. Wie Ew. pp. bekannt, hat man sich dort früher mit dem Gedanken eines Neutralitätsvertrages getragen. Mag man darauf zurückkommen, oder mag man Verhandlungen über ein Garantiebündnis anregen, so würde es meines Erachtens nicht ratsam sein, solche Annäherungsversuche durch Zurückweisung zu entmutigen. Andrerseits würde ein Bündnis oder eine Garantie die Gefahren für den Frieden, dessen Erhaltung wir erstreben, wesentlich vermehren. Solange die drei Kaisermächte einig sind, werden indes diese Gefahren wohl ohne wirkliche Störung des Friedens zu überwinden sein. Solange unsre Beziehungen zu Rußland gesichert sind, könnten wir auch Italien Deckung gewähren, ohne für seine Händel den Degen ziehen zu müssen.

Ich verkenne nicht die Gründe, welche dafür sprechen, Italien auch über jenen Zeitpunkt hinaus an dem Eingehen auf dann vielleicht möglich werdende Kombinationen zu verhindern, glaube aber bei der Unberechenbarkeit der Zukunft und bei dem geringen Verlaß auf eine jede, besonders eine dauernde Vertragserfüllung von italienischer Seite, daß es ratsamer sein wird, für die später möglichen Chancen sich Italien gegenüber die Hand freizuhalten, falls es nicht rechtzeitig gelingt, uns der russischen Politik für längere Zeit zu versichern.

Wenn Graf Kálnoky, ungeachtet dessen, was Herr von Keudell unter dem 20. Dezember und wahrscheinlich auch der Graf Wimpffen gemeldet hat, Ihnen einen Anlaß dazu geben sollte, so bitte ich, die Frage nach Anleitung des Vorstehenden mit ihm besprechen zu wollen, und resümiere meine Auffassung in folgendem:

Obwohl eine jede Abmachung mit Italien, wie auch die Fassung sein möge, im Wesen immer ein einseitiges Geschäft zum Vorteil Italiens sein wird, um so einseitiger, als der unruhige und anspruchsvolle Charakter der italienischen Politik Italiens Freunde leicht in Händel verwickeln kann, so würde ich doch dazu raten, das, was der König von Italien zur Kräftigung seiner Stellung wünscht, nicht einfach abzulehnen, es aber zunächst mit dem Wunsche nach Herstellung eines dem Papste annehmbaren *modus vivendi* zu beantworten und eventuell, wenn es zu meritorischen Verhandlungen kommen sollte, die Übernahme österreichisch-deutscher Verpflichtungen von der Dauer unsrer heutigen Beziehung zu Rußland abhängig zu machen. v. Bismarck.

201. Gespräche mit dem ehemaligen österreichischen Minister Dr. Albert Schäffle am 3. und 6. Januar 1882 in Berlin

W 8, 442 f., Nr. 325 = Schäffle II, 174 ff. [gekürzt].

Am 3. Januar 1882 wurde ich im Palais Wilhelmstraße vom Reichskanzler empfangen. Er begrüßte mich auf das freundlichste und lud mich ein, ihm gegenüber am Schreibtisch Platz zu nehmen. Nachdem Bismarck mich einen Augenblick mit seinem großen Blick gemessen hatte, — anscheinend erstaunt, keine Professorenfigur zu sehen — bemerkte er, meine körperliche und geistige Frische von heute würde ich nicht besitzen, wenn ich ein Jahrzehnt Minister hätte sein müssen. Er zeigte auf sich als leidenden abgearbeiteten Mann, ging aber sofort mitten in die Sache hinein. Die erste Bemerkung war, daß man auf einem so wenig betretenen Boden tasten müsse, wie auf der Wildentenjagd mit der Stange die Festigkeit des Bodens probiert werde, und daß hierfür die korporative Gestaltung den sichersten Spielraum gewähre. Er ging dann in Einzelheiten der Frage ein, von welchen er jedoch wiederholt auf allgemeine Fragen zurückkam. Kaum war ich zehn Minuten eingetreten gewesen, so gab der Fürst, unter den heftigsten Schmerzen sich krümmend und im Zimmer auf und ab gehend, seinen tief krankhaften und wahrhaft schmerzvollen Zustand kund. Dennoch hieß er mich bleiben, „es sei nur ein vorübergehendes Manöver“, *das er sich im Zimmer auferlegen müsse.*

Mit wunderbarer Beherrschung des Schmerzes setzte er die sachliche Unterhaltung fort, wobei es sich hauptsächlich um die Priorität der Krankenkassenorganisationen handelte. Diese Priorität leuchtete ihm noch nicht ganz ein, während ich sie freimütig und entschieden als das logisch und praktisch Erstnotwendige vertrat. Am Schluß lud er mich mehrmals auf das Freundlichste zu demnächst, in den nächsten Wochen, stattfindenden Konferenzen unter seinem Vorsitz ein und stellte mir dann als Referenten und Träger des Verkehrs mit mir den liebenswürdigen Legationsrat Baron von Heyking, späteren Gesandten in Peking, vor.

Dazwischenhinein, nämlich am dritten Tage nach meiner ersten Unterhaltung, erhielt ich die Einladung zum Familiendiner, zu welchem auch der bayerische

Gesandte Graf Lerchenfeld, Minister von Bötticher, Geheimrat Lohmann, Baron Heyking beigezogen waren. Graf und Gräfin Rantzau nahmen Teil. Zur Rechten des Fürsten und zur Linken der Fürstin hatte ich mich der allerfreundlichsten Behandlung und ins kleinste gehenden persönlichen Aufmerksamkeiten zu erfreuen. ... Der Fürst, den ich nach seinem persönlichen Wohlbehagen kaum wieder als den schwer Leidenden vom 3. Januar erkannte, war voll Jovialität und erging sich über den Kaiser von Oesterreich, über den König Wilhelm von Württemberg, über den Münchener und den Karlsruher Hof, über letztere beide mit einer verblüffenden Offenheit. Vom König Wilhelm von Württemberg sprach er mit der größten Achtung. Ueber die „Herbstzeitlosen" [85] *in Oesterreich äußerte er, daß sie es dem Kaiser Franz Josef unmöglich gemacht haben, sie je wieder zur Regierung zu berufen; nie habe ein Monarch mit einer so unfähigen Partei so viel Geduld gehabt. Da ich diese Aeußerungen mit keiner Silbe provoziert hatte, so durfte ich darin eine Art persönlicher Genugtuung für alle Unbilden der sogenannten „Verfassungstreuen" aus dem Jahre 1871 erblicken.*

Ueber die Hertlingsche Interpellation, Sozialpolitik betreffend, welche von Bismarck einige Tage später beantwortet worden ist, sprach er mit Adolf Wagner und mir ziemlich einläßlich.

Nach Tisch gab der Fürst eine von Geist sprudelnde Causerie über die Arbeiterversicherung — nachdem er die historische Pfeife mit den historischen Kolossalzündhölzern angezündet — zum besten. Zum Schluß ging es in das Weihnachtszimmer, wo die Gräfin Rantzau in freundlichster Weise den Enkel des Fürsten zeigte.

202. Schreiben an Staatsminister Maybach: Zur gesetzlichen Feststellung eines Normalarbeitstages (Ausfertigung)

Poschinger, Wirtschaftspolitik II, 95 f., Nr. 44 = Rothfels, Staat, 365 f.

Berlin, 8. Januar 1882.

Anläßlich des in Abschrift angeschlossenen Antrags von Bergarbeitern der Essener Gegend auf gesetzliche Feststellung eines Normalarbeitstages beehre ich mich Eure Exzellenz um eine Äußerung darüber zu ersuchen, ob die im Bereich der Bergverwaltung gewonnenen Erfahrungen Material zu einem Bescheide an die Bittsteller darbieten. Es würde mir namentlich erwünscht sein, davon unterrichtet zu werden, ob Vorkomm-

---

[85] Ironische Bezeichnung für die von dem Abgeordneten Herbst geführten Liberalen Österreichs.

nisse jüngster Zeit in weiteren Kreisen den Bergleuten Anlaß zu Beschwerden wegen übermäßiger Anstrengung bei der Grubenarbeit gegeben haben.

Die auf gesetzliche Fixierung einer Maximalarbeitszeit gerichteten Bestrebungen sind neuerdings wieder mehr in den Vordergrund getreten und haben bezüglich der Fabrikarbeit auch in der dem Reichstag vorliegenden Interpellation der Zentrumspartei vom 11. Dezember v. J. (Nr. 42 der Drucksachen) Ausdruck gefunden. Nach meiner Auffassung ist jede Maßregel der Art eine zweischneidige. Sie kann auf der einen Seite zu einer Besserung der Lage der Arbeiter, auf der anderen Seite aber auch zu einer Verteuerung der Produktion und zur Herabminderung des Arbeitslohnes führen, in ihren weiteren Folgen die Konkurrenz- und Exportfähigkeit der inländischen Industrie gefährden und schließlich Arbeitslosigkeit herbeiführen. In keinem Falle wird sich daher eine Maximalarbeitszeit durch allgemeine Gesetzesvorschrift regeln lassen, eine den Interessen der Arbeiter und der Industrie gleichmäßig entsprechende Wirkung auf die Angelegenheit ließe sich höchstens durch Spezialbestimmungen erreichen, welche die Besonderheiten der einzelnen Zweige der gewerblichen Tätigkeit und der verschiedenen Industriebezirke berücksichtigen. Eine Grundlage dafür kann aber erst durch die Berufsstatistik gewonnen werden, und nur die Mitwirkung korporativer Verbände würde es ermöglichen können, an der Hand der Erfahrungen zu nutzbringenden Resultaten zu gelangen.

203. Rede in der 20. Sitzung des Deutschen Reichstags am 9. Januar 1882

W 12, 313 ff. = Kohl 9, 199 ff.

Als Antwort auf eine Interpellation des Zentrumsabgeordneten Frhrn. von Hertling über den weiteren Ausbau der bestehenden Fabrikgesetzgebung legt Bismarck sein sozialpolitisches Programm dar:

Die Antwort, welche der Herr Interpellant als die ihm liebste bezeichnet hat, kann ich ihm nach meiner Überzeugung vorweg geben. *(Bravo! rechts und im Zentrum.)* Ich glaube, daß die Anregung eine für den Augenblick unnötige war. Ich will nicht sagen, daß sie nicht eine dankenswerte Unterstützung der Bestrebungen der Regierung gewesen wäre, aber als solche halte ich sie wesentlich verfrüht. Der Herr Interpellant selbst ist sich darüber klar gewesen, daß die verbündeten Regierungen verwandte Anträge zu den seinigen noch in diesem Jahre voraussichtlich einbringen werden;

er hat aber geglaubt, daß einige der von ihm angeregten Punkte unabhängig und vorweg erledigt werden könnten. Ich glaube im Gegenteil, daß sie nur in Verbindung mit den für das Frühjahr in Aussicht stehenden Vorlagen der verbündeten Regierungen sachgemäß erledigt werden können. Ich glaube, daß die meisten der Ziele, die der Herr Vorredner uns stellt, nur auf der Basis korporativer Assoziationen mit annähernder Sicherheit, ich will nicht sagen erreicht werden können, aber daß es nur auf dieser Basis möglich sein wird, ihnen so weit näherzutreten, wie es nach menschlicher Unvollkommenheit tunlich ist. Um diese Basis zu schaffen, steht uns noch mindestens ein arbeitsvolles Jahr, vielleicht mehr wie das bevor. Die Vorlage über die Berufsstatistik, welche Ihnen diese Session gebracht hat, ist die erste Grundlage davon, und es wäre mir lieber gewesen, diese Vorlage gefördert zu sehen, als eine Interpellation gestellt zu sehen, dessen Beantwortung mir der Herr Vorredner dadurch erschwert hat, daß er sie selbst beantwortet hat, und zwar so, daß ich seiner Beantwortung so sehr viel kaum hinzuzufügen haben werde.

Der Herr Vorredner hat die Schwierigkeiten und Schäden, von denen unsere Industrie und die Mitwirkung der Arbeiter an derselben begleitet ist, lebhaft und drastisch geschildert; er hat dadurch das Interesse der Regierung, die Sorgfalt, mit der die Regierung bemüht ist, diesen Schäden abzuhelfen, nicht steigern können, wenigstens die meinige nicht. Es ist, wie ich schon häufig wiederholt habe, die einzige Aufgabe, die mir die Notwendigkeit, im Dienste zu bleiben, willkommen macht, und der Herr Vorredner kann in dieser Richtung meinen Eifer nicht stärker beleben. Ob durch die akademische Diskussion, in die wir nach der erheblichen Rednerliste, die ich vor mir liegen habe, eingehen werden, diese unsere Aufgabe gefördert werden wird — ich glaube es und hoffe es, denn diese Aufgabe gehört zu denen, die, je mehr sie diskutiert werden, je mehr sie von den Schlacken und den Vorurteilen befreit werden, von den Irrtümern, die absichtlich oder unabsichtlich darüber verbreitet werden, um so mehr gewinnen und um so mehr Hoffnung auf Lösung bieten werden. Ich bin also in dieser Beziehung dem Herrn Vorredner dankbar, daß er über die Fragen, die wir bearbeiten, eine öffentliche Diskussion angeregt hat.

Wenn ich vor dem Feste den Wunsch geäußert hatte, diese Interpellation selbst beantworten zu können, so bin ich dazu nicht veranlaßt worden durch das Bewußtsein, daß ich mehr darüber zu sagen hätte, als irgendein anderer sagen könnte, sondern gerade durch die Empfindung, daß sich in dem jetzigen Stadium über diese Fragen nur wenig sagen läßt, und daß das Wenige wesentlich in der Kundgebung meiner persönlichen Ansichten besteht. Die verbündeten Regierungen sind bisher nicht in der Lage gewesen, sich schlüssig zu machen; sie warten dazu das Material ab, an dessen Vorbereitung wir gegenwärtig arbeiten. Ich bin nicht einmal in dem Falle, wie sonst wohl, im Namen des Kaisers bestimmte, schon Gestalt habende Ziele zu bezeichnen, da Seine Majestät der Kaiser in Fragen von der Wichtigkeit wie diese die definitiven Entschließungen nicht faßt, bevor das Für und Wider sorgfältig und funditus erwogen ist. Die Ziele, welche der kaiserlichen Politik vorschweben, sind durch die kaiserliche Botschaft gekennzeichnet. Es handelt sich nun aber um die Wege, auf welchen sie zu erreichen sind, und die Wahl dieser Wege ist gleich wichtig wie die Festlegung des Zieles überhaupt, denn jeder Weg kann ein richtiger sein, er kann auch ein Irrweg sein. Ich muß sagen: Ich selbst bin meiner Überzeugung über die Wahl der Wege — über die Ziele bin ich mir ganz klar — aber der Wahl der Wege bin ich so unbedingt sicher nicht, daß ich Ihnen heute mit Bestimmtheit amtliche Andeutungen über das machen könnte, was ich hoffe etwa im Monat April dem Reichstage vorlegen zu können auf diesem Gebiete. Ich bin teils noch nicht mit mir darüber einig, teils nicht mehr in dem Maße, wie ich es früher war; noch nicht, weil ich der Belehrung bedarf. Ich bin nicht durch die Weihe der öffentlichen Wahl gegangen und bin deshalb auch nicht in der Lage, über alle Dinge der Welt eine feste, unabänderliche Meinung *(o! links)* rasch in *promptu* zu haben, sondern ich überlege mir die Dinge selbst, und wie ich in manchem Konzept über wichtige Sachen viel streiche, viel ändere, sie kassiere und wieder neu arbeite, so ist es auch in diesen Fällen. Ich glaube nicht, es schon erreicht zu haben; ich glaube nicht, diese Dinge, die sich der menschlichen Beherrschung in demselben Maße entziehen, wie der Organismus des menschlichen Körpers der ärztlichen, so zu durchschauen, daß meine Meinung nicht der Belehrung und Änderung unterworfen wäre. Ich sage dies in der Erinnerung daran, daß ich über die Unfallversicherung erst seit der Vorlage des vorigen Jahres die Überzeugung gewonnen habe, daß ohne korporative Unterlagen die Sache faktisch nicht ins Leben zu führen sein wird. *(Hört! hört! links.)* Die bei der Vorlage vom vorigen Jahre uns vorschwebende, auf den ersten Anblick gewählte — ich möchte sie bürokratische Einrichtung nennen *(sehr richtig!)*, hat mich als Geschäftsmann überführt, daß die Masse der Geschäftsnummern, die entstehen würden, für keine Zentralbehörde zu bewältigen sein würde. Es ist also notwendig eine Arbeitsteilung geboten, und zwar eine solche, die den Interessenten mit heranzieht, und welche den schließlichen Ersatz des Schadens kombiniert mit der Aufgabe, den Schaden durch Aufsicht zu verhindern und einzuschränken — ich meine also, eine Beziehung der Fabrikinspektoren — um dies *obiter* zu berühren — zu den Korporationen. Die Korporationen sollen wesentlich aus den gleichartigen Gefahrenklassen bestehen, so daß derjenige, der die Schäden zu bezahlen hat, auf den die Beiträge umgelegt werden, der also zugleich das Interesse hat, sie zu verhindern, gerade wie eine Brandassekuration feuergefährliche Einrichtungen zu verhindern sucht, daß der auch zugleich die Aufgabe habe, bei seinen Genossen darüber zu wachen, daß sie nicht leichtfertig Unfälle herbeiführen. Das Korporationsinteresse soll die Fabrikinspektion unterstützen, die ja immer in ihrem staatlichen Charakter bestehen kann, aber meines Erachtens nicht isoliert bürokratisch, sondern getragen von irgendeiner kollegialisch oder unter öffentlicher Kontrolle arbeitenden Korrektur; sonst kommen wir in persönliche Willkür, die selten, aber doch auch, in diesem Fache vorkommt.

Wenn ich sage, ich bin nicht mehr so fest in meinen Überzeugungen, wie ich es war, so habe ich eine Ursache davon schon erwähnt: die, daß ich mich überzeugt habe, daß die korporative Organisation, die wir in der früheren Unfallversicherungsvorlage nur fakultativ ermöglicht hatten, zwangsweise eingeführt werden muß. Ich glaube, es gibt keinen anderen Weg, welcher zu praktischen Erfolgen zu führen verspricht.

Eine andere Einwirkung, die mich einigermaßen irre gemacht hat in meinem Glauben an Erfolg, liegt im Ausfall der Wahlen. Ich kann mich der Tatsache nicht verschließen, daß gerade in den industriellen und Arbeiterkreisen vorzugsweise Gegner der Regierung gewählt worden sind, nicht überall, aber doch vorwiegend nach der Majorität. Ich muß also daraus schließen, daß die Arbeiter im ganzen mit den ihnen doch kaum unbekannten Intentionen der gesetzgebenden Initiative nicht einverstanden sind *(Rufe links: Sehr wahr!)*, daß die Arbeiter also von den Herren, die eben „Sehr wahr!“ rufen, von den Herren, welche die freie Konkurrenz aller Kräfte, der Schwachen wie der Starken in allen Beziehungen vertreten, also von den Herren des Freihandels, des Gehenlassens, wie der Herr Vorredner sagte, des *laisser faire*, mit einem Wort, von der fortschrittlichen und sezessionistischen Politik mehr erwarten, als von den Reformversuchen der Regierung. Das liegt unzweifelhaft in den Wahlergebnissen eines großen Teiles unserer Wahlkreise, und das ist es, was mir in den Ergebnissen der letzten Wahlen am meisten zu Herzen gegangen ist. Ob die politischen Parteien sich etwas verschieben, ob etwas mehr von den Mittelparteien nach den extremen hin abgeht oder umgekehrt, das muß ich mir gefallen lassen, und das macht mich nicht irre; aber diese Wahrnehmung, daß die Massen der Arbeiter selbst den Versuchen der Regierung, ihre Lage zu verbessern, in dem Maße mißtrauisch gegenüberstehen, daß sie lieber Vertreter der Richtung wählen, welche auf dem Gebiete der Wirtschaftlichkeit das Recht des Stärkeren befürwortet *(Rufe links: Oho! hört)*, und welche den Schwachen in seinem Kampfe gegen die Macht des Kapitals, gegen all die Gefahren, die der Herr Interpellant beredter, als ich es vermag, geschildert hat, im Stiche lassen; ihm jeden Beistand versagen und ihn dafür auf seine eigene Menschenwürde, auf die freie Konkurrenz und die Privatassekuranz und auf ich weiß nicht was noch für Worte hinweisen, kurz, die ihm jede Staatshilfe versagen. — Ich habe als das System, welches ich nach dem Willen Seiner Majestät des Kaisers zu vertreten habe, bei früheren Gelegenheiten aufgestellt: Wir wollen dahin streben, daß es im Staate womöglich niemanden oder doch so wenige wie möglich gebe, die sich sagen: Wir sind nur dazu da, um die Lasten des Staates zu tragen, wir haben aber kein Gefühl davon, daß der Staat um unser Wohl und Weh sich irgendwie bekümmert — daß die Zahl dieser nach Möglichkeit vermindert werde. Es gehört zu den Traditionen der Dynastie, der ich diene, sich des Schwachen im wirtschaftlichen Kampfe anzunehmen. Friedrich der Große sagte schon: *Je serai le roi des gueux,* und er hat es nach seiner Art durchgeführt in strenger Gerechtigkeit gegen Hoch und Gering nach der Art, wie seine Zeit es mit sich brachte. Friedrich Wilhelm III. hat dem damals hörigen Bauernstande eine freie Stellung verschafft, in der es ihm gegeben gewesen ist — bis zu einer rückläufigen Bewegung, die vor etwa fünfzehn Jahren anfing — zu prosperieren und stark und unabhängig zu werden. Unser oder mein jetziger Herr ist von dem edlen Ehrgeiz beseelt, in seinem hohen Alter wenigstens noch die Hand angelegt und den Anstoß gegeben zu haben, daß für die heutzutage schwächste Klasse unserer Mitbürger, wenn auch nicht die gleichen Vorteile und Ziele wie für den Bauernstand vor siebzig Jahren, aber doch eine wesentliche Besserung der Gesamtsituation, des Vertrauens, mit dem dieser ärmere Mitbürger in die Zukunft und auf den Staat, dem er angehört, sehen kann — daß noch zu Lebzeiten Seiner Majestät hieran Hand angelegt wird, und daß die Bewegung, die damit angeregt wird, vielleicht in einem weiteren Menschenalter ihre Ziele erreicht, wenn sie vielleicht auch wieder ersterben mag unter dem Drange der Zeit und der Gewalt anderer Kräfte. Er hat es sich als Ziel gesetzt, auf diesem Gebiete nach einem früher oder später erreichbaren analogen Zustand der Arbeiter zu streben, wie sein hochseliger Vater in der ewig denkwürdigen Emanzipation der Bauern, die an die Namen Stein, Hardenberg und Friedrich Wilhelm III. sich knüpft. Mit dieser Tendenz ist ja das Gehenlassen, das Anweisen des Schwachen auf seine eigenen Kräfte und auf Privathilfe im diametralen Widerspruch. Nichtsdestoweniger und bei der vielbewährten Treue, mit welcher der gemeine Mann bei uns an seiner Dynastie und an seinem Königtum hängt, sind die Verheißungen, die Anerbietungen, die Anfänge einer emanzipierenden

Gesetzgebung in den großen Zentren der Industrie von dem Arbeiter mit weniger Vertrauen aufgenommen worden, als die Anerbietungen der Herren, die kühl und legal sagen: Helft euch selbst, ihr seid dazu imstande, ihr seid stark genug, eure Unabhängigkeit erfordert das, vom Staate habt ihr nichts zu erwarten; kurz, die Niederlage, welche die Regierung oder die ich persönlich mit meinen Reformbestrebungen in den großen Zentren der Industrie bei den Arbeitern in der Wahl erlitten habe, hat mich bis zu einem gewissen Grade entmutigt; allein die Entmutigung kann mich nicht abhalten, meine Schuldigkeit zu tun, so lange ich im Dienste bin, und wenn ich auch ganz sicher bin, einer ausnahmslosen Opposition gegen das, was ich den Herren vorlege, entgegenzugehen — ich sehe den Korb, den ich bekommen werde, schon vor mir, ich muß ihn aber bekommen, um das Bewußtsein zu haben, meine Schuldigkeit getan zu haben. Ich kann also auch nicht einmal meiner eigenen Überzeugung, meiner Entmutigung, unter der ich spreche im Hinblick auf die Arbeiterwahlen, einen vollen und unbegrenzten Ausdruck geben, sondern muß meinen Dienst weiter tun. Ich muß wiederholen, und ich bin gewiß viel zu wortreich, um zu entwickeln, daß ich eigentlich wenig zu sagen habe, und ich will daher lieber ohne weiteres dem Wortlaut der Interpellation nähertreten.

Wenn ich sie in der Allgemeinheit beantworten könnte, wie die Frage gestellt ist, dann wäre es ja außerordentlich leicht, dann brauchte ich die verbündeten Regierungen nicht zu fragen. Unter ihnen ist keine so übelwollend, daß sie nicht dem Arbeiter seine Sonntagsruhe und die Möglichkeit, seinem Gottesdienst zu folgen, daß sie nicht dem Arbeiter und seiner Frau die Möglichkeit gönnte, mit der kürzesten Arbeitszeit die notwendige Einnahme sich zu sichern, deren er das Jahr hindurch bedarf, um zu existieren. Ich glaube aber, eine so kurze Antwort ist wohl nicht die Absicht der Herren Interpellanten gewesen, mit denen ich sonst wesentlich in ihren Bestrebungen auf diesem Gebiet, nicht überall, auch nicht vollständig, aber in der Hauptsache, mich einverstanden erkläre; sondern sie haben gewiß beabsichtigt, daß ich zu der akademischen Diskussion, die uns bevorstehen wird, auch meinerseits mein Scherflein beitrage und Material der Kritik entgegenbringe, und das wird ja auch geschehen. Die Ansprüche des Herrn Vorredners — ich bitte um Verzeihung, wenn ich unter Schwierigkeiten spreche, ich bin noch nicht ganz hergestellt, wollte mich aber heute der gestellten Aufgabe nicht entziehen — die Anforderungen des Herrn Vorredners könnte ich um so sicherer mit einem einfachen Ja beantworten und mich dann wieder hinsetzen, weil ich mich dabei ganz innerhalb des Gebiets befinde, was ich mir erlaubte bei einer früheren Gelegenheit „praktisches Christentum“ zu nennen, das heißt

Betätigung unserer christlichen Sittenlehre auf dem Gebiet der Nächstenliebe. Ich habe gefunden, daß in der Presse mehr als im Parlament diese Bezeichnung manchen Anstoß gegeben und manche Gegner geschaffen hat, denen das Wort „christlich“ so scharf akzentuiert zu sehen, unangenehm ist — ich meine nicht von konfessionellen Unterschieden, ich meine nur von dem Unterschiede in dem Grade des Glaubens oder Nichtglaubens. Aber auch diejenigen, die an die Offenbarungen des Christentums nicht mehr glauben, möchte ich daran erinnern, daß doch die ganzen Begriffe von Moral, Ehre und Pflichtgefühl, nach denen sie ihre anderen Handlungen in dieser Welt einrichten, wesentlich nur die fossilen Überreste des Christentums ihrer Väter sind *(sehr gut!)*, die unsere sittliche Richtung, unser Rechts- und Ehrgefühl noch heute, manchem Ungläubigen unbewußt, bestimmen, wenn er auch die Quelle selbst vergessen hat, aus der unsere heutigen Begriffe von Zivilisation und Pflicht geflossen sind. Ich glaube also auch ihnen und selbst denen, die einer anderen Konfession angehören, ist doch das Gebot der Nächstenliebe, das Gebot der Wohltätigkeit auch in ihrer Konfession ein vorherrschendes. Ich sehe daher nicht ein, mit welchem Recht wir für unsere gesamten Privathandlungen die Gebote des Christentums, lebendig oder fossil, anerkennen und sie gerade bei den wichtigsten Handlungen, bei der wichtigsten Betätigung unserer Pflichten, bei der Teilnahme an der Gesetzgebung eines Landes von 45 Millionen in den Hintergrund schieben wollen und sagen: Hier haben wir uns daran nicht zu kehren. Ich meinerseits bekenne mich offen dazu, daß dieser mein Glaube an die Ausflüsse unserer offenbarten Religion in Gestalt der Sittenlehre vorzugsweise bestimmend für mich ist und jedenfalls auch für die Stellung des Kaisers zu der Sache *(Unruhe links)* und daß damit die Frage von dem christlichen oder nichtchristlichen Staate gar nichts zu tun hat. Ich, der Minister dieses Staates, bin Christ und entschlossen, als solcher zu handeln, wie ich glaube, es vor Gott rechtfertigen zu können. *(Bravo! rechts.)*

Wenn ich also von diesem Standpunkt die Ansprüche — deren lebhafte Schilderung der Interpellant uns nach den Bedürfnissen und der Lage der Arbeiter gemacht hat —, die Ansprüche, die er darauf gründete, ohne seinerseits etwas zur positiven Lösung der Frage beizutragen — wenn ich die als vollständig gerechtfertigt anerkenne, so bin ich doch als Minister in einer anderen Lage, als ein einfacher parlamentarischer Redner, der von dem, was er sagt, eine unmittelbar praktische Folge, für die er selbst eine Verantwortlichkeit fühlte, nicht erwartet, und ich kann deshalb so dreist und entschlossen der Sache nicht nähertreten, wie das in der Interpellation geschehen ist. Es liegt in all den Aufgaben, die aus der Interpellation für unsere Gesetzgebung hervorgehen, die Frage: Wo ist die Grenzlinie, bis an welche man die Industrie belasten kann, ohne dem Arbeiter die Henne zu schlachten, die ihm die Eier legt? Wenn man an die Industrie Forderungen stellt zur Erfüllung staatlicher Zwecke — und ein staatlicher Zweck ist die Herstellung eines höheren Maßes von Zufriedenheit bei allen Angehörigen, die der Industrie an sich ziemlich gleichgültig sein kann — wenn man die Anforderungen zur Erfüllung staatlicher Zwecke an die Industrie stellt, so muß man sich die Grenze der Tragfähigkeit dieser Industrie doch sehr genau vergegenwärtigen *(sehr richtig! links);* das kann man wiederum meines Erachtens, wie der Herr Vorredner auch bemerkte, nicht *en bloc* und im ganzen, das wird man mit einzelnen Berufsklassen vielleicht können, unter deren Zustimmung und mit deren Mitwirkung. Aber wenn man, ohne diese Grenze zu respektieren, ohne sie auch nur zu ermitteln — und gerade dazu, meine Herren, nehme ich Ihre und die Hilfe des von Ihnen verkannten Wirtschaftsrats in Anspruch, um diese Grenze richtig zu finden — wenn man hineingeht, ohne die Grenze zu suchen, ohne sie zu respektieren, so läuft man Gefahr, die Industrie mit Anforderungen zu belasten, zu deren Erfüllung sie gar nicht imstande ist. Mit Schaden betreibt niemand eine Industrie, oder auch selbst für geringen Gewinn betreibt sie niemand; wer mit fünf Prozent seines Kapitals zufrieden ist, hat es bequemer, wenn er sich rein auf die Kuponschere verläßt, die brennt nicht ab, die versagt auch nicht, es ist ein reinliches Geschäft. Wer ein Risiko unternimmt durch Anlage großer Kapitalien in Unternehmungen, deren Verlauf niemand vorhersehen kann, der tut es für den Gewinn, den er dabei zu machen hofft, zur Vermehrung seines Vermögens, zur Versorgung seiner Familie. Schwindet dieser Gewinn, so tritt das Unglück für den Arbeiter ein, welches meines Erachtens viel größer ist als die lange Dauer der Arbeitszeit, nämlich die Gefahr der Brotlosigkeit mit dem Übergangsstadium der Lohnverringerung. Das ist das erste, worin sich das Übel fühlbar macht, daß es die Löhne verringert, wenn der Bedarf an Arbeit sich so mindert, daß, anstatt daß jetzt geklagt wird, es wird zu viel Arbeit verlangt, dann zu wenig verlangt wird, und daß dann für sechs Tage nur für drei Arbeit geboten wird, ja, daß schließlich die Industrie, auf die der Arbeiter nach seinem Wohnort, nach dem, was er gelernt hat, nach dem, was er gewohnt ist, angewiesen ist, ganz eingeht, und die schwierige Frage der vollständigen Brotlosigkeit in drohender Form erscheint. Man kann sich darüber nicht täuschen, daß jede von den Verbesserungen, die wir für den Arbeiter erstreben, mit einer Belastung der Industrie verbunden ist. Sind wir, wenn wir, auch selbst ohne es zu wollen, die Grenze berühren, wo die Belastung für die Industrie nicht erträglich ist, sondern die Folgen eintreten, die ich erwähnte — sind wir dann entschlossen, der Industrie, deren Opfer wir für Erfüllung der Staatszwecke in Anspruch nehmen, staatliche Zuschüsse zu geben? Die Fraktion, der der Herr Interpellant angehört, hat sich bisher dem versagt. Ich schrecke vor der Frage nicht zurück. Ich bin sehr weit entfernt davon, einem Teil der Staatsbürger sein Gewerbe zu erleichtern durch Zuschüsse von seiten der anderen; ich fasse die Sache nur so auf: Wenn man von einem Teil der Staatsbürger zur Erfüllung von Staatszwecken verlangt, daß er über das hinausgeht, was sein Gewerbe an sich von ihm fordert, nämlich den Arbeiter zu nutzen, wenn er Nutzen davon hat, ihn laufen zu lassen, wenn er keinen hat — wenn man ihm die Pflicht auferlegt, eine kürzere Arbeitszeit mit demselben Tageslohn einzusetzen, so muß man auch darauf gefaßt sein, daß die Industrie, um nicht zugrunde zu gehen, durch künstliche Zuschüsse zu halten sein wird. Das ist die Frage, vor der man steht, und die Herren, welche die Grenze, bei der sie beginnt, nicht überschreiten wollen, erlaube ich mir auf die Resultate der Erfüllung aller der in der Interpellation gestellten Forderungen kurz hinzuweisen.

Der Herr Vorredner hat von Arbeitszeiten gesprochen, die mir ganz unbekannt sind. Ich habe Fabriken in meiner Nachbarschaft, da ist die eigentliche Arbeitszeit eine neunstündige, mitunter eine zehnstündige, die Schicht eine zwölfstündige mit drei Stunden Ruhe; es sind das auch Industrien, die vierundzwanzig Stunden die ganze Woche durcharbeiten und wo die Leute auch zwölf Stunden in der Fabrik oder in ihrer Wohnung, danebenliegend, in der Nähe der Fabrik, anwesend sind und von diesen zwölf Stunden in bestimmter Einteilung in mehreren Abschnitten drei Stunden ruhen und neun Stunden in der Fabrik sich aufhalten. Wenn in irgendeiner Industrie eine sechzehnstündige Arbeitszeit gefordert wird, so bedauere ich die Lage dieser Industrie, denn ich halte das für eine Last, die auf die Dauer nicht zu tragen ist. Wenn man sich aber vergegenwärtigt — ich will nicht von sechzehn Stunden sprechen, ich halte das für eine Ausnahme — den Unterschied zwischen einer vierzehnstündigen und einer zehnstündigen Arbeitszeit, wenn für die Herstellung eines Quantums verkäuflicher Ware hundert Arbeitsstunden erforderlich sind: welches ist der Unterschied, der sich für den Unternehmer herausstellt, wenn er für diese hundert Stunden sieben Arbeitstage zu vierzehn Stunden oder zehn Arbeitstage zu zehn Stunden zu bezahlen hat? Es macht das auf das gesamte Lohnkonto eines solchen Unternehmers einen Unterschied von drei Siebentel, also sagen wir über 40 Prozent. Wenn Sie nun ein mäßiges industrielles Unternehmen ins Auge fassen, welches hundert Arbeiter nach dieser Rechnung hat, und jeder Arbeiter hat einen Jahresverdienst, wie das gewöhnlich angenommen wird, von 750 Mark, so ist das ein Gesamtaufwand des Unternehmers von 75 000 Mark. Nehmen Sie davon 40 Prozent, vier Zehntel, als Zuschlag wegen der verkürzten Arbeitszeit ohne Reduktion des Lohns, so haben Sie einen Zuschlag von 30 000 Mark Arbeitslohn und steigern die Kosten der Fabrik von 75 000 auf 105 000 Mark. Es wird mich freuen, wenn die Industrie das tragen kann. Kann sie es aber nicht tragen, dann schädigen wir den Arbeiter in viel höherem Maße, als wir ihn erleichtern, indem wir ihm die Industrie stören, auf die sein ganzer Lebensunterhalt basiert ist, wir kommen dann zu trostlosen Zuständen bei einem großen Teil der Bevölkerung, für die der Gesetzgeber die Verantwortung hat, weil sein Eingriff — ich möchte sagen — roh, gewalttätig und ohne sorgfältige Prüfung der Situation erfolgt ist, und dem Arbeiter ist damit am allerwenigsten gedient.

Wenn man nun diese drei Punkte, die in der Interpellation voranstehen, die Sonntagsarbeit, die Frauenarbeit und die Ausdehnung der Männerarbeit — sie haben das miteinander gemein, daß sie die Zeitfrage betreffen — wenn man sie kumuliert, die Beseitigung der Sonntagsarbeit in denjenigen Geschäften, wo sie bisher üblich ist — ich will es ja nicht rechtfertigen, aber ich rechne mit den gegebenen Verhältnissen, wie wir sie tatsächlich haben — es repräsentiert immer, sowohl für das Einkommen des Arbeiters wie für den Unternehmer, ein Item von einem Siebentel des Lohns. Kann der Arbeiter nun das Siebentel Lohn, also 14 oder 15 Prozent seines wöchentlichen und jährlichen Einkommens, etwa auf die anderen Wochentage schlagen, so ist es gut, dann bleibt seine Jahreseinnahme dieselbe; kann er das nicht, so vermindert sein Budget sich um ein Siebentel, also bei einem Durchschnittseinkommen von 750 Mark etwas über 100 Mark. Mir liegt — ich will nachher darauf kommen, es betrifft die Arbeitszeit der Männer — eine Jahresrechnung vor, die Arbeiter in einer Petition aufstellten, wobei ich sagen muß, daß 100 oder gar 107 Mark bei dieser Rechnung in keiner Weise zu erübrigen sind in dem Budget eines Arbeiters, aber man muß sich doch klarmachen: Wo soll das Ergebnis der Sonntagsarbeit in dem Budget des Arbeiters oder in den 14 Prozent, die etwa noch auf die Lohnausgabe des Unternehmers aufzuschlagen sind, im Zusatz zu der Rechnung von 40 Prozent, die wir vorhin hatten, herkommen? Ich weiß es nicht. Kann die Industrie solche Auflage tragen? Wir müssen uns die Ziele nicht zu hoch stellen; wie hoch wir sie stellen dürfen, werden wir meines Erachtens erst beurteilen können, wenn wir zu korporativen Bildungen gelangt sein werden, wo wir dann mit jeder einzelnen verhandeln können und wissen, wie weit sie in Konzessionen den Staatszwecken gegenüber gehen kann ohne Zuschuß. Das werden wir aber frühestens im nächsten Frühjahr auf Grund der Ihnen dann zu machenden Vorlagen in Angriff nehmen können; bis jetzt bin ich außerstande, darüber ein Urteil zu geben. Eine Verminderung des Arbeitstages von vierzehn auf zwölf Stunden, von zwölf auf zehn, beträgt immer noch etwas wie 20 Prozent; können wir die auferlegen? und wenn ich den Sonntag noch abziehe und 14 Prozent noch weitere Reduktion zuschlage, können wir, kann die Industrie die decken?

Dasselbe findet auf die Frauenarbeit Anwendung. Ich halte es im höchsten Maße wünschenswert, wenn die Fabrikarbeiter auf den Fuß gelangen könnten, auf dem die ländlichen Tagelöhner fast überall stehen, daß die Frau in der Regel nicht mit auf Arbeit geht, sondern den ganzen Tag zu Hause bleibt, mit alleiniger Ausnahme der Zeit, wo in der Landwirtschaft Not am Mann ist, also der verschiedenen Ernteprozeduren. Ob das bei den Fabrikarbeitern erreichbar ist, das weiß ich nicht, aber das, was die Frau bisher verdient, mag es die Hälfte, ein Drittel oder zwei Drittel von dem Verdienst des Mannes sein — es ist zum Budget von 750 Mark immer ein Zuschuß, der bisher nicht entbehrt werden kann. Ich erinnere mich aus meinen eigenen Erlebnissen, als zuerst die Einrichtung zum Schutz der jugendlichen Arbeiter bei uns erfolgte, daß die Mütter auf dem Lande zu mir gekommen sind, mir Vorwürfe gemacht und verlangt haben, ich sollte ihnen angeben, was sie mit diesem unbeschäftigten und ihnen zur Last liegenden Jungen zu Hause machen sollen; früher habe er etwas verdient, jetzt verfalle er dem Müßiggang und anderen schlimmeren Lastern mit den übrigen Kameraden. Es hat ja diese sehr humane und vortreffliche Einrichtung, die Jugend und die zartere Konstitution schützen zu wollen, auch ihre Kehrseite, wie sich hier jeder vergegenwärtigen kann, der weiß, was für Neigungen in einem Jungen, der sich in den sogenannten Flegeljahren befindet, von zwölf bis sechzehn Jahren, auftauchen, wenn er zum Müßiggang gesetzlich verurteilt wird.

Dann, was die Arbeitszeit der Männer betrifft, so findet auf diese, da diese drei Fragen sehr verwandt sind, die Sonntags-, die Frauen- und die Männerarbeit, dasselbe Anwendung. Im Gegensatz zu dem Herrn Interpellanten darf ich aus den Petitionen schließen, die mir zugehen, daß die Hauptklage über die zu lange Arbeitszeit der Männer geführt wird; mir ist noch nie eine Petition gegen die Arbeit der Frauen oder Kinder zugegangen, vielleicht deshalb, weil die Schreiber der Petitionen eben die Männer sind; aber die Klagen über die zu lange Arbeitszeit der Männer, namentlich infolge der jüngsten Aufbesserung der Geschäfte, besonders in den Bergwerken, die Klage über die Überschichten, die ist eine sehr allgemeine. Eine Gesellschaft von Petenten begleitet die mir vorliegende

Anforderung auf Verminderung der Arbeitszeit mit der Darstellung des Budgets eines Arbeiters, aus welchem folgt, daß dieses Budget einen Ausfall durch Kürzung der Arbeitszeit nicht verträgt, falls nicht der Unternehmer in der Lage ist, den Schaden einzubüßen; da wird aufgestellt bei einem Budget von 750 Mark im Jahr, das heißt 300 Arbeitstage zu 2 Mark 50 Pfennige, ein Bedarf an Hausmiete von 100 Mark, Feuerungsbedarf an Kohlen 30 Mark, Seife 50 Mark, Öl 26 Mark, Steuern 29 Mark; nun vermute ich, daß diese Steuern hauptsächlich in Kommunalzuschlägen bestehen, denn es ist ja dies eine der größten und am meisten belasteten rheinischen Städte, denn an Staatssteuern kann ein Arbeiter mit 750 Mark Einkommen unmöglich 29 Mark bezahlen, und ich hoffe, wenn die Herren uns das Tabakmonopol bewilligt haben werden *(Heiterkeit)*, daß diese Klasse im Staate ganz steuerfrei gestellt, und die Klassensteuer als ein Übel vollständig aus der Welt geschafft werden kann, aber wie es scheint, dauert dies noch lange — also 29 Mark Steuern, Kleidungsstücke für die Familie 150 Mark, das macht also ohne leibliche Pflege 350 Mark. Diese abgerechnet von 750 Mark, bleiben 400 Mark, und davon kann nach der Erklärung der Bittsteller eine Familie von fünf bis sechs Gliedern nicht leben. Nun vermute ich, daß in der Familie von fünf bis sechs Personen Frau und Kinder auch etwas verdienen, und daß das hinzutritt, und Ziffern sind bekanntlich unzuverlässig, vielleicht auch diese, aber die Nennung von Ziffern führt meines Erachtens die Diskussion auf das praktische Gebiet, wo im Raume die Dinge sich hart aneinander stoßen, während die Gedanken den Zusammenstoß leicht überfliegen, und deshalb möchte ich das vorgetragene Budget zu beherzigen bitten. Soll es nicht durch Verminderung der Arbeitszeit noch verkürzt werden, so fragt es sich: Kann man den Unternehmer zu einem Zuschuß nötigen, ohne daß er zur Geschäftsauflösung schreitet, ohne daß infolgedessen der Arbeiter brotlos wird, denn mit Schaden arbeitet kein Unternehmer? —

Es sind das alles Fragen von großer Schwierigkeit, deren Lösung wir bisher nicht näher getreten sind, auch nicht durch Mittel, die uns die Interpellation angegeben hätte. Ich bin indessen sehr gespannt, ob nicht in der Diskussion die Herren, die das Wort ergreifen werden, der Regierung zu Hilfe kommen werden mit praktischen Vorschlägen, die den Übelständen abhelfen, ohne die Schäden, die ich befürchte, und die mich ängstlich machen. Die Rednerliste, die vorliegt, besteht aus den Herren, die sich am meisten und mit dem größten Erfolg mit solchen wirtschaftlichen Dingen beschäftigt haben; ich hoffe also noch in diesen Reden einigen Ersatz zu finden für die Versagung des Wirtschaftsrats, der wir uns gegenüber sehen. *(Heiterkeit.)*

Ich erlaube mir noch in Bezug auf die allgemeine Beschränkung der Arbeitszeit, die der Herr Vorredner schon selbst abgelehnt hat, einiges zu bemerken. Auch in dem einzelnen Geschäft kann man doch genau und diktatorisch die Arbeitszeit nicht für alle Fälle beschränken. Jedes Geschäft hat seine Ebbe und Flut. Wir brauchen bloß an die Zeit der Festtage hinter uns zu erinnern. Welches Berliner Geschäft hat nicht seine Flut gehabt im Monat Dezember vor Weihnachten? Und so ist bei anderen Geschäften in anderen Jahreszeiten in regelmäßiger Wiederkehr Ebbe und Flut. Wollte man dieselbe Arbeitszeit oder ein Maximum der Arbeitszeit ansetzen, was nicht überschritten werden darf, in einer Weihnachtszeit, wo die Leute, um zu verdienen, mit Vergnügen die Nächte daran setzen, um zu arbeiten, so würde man hart und störend in ihre freie Erwerbstätigkeit eingreifen. Aber auch in anderen Geschäften unabhängig von Festen und von solchen Zeiten kommen nach der Natur des Verkehrs doch Ebbe und Flut vor. Wenn nun zuzeiten, wo großer Begehr nach einem bestimmten Produkt ist — wir wollen sagen, nach den Kohlen — die Kräfte nicht mehr angespannt werden können und dürfen, wie in denjenigen Zeiten, wo man die Kohlen umsonst anbietet und kann sie nicht loswerden, und wo die Schichten so reduziert werden müssen, daß nur drei dem einzelnen in der Woche bewilligt werden, dann kommt die gesamte Bergwerksindustrie, die auf dem Jahresverkehr beruht, zu kurz. Es muß eine Freiheit der Bewegung sein, bei stärkerem Verkehr die Arbeitskräfte stärker heranzuziehen, als es bei schwächerem Verkehr der Fall ist.

Es tritt ferner bei der Normierung eines Arbeitstages noch eine Gefahr ein, das ist diejenige, daß das Maximum, welches damit bestimmt wird, an vielen Orten die bestehende Arbeitszeit übersteigt, denn man kann das Maximum nicht zu niedrig halten. Wenn man also da, wo zu meiner Verwunderung sechzehn- oder vierzehnstündige Arbeitszeit üblich ist, eine zwölfstündige Arbeitszeit einführt, so werden alle die Geschäfte, die bisher eine zehnstündige haben, sich sagen: Warum sollen wir nicht zwölf Stunden annehmen? und man würde dann diese Arbeiter schädigen, wenn man nicht abwartet, bis die Berufsklassen sich gebildet haben, die in sich eine Korporation herstellen können, die ungefähr gleichartige Interessen vertritt, mit der man nachher verhandeln könnte, und von der man erwarten kann, daß sie auch ihre eigenen Interessen dabei wahrnehmen wird.

Ich erlaube mir noch, auf die Fabrikinspektoren in bestimmterer Weise als vorher zurückzukommen und darauf aufmerksam zu machen, daß die Ausbildung dieser Institution von den Regierungen keineswegs aus den Augen verloren ist, sondern daß wir nur eine Pause gemacht haben, um wo möglich die korporativen Grundlagen auch hierfür zu gewinnen, so daß demnächst der Fabrikinspektor unter der Kontrolle der Korporation ebensowohl wie des Staates steht. Als ich zuerst praktisch mit diesen Fabrikinspektoren in Berührung gekommen bin, habe ich sofort das Bedürfnis empfunden: hier muß die Kontrolle der Öffentlichkeit und ein Appell an irgendeine der Sache fremdstehende kollegiale Entscheidung sein; es kann von einer einzelnen Person und ihrem Dafürhalten nicht definitiv abhängen, was geschehen muß. Unter diesen Herren sind ja ganz ausgezeichnete Beamte, welche die Hoffnung der Zukunft auf Vervollkommnung der Einrichtung bilden. Es sind aber auch andere, die mit weniger Sicherheit und weniger zweckmäßig sich bewegen, und bei solchen isoliert stehenden bürokratischen Beamten kommt häufig das Selbstgefühl und die Vorliebe für eigene Erfindungen und Theorien in einer Weise mit in Frage, daß da der Gewerbetreibende mit den geringen Rechten, die er dem Beamten gegenüber hat, fürchtet, sich diesen zum Feind zu machen, und lieber in Schädigung und in einen Zustand von Bedrückung und Verstimmung gerät. Deshalb glaube ich, daß auch diese Einrichtung, wenn sie weiter ausgebildet wird, wofür ich durchaus stimme, der Kontrolle und der Mitwirkung der Korporation der Beteiligten unterzogen werden sollte. Es kann das um so wirksamer sein, wenn die Körperschaft der Beteiligten zugleich diejenige ist, welche unter fehlerhaften Einrichtungen durch Deckung der Unfälle, die daraus hervorgehen, zu leiden hat. Dieselbe Solidarität der Interessen, die wir in den Korporationen erstreben, kann zugleich dahin wirken, daß die Kräfte, die der Arbeitgeber zu verwenden hat, mehr als bisher geschont werden; namentlich wenn wir dahin gelangen sollten, was im weiten Felde steht, auch zur Altersversorgung zu kommen, dann liegt es im Interesse der gesamten Korporationen, die Behandlung des Arbeiters bei allen seinen Kollegen in der Korporation, bei allen Mitgliedern so eingerichtet zu sehen, daß das Bedürfnis der Altersversorgung nicht zu früh eintritt.

Ich hatte mir noch gewisse Einzelheiten notiert, ich glaube aber, ich habe sie im Laufe meiner Äußerungen schon berührt und kann also mit der Versicherung schließen, daß mich die ganze Darlegung des Herrn Vorredners sympathisch berührt hat, daß ich aber auch ihn und seine Gesinnungsgenossen bitte, die Schwierigkeiten, die einer praktischen Ausführbarkeit des Wünschenswerten — die Wünsche teilen wir ja — entgegenstehen, auch ihrerseits zu würdigen und nicht zu große Hoffnungen, nicht unerfüllbare Hoffnungen zu erregen, und daß ich Sie bitte, mit Geduld den Zeitpunkt abzuwarten oder den Zeitraum — ich hoffe, er wird im April d. J. beginnen — wo die verbündeten Regierungen in der Lage sein werden, nach den Intentionen des Kaisers das Bestreben zu betätigen, daß auch bei den bisher Schutzlosen im Staate sich die Überzeugung aus der Praxis allmählich einbürgert, daß der Staat nicht bloß sich ihrer erinnert, wenn es gilt, Rekruten zu stellen, oder wenn es gilt, Klassensteuern zu zahlen — ich hoffe, daß wir über diesen Fehler unserer steuerlichen Einrichtungen mit der Zeit ganz hinwegkommen können — sondern daß er auch an sie denkt, wenn es gilt, sie zu schützen und zu stützen, damit sie mit ihren schwachen Kräften auf der großen Heerstraße des Lebens nicht übergerannt und niedergetreten werden. *(Bravo! rechts.)*

204. Rede in der 33. Sitzung des Deutschen Reichstags am 24. Januar 1882

W 12, 324 ff. = Kohl 9, 219 ff.

Der linksliberale Abgeordnete Haenel hatte den am 4. Januar 1882 im „Staatsanzeiger" veröffentlichten Erlaß des Königs, der dessen konstitutionelle Rechte im Rahmen der preußischen Monarchie besonders herausstellte, kritisch zur Sprache gebracht. Bismarck stellt ihm das Wesen und die Bedeutung der Monarchie für Deutschland gegenüber:

Der Herr Vorredner ist, wie ich höre, im Anfang seiner Rede zweifelhaft gewesen über seine Legitimation, hier im Reichstage einen Erlaß des Königs von Preußen, an Seine Minister gerichtet, zu besprechen. Ich muß ihm überlassen, sich mit seiner Legitimation als Reichstagsabgeordneter abzufinden; ich bestreite sie nicht. Die meinige ist mir ganz zweifellos. Wenn ich hier als Reichskanzler und nur als solcher existierte, so wäre ich vielleicht zweifelhaft, aber ich muß da eine Fiktion — der Verfassung gegenüber ist es eine Fiktion — berichtigen: Der Reichskanzler, so oft er hier genannt wird, ist eigentlich hier gar nicht anwesend. Nach Artikel 9 der Verfassung haben die Mitglieder des Bundesrats und nur diese, resp. die vom Bundesrat ernannten Kommissarien, das Recht, hier zu erscheinen und jederzeit gehört zu werden, um die Ansichten ihrer Regierung — so steht es in der Verfassung — zu vertreten. Ich bin also vollständig berechtigt, wenn ich die Ansicht meiner Regierung über den von mir kontrasignierten und verantwortlich vertretenen Erlaß hier nach Artikel 9 der Verfassung vertrete.

Nach Artikel 6 der Verfassung werden die Mitglieder des Bundesrats, die also allein berechtigt sind, hier zu erscheinen, von den „Bundesgliedern" ernannt, der Reichskanzler aber wird von Seiner Majestät dem Kaiser ernannt, und der Kaiser gehört nicht zu den bei der Einteilung der Ernennung der Bundesratsmitglieder aufgeführten Bundesgliedern. Der Kaiser als solcher ist im Bundesrat nicht stimmführend vertreten. Der Reichskanzler hat den Vorsitz, aber wenn es Seine Majestät der Kaiser nicht für gut findet, einen der preußischen Bevollmächtigten im Bundesrat zum Reichskanzler zu ernennen, weil vielleicht keiner derselben ihm dazu geeignet scheint, dann ist es sehr fraglich, ob der Reichskanzler hier das Vergnügen haben kann, wenn es eins ist, vor Ihnen zu reden. Ich bin also hier und spreche hier in meiner Eigenschaft als königlich preußischer Bevollmächtigter. Als solcher ist meine Legitimation nicht zweifelhaft; im Gegenteil, ich ergreife mit Vergnügen die Gelegenheit, die Ansichten meiner Regierung hier auszusprechen. Ich würde nicht den Mut gehabt haben, meinerseits hier die Initiative zu ergreifen; nachdem sie aber ergriffen ist, so bin ich dafür dankbar.

Der Erlaß hat in keiner Weise den Zweck, neues Recht zu schaffen, steht auch in keiner Verbindung mit irgendwelchen Aussichten auf Konflikt. Wenn der Herr Vorredner von dem hochseligen Könige von Bayern sprach, der Frieden mit seinem Volke haben wollte, so hat den der jetzt regierende König von Preußen im vollen Maße. *(Bravo! rechts.)* Er hat nur mit einigen Fraktionen des Landtags nicht den vollen Frieden, wie er wünschte, aber doch auch keinen Konflikt; und einen Konflikt — meine Herren, das sind fromme Wünsche — einen Konflikt, den werden Sie nicht haben. *(Heiterkeit rechts.)* Und wenn der Herr Vorredner das an Wiener Blätter — und an was für Wiener Blätter! an solche, die in französischem Solde stehen — anknüpft, so sollte man solche Autoritäten in diesen Räumen doch überhaupt nicht zitieren; gegen den Konflikt übernehme ich die Garantie, meine Herren! — ja, auch selbst, wenn er von anderer Seite gesucht werden sollte, Sie werden ihn nicht finden!

Aber, wenn der Erlaß kein neues Recht hat schaffen wollen, so hat er den Zweck, wie aus seinem Inhalt ja hervorgeht, die Verdunkelung des bestehenden Rechtes zu verhüten, die konstitutionellen Legenden zu bekämpfen, welche sich wie wucherische Schlingpflanzen an den ganz klaren Wortlaut der Preußischen Verfassungsurkunde legen, als ob es noch andere Rechtsquellen für uns gäbe außer dem preußischen geschriebenen Rechte, als ob die zufällig in anderen Ländern bestehenden Traditionen oder Verfassungen auf irgendwelche Gültigkeit bei uns in Preußen Anspruch hätten. Das Ergebnis dieser Legendenbildung, die wir ja im vollsten Umfange in wucherischer Üppigkeit in der Rede des Herrn Vorredners hier vor uns haben entstehen sehen, geht in der letzten Konsequenz dahin, daß eben in Preußen der König zwar regiere, im Sinne des französischen *régner* — wir, nach richtigen preußischen Traditionen, unterscheiden beides nicht —

aber nicht regiere im Sinne des französischen *gouverner*, sondern daß die aktive Betätigung der Regierungsgewalt in den Händen einer ministeriellen Regierung wäre, die neben dem Könige steht und, wenn sie ganz korrekt und in Ordnung ist nach dem Sinne des Vorredners, getragen wird von der Mehrheit eines oder beider Körper des Preußischen Landtags. Wie man sich nach französischen Begriffen eine solche Regierung denkt, finde ich in dem ausgezeichneten Werk von Taine *„L'origne de la France contemporaine"* gesagt, nach welchem der König der Girondins *„serait une espèce de président honoraire de la république, auquel ils donneraient un conseil exécutif nommé par l'Assemblée, c'est-à-dire par euxmêmes"*.

Das ist ungefähr das konstitutionelle Ideal der ministeriellen Regierung, die dem selbstregierenden König von Preußen gegenübergestellt werden könnte, und die dann allerdings, gestützt auf eine sichere und wohlgeschulte Majorität, sehr wohl imstande wäre, das Ideal zu realisieren, was beispielsweise der Abgeordnete Mommsen in seinen Wahlreden als ein Schreckbild bezeichnete, nämlich den ministeriellen Absolutismus, neben welchem unser Königtum verschwinden würde zu der Rolle schattenhafter Erbkönige, die, wenn man einen neuen Minister braucht, aus den Kulissen vorgeführt werden und unterschreiben und dann wieder verschwinden, nachdem sie auf diese Weise der landtäglichen Opposition ein neues Ziel zur Bekämpfung, eine neue Festung zur Belagerung, ein neues Ministerium — mit anderen Worten — angewiesen haben. Also diese konstitutionelle Hausmeierei, die der Abgeordnete Mommsen mit einer für einen so angesehenen Geschichtsschreiber ungewöhnlichen Feindschaft gegen die Wahrheit *(Heiterkeit rechts)* mir vorwirft — ich kann nur annehmen, daß die Vertiefung in die Zeiten, die zweitausend Jahre hinter uns liegen, diesem ausgezeichneten Gelehrten den Blick für die sonnenbeschienene Gegenwart vollständig getrübt hat *(Heiterkeit rechts)*, sonst hätte er unmöglich in Reden, die er gehalten hat, mir schuld geben können, daß die „Reaktivierung des absoluten Regiments" erstrebt werde, in der Rede: „Es geht um die Zukunft des deutschen Verfassungsstaates! — Rettet, was noch gerettet werden kann! Es gilt die Reaktivierung des absoluten Regiments" — es ist wirklich eine nationale Beschämung für mich, wenn ich einen so ausgezeichneten Gelehrten, der unseren Ruhm dem Auslande gegenüber als Historiker vertreten soll, bezüglich der Gegenwart so reden höre — also dieses Ministerregiment, diese Kanzlerdiktatur ist etwas, was gerade dann möglich wird, wenn Sie überhaupt das Ministerregiment an die Stelle des königlichen Regiments setzen, wenn es Ihnen gelingt — es wird Ihnen aber nicht gelingen, denn Sie haben gar keine Unterlage hinter sich, die preußische Verfassungsurkunde weiß davon garnichts. Es ist das eine Urkunde, die, fürchte ich, viel zu wenig gelesen wird; viele Leute haben sie auf ihrem Tische liegen, sehen sie aber niemals an. Ich will nur den Titel von dem Könige lesen: von den Ministern ist nur ganz kurz in der Verfassung die Rede, wo gesagt wird, daß sie verantwortlich sein sollen, und wie sie angefaßt werden sollen, wenn sie das Mißfallen der Majoritäten sich zugezogen haben. Es heißt in Tit. 3, „vom Könige", Art. 43: „Die Person des Königs ist unverletzlich." Nun, das ist sie, Gott sei Dank, in Preußen immer gewesen, und es hat außer einigen Verbrechern, die dem Strafgesetz verfallen, noch nicht jemand über sich gebracht, die Person des Königs zu berühren, zu schädigen, kurz, seine Unverletzlichkeit zu mißachten. Zu derselben rechne ich auch, daß das königliche Ansehen, die königliche Würde, die Ehre des Königs in Worten geschont wird überall, wo der König erwähnt wird. Dieser Paragraph sagt meines Erachtens: In allen Diskussionen, wo vom Könige die Rede ist — wenn ich etwa, wie Luther die zehn Gebote in seinem Katechismus weiter ausspinnt, hier die feineren Konsequenzen ausführen soll, so heißt dies nach der Verfassung: ihr sollt vom Könige nicht anders als in Ehrerbietung sprechen und nicht in so unehrerbietiger Weise, wie es hier in diesem Jahre vorgekommen ist. *(Bewegung und Widerspruch links.)* Meine Herren, ich meine die Rede des Herrn Abg. Dr. Virchow[86]. *(Bravo! rechts.)* Die Minister des Königs sind verantwortlich. — Nun, gut! Gewiß sind wir das, und ich schrecke vor dieser Verantwortlichkeit nicht zurück. Mein Name steht auch unter diesem Erlaß, und ich bin, obschon im Krankenrecht, heute erschienen, weil mein Name darunter steht. Die Minister sind verantwortlich: Ich kann mich auch verantwortlich machen für meine eigenen Handlungen und kann mich auch verantwortlich gemacht haben durch eine Bürgschaft, die ich übernehme für Handlungen eines anderen, und ich habe mich verantwortlich gemacht auch für alle Handlungen meines Königs, die ich gegenzeichne, und auch für die, welche ich nicht gegenzeichne, werde ich am letzten Ort die Verantwortlichkeit gern übernehmen. *(Bravo!)* Das ändert also gar nichts am Königsrecht; die Regierungsakte, welche zu ihrer Gültigkeit der Gegenzeichnung bedürfen, sie bleiben doch Regierungsakte des Königs. Sie werden ja als solche hier in

---

[86] Abg. Virchow hatte am 11. Januar 1882 erklärt, daß man in die schwierigste Lage käme, wenn die völlige Änderung der Ansichten des Reichskanzlers in der Frage der Unfallversicherung sich auch auf anderen Gebieten fortsetze und der König sich stets dahinterstelle.

der Verfassung ausdrücklich bezeichnet: Regierungsakte „des Königs" bedürfen zu ihrer Gültigkeit der Gegenzeichnung.

Sind sie gegengezeichnet, werden sie dadurch etwa „ministerielle" Akte? Ist der König dabei Nebensache und der Minister die Hauptsache, die ministerielle Unterschrift, die tief unten in der Ecke steht? — Ja, meine Herren, wie Sie das mit der weitgetriebenen Verehrung, die der Herr Vorredner für die königliche Stellung hat, zusammenbringen wollen, daß Sie den Hauptakzent von den beiden Unterschriften, die untereinander stehen, wie unter diesem Erlaß, auf die Ministerunterschrift legen, verstehe ich nicht. Es ist ganz erklärlich, wenn man sich denkt, daß in Ihrer Verehrung der König so hoch steht und noch höher, bis in die Wolken hinein, wo ihn kein Mensch mehr merkt und kein Mensch mehr spürt vor lauter Verehrung; nicht aus Herrschsucht stellen Sie ihn so hoch, nein, aus lauter Verehrung für das Königtum, so daß er zuletzt, wie früher der geistliche Kaiser in Japan, alle Jahre einmal an einem hohen Festtage gezeigt wird, von unten, auf einem Gitter gehend, so daß man nur seine Sohlen sehen kann. Auf diese Weise wird jedenfalls eine konstitutionelle Hausmeierei ausgebildet, noch mehr, als sie bei den Karolingern mit ihren Schattenkönigen bestand; bei uns aber regiert der König selbst, die Minister redigieren wohl, was der König befohlen hat, aber sie regieren nicht.

Dem König allein — sagt die Verfassung — steht die vollziehende Gewalt zu — von den Ministern ist gar nicht die Rede.

„Der König besetzt alle Stellen in allen Zweigen des Staatsdienstes" — auch da ist von Ministern nicht die Rede.

„Die gesetzgebende Gewalt wird gemeinschaftlich durch den König und zwei Kammern ausgeübt." — Ja, das preußische Volk hat die beiden Kammern akzeptiert, so daß die früher dem König allein zustehende gesetzgeberische Gewalt geteilt wurde; der König hat den Kammern zwei Drittel der Legislative abgetreten, das ist bei uns geschriebenes Recht; aber wenn dieses letzte Drittel noch auf ein Ministerium, das der König ernennen kann, etwa, wie ich früher einen Justitiar ernennen konnte und noch unter Umständen einen Pfarrer ernennen kann — ist er aber einmal ernannt, so steht er mir gegenüber unabsetzbar, und unabsetzbar ist ein Minister, wenn er eine starke Majorität in einer Kammer oder gar in beiden Kammern oder im Reichstage hat und diese Majorität befriedigt mit Rechten und Konzessionen, die er dem König abgewinnt. Ein solcher Minister kann sich dem König gegenüber genau in der Lage befinden, wie ein Pfarrer, den ich voziert habe, und der mir, nachdem ich ihn voziert habe, das Leben so sauer macht wie möglich.

Die Verfassung sagt: „Die Übereinstimmung des Königs und beider Kammern ist zu jedem Gesetze erforderlich. Dem Könige sowie jeder Kammer steht das Recht zu, Gesetze vorzuschlagen. Gesetze, die ... vom König einmal verworfen worden sind, können ... nicht wieder eingebracht werden."

Der Minister ist also ein in der Verfassung kaum genannter Lückenbüßer; ob das nun in die konstitutionelle Theorie paßt oder nicht, ist mir vollständig gleichgültig, es steht das in der Preußischen Verfassung, und ich kenne kein anderes Grundgesetz, nach dem in Preußen zu regieren und zu leben ist; Seine Majestät der König von Preußen hat aber den Eindruck gehabt, daß diese seine zweifellosen verfassungsmäßigen Berechtigungen einigermaßen verkannt zu werden anfingen, namentlich auch aus den letzten Diskussionen hier, und Er hat das Bedürfnis gehabt, das geltende Verfassungsrecht so, wie wir alle es beschworen haben, auch der König, neu in Erinnerung zu bringen in seiner ganzen nüchternen Nacktheit, frei von den Zutaten legendärer Gebilde, die der Herr Vorredner uns vorgetragen hat, und daran ändert weder die Unverletzlichkeit, noch die Verantwortlichkeit das geringste.

Die preußischen Traditionen entsprechen auch vollständig den Bestimmungen der Verfassung: es ist von den preußischen Königen ihre Stellung niemals in erster Linie aus dem Gesichtspunkt der Rechte, sondern in erster Linie aus dem Gesichtspunkt der Pflichten aufgefaßt worden. Unsere Könige, bis zu den Kurfürsten zurück, haben nie geglaubt, daß sie *„fruges consumere nati"* wären und zu ihrem Vergnügen an der Spitze des Staates ständen, sondern sie haben das streng dienstliche Gefühl der Regentenpflicht gehabt, wie Friedrich der Große es in seinem Ausspruch bestätigt, daß er sich selbst für den ersten Diener des preußischen Staates erklärte. Diese Tradition ist in unseren Regenten, wie wir ja alle wissen — ich erzähle ja nichts Neues, wir wissen, wie unser jetziger Herrscher lebt und seine Zeit ausfüllt vom Morgen bis zum Abend — in dem Maße lebendig, daß in der Tat bei uns in Preußen innerhalb des Ministeriums der König befiehlt und die Minister gehorchen, so lange sie glauben, die Verantwortlichkeit tragen zu können. Können sie das nicht mehr, so ist der Wechsel eines Ministers so sehr schwierig nicht; wir haben ja von Politikern jeder Art sehr reichliche Auswahl auf Lager *(Heiterkeit)*, und der König, wenn er nicht ganz etwas Exzentrisches will, würde für alles, was seine gegenwärtigen Minister nicht kontrasignieren wollen, leicht andere Minister finden, welche bereit sind, die Verantwortung dafür zu tragen. Es wird uns aber nichts Exzentrisches angesonnen, sondern in den festen, tiefen Gleisen, die die Politik Preußens im Deutschen Reich allein gehen kann, bestimmt Seine Majestät der König im Prinzip. Er bestimmt, was geschehen soll, wie die preußischen Vertreter am Bundesrat danach instruiert werden sollen, bestimmt, daß danach die Vorlagen im Landtag und im Reichstag gemacht werden sollen, nach der eigenen Überzeugung, und die Ausarbeitung, das Formale in der Sache, ist Sache der Minister. Nun können ja Minister abweichender Meinung sein — dann findet ein Kompromiß statt, wie ich schon früher sagte, das konstitutionelle Leben besteht aus Kompromissen, und ein König, der einen Minister nicht ohne weiteres entlassen will, konzediert ihm wohl etwas, was er eigentlich lieber nicht gewollt hätte. Noch häufiger aber kommt es vor, daß die Minister für eine Arbeit oder eine Schrift, die ihrer Meinung nach aus einem Guß und richtig war, die königliche Zustimmung nicht gewinnen können und sich dann fragen müssen: Soll ich nun die ganze Sache fallen lassen? Soll ich sie zu einer Kabinettsfrage machen, zurücktreten, oder es für das Vaterland und für den Dienst nützlicher finden, dem königlichen Willen Konzessionen zu machen? Der königliche Wille ist und bleibt der allein entscheidende. Der wirkliche, faktische Ministerpräsident in Preußen ist und bleibt Seine Majestät der König. Ich, der vor Ihnen steht, habe meinen Kollegen gar nichts zu befehlen, ich habe sie nur zu bitten und ihnen Briefe zu schreiben, die sie nicht immer überzeugen, das ist sehr angreifend, und ich tue es deshalb nicht immer, sondern wenn ich glaube, daß etwas geschehen muß, und ich kann es nicht durchsetzen, dann wende ich mich an den wirklichen Ministerpräsidenten, an Seine Majestät den König; finde ich da keinen Anklang, so lasse ich die Sache fallen, finde ich ihn, so kommt ein königlicher Befehl, es so und so zu machen, und dann geschieht's, oder es folgt eine Kabinettskrisis, die sich dann ruhig vollzieht. Diese Regentenpflicht, die Freude an der Arbeit, wenn überhaupt eine Freude bei dem Regieren ist, wird nun von dem Könige von Preußen innerhalb der Schranken, welche die Verfassung gezogen hat, mit derselben Hingebung geübt und erfordert vielleicht noch eine größere Arbeit, weil die Schranken die Bewegung erschweren, und der Raum, auf dem man sich bewegt, ein sehr viel engerer ist. Die Könige von Preußen waren im Vollbesitz der Macht, der gesetzgebenden wie jeder anderen, zu der Zeit, wo die Verfassung erlassen wurde. Die Herren, die mit mir, es werden wenige sein, in den Jahren 1849, 1850 und 1851 an der Verfassung gearbeitet haben, und die noch parlamentarisch tätig sind, die mit mir 1851 die Verfassung beschworen haben, wissen, wie fern uns damals die konstitutionelle Theorie der Majoritätsregierungen lag, und wie stark die Vorbehalte waren, die der hochselige König bei der Beeidigung machte über die „Möglichkeit", mit dieser Verfassung zu regieren. Es waren, wenn Sie es vom Gesichtspunkt des *contrat social* betrachten wollen, wie dieser Vertrag geschlossen wurde, die Ansprüche der parlamentarischen

Einflüsse hinter dem heute von Herrn Abgeordneten Dr. Haenel uns skizzierten Ideal damals noch sehr weit zurück.

Daß es so in Preußen ist, ist doch ein großes Glück. Bedenken Sie mal, wenn es anders wäre, dann wären wir ja gar nicht hier, ich hätte gar nicht den Vorzug, zu Ihnen hier in diesem Saale zu reden, wir hätten gar keinen Deutschen Reichstag. Nehmen Sie mal an, daß von 1860 ab Seine Majestät, unser konstitutioneller König, die Konstitution nach den Haenelschen Grundsätzen ausgelegt hätte und bis zur Entlassung der Minister die ministerielle Politik, also beispielsweise die auswärtige Politik meiner beiden Vorgänger, zur Ausführung gebracht, sich ihr gefügt hätte, und daß Seine Majestät die Minister so gewählt hätte, wie die Majorität der Kammer, des Landtags es damals angezeigt erscheinen ließ, daß also der König seine Politik der Majoritätspolitik untergeordnet, die Haenelsche Legende ins praktische Leben geführt hätte, dann hätten wir zunächst keine reorganisierte Armee gehabt, das ist doch klar *(sehr wahr! rechts)*; denn die Herren im Parlament verstanden die politischen Möglichkeiten in Europa so wenig, daß sie sich darüber nicht klar waren, daß, wenn man die deutsche Einheit wollte, das erste, was man dazu brauchte, eine starke preußische Armee war und die Unterschrift des Königs von Preußen. *(Sehr richtig! rechts.)* Statt dessen wurde dieser König von Preußen in seinem Versuch, diese Armee so stark zu bilden, daß er die deutsche Einheit nicht nur herstellen, sondern auch nachher in den zweifellos ferner zu führenden Kriegen weiter vertreten konnte, aufs äußerste bekämpft, und wir hätten zunächst die Armeereorganisation gar nicht, wir hätten die Armeeorganisation behalten, die den tapfersten Soldaten — das war der damalige Kriegsminister [87] zur Olmützer Zeit — doch veranlaßte, mir, als ich, als Abgeordneter und Landwehroffizier einberufen, mich bei ihn meldete, zu sagen: „Wir können uns gar nicht schlagen, wir sind gar nicht in der Lage, wir haben erst in vierzehn Tagen 70 000 Mann zwischen Oder und Elbe, wir können die Österreicher gar nicht hindern, Berlin zu besetzen, wir müssen mobilisieren in zwei getrennten Lagern, das eine in Königsberg, das andere in Koblenz, von da müssen wir unser Land und die Hauptstadt wieder erobern; also, ich muß Sie bitten, wenn Sie Einfluß auf Ihre Kollegen haben — Sie haben Urlaub von Ihrem Regiment —, wiegeln Sie ab, was Sie können, wir können mit der Landwehr heute nicht schlagen, wir haben Kadres von 150 000 Mann in Baden stehen und haben sie nicht

---

[87] von Stockhausen.

zusammen." — In derselben Verfassung wären wir militärisch bis heute geblieben, wenn es nach dem Parlament ging.

Die zweite Folge, wenn der König nicht in der Lage gewesen wäre, seine eigene Politik durchzusetzen, sondern die parlamentarische, ministerielle, legendare Politik, war, daß wir 1863 unter Leitung des damaligen Vizepräsidenten des Abgeordnetenhauses, Herrn Behrend aus Danzig, für die polnische Insurrektion Partei nahmen gegen Rußland, daß wir die polnische Insurrektion ermutigten — ich erinnere Sie an den Antrag Donalies aus Ostpreußen und dergleichen, ich habe das im Gedächtnis, die sogenannte Seeschlange. *(Heiterkeit.)* Kurz, die königliche Politik war, Rußland zu schonen für künftige Kriege, für große Zeiten; die parlamentarische Politik war: „Mein Gott, da ist Lärm, da ist Aufstand, da ist Insurrektion, kurz und gut, da wird eine Regierung angegriffen, das erregt unsere Sympathie" *(Heiterkeit)*, und ohne weitere Überlegung wurde parlamentarisch *Jeszcze Polska*[88] gesungen, und damit vorwärts. Das war die Politik, die man dem König aufgezwungen haben würde, wenn er nicht seine eigene befolgt hätte.

Es würde weiter im Jahre 1864 in Bezug auf die Elbherzogtümer Preußen sich, wenn es nach der Mehrheit des Parlaments damals ging, in den Dienst der Frankfurter Majorität gestellt haben. Das war ja die damals im Abgeordnetenhause populäre Politik. Wir würden also im Dienste dieser Frankfurter Majorität wahrscheinlich eine Bundesexekution auf Grund der Bundesprotokolle mit Preußens Mitteln vollzogen haben. Lesen Sie doch die damaligen Verhandlungen: wie bin ich vilipendiert worden, weil es mir neben der Bundesexekution gelungen war, Österreich für gemeinsame Operationen zu gewinnen! Wir hätten also Österreich den Kauf aufsagen, auf den gemeinschaftlichen Feldzug verzichten müssen und dafür die Bundesexekution vollziehen müssen, um dann ein gutes Zeugnis des Bundespräsidiums zu erhalten und den Bund zu verewigen, nachdem wir für ihn getan hätten, was wir konnten. Wir würden aber ohne Österreich viel wahrscheinlicher durch Europa, von dem europäischen Seniorenkonvent, gemaßregelt worden sein und uns bundesprotokollarisch gefügt haben; wir würden eben ein zweites Olmütz erlebt haben.

Das wären die Folgen gewesen, wenn damals parlamentarische Politik und nicht königliche Politik getrieben wäre, wir würden dann wahrscheinlich, meine Herren, noch heute in der Eschenheimer Gasse[89] fest-

---

[88] „Noch ist Polen nicht verloren."

[89] Gemeint ist das Frankfurter Palais des früheren Deutschen Bundestages.

sitzen, und wenn ich auch nicht mehr Bundestagsgesandter sein würde, so wäre ein anderer dort und würde meinen Instruktionen gemäß Exekutionen und Protokolle beschließen, und Sie alle wären hier gar nicht vorhanden.

Statt dessen hat der König an seiner eigenen Politik festgehalten, und hat, trotzdem die königliche Minorität in der Kammer auf 11 Stimmen reduziert war — es waren 11 Konservative —, festgehalten an dem, was die Traditionen der preußischen Dynastie, die Traditionen seiner Vorfahren ihm als Politik vorzeichnen, was sein deutsches Herz, sein deutsches Gefühl ihm als Ideal vorzeichnen. Seine Majestät hat damals in den holsteinischen Sachen, als ich nicht rasch genug im deutschen, im nationalen Sinne vorgehen wollte, mir in einiger Erregung das Wort gesagt: „Sind Sie denn nicht auch ein Deutscher?" — So waren die Gesinnungen Seiner Majestät in nationaler Richtung engagiert, und so genau vorgezeichnet war die Politik, für deren Gelingen man der Armee danken kann, für deren Beginn und Durchführung aber der Dank bei mir an eine falsche Adresse gerichtet ist — er gebührt für die politische Konzeption einzig Seiner Majestät dem Könige *(Bravo! rechts)*; — und dafür, daß der König seine Minister gewechselt hat, bis er ein Ministerium fand, welches bereit war, dem Könige den Willen zu tun, und, was man sagt, flott mitzugehen, losgesagt von der Ängstlichkeit der drei Vorgänger, die ich im Auswärtigen Dienst gehabt habe, eine nationale Politik, auf die Spitze des Schwertes gestellt, durchzuführen dadurch, daß der König eben keine ministerielle Hausmeierei sich bilden ließ, gestützt auf erdrückende Majoritäten, die der Krone entgegenstanden; und lesen Sie die Verhandlungen von damals durch, noch heute lassen an Lebhaftigkeit die Redner nichts zu wünschen übrig, aber es ist doch seit zwanzig Jahren einiger Fortschritt in der Höflichkeit parlamentarischer Diskussion zu bemerken gegen damals. *(Heiterkeit.)* Nichtsdestoweniger hielt der König seine Politik fest, setzte sie durch, und was wir haben, danken wir nicht der parlamentarischen, sondern der königlichen Aktion. Deshalb, meine Herren, sollten wir, glaube ich, die königliche Aktion, die lebendige Wechselbeziehung zwischen dem Könige und dem Volke, wie sie in Preußen immer gewesen ist und nie zum Schaden der Monarchie gereicht hat, nicht anrühren. Der Herr Vorredner hat keine preußischen Jugendeindrücke, wenn er glaubt, daß der direkte Verkehr mit dem Volke und seiner Vertretung dem Ansehen der Monarchie schaden könnte; unsere Monarchen gewinnen bei näherer Bekanntschaft *(Bravo! recht)*, und je mehr sie heraustreten und mit dem Volke in engere Beziehungen treten, wie dies früher ohne jede ministerielle Vermittlung der Fall war, wie unser König, und noch Anno

1847 bei den Vorlagen für den Vereinigten Landtag, ohne verantwortliche Minister im konstitutionellen Sinne direkt der parlamentarischen Diskussion, die auch mitunter die Roheit des Neulings hatte, gegenüberstand — das hat dem Königtum bei uns nichts geschadet; im Gegenteil, auf diesem Boden der Wechselbeziehungen zwischen Volk und König ist das Königtum so stark und so groß geworden, daß Sie, meine Herren *(nach links),* nicht in direkte Beziehung mit ihm zu kommen wünschen, sondern Sie wünschen das Königtum durch einen Vorhang verdeckt. *(Bravo! rechts.)*

Aber wenn wir sehen, was das Königtum bei uns geleistet hat, so sollten wir uns doch bemühen, es zu fördern, zu pflegen, zu beleben und nicht dahin zu wirken, daß es gewissermaßen durch Nichtgebrauch obsolet wird. Alles in der Welt, was man in den Schrank stellt und nicht benutzt, das verliert an seiner Anwendbarkeit und seiner Brauchbarkeit, und so ist es auch mit dem für Preußen ganz unentbehrlichen monarchischen Element, welches in unserem stark monarchisch gesinnten Volke herrscht. Nehmen Sie uns das, was können die Herren dann an dessen Stelle setzen? „Was kannst du armer Teufel geben" — womit ich aber niemanden in diesem Saale meine *(Bravo! rechts)* — wenn Sie uns diesen starken, in unserer hundertjährigen ruhmvollen Geschichte tiefwurzelnden König zersetzen, verderben, in ein Wolkenkuckucksheim verflüchtigen wollen, so hoch, daß wir ihn gar nicht mehr erblicken? Sie bringen uns damit das Chaos, und Sie haben, glaube ich, in Ihrem ganzen Vermögen nichts, was Sie an dessen Stelle setzen, wenn Sie dem Preußen die ausreichende hausbackene, direkte persönliche Beziehung zum Königtum nehmen; und weil ich das weiß aus meinen eigenen Erlebnissen — ich bin alt genug, ich habe im Volke in allen Provinzen gelebt —, weil ich das weiß aus der preußischen Geschichte und aus den Traditionen meiner Väter und meiner Verwandten, daß wir gar nichts haben an dessen Stelle, darum fechte ich und trete ich ein mit meiner Unterschrift für den lebendigen König, der entschlossen ist, sein Recht zu vindizieren, und welcher sagt: Ich habe das Recht und lasse es Mir nicht nehmen, durch keine Reden und falsche Auslegungen der Verfassung, durch keine Legenden, die sich an die Verfassung knüpfen, und die nicht drin stehen. *(Bravo! rechts.)*

Lassen Sie das Königtum durch Nichtgebrauch schwach werden, was sind dann die Vorteile davon? Ja, die Belagerung dieser kleinen Ministerzitadelle hier wird allerdings wesentlich erleichtert; wenn dem Königtum die Verpflichtung auferlegt wird, stets inkognito zu bleiben, es darf nicht genannt werden, es darf seinen Namen nicht laut nennen, es darf nur mit einer ministeriellen Maske vor Ihnen erscheinen — da ist jeder

Angriff außerordentlich viel leichter. In solchem monarchisch gesinnten Volk wie das unserige kann man bei den Wahlen das leicht erreichen, daß das Volk sich die Minister getrennt und isoliert von dem Könige denkt und dahinter den König, der zwar unterschrieben hat, weil er gerade keinen Ministerwechsel wollte, aber doch mit seinem Herzen, mit seiner Überzeugung, mit seinen Traditionen nicht bei der Sache ist. Wenn das geglaubt wird, so ist es sehr leicht dem Volk zu sagen: Was hat das Volk an mir und meinen Kollegen, es sind unbekannte Leute! Man sieht auch recht gern einen Wechsel, zwanzig Jahre derselbe Minister, ist sehr langweilig; — aber sobald von dem König die Rede ist, müssen die Herren ganz andere Glacéhandschuhe anziehen, wenn sie die Regierung in dem Maße herunterreißen wollen, wie es geschehen ist. Die politische Brunnenvergiftung, möchte ich sagen, wie sie bei den Wahlen stattgefunden hat, ist gar nicht möglich, wenn all die Verdächtigungen, deren die Regierung geziehen wird, nicht den unglücklichen Reichskanzler, sondern den König von Preußen, den Deutschen Kaiser treffen — da würde man gar nicht den Mut haben, diesen Unsinn in die Welt zu schicken. Auch der Beamteneid fällt ja dem Minister gegenüber gar nicht ins Gewicht — ich komme nachher auf die Sache und finde mich da zu meiner Freude mit dem Herrn Vorredner fast wesentlich einverstanden — wir sind darin gar keiner verschiedenen Meinung; er hat auch so viel gouvernementales Gefühl für zukünftige Möglichkeiten, daß er so ganz die Sache des Erlasses nicht wegwerfen will, und ich habe einzelne Äußerungen von liberalen Abgeordneten gehört, daß sie für den Fall, daß ihnen angesonnen würde, ein Ministerium anzunehmen, doch in einer für die Beamten erschreckenden Weise aufräumen würden, sie würden so gelinde, so milde, wie wir jetzt, von der Dispositionsbefugnis ganz sicher nicht Gebrauch machen, und sie würden wohl daran tun; denn wir sind darin bisher viel zu milde gewesen.

Ich komme auf den Vorwurf, den auch der Herr Vorredner wiederholt heute ausgesprochen hat, und der in allen Zeitungsblättern *toto die* zu lesen ist, als ob die Minister, wenn sie den Namen des Königs nennen, damit einen Akt niedriger Feigheit begingen, indem sie sich mit dem Könige als mit einem Schilde gegen die Angriffe des Parlaments decken wollten. Meine Herren, so gefährlich sind Ihre Angriffe nicht — bilden Sie sich das doch nicht ein! — daß die Minister dafür eine andere Deckung brauchen, als die der eigenen Brust; da überschätzen Sie sich, wenn Sie meinen, daß ich gegenüber einer Parlamentsrede, wie ich sie Tausende in meinem Leben gehört habe, daß ich deshalb meine Ehrerbietung vor dem Könige, meine — ich hätte fast gesagt soldatische — meine Pflicht eines

Untertanen, wie ich sie meinem Könige gegenüber erkenne, verletzen, meinen König auch nur der leisesten Unannehmlichkeit aussetzen sollte, um mich Ihnen gegenüber zu decken. Jemand, der mir das sagt, muß die Geschichte der letzten zwanzig Jahre gar nicht gelesen haben. *(Sehr richtig! rechts.)* Habe ich nicht seit 1862 kämpfend auf der Bresche gestanden? Habe ich das Königtum nicht gedeckt, nicht bloß mit meinen körperlichen, sondern auch mit meinen geistigen Leistungen, die ich zur Verfügung habe? Aber im Jahre 1862, wie sah denn da die Situation aus? Da waren sehr wenige, die bereit waren, diese Deckung des Königtums, die ich damals leistete, zu übernehmen. Lesen Sie die Zeitungen Ihrer eigenen Partei, da werden Sie finden — ich habe das schon einmal gesagt, aber Sie vergessen es so rasch — daß die Wohlwollenden bezüglich meiner damals von Strafford und Polignac sprachen, die gemeineren Blätter aber von Wollekrempeln im Zuchthause, was mein natürliches und berechtigtes Ende sein würde. Ich selbst habe wenigstens geglaubt, daß man mir unter Umständen, wenn Gegner ans Ruder kämen, einen Prozeß machen würde, der mein Vermögen ruinieren würde, und hatte für meine Kinder damals in Sicherheit gebracht, was ich von meinem Vermögen in Sicherheit bringen konnte. *(Heiterkeit.)* Als *bonus pater familias* werden Sie mir das nicht verargen. Ich führe das nur an, um zu beweisen, was es damals hieß, auf die Bresche zu treten: auf der einen Seite Straffords Schafott, auf der anderen Zuchthaus, auf der dritten Vermögenskonfiskation — ich weiß nicht, wie viel Millionen ich hätte herauszahlen müssen, und es waren damals sehr wenig Leute geneigt, mit mir dieses Risiko zu übernehmen. Wenn Sie auf diese Zeit zurückblicken, dann sollten Sie mir doch nicht solche Vorwürfe ins Gesicht werfen, als wenn je eine Feigheit im Dienste meines Herrn für meine Handlungen maßgebend gewesen wäre! Die Unwahrheit, die Ungerechtigkeit muß Ihnen doch die Röte auf die Stirn treiben, wenn Sie mir das ins Gesicht werfen! *(Bravo! rechts. — O! o! links.)* Ich möchte wissen, was haben denn die Herren ihrerseits für Beweise von Mut gegeben? Sie haben Reden ohne Risiko gehalten, die Sie zu gar nichts verbanden, und jemand, der zwanzig Jahre lang für das Königtum auf der Bresche stand, dem werfen Sie vor, er deckt sich mit dem König! *(Sehr gut! rechts. — Große Unruhe links.)* Ich hoffe, den Vorwurf nicht wieder zu hören. *(Widerspruch links.)* Die Herren scheinen ihn wiederholen zu wollen. Kommen Sie doch heraus, nennen Sie sich doch, wenn Sie den Vorwurf der Feigheit wieder aufnehmen wollen! *(Ruf links: Den Vorwurf hat niemand gemacht.)*

Also dann sind Sie ja mit mir einverstanden, daß das ein unwahrer Vorwurf ist, den Sie mir gemacht haben. *(Große Unruhe.)*

Meine Herren, was fesselt mich denn überhaupt noch an diesen Platz, wenn es nicht das Gefühl der Diensttreue und des Vertreters des Königs und der königlichen Rechte ist? Viel Vergnügen ist dabei nicht. Ich habe in früheren Zeiten meinen Dienst gerne und mit Passion und mit Hoffnung getan; die Hoffnungen haben sich zum großen Teil nicht verwirklicht. Ich war damals gesund, ich bin jetzt krank; ich war jung, ich bin jetzt alt — und was hält mich hier? Ist es denn ein Vergnügen, hier zu stehen wie der „Auff“ [90] vor der Krähenhütte, nach dem die Vögel stoßen und stechen, und der außerstande ist, sich frei zu wehren gegen persönliche Injurien und Verhöhnungen, die in wohlverklausulierte zweistündige Reden eingeflochten sind, gegen unartikulierte Unterbrechungen sich zu verteidigen? Ein Vergnügen ist das wahrhaftig nicht. Wenn ich im Dienste des Königs nicht wäre, und wenn mich der König heute in Gnaden entlassen würde, so würde ich von Ihnen, meine Herren, mit Vergnügen und auf Nimmerwiedersehen Abschied nehmen.

Wir haben, wie ich schon erwähnte, vor der Verfassung und seitdem die Erfahrung gemacht, wie werbend das Königtum bei uns wirkt. Und, meine Herren, wirklich, wenn wir auf die Zukunft anderer Länder in Europa rund um uns blicken, sollten wir alles, was bei uns niet- und nagelfest ist, was feststeht, was wie eine Burg aussieht, das sollten wir doch schonen und pflegen. Und also, lassen Sie dem König doch seinen werbenden Charakter, gönnen Sie ihm doch, daß er aus dem ministeriellen Inkognito heraustritt und direkt zu dem Volke spricht. Im Elsaß machen wir wenig Fortschritte — zu meinem Bedauern — aus dem Grunde, weil wir uns dort an die Pariser und nicht an die früheren Franzosen wenden. Das sind zwei Nationen, die in ganz Frankreich getrennt leben. Die Pariser im Elsaß werden wir nie gewinnen, die Bevölkerung werden wir gewinnen. Aber was hat denn am meisten dort bisher gewonnen und geworben? Nächst dem Militärdienst die Persönlichkeit des Kaisers. Wenn Sie diesen Kaiser sequestrieren, so hoch über die Wolken, daß ihn kein Mensch sieht, wären solche Erfolge gar nicht möglich; kein Minister kann das; ich führe das nur an als Beleg für meine Politik, daß die richtig ist, wenn sie dahin geht: Alles, was wir Aktives und an Realitäten haben, das sollten wir schonen, pflegen und verwerten, aber nicht zinslos zurückschieben auf Nichtgebrauch und durch Nichtgebrauch wertlos werden lassen. Und so ist für Preußen das monarchische Prinzip und das Königtum das Wertvollste.

---

[90] Uhu.

Wenn auch in der Verfassung etwas anderes stände, als diese ganz klaren und der freien Tätigkeit des Königs günstigen Bestimmungen, so würden, meine Herren, die artikulierten Bestimmungen eines Staatsgrundgesetzes doch allein nicht entscheidend sein für das Maß, was jedesmal ein Parlament, ein König, ein Minister an Gewicht übt. Es liegt zwar in der Tradition der Zeit, anzunehmen, daß alle Personen gleich schwer wiegen, ein Wähler ist ein Wähler und eine Stimme ist eine Stimme; sie wird voll gezählt, ein Unterschied ist nicht. Aber das ist auch wieder eine von den Legenden und Fiktionen. Es macht einen ganz außerordentlichen Unterschied, ob Sie an der Spitze eines Staates einen König wie Friedrich den Großen, oder auch nur Friedrich Wilhelm I. haben, oder ob Sie — ich will niemanden nennen — aber einen König an der Spitze haben, der seinerseits weniger begabt ist, als die meisten Regenten aus unserem Hause gewesen sind. Es macht ferner einen gewaltigen Unterschied, was für ein Parlament Sie haben, wenn Sie ein Parlament haben, was eine fest gesicherte Majorität hätte, homogen organisiert, unter einer Führung, wie sie in England die beiden Pitt oder Canning, oder selbst noch Palmerston, Peel geleistet haben — ja, das ist ein Schwergewicht, eine Masse, wo schon ein sehr starker König wie Wilhelm von Oranien, ein sehr geschickter König wie Leopold I. von Belgien gegenüberstehen kann und doch nur mit Mühe seinen Willen zur Geltung bringt; aber er bringt ihn auch zur Geltung. Immerhin wird ein solches Parlament eine gewaltige Macht sein, welche unter Umständen das Oberhaus und die Krone auf einen sehr kleinen Raum und geringe Bewegung beschränkt. Wenn wir das haben, meine Herren, dann kommen Sie wieder, dann wollen wir einmal über die Sache sprechen. Aber ein Parlament, welches aus einer erheblichen Anzahl Fraktionen, acht bis zehn, besteht, welches keine konstante Majorität, keine einheitliche, anerkannte Führung hat, das sollte froh sein, wenn neben ihm der Ballast einer königlichen Regierung, eines königlichen Willens im Staatsschiffe besteht. Wenn das nicht der Fall wäre, so würde eben alles zugrunde gehen, das Chaos eintreten.

Ich komme auf den zweiten Teil des Erlasses, wie der Herr Vorredner ihn nannte, was die Beamten anlangt. Auch die Frage würde, wie ich schon sagte, sehr viel einfacher liegen, wenn man nicht die Figur des Königs aus der Bildfläche zu verdrängen bemüht wäre und ihr die Fiktion unterzuschieben, als wenn das Ministerium Bismarck-Puttkamer usw. einzig die Regierung von Preußen führe — eine unwahre Fiktion, diese Legende, die darauf berechnet ist, die königliche Gewalt abzuschwächen — vielleicht nicht mit der weiteren Aussicht berechnet, aber sie hat diese Wirkung. Wenn das nicht wäre, wenn die Beamten sich immer bewußt wären, daß sie dem König gegenüberstehen, dem sie den Eid geschworen haben, wenn sie sich klarmachen, daß der König, dem sie den Eid der Treue und des Gehorsams geleistet haben, an der Spitze der Politik steht, dann würde auch deren Haltung manchmal eine andere sein. Der König hat den Eindruck gehabt, daß der Eid den Beamten gegenüber zu sehr in den Hintergrund, sozusagen in das Hintertreffen geschoben wird, und hat das Bedürfnis gefühlt, den Beamten den Eid, den sie geleistet haben, in Erinnerung zu bringen. Hat er dazu nicht das Recht? Er tut das in der schonendsten Weise, so daß selbst dem Herrn Vorredner eigentlich ein Objekt seines Zornes mangelte. Er sagte, es sei das unklar gesagt, und wahrscheinlich seien dabei zwei Federn tätig gewesen, wobei er mir vielleicht den unklaren Teil zuschreibt — oder den klaren, ich weiß es nicht. Aber so viel kann ich sagen: Der ganze Erlaß ist vom ersten bis zum letzten Buchstaben aus einem Gusse, nach dem Willen des Königs. Die Ansprüche, die der König den Beamten gegenüber stellt, gehen nicht zu weit und durchaus nicht so weit, wie in dem Eulenburgschen Erlasse vom Jahre 1863. Ich weiß nicht, ob ich den, so wie er da steht, gegengezeichnet haben würde. Damals in heißspornigem Kampfeszorn war es möglich, heutzutage nicht, er geht mir zu weit. Daß ein Beamter in seiner eigenen Wahl sich seines Eides erinnern sollte, das wird gar nicht verlangt; seine eigene Wahl, die Ausübung seines Wahlrechtes ist vollständig frei *(hört! hört! links)*, sie wird nicht berührt, sondern es ist ja ausdrücklich im Erlaß gesagt: „Mir liegt es fern, die Freiheit der Wahlen zu beeinträchtigen." Der Erlaß bezieht sich ja — und ich begreife nicht, wie der Herr Vorredner darin Klarheit vermissen konnte, der Erlaß ist ihm vielleicht nicht übel, nicht bös genug, aber klar ist er vollständig — der Erlaß wendet sich ausdrücklich an die Art der Beamten, außerhalb der eigenen Wahl tätig zu sein, und unterscheidet da zwischen zwei Kategorien der Beamten, den politischen und den unpolitischen. Beiden soll die Freiheit, zu wählen, wie sie wollen, gar nicht beschränkt werden; aber von den politischen Beamten spricht Seine Majestät die Meinung aus, daß ihr Eid der Treue sie verpflichtet, „die Politik Meiner Regierung zu vertreten", nachdem vorher gesagt ist in Bezug auf die Minister, daß „gegen Zweifel, Verdunkelung und Entstellung die Vertretung der königlichen Rechte erwartet wird". Der Herr Vorredner fragte, was unter dieser „Vertretung" verstanden würde. Da ich den Erlaß gegengezeichnet habe, so wird meine Auslegung auch wohl die authentische sein. Ich verstehe darunter, daß ein politischer Beamter bei aller Freiheit der Wahl, wenn er zum Beispiel fortschrittlich wählen wollte, doch der Verpflichtung nicht überhoben wäre, Lügen, was ich vorhin „politische Brunnenvergiftung" nannte, zu widerlegen nach seinem besten Gewissen; und wenn es ein Mann von Ehre ist und von Gewissen, so wird er das wahrscheinlich tun und sagen: Ich gehöre nicht zu der Partei der Regierung, ich bin gegen sie, aber das ist nicht wahr, das ist eine Übertreibung. Das ist es, was ich vom politischen Beamten erwarte; und wenn er das nicht einmal leistet, daß er einer notorischen Lüge und Entstellung, wie sie bei den Wahlen so oft vorkommt, entgegentritt, daß er der Wahrheit nicht die Ehre gibt, daß er die Intentionen der Regierung nicht gegen Entstellung, Irrtum und Verleumdung schützt, wenn sie ihm besser bekannt sind — also ein Oberpräsident zum Beispiel, der in dieser Beziehung fehlte, der wäre viel zu lang Oberpräsident gewesen, der sich nicht angelegen sein ließe, dergleichen Verleumdungen der Regierung zu widerlegen; er mag in seinem Herzen und in seinem verdeckten Stimmzettel sein Votum geben, für wen er will, danach wird nicht gefragt, das erfahren wir auch nicht, denn ein Mann von Bildung wird immer so geschickt sein, das zu verbergen. Das wird also niemals ein Grund sein, nämlich die Ausübung des eigenen Wahlrechtes, gegen einen Beamten einzuschreiten. Man würde sich schon genieren, ihm zu sagen, daß das der Grund sei, und ich würde dazu nie die Hand bieten. Aber von diesen politischen Beamten wird erwartet, daß sie die Wahrheit, soweit sie ihnen bekannt ist, der Unwahrheit gegenüber vertreten. Ist das zuviel? Sollen sie sich der Lüge mitschuldig machen, indem sie dazu schweigen, wenn sie es besser wissen? Sollen sie in bestimmten Wahlkreisen zusehen, ganz ruhig, wie den Anwohnern der königlichen Forsten gesagt wird: Der König hat mit den liberalen Abgeordneten einen Vertrag geschlossen, wonach ihr freie Weide in der Forst bekommt, wenn ihr liberal wählt? Soll der Beamte dies ruhig anhören und nicht sagen: Kinder, das ist eine Lüge!? Meine Herren, das Gegenteil ist doch gewiß nicht zu viel verlangt! Und von den unpolitischen Beamten verlangt eigentlich Seine Majestät nichts. Der Erlaß erwartet, daß sie sich der Agitation, feindlichen oder nicht, aber der Agitation gegen die Regierung des Königs auch bei den Wahlen enthalten werden. Meine Herren, das ist eine Forderung, ich möchte sagen des Anstandes. Der Erlaß schreibt ja nichts vor, er befiehlt nicht, er droht nicht, er stellt keine Nachteile in Aussicht, er sagt bloß, welche Tragweite der König, dem sie geschworen haben, dem Eide beilegt, er bringt diesen Eid in Erinnerung und überläßt es nun dem Takte und Gewissen des beteiligten Beamten, seinen Weg danach zu finden. Wenn zum Beispiel ein solcher Beamter, königlicher oder kaiserlicher Beamter, einen Arbeiter, der zur Wahl geht, anhält und sagt: Was hast du für einen Zettel? und er findet, daß der Zettel für einen regierungsfreundlichen Kandidaten ist, er reißt ihm denselben aus der Hand und gibt ihm einen entgegengesetzten und bedroht ihn mit Ungnade, wenn er nicht diesen abgebe — meine Herren, das ist doch eine verwerfliche Agitation gegen die Regierung! *(Rufe: Wo?)* — Ich werde sehr gern bereit sein, die Namen, den Ort und die Zeugen seinerzeit zu nennen, denn ich habe gegen einen solchen Beamten die Disziplinaruntersuchung angeordnet.

Meine Herren, etwas Weiteres als Enthaltung von Agitation wird nicht einmal erwartet von den Beamten, namentlich aber keine Amtshandlungen, die beeinflußt werden könnten durch die Art, wie ein Dritter seine Stimme abgegeben hat, oder die einen Zwang irgendwie zur Wahl enthalten. Meine Herren, ein solcher Beamter würde strafbar werden, und ich glaube, nicht bloß disziplinarisch; und wenn der Herr Vorredner sagte, er findet zwischen diesem Erlaß und meinen früheren Äußerungen einen „diametralen" Widerspruch, so kann ich doch bei seiner sonstigen Schärfe in der Logik ihm darin nicht recht nachkommen. Er bezieht sich vermutlich darauf, daß ich mich beschwerte, daß ein herzogl. sachsen-meiningischer Landrat eine Einwirkung auf die Wahlen im Herzogtum Meiningen ausgeübt und seine amtliche Autorität gegen die Regierung ins Gewicht geworfen hat. Meine Herren, das war gerade eine solche feindliche Agitation gegen seine ihm vorgesetzte herzoglich meiningische Regierung, die ihrerseits mit den Gesetzen und der Politik, die vom Reiche betrieben und von Seiner Hoheit dem Herzoge von Meiningen mit beschlossen war, vollständig einverstanden war. Ich bin also der Meinung, daß ein solcher politischer Beamter, der in Meiningen, wie ich damals hörte, fehlerhafterweise nicht absetzbar ist *(Heiterkeit links)*, über solche Kleinigkeiten können Sie immer lachen, über Meiningen reicht der Fehler nicht hinaus — wenn ein Beamter in seiner Stellung gegen seine eigene Regierung, gegen die Reichsregierung, gegen die von seiner Regierung gebilligte Reichspolitik seine amtliche Autorität in die Waagschale legt — ich weiß nicht, ob er gelobt worden wäre, wenn er für die Regierung etwas getan hätte; aber dagegen — das fällt unter den Erlaß, wenn es in Preußen vorkommt, und es wird jedenfalls danach gehandelt werden.

Ich kann mich also dahin resumieren, daß Seine Majestät der König vollständig berechtigt war nach der Verfassung und nach den preußischen Gesetzen, sich in der Weise, wie geschehen, zu äußern, daß ich vollständig imstande bin, die Verantwortlichkeit, die ich durch die Kontrasignatur übernommen habe, der Verfassung und dem Gesetze gegenüber zu tragen, daß ich als Reichskanzler ebenso berechtigt war, den Reichsbeamten das mitzuteilen, was ich für sie von Interesse oder Nutzen zu lesen halte. Sie haben keine Weisung bekommen, irgend etwas zu tun; ich habe es bloß für zweckmäßig gehalten, daß sie wissen, wie ihr Kaiser, dem sie ihrerseits Treue und Gehorsam geschworen haben, als König von Preußen über die Tragweite eines solchen Eides denkt. Es ist vielleicht doch der eine oder andere darunter feinfühlig genug, um sich zu sagen: Ist es eigentlich, wenn ich so evident mit der Agitation heraustrete, daß ich einem Arbeiter seine Zettel wegreiße und ihm andere gebe, ihn bedrohe — ist das eigentlich mit meinem Eide ganz übereinstimmend? Das Nachdenken darüber hat Seine Majestät anregen wollen; kein Befehl, keine Drohung ist da.

Die Verfassung also, meine Herren, ist klar: Sie haben selbst nichts beibringen können, was dem widerspricht, und ich habe hier als preußischer Bevollmächtigter im Namen des Königs zu erklären, daß Seine Majestät der König sich seine verfassungsmäßigen Rechte weder nehmen noch verkümmern, noch sich selbst so hoch in die Wolken schrauben läßt, daß er sie nicht ausüben kann, sondern daß der König entschlossen ist, in dem durch seine Vorfahren überkommenen und gewohnten, durch die Regentenpflicht ihm vorgeschriebenen Wechselverkehr mit seinem Volke zu bleiben, und daß ich als Minister entschlossen bin, dem Könige auch dabei kämpfend zu dienen, aber als Diener und nicht als Vormund. *(Lebhaftes Bravo! rechts.)*

Nach der Erklärung des Abg. Haenel, daß er den Vorwurf der Feigheit nicht erhoben, der Reichskanzler diesen aber bewußt unterstellt habe, fährt Bismarck fort:

Meine Herren, ich bin zu wenig Rhetoriker und ich lege zu wenig Gewicht auf rhetorische Effekte, um dergleichen Vorwand zu einer Äußerung zu brauchen. Der Herr Vorredner ist viel geschulter in der Rhetorik, und ich habe mich etwas geschämt, in meinem hausbackenen Deutsch nach seiner wohlgeschulten Rede sprechen zu müssen. *(O! links.)* Ich kann es aber nicht anders geben, als es mir gewachsen ist. Aber das lasse ich mir denn doch nicht aufreden, daß der Herr Vorredner nun mit so starker Tonart und mit solcher Unterstreichung und bloß durch den rhetorischen Akzent, den er auf seine Sache legte, nun die Wirkung dessen, was er und vor ihm andere gesagt haben, abschwächen oder gar vollständig verleugnen wollte. *(Ruf links: Gewiß.)* Sie werden nachher das Wort nehmen können; lassen Sie mich ausreden ! — Wenn man jemanden beschuldigt, daß er sich mit dem Herrn, der für ihn auf dieser Welt der Höchststehende und am meisten zu Schätzende und zu Ehrende ist, also mit meinem angestammten König und Herrn — daß ich mich mit dessen Person — und das hat doch der Herr gesagt — mit dessen Namen mich decken wollte, um einer gesetzlichen Verantwortlichkeit zu entgehen, die sonst auf mir lastet, wenn das nicht einen Vorwurf der Feigheit im Dienste enthält, dann sind wir über die Logik der Worte nicht einig. *(O! links. Sehr richtig! rechts.)*

Der Herr Vorredner hat mich zweifellos beleidigt durch seine Worte; ich bin aber an Beleidigungen hier vollständig gewöhnt und bin zu alt, um mit Fleisch und Blut darüber zu Rate zu gehen. Aber ich bitte den Herrn Vorredner, sich doch darüber keine Illusionen zu machen, daß er eine unprovozierte Beleidigung gegen einen Ehrenmann, der in seinem Dienste seine Schuldigkeit tut, ausgesprochen hat, die er nicht dadurch gut machen sollte nach meiner Idee, daß er sie einfach ableugnet. *(O! links.)* Sie haben es gesagt und Ihre Ableugnung ist unrichtig! *(Bravo! rechts.)*

205. Schreiben an den Präsidenten des Staatsministeriums[91]: Das staatliche Interesse an der Erhaltung des Eigentums (Ausfertigung)
Poschinger, Wirtschaftspolitik II, 97 ff., Nr. 46 = Rothfels, Staat, 366 ff.

Berlin, 1. Februar 1882.

In der sächsischen zweiten Kammer haben am 24. Januar des Jahres aus Anlaß einer Petition, in welcher die Aufhebung der gesetzlichen Beschränkungen der Teilbarkeit des Grundeigentums beantragt war, eingehende Verhandlung hierüber stattgefunden, deren Ergebnis die Ablehnung dieses Antrags gewesen ist; auch ein vermittelnder Antrag, welcher die Teilbarkeit des ländlichen Grundbesitzes in einigen Beziehungen zu erleichtern bezweckte, fand nicht die Zustimmung der Versammlung.

Dieser Widerstand, welchem das Streben nach Befreiung des Grundeigentums von den seiner Zerlegbarkeit gezogenen Schranken in dem Landtage einer der größeren Bundesstaaten begegnet ist, und die Bedeutung, welche die Dismembrationsfrage auch für den ländlichen Grundbesitz in Preußen hat, veranlassen mich, die Aufmerksamkeit des königlichen Staatsministeriums auf den Gegenstand zu lenken und meine Ansicht über denselben klarzulegen. Den legislativen Anregungen gegenüber, welche in neuerer Zeit wiederholt zugunsten der Erhaltung des bäuerlichen Grundbesitzes in seiner Geschlossenheit gegeben worden sind, habe ich, um mich

[91] Ergangen in Bismarcks Eigenschaft als preußischer Minister für Handel und Gewerbe.

mit ihren Urhebern nicht in Widerspruch zu setzen, meine prinzipiell abweichende Auffassung zurückgehalten.

Ohne der völligen Freigebung der Teilbarkeit des Grundeigentums das Wort zu reden, kann ich doch die Bedenken nicht für zutreffend erkennen, daß dieselbe die Existenz des Bauernstandes gefährde, die Verdrängung desselben durch eine Überzahl kleiner Grundbesitzer herbeiführe und in den letzteren ein Proletariat schaffe, welches sich auf dem zersplitterten Grund und Boden nicht zu behaupten vermöge.

Ich glaube, daß hierbei die Stabilität in den wirtschaftlichen Verhältnissen der Bauern überschätzt, namentlich aber die Bedeutung des kleinen Grundbesitzes für den Bestand der sozialen und staatlichen Ordnung verkannt wird. Die wirtschaftliche Lage der Bauern ist erfahrungsmäßig Erschütterungen ausgesetzt, welche sich durch alle Bemühungen, die Bauernhöfe ungeteilt zu erhalten, doch nicht abwenden lassen. Einerseits tritt bei den größeren bäuerlichen Besitzern im Wechsel der Generationen häufiger als früher die Neigung hervor, sich von der eignen Beteiligung an den landwirtschaftlichen Arbeiten zurückzuziehen und nur in der beaufsichtigenden Stellung von Gutsbesitzern tätig zu sein. Damit gibt der Bauer die sichere Grundlage seines Wohlstandes auf und geht in der Folge nicht selten seines Besitzes verlustig. Andererseits sind es die Erbteilungen, welche die wirtschaftliche Kraft des Bauernstandes in der Aufeinanderfolge der Generationen fortgesetzt schwächen und mit der Größe des Besitzes in unhaltbares Mißverhältnis bringen. Durch die hypothekarische Belastung der Bauernhöfe mit den Erbteilen der Geschwister des Eigentümers gerät dieser häufig in eine ungünstigere Lage, als wenn die Abfindung seiner Miterben in Land erfolgt wäre. Im letzteren Falle würde er imstande sein, auf einem schuldenfreien und als bäuerlicher Besitz ausreichenden Teile der väterlichen Besitzung seine Subsistenz zu finden, während ihm durch die Übernahme des ungeteilten Hofes pekuniäre Verbindlichkeiten aufgebürdet werden, deren Erfüllung den Ertrag seiner Tätigkeit übermäßig schmälert und es ihm bei schlechten Jahren bald unmöglich macht, sich in seinem Besitz zu behaupten. Eine zuverlässigere Grundlage für die Erhaltung der ländlichen Besitzverhältnisse als in Erschwerung der Teilbarkeit, würde ich in Erschwerung der Verschuldung erblicken.

Die Tatsache, daß das Eigentum an Grund und Boden den Besitzer fester als jedes andere Band mit dem Staate und seinem Bestande verknüpft, hat für alle Klassen der Beteiligten gleichmäßige Geltung; der Eigentümer des kleinsten Hauses ist durch dieselben Interessen mit der Staatsordnung verbunden, wie der Besitzer ausgedehnter Landgüter. Der Staat hat deshalb alle Veranlassung, die Vermehrung der Grundbesitzer zu befördern. Er steigert dadurch den Wohlstand der Bevölkerung, indem er eine sorgfältigere und deshalb ergiebigere Bearbeitung des Bodens herbeiführt, weil jeder Arbeiter im eignen Besitz und Interesse emsiger und erfolgreicher arbeitet als für Lohn auf fremden Besitz. Er vergrößert zugleich die Zahl derjenigen, in welchen das Bewußtsein des untrennbaren Zusammenhanges mit ihm und seinen Schicksalen am lebendigsten ist. Der Besitz einer kleinen Parzelle bietet, auch wenn sie allein den Eigentümer nicht zu ernähren vermag, ihm doch immer eine Gelegenheit zur Verwertung unbeschäftigter Stunden und einen Teil dessen, was er notwendig zu seiner Subsistenz braucht, und die Sicherheit eigener unkündbarer Wohnung gibt seiner ganzen Tätigkeit einen festen Rückhalt. Deshalb halte ich die Besorgnis für grundlos, daß die Beförderung der Grundstücksteilungen zur Vermehrung des Proletariats beitragen könne. Der Besitzer eines noch so kleinen Grundeigentums ist immer besser und unabhängiger gestellt als der besitzlose Proletarier, der mit Wohnung und Unterhalt lediglich auf den Ertrag seiner Handarbeit angewiesen ist.

Dasselbe Interesse aber, welches der Staat daran hat, die Zahl der Grundbesitzer zu vermehren, muß ihn dazu führen, für die dauernde Erhaltung derselben in ihrem Eigentum zu sorgen. Solange es dem Eigentümer eines Grundstückes gestattet ist, dasselbe bis zum ganzen Betrage seines Wertes mit Schulden zu belasten, und solange seinen Gläubigern das Recht zusteht, in der Beitreibung ihrer Forderungen bis zum zwangsweisen Verkauf des gesamten unbeweglichen Eigentums des Schuldners zu gehen, bleibt der kleine Grundbesitzer beständig der Gefahr ausgesetzt, durch geringe wirtschaftliche Verlegenheiten um sein Grundstück gebracht zu werden. Will man den unbemittelteren Klassen der Bevölkerung und dem Staate die Vorteile sichern, welche beiden durch Begünstigung der Dismembration gewonnen werden können, so ist es unerläßlich, der bisherigen schrankenlosen Ausbeutung des Kredits eine Grenze zu setzen. In den Vereinigten Staaten von Amerika hat man dies Ziel durch die Einrichtung des Heimstättenrechts zu erreichen gesucht. Einen wirksameren Schutz würde der Bestand des Grundbesitzes erlangen, wenn die Gesetzgebung das Recht zur Verschuldung desselben soweit beschränkte, daß die Grundeigentümer verhindert würden, ihren Realkredit bis zur Vernichtung ihrer Existenz zu mißbrauchen. Ich empfehle deshalb die Frage zur Prüfung, ob nicht bei einer Reform des Kreditrechts die ländlichen Grundstücke unter einem gewissen Flächeninhalt und von jedem größeren der gleiche Flächeninhalt für unverschuldbar und von jedem Zwangsverkauf ausgeschlossen zu erklären, die Teilbarkeit *in natura* bei Erbfällen

aber im Gegensatz zur Abfindung durch Verschuldung zu befördern wäre.
Das öffentliche Interesse zur Erhaltung eines zahlreichen Standes von Grundeigentümern ist erheblich genug, um eine solche Beschränkung der Einzelnen in der Disposition über ihr Vermögen eher zu rechtfertigen als die Beschränkungen, welche der Teilbarkeit entgegenstehen.

206. Erlaß an das Preußische Staatsministerium: Über die Behandlung sekreter Vorlagen (Konzept Rottenburg) W 6 c, 244, Nr. 239.

Berlin, den 3. Februar 1882.

Die Wahrnehmung, daß secrete Mittheilungen der Herren Minister nicht selten auf metallographischem Wege vervielfältigt und verteilt werden, veranlaßt mich zu der erg. Bemerkung, daß durch diese Form der Mittheilung das Geheimniß jederzeit gefährdet wird. [a] Die Vervielfältigung auf metallographischem Wege bietet an sich keine Gewähr für die Geheimhaltung des betreffenden Schriftstücks; sie ist namentlich mit der Gefahr verbunden, daß durch den meistens unkontrollierbaren Verlust oder die Entwendung eines Exemplars der Inhalt wörtlich in die Oeffentlichkeit gelangt. Geheime Mittheilungen an sämtliche Herren Minister wurden früher überhaupt nicht schriftlich, sondern im Wege der mündlichen Besprechung in den Sitzungen oder durch besondre Berufung des Staatsministeriums bewirkt, selbst wenn zu diesem Zweck die Anberaumung einer besonderen Sitzung erforderlich wurde. [a]
[b] In geheimen Geschäften ist jeder nicht absolut nothwendige schriftliche Verkehr schon nicht ohne Bedenken, wie noch im vorigen Jahre meine Correspondenz in Sachen Hamburgs mit dem Herrn Fin[anz] Min[ister] bewiesen hat. Jede mechanische Vervielfältigung der Schriftstücke ist m[eines] erg. Dafürhaltens mit dem secreten Geschäftsgange unverträglich. [b]
Ich erlaube mir dieses Votum zur Kenntniß des St[aats] Min[isteriums] zu bringen, in der Absicht, die nächste Staatsministerial-Sitzung zur Herbeiführung eines Beschlusses über die Art der formellen Behandlung sekreter Vorlagen zu benutzen.

---

a–a Eigenhändige Korrektur Bismarcks.
b–b Eigenhändiger Zusatz Bismarcks.

207. Schreiben an Leopold von Ranke W 14/II, 934, Nr. 1683.

Berlin, 13. Februar 1882.

Wenn der heutige Tag[92] einen Anlaß zu Glückwünschen giebt, so sind dieselben nicht so sehr an Ew. Excellenz als an Ihre Leser und Freunde zu richten, welche den Vorzug gehabt haben, einen berühmten und verehrten Zeitgenossen bis heute nicht allein zu besitzen, sondern fort und fort in jugendlicher Rüstigkeit schaffen zu sehen.

Mir persönlich gereicht es zur besonderen Freude, mit Ew. Excellenz seit vierzig Jahren in freundschaftlichem Verkehr zu stehen, und ich hoffe, daß es uns vergönnt sein möge, unseren größten Geschichtsforscher noch lange unter uns, und in der Vollendung Ihrer Weltgeschichte ein weiteres unvergängliches Monument deutscher Geschichte erstehen zu sehen.

Zu der heute Ew. Excellenz zu Theil gewordenen Allerhöchsten Anerkennung wollen Sie meinen herzlichen Glückwunsch entgegennehmen.

208. Erlaß an den Gesandten von Schlözer, z. Zt. Rom[93]: Die Kirchenpolitik hängt von der Haltung des Zentrums ab (Diktat) W 6 c, 244 ff., Nr. 241.

Berlin, den 17. Februar 1882.

Vertraulich.

Meinem Erlaß vom heutigen Tage, den ich wegen Krankheit im wesentlichen auf eine Wiedergabe der Aeußerungen des Herrn Kultusministers habe beschränken müssen, füge ich zur Vervollständigung seiner Schlußsätze wenige Worte hinzu.

Von der kirchlichen Vorlage bezüglich der der Regierung zu gewährenden Fakultäten gilt der Satz *„c'est à prendre ou laisser"*. Geht die Vorlage nicht durch, so ist die Lage der R e g i e r u n g keine schlechtere wie heut; nur die Fähigkeit der Regierung, den katholischen Wünschen entgegenzukommen, bleibt eine ebenso beschränkte wie bisher. Ja sie wird durch den Ablauf der von früher noch geltenden Fakultätsbestimmungen eine

[92] 50. Jahrestag der Berufung Rankes in die Akademie der Wissenschaften.

[93] Der künftige Gesandte beim Vatikan befand sich seit Anfang Februar 1882 zu Verhandlungen mit der Kurie in Rom.

noch beschränktere. Dies Ergebnis ist der Regierung unerwünscht, aber nicht in dem Maße beschwerlich, daß sie Opfer zu bringen hätte, um es zu hindern. Gouvernementale Vorteile, parlamentarische Machterweiterung hat die Regierung nicht zu erwarten, wenn sie den katholischen Wünschen schon jetzt über das Gebotene hinaus nach dem Willen der Zentrumspartei entgegenkommen wollte. Sie hat nachher wie vorher auf die Unterstützung der Zentrumspartei ebensowenig zu rechnen wie im Jahre 1871 oder wie in der Zeit der höchsten Befriedigung Roms mit dem Verhalten Preußens in der Zeit Friedrich Wilhelms IV. und des Dr. Krätzig an der Spitze der katholischen Abteilung. Auch damals stimmte die Fraktion Reichensperger regelmäßig gegen die Regierung.

Auf der anderen Seite würde die Regierung, auch wenn sie mehr Vertrauen zu der zukünftigen Haltung des Zentrums hätte, als sie hat, sich doch nicht ausschließlich von der Unterstützung dieser Partei abhängig machen können, in dem sie ihr zu Liebe mit den liberalen Gegnern des Zentrums definitiv und dauernd bräche. Das Zentrum ist die Anlehnung und die Stütze aller unbedingt reichsfeindlichen Elemente geworden, die Welfen, die Polen, die Franzosen aus den Reichslanden, alle diejenigen, welche den Bestand Preußens und Deutschlands im Prinzip negieren und bekämpfen, finden im Zentrum Aufnahme und Anlehnung. Die Regierung darf deshalb vom Zentrum nicht parlamentarisch abhängig werden, sie muß die Sympathien der Gemäßigt-Liberalen schonen, und das um so mehr, als das Zentrum neuerdings wieder in dem unnatürlichen Bündnis mit dem fortschrittlichen Radikalismus eine Waffe gegen die Regierung sucht. Wir sind deshalb in der Notwendigkeit, Sicherheit darüber zu gewinnen, bis zu welcher Linie wir den Bestrebungen unserer katholischen Mitbürger nachgeben können, ohne die Sympathien und die eventuelle Unterstützung der Gemäßigt-Liberalen Partei zu verlieren. Hierüber werden uns die Diskussionen und Abstimmungen des gegenwärtigen Landtages ohne Zweifel mehr Klarheit gewähren, als bisher vorliegt. Diejenigen Bestimmungen der Maigesetze fallen zu lassen, aus welche die gemäßigt liberalen Parteien ihrerseits zu verzichten bereit sind — und es ist das schon, wie ich glaube, eine erhebliche Anzahl —, würde die Regierung meiner Ansicht nach nur insoweit Bedenken tragen können, als polnische Umtriebe mit ins Spiel kommen. Diese Reservation kann auf eine geringe Tragweite beschränkt werden. Die Regierung kann sich von den Gemäßigt-Liberalen eine weite Grenze für ihre Nachgiebigkeit ziehen lassen, aber es würde für sie nicht ratsam sein, wenn sie aus eigener Initiative und ohne der Unterstützung der gemäßigten Parteien versichert zu sein, allein bis an diese Grenze vorgehen wollte. Sie würde dann bei der Unehrlichkeit ihrer fortschrittlichen Gegner, bei der Verlogenheit der Wahlagitationen derselben, der Entstellung und Uebertreibung ihrer Konzessionen in einer Weise ausgesetzt sein, durch welche die parlamentarische Stellung von links her mehr geschwächt würde, als sie von rechts her gewinnen könnte. Wir können uns dem nicht aussetzen, mit dem Zentrum *tête-à-tête* zu bleiben, indem wir auf jede zukünftige Unterstützung von der liberalen Seite Verzicht leisten. Ich habe persönlich kein Mißtrauen gegen unsere katholischen Mitbürger, den Führern des Zentrums aber traue ich nicht über den Weg.

Ew. pp. wollen hieraus entnehmen, daß das, was wir bieten, in meinen Augen eine Abschlagszahlung bildet, daß ich aber, bevor wir mehr bieten, einige Sicherheit darüber haben muß, ob wir nicht damit unsere Beziehungen zu den Nationalliberalen und Freikonservativen und Gemäßigt-Evangelisch-Konservativen zerreißen und dadurch der Koalition Windthorst, Richter, Polen, Franzosen, Republikaner, das Feld frei machen.

Wird das, was wir jetzt bieten, nicht angenommen, weil es nicht genug ist, so setzt man uns in die Lage, überhaupt nichts geben zu können, während die Annahme dessen, was wir bieten, durchaus kein Hindernis für alle weitergehenden Forderungen bildet, die Rom uns späterhin etwa stellen könnte. Rom hat bei der Annahme unserer Vorlagen nichts zu verlieren, nichts von seinen weitergehenden Zukunftsplänen aufzugeben, wohl aber im Vergleich mit dem, was jetzt besteht und nach Verwerfung der Vorlagen fortbestehen würde, doch erheblich zu gewinnen, wenn die Regierung der Kirche gegenüber bis an die Grenze der Möglichkeit entgegenkommt, welche das preußische Gesetz ihr gestattet. Bleibt diese Möglichkeit so beschränkt wie sie ist, so bedauern wir das, müssen und können es aber ertragen.

209. Erlaß an den Gesandten von Schlözer, z. Zt. Rom: Über eine Besprechung mit dem Zentrumsabgeordneten von Schorlemer-Alst (Diktat)

W 6 c, 247 ff., Nr. 243.

Berlin, den 5. März 1882.

Auf dem parlamentarischen Gebiet hat sich für die Kirchenfrage wenig Neues begeben, namentlich nichts, was Ew. pp. nicht durch die öffentlichen Blätter bekannt wäre. Das Zentrum nimmt eine zuwartende Haltung an und gibt vor, Direktiven aus Rom mit Ungeduld zu erwarten, bisher aber nicht zu besitzen. Diese Zurückhaltung des Zentrums wird von den Freikonservativen nicht ohne Aussicht auf Erfolg benutzt, um zwischen der Mehrheit der Deutschkonservativen und den Nationalliberalen eine Verständigung anzubahnen, welche, wenn sie gelingt, den Bischofs-Paragraphen allerdings ausschließen, im übrigen aber ein Ergebnis herbeiführen würde, welches im Vergleich mit dem Zustande, wie er sich gestaltet, wenn nichts zustande käme, einen im Interesse des Friedens annehmbaren Fortschritt darbietet. Die Regierung würde daher, so ungern sie auf den Bischofs-Paragraphen verzichtet, wenn sie mit dem Zentrum nichts Besseres zustande bringen kann, das Ergebnis der Verständigung zwischen den gemäßigten Parteien immer annehmen müssen.

Herr von Schorlemer, der angesehenste und nächst Windthorst einflußreichste Führer des Zentrums, mit welchem ich bisher wegen der Heftigkeit seiner persönlichen Angriffe gegen mich außer Berührung stand, hat mich vor kurzem besucht, und unsere gegenseitige Aussprache hat über meine Erwartung eine Verständigung mit den Konservativen des Zentrums als möglich erscheinen lassen. Herr von Schorlemer gehört zu denjenigen, die bei aller in den Jahren des Kampfes bewiesenen Heftigkeit doch loyale Untertanen des Königs von Preußen sein und bleiben wollen. Dasselbe wird man von Herrn Windthorst und den übrigen Welfen im Zentrum nicht annehmen können, auch kaum von einigen schlesischen Jesuiten, wie Ballestrem und Praschma, deren Sympathien mehr nach Polen und Oesterreich wie nach Preußen gravitieren. Der Einfluß der konservativen Zentrumsmitglieder unter Herrn von Schorlemers und im Reichstag unter des Freiherrn von Frankenstein Führung ist leider dem größeren taktischen und geschäftlichen Geschick und der unermüdlichen Tätigkeit des Herrn Windthorst und einiger anderer liberaler Zentrumsmitglieder nicht gewachsen, zumal Herr von Schorlemer seit einiger Zeit erkrankt ist.

Ich bin unter diesen Umständen außerstande, der Neigung meiner Kollegen zur Förderung der Verständigung zwischen Konservativen und Nationalliberalen so bestimmt entgegenzutreten, daß vielleicht gar nichts zustande kommt. Mein Bestreben bleibt darauf gerichtet, der Regierung des Königs von Preußen möglichst weite Latitüde zum Entgegenkommen für die Wünsche der katholischen Preußen zu verschaffen, und wenn dies mit den Nationalliberalen sich weiter führen läßt, als mit dem Zentrum, so kann ich diese Chance durch meinen Widerspruch nicht stören. Ich spreche damit nicht die Absicht aus, mich der Verständigung mit dem Zentrum, falls sie möglich wird, zu versagen, sondern will nur

Ew. pp. eine klare Anschauung der gegenwärtigen Sachlage gewähren, damit Sie dieselbe nach Ihrem Ermessen diplomatisch benutzen können. In meinen Besprechungen mit Herrn von Schorlemer waren zwei Punkte von prinzipieller Tragweite: einmal gelang es mir, seine Besorgnis, als ob ich die Sprengung des Zentrums beabsichtigte, vollständig zu zerstreuen. Ich war mit ihm darüber einig, daß es für eine konservative Regierung doch nützlicher sei, die allen politischen Schattierungen angehörenden Mitglieder und Wahlkreise des Zentrums durch das Band der gemeinsamen kirchlichen Interessen zusammenzuhalten, als das Zentrum zu sprengen. Wenn letzteres gelänge, so würde der Gewinn für die gouvernementale Seite ein geringer sein: ein Teil des Zentrums, wie Herr von Schorlemer und Freiherr von Frankenstein, würde die konservativen Elemente verstärken, ein anderer und recht beträchtlicher aber würde, von der kirchlichen Solidarität losgelöst, entweder die demokratische Partei verstärken oder in seinen Wahlkreisen solchen Nachfolgern, die hierzu bereit wären, Platz machen; ein dritter Teil endlich würde gerade so, wie vor 1866 die Fraktion Reichensperger, fortfahren, eine konfessionelle Gruppe zu bilden, welche in der Regel gegen die Regierung stimmt. Ich verspräche mir deshalb von der Auflösung des Zentrums mehr Verlust als Gewinn und erstrebte sie in keiner Weise. Außerdem hat die Erhaltung einer starken Zentrumspartei eine besondere Bedeutung für den Fall, daß nach mir ein mehr oder weniger liberales Kabinett ans Ruder kommt. Einem solchen gegenüber würde die gegenwärtige Zentrumspartei noch ein wirksamer Bundesgenosse bleiben, das aufgelöste Zentrum aber würde mit einem erheblichen Anteil seines bisherigen Bestandes die liberale Strömung verstärken. Es ist diese Erwägung namentlich auch dann von Gewinn, wenn es sich darum handelt, die jetzige Vorlage zu vereiteln und damit den gesetzlichen status quo für die Dauer zu befestigen oder der Regierung Fakultäten zu bewilligen. Dies berührt den zweiten von mir mit Herrn von Schorlemer besprochenen Punkt: Wenn ein konstitutionelles Ministerium, und zwar ein liberales, welches der Majorität im Abgeordnetenhause bedarf, eine Zentrumspartei von zirka 100 Mitgliedern sich gegenüber hat, so wird diese durch die Schwerkraft ihres parlamentarischen Gewichts immer in der Lage bleiben, das Ministerium zu einer wohlwollenden Benutzung seiner Fakultäten zu nötigen. Bleibt aber das Gesetz in seiner Starrheit ohne die Möglichkeit fakultativer Milderung bestehen, so wird ein liberales Ministerium auch einst imstande sein, ein parlamentarisches Abkommen mit einer starken Zentrumspartei auf der Basis gegenseitiger Konzessionen zu treffen. Dieselbe Erwägung läßt sich auch auf den Unterschied des fakultativen Systems und der direkten Revision der Maigesetze anwenden. Wenn jetzt die Regierung im konservativen Sinne diese Revision durchzuführen vermöchte, wozu sie parlamentarisch nicht stark genug ist, so würde eine solche Rom befriedigende revidierte Gesetzgebung, sobald man sich ein liberales Ministerium, gestützt auf eine liberale Majorität, denkt mit derselben Leichtigkeit *in pejus* revidiert werden können, mit welcher die Mai-Gesetze seinerzeit von einer konservativen Regierung ins Leben gerufen wurden, weil dieselbe sich im defensiven Kampfe für die Königsrechte den päpstlichen Bestrebungen gegenüber zu befinden glaubte. Gegen die Gefahr, daß die Gesetzgebung wiederum eine antirömische Richtung annehmen könnte, kann auch die durchgeführte Revision nicht schützen. Je durchgreifender sie wäre, desto größer wäre die Wahrscheinlichkeit, daß sie früher oder später von neuem den Angriffspunkt für legislative Modifikationen durch eine liberale Majorität bilden würde, und letztere würde unter Führung eines, auf das Vertrauen des Monarchen gestützten, liberalen Ministeriums vielleicht noch weiter gehen als die jetzige Maigesetzgebung. Die einzige Bürgschaft und wirksame Waffe gegen eine solche Eventualität hat die katholische Kirche im Zusammengehen mit einer starken parlamentarischen Partei, eine solche kann entgegenkommenden Tendenzen einer konservativen Regierung im Parlament zur Majorität verhelfen und einer liberalen Regierung gegenüber die Unterstützung ihrer Stimmenzahl defensiv verwerten.

Ew. pp. wollen diese Argumentation benutzen, um den Prälaten nachzuweisen, daß wir an der Auflösung des Zentrums kein Interesse haben und sie nicht erstreben. Daß wir andere Vorteile von unseren Konzessionen nicht erwarten und nicht zu erwarten haben, dafür wird Ew. pp. die Beweisführung nicht schwer fallen. Den Schutz gegen soziale Gefahren vermag auch die katholische Kirche uns weder der polnischen Revolution, noch dem russischen Nihilismus, noch der englisch-französisch-deutschen Sozialdemokratie gegenüber erfahrungsmäßig zu gewähren. Die Konzessionen, welche wir im Interesse der katholischen Preußen erwarten, sind also uninteressierte und einseitige.

210. Schreiben an den Kultusminister von Goßler: Zu den kirchenpolitischen Verhandlungen im Landtag (Reinkonzept) W 6 c, 249 ff., Nr. 244.

Friedrichsruh, den 27. März 1882.

Von hier aus, wo mir Materialien und Arbeitshilfe fehlen, so daß ich die Tragweite der mir gestellten Fragen nicht einmal sicher zu beurteilen weiß, in die Geschäfte einzugreifen, bin ich noch viel weniger imstande, als jetzt nach Berlin zurückzukehren, um mich mündlich zu beteiligen. Ich kann die Frage hier nicht studieren, dazu bin ich zu müde. Nach dem Leitfaden Ihres Schreibens kann ich mir nur nachstehende Bemerkungen allgemeiner Natur gestatten.

Ich warne vor jeder Verhandlung mit den Fraktionen. Es gibt nichts Betrüglicheres auf diesem Gebiete als deren Zusicherungen. Am allerunglaubwürdigsten sind die des Zentrums unter Windthorsts Führung. Für uns bildet die von uns gemachte Vorlage den einzig sicheren Anhalt; das Finassieren über etwas mehr oder weniger, was uns diese oder jene Fraktion verspricht, kann keine Vorteile bieten, durch welche die Nachteile verfehlter Kompromißversuche für Würde und Zukunft der Regierung aufgewogen würden. Halten wir an der Vorlage fest und lassen wir die Abweichungen durch die Fraktionen unter sich auskämpfen, ohne Partei zu nehmen. Es ist nicht notwendig, daß überhaupt etwas zustande kommt. Es ist aber notwendig, daß die Regierung ihre mit Kgl. Unterschrift gemachte Vorlage nicht unsicheren und unaufrichtigen Fraktionsversprechungen opfert. Daß Windthorsts Anträge vor Ostern beraten und von der Regierung abgelehnt werden, würde ich mehr für nützlich als für schädlich halten. Auf Versprechungen von Zentrumsstimmen für die Konservativen gebe ich keinen Pfifferling, solange Windthorst die Führung des Zentrums hat. Die Regierung kann sich auf niemand als auf sich selbst verlassen, auch nicht auf die Konservativen, wie die Vorgeschichte der Steuererlasse zeigt, und in der kirchlichen Frage treten noch die Tripotagen mit dem Zentrum dazu, auf dessen wechselnde Vorspiegelungen die Konservativen schon so häufig hereingefallen sind. Ich rate daher von jedem Kompromiß mit irgendeiner Fraktion ab. Zum einfachen Beharren bei der Vorlage, zur Annahme des Ueberrestes derselben, der aus den Parteikämpfen hervorgeht, und zur absoluten Nichtbeteiligung an letzteren. Ein fester Vertrag ist mit keiner der Fraktionen möglich, am allerwenigsten aber mit Windthorst, der immer in letzter Instanz tun wird, was uns das Nachteiligste ist. Ohne ausdrückliche Einwilligung S. M. des Kaisers kann meines Dafürhaltens das Staatsministerium in keine Aenderung der Vorlage vor der definitiven Abstimmung willigen. Von diesem Prinzip abzugehen, konnten wir uns nur berechtigt finden, wenn ein Zustandebringen von irgend etwas absolut notwendig und *periculum in mora* wäre. Beides liegt nicht vor. Im Gegenteil halte ich unsere Situation für günstiger, wenn das Zentrum die von uns beabsichtigten Verbesserungen abvotiert und wir ohne und gegen das Zentrum mit dem Papste ein Bistum nach dem anderen besetzen.

Ich würde eher bereit sein, künftig dem Papste aus eigener Initiative mit neuen Vorlagen näher zu treten, als jetzt im Kampfe mit dem Zentrum irgendwelche Kapitulationen mit Windthorst einzugehen, damit will ich ebensowenig ein Paktum mit anderen Fraktionen befürworten. Auch sie würden schließlich den kleinsten Fraktionsvorteil dem Staatsinteresse vorziehen. Die Regierung muß sich um ihre eigene Achse drehen und sich durch trügerische Hoffnung auf Majorität in ihrem mit Kgl. Genehmigung wohlerwogenen Gange nicht beirren lassen. Unsere bisherige Stellung ist für die nächsten 10 Jahre ebenso haltbar, wie sie für die vergangenen 10 Jahre war. Wir mögen dem Zentrum konzedieren, was wir wollen, tatsächlich wird sein Einfluß bei den Wahlen nur unsern Gegnern verbleiben. Letztere werden wir ermutigen, wenn wir das leiseste Zeichen von Furcht vor der Diskussion von Windthorsts Anträgen von uns geben. Windthorst setzt diesen Fehler bei uns voraus, wenn er den Aufschub seiner Diskussion „durchblicken" läßt. Findet er, daß dieser Durchblick uns Eindruck macht, so wird er das veröffentlichen und ausbeuten.

Mein Votum ist also kurz resumiert: Keine Zustimmung zu Modifikationen der Vorlage ohne schriftliche allerh. Genehmigung und kein Antrag auf letztere, bevor die Fraktionen nicht durch Abstimmung im Abgeordnetenhause die Stellung, die sie nehmen, demaskiert haben.

211. Schreiben an Edwin von Manteuffel W 14/II, 935, Nr. 1686.

Friedrichsruh 7. April 1882.

Ew. Excellenz

danke ich von Herzen für Ihren freundlichen Glückwunsch. Meine Freude darüber hat eine Einbuße erlitten durch die Nachrichten über Ihr Befinden, welches nicht so gut zu sein scheint, wie Ihre Freunde es wünschen. Ich beklage das aufrichtig, bitte aber Ew. Excellenz inständig, Sich durch das vorübergehende Gefühl des Unwohlseins nicht auf solche Gedanken führen zu lassen, wie Sie in Ihrem Briefe ausgesprochen. Auch ich fühle mich krank und würde gern aus dem Amte scheiden, wenn wir unsern Allergnädigsten Herrn in Seinem Alter und in der jetzigen Zeit verlassen dürften. Ew. Excellenz werden sich erinnern, daß ich vor 3 Jahren mit Erfolg an Ihr Soldatenherz appellirt habe. Ich erlaube mir, das jetzt zu wiederholen. Selbst krank und mit verminderter Arbeitsfähigkeit werden Sie die Verwaltung von Elsaß-Lothringen besser und für das Vaterland ersprießlicher leiten, als irgend ein andrer. Ich bin noch ebenso wie vor 3 Jahren ganz außer Stande, dem Kaiser überhaupt Jemanden namhaft zu machen, den ich als Ihren Nachfolger vorschlagen könnte. Ich bin überzeugt, daß Ew. Excellenz es nicht über sich gewinnen werden, Ihren Kriegsherrn, Ihr Vaterland, Ihren alten Freund im Stich zu lassen. *In dubiis libertas* habe ich Ihnen geschrieben. In der vorliegenden Sache kann aber kein Zweifel sein, und wenn Ew. Excellenz mit dem Reste Ihres Unwohlseins Ihre melancholischen Gedanken vertrieben haben werden, werden Sie mir Recht geben.

Dies hofft und bittet Ihr treuer Freund v. Bismarck.

212. Gespräch mit dem Hausarzt Dr. Cohen am 11. April 1882 in Friedrichsruh

W 8, 445 f., Nr. 328.

Kurzer Besuch am Abend. Es war gerade der Geburtstag der Fürstin, die Zimmer überfüllt mit den köstlichsten Blumen, sie selbst sehr heiter, zeigte mir sofort eine hübsche Perlenbrosche von ihrem Manne. Die Tische überdeckt mit Briefen und Telegrammen. Ich gratulierte dem Fürsten zu seinem Siege an der Newa: Giers ist gegen Ignatiew zum Minister des Auswärtigen ernannt, worüber er sich sehr freute. Er habe schon bei der Danziger Entrevue[94] *in Giers gedrungen, den Posten zu übernehmen und Ignatiew aus dem Felde zu schlagen. Er hatte damals keinen Mut dazu, fürchtete keine Position zu bekommen, da er bürgerlich und von jüdischer Abkunft sei. Er hieß früher Hirsch. Bismarck beruhigte ihn vollständig, versicherte ihn seiner tätigen Beihilfe. Uebrigens ginge so etwas nicht ohne Geld, und die Leute, die immer über den Welfenfonds räsonnierten, würden sich wundern, wenn sie erführen, was damit im Interesse Deutschlands gemacht sei. Aber man müßte nicht denken, daß man mit tausend Mark etwas machen könne, dazu gehören hunderttausend Mark. Als er Gesandter in Petersburg war, habe Oesterreich ihm dreißigtausend Mark angeboten, wenn er für ihre Sache*

---

[94] Zusammenkunft Kaiser Wilhelms I. mit dem Zaren Alexander III. am 9. September 1881 in Danzig, an der auch Bismarck und Giers teilnahmen.

in Petersburg tätig sein wolle [95]. *Er habe es natürlich abgelehnt, aber sein Chef habe es angenommen. Uebrigens sei Ignatiew noch immer zu fürchten. Er sei ein gefährlicher Kerl.*

An dem Tabakmonopol hält er mit Zähigkeit fest, ist der festen Ueberzeugung, daß alle Gegner, selbst die radikalsten, wenn sie an die Regierung kämen, sofort zum Monopol griffen. Die gönnten ihm nicht den Ruhm. Deutschland sei unter von der Heydt und Camphausen schauderhaft abgewirtschaftet, die Höhe der direkten Steuern erdrückend, nur ein neues Steuersystem könne helfen. Will der Reichstag nicht, so wäre es ihm auch gleichgültig, er könne es noch eine Zeitlang aushalten.

Die auswärtige Politik mache ihm keine einzige schlaflose Stunde. Die Sache sei seit zehn Jahren so aufgezogen, daß sie von selbst ginge. Frankreich und England fragten Deutschland um Rat, Oesterreich täte nichts ohne Anfrage, Italien mache förmlich den Hof, und jetzt komme selbst Rußland entgegen. Aber man könne es ihm doch nicht verdenken, daß er nun auch an die innere Politik dächte und die höchst nötigen Reformen hier einzuführen strebe.

213. Schreiben an den Vizepräsidenten des Staatsministeriums von Puttkamer

W 14/II, 935 f., Nr. 1687.

Friedrichsruh, 25. April 1882.

Verehrter Freund und College!

Der verschmitzte Welfe [96] führt bezüglich der Dauer der Landtagssession [97] eine so anmaßliche Sprache, als ob er das königliche Siegel in Händen hätte. Wäre es nicht nützlich, dem von ihm verbreiteten Gedanken, als hätte der Landtag nur noch eine „Spanne" Zeit vor sich, fest zu widersprechen? Der Opposition wäre baldiger Schluß erwünscht, der Regirung, meinem Gefühl nach, schädlich. Wir gewinnen bei längerer Verhandlung, sowohl wegen der Bedeutung unserer Vorlagen und der schwierigen Stellung der Opposition zu einigen derselben, als auch im Nachweis der Nothwendigkeit zweijähriger Budgets durch die Parallelsitzungen. Der Opposition liegt alles an Versumpfung, in Hoffnung auf Regirungs- und

---

[95] Durch Vermittlung des Bankiers Lewinstein.

[96] Gemeint ist Windthorst.

[97] Da der Reichstag bereits einberufen war, wollte das Ministerium die Landtagssession schließen. Bismarck war dagegen, um die Unhaltbarkeit eines Nebeneinandertagens von Reichstag und Landtag öffentlich zu beweisen.

Systemwechsel. Der baldige Abbruch der Discussion würde für die Wahlen zuviel Unklarheit und Lügenvorwände lassen. Das Verwendungsgesetz können wir nicht unerörtert und ohne Beschluß lassen. Ich hoffe Sonntag dort zu sein, nöthigenfalls auch früher. Für die Lauenburger Sache werden wir Restitution im Herrenhause hoffentlich verlangen können. Windthorst ist natürlich für die Lauenburger Welfen, den Eiderdänen Berling und den Kielmanseggeschen Hörigen Westphal eingetreten, deren Zitadelle die heutige Einrichtung als Wahlmaschine bildet. Wir müssen der dominirenden Stellung dieses welfischen Schlüsselsoldaten entgegentreten; er hat die Conservativen demoralisirt, mit Rauchhaupt, und seine Anmaßung macht vielen den Eindruck, als hätte er die Regirung hinter sich. Diesen Irrtum zu zerstören, ist meines Erachtens gebotene Tactik für uns, selbst wenn die Kirchenvorlage darüber gefährdet würde, was ich noch nicht glaube.
Auf Wiedersehen der Ihrige.

214. Gespräch mit dem Hausarzt Dr. Cohen am 3. Mai 1882 in Friedrichsruh
W 8, 446 f., Nr. 330.

Bismarck will Sonnabend, den 6. Mai, nach Berlin reisen, „um persönlich seinen Korb zu holen“[98]. *Der Tabak liegt ihm schwer im Kopfe. Was soll man machen? Wenn man Schach spielen will und die Figuren sind festgenagelt? Die Deutschen sind nur zufrieden, wenn sie eine schlechte Regierung haben und gehörig schimpfen können, wie zu Zeiten Metternichs und des Bundestages. Die jetzigen Minister seien sehr tüchtig, besonders Maybach. Puttkamer sei noch zu gutmütig und zu optimistisch, zu gefällig, er müsse erst hart werden wie Bismarck selbst. Bismarck habe jetzt einen förmlichen Dégout vor Menschen, fühle sich nur wohl in der Waldeinsamkeit, wo ihm selbst sein Kutscher zu viel sei.*
Gespräch über Heine, den er sehr liebt. — Ein Zitat aus Atta Troll erregte große Heiterkeit, es passe ganz gut auf unsere Zeit, auf unsere Leute.

---

[98] In der Frage des Tabakmonopols, das trotz persönlichen Einsatzes Bismarcks am 14. Juni 1882 vom Reichstag abgelehnt wurde.

215. Immediatschreiben: Bedauern über die erzwungene Abwesenheit von Berlin (Reinschrift) W 6 c, 255 f., Nr. 250.

Friedrichsruh, den 9. Mai 1882.

Nachdem ich in den letzten Wochen, angesichts der parlamentarischen Debatten in Berlin, mit Ungeduld die Möglichkeit meiner Beteiligung an denselben erwartet hatte, hoffte ich seit einigen Tagen, spätestens heute, abreisen und Ew. M. meinen ehrf. Glückwunsch zu dem erfreulichen Ereignisse vom Sonnabend [99] persönlich zu Füßen legen zu können, bin aber leider seit gestern wieder an einer derartigen Lähmung erkrankt, daß ich heute und, nach der Meinung des Arztes, für die nächsten Tage außerstande bin, auch nur aufzustehen. Es ist mir in hohem Grade peinlich, daß ich an den so wichtigen Schlußberatungen des Landtages und an dem Beginne der Reichstagssitzungen mich nicht beteiligen kann, und das Interesse, mit dem ich von hier aus denselben folge, nimmt mir einigermaßen die Ruhe der Nerven, die der Arzt mir empfiehlt. Ich kann es aber nicht ändern und muß mich darin ergeben, daß Gott meine Tätigkeit in Ew. M. Dienst einstweilen entbehrlich findet. Mein Leiden ist ein altes und, wie ich glaube, kein gefährliches, nur schmerzhaft und Stehen und Gehen verbietend; der Arzt fordert absolute Ruhe für einige Tage. Ich bitte Ew. M., huldr. entschuldigen zu wollen, daß ich meinen Urlaub, den ich mit allerh. Rückkehr nach Berlin abzuschließen gedachte, so ungebührlich verlängere; ich selbst leide fast noch mehr wie an den körperlichen Schmerzen an meiner erzwungenen Untätigkeit und unbefriedigter Kampflust.

Die auswärtigen Akten gehen mir regelmäßig zu, und meine Arbeitsfähigkeit ist, soweit sie nicht körperliche Bewegung erfordert, ungestört und wesentlich gebessert. Genehmigen Ew. M. nochmals meinen ehrf. und herzlichen Glückwunsch zu der Geburt des jüngsten Thronerben.

---

[99] 6. Mai 1882 Geburt des Urenkels Friedrich Wilhelm, des ältesten Sohnes des nachmaligen Kaisers Wilhelm II.

216. Gespräch mit dem Hausarzt Dr. Cohen am 12. Mai 1882 in Friedrichsruh
W 8, 448, Nr. 332.

Bismarck fühlt, daß er älter geworden und daß die Maschine nicht mehr recht will. Er habe auch alle Ursache, jetzt mit dem Leben abzuschließen und könne ganz zufrieden sein, möchte nur noch Muße haben, um seine Lebenserinnerungen aufzuzeichnen. Wenn er sich jetzt beim Tabak seinen Korb geholt, so werde er sich auf das Auswärtige Amt zurückziehen, die innere Schweinerei mag dann ihren Gang weitergehen. Er habe dem Kaiser kürzlich den Vorschlag gemacht, ihn zu seinem Generaladjutanten zu machen und ihn aus dem Ministerium zu entlassen, worauf der Kaiser lachend gesagt habe: „Wo werde ich aber dann Minister bekommen?"

Er denkt immer noch daran, seinen Abschied zu nehmen, an Beschäftigung werde es nicht fehlen. Zuerst interessiere ihn die Landwirtschaft sehr, dann würde er viel lesen, und wenn er das Bedürfnis fühle, einmal in die Trompete zu stoßen, so stehe ihm dazu das Herrenhaus offen.

Zu Windthorsts Aeußerung in seiner Tabaksrede, „daß das Monopol den Einheitsstaat befördere und daß er deshalb dagegen sei", bemerkte Bismarck, daß Windthorst eigentlich das Reich meine. Er, Bismarck, sei mit dem jetzigen Reich zufrieden, habe nie den Einheitsstaat als sein Ziel betrachtet, halte ihn auch bei einem katholischen Staat wie Bayern für unmöglich. Auf einige Kleinstaaten mehr käme es ihm gar nicht an. Wenn 1866 ein bundesfreundlicher König in Hannover oder ein solcher Herzog in Nassau gewesen wäre, so hätte er gar nicht an Annexion gedacht!

In betreff der ägyptischen Frage[1] *sagte er, daß Deutschland den Vorschlag gemacht habe, der Sultan solle die Sache regeln, was aber in Frankreich auf Widerstand gestoßen. Jetzt nähmen die Westmächte die Sache in die Hand, was leicht zwischen ihnen zum Kriege führen könnte, da sie sich noch nie in derlei Dingen geeinigt hätten. Der Krieg käme ihm jetzt aber zu früh. Jedenfalls hätten wir dann England auf unserer Seite.*

Der Kaiser Alexander werde wohl nächstens auf irgendeine Weise beseitigt werden, entweder durch Dynamit der Nihilisten oder durch eine Offiziersschärpe der Konservativen, wie einstmals der Zar Paul.

Bismarcks Gehalt beträgt achtzehntausend Mark, er gebraucht aber zwischen fünfzig- und sechzigtausend Mark.

Der Kaiser lud ihn ein, am 27. Mai in Berlin die neuen Fahnen mit einzuweihen. Es würden bestimmte Nägel mit seinem Namen und Wappen bezeichnet werden. Bismarck lehnte dankend ab, er hätte keine Lust mehr, zu solchen Dekorationen zu dienen. General Manteuffel habe sich durch die dringende Einladung des Kaisers, beim Kapitel des Schwarzen Adlerordens zu erscheinen, eine Erkältung zugezogen, an der er noch leide.

---

[1] Vgl. das Gespräch mit Busch am 9. Juni 1882, weiter unten.

Es sei jetzt schwer, für unfähige Diplomaten Posten aufzutreiben. Früher gab es eine ganze Schar, jetzt nur etwa Lissabon und Griechenland. Er müßte für einen Sekretär im Haag, für den sich der Kronprinz als früherer Kommilitone sehr interessiere, einen Posten auftreiben.

217. Gespräch mit dem Hausarzt Dr. Cohen am 4. Juni 1882 in Friedrichsruh
W 8, 449, Nr. 334.

Abschiedsdiner, da die Abreise auf morgen festgesetzt ist. Anwesend: Dr. Chrysander aus Bergedorf, der Geologe Professor Behrend aus Berlin, der Oberförster und Inspektor. Wenig Politik, mehr Land- und Forstwissenschaft besprochen, schließlich Tabakmonopol und die Steuerreform.

Auf die Frage, ob Bismarck jetzt immer eine Brille trage, antwortete er, in Friedrichsruh trüge er immer eine Brille, weil ihn alles, was er sehe, interessiere; in Berlin trage er nie eine Brille, weil ihn dort nichts interessiere. Auf meine Bemerkung, daß er den „kranken Mann“ am Bosporus wieder auf die Beine gebracht, sagte er: „Ja, der kranke Mann von 1854, der damals seine Krücken in die Hand nahm und seinem Arzt damit gehörig was auf den Buckel gegeben hat.“ *Der Pforte sei übrigens nie zu trauen, sie triebe stets Doppelspiel. Er graut sich vor Berlin: Kaiser, Minister und Reichstag müsse er absolvieren und habe gar keine Lust. Die deutschen Zustände flößen ihm große Besorgnisse ein; es könne leicht geschehen, daß der alte Bundestag mit aller Kleinstaaterei wieder käme. Die Parteien hielten das Reich für viel konsolidierter als es ist. Das Monopol und den Schutzzoll hält er für ein mächtiges Mittel zur Befestigung des Reichs.*

218. Gespräch mit dem Journalisten Moritz Busch am 9. Juni 1882 in Berlin
W 8, 450 ff., Nr. 335 = Busch III, 84 ff.

Am 8. Juni, sechs Uhr abends, gab ich im Palais auf der Wilhelmstraße einen kurzen Brief an den drei Tage zuvor von Friedrichsruh nach Berlin zurückgekehrten Reichskanzler ab, der die Bitte enthielt, wenn er eine Aufgabe für mich habe, mir Tag und Stunde zu der erforderlichen Information angeben zu lassen. Um halbneun Uhr schon hatte ich die schriftliche Antwort, der Fürst „wünsche mich auf einige Augenblicke zu sprechen“ und bitte um meinen Besuch für den nächsten Nachmittag halbein Uhr. Ich ging zu dieser Zeit hin, kam nach etwa einer halben Stunde vor, und aus „einigen Augenblicken“ wurde eine volle Stunde. Der Fürst war in Zivilrock und Militärhosen. Er war magerer geworden, so daß der Rock ihm über dem Rücken Falten schlug; im übrigen sah er wohl aus und befand sich offenbar in guter Stimmung. Er empfing mich mit Händedruck und „Guten Tag, Büschlein“. *Dann sagte er, indem er mich zum Niedersetzen lud:* „Sie wollen

Futter, ich habe aber keins. Es gibt nichts, weder in inneren, noch in auswärtigen Fragen. Das bißchen Herzegowina, Sie wissen, und jetzt das bißchen Aegypten. Das geht uns nicht viel an, desto mehr freilich die Engländer, auch die Franzosen. Die haben ihre Sache ungeschickt angefangen und sich verfahren mit der Absendung der Panzerschiffe nach Alexandrien,[2] und nun sich's damit nicht machen läßt, soll ihnen das übrige Europa auf einer Konferenz aus der Verlegenheit helfen. Mit den Geschwadern ist's nichts ohne Landungstruppen, und die haben sie nicht zur Hand, und so ist's nur eine Wiederholung der Demonstration von Dulcigno[3]. Dort waren es die Felsen, hier sind es die europäischen Warenmagazine, sonst hätten sie voraussichtlich schon bombardiert. Auch fragt sich, ob sie nicht dabei den kürzeren gezogen hätten; denn die Aegypter haben in ihren Werken sehr schwere Geschütze, und ihre Artillerie ist nicht schlecht. Mit der Konferenz aber ist's wie mit einer Enquete am grünen Tische, die Interessen der Mächte sind nicht dieselben, und so wird nicht leicht was Praktisches dabei herauskommen. Auch will der Sultan nicht mittun, und er hat damit nicht unrecht. Kann er's mit den Briefen machen und mit den Bevollmächtigten — was wir in diesen Tagen erfahren werden —, gut für die Westmächte; wo nicht, so gibt's nur mehr Verwirrung, und es bleibt zuletzt doch nichts übrig, als daß der Padischah seine Nizams hinschickt und Ordnung stiften läßt. Das kommt aber von der absurden Politik Professor Gladstones von Anfang an. Der suchte mit Frankreich und Rußland Fühlung, ohne sich zu überlegen, daß deren Interessen in der Levante ganz andere waren als die englischen. Er gab alle Resultate auf, für die sich die englische Politik seit achtzig Jahren der Pforte und Oesterreich gegenüber bemüht hatte, und die sehr wertvoll waren, und dachte wunder was er könnte und erreichen würde, wenn er beide vor den Kopf stieße. Und in Frankreich ist man auch falsche Wege gegangen, aus Rücksicht auf die öffentliche Meinung. England hat Aegypten so nötig wie das liebe Brot, wegen des Suezkanals, der nächsten Verbindungslinie zwischen der östlichen Hälfte des Reiches mit der westlichen. Der ist wie der Nerv im Genick, der das Rückgrat mit dem Gehirn verbindet. Eine Verstärkung der türkischen Macht ist ihnen dabei nicht im Wege, wie überhaupt nicht. Frankreich denkt mehr an das Prestige, das die Pforte gewinnt, wenn sie hier vermittelt und gebietet, und fürchtet davon Einbuße an seinem Ansehen in Afrika. Doch hat es auch große materielle Interessen; denn es leben in Aegypten vierzehntausend Franzosen und nur dreitausend Engländer. Ich habe ihnen vergebens gesagt, daß ein arabisches Reich, wie es Arabi[4] im Sinne haben mag, ihnen viel gefährlicher werden würde in Afrika als eine Verstärkung des türkischen Einflusses dort am Nil. Die Pforte ist ein alter verschuldeter Gutsbesitzer in Europa, an den man sich hier halten kann, dem man

---

[2] Im Mai 1882.

[3] Vgl. Gespräch mit Dr. Cohen am 25. September 1880, weiter oben.

[4] Arabi Pascha, der Führer der Aufständischen in Ägypten.

immer beikommen kann, wenn er zuviel Ansprüche macht. Aber was ein unabhängiges Aegypten für Frankreich in Afrika werden kann, ist nicht abzusehen. Freycinet[5] begreift das wohl, aber er fürchtet sich vor der Tradition, dem Vorurteil und der Eitelkeit der Franzosen, vor Gambetta, der damit operiert. Zwar ist die Abstimmung in der Kammer günstig ausgefallen, sehr günstig sogar, aber wenn auch nicht anzunehmen ist, daß Gambetta bald wieder zur Macht gelangen wird, so kann doch bald ein anderer Wind wehen und das gute Einvernehmen mit England ein Ende haben. Ein Feldzug, gemeinschaftlich mit den Franzosen, eine Okkupation mit den Landtruppen ist für die Engländer bedenklich; denn die Franzosen würden dabei immer mehr Leute stellen als die Engländer, die ihre Soldaten in Irland brauchen und überhaupt nicht viele haben, und wenn Frankreich dort mehr Truppen hätte, so würde es natürlich auch mehr Einfluß üben, die erste Rolle spielen und vielleicht schwer wieder herauszukriegen sein. Wir andern würden uns militärisch nicht dabei beteiligen, da uns die Sache vorläufig ziemlich gleichgültig sein kann und wir keinen Beruf haben, andern Leuten, besonders den Engländern, die Kastanien aus dem Feuer zu holen. So stecken sie denn mit ihren Schiffen in einer Sackgasse, und jetzt soll's die Konferenz gutmachen. Wir sollen uns auch hier ihrer annehmen, sollen auf die Pforte drücken und uns dadurch mit ihr brouillieren, was wir natürlicherweise höflichst ablehnen."

„Ungefähr so, wie vor dem letzten russisch-türkischen Zusammenstoß," sagte ich, „wo Sie von den Engländern angegangen wurden, den Russen Angriff zu verbieten, bloß weil es der Londoner Politik nicht paßte, und wo die Königin Viktoria deshalb an den Kaiser schrieb."

„Ja," *sagte er,* „und wie vor dem Krimkriege, wo Bunsen ihren Advokaten machte. Sie müssen selber sehen, wie sie sich aus der vorschnell herbeigeführten Lage heraushelfen, die Suppe, die sie sich eingebrockt haben, selber ausessen."

Der Hund, der in der Zwischenzeit hinter mir gestanden und seine Anwesenheit durch gelegentliches Knurren kundgegeben hatte, bellte jetzt. „Er merkt, daß ein Fremder draußen ist," *sagte der Fürst, klingelte und befahl, als der Kanzleidiener im Vorzimmer öffnete und die Dogge hinauslief:* „Der Hund soll draußen bleiben." *Dann fuhr er fort:* „In inneren Angelegenheiten ist auch nichts von Bedeutung, was Sie nicht wüßten. Das Tabakmonopol werden sie verwerfen, sie können jetzt nicht anders." — *„Aber Durchlaucht werden ihnen damit doch wiederkommen," sagte ich, „und die Sache in drei oder vier Jahren durchsetzen."* — „Das hängt von den Umständen ab," *erwiderte er,* „von künftigen Wahlen. Das Tabakmonopol aus bloßer Liebhaberei für diese Steuerreform zu betreiben, fällt mir nicht ein. Es ist ein Uebel, aber das beste unter allen andern Mitteln zur Steuerreform ... Zunächst will ich von ihnen meine Quittung darüber, daß ich zur Beseitigung einer unbilligen Besteuerung getan habe, was ich konnte, und

---

[5] Nachfolger Gambettas als französischer Ministerpräsident. Gambetta hatte auf eine aktive englisch-französische Zusammenarbeit in Ägypten hingearbeitet.

daß sie nicht gewollt haben. Dann mögen sie sich mit ihren Wählern auseinandersetzen und es vor ihnen rechtfertigen, wenn deshalb etwa die Klassensteuer erhöht werden muß und andere Lasten ihnen nicht abgenommen werden können."

„Da möchte man am Ende doch lieber auswandern," sagte ich.

„Gewiß," *versetzte er.* „Die Klassensteuer, die nur noch bei uns existiert, ist eine der Hauptursachen der Auswanderung. Sie sollten nur wissen, wie viele Exekutionen beim kleinen Manne die Folge davon sind, und selbst in der Mittelklasse. Sie ist wie die russische Kopfsteuer und gestattet keine Verteilung der Last nach den Verhältnissen der damit Belasteten, wogegen indirekte Steuern sie von selbst bewirken. Hier Abhilfe zu schaffen, den ärmeren Angehörigen des Staates Erleichterung zu gewähren, war mein Ziel, es hätte auch das des Landtags sein sollen. Sie haben aber bei der Beratung des Verwendungsgesetzes gesehen, wie wenig Herz sie dafür hatten, und der von der Kommission angenommene Antrag Lingens will nicht einmal die Notwendigkeit einer Reserve anerkennen."

Ich bemerkte: „Die Betonung der Sparsamkeit in diesem Antrag klingt doch recht schulmeisterlich und zugleich recht beschränkt und philisterhaft. Es hört sich an, als ob nicht die Volksvertretung eines großen Reiches, sondern die Stadtverordneten von Posemuckel das Licht ihrer Weisheit leuchten ließen. Der ganze Liberalismus hat diesen kleinkrämerischen Zug; sie sind in der Mehrzahl! Snobs mit einigen Swells dazwischen."

„Das ist wahr," *sagte er,* „viel Größe und weiter Blick liegt allerdings nicht darin, aber ein starker Widerspruch gegen die Botschaft des Kaisers [6], der in dieser Frage einen weit höheren Standpunkt einnimmt. Aber so sind sie einmal: sie haben nur ihre Aktiengesellschaften, die Fraktionen vor Augen und sehen nicht über die Frage hinaus, ob deren Aktien steigen oder fallen, wenn dies oder das geschieht oder unterbleibt. Das übrige kümmert sie wenig. Außerdem hoffen sie, daß der alte Kaiser bald gehen und der künftige sie gewähren lassen wird. Der Kaiser sieht aber gar nicht so aus, als ob er ihnen den Gefallen tun wollte, er kann noch lange leben und hundert Jahre alt werden. Sie sollten ihn sehen, wie rüstig er jetzt ist und wie gerade er sich hält. Und auch geistig hat er gewonnen. Der Nobilingsche Aderlaß hat ihm, wie *(ich verstand: Lauer)* sagte, körperlich und geistig wohlgetan, das alte Blut ist abgegangen und er sieht weit besser aus als früher. Wir stehen jetzt ganz gut miteinander, besser wie seit Jahren." — *„Und der Zukünftige wird's auch so halten müssen," sagte ich. „Er wird ohne Schaden nicht anders regieren können."*

„Nun ja," *erwiderte er,* „er möchte mich auch behalten, aber er ist zu sehr fürs Behagliche, er meint, mit Majoritäten regieren wäre bequemer. Ich habe ihm gesagt: Versuchen Sie's, aber ich tue dabei nicht mit ... Sie rechnen indessen doch vielleicht falsch damit; denn auf einen langlebigen Kaiser kann ein kurzlebiger folgen, und es kommt mir vor, als ob das hier der Fall sein würde. Der dann

[6] Thronrede über die Sozialgesetzgebung bei der Reichstagseröffnung am 17. November 1881.

daran käme, ist aber ganz anders, der will selber regieren, ist energisch und entschieden, gar nicht für parlamentarische Mitregenten, der reine Gardeoffizier ... Philopator und Antipator in Potsdam. Der ist gar nicht erfreut, daß sich sein Vater mit den Professoren einläßt, mit Mommsen, Virchow und Forckenbeck, und vielleicht entwickelt sich aus dem einmal der *rocher de bronze*, der uns fehlt." *Er kam dann auf seine anderen Reformpläne zu sprechen und bemerkte:* „Die sogenannten sozialistischen Gesetze sind auf ziemlich gutem Wege und werden sich durchdrücken und weiter entwickeln, auch ohne mich. Das Nächstliegende und Notwendigste wird in der Hauptsache bald durchgehen; nur ist es nicht gut, daß man die Krankenkassen in zu nahe Verbindung mit der Unfallversicherung gebracht wissen will ... Es ist hier nicht geraten, die Naturalleistungen in Geld zu verwandeln," *was er durch die technische Auseinandersetzung bewies, deren Einzelheiten ich nicht völlig verstand und deshalb nicht recht im Gedächtnis behielt. — Ich sagte: „Aber der Staatszuschuß, von dem Sie Versöhnung der Arbeiter durch die Erkenntnis erwarteten, daß der Staat nicht bloß von ihnen fordere, sondern ihnen auch helfe, ihnen für Notfälle etwas zuwenden, ihre Zukunft nach Möglichkeit sichern wolle, der soll wegfallen.*"

„Nicht wegfallen," *entgegnete er*, „nur ist er nach der neuen Gestaltung des Entwurfs mit den Gefahrenklassen, den Genossenschaften, nicht sofort nötig. Nach fünf Jahren, zehn Jahren wird man sehen, wie weit man mit den Beiträgen kommt, nach fünfzehn Jahren kann man fragen, ob und wieviel der Staat zuschießen muß. Vorläufig genügt, daß die Post die fälligen Gelder sogleich auszahlt, der Staat Garantie für die Sache leistet."

Er führte das wieder im Detail aus, dann sagte er: „Ich bin müde und krank und möchte, wenn ich meine Quittung vom Reichstage habe, am liebsten gehen, mag aber den alten Kaiser nicht allein lassen. Als er nach dem Attentat auf dem Rücken lag, habe ich mir das gelobt. Sonst wäre ich lieber in Friedrichsruh im Grünen. Es wird mir dort immer wohler, während ich hier immer bald wieder abgebraucht und schwach werde und kaum ein paar Stunden arbeiten kann, ohne daß mir die Gedanken vergehen. Wie schön und frisch war's draußen auf dem Lande, wo ich alle Tage meine Freude hatte, wenn ich ausfuhr und sah, wie der Roggen sich üppig entwickelte und die Kartoffeln gesund herauskamen."

Davon nahm er Anlaß, von der Hoffnung auf eine gute Ernte zu sprechen, und das brachte ihn auf die Getreidepreise in Deutschland und England. Er bemerkte dabei unter anderem: „Die Meinung, daß niedrige Getreidepreise Glück und Wohlstand und Zufriedenheit bedeuten, ist Aberglaube. Dann müßte man sich in Litauen und Rumänien am wohlsten befinden und weiter nach Westen stufenweise bis nach Aachen hin immer weniger wohl. In England sind die Kornpreise jetzt niedriger als bei uns, und dennoch herrscht in den unteren Klassen Unzufriedenheit, der Radikalismus breitet sich immer weiter aus, es ist eine Revolution im Anzuge, und die demokratische Republik wird kommen, der Gladstone und seine guten Freunde und Gehilfen, Chamberlain und Dilke, die Wege bahnen helfen. Ebenso ist's in Spanien und Italien, wo die Dynastie zwar Widerstand leisten wird, aber wahrscheinlich erfolglos. In Frankreich wird man sehen, ob sie sich hält, die Republik, und bleibt's dabei, so werden sich Zustände entwickeln wie in Amerika, wo anständige Leute es für eine Schande halten, sich mit praktischer Politik zu befassen, Senator, Repräsentant oder Minister zu werden."

Er ging, als ich aufgestanden war, ein Weilchen weitersprechend im Zimmer umher, setzte sich aber bald wieder, wie ermüdet. Er erwähnte Herbert, der noch in London ist, ich brachte von diesem die Rede auf Hatzfeldt und darauf, daß er noch immer nicht Staatssekretär sei, und er bemerkte: „Das kommt nur davon, daß er sich selbst noch nicht fürs Bleiben erklärt hat. Er ist noch nicht ganz arrangiert, noch nicht mit seinem Bruder aufs reine wegen einer Hypothek; auch kann ich's ihm nicht verdenken, wenn er lieber in Konstantinopel, wo es billig ist — *(ich überhörte die Summe)* als hier fünfzehntausend Taler bezieht. Er hat nur ein Vermögen von etwa hunderttausend Talern. Ich hatte mehr für ihn verlangt, sechzigtausend Mark; aber der Bundesrat schlug es ab, da man dem Staatssekretär doch nicht mehr geben könne als dem Reichskanzler, der vierundfünfzigtausend bekommt, der aber durch Dotationen ein reicher Mann geworden ist. Man kann eben nicht jedem ein Opfer ansinnen, und es ist eben nicht jeder geneigt zu einfachem Leben, wo er sich nach seiner Decke streckt, nicht große Gesellschaften gibt und sonst kostspielige Bedürfnisse hat, und in solchen Fällen heißt's dann: Fünf von vier geht nicht, borg ich mir eins. Bis zum Juli muß er sich aber entscheiden. Sonst müssen wir Doktor Busch fragen."

„Ich danke schön!" versetzte ich. „Nein," *sagte er,* „es gibt zwei Doktoren dieses Namens, und ich meinte den andern, nicht das Büschlein. Aber Busch ist ebensowenig gesund wie Hatzfeld, der überdies weichlich ist und sich, wenn er einmal Kopfschmerz oder den Schnupfen hat, wie die Franzosen ein Tuch um den Kopf bindet und sich zu Bette legt, so daß ich schon in der Lage gewesen bin, beider Geschäfte übernehmen zu müssen, statt daß sie mir die meinen abnehmen sollten."

Er kam von diesen Kranken auf die Kaiserin zu reden und sagte: „Sie ist wieder gesund; ich aber habe meine Krankheit zum guten Teil durch sie ... Der Schweinitz ist auch wieder auf den Beinen, obwohl er schwer daniederlag."

Ich fragte, ob er bei der Monopoldebatte im Reichstag sprechen würde: „Ja," *erwiderte er.* „Wenn es meine Gesundheit erlaubt. Aber nicht, um sie zu überzeugen, sondern um Zeugnis abzulegen vor dem Lande und dann meine Quittung zu verlangen." *Ich erkundigte mich, ob er diesen Sommer wieder nach Kissingen zu gehen gedenke.* „Nein," *antwortete er,* „es ist mir, obwohl der Rakoczy mir sonst recht wohl tut, das letztemal nicht gut bekommen. Ich habe mich darauf fast vier Monate mit Hämorrhoiden gequält, die ganz entsetzlich wehtaten; wie höllisches Feuer brannte es," *was er dann weiter beschrieb.*

Ehe ich ging, fragte ich noch: „Wie gefällt Ihnen der Ritter Poschinger, Durchlaucht? Es ist viel Interessantes in der Sammlung[7]*, aber mir scheint, er hätte noch*

---

[7] Gemeint ist die damals gerade erschienene Zusammenstellung „Preußen im Bundestage 1851—1859".

besser auswählen können. Indes hat er wohl nicht alles, was vorhanden war, unter die Hände bekommen." — „Auch das," *versetzte er.* „Aber vieles ist gar nicht in den Archiven; so meine Privatbriefe an den vorigen König, die Gerlach aufbewahrte und die dessen Erben nicht sobald herausgeben werden. Doch ist das Buch auch so recht instruktiv, da es manches enthält, was bisher nicht so genau bekannt war, und es ist vielleicht gut, daß jene Briefe und anderes jetzt noch unveröffentlicht bleiben."

Er hatte mir in der Zwischenzeit mehrmals die Hand zum Abschied gegeben, aber immer wieder von einem neuen Thema angefangen, das mich zum Bleiben veranlaßte. Jetzt reichte er sie mir zum letztenmal, und nachdem ich ihm gedankt hatte, daß er mir die Freude gemacht habe, ihn nach längerer Zeit einmal wiederzusehen, entfernte ich mich und ging, wie immer nach solchen Besprechungen, stracks nach Hause, um das Gehörte ohne Aufenthalt und Verwischung durch einen Zwischenfall zu Papier zu bringen.

219. Rede in der 16. Sitzung des Deutschen Reichstags am 12. Juni 1882

W 12, 343 ff. = Kohl 9, 318 ff.

Bei der zweiten Lesung des Entwurfs über die Einführung des Tabakmonopols, durch das die Steuerpolitik des Reiches auf eine neue Grundlage gestellt werden sollte, nimmt Bismarck das Wort:

Das Tabakmonopol ist in unserer amtlichen Geschäftsverhandlung, abgesehen von früheren gelegentlichen Erwähnungen, zuerst offiziell eingeführt worden durch die Allerhöchste Botschaft vom 17. November v. J., doch nicht als eine Institution, die wegen ihrer wohltuenden Eigenschaften an sich zu erstreben wäre, sondern als ein Mittel zur Erreichung anderer Zwecke, zur Beschaffung der Mittel, welche notwendig sind, um Steuererleichterungen einzuführen. Der Text der Botschaft sagt darüber:

„Auch die weitere Durchführung der in den letzten Jahren begonnenen Steuerreform weist auf die Eröffnung ergiebiger Einnahmequellen durch indirekte Reichssteuern hin, um die Regierungen in den Stand zu setzen, dafür drückende direkte Landessteuern abzuschaffen und die Gemeinden von Armen- und Schullasten, von Zuschlägen zu Grund- und Personalsteuern und von anderen drückenden direkten Abgaben zu entlasten. Der sicherste Weg hierin liegt nach den in benachbarten Ländern gemachten Erfahrungen in der Einführung des Tabakmonopols, über welche Wir die Entscheidung der gesetzgebenden Körper des Reichs herbeizuführen beabsichtigen."

Danach, meine Herren, hat also die Regierung das Tabakmonopol nicht an sich vorgeschlagen, sondern ihr Hauptvorschlag geht auf die Gewährung von Mitteln zur Bestreitung von Steuererleichterungen, und als nächstliegendes Mittel ist dazu das Tabakmonopol Ihrer Entscheidung und der des Bundesrats unterbreitet worden. Dieser Gesichtspunkt ist einigermaßen aus dem Auge verloren und das Monopol als Selbstzweck hingestellt worden, welches um seiner selbst willen erstrebt würde, ohne Rücksicht auf diejenigen anderen drückenderen Lasten, die durch das Monopol aus der Welt geschafft werden. Wir sind nie darüber in Zweifel gewesen, daß das Monopol an sich ein Übel ist, und daß es sich bei seiner Einführung wie bei jeder neuen Steuer, ja selbst wie bei jeder Reform, zunächst nur darum handelt, ob es nicht andere Übel gibt, im Vergleich mit denen das Monopol das kleinere ist. Wenn man diese Institution an sich betrachtet, ohne Rücksicht auf den Zweck, dem sie dienen soll, so stellt man sie in ein unvorteilhaftes, ich möchte sagen ungerechtes Licht, was sie nicht ertragen kann. Für die Reformen, welche die Regierung erstrebt, ist das Monopol nur Mittel, nicht Zweck; aber die finanziellen Reformen, welche den Zweck der Reichsregierung und — ich kann sagen — der verbündeten Regierungen bilden, sind dadurch besonders erschwert, daß die Verwendung der Beschlußfassung der Landtage unterliegt, die Beschaffung der Mittel der Beschlußnahme des Reichstags. Es entsteht dadurch für die Gegner der Regierung eine Art von Zwickmühle, hier im Reichstage, wenn eine Bewilligung gefordert wird, zu sagen: Wir können nichts bewilligen, wovon die Verwendung nicht nachgewiesen und sichergestellt ist — und im Preußischen Landtage und in anderen Landtagen zu sagen: Wir können nicht über die Verwendung von Mitteln verfügen, so lange die Mittel nicht bewilligt sind. Daß man so von Pontius zu Pilatus geschickt wird und mit der Reform nicht vorwärts kommt, das liegt auf der Hand, und diese Schwierigkeit ist von den Gegnern der Regierung redlich ausgebeutet worden. Um ihr zu entgehen und den Widerstand, auf den wir bei der Durchführung der Reform stoßen, einigermaßen zu paralysieren, ist die Gemeinschaftlichkeit der kaiserlichen und der königlich preußischen Regierungsquelle benutzt worden, um gleichzeitig in der Saison in dem Preußischen Landtage — einem Landtage, der immerhin die Majorität der Reichsangehörigen, 27 Millionen, repräsentiert — die Bedürfnisfrage erörtern zu lassen und in derselben Saison nach Erörterung der Bedürfnisfrage, auf welche gerechnet war, den Reichstag um irgendeine Bewilligung anzugehen. Diese Vorlage mußte notwendig eine konkrete Form haben, wir konnten nur irgendeine reichen Ertrag bietende indirekte Steuer wählen. Der *primus inter pares* unter diesen ist uns immer erschienen das Tabakmonopol für das Reich, als dasjenige, welche die zweckmäßigste, wie die Botschaft sich ausdrückt, glaube ich, die wirksamste Finanzquelle bildet. Wir waren in der pflichtgemäßen Notwendigkeit, Ihnen zunächst das beste unter den Mitteln, die wir kennen, vorzulegen, und erst nach dessen Ablehnung können wir zu minderwertigen Surrogaten behufs Beschaffung neuer Einnahmequellen schreiten. Wir brauchen Ihre Ablehnung, um unsere Verantwortlichkeit für die Zukunft zu decken, damit man uns nicht später, wenn das Monopol dennoch vielleicht von einer anderen Regierung — ich meine einer anderen Reichsregierung — gebracht wird, sagt: Die damalige Regierung unter dem ersten Reichskanzler hat die Torheit begangen, dieses Mittel nicht von Hause aus vorzuschlagen. Die Verantwortlichkeit, es nicht vorgeschlagen zu haben, wollen wir nicht auf uns ruhen lassen, die wollen wir auf die Majorität dieses Reichstags abschieben, und dann werden wir in Ruhe sagen: Darum keine Feindschaft, aber wir brauchen Ihre Ablehnung, bevor wir zu minder guten Vorlagen schreiten.

Bei der Klarstellung des Bedürfnisses hat nun der Preußische Landtag seine Landesregierung vollständig im Stich gelassen, er hat sich der Erörterung entzogen, er hat gewissermaßen Strike gemacht, mit Rücksicht auf die Jahreszeit, mit Rücksicht auf die Parallelsitzungen der verschiedenen Landtage, kurz und gut, sachlich ist kein Grund zu ersehen, warum diese Körperschaft eine für das preußische Land so tiefgreifende, so wichtige Frage, wie diejenige, ob unser direktes Steuersystem der Reform bedürftig ist oder nicht, der Erörterung nicht hat unterziehen wollen, sondern in wenigen kurzen Sitzungen und mit einer fast stürmischen Forderung auf Schluß sich der weiteren Diskussion entzogen und die kaiserliche Regierung dadurch in die schwierige Situation gebracht hat, hier das Monopol an sich, ohne den vorgängigen Nachweis des Bedürfnisses, auf den gerechnet war, zu vertreten. Wenn ich hier anwesend gewesen wäre und wenn ich überhaupt nach meinem Gesundheitszustande imstande gewesen wäre, die Geschäfte, die ich herbeiführe, zu vertreten, würde ich Seiner Majestät die Auflösung des Preußischen Landtags geraten haben, da wir die Feststellung der Bedürfnisfrage vor allem brauchten. Es würde daraus die Notwendigkeit hervorgehen, den Landtag Anfang August wieder zu berufen, und wir würden dann der heutigen Verhandlung noch überhoben gewesen sein, indem die Forderung des Monopols, ohne Anerkennung der Bedürfnisfrage, keinen Sinn und keine Bedeutung hat *(Hört! hört! Sehr wahr! links.)* Ist kein Bedürfnis vorhanden, so brauchen wir keine neuen Steuern.

Es handelt sich also zunächst um die Frage, ob ein Bedürfnis vorhanden ist. Wird die bejaht, so werden wir weitere Anträge zu stellen haben; wird sie verneint, so ist ja alles in dieser besten der Welten ganz vortrefflich, wir brauchen uns nicht weiter zu bemühen, und ich bin der für mich sehr unbequemen weiteren Sisyphusarbeit gegenüber dem passiven Widerstand oder der dilatorischen Behandlungen durch die Fraktionen überhoben, was ja für meine Jahre und meinen Gesundheitszustand mit Dank anzunehmen ist. Aber ich bin durch die Versagung der Klarlegung von seiten des Preußischen Landtages leider in der Notwendigkeit, Ihnen die Motive, die den König von Preußen nötigen, im Interesse seiner notleidenden Untertanen vom Reiche die Eröffnung der Steuerquelle, die er seinerzeit an das Reich abgetreten hat, zu verlangen, zu fordern, zu erbitten — ich bin in der Notwendigkeit, die Motive dafür kurz auseinanderzusetzen. Dieselben liegen erstens in dem Vorhandensein einer Steuer in Preußen, welche ich als den Rest früherer Zeiten, des Feudalstaates, bezeichne, der Klassensteuer, des Kopfgeldes, der Besteuerung der Person, des Lebens, des Atmens, der Besteuerung der Existenz ohne Rücksicht auf irgendein Objekt, an welches die Leistungskraft sich heftet, und ohne eine bestimmte Einnahme, welche mit der Steuer verbunden ist. Eine ähnliche — ich kann wohl sagen barbarische — Einrichtung in steuerpolitischer Beziehung existiert außer in Preußen und einigen ihm anliegenden norddeutschen Staaten meines Wissens nur noch in Rußland in Gestalt des Kopfgeldes und in der Türkei; aber auch dort nur für die unterworfenen Völkerschaften dafür, daß sie überhaupt noch am Leben gelassen sind. In Rußland scheint man doch durch die Tatsache, daß die zivilisierten Nationen in dem Fortschritt der Zivilisation diesen Rest verschollener Zeiten von sich längst abgestreift haben, jetzt auch zu der Überzeugung gekommen zu sein — Sie werden mit mir die telegraphische Nachricht gelesen haben, daß die russische Regierung den kaiserlichen Befehl erlassen hat, betreffend die Aufhebung der Kopfsteuer. Und doch war sie in Rußland lange nicht so drückend wie bei uns, allerdings zu einem hohen Satze, aber durch Vermittlung der Gemeinden; die Gemeinden waren die Steuerzahler, die Gemeinden hatten ihrerseits die Unterverteilung und waren in der Lage, schonend zu handeln und die Steuerexekutionen zu vermeiden. Die Klassensteuer, an der wir allein unter den zivilisierten Nationen hiernach noch festhalten, trägt meines Erachtens in sich die Unmöglichkeit für die Steuerbehörde, eine gleichmäßige gerechte Verteilung der Steuern zu bewirken. Sie haben heutzutage doch noch zirka 5 Millionen besteuerte Positionen in Preußen — und können in diesen Massen, in den unteren wirtschaftlichen Stufen ganz unmöglich die Verhältnisse des einzelnen Haushaltes, des einzelnen Mannes, seine Erwerbsverhältnisse richtig beurteilen, seine Gesundheitsverhältnisse, Familienverhältnisse, die lokalen Ausgaben, zu denen er wegen seiner besonderen Stellung genötigt ist, das alles entzieht sich dem Urteil der Behörde; letztere hat nur Kriterien, die nach allgemeiner Schablone auf jeden angewendet werden, die aber nicht immer passen und sehr häufig drücken. Eine gerechte gleichmäßige Verteilung der Steuern, so wie die indirekten Steuern sich von selbst verteilen, wenn sie eine Zeitlang bestanden haben, und sich wassergleich in das richtige Niveau setzen, ist bei der Kopfsteuer gar nicht möglich, kein Steuerrat kann die Verhältnisse der Reklamanten mit Richtigkeit beurteilen; schon das spricht dagegen.

Ein noch viel stärkerer Grund aber dagegen ist die Notwendigkeit der Exekution der Steuer, wenn sie nicht bezahlt wird, die Notwendigkeit, die Tatsache, daß mitunter für einen rückständigen Betrag von 50 Pfennig Mobiliarwerte von 20 bis 30 Mark abgepfändet werden, und daß der Steuerpflichtige bei der Unmöglichkeit, diese abgepfändeten Sachen im Wege der Exekution zu dem vollen Werte zu verkaufen, den sie für ihn haben, um den Staat, den reichen Staat, den Fiskus, um 50 Pfennig zu bereichern, seinerseits um 15 oder 20 Mark geschädigt, in seiner bürgerlichen Existenz für eine Zeitlang erschüttert wird. Ich weiß nicht, ob die Anzahl der Exekutionen dieser Art, die die Klassensteuer mit sich führt, öffentlich hinreichend bekannt ist. Sie könnte es sein, denn die Durchschnittsrechnungen davon sind in den Motiven zum Verwendungsgesetz, welches der Preußische Landtag zu beraten keine Zeit hatte, den Abgeordneten in 500 Exemplaren gedruckt zu Händen gegeben, sind aber dort totgeschwiegen. In der damaligen Verhandlung und in der jetzigen über das Monopol habe ich auch keine Silbe gehört über die Übel, über die Leiden, die durch das mindere Übel des Monopols geheilt werden sollen.

Ich erlaube mir deshalb, da es in Preußen im Landtage totgeschwiegen worden ist, Ihnen aus der gedruckten Begründung des Verwendungsgesetzes nachstehende Ziffern mitzuteilen. In dem Jahre 1879/80 — ich weiß nicht, warum vom 1. Oktober zum 1. Oktober datiert — sind zur Klassensteuer veranlagt gewesen Einzelsteuernde und Haushaltungen in Preußen 5 087 470, davon beträgt die Anzahl der wegen Klassensteuerrückständen vollzogenen Pfändungen 438 973 *(Hört! hört! rechts)*, und zwar in der untersten Stufe der Arbeiter, die weiter nichts wie ihrer Hände Arbeit haben, von der sie leben, 254 166 *(Hört! hört! rechts)*, in der zweituntersten Stufe 102 584, in der dritten noch immer 28 516. Die vierte bis zwölfte sind nicht gesondert angeführt, aber auch in ihnen, also in den vergleichsweise wohlhabenden Klassen, haben noch immer 53 707 Pfändungen stattgefunden, die wirklich vollzogen werden konnten und einen Ertrag lieferten. Ich mache darauf aufmerksam, daß eine solche Pfändung um so empfindlicher wirkt, auf eine je höhere Stufe der Steuer sie Anwendung findet. Die Treppenstufen der wirtschaftlichen Leiter, welche der Betreffende damit heruntergeworfen wird, sind gerade so zahlreich, wie seine Klassensteuerstufe angibt.

Dann beträgt ferner die Zahl der fruchtlos versuchten Pfändungen außerdem 565 766 in der preußischen Monarchie *(Hört! hört! rechts)*, davon in der untersten arbeitenden Klasse 386 017, in der zweiten 135 635, in der dritten 22 774, in den acht obersten immer noch 21 340 — also ein Zeichen, wie unvollkommen die Möglichkeit der Veranlagung dieser Steuer ist, daß in der vierten bis zwölften Klasse noch 21 000 Positionen inexigibel sein können. Es beträgt also die Summe der Spalten 3 und 4, d. h. die Gesamtheit der wegen Klassensteuer vollzogenen und versuchten Pfändungen, für ein Jahr 1 004 739. Ähnliche Resultate liefert ein dreijähriger Durchschnitt, den ich dem Statistischen Amte verdanke, der die Budgetjahre von 1878 bis 1881 — in deren Mitte bekanntlich ein Wechsel des Termins stattgefunden hat — umfaßt. Für diesen Zeitraum beträgt die Gesamtzahl der Auspfändungen im preußischen Staat 3 304 065 — ich will Sie verschonen mit der Aufzählung der einzelnen Jahre, Ihnen nur das Gesamtresultat geben — wobei die vollzogenen Pfändungen 1 617 831 betragen, die fruchtlos versuchten Pfändungen daneben 1 686 234. Es kommen danach in beiden Positionen zusammen auf diese drei Jahre 3 300 000, durchschnittlich auf jedes Jahr 1 100 000 Pfändungen. Die Anzahl hat im ersten Semester des Jahres 1881/82 infolge der Besserung der Zustände, vielleicht auch infolge der eingeführten Klassensteuernachlässe eine Reduktion erfahren. Obschon mir das ganze Jahr nicht vorliegt, so läßt sich doch glauben, daß in diesem Jahre infolge der gebesserten Zustände und der Steuernachlässe die Pfändungen die 600 000 nicht vollständig erreichen werden. Indessen 600 000 ausgepfändete Staatsbürger, das ist auch schon eine starke Ziffer. Zu diesen starken Klassensteuerleiden kommt noch die Wirkung der Zuschläge. Es ist nicht ersichtlich, warum wegen der Kommunalzuschläge weniger Auspfändungen stattfinden sollten, als wegen der Staatsklassensteuern. Im Gegenteil glaube ich, der Staat kommt früher zu seinem Recht, und vielleicht wird er noch eher bezahlt. Über die Vorgänge in den Gemeinden liegen allgemeine Data nicht vor, wenigstens habe ich sie nicht ermitteln können; ich habe nur einige Angaben in Bezug auf die Berliner Ergebnisse der Steuer in den Jahren 1876 und 1877 vorliegen. Danach sind in der Stadt Berlin im Jahre 1876 im ganzen zur Klassensteuer veranlagt 355 992 Besteuerte. Von diesen sind zur Zwangsvollstreckung verwiesen — ich werde gleich den anscheinenden Widerspruch erklären — 393 837 in der Stadt Berlin, also mehr als veranlagte

Posten. Das hat darin seinen Grund, daß jede Position viermal im Jahre erhoben wird und jede viermal zur Exekution kommen kann, daß also die Zahl der vorgekommenen Vollstreckungen die der veranlagten Steuerpositionen überschreitet. Von diesen 393 837 Fällen sind erledigt durch Stellung zur Exekution 276 902, durch Vollstreckung der Exekution, durch Versiegelung und Pfändung 25 280, durch fruchtlose Vollstreckung der Exekution 91 655. Auf 100 Klassensteuerveranlagte überhaupt, beziehungsweise in den betreffenden Steuerstufen vorkommende Fälle treffen danach in der untersten Stufe von unten 114,6 auf 100 Steuerpositionen, und in der fünften bis zwölften immer noch 46,7 Prozent, die zur Exekution gestellt werden.

Im Jahre 1877 steigt die Ziffer noch höher. Da sind in der untersten Stufe 121,2 Personen exequiert worden, in der zweiten 156,8, in der dritten 159,6 — immer auf 100 Besteuerte gerechnet — in der vierten 151,8; also die höchsten Sätze sind nicht in der untersten, sondern in der zweiten, dritten und vierten, also in den schon etwas wohlhabenderen, von der fünften bis zwölften sind immer noch von 100 Personen 71 exequiert worden in Berlin, und ich mache darauf aufmerksam, daß hier bei diesen Berliner Positionen die Stufen von zwei bis vier von unten herauf ein stärkeres Kontingent stellen, als die unterste, daß also der Fall, daß jemand von einer sich heranbildenden Wohlhabenheit auf seinen Ausgangspunkt durch die Exekution zurückgeworfen wird, häufiger vorkommt.

Eine andere Berliner Angabe — die für 1880 habe ich nicht vollständig erhalten können, aber für 1881 — bezieht sich auf die Gesamtheit der direkten Steuern, wobei ich bemerke, daß die Staatsklassensteuer in Berlin von den Gemeindebehörden erhoben wird. Danach bringt die Haus- und Mietssteuer im ganzen an Steuerposten 1 048 203, die Einkommen- und Klassensteuer 1 468 856, zusammen also $2^1/_2$ Millionen Steuerposten. Darauf sind Mahnzettel ausgeschrieben — wo also die Leute nicht prompt bezahlt haben — 647 981. Von diesen Zetteln sind erledigt durch Zahlung des Steuerrestes nicht ganz die Hälfte 308 814, durch fruchtlose Zwangsvollstreckung 244 968 *(Hört! hört!)*, durch Anmeldung bei der Abteilung für Verzogene 85 302 — also Leute, die sich der Steuerschere in Berlin entziehen dadurch, daß sie in die Provinz hinausgehen; die werden sofort durch den Uriasbrief der „Abteilung für Verzogene“ dort kreditlos gemacht und außer Stand gesetzt, sich neu zu etablieren, und sie kommen aus der Schere der Exekution nicht heraus; die Freizügigkeit hilft ihnen nichts — sonst unerledigt geblieben und weiter zu verfolgen bleiben 8897.

Meine Herren, Sie werden daraus ersehen, wie ich vermute, daß die Zahl derjenigen, welche wegen der direkten Steuern in Preußen in Stadt und Gemeinde ausgepfändet werden, eine recht große ist.

Wenn Sie sich nun die Wirkung einer solchen Exekution vergegenwärtigen — es ist anzunehmen, daß, ehe es jemand dazu kommen läßt, er seinen Kredit beim Bäcker, Metzger, Milchmann ziemlich erschöpft haben wird, denn die sind noch nachsichtiger als der Steuerexekutor — nun erscheint der Exekutor, sofort geht der Kredit verloren, es wird ihm gekündigt, er fällt dadurch vielleicht einem gefälligen Manne in die Hände, der bereit ist, ihm das, was er braucht, zu hohen Zinsen vorzustrecken und sich in den Besitz dessen zu setzen, was der Ausgepfändete überhaupt noch hat, was von ihm noch herausgedrückt werden kann, oder er verfällt vor den Augen des Nachbarn der Tatsache, daß der Exekutor zu ihm kommt, das Wenige an Hausrat, Wäsche und Mobilien, was sich ein junger Hausvater angeschafft hat, wird unter Siegel gelegt, zum Zwangsverkaufe gestellt — vielleicht zu einem geringen Ertrage: eine Kommode, die für 15 Mark gekauft wurde, geht vielleicht für 3 Mark weg — daß das alles den Mann, der auf diese Weise in seinem Aufstreben auf der sozialen und wirtschaftlichen Leiter wieder zurückgeworfen wird, schwer kränkt, ihn mitunter zur Verzweiflung, manchmal zum Selbstmord bringt, ihn jedenfalls mit Bitterkeit erfüllt, wenn der seiner Meinung überreiche Fiskus ihm wegen einer Kleinigkeit einen so ungeheuren Schaden an seinem häuslichen Besitztum, an seinem gesellschaftlichen Ansehen und an seinen aufstrebenden Hoffnungen zufügt, daß das den Mann mit Unzufriedenheit erfüllt, darüber, meine Herren, wird kein Zweifel sein, und ich schreibe einen großen Teil unserer Auswanderungen der Tatsache zu, daß die Auswanderer das Bedürfnis haben, sich der direkten Steuerschraube und Exekution zu entziehen und nach einem Lande hinzugehen, wo die Klassensteuer nicht existiert und wo sie außerdem die Annehmlichkeit haben, die Produkte ihrer Arbeit gegen fremde Konkurrenz beschützt zu wissen. *(Sehr richtig! rechts.)* Die amerikanischen Schutzzölle und die preußische Klassensteuer halte ich für die Hauptmotive der Auswanderung. *(Zuruf aus dem Zentrum: O nein!)* Hauptsächlich, ich sage nicht ausschließlich, und es ist ja auch ganz natürlich. Ich weiß nicht, wer von den Herren Phantasie genug hat, sich in die Lage einer solchen, vom Steuerfiskus zerdrückten Existenz hineinzufühlen, daß da eine tiefe Bitterkeit eintritt gegen die Einrichtungen, unter denen er lebt, Einrichtungen, die in Frankreich, England, Amerika, in allen zivilisierten Staaten längst zu den überwundenen Standpunkten gehören, dort längst, weil dort die Fraktionspolitik die Regierung nicht hinderte, Verbesserungen einzuführen, und dort längst die direkten durch weniger drückende indirekte Steuerquellen ersetzt sind — daß er da nach anderen Ländern geht, daß er gegen unsere Einrichtungen einen stillen Ansatz von Haß behält, das ist wohl nicht verwunderlich.

Nun finde ich es ganz erklärlich, daß eine Opposition, welche die Absicht hat, die bestehende Regierung zu stürzen oder bei den Wahlen zu diskreditieren, einen Bedarf an Unzufriedenheit hat und gar keinen Grund, da, wo sie vorhanden ist, die Hand zu bieten, daß sie gemildert werde, so lange diese mißliebige Regierung besteht. Die Opposition behält sich vielleicht vor, wenn sie selbst ans Ruder gelangt, sich dann das Verdienst zu erwerben, diese Leiden zu mildern. Es ist ja außerordentlich leicht, bei der Leichtgläubigkeit des Wählers und der ungeheuerlichen Verlogenheit unserer kleinen Presse *(sehr richtig! rechts)* ist es ja außerordentlich leicht, den Wählern einzureden, daß eigentlich doch die Regierung an diesem allen schuld ist, obschon sie sich seit Jahren ehrlich und aufrichtig bemüht, diese Übelstände abzuschaffen, obschon Seiner Majestät dem König die Leiden seiner Untertanen schwer am Herzen liegen, und der König tut, was er kann; aber der König hat das Recht der Steuerbewilligung außer Händen gegeben, er hat die indirekte Steuerbewilligung an das Reich abgegeben, das Reich versagt sie ihm, Seine Majestät der König kann tiefen Schmerz empfinden, kann sich dabei aber verfassungsmäßig nicht helfen. Nun, diese Unzufriedenheit also auf die Regierung abzuwerfen, die Regierung anzuklagen, das ist ja der Presse gar nicht schwer. Das Motiv, weshalb wir mit unseren Reformen nicht vorwärts kommen, ist, daß es so sehr viel Leute gibt, die gar kein Bedürfnis und keine Neigung haben, der jetzigen Regierung bei irgendeiner Verbesserung zu helfen. Es ist eine alte Whistregel: „Dem Feinde keinen Stich!", das heißt für Sie: der Regierung keinen Erfolg, denn der „Feind" bei uns ist die Regierung. *(Oho! und Unruhe links. — Sehr richtig! rechts.)*

Wie bereitwillig akzeptiert der deutsche Wähler stets die Behauptung, daß er eine Regierung hat, mit der er unzufrieden zu sein berechtigt ist; es ist ihm sogar nicht unlieb, wenn er eine solche wirklich hat, denn er hat noch so viel Gewissen, daß er sich doch zuzeiten schämt, auf die Regierung, die es nicht verdient, zu schimpfen. Hat er eine, auf die er mit Recht schimpfen kann, so ist es ihm eine angenehme Satisfaktion. Das war das Erzeugnis der Politik in früheren Zeiten, wo die Regierungen im ganzen, ich will nicht sagen schlechter und ungeschickter waren, aber sich weniger aus Eindrücken machten und mehr Macht hatten; da war das Schimpfen berechtigt, und es gehört zum deutschen Bedürfnis, beim Biere von der Regierung schlecht zu reden, und wer den Ton anschlägt, der hat noch heut

Wähler, von dem sagt man: Das ist unser Mann, für den stimmen wir, das ist kein Regierungsmensch, der ist nicht servil, der wird dem Kanzler „den Willen brechen". Meine Herren, das ist ja wirklich eine traurige Satisfaktion, dem Kanzler den Willen zu brechen, wenn der Wille vielleicht berechtigt ist, vielleicht zum Nutzen des Landes ist. Das will doch erst geprüft sein; es kann sein — es läßt sich ohne Sie ja nichts machen, und wenn Sie nichts bewilligen wollen, so ist es Ihr Recht und ist ja gut; aber daß der Kaiser als König von Preußen es schwer empfindet, daß er seinen Untertanen nicht helfen kann, daß er sich fragt: Waren die Gründe, die mein Bruder, König Friedrich Wilhelm IV., derzeit gegen die Reichsverfassung hatte, die ihn abhielten, die Kaiserkrone anzunehmen, vielleicht doch nicht ohne Berechtigung? Habe ich wohlgetan, mich der Möglichkeit zu berauben, meinen Untertanen zu helfen, indem ich die Quellen, die ich dazu anwenden könnte, aus den Händen gegeben und von anderen abhängig gemacht habe? Solche Nachgedanken können einem Könige, der seine von Gott ihm gegebene Mission ernst auffaßt, der ein Herz für die Leiden seiner Untertanen hat, wohl kommen mit der Zeit. Daß eine parlamentarische Körperschaft, auch selbst die des Preußischen Landtages, wenn die heißen Tage eintreten, dieselben ernsten Mitempfindungen für solche Notstände haben soll, wie der König von Preußen, das ist ja gar nicht zu verlangen. Eine Majorität hat viele Herzen, aber ein Herz hat sie nicht — ein König hat ein Herz für sich, was Leiden mitempfindet. Aber, die preußischen Landeskinder, die im Landtage sind, hätten so viel Herz für dieses Elend, welches sie aus den Druckschriften kennen, doch wohl haben können, daß sie der Sache ein paar Tage Sitzungen, auch bei gutem Wetter, mehr geliehen und nicht so unwillig die Sitzungen abgebrochen und der Regierung die Vorwürfe gemacht hätten, daß die Würde des Landtages beeinträchtigt werde durch die späte Vorlage. Ja, wir können die Vorlage nicht eher machen, ehe wir sie fertig haben, hexen können wir auch nicht, wir müssen unsere Arbeitszeit irgendwie haben und Bedenken berücksichtigen und prüfen, auch wenn sie spät kommen; der Landtag hätte wohl Zeit haben können in den drei Wochen, die nach der Vorlage verloren wurden, das Wohl des Landes zu beraten und die Vorlagen näher zu prüfen. Die Frage der Parallelsitzungen, die dabei den Hauptvorwand abgab, um uns der mangelnden Rücksicht zu zeihen, ist ja eine Zwangslage, aus der wir uns nicht retten können, denn wir können in den Sommermonaten vom Juni bis zum 1. Oktober die parlamentarischen Versammlungen nicht berufen, ohne uns schon einer Verstimmung auszusetzen, die sich nachher in gewissem Übelwollen gegen die Regierung fühlbar macht und namentlich bei denen, die, wenn sie nicht Abgeordnete sind, doch auch noch etwas Nützliches zu tun haben. Wir müssen also, wenn wir irgendwie können, diese vier Monate außer Rechnung lassen. Im Oktober ist es auch schwierig, teils noch aus denselben Gründen, teils müssen doch auch die Minister und der Bundesrat irgendeine Zeit zur Vorbereitung dessen haben, was sie vorlegen sollen. Sie können doch nicht verlangen, daß wir Tag und Nacht arbeiten, daß wir von eiserner Gesundheit sind — Sie trauen uns das auch nicht zu. Kurz und gut, fünf Monate gehen ziemlich auf die Abneigung des Zusammenkommens und auf das Bedürfnis der ministeriellen Beratungen. Dann haben die parlamentarischen Körperschaften die Gewohnheit, zu Weihnachten, Ostern, Pfingsten jedesmal drei Wochen Ferien zu machen, das macht neun Wochen, das sind wiederum zwei Monate, damit sind sieben Monate verbraucht. Ist es nun möglich in den übrigen fünf Monaten, die bleiben, die Budgetfragen, wie sie bei uns betrieben werden, befriedigend zu erledigen, und Gesetze, welche die Notdurft des Landes, die Notlage unserer Mitbürger betreffen, zu erledigen? Der Preußische Landtag in diesem Frühjahre hat gezeigt, daß es nicht möglich ist, daß ihm die Zeit zur Prüfung der Not seiner Mitbürger und der preußischen *gravamina* fehlt. Das Bedürfnis des Königs von Preußen, Abhilfe zu schaffen, beschränkt sich nicht auf die Klassensteuer allein, es ist außerdem allgemein bekannt, daß unsere Gemeinden zum Teil trotz aller Klassensteuerexekutionen, die ich vorhin vortrug, doch in einer großen Notlage in Bezug auf ihre Finanzen sind, und daß die Regierung sehr geneigt ist, ihnen zu helfen. Sie kann dies aber nur, wenn ihr Mittel dazu bewilligt werden. Ich habe hier eine Angabe über Gemeindebesteuerungen mitgebracht, die — es war dies in gewissen Gemeinden in der Rheinprovinz — Berechnung der Steuerbelastung eines für 1881/82 zur zweiten Klassensteuerstufe veranlagten Grund- und Gebäudesteuer nicht entrichtenden Zensiten in verschiedenen rheinischen Gemeinden. Danach zahlt in der Stadt Witten jemand, der 6 Mark Klassensteuer entrichtet, 350 Prozent Zuschlag als Kommunalsteuer, worin die Schullast mit enthalten ist, da dieselbe auf den Kommunaletat übernommen ist — macht 21 Mark, 50 Prozent evangelische Kirchenauflage — macht 3 Mark, zusammen wird aus den 6 Mark, die der Staat verlangt, 30 Mark. In der Stadt Wattenscheid stellt sich dieselbe Rechnung von 6 Mark durch denselben Zuschlag von Kommunalsteuer und evangelischer Schulsteuer auf 39 Mark 20 Pfennig; in der Stadt Hattingen von 6 Mark auf 34,08 Mark, in der Gemeinde Königssteele von 6 Mark auf 42,60 Mark, in anderen wieder auf 39 Mark usw.

Also Sie sehen, daß das eine sehr starke Belastung unserer Gemeinden ist, und es ist zu vermuten, daß bei diesen Kommunalsteuern im ganzen nicht weniger Exekutionen stattfinden werden, als in den Staatssteuern, daß auch dort die Unzufriedenheit mit den bestehenden Verhältnissen künstlich genährt wird, namentlich in der Art, wie die Zuschläge zum Teil aufgebracht werden zur Häusersteuer, wobei die Schulden, die auf dem Hause lasten, vom Steuerobjekt nicht abgezogen werden. Rheinische und auch hannöversche Gemeinden sind, wie aus den öffentlichen Blättern bekannt ist, bei der Regierung eingekommen, man möchte ihnen gesondert gestatten, daß sie indirekte Steuern erheben. Sie sind also ihrerseits auch vollständig zu der Überzeugung gelangt, die die Staatsregierung leitet, daß indirekte Steuern leichter zu tragen und leichter aufzubringen sind, als die direkten. Aber weit entfernt, für die Gesamtheit ihrer Mitbürger diese Erleichterung zu erstreben, durch ihre Abgeordneten die Regierung in dieser Richtung zu unterstützen, verlangen sie für sich das Privilegium, nur auf ihrem engeren Bezirk die Wohltat der indirekten Steuern einzuführen und bei ihnen das Leiden der direkten abzustellen, es dann aber der *misera contribuens plebs* auf dem platten Lande zu überlassen, sich weiter zu helfen, wie sie kann. Sie haben dann ihrerseits kein Bedürfnis mehr und haben noch weniger Neigung als heute, die Regierung in ihren Reformbestrebungen zu unterstützen. Die Regierung aber hält an dem Prinzip fest: „Gleiche Gerechtigkeit für alle" und ist entschlossen, Privilegien in dieser Beziehung nicht zu geben. Daß die großen Städte ihrerseits, weil sie in noch höherem Maße als die Kreise und Landgemeinden eigentliche Staatslasten übernommen haben, bei einer Verteilung und bei einer Zuwendung von Erträgen indirekter Steuern, die wir vom Reich erstreben, stärker bedacht werden müssen, als die gleiche Kopfanzahl der sonstigen Bevölkerung, daß sie mit dem, was für sie in Aussicht genommen ist, Zuweisung der halben Gebäude- und Grundsteuer, nicht auskommen, ist ganz klar; es ist aber dann Sache der Prüfung und Bewilligung in den Verhandlungen des Landtags, wie der Hauptsache nach die Verteilung von Mitteln, sobald wir deren haben, stattfinden soll. Wir sind nicht bereit, einzelnen Klassen unserer Mitbürger vor anderen ein Priviligium zu geben, sondern die Erleichterung gleichmäßig zu schaffen für alle. Die Kreise sind in derselben Lage, und bei ihnen ist die Ungerechtigkeit des Zuschlages zu der Steuer, die ohne Rücksicht auf die Verschuldung der besteuerten Einnahmequellen auferlegt ist, allerdings in höherem Maße auf die Grundsteuer anwendbar, wie sie es auf die Häusersteuer ist.

Nun sind die Herren in den großen Städten gewöhnlich der Meinung, daß die Grundsteuer hauptsächlich den reichen Grundbesitzer treffe, der ihnen unangenehm auffällt, wenn er selbstzufrieden und wohlgenährt in die Stadt kommt, sich bei Borchardt oder sonst wo sehen läßt. Das ist aber entfernt nicht der Fall, und aus jedem statistischen Buche können Sie sich dahin belehren, daß die Gesamtheit der Gutsbesitzer, die noch lange nicht lauter reiche Leute sind, sondern vielfach arme, da auch dem kleinsten Besitze angehörige Zensiten zu den Gutsbezirken gehören, von den 42 Millionen Grundsteuern, die im ganzen bezahlt werden, nur 8 Millionen tragen, 28 Millionen auf den Kleinbesitz, auf die Landgemeinden fallen, und der Überrest auf die Städte. Wenn Sie also geneigt sind, über den Gutsbesitzer eine gewisse Ungerechtigkeit zu verhängen, weil er Ihrer Meinung nach eine üble Persönlichkeit ist — so treffen Sie mit demselben Schlag, mit dem Sie einen Gutsbesitzer treffen, immer wahrscheinlich fünf arme Leute. Die Kreise, wie Sie aus den statistischen Listen ersehen, sind fast alle verschuldet und meist mit sehr starken Kreisbudgets belastet. Davon machen allein eine Ausnahme achtzehn hessische Kreise, und annähernd einige holsteinische; aber das nicht etwa, weil die Lasten, die sonst die Kreise verschulden und beschweren, dort überhaupt nicht getragen werden — sie werden nur von anderen Formationen getragen, so in Hannover von den Ämtern, so in der Rheinprovinz, in Hessen und in Holstein teils von den Gemeinden, teils früher vom Staate, teils sind sie überhaupt erst existent geworden nach der preußischen Besitznahme.

Der einzige Kreis in der preußischen Monarchie, der vermöge seiner eigenen Wohlhabenheit steuerfrei ist, ist das Herzogtum Lauenburg, welches von seinem Abgeordneten, Herrn Westphal, seinerzeit hier als die „ausgequetschte Zitrone“ bezeichnet wurde, die nach der „Ausquetschung“ mit dem Fuße fortgestoßen worden wäre. Das ist der einzige Kreis, der so reich ist, daß er keine Kreissteuern umzulegen braucht, der bares Vermögen hat, und der bei einer richtigen Art der Verwaltung seines Vermögens noch erheblich mehr zu leisten in der Lage wäre. Ich kenne die Verhältnisse sehr genau, weil ich — ich weiß nicht: acht oder zehn Jahre — Minister dieses Ländchens gewesen und noch heute der größte Grundbesitzer in diesem Kreise bin und dadurch gezwungen werde, an den dortigen Kreisinteressen Anteil zu nehmen. Aber außerdem gibt es überhaupt keinen Kreis, der nicht entweder in sich, in seinen Korporationen oder in den Gemeinden, aus denen er besteht, verschuldet wäre. Auch diesen hat Seine Majestät der König von Preußen das Bedürfnis zu helfen, und Er steht hilfesuchend vor der Pforte des Reichstags und klopft an, ob Sie ihm beistehen wollen, Seine preußische Untertanen aus den ungerecht und drückend veranlagten Steuern zu befreien.

Ein dritter Punkt ist die Schule, deren Belastung auch in der Regel nicht nach ihrem vollen Werte gekannt wird. Aus den sehr lehrreichen Motiven, die der Preußische Landtag nicht Zeit hatte zu lesen und zu beraten, geht unter anderem hervor, daß die Schullasten in ihrer Gesamtheit für Personal- und Realausgaben zwischen 94 und 95 Millionen betragen, und daß sie die Belastung des Staates durch die Klassensteuer mehr als doppelt übersteigen, indem in Preußen auf den Kopf 3,59 Mark an Schullasten kommen und wahrscheinlich auch in demselben Bruchteil von Exekutionen, namentlich für diejenigen Lasten, die unter dem Namen von Schulgeld exigibel sind, von den ärmsten Mitgliedern der Gemeinde und immer in erhöhtem Maße von kinderreichen Familien als von kinderlosen oder einkinderigen, und wie es dabei für die Stellung des Lehrers eine betrübende Beziehung gibt, daß der Lehrer, der in Bezug auf Kleidung und Lebensstand doch gegenüber dem barfüßigen Schuljungen eine höhere Lebensstufe einnimmt, die Mutter durch die Kinder mahnen lassen muß wegen weniger Groschen Schulgeld. Schon im Interesse der Lehrer haben wir in Preußen das Bedürfnis, daß diese Sache aus der Welt geschafft wird.

Es sind außerdem noch die Ihnen bekannten Bedürfnisse des Königs von Preußen, seine Beamten auf diejenige Stellung im Gehalt zu bringen, die unter Vortritt der Reichseinrichtungen den Richtern bewilligt worden sind. Es besteht dabei eine Ungleichheit, die zu Unzufriedenheiten Anlaß gibt, und diese wird ausgeglichen werden müssen entweder durch eine Steigerung der Gehälter der übrigen Beamten oder durch Herabsetzung der jetzigen Richtergehälter. *(Bewegung.)*

Dasselbe findet statt in Bezug auf die Ungleichheit der Verstempelung des mobilen und immobilen Vermögens. Ihnen ist bekannt, und das Gravamen ist schon öfter vorgebracht, daß der Stempel der Immobilien ein ganz maßlos hoher ist, ebenfalls ganz ohne Rücksicht auf die Belastung des Grundstücks mit Schulden; wenn es für 80 000 Taler verkauft wird, und es sind 80 000 Taler Schulden darauf, so muß es doch seine 800 Taler Stempel zahlen, und das vermehrt die Not des in Konkurs befindlichen oder sonstigen Besitzers. Es handelt sich ja auch nicht immer um Grundstücke von 80 000 Taler, sondern auch um kleinere. Jede Verpachtung wird in der ungerechten Weise verstempelt, daß zum Beispiel bei einer dreißigjährigen Verpachtung die ganze Summe zusammengezählt wird, die der Pächter in dreißig Jahren zu zahlen haben wird, und daß diese sofort am Tage des Abschlusses der Verpachtung verstempelt werden muß, als wenn sie heute gezahlt würde. Tritt inzwischen in der Person des Pächters eine Änderung ein oder löst sich durch Konkurs oder sonst vor

Ablauf der dreißig Jahre dieser Kontrakt, so wird der zu Unrecht verstempelte Teil, und wenn der Vertrag auch noch dreiundzwanzig Jahre liefe, nicht zurückbezahlt, sondern der neue Pachtvertrag muß wieder neu und voll verstempelt werden, und so kann man in die Lage kommen, bei einer längeren Pachtdauer drei-, viermal dieselbe Summe für dasselbe Geschäft zu verstempeln. Schon eine bloße Änderung der Firma, daß ein Associé ausschied, hat mich in die Lage gebracht, einen neuen Pachtvertrag abschließen zu sollen; ich habe mich dagegen mit Erfolg gewehrt, aber doch nur in verschiedenen Instanzen. Dadurch wird die Existenz aller Pächter unbillig beschwert.

Wenn ich alle diese Gravamina, die der König von Preußen für seine Untertanen beim Reich anbringt und für die er Deckung verlangt, hier einmal aufzählte, so habe ich damit nur das Bedürfnis, Ihnen die Größe der Not, in der der preußische Steuerzahler sich befindet, zu schildern. Keineswegs verbinde ich damit die Hoffnung, daß der gesamte Bedarf dieser Summe nun mit einer Bewilligung gedeckt werden könnte. Aber ich glaube, wir müssen doch ein Ziel anerkennen, nach dem gestrebt werden muß, dem man allmählich sich zu nähern sucht. Wir müssen wenigstens den guten Willen betätigen, der Prüfung dieser Sache näher zu treten, sie nicht zu scheuen und nicht unter dem Vorwande, daß Witterung und Parallelsitzungen uns daran verhindern, uns der Prüfung der Not unserer Mitbürger zu versagen. Dieses Bedürfnis zur Anerkennung zu bringen, war unsere Hoffnung als wir das Verwendungsgesetz dem Preußischen Landtage vorlegten. Dieser Landtag hat unsere Hoffnung getäuscht, und wenn ich dazu nehme, daß auch mehrere der verbündeten Regierungen ihrerseits ein Bedürfnis zur Steigerung des Landeseinkommens aus Reichsquellen nicht empfinden, indem sie das Monopol abgelehnt haben, ohne einen anderen Vorschlag oder auch nur die Neigung auszusprechen, auf anderen Wegen zur Beschaffung der Mittel die Hand zu bieten, wenn ich dazu nehme, daß der Bericht Ihrer Kommission das Bedürfnis geradezu bestreitet und, ganz abgesehen von der Resolution Lingens, die sich in schroffen Gegensatz zu der Königlichen Botschaft vom 17. November 1881 stellt und das Reich als bedürfnislos bezeichnet und seine Glieder — wenn ich sehe, daß auch das Gutachten der Kommission dahin vorläufig sich äußert, daß kein Bedürfnis vorläge, die Allgemeinheit mit neuen Steuern zu belasten, wenn ich dazu nehme die indirekte Leugnung des Bedürfnisses, wie sie in der Abneigung des Preußischen Landtages liegt, die Frage auch nur zu beraten — wenn ich das alles zusammennehme, so kann ich zweifelhaft werden, ob das Bedürfnis, was Seine Majestät der König und seine Minister mit ihm in Preußen sehr lebhaft empfinden, im ganzen Lande empfunden wird, ob es wirklich vorhanden ist.

Wir stehen in Preußen vor neuen Wahlen, und ich rechne darauf, daß diese Wahlen uns darüber Auskunft und Entscheidung bringen: Fühlt das preußische Volk wirklich einen Steuerdruck, dessen Erleichterung es wünscht, oder nicht? Der bisherige Landtag hat uns eine Erklärung darüber versagt. Wir erwarten, daß bei den bevorstehenden Wahlen in Preußen die Frage ein Hauptkriterium bilde: Soll die Klassensteuer mit ihren Millionen Exekutionen beibehalten werden, mit ihrer Verfolgung der Verzogenen, das ganze veraltete Institut? Soll die hohe Belastung der Gemeinden beibehalten werden, ohne ihnen zu helfen? Soll das Schulgeld beibehalten werden? Das werden Fragen sein, über die der Ausfall der nächsten preußischen Wahlen der Regierung einen Fingerzeig und der Landtag eine durchschlagende Antwort geben wird. Ist der nächste Preußische Landtag gegen die Leiden seiner minderbegüterten Mitbürger ebenso gleichgültig wie der jetzige, ja, dann, meine Herren, liegt vielleicht keine Not vor, sonst wäre er nicht gewählt worden, denn wozu der Lärm? Was sollen wir uns dann quälen mit der Sisyphusarbeit, eine weitere Erleichterung und Reform zu schaffen? — *beneficia non obtruduntur!* Ich kann das aushalten, sobald ich ein reines Gewissen habe, und mein Gewissen zu befreien, ist der Grund meines jederzeitigen Auftretens. Wollte der nächste Landtag wiederum, wie der bisherige, sich einer eingehenden Diskussion der Bedürfnis- und Verwendungsfrage, einer Beschlußnahme darüber, welche Verwendung er haben will, versagen, so könnte ich Seiner Majestät nur raten, so oft an die Wähler zu appellieren, bis darüber die notwendige Entscheidung erreicht ist, und ich werde kein Bedenken tragen, Seiner Majestät zu raten, den Preußischen Landtag, sobald er nur gewählt ist, zu berufen, ihm diese Frage zu stellen und ohne weiteres von neuem an die Wähler zu appellieren, wenn uns wiederum in der bisherigen Weise ausgewichen wird. Der Landtag kann beschließen, was er will, aber er darf sich der Beratung der Not seiner Mitbürger nicht versagen; wenn er das tut, so verdient er nicht den Namen „Volksvertretung“ *(Bravo! rechts.)* die Volksvertretung liegt dann mehr bei dem Monarchen, der ein Herz hat für das Volk und dessen Leiden.

Ich habe schon erwähnt, daß wir das Monopol vorgeschlagen haben, weil wir dasselbe nach sorgfältiger Beratung und Erwägung der Sache für das beste und zweckmäßigste Mittel gehalten haben, dessen Ablehnung wir gebrauchen, bevor wir zu anderen übergehen. Durch die Tatsache, die ja in die Augen springt, daß das Monopol sehr unpopulär ist und durch die Wahlarbeit künstlich noch unpopulärer gemacht ist, als es zu sein braucht, werden wir uns niemals abschrecken lassen, das vorzuschlagen, was wir für vernünftig halten. Ich frage gar nichts danach, ob eine Sache populär ist, ich frage nur danach, ob sie vernünftig oder zweckmäßig ist; die Popularität ist eine vorübergehende Sache, die sich heute auf das, morgen auf jenes richtet, die ich genossen und verloren habe, worüber ich mich leicht tröste, sobald ich das Gefühl habe, meine Schuldigkeit zu tun, und das übrige stelle ich Gott anheim. Die Popularität einer Sache macht mich viel eher zweifelhaft und nötigt mich, mein Gewissen noch einmal zu fragen: Ist sie auch wirklich vernünftig? Denn ich habe zu häufig gefunden, daß man auf Akklamation stößt, wenn man auf unrichtigem Wege ist. Also das interessiert mich nicht, ob die Sache populär ist, da meine Existenz im Amte von jedem Wahlkreise unabhängig ist, und der einzige Wähler, den ich habe, Seine Majestät der Kaiser, mit mir zufrieden ist. Also von Wahlfurcht und Sorgen, wie die Sache aufgenommen wird, bin ich nicht beherrscht, und diese Freiheit erlauben Sie mir zu benutzen, denn die Freiheit ist nicht viel vertreten in den parlamentarischen Körperschaften, da sie sich nicht unabhängig bewegen können von dem, was ein Wähler, von dem, was jedermann in ihren Wahlkreisen aufwirft, der vielleicht im Liberalismus um ein paar Zentimeter höher springt als der Vorredner, und Mittel findet, ihn in seiner Stellung zu erschüttern. Das ist eine Fraktionsfrage, eine Mandatsfrage, wir aber sind unabhängig von lokalen Verhältnissen und Popularitäten. Die Frage ist für mich allein die, ob der Vorzug, den wir dem Tabakmonopol geben, objektiv berechtigt ist. Ich erlaube mir, unter den vielen Zeugnissen, die mir in die Hand gekommen sind, das eines Ausländers anzuführen, der auch von keinem deutschen Wahlkreise abhängig ist; es ist ein vielen von Ihnen wohlbekannter Nationalökonom, Leroy-Beaulieu, der seinerseits in seinem großen Werk über Finanzwissenschaft vom Monopol sagt:

Es fällt uns gar nicht schwer, die Steuer auf den Tabak zu billigen, selbst wenn sie zu sehr hohem Satz und in der Form des Staatsfabrikationsmonopols eingehoben wird. Die Finanzen eines Landes müßten eigentümlich günstig stehen, wenn es auf eine so unschädliche, so moralische, so ergiebige Auflage und auf eine so leichte Einhebungsweise verzichten wollte.

Der Mann ist kein Freund unseres Regierungsprinzips; er ist Freihändler.

Das Tabakmonopol hat selbst auf dem Standpunkt der Fabrikation und der Warenqualität nicht bloß Unzukömmlichkeiten; bei höchsten Steuersätzen liefert allein das Monopol unverfälschte Ware; das ist unzweifelhaft. Der (frühere) Vizepräsident des Reichstags, Herr von Stauffenberg, hat bemerkt: Wir Raucher wissen wohl, daß wir rauchen, aber nicht, was wir rauchen. Die Steuersätze in Frankreich sind viel höher als die vor drei Jahren in Deutschland diskutierten, gleichwohl sind die Fabrikate rein; das ist ein sehr starkes Argument für das Monopol. Die gemeinen Sorten französischen Tabaks sind, wie man weiß, sehr geschätzt. Wenn es sich um einen Gegenstand handelt, dessen Erzeugung nur Sorgfalt und Ehrlichkeit erheischt, und welcher überdies schädlich ist, ist das Monopol keine schlechte Sache, wenn es dem Staat jährlich 270 bis 280 Millionen Reinertrag liefert. Will man große Erträge aus dem Tabak ziehen, so hat man nur zwischen zwei Besteuerungssystemen die Wahl; demjenigen Englands und dem direkten oder indirekten (verpachteten) Staatsmonopol. Das direkte Staatsmonopol ist vorzuziehen; es bietet dem Raucher mehr Garantien ... Es ist nicht zu verwundern, wenn der Kanzler des Deutschen Reiches, Herr von Bismarck, daran gedacht hat, das Monopol in seinem Lande einzuführen. Man begreift nicht, wie ein Staat mit solchen Bedürfnissen sich damit zufrieden gibt, jährlich 20 Millionen aus einer Abgabe zu ziehen, welche bei guter Veranlagung das Sechsfache und selbst das Zehnfache einbringen kann, ohne die ökonomische Lage des Reichs zu schädigen. Der Tabak ist in Deutschland geringer besteuert als die gesunden Getränke; das ist finanziell eine Absurdität und moralisch ein Skandal. Man macht geltend, die Einführung des Monopols koste 300 Millionen Francs und werde lebhaftem Widerstand begegnen; aber der Ertrag rechtfertigt es, daß man diese Ausgabe macht und einer vorübergehenden Unpopularität sich aussetzt.

Nun, meine Herren, der Bericht der Kommission entkräftet keine dieser Angaben. Ich habe den Bericht überhaupt mit Überraschung gelesen; der Herr Verfasser hat das ganze — allerdings sehr umfangreiche Material, welches die Enquete von 1878 über diese Frage bietet, unbenutzt gelassen, das ganze Material, welches für die Bedürfnisfrage die Motive des preußischen Verwendungsgesetzes geben, vielleicht gar nicht gekannt, jedenfalls unbenutzt gelassen; also die Frage, ob wir überhaupt Geld brauchen, ist gar nicht erörtert, und erst, wenn diese klar ist, können wir darüber reden, ob Monopol oder nicht. Das Ganze macht auf mich den Eindruck des Requisitoriums eines Staatsanwaltes, der *à tout prix* eine Verurteilung braucht. Ich sehe keine Berücksichtigung, keine Erwähnung des Regierungsstandpunktes darin; die Kritik, die es enthält, haftet an Äußerlichkeiten, Detailfragen, einzelnen technischen Positionen — darüber ließe sich ja diskutieren und amendieren. An der Spitze von allen Einwendungen steht am wunderlichsten die Beschwerde darüber, daß die Straßburger Manufaktur sich geweigert hätte, ihre Bücher vorzulegen. Was in aller Welt hat die Straßburger Manufaktur, die außerhalb der Monopolverhältnisse steht, mit der Frage zu tun, ob der Staat, das Reich Bedürfnisse hat, die durch indirekte Steuern, durch neue Steuern befriedigt werden sollen und ob das Monopol der nützlichste Weg dazu ist? Bekanntlich wirtschaftet die Fabrik ohne Monopol, und sie könnte geschickt oder ungeschickt geführt sein, sie könnte Schätze sammeln oder sie könnte dicht vorm Bankerott sein, es würde uns nicht die leiseste Aufklärung über die Frage liefern, mit der wir uns hier beschäftigen, und ich halte es für einen unnötigen Wortverbrauch, durch Verwendung von dergleichen Äußerlichkeiten die Diskussion des inneren Kerns der Frage zu hindern. Aus dem ganzen Verlangen leuchtet die Auffassung der konkurrierenden Landsleute des Herrn Referenten [8] vor, denen die Tabakfabrik in Straßburg ein Dorn im Auge ist. — Aber wenn der Herr Verfasser damit die Rentabilität des Monopols in Frage stellen will, weil etwa die Straßburger Manufaktur infolge nicht richtiger oder französierender Leitung nicht genügende Erträge brächte, was ich nicht weiß, so trifft dies Argument in keiner Weise die Rentabilität des Monopols; diese ist ja vollständig *ad oculos* demonstriert durch die Ergebnisse, die es in unseren Nachbarstaaten hat; dort ist die Sache geprobt, und sie wird *toto die* geprobt, und die Frage, ob das Monopol 1815 etwas eingebracht in Frankreich oder 1845, ist ebenso irrelevant, wie die Frage der Straßburger Manufaktur. Seit 1815 hat der Franzose überhaupt erst rauchen gelernt, und 1845 war selbst bei uns in Deutschland das Zigarrenrauchen eine Art von Privilegium der größeren Städte und wohlhabenden Leute, es war noch nicht in allgemeinen Gebrauch übergegangen; also der Vergleich hat gar keine Bedeutung. Wer in Frankreich und England gewesen ist vor vierzig Jahren und wieder hinkommt, wird erstaunt sein, wie das Rauchen zugenommen hat in Frankreich und in demselben Maße in England; was die Franzosen im Rauchen leisten können, können die Deutschen auch *(Heiterkeit)* und mehr als die. Die Rentabilität ist vollständig außer Betracht und auch an unseren einheimischen Fabriken und Händlern bis zur Evidenz nachgewiesen. Ich habe in der langen Zeit, daß ich mich mit der Monopolstellung beschäftigt habe — ich kann es aktenmäßig nachweisen, zurück bis zum Jahre 1867, wo ich zuerst bei dem Anerbieten der Stellung, die er nachher einnahm, den Minister Delbrück, ehe ich ihm Vorschläge machte, durch einen unter uns anwesenden Abgeordneten darüber sondierte, wie er über die Monopolfrage dächte, und es Seiner Majestät dem Könige mitteilte — mich davon überzeugt, daß in dieser Beziehung keine Schwierigkeiten sein würden, sobald ein Substrat vorliege, so dauerhaft wie das Deutsche Reich von ihm veranschlagt wurde, und nicht mehr der kündbare Zollverein. Ich habe außerdem schon im Jahre 1878 daraus gar kein Hehl gemacht, daß ich die Besteuerung als Durchgangsform zum Monopol erstrebte, und die betreffenden Akten geben darüber

---

[8] Abg. Barth — Bremen.

Aufschluß; ich habe mich nur dem fiskalischen Prinzip nicht anschließen wollen, zuerst durch die Modalität der verlangten Steuern die Tabakfabrikation zu ruinieren, um nachher eine mindere Entschädigung zahlen zu müssen. Es liegt aber meiner Meinung nach die Zeit nicht fern, wo das Monopol allmählich populär werden wird, zuerst bei den Tabakbauern, wo es ja jetzt schon in denjenigen, die wirklich die Weltverhältnisse übersehen können und die so zivilisiert sind, daß sie nicht jeder Unwahrheit über die Wirkung des Monopols zugänglich sind, populär ist. Es ist darin sehr lehrreich, was zum Beispiel in der Pfalz darüber gesagt wird, von wo ich von der Hauptgemeinde dort erst kürzlich eine Petition mit der Bitte bekam, an dem Monopol festzuhalten, und worin ich eine Notiz finde über die Stellung des Elsaß dazu; da heißt es:

Wenn noch Zweifel über die Gründe beständen, warum die reichsländischen Reichstagsabgeordneten sich auf die Seite der Gegner des Monopols stellten, so wären dieselben endgültig durch die Ausführungen beseitigt, welche der „Expreß" dieser Tage veröffentlichte.
Einer der Abgeordneten machte nämlich den Versuch, die elsaß-lothringische Vertretung im Reichstage gegen den Vorwurf zu verteidigen, daß sie sich in dieser Angelegnheit in Gegensatz zu der ausgesprochenen Ansicht ihrer Wähler gesetzt habe. Die wirtschaftlichen und finanziellen Vorteile der Vorlage, heißt es in dem Artikel, müssen vollkommen anerkannt werden. Wenn gleichwohl die reichsländischen Abgeordneten das Wort zur Verteidigung des Monopols nicht ergriffen haben, so seien sie im letzten Augenblicke durch politische Bedenken davon abgehalten worden.

Nun, die politischen Bedenken kann man sich vorstellen, worin sie bestehen — sie fürchten das Reich zu kräftigen durch Bewilligung des Monopols; aber im übrigen geht daraus hervor, daß die Elsasser Abgeordneten ihren Wählern gegenüber genötigt sind, durch politische Gründe, reichsunfreundliche politische Gründe, ihre Abstimmung gegen das Monopol zu rechtfertigen.
Die Rentabilität ist keine *terra incognita*, auch bei uns nicht. Wenn sie die Listen der Ladenmieten hier in Berlin für die Zigarrenhändler durchgehen, wie sie für kleine Lokale bis zu 9000 Mark steigen, so muß das Geschäft doch etwas abwerfen. Mir hat ein persönlich befreundeter Inhaber einer der größten Zigarrenfabriken in Schleswig-Holstein darüber mitgeteilt, daß er seinerseits als Hauptprodukt eine Gattung Zigarren fertigt, die von seinen Abnehmern unter verschiedenen Nummern verkauft wird; er erhalte seinerseits für das Tausend 28 Mark, die Herstellung dieser tausend Zigarren koste ihm 18 Mark und, wenn er eine so große Einrichtung hätte wie im Monopol, vielleicht nur 17; aber für ein

Fabrikat, was mit 18 Mark zu Buche steht, bekäme er 28 Mark, das sind ungefähr 60 Prozent. Er sagt ferner: Wenn ich zufällig meine Zigarren nicht bei mir habe, dann muß ich diese von mir zu 18 Mark hergestellten Zigarren mit 5 Mark pro 100, mit 50 Mark pro 1000 meinerseits bezahlen, um sie zu rauchen, und wenn ich sie einzeln kaufe, kosten sie überall 5 Pfennig. Das ist etwa 75 Prozent, was der Händler Profit nimmt; zwischen beiden stecken also etwa 130 Prozent, die an dem Geschäft profitiert werden. Wenn Sie danach die Rentabilität bezweifeln, so glaube ich nicht, daß Sie das mit Überzeugung tun können. Das Monopol ist keine *terra incognita* mehr, seine Ergebnisse sind anderwärts vollständig bekannt.

Was die sonstigen Einwendungen gegen das Monopol betrifft, so will ich zuerst eine Frage berühren, die, so viel ich habe sehen können, in dem Bericht gar nicht berührt ist. Es ist das die Arbeiterfrage. Die hat früher eine große Rolle gespielt. Ich habe behaupten hören, es würden 400 000 Arbeiter brotlos, dann waren es 40 000, und ich weiß nicht, welche phantastischen Ziffern den Wählern darüber eingebracht sind. Das einzige amtliche Material, was wir darüber haben und was zuverlässig ist, liegt in der Tabaksenquete von 1878. Da ist die Zahl der gesamten in der Tabakfabrikation beschäftigten Arbeiter auf 110 000 angegeben, von denen 4000 außerhalb des Zollvereins wohnen. Die Zahl aller der in dem Tabakhandel beschäftigten Individuen — und in ihnen liegt der Hauptwiderstand — ist angegeben auf 8525 Köpfe im ganzen Deutschen Reich. Die regieren ihrerseits die heutige Bewegung und haben ja einen erheblichen Einfluß, und jeder, der Opposition gegen die Regierung treibt, steht ihnen ja bereitwillig bei. Aber diese 110 000 Arbeiter mitsamt den 8000 im Handel Beschäftigten, also sagen wir 120 000 Leute, würde die Regie doch mit Leichtigkeit absorbieren und unterbringen, und es werden da keine Arbeiter brotlos. Wenn Sie jeden, der ab und zu als Kellner oder sonst mit Zigarren handelt, oder jeden, der in dem Materialladen zwischen Heringsfässern und Petroleum auch ein paar Zigarren stecken hat, dazu rechnen wollen, dann freilich werden Sie höher kommen. Aber die Enquete liegt vor; sie ist amtlich, hier ist sie gedruckt. Seite 14 in Nr. 37 der damaligen Drucksachen gibt keine höhere Ziffer an.

Diesen Arbeitern würde es keinesfalls so schlecht gehen; es würde besser für sie gesorgt werden, als zum Beispiel für die meiner Rechnung nach zirka 100 000 Arbeiter der Eisenindustrie, die vor einigen Jahren dem Moloch des Freihandels ohne alles Mitleid geopfert wurden. *(Sehr wahr! rechts):* Ist denn der Eisenarbeiter seinerseits minderwertiger als der Tabakarbeiter? Wenn wir das Tabakgeschäft schädigen, werden wir angeklagt, als wenn wir uns an den Heiligtümern der Nation vergriffen hätten. Und damals wurden lediglich aus theoretischen Freihandelstendenzen, von den, mögen es 400 000 oder 600 000 sein — die Statistiken sind sehr unvollkommen in dieser Beziehung — aber zirka 100 000 Arbeiter in der Eisenindustrie ganz sicher brotlos, und um ihr Schicksal hat sich kein Mensch gekümmert, weder um sie, noch um ihre Frauen und Kinder. Während der Einführung des Eisenbahnmonopols in früheren Zeiten — ob da die Fuhrleute, die Gastwirte brotlos wurden, wer hat danach gefragt? Und das Eisenbahnmonopol war meines Erachtens sehr viel ungerechter, in dem Maße ungerechter, als es ein Privatmonopol war. Eine an Privataktiengesellschaften verpachtete Ausbeutung der Verkehrsbedürfnisse einer Provinz — das war der Ausdruck für das faktische Eisenbahnmonopol. Das Monopol entstand notwendig, nachdem alle anderen Transportmittel tot gemacht waren, und jeder, der sie brauchte, der Eisenbahn in die Hände fallen mußte, nachdem man nach Analogie der französischen Generalpächter der Steuern einer Provinz die Ausbeutung des Verkehrs einer Landschaft an eine Privatgesellschaft abließ, um daraus so hohe Aktiendividenden herauszuschneiden wie möglich — das war ein außerordentlicher Mißbrauch des steuerzahlenden und verkehrsbedürftigen Publikums zu Gunsten der Kapitalisten, die dieses Monopol der Eisenbahnen erhielten. Wer hätte daran gedacht, die Brennereien zu entschädigen, als 1820 das jetzt *mutatis mutandis* noch geltende Brennereigesetz eingeführt wurde? Da gingen zwischen 20 000 bis 30 000 landwirtschaftliche Brennereien ein *(sehr richtig!)*, die nicht mehr bestehen. Die Besitzer haben das Schicksal getragen mit der Ergebenheit und Bescheidenheit, die man von einem Landwirte in steuerlicher Beziehung erwartet. *(Heiterkeit.)* Sie haben gehungert, haben gehorcht, sind zum Teil bankerott geworden und ihrer Wege gegangen. Es ist kein Geschrei gewesen, und es waren nicht lauter Landjunker *(Heiterkeit)*, es waren eine Menge Bürgerlicher darunter. So schlecht soll es also den Tabakarbeitern nicht ergehen.

Auch die Leiden der Stadt Bremen, die dem Herrn Referenten am Herzen liegen müssen, als die seiner engeren Heimat, werden nicht so schwer sein, wie er sich vorstellt. Tabakhandel wird die Regie auch brauchen, und es ist nicht zu denken, warum sie nicht durch die geübten und erfahrenen Bremer Firmen ihre Geschäfte besorgen sollte. Ich wenigstens würde mich dem nie widersetzen — ich werde es ja nicht erleben, aber ich spreche nur meine Ansicht aus, um den Sinn klar zu machen, in dem ich die Vorlage gemeint habe. Man würde doch immer noch den bisherigen Handelsweg festhalten, um das Rohmaterial zu beziehen. Ich erinnere die älteren Herren daran, daß Hamburg früher der Hauptort für indischen Zucker war.

Hamburg wimmelte von Zuckersiedereien. In Hamburg gab es allein 90 Zuckermakler. Wie groß muß die Zahl der dortigen Fabrikarbeiter gewesen sein? Durch die Entwicklung des Rübenzuckers und zum Teil auch durch die Zollgesetzgebung ist diese Hamburger Industrie, ohne welche Hamburg damals nicht leben zu können glaubte und bankerott zu werden fürchtete, zugrunde gegangen. Solche Fälle sind öfter vorgekommen und immer ist man wieder zu neuer Blüte gekommen, von den Kalamitäten nichts mehr zu spüren. Und wie es mit dem Zusammenbruch der indischen Zuckerraffinerien und -siedereien gewesen ist, so wird es auch bei Bremen mit dem Tabak gehen, daß es in ein paar Jahren überwunden sein wird.

Aber den Vorwurf des Sozialismus möchte ich noch erwähnen. Sozialistisch sind viele Maßregeln, die wir getroffen haben, die wir zum großen Heile des Landes getroffen haben, und etwas mehr Sozialismus wird sich der Staat bei unserem Reiche überhaupt angewöhnen müssen. *(Sehr richtig!)* Wir werden den Bedürfnissen auf dem Gebiete des Sozialismus reformierend entgegenkommen müssen, wenn wir dieselbe Weisheit beobachten wollen, die in Preußen die Stein- und Hardenbergsche Gesetzgebung bezüglich der Emanzipation der Bauern beobachtet hat. Auch das war Sozialismus, dem einen das Gut zu nehmen, dem anderen zu geben, ein sehr viel stärkerer Sozialismus als ein Monopol. Ich freue mich, daß es so gekommen ist, daß man diesen Sozialismus geübt hat; wir haben dadurch einen sehr wohlhabenden, freien Bauernstand erhalten, und ich hoffe, wir werden mit der Zeit Ähnliches für die Arbeiter erreichen — ob ich es erlebe, kann ich bei dem allgemeinen, prinzipiellen Widerstande, der mir auf allen Seiten entgegentritt und mich ermüdet, nicht wissen. — Aber Sie werden genötigt sein, dem Staate ein paar Tropfen sozialen Öls im Rezepte beizusetzen, wie viel, weiß ich nicht, aber es wäre meines Erachtens ohne große Vernachlässigung der Pflichten der Gesetzgebung, wenn sie die Reform auf dem Gebiete der Arbeiterfrage nicht erstreben würde, von der wir den Anfang Ihnen jetzt gebracht haben, wenn wir auch zur unbequemen Sommerzeit kaum erwarten können, daß Sie sofort bis zum Ende durchberaten. Sozialistisch war Herstellung der Freiheit des Bauernstandes; sozialistisch ist jede Expropriation zu Gunsten der Eisenbahnen; sozialistisch im höchsten Grade ist zum Beispiel die Kommassation, die Zusammenlegung der Grundstücke, die dem einen genommen werden — in vielen Provinzen ist das Gesetz — und dem anderen gegeben, bloß weil der andere sie bequemer bewirtschaften kann; sozialistisch ist die Expropriation nach der Wassergesetzgebung, wegen der Berieselung und so weiter, so dem einen sein Grundstück genommen werden kann, weil es ein anderer besser bewirtschaften kann; sozialistisch ist die ganze Armenpflege, der Schulzwang, der Wegebau, das heißt der Zwang zum Wegebau, indem ich auf meinen Grundstücken einen Weg für die Durchreisenden unterhalten muß. Das ist alles sozialistisch. Ich könnte das Register noch weiter vervollständigen; aber wenn Sie glauben, mit dem Worte „Sozialismus" jemand Schrecken einflößen zu können oder Gespenster zu zitieren, so stehen Sie auf einem Standpunkte, den ich längst überwunden habe und dessen Überwindung für die ganze Reichsgesetzgebung durchaus notwendig ist.

Nun, wenn ich hier einen Panegyrikus für das Monopol halte, so will ich damit nur motivieren, warum wir gerade diesen Weg, trotz seiner Unpopularität, zuerst vorgeschlagen haben, daß wir Ihnen aber das volle Recht zuerkennen, zwischen den Wegen eine Auswahl zu treffen; die Frage liegt auf Ihrem Gebiete und in Ihrer Atrribution, und ich kann nur mit einer alten Berliner Redensart sagen: Darum keine Feindschaft, wenn Sie das Monopol ablehnen! Nur mögen Sie es uns auch nicht übelnehmen, daß wir es vorgeschlagen haben, und ich begreife gar nicht, wo der Zorn herkommt als wären wir mit Landesverrat und Verkennung aller konstitutionellen Rechte und Verfassungsbruch zu Werke gegangen. Wenn wir Ihnen einfach eine Vorlage darüber bringen, ob Sie das Geld, das gebraucht wird, auf diesem Wege aufbringen oder auf einem anderen Wege — Ihre Berechtigung zur Ablehnung in Zweifel zu ziehen, wird niemand einfallen —, so verstehe ich nicht, warum der zornige Eifer über diese reine Utilitätsfrage überhaupt entstanden ist. Ich kann ihn nur auf demselben Gebiete suchen, auf dem ich die Ursachen der Abneigung suche, diese Fragen überhaupt zu diskutieren. Ich habe den Eindruck von dem Verhalten des Preußischen Landtages und der da führenden und herrschenden Parteien und von dem Verhalten des Reichstags dem jetzigen Monopolgesetze gegenüber, daß die Gegner der Regierung die Diskussion scheuen; sie suchen sie zu verhüten und, soweit das nicht gelingt, die Sache so rasch und flüchtig wie möglich abzumachen, ohne gründliche Prüfung der Fragen für und wider. Das ist ein sehr brillantes Zeugnis für die Richtigkeit der Vorlage. Sie scheuen die gründlichste Diskussion derselben, wir aber nicht; und wenn Sie uns durch eine ganz bestimmte Weigerung nötigen, sie einstweilen vom Brette abzuschieben, so werden Sie die Verantwortlichkeit dafür tragen vor dem Volke. Wir lehnen die Last dieser Verantwortung von jetzt an ab, wir bedauern, daß Sie sich so bestimmt dagegen erklären; aber in der Tatsache, daß Sie die Diskussion scheuen, finde ich zugleich die Begründung der Überzeugung, daß der Gedanke sich schließlich doch durchschlagen wird, wie Goethe von dem braven Reiter und dem guten Regen sagt: er findet seinen Weg überall. Ein Minister kann ja heute bei der hochgradigen Wahltechnik niedergelogen werden, aber ein Gedanke, der richtig ist, kann auf die Dauer nicht niedergelogen werden, und wäre er unrichtig, so mag er meinethalben in die Brüche gehen. Ich halte ihn für richtig und glaube, er wird sich mit Erfolg schlagen und er wird noch von anderen Leuten in Zukunft mit Überzeugung vertreten werden. Ich habe kein Bedürfnis, ihn jetzt wieder aufzunehmen. Lehnen Sie also immerhin das Monopol ab — die Regierung wird dadurch nicht aus ihrer Bahn geschoben werden, aber glauben Sie nur nicht, daß Sie mit der Ablehnung die Reformfrage aus der Welt schaffen, weder die Reformfrage noch die Frage, ob der Tabak höher besteuert werden könnte. Sie kann aufgeschoben werden, wird aber immer wieder kommen. Mit der einfachen Ablehnung schaffen Sie auch den Steuerexekutor nicht aus der Welt, und der muß doch aus unserer Steuererhebung beseitigt werden, wenn wir in steuerlicher Beziehung die reine Wäsche einer zivilisierten Nation uns erwerben wollen. Also ich habe genug getan und sage mit dem kurzen französischen Ausdruck, was das Monopol anbelangt: *J'en ai fait mon deuil* — ich bin die Verantwortung los.

Die Unausführbarkeit der Abhilfe wird Seiner Majestät dem Kaiser als König von Preußen sehr schmerzlich sein, daß er seinen Untertanen nicht helfen kann. Ich werde aber, soviel nur meine Kräfte erlauben, nicht müde werden, nach anderen Plänen und Mitteln zu suchen, um diesen Leiden meiner Mitbürger Abhilfe zu schaffen. Ich fürchte allerdings, daß ich damit ebensowenig Erfolg haben werde, wie mit den bisherigen Bemühungen im Monopol und wie beispielsweise — es wird ja sehr viel von der Besteuerung der Getränke gesprochen, es war im Jahre 1880 oder 1881, da hatten wir ein Schanksteuergesetz vorgelegt, was namentlich den Branntwein erheblich besteuern sollte. Ja, das ist einfach abgelehnt worden, kaum mit einer tieferen Begründung, als daß man es uns eben nicht bewilligen wollte. Ich befinde mich da in meinen Bemühungen, ich möchte sagen, einem Ring von Fraktionen gegenüber, wo ich voraussehe, daß jeder Schritt, den ich nach irgendeiner Richtung behufs der Reform tue, erfolglos sein wird, weil die Fraktionen, auf deren Zustimmung es ankommt, entweder der Regierung überhaupt keinen Erfolg gönnen, oder doch nur unter gewissen Bedingungen mit irgendeinem *„do ut des"*, was die Regierung in dem Maße nicht leisten kann. Wir würden die Unterstützung mancher Fraktion vielleicht haben, wenn wir uns in ihren Dienst begeben, wenn wir dem Kaiser zureden wollten, irgendein Kanossa zu machen — ich meine nicht ein klerikales *(Heiterkeit und Zuruf links)*, ich meine ein liberales Kanossa. Kaiser Heinrich IV. hatte auch die Wahl zwischen vielen Gegnern, und ich erinnere Sie daran, daß vor ihm, unter Heinrich III., noch das Deutsche Reich in höchster Machtfülle dastand, und zwar seit lange, seit den karolingischen und sächsischen Kaisern her, und die kurze Zeit der Minorennität Heinrichs IV. hat hingereicht, um den dem deutschen Gemüte einwohnenden zentrifugalen Elementen eine solche Stärke zu schaffen, daß Heinrich IV., den man dafür zu hart beurteilt, in der Notwendigkeit war, mit einem seiner Gegner Frieden zu machen, um gegen den anderen freie Hand zu bekommen. Er unterwarf sich dem Papste, als dem bedeutendsten, nicht etwa aus Kirchlichkeit, aus Christlichkeit — in ihm steckte das germanische Arianerblut, und die Art, wie er sich benahm, nachdem er aus dem Bann getan war, gibt darüber vollständige Klarheit; aber er war politisch in der Notwendigkeit, eine der Parteien, der reichsfeindlichen Parteien, die im Reiche ihm gegenüberstand, zu versöhnen. Hätte er sich gebeugt vor den Großen des Reiches, von den damaligen Billungen oder Welfen oder vor den Sezess ... *(Große Heiterkeit links.)* vor den partikularistischen Niedersachsen, ich meine die plattdeutschen alten Sachsen, hätte er sich vor denen gebeugt, dann würde der Klang, den der Name Kanossa in den deutschen Reminiszenzen hat, vielleicht Harzburg oder Mainz oder einen anderen Namen tragen. Kurz und gut, die deutsche Reichsgewalt ist schon öfter in die Lage gekommen, sich einem ihrer Gegner zu fügen und mit ihm zu paktieren, um gegen die anderen freie Hand zu bekommen, und es hängt ja von jeder Regierung ab, welche Wahl, wenn sie überhaupt dazu kommt, sie darin treffen will. Es wird in diese Verlegenheit immer nur eine Parteiregierung kommen. Wir, eine unparteiische, von jedem Partikularismus freie, wie die bisherige Reichsregierung, können in diese Lage nicht gut kommen; die deutschen Großen, die die Reichseinheit unter Heinrich IV. in Frage stellten, die niedersächsischen Partikularisten von damals, diese Großen gefährden die Reichseinheit nicht mehr. Wir haben statt ihrer die Zersetzung in 25 souveräne Staaten, deren Grenzen wiederum durchschnitten sind von den viel tiefer einschneidenden Grenzen von acht bis zehn Fraktionen, so daß wir zu zweihundert bis zweihundertundfünfzig Partikeln des Deutschen Reichs kommen, und der Partikularismus der Dynastien und der Regierungen ist sehr rückgängig geworden. Sie werden das ja auch in Ihren Fraktionen fühlen, daß er bei den Abgeordneten viel lebendiger geworden ist in letzterer Zeit.

Diesem Fraktionspartikularismus befindet sich nun die Reichsregierung mit ihren Einheitsbestrebungen gegenüber, und ich habe das Gefühl, uns durch die Fraktionen überhaupt dilatorisch behandelt zu sehen; es gibt da viele Leute, die denken: „Zeit gewonnen, alles gewonnen, *interim fit aliquid*, und dann wird alles anders, und dann mit dem Hochdruck der Macht der Neuwahlen, dann werden wir eine große Partei schaffen.“ Es ist ja alles möglich, ich kann in die Zukunft nicht sehen. Meine Mitwirkung kann dazu nicht in Aussicht genommen werden, und ich bin überhaupt nicht mehr in der Lage, viel zu wirken auf dieser Welt, und ich habe das Gefühl, daß keiner dieser Regierung irgendeinen Erfolg noch gönnt; man meint: Warum sollen wir die noch befestigen in ihrer Existenz, wie lange kann die überhaupt noch dauern, dann fängt unser Reich an! Nun, ich will es abwarten, aber es würde Ihnen das auch gar nicht helfen, wenn irgendeine Partei, eine Fraktion zur Regierung käme. Einmal, es ist in Deutschland und in Preußen keine stark genug, um die Regierung zu führen, und auch nicht, wenn sie alle Unterstützung hätte, die sie dabei nur wünschen könnte, dann ist weder Deutschland noch Preußen von dem Parteistandpunkt aus überhaupt zu regieren, das liegt in unseren Fraktionsverhältnissen, und die Fraktionskrankheit ist ja eine, an der das konstitutionelle Prinzip überhaupt in allen Ländern schwer leidet und in manchen zugrunde gehen kann. *(Hört, hört, rechts)* Die Fraktion ist etwas, was sich ja als eine große Bequemlichkeit des politischen Verkehrs für jeden neu eintretenden Abgeordneten erweist. Wer sich nicht berufen fühlt, der großen Gesamtheit des Reichstags persönlich gegenüberzutreten, der findet eine ansprechende Vermittelung in dem Eintritt in eine Fraktion. Er hat vielleicht nicht das politische Kapital bei sich, um sich hinreichende Geltung zu verschaffen ohne eine solche Vermittelung, aber er hat immer genug Kapital, um für die Aktiengesellschaft, die politische Gründung, die eine Partei sich bildet *(Oh! links)*, einen Einschuß und eine Mitwirkung zu leisten. Er wartet auf seine politische Dividende und hat außerdem eine große Bequemlichkeit, er braucht sich keine eigene Meinung zu bilden, er kriegt sie fertig geliefert von der Majorität *(Bravo! rechts)*, und wenn er zu Hause diskutiert, so braucht er sich nicht zu rechtfertigen, er kann sagen: Die Majorität unserer Freunde war dafür, und die Fraktionstaktik hat es notwendig gemacht, so zu handeln. *Stat pro ratione numerus!* Die Fraktion hat sich entschieden, die sachliche Seite ist vollständig gleichgültig.

Auf der anderen Seite liegt in dem Fraktionswesen eine große Schädigung unserer politischen Leistungsfähigkeit. Ich glaube, daß unsere politisch begabten Männer, unsere Staatsmänner, durch die Fraktion, durch das Fraktionsleben dem Staatsleben entzogen und entfremdet werden. Ich habe den Eindruck, daß in unserem heutigen politischen Leben überhaupt der Satz gilt: „Fraktion geht vor Reich“, das Aktienunternehmen geht vor der Allgemeinheit. Man hat mir einmal eine ähnliche Äußerung schuldgegeben: „Gewalt geht vor Recht". Das war eine Lüge, das habe ich nie gesagt.

Dies ist mein Eindruck, den ich habe. Der Führer einer Fraktion wird für seine Verwendbarkeit im großen und für die Möglichkeit seiner politischen Zukunft im ganzen geschädigt. Ich will ja nicht davon sprechen, daß ohnehin, wie man sagt, unsere bedeutendsten und edelsten Kräfte im Hausierhandel beschäftigt sind![9] *(Große Heiterkeit. — Rufe rechts und im Zentrum: Sehr gut!)* Aber die wir für die Politik dabei übrig haben, werden durch das Fraktionswesen in die Lage gesetzt, daß sie, wenn es darauf ankommt, die Regierung zu übernehmen, den Fraktionsballast aus ihrem Schiffe nicht los werden können, um eine praktische und staatsmännische Ladung einzunehmen. Sie bleiben von der Fraktion abhängig, sie bleiben in der Wahlangst, die unsere Verhältnisse beherrscht, abhängig von Wahlumtrieben. Sobald es heißt: „Der und der wird nicht wieder gewählt, wenn das und das nicht geschieht", so ist ein Führer in der Lage, daß er jeder Wahlsorge Rechnung tragen soll, ein Minister aber nicht. Der kann auf Fraktionsfreunde und auf Wahlsorgen und Parteitaktik nicht Rücksicht nehmen; er muß das alles abschütteln. Das Deutsche Reich und der Preußische Staat kann von einer Partei nicht regiert werden; dazu ist keine Partei stark genug und keine versöhnlich genug, sie können nur unabhängig von jeder Parteistellung, unabhängig von jeder Fraktionstaktik und von Wahlkreisrücksichten regiert werden. Die Fraktionen bilden für mich einen Ring, den ich nicht durchbrechen kann und auch nicht zu durchbrechen brauche. Ich habe genug in meinem Leben getan und bin gegen Enttäuschungen ziemlich abgehärtet. Wenn ich meine Schuldigkeit getan zu haben glaube, so überlasse ich Gott das übrige, die Geschäfte haben das Interesse für mich verloren.

Ich habe also kein Bedürfnis, diesen Fraktionsring meinerseits zu durchbrechen. Ich komme immer mehr zu der Rolle des Zuschauers, der sieht, wie sich die Sachen auf der Bühne entwickeln, aber ich habe lange genug in diesen Verhältnissen gelebt, um sie zu kennen, und meine Ansichten darüber haben so viel Wert, wie die eines jeden andern in Deutschland, nur außerhalb Deutschlands vielleicht einen höheren. Kein Prophet gilt im eigenen Lande. Ich erwarte auch nicht, daß sich jemand danach richten werde, aber ich lege mein Zeugnis ab. Eine Fraktion ist gewissermaßen eine Satire auf das Arndtsche Lied: „Das deutsche Vaterland muß größer

---

[9] Anspielung auf eine Äußerung des Abg. Lasker.

sein, das ganze Deutschland soll es sein!" Der in die Fraktion tritt, dem ist das Ganze zu groß; es schrumpft, durch seine Brille gesehen, zusammen auf das Fraktionsinteresse, und in der Fraktion — ich will ja niemand zu nahe treten — wie ein Naturforscher — verliert der Volksvertreter den Blick für das Allgemeine. Die Fraktionsbrille verdunkelt seinen Blick für die Gesamtinteressen. Man fragt nur noch: Was hat die Fraktion davon, nicht: Was hat das Reich davon? wenn man einen Entschluß faßt. Ich habe gelegentlich gelesen oder gehört, daß man sagt: „Wir haben dem Kanzler 135 Millionen bewilligt." Das ist eine wunderliche Redensart. Was sollte ich mit dem Gelde? *(Heiterkeit.)* Mir kann es einerlei sein, ob Sie Geld bewilligen. Der Ausdruck „Bewilligung" ist überhaupt falsch; Sie haben beschlossen, daß das Geld zu bestimmten Zwecken des Landes verwendet werden soll. Ist Ihr Beschluß richtig, so muß es dabei bleiben, ist er schlecht gewesen, so hätten Sie ihn nicht fassen sollen; aber ich habe mit dem Gelde nichts zu tun, Sie bewilligen nicht mir, sondern dem Volke Geld, der Nation, dem Reiche, das heißt: Sie beschließen, daß soundso viel für bestimmte Zwecke aufgewendet werden soll, und wir können das ohne Sie nicht aufwenden; aber wir schulden Ihnen keinen Dank dafür. Der Gedanke, Sie hätten mir etwas bewilligt, klingt fast komisch; mir ist es vollständig gleichgültig, was Sie bewilligen.

Nun, meine Herren, wenn ich so wenig Hoffnung habe und dennoch in meiner Stellung ausharre und mir soviel Mühe und Arbeit mache und Ihnen eine so bedauerlich lange Rede halte, wie die heutige, so können Sie mich ja fragen: Was veranlaßt denn diesen matten Greis, seine Sisyphusarbeit fortzusetzen, wenn er selbst die Überzeugung hat, er kommt zu nichts? Meine Herren, wir haben, in Preußen wenigstens, eine eigentümliche militärische Tradition, das ist die des Dienst- und Pflichtgefühls. Sie wissen, daß ich nicht freiwillig in meiner Stellung bleibe, und wenn Sie mir in Gnaden und mit Zustimmung meines Herrn, des Kaisers, den Abschied verschaffen können, so bin ich außerordentlich dankbar. Interesse am Geschäft ist es nicht mehr, was mich hält; aber da ich aus persönlichen Gründen, aus den Rücksichten, die ich Seiner Majestät schulde, verhindert bin, der Absicht weiter Folge zu geben, die ich 1877 hatte, indem ich fühlte, daß meine Gesundheit meiner Tätigkeit ein Ziel setze — wenn ich daran verhindert bin, so bin ich auch nach meinem Gefühl, wie ich es von Jugend auf in Preußen gelernt habe, solange ich das Amt trage, verpflichtet, dieses Amtes zu warten, und ich muß meinen Dienst tun, es mag mir sauer werden, es mag mir wider den Strich sein. Ich lebte viel lieber auf dem Lande, als unter Ihnen, so liebenswürdig Sie auch sind. *(Heiterkeit.)* Wenn ich es dennoch tue, so ist es nur das Gefühl dessen, was man mit dem

rohen Ausdruck „verdammte Pflicht und Schuldigkeit“ benennt, solange ich den Titel des Kanzlers trage. *(Bravo! rechts.)*
Ich habe das Gefühl gehabt, ich wäre berechtigt gewesen zu gehen, im Jahre 1877. Es ist mir damals die Erlaubnis dazu versagt worden, und es kam darüber das Jahr 1878. Nachdem ich dort meinen Herrn und König nach dem Nobilingschen Attentat in seinem Blute habe liegen sehen, da habe ich den Eindruck gehabt, daß ich dem Herrn, der seinerseits seiner Stellung und Pflicht vor Gott und den Menschen Leib und Leben dargebracht und geopfert hat, gegen seinen Willen nicht aus dem Dienste gehen kann. *(Bravo! rechts.)* Das habe ich mir stillschweigend gelobt, und das ist der alleinige Grund, warum Sie mich überhaupt hier noch sehen, das einzige Fleisch und Blut meines alten Herrn, dem ich geschworen habe, dem ich anhänge und den ich liebe. *(Lebhaftes Bravo! rechts.)* Sonst im übrigen würde ich die Geschäfte gern einem andern übergeben. Außer diesem Grunde des Pflichtgefühls ist es ein anderes, sehr natürliches, daß ich mit einer gewissen Sorge der Zukunft der Einrichtungen entgegensehe, deren Herstellung ich dreißig Jahre meines Lebens und meine besten Kräfte gewidmet habe. Daß es mich mit Besorgnis erfüllt, wenn sie rückgängig werden, sich abnützen, sich nicht bewähren sollten, das ist ein natürliches Interesse, über das ich mich aber auch bescheiden muß. Ich kann mich mitunter in schlaflosen Nächten des Gedankens nicht erwehren, daß vielleicht unsere Söhne nochmals wieder um den mir wohlbekannten runden Tisch des Frankfurter Bundestags sitzen könnten. Die Art, wie die Geschäfte gehen, schließt die Möglichkeit nicht aus, wenn die Achtung und das Ansehen, dessen wir uns heutzutage im Auslande erfreuen, erst mal einen Stoß erlitten haben sollte. Wir haben eine große Autorität gewonnen, sie ist aber leicht zu erschüttern. Ich habe, als unsere Verfassung geschaffen wurde, unter dem Eindruck gehandelt: die Gefahr für den nationalen Gedanken, für unsere Einheit liege in den Dynastien, der Anker der Rettung und der Kitt für unsere Einheit liege im Reichstage, deshalb müsse man dem Reichstage möglichst viele Rechte geben und ihn möglichst stark hinstellen. Weil ich damals unter dem Eindruck der alten bundestäglichen Verhältnisse, die ich noch nicht überwunden hatte, ganz von der Besorgnis beherrscht war, der nationalen Einheit und damit der Unabhängigkeit von Fremden einen möglichst prägnanten, scharfen, bindenden Ausdruck zu geben, deshalb habe ich damals zugestimmt, den Reichstag in die Möglichkeit zu setzen, daß er seinerseits das Reich nicht nur fördern, sondern allerdings auch wesentlich schädigen kann, wenn er die Aufgaben, die von der Vorsehung in die Ökonomie des Deutschen Reichs eingefügt sind, nicht vollständig erfüllt.

Nun, meine Herren, ich gebe diesen Befürchtungen für die Zukunft keine Audienz, aber mein Vertrauen darüber, daß unsere Einheit auch in Zukunft gesichert sei, beruht heutzutage auf den Dynastien. *(Hört, hört!)* Die deutschen Dynastien sind heutzutage national gesinnt, sie haben das Bedürfnis, Rücken an Rücken zusammenzustehen gegenüber allen auswärtigen Gefahren, aber auch ihre monarchischen Rechte, soweit wie sie verfassungsmäßig bestehen, nicht untergraben zu lassen. Wir haben feste Verbindung mit den außerhalb des Deutschen Reichs belegenen großen Monarchien, welche gleiche Interessen mit uns vertreten, erhaltende, friedliebende. Ich glaube auch, daß diese Verbindungen dauernde sein werden, und daß die Verhältnisse, wie sie einst erstrebt wurden, ohne vielleicht einen festen Glauben an ihre Verwirklichung zu haben, im Jahre 1848 und später, sich festigen und immer schärfer ausprägen und immer deutlicher gestalten werden, und daß in der Mitte von Europa eine große, feste, erhaltende Gewalt sein wird, und ich habe zu den deutschen Dynastien das Zutrauen, daß sie den nationalen Gedanken stets hochhalten werden, daß sie ihrerseits die politische und militärische Einheit des Reiches unverbrüchlich bewahren und jeder Versuchung Fremder widerstehen werden und uns dann vielleicht auch über die Gefahren und Krisen hinweghelfen werden, denen das Reich ausgesetzt sein könnte, wenn seine parlamentarische Gestaltung und wenn die Tätigkeit hier im Reichstage vielleicht vorübergehend an dem Marasmus der Fraktionskrankheit leiden sollte *(Lachen links.)* — in einer bedenklichen Weise leiden sollte. Dann, meine Herren, habe ich das Vertrauen zu der Zukunft unserer Einigkeit. Diese Einigkeit ist die Vorbedingung unserer nationalen Unabhängigkeit. Deshalb hüten Sie sich vor der Zerfahrenheit, der unser deutsches Parteileben bei der unglücklichen Zanksucht der Deutschen und der Furcht vor der öffentlichen Meinung, bei der byzantinischen Dienerei der Popularität, wie sie bei uns eingerissen, ausgesetzt ist.

Meine Herren, ich werde nicht oft mehr zu Ihnen sprechen können, ich bin matt, ich habe keine Lust und keine Kraft dazu und auch kein Interesse, aber ich möchte nicht von der Bühne abtreten, ohne Ihnen dies ans Herz zu legen: Seien Sie einig und lassen Sie den nationalen Gedanken vor Europa leuchten; er ist augenblicklich in der Verfinsterung begriffen. *(Lebhaftes, andauerndes Bravo! rechts. — Wiederholtes Zischen links.)*

220. Rede in der 18. Sitzung des Deutschen Reichstags am 14. Juni 1882

W 12, 366 ff. = Kohl 9, 373 ff.

In der Sitzung am 13. Juni 1882, bei der Bismarck nicht anwesend war, hatte der Abg. Eugen Richter nicht nur den Gesetzentwurf über das Tabakmonopol kritisiert, sondern auch den Reichskanzler persönlich scharf angegriffen. Ihm antwortet Bismarck am nächsten Tage:

Es ist mir gestern anderweitiger Geschäfte wegen nicht möglich gewesen, der Sitzung beizuwohnen, und ich habe von den Vorgängen in derselben nur durch die mir bisher zugänglichen gedruckten Berichte Kenntnis nehmen können. Ich habe auch die vorgestern bereits gehaltene Rede des Herrn Abgeordneten Bamberger nicht hier mit anhören können, sondern mir nur davon anderweit Rechenschaft geben können. Ich habe in dieser, so viel ich weiß, nichts gefunden, was die uns beschäftigende Frage objektiv berührte und die Gründe, die ich für die Regierungsvorlage angeführt habe, widerlegte. Der Herr Abgeordnete hat meine Politik im allgemeinen angegriffen, wie bei anderen Gelegenheiten, und nach Möglichkeit durch seine Rede dazu beigetragen, die nachteilige Meinung, die er von meinen politischen Absichten und Leistungen in der inneren Politik hat, in möglichst weiten Kreisen zu verbreiten, ohne sich dabei sehr an die Vorlage des Tabakmonopols zu binden. Ich muß mir das gefallen lassen, ich bin daran gewöhnt und habe darauf auch weiter nichts zu erwidern. Dagegen habe ich heute früh aus dem Oldenbergschen Berichte Kenntnis von der Rede des Herrn Abgeordneten Richter erhalten, die eingehend die Frage selbst behandelt, die uns beschäftigt.

Ich vermeide in der Regel, so viel ich kann, mit dem Herrn Abgeordneten Richter direkt in Diskussion zu treten; es hat das Schwierigkeiten für mich, denn ich sehe in der Art, wie jemand hier öffentlich spricht, eine Art von Selbsteinschätzung, keine finanzielle, aber doch in Bezug auf das Maß der Achtung und Höflichkeit, welches jemand dadurch in Anspruch nimmt, daß er es anderen gewährt. In Bezug auf diese Einschätzung treffe ich mit der meinigen und der Abgeordnete Richter mit der seinigen nicht vollständig zusammen, und es ist schwer, auf Vorwürfe gewisser Art und auf Argumente gewisser Art anders als in dem gleichen Tone zu antworten. Ich werde indessen doch eine sachliche Kritik versuchen und hoffe, daß es mir dabei möglich sein wird, mich innerhalb der Grenzen meiner Erziehung und meiner Gewohnheit zu halten. *(Bravo! rechts.)*

Der Herr Abgeordnete hat mir zunächst — ich kann nur nach dem Oldenbergschen Berichte urteilen, etwas anderes liegt mir nicht vor — zunächst vorgeworfen, die gestrige Rede des Herrn Reichskanzlers sei eine neue Auflage seiner bereits 1879, dem Reichstag 1879 vor der Zollbewilligung, gehaltenen Rede. Ja, ich glaube, der Abgeordnete Richter sowohl wie ich kommen, wenn wir bestimmte Ziele verfolgen, recht häufig in die Lage, dieselben Argumente in mäßig veränderter Form öfter als einmal vorbringen zu müssen, und der Abgeordnete Richter, der darin eine so reiche Erfahrung hat bei den vielen Reden, die er innerhalb und außerhalb dieses Hauses hält, sollte doch, wenn er selbst in einem Glashause wohnt, nicht mit Steinen werfen. Er hat mir damit einigermaßen die Anspielung zurückgegeben, die ich einmal ihm gegenüber mit dem Umzug der Statisten in der Jungfrau von Orleans machte. Wir sind aber doch nicht ganz in derselben Lage. Einmal glaube ich, wiederhole ich mich nicht so oft, wie der Herr Abgeordnete Richter, und sage nicht so häufig dasselbe, schon deshalb, weil ich überhaupt viel seltener spreche; dann aber auch glaube ich, ist der Unterschied zwischen uns: Das, was ich wiederhole, ist wahr; das, was der Herr Abgeordnete Richter wiederholt, halte ich nicht immer für wahr, ja, in dem, was er hier von oft gesagten Dingen wiederholt hat, in der Regel nicht! Es kommt aber doch auf die Wahrheit dessen, was man sagt, einigermaßen an. Ich komme mit weniger Wiederholungen aus, weil ich mich an die Wahrheit halte. Eine zweifelhafte Behauptung muß recht häufig wiederholt werden, dann schwächt sich der Zweifel immer etwas ab und findet Leute, die selbst nicht denken, aber annehmen, mit so viel Sicherheit und Beharrlichkeit könne Unwahres nicht behauptet und gedruckt werden.

Der Herr Abgeordnete hat dann erwähnt, es fehlte nicht die anschauliche Schilderung einer Exekution, der Steuerexekutor, der damals schon beseitigt werden sollte, gehe jetzt immer noch um, wie damals. Meine Herren, das ist es ja eben, wogegen ich kämpfe und was ich bedaure, daß alle Anstrengungen, die im Namen des Königs von seiten der Regierung gemacht werden, um diese Anomalie der Kopfsteuer, die in allen anderen Staaten verschwunden ist, aus dem preußischen Staatsleben auch zu entfernen, fruchtlos sind. Ein Übel wird dadurch nicht erträglicher, daß es länger dauert, und wenn es vor drei Jahren bestand, noch früher bestand und noch immer fortbesteht, so werden Sie erleben, daß, wenn ich zum Reden imstande bleibe und genötigt bin, mein Amt noch weiter zu verwalten, ich Ihnen diesen Steuerexekutor noch öfter vorhalte und zwar so lange, bis einer von uns beiden tot ist, entweder der Exekutor oder ich. *(Heiterkeit.)*

Der Herr Abgeordnete Richter hat ferner gesagt, und darin liegt eine Unwahrheit, eine objektive: Der Schluß liegt nahe, ob nicht das System der neubewilligten Zölle die Ursache sei — von den Exekutionen nämlich. Sie werden sich erinnern, der stenographische Bericht wird es ausweisen, daß ich in der Hauptsache von der Zahl der Exekutionen von 1876 und 1877 gesprochen habe, dann vom Jahre 1878, also auch noch ein Jahr vor dem Erlaß von 1879, wo wir die Zölle machten, von 1880, wo sie noch nicht in Wirkung waren und von weiter nichts. Diese Insinuation des Herrn Abgeordneten Richter steht also vollständig in der Luft, der Herr Abgeordnete hat nicht seine gewöhnliche Geistesgegenwart in Vergegenwärtigung der Daten, von denen die Rede war, wie sie in der Zeit aufeinander gefolgt sind, *in promptu* gehabt. Wie sollen die Zölle, die wir erst 1879 beschlossen haben und die 1881 ungefähr einigermaßen in Wirkung waren, aber noch nicht zu vollem Maße, wie sollen diese auf die Exekutionen von 1876 und 1877 gewirkt haben! Da fordere ich dem Herrn Abgeordneten Richter den Beweis dafür ab, und jeden seiner Gegner bei Wahlreden ersuche ich, auf dieses Faktum, was ich hiermit öffentlich *in perpetuam rei memoriam* verkünde, Bezug zu nehmen, wenn Herr Richter wieder eine solche Insinuation über die Wirkung der Zölle macht.

Er sagt dann, er klagt:

„Wer im Laufe des Monats derart sein Brot teurer bezahlen muß, den Liter Petroleum um 6 Pfennige, das Pfund Schmalz um 5 Pfennige, der hat natürlich am Schluß des Monats die 16 Pfennige nicht mehr übrig für die Klassensteuer, denn strenger als der Exekutor wirkt der Hunger."

Nun, in Bezug auf das Petroleum kann der Hunger bei unseren Landsleuten wohl nicht wirken *(Rufe links: Au! — Heiterkeit)*; in Bezug auf das Übrige, wenn er noch immer wirklich meint, daß die Zölle die Nahrung und das Brot verteuern, und wenn ihn die Bäcker- und Mehlpreise darüber nicht belehren können, so muß ich wieder etwas früher Gesagtes wiederholen und frage den Herrn Abgeordneten Richter: Wie oft hat er dieses unrichtige Argument schon wiederholt und vorgebracht hier in diesem Raume, außerhalb im Wahlkreise und bei seiner Tätigkeit in der Presse? Wie kann er also einem Minister vorwerfen, der seit 18 Jahren dasselbe Ziel verfolgt, daß auch der sich wiederholt, wenn er für dieselbe Sache, die ihm immer wieder bestritten wird, wieder dasselbe Argument bringt? Ich glaube, daß tausendmal nicht reicht, daß Abgeordneter Richter jenes Argument gebraucht hat. Er vergißt dabei immer die andere Seite der Sache, die ich anführte, als damals darüber debattiert wurde, seitdem aber nicht wiederholt habe, und ich sehe daraus, wie nützlich es ist, dergleichen öfter zu wiederholen, vielleicht alle Tage.

Der Herr Abgeordnete nötigt mich zur Wiederholung von Gemeinplätzen. Auf unseren Konsum an Brot und Brotkorn wirkt nicht allein der Kornzoll. Der Kornzoll beträgt, ich weiß die Summe nicht genau auswendig, etwas wie 13 oder 14 Millionen im Jahr. Nicht wahr? *(Zustimmung.)* Unser gesamter Brot- und Kornkonsum besteht aber doch nicht bloß aus den zwischen 16 und 30 Millionen variierenden Einführungen von Getreide, sondern im sehr viel größeren Teil aus dem bei uns gebauten Getreide, und unsere gesamte Getreideproduktion beträgt im Durchschnitt jährlich zwischen 160 und 220 Millionen Zentner an Brotgetreide, wobei ich bloß Weizen und Roggen rechne und von Gerstenbrot und dergleichen Surrogaten, von Kartoffeln gänzlich absehe. Damit sind die 16 bis 30 Millionen Zentner Mehl und Getreide, nach Abzug dessen, was von dem Eingeführten wieder ausgeführt wird, was überhaupt an eingeführtem Getreide bei uns verbraucht wird, mit eingerechnet, wenn ich die Ziffer auf zirka 230 Millionen Zentner ausdehne. Auf diesem Gesamtkonsum von 230 Millionen Zentnern des deutschen Volkes lastet nun der Eingangszoll von 14 Millionen plus sämtliche direkte Abgaben, die unsere einheimische Landwirtschaft bestreiten muß, ehe sie überhaupt das Korn in Reinertrag ziehen, ehe sie ihr Korn zu Markte bringen kann. Sie muß, so viel sie irgend kann, die direkten Steuern, die sie bezahlt, aufschlagen auf den Scheffel Korn, den sie zu Markte bringt. Die direkten Steuern der einheimischen Landwirtschaft wirken also, wenn überhaupt die Getreidepreise nicht von viel größeren Verhältnissen des Weltmarktes als der Gesamtheit unserer Steuern und Lasten abhängig wären — eine gute Ernte in Rußland und Amerika und eine Mißernte in beiden macht sehr viel größere Unterschiede — aber die einheimischen direkten Lasten, die auf unserem Kornbrot ruhen, betragen, wie Sie das ebenfalls aus den vom preußischen Abgeordnetenhause leider nicht gelesenen und noch weniger in der Presse benutzten Motiven für das Verwendungsgesetz ersehen können, zusammen 200 Millionen Mark, welche bloß auf den Landgemeinden lasten an Grundsteuer, an Klassensteuer, an Schulsteuer und sonstigen Schullasten und an Zuschlägen hierzu, an Häusersteuer — auf diese komme ich weiter wieder zurück. Diese Gesamtbelastung der einheimischen Geteideproduktion schwankt nach der zitierten Quelle um 200 Millionen herum, also um ungefähr 1 Mark pro Zentner auf den Gesamtkonsum des einheimischen und ausländischen Getreides, welches wir verbrauchen, in manchen Jahren etwas niedriger, in manchen Jahren höher. Zu dieser wirklich recht schweren Belastung von dem Zentner des bei uns im Inlande produzierten Getreides mit 1 Mark einheimischer direkter Steuern kommt der verhältnismäßig geringe Eingangszoll mit zirka 14 Millionen. Diese 14 Millionen Zoll an sich betragen auf 45 Millionen Einwohner *praeter propter* auf je drei Einwohner 1 Mark — wenn ich im Kopf augenblicklich richtig rechne

— also auf jeden Einwohner ungefähr 30 Pfennige im Jahre. Das ist also ein sehr schwaches Gegengewicht gegen die ungeheure Belastung des inländischen Getreidepreises mit mehr als 4 Mark pro Kopf der Bevölkerung, die durch die direkten Steuern dem „hungernden Armen", für den der Abgeordnete Richter sich so sehr interessiert, den Zentner Brotkorn um eine volle Mark verteuert; denn ohne zu seinen ausgelegten Steuern wieder zu kommen, kann der Landmann das Getreide auf die Dauer nicht verkaufen, er müßte sonst die Wirtschaft aufgeben, er muß notwendig versuchen, was er kann, um seine ausgelegten Steuern durch den Marktpreis wieder zu bekommen. Die direkte Steuer, und nicht bloß die Grundsteuer, sondern alle Steuern — 28 Millionen Grundsteuer lasten allein schon auf den Landgemeinden, also 1 Mark, die allein an Grundsteuer pro Kopf bezahlt wird — alles das muß durch den Marktpreis wieder eingebracht werden, wenn der Landwirt bestehen soll.

Nun sind die Herren immer aufs tiefste zerknirscht über die verteuernde Wirkung der 14 Millionen Auslandszoll, der auf dem Konsum des armen Mannes lastet, und tun als wenn auf jedem Scheffel, der im Inlande produziert und verbraucht wird, der gleiche Einfuhrzoll und sonst nichts läge, verschweigen aber jederzeit vollständig die Tatsache, daß dem armen Brotesser durch die direkten, auf unserer Landwirtschaft ruhenden Steuern der Zentner um mindestens eine volle Mark im Vergleich mit 3 Pfennigen, also um mindestens das Dreißigfache der Wirkung des ausländischen Zolles verteuert wird. Es ist also wohl berechtigt, wenn die Regierung bemüht ist, diese Ungleichheit in der Besteuerung des inländischen Getreides bei der Verzollung des im Auslande steuerfrei erzeugten, grundsteuer-, klassen- und schulsteuerfrei erzeugten fremden Getreides in etwas wenigstens auszugleichen. Wenn sie das wirklich in vollem Maße erstrebt, so müßte sie nach dem, was ich eben gesagt habe, den Einfuhrzoll auf 200 Millionen bringen oder die direkten Steuern der deutschen Landwirtschaft auf 14 Millionen Mark herabsetzen. Sie ist weit entfernt, sich mit solchem Plan zu tragen; sie wird sich begnügen mit dem jetzigen finanziellen Erträgnis, und sie wird der von mir oft gerühmten Geduld unserer ackerbauenden Bevölkerung vertrauen, daß diese sich bemühen werde, die Ungleichheit in der Besteuerung des inländischen und eingeführten Getreides durch Fleiß und Ordnung zu überwinden, und wenn wir eine gute Ernte haben und mehrere derart, so wird die vorhandene Ungleichheit eine Zeitlang bestehen können, weil die Einfuhr gering sein wird. Aber es wird immer dahin gewirkt werden müssen, daß die Lasten, die auf unserer Kornerzeugung im Inlande ruhen, vermindert werden. *(Sehr richtig! rechts.)* Wir haben kein Recht, die Kornerzeugung im Inlande zurückgehen zu lassen, wir würden dabei mit großen Gefahren für die Zukunft spielen, wenn wir die Grundbesitzer, die Landgemeinden nötigen, immer mehr von ihren geringeren Bodenklassen dem Waldbau oder der Vernachlässigung zu übergeben und den Kornbau einzuschränken. Wenn wir wirklich dahin kämen, daß wir das Getreide, was wir notwendig verzehren müssen, nicht mehr selbst bauen können: in welcher Lage sind wir dann, wenn wir in Kriegszeiten keine russische Getreideeinfuhr haben und vielleicht gleichzeitig von der Seeseite blockiert sind, also überhaupt kein Getreide haben, oder wenn gleichzeitig in Rußland und Amerika eine Mißernte eintritt, was bekanntlich bei den dortigen klimatischen und Ackerbauverhältnissen ebensohäufig ist, wie die überreichen Ernten, weil dort die klimatischen Verhältnisse und Witterungswechsel auf die Erträgnisse des Getreides aus physikalischen Gründen, die ich hier nicht zu erörtern habe, einen viel einschneidenderen Einfluß haben, als es in einem regelmäßig bebauten, durch Wald, Gebirge usw. geschützten Lande alter Kultur der Fall ist? Es ist eine Pflicht gegen unsere Nachkommen, daß wir den inländischen Getreidebau nicht in Verfall geraten lassen, und die Äußerung, die der Herr Abgeordnete Richter nicht müde wird, immer zu wiederholen, „die Lasten des inländischen Getreidebaues womöglich zu erhöhen und die des ausländischen bei uns zu vermindern“, kann ich nicht für patriotisch halten, aber ich halte sie auch für unbegründet und für nicht nachweisbar, höchstens in einer Wählerversammlung von leichtgläubigen Leuten. *(Sehr gut! rechts.)*

Der Herr Abgeordnete Richter sagt dann: „Weiß denn der Kanzler nicht, daß 1873 die Klassensteuer usw. beschränkt ist?“ Er wiederholte diese Wendung: „Weiß denn der Kanzler nicht, daß das und das ist?“ an anderen Stellen wieder. Es ist dies eine von den Wendungen, die das Grenzgebiet, welches ich mir in der Erwiderung gesteckt habe, überschreiten — ich könnte ja sonst in derselben Tonart auch unhöfliche Bemerkungen ähnlicher Art machen. Aber das, worüber ich nach Meinung des Abgeordneten Richter so unwissend bin, daß man berechtigt wäre, mir öffentlich meine Unwissenheit vorzuwerfen, ist wiederum nicht wahr. Es ist gesetzlich allerdings ausgesprochen, daß alle diejenigen, die weniger als 140 Taler Einnahmen haben, von der Klassensteuer befreit worden sind, und man hat deren eine ganze Menge herausgerechnet. Ich bestreite die Wahrheit der Annahme, von der die Gesetzgebung damals ausgegangen ist. Es gibt überhaupt keinen Hausstand bei uns, der weniger als 140 Taler Einnahme hat, wenn nur richtig gerechnet wird. Wenn die Wohnung, Kleidung, die Heizung, die tatsächliche Ernährung gerechnet werden, so ist dies einer der schlagendsten Beweise der Unbekanntschaft unserer städtischen, wissenschaftlichen, bürokratischen, gesetzgebenden Kreise mit den wirklichen Verhältnissen, daß sie annehmen, es könnte auch in den ärmsten Provinzen überhaupt eine Familie — ich will nur eine von vier Köpfen annehmen — existieren, die weniger als 140 Taler Einnahme hat und doch besteht. Wenn Sie annehmen, daß die kümmerlichste Ernährung — ich will sagen eines heranwachsenden Jungen, einer Lehrlings, der in der Landwirtschaft, Gärtnerei, Försterei untergebracht ist — unter den billigsten und entgegenkommendsten Verhältnissen pro Kopf niemals unter 50 Taler bis 64 Taler im Jahr geleistet werden kann, und wenn Sie nun dagegen einen erwachsenen Mann mit seinen Kleidungsbedürfnissen, mit seiner Wohnung, mit allem, was an ihm hängt, auch mit seinen Genußbedürfnissen, die auch der Ärmste, der Bettler, hat, annehmen, so sage ich, es gibt keine ortsarme Familie, die für 140 Taler erhalten werden kann; — und wer das widerstreitet, hat keine Erfahrungen *(Bravo! rechts.)*, hat seine Erfahrungen aus den großen Städten gesammelt, wo die armen Familien überhaupt nicht regelmäßig unterhalten werden, einige über Gebühr, andere gar nicht, und wo Selbstmorde aus Nahrungssorgen vorkommen, die bei uns auf dem Lande ganz unerhört sind. Also wenn dieser Maßstab ferner angewandt werden soll, so ist von Rechts wegen kein Mensch klassensteuerfrei, kaum ein Ortsarmer, und nur die Kontingentierung schützt vor neuer Ausdehnung. Es sind das Rechnungsfehler, wie sie ja bei Berechnung des Einkommens der Lehrer und dergleichen auch vorkommen, weil da unpraktische Leute rechnen.

Der Abgeordnete Richter führt ferner die Gebäudesteuer an, mit der Frage, ob der Kanzler nicht wisse, daß landwirtschaftliche Gebäude von der Gebäudesteuer überhaupt frei seien. Ja, der Herr Abgeordnete Richter irrt sich wieder und weiß seinerseits nicht, daß die Landwirtschaft Gebäudesteuer reichlich zahlt. Ich selbst zahle sie, ich weiß nicht wie viel. Ich bin überzeugt, es werden über 1000 Mark sein, die ich für Gebäudesteuer auf dem Lande zahle lediglich für landwirtschaftliche Einrichtungen. Da müßte es keine Fiskalität geben. Unbewohnte Häuser, die mir gehören, die niederzureißen mehr Kosten machen würde, als die Steuer, die darauf steht, werden mir zu 500 Taler Mietswert eingeschätzt, verlassene, unbenutzte Fabrikgebäude, so lange sie nicht niedergerissen werden, werden eingeschätzt. Aber was die große Hauptsache ist: alle Wohnungen werden besteuert. Wer kann eine Landwirtschaft treiben ohne Wohnung, ohne Menschen, ohne Arbeiter, also ohne Arbeiterwohnungen? — und jedes Wohnhaus wird nach seinem angeblichen Mietswert eingeschätzt, und damit hat der wirkliche Wert sehr wenig zu tun, sondern, wie in den öffentlichen Provinzen, im ganzen, soweit sie augenblicklich auf der fiskalischen Seite fungieren, sind es immer fiskalisch gesinnte Taxatoren und fiskalisch tätige Einschätzer; denen ist es ganz einerlei, ob die Hütte eines Arbeiters in zehn Jahren verbessert ist in ihrem Wert oder nicht; sie beschließen: der Mietswert ist gestiegen — er mag verschlechtert sein, das Gebäude mag verfallen sein, man mag nachweisen, daß seit fünfzehn Jahren kein Dachstroh angerührt ist: sie sagen doch, es ist besser, als es vor fünfzehn Jahren war; wir haben es zwar vor fünfzehn Jahren nicht gekannt und nicht gesehen, aber wir sollen soviel Steuern herausbringen, und da wir hier *quasi* als Beamte stehen so ist uns der Steuerpflichtige weniger nahe als der Fiskus — und auf diese Weise bin ich zu meinem äußersten Erstaunen in meinen Besitzungen vor einigen Jahren, während die Gebäude tatsächlich verschlechtert waren, um mehrere Hundert erhöht worden. Und dabei sagt der Herr Abgeordnete Richter, daß die landwirtschaftlichen Gebäude überhaupt frei sind, und wirft mir die Unwissenheit darin vor. Es würde für Herrn Richter eine recht angemessene Vorbereitung und bei der großen Begabung, die ihm beiwohnt, auch für das ganze Land nützlich sein, wenn er im öffentlichen Interesse sich entschließen könnte, einmal ein einziges Jahr als Lehrling oder als Gutsbesitzer aufs Land zu gehen *(große Heiterkeit)*, dann würde er zu anderen Erfahrungen und Ansichten kommen und würde in dergleichen Irrtümer nicht verfallen.

Der Herr Abgeordnete sagt ferner in seiner Verteidigung der Klassensteuer:

„In sämtlichen großen Städten halten sich viele tausend Menschen nur in Schlafstellen auf, wechseln dieselben fortwährend, wo der Steuererheber sie nicht gleich findet."

Daraus würde ich gerade das Argument entnehmen, daß in großen Städten bei unseren heutigen Verkehrsverhältnissen die Klassensteuer überhaupt kein geeigneter Modus der Besteuerung ist. Der Herr Abgeordnete Richter aber nimmt dieses Argument als einen der Vorzüge der Klassensteuer an, die ihre Besteuerten nicht zu finden vermag, und daß die Besteuerten große Leichtigkeit haben, sich ihr zu entziehen — auch kein pfandbares Objekt bieten; — ich kann daraus nur einen Grund entnehmen, daß er mir beistehen sollte, weil die Steuer nichts taugt.

Nachher sagt Herr Richter: „Die Klassensteuer ist bei uns nicht ein Rest der feudalen Vorzeit." Es kommt dabei nur darauf an, was man unter „feudal" versteht. Ich bin lange nicht so gelehrt und arbeitsam wie Herr Richter, aber so unwissend bin ich doch nach zwanzigjähriger Ministerzeit auch nicht, daß ich nicht wüßte, wie die Klassensteuer entstanden ist. Wenn ich sage „feudale Zeit", habe ich mich damit dem Sprachgebrauch der Freunde des Abgeordneten Richter angepaßt, die alles für feudal behandeln, was vor 48 existierte. Ich konnte mich prägnanter ausdrücken, wenn ich sagte: aus der Zeit des Absolutismus, aus der Zeit des Mangels an Verkehr und wirtschaftlicher Entwickelung, kurz und gut, aus einer vergleichsweise unvollkommenen Zeit; ich habe geglaubt, es den Freunden des Abgeordneten Richter geläufiger zu machen, wenn ich es mit „feudal" bezeichnete.

Sie trat auch nicht an die Stelle einer Mahlsteuer, das ist ein Irrtum von dem Abgeordneten Richter, den ich auch nicht in eine vorwurfsvolle Frage kleiden will, denn in den Städten — um diese handelt es sich ja hier hauptsächlich, sie sind hauptsächlich durch die Klassensteuer überbürdet, in den Städten namentlich ist die Klassensteuer ganz unhaltbar, auf dem Lande ist sie haltbar, aber ungerecht — aber in den Städten, wird der Herr Abgeordnete bei seiner kommunalen Tätigkeit mit mir wissen, daß sie ursprünglich nicht an die Stelle einer Mahlsteuer trat, „weil die Könige von Preußen, wie Friedrich der Große, nicht durch Steuern das Brot ihrer Untertanen verteuern wollten", sondern daß die Könige von Preußen im ersten Anfange auch auf dem Lande eine Mahlsteuer — ich glaube, sie hieß Mühlensteuer, ich weiß es aber nicht gewiß — auferlegt hatten, aber ihre Finanzminister fanden, daß die Erhebung schwieriger wäre, und hoben deshalb auf dem Lande die Mahlsteuer, in der Zeit des zweiten Jahrzehnts unseres Jahrhunderts, wieder auf, um dort die Klassensteuer einzuführen. Ich weiß, daß in Schönhausen beispielsweise die Mühlensteuer kurze Zeit gezahlt worden ist; diese Steuer war aber mit der Kontrolle der Mühlen außerordentlich lästig, so daß sie wieder aufgehoben ist, um auf dem Lande der Klassensteuer Platz zu machen; — daß aber die Mahlsteuer in den Städten von den Königen von Preußen nicht aus dieser Rücksicht aufgehoben wurde, wie hier gesagt ist, das wird mir der Herr Abgeordnete auch wohl zugeben.

Er bemängelt ferner meine Ansicht in Bezug auf Auswanderung; er sagt: Die Auswanderer sind in der Mehrzahl Landarbeiter. Ja, meine Herren, das ist ja gerade das Charakteristische, worauf ich schon öfter aufmerksam gemacht habe, daß die Auswanderung nicht ein Ergebnis der Übervölkerung ist; denn gerade aus den übervölkerten Landesteilen ist die Auswanderung die geringste; die Auswanderung ist bekanntlich am stärksten in den am wenigsten bevölkerten Provinzen; voran steht Westpreußen, dann folgt Pommern, Posen, und nur eine auffällige Ausnahme macht Ostpreußen. Daß da die Auswanderung geringer ist, kann ich mir gar nicht anders erklären, als durch die heilsame Verwaltung der dort herrschenden Fortschrittspartei *(Sehr wahr! Heiterkeit)*, die in ihrer Liebenswürdigkeit auf den litauischen Gütern den Arbeiter an einer Auswanderung zu verhindern weiß. Sie hat ihre heilsame Wirkung auf Westpreußen, auch in der Zeit der Zugehörigkeit, nicht auszudehnen vermocht. In Westpreußen ist die Auswanderung außerordentlich viel stärker, der Ostpreuße hat ein besonders starkes Heimatgefühl und hat vielleicht auf die Empfindung, daß er, sobald er den Kreis seiner Landsleute verläßt, nicht diejenige freundliche Aufnahme in fremden Kreisen findet, die man durch Liebenswürdigkeit zu gewinnen pflegt; zu Hause merkt er das nicht, da ist er unter seinesgleichen — aber ich kann es mir nicht erklären, es ist nur eine Vermutung, die ich habe.

Warum wandern nun die Leute gerade aus diesen landwirtschaftlichen Provinzen aus? Weil diese Kreise keine Industrie haben, und weil die Industrie durch den Freihandel heruntergedrückt und erstickt worden ist, die da früher ziemlich lebhaft statthatte. Friedrich der Große hat sie sehr gepflegt, jede kleine Stadt in Pommern, Posen, Westpreußen hatte eine große Wollen- und Tuchindustrie, von der einzelne Reste noch bestehen: es sind da noch Wollwebereien, aber sie sind auch im Verfall. Den Provinzen Pommern, Posen, Westpreußen schließen sich an Mecklenburg, Schleswig-Holstein; Hannover ist sehr stark vertreten, weil es außerhalb einiger Zentren, namentlich der Stadt Hannover, wenig Industrie hat. In der rein landwirtschaftlichen Bevölkerung ist die Laufbahn, die ein Arbeiter durchmachen kann, schnurgerade, ohne Abwechselung; er kann sie, wenn er achtundzwanzig, dreißig Jahre alt ist, übersehen bis ans Ende, er weiß, was er verdienen kann, er weiß, daß er sich über den Stand, den er einnimmt, durch eine landwirtschaftliche Beschäftigung nicht aufschwingen kann.

Ich glaube, ich habe auch dies früher schon einmal gesagt; ich bitte den Herrn Abgeordneten Richter um Entschuldigung, aber ich glaube, es ist ziemlich in Vergessenheit geraten, ich muß es doch wiederholen.

In der Industrie kann kein Arbeiter übersehen, wie er sein Leben abschließt, auch wenn er sich über das Niveau des Gewöhnlichen vielleicht nicht erhebt und keine Konnexion hat. Wir haben sehr viele Industrielle, die vom einfachen Arbeiter in einer oder zwei Generationen zu Millionären, zum mächtigen, bedeutenden Mann aufgestiegen sind; ich brauche keinen von ihnen zu nennen, die Namen schweben auf jedes Lippen, sie schweben aber auch auf den Lippen der Arbeiter. Die Industrie hat für den Arbeiter den Marschallstab, von welchem man sagt, daß der französische Soldat ihn im Tornister trüge; das hebt die Hoffnung des Arbeiters und belebt sie, er braucht gar nicht Millionär zu werden. Aber die Industrie bietet tausend Beispiele, wie ich sie bei den industriellen Einrichtungen der davon sonst unberührt gebliebenen Provinz Pommern selbst schon gesehen habe, daß der Mann, der als landwirtschaftlicher Arbeiter niemals über den gewöhnlichen Tagelohn hinauskommt, in den Fabriken, sobald er mehr Geschick als andere zeigt, in kurzer Zeit sehr viel höheren Lohn verdienen kann, schließlich Werkführer wird und höher hinaufkommt; und für geschickte Arbeiter, die ja oft als Autodidakten weiter kommen, als die gelehrtesten Techniker, ist die Hoffnung, Associés ihres Chefs zu werden, nirgends ausgeschlossen. Das hält die Hoffnung lebendig und steigert zugleich die Arbeitslust. Industrie und Landwirtschaft sollten sich decken und ergänzen; die Industrie ist der Verzehrer der lokalen Agrarprodukte, die in einer öden Gegend die Landwirtschaft nicht absetzen kann, und wiederum ist der Landwirt, falls er Geld hat, der Abnehmer der Industrie. Ich glaube, daß der Mangel an einer Industrie, mit anderen Worten an Schutz der nationalen Arbeit, an Schutzzöllen, ebensosehr wie der Druck der direkten Steuern den Hauptgrund dafür abgibt, daß gerade die am wenigsten bevölkerten Provinzen die höchste Zahl der Auswanderungen haben. Es ist das Veröden der Hoffnung in dem Menschen, was ihn zur Auswanderung treibt, die *terra incognita* der Fremde bietet ihm alle mögliche Hoffnung, er könnte dort etwas werden, wozu er es hier niemals bringen kann. Also darin liegt es, daß die Landarbeiter auswandern, weil sie in der Nähe keine Industrie haben und weil sie das Produkt ihrer Arbeit im kleinen nicht verwerten können.

Dann sagt der Herr Abgeordnete: „Gerade in Amerika gibt es keinen Schutzzoll für die Landwirtschaft." Hat denn der Herr Abgeordnete den amerikanischen Tarif wirklich nie in seinem Leben gelesen? Meines Wissens ist der amerikanische Schutzzoll gegen Einfuhr des fremden Getreides etwa das Vierfache von dem unserigen, 2 Mark für den Zentner, also ein Prohibitivzoll, während er bei uns eine halbe Mark beträgt. Ich weiß nicht, ob mein Herr Kollege [10] mein Gedächtnis darin unterstützen kann, es kann ja aber gleich nachgeschlagen werden, ich glaube nicht zu irren, und ich ersuche den Herrn Abgeordneten Richter, mich zu widerlegen, wenn es nicht richtig ist; mit voller Sicherheit behaupte ich nur, daß seine Behauptung, es bestände kein Schutzzoll für die Landwirte, irrig ist; ich kann nicht alle Zahlen *in petto* haben, habe als Material nichts weiter als diese mir vorliegende Rede. Ich glaube, es ist das Vierfache von unseren landwirtschaftlichen Zöllen, und das ist eine Tatsache, die ich bei Wahl-

---

[10] Finanzminister Bitter.

bewerbungen den Gegnern des Herrn Abgeordneten Richter empfehle, daß seine Anführungen nicht so ohne weiteres für richtig anzunehmen sind.

Dann geht der Herr Abgeordnete über auf die Statistik der Tabaksteuerprozesse. Ja, damit plädiert er ja für das Monopol und gegen die von Ihnen beschlossene Tabaksteuer, die abzuschaffen; da haut er in dieselbe Kerbe wie ich, indem ich sage, die jetzigen Tabakverhältnisse haben auf die Dauer vielmehr Schwierigkeiten für die Interessenten, mit alleiniger Ausnahme der 8000 beim Tabakhandel beschäftigten Köpfe, vielmehr Schwierigkeiten für die Tabakinteressenten, als das Monopol, und ich bin dem Herrn Abgeordneten sehr dankbar, daß er mir diese, mir bisher unbekannten Angaben gemacht hat, daß die Tabaksteuerprozesse von 2150 auf 15 914 gestiegen sind. Es wird wohl so nicht bleiben, es liegt auf der Hand, daß bei neuen Einrichtungen die Prozesse zuerst häufiger sind, und daß mit der Zeit das Augenmaß der Prozeßführenden schärfer wird; aber je mehr Prozesse, desto stärker ist der Beweis, daß das bisher nicht von der Regierung allein eingeführte, sondern von der Majorität des Reichstages beschlossene Tabaksteuergesetz manche Härten hat, von denen das Monopol frei ist.

Der Herr Abgeordnete hat ferner den häufig mir schon gemachten, tausendmal mir gemachten Vorwurf zum tausend und einten Male wiederholt, ich hätte Versprechungen gemacht auf Grund der Gesetzgebung von 1879, die ich nicht erfüllt hätte. Nun könnte ich ja sagen: Seit 1879 ist doch die Wirkung der neuen Zölle noch keine durchschlagende gewesen in so kurzer Zeit; organische Prozesse großer Völker gehen langsam; aber ich kann viel durchschlagender dagegen auftreten: Ich habe gar keine Versprechungen gemacht, nie und nimmer, und das ist eine Unwahrheit, die ich auch schon widerlegt habe. Ich habe keine Versprechungen gemacht, ich habe Bitten ausgesprochen, ich habe gesagt: Helfen Sie mir doch, den Städten oder anderen Steuerbelasteten diese Vorteile zu verschaffen. Dieses Petitionieren bei dem Reichstage, den Armen zu helfen, wird mir dann in eine Versprechung verdreht, die ich gemacht haben soll; — wie kann ich etwas versprechen, was ich nicht habe? Ich kann die Gelder nicht schaffen, wenn sie nicht bewilligt werden, und jeden Versuch zur Beschaffung von Mitteln, wie zum Beispiel den einer erhöhten Branntweinkonsumtionssteuer, abzulehnen und dann zu sagen: Der Kanzler hält seine Versprechungen nicht — da, wo der Kanzler nur gebeten hat: Setzen Sie mich doch in den Stand, daß ich dergleichen versprechen kann — das ist eine Verschiebung der Verhältnisse, die von gewissen Verteidigern, wie wir sie heutzutage vor Gericht kennen, wohl gemacht werden kann, aber hier nicht am Platze ist. Ich bestreite auf das Bestimmteste, daß ich jemals irgend jemandem auch nur einen Pfennig versprochen habe. Ich habe gebettelt beim Reichstage: Setzen Sie mich in die Lage, die Leute schadlos zu stellen; aber versprochen habe ich nichts. Ich habe den Wunsch, die Entlastung der direkten Steuern viel höher zu treiben — und diesen Wunsch habe ich geäußert — bis zu einem Einkommen von 2000 Talern die Einkommensteuer wenn möglich abzuschaffen *(Aha! links)*, und von den direkten Steuern nur die höheren Klassen der Einkommensteuer als eine „Anstandssteuer" beizubehalten. Treiben Sie diese zu hoch in den höchsten Klassen, so drücken Sie den Kapitalisten unter Umständen aus dem Lande hinaus — der Grundbesitzer muß ja bleiben, der liegt immer geschlagen an Gottes offener Sonne — aber der große Kapitalist geht entweder selbst heraus oder domiziliert durch ein einfaches Telegramm seine Kapitalien im Auslande. Und dann kann es mir ja nicht einfallen, diese gewaltigen Summen, die ich als wünschenswert für den preußischen Steuerzahler betrachtet habe, nun von einer plötzlichen Bewilligung des Reichstages zu erhoffen, sondern ich habe bloß geschildert, wie groß die Not ist, und daß es wohl der Mühe lohne, sie zu prüfen, ihr näher zu treten und sich zu bestreben: wie nahe kann man dem Ziele der Abhilfe kommen? Ich erinnere Sie daran, daß ich vorgestern ganz genau gesagt habe: Erreichen können Sie dieses Ziel nicht, aber ihm näher kommen; es gibt die Richtung an, in der wir streben. Wie kann also der Herr Abgeordnete Richter so unmittelbar den Tag darauf mir unterschieben, als hätte ich die Gesamtheit dieser Erleichterungen sofort versprochen oder auch nur erstrebt?

Der Herr Abgeordnete sagt ferner, in der Thronrede hieß es damals, daß die neuen Steuern und Zölle verwandt werden sollten zu Steuerentlastungen. Nun, meine Herren, die Steuern und Zölle haben wir ja nicht allein verwandt, sondern wir haben uns verständigt mit den parlamentarischen Körperschaften, mit dieser und dem Preußischen Landtag, über deren Verwendung. Diese parlamentarischen Körperschaften haben in ihrer Majorität diejenigen Beschlüsse gefaßt, nach denen jetzt verausgabt wird; sie haben die Ausgaben, die sie beschlossen haben, jenen vorgezogen, die sonst gemacht werden konnten. Wer also diese Ausgaben angreift, greift das parlamentarische System der Majorität an, der ist ein Reaktionär, indem er als *laudator temporis acti* die Beschlüsse des Reichstags umstürzen will. Er will Reaktion für den Freihandel treiben, die jetzt *rite* gefaßten Beschlüsse der Reichsgesetzgebung sucht er zu untergraben und anzufechten, als ob die Regierung ganz allein und willkürlich diese Verwendungen gemacht hätte, während sie geprüft und eingehend beraten sind, von Ihnen beschlossen. Die Herren sind in der Minorität geblieben und finden deshalb für gut, hier davon gar nicht zu sprechen, daß es sich um Parlamentsbeschlüsse handelt. Die von Ihnen sonst verehrte Majorität — sobald Sie sie haben, ist der Glanz der Majorität gar nicht hoch genug zu preisen, sobald Sie sie nicht haben, dann schieben Sie die Vertretung der Regierung zu, als ob sie durch willkürliche Akte Unheil angerichtet und ihre Versprechungen gebrochen hätte, als ob wir ein absolutes System in Händen hätten, von dem wir jederzeit Gebrauch machen könnten, und nicht an Parlamentsbeschlüsse gebunden wären. Ich weiß nicht, ob es wirklich nützlich ist für die Konsolidation des Reichs, auf diese Weise dem leichtgläubigen Leser die Regierung stets als übelwollend, unfähig, *toto die* darzustellen. Alle diese Äußerungen des Herrn Abgeordneten Richter würden wahrscheinlich unbesprochen ins Publikum gegangen sein, wenn mir nicht zufällig heute unter den Vorlagen beim Frühstück das erste gewesen wäre diese Rede, und bei dem Interesse, was ich für den Herrn Abgeordneten Richter habe *(Heiterkeit)*, schon in stilistischer Beziehung, und um mir die Grenzen klar zu machen, bis wohin ein Abgeordneter sprachlich gehen kann und die er nicht überschreiten sollte, habe ich sie zuerst gelesen und dann eben Zeit gefunden, auch noch meine Äußerungen dazu zu machen.

Er sagt weiter: „Um diese Ausgaben alle zu decken, reichen fünf Monopole nicht aus." Da muß ich wiederholt daran erinnern, daß ich kürzlich selbst gesagt habe: sie können nicht auf einmal gedeckt werden. Es ist mir bloß darauf angekommen, die große Not zu schildern, um dadurch, wenn auch nicht den Herren hier, aber doch im Lande Klarheit über die Verhältnisse zu verbreiten, die Klarheit, die zu schaffen durch den Strike des Preußischen Landtags verhindert wurde. Der Herr Abgeordnete kommt nachher nochmals zurück auf die Versprechen, die an die Kommunen gemacht, aber nicht erfüllt worden wären. „Der Reichskanzler exemplifiziert auf 350 Prozent Klassensteuer." Ist das etwa unrichtig? Die amtlichen Angaben, will er sie widerlegen? Die 350 Prozent sind wirklich bezahlt, und den Kommunen ist nicht ein Versprechen gegeben worden, sondern ich bin beim Reichstage als Bittsteller im Interesse der Kommunen aufgetreten, und haben Sie dann die Mittel, der Not der Kommune abzuhelfen, versagt, so haben Sie wirklich nicht das Recht, mir vorzuwerfen, als ob ich ein Wort von „Versprechung" gesagt und nicht gehalten hätte.

Die evangelische Kirchensteuer habe ich gar nicht als etwas durch das Monopol zu Deckendes angeführt, sondern ich habe sie aufgeführt als ein *„ante lineam"* den Steuerzahler Belastendes, was vorher abgezogen werden muß von seiner Steuerkraft. Um so drückender aber wirkt, was übrigbleibt und durch das Monopol gedeckt werden kann.

„Von allen Aussichten für die Kommunen hat sich nichts erfüllt, dagegen ist die Gebäudesteuer höher veranlagt worden.“ Ich kann letzteres nur im höchsten Grade bedauern. Es widerspricht meinen Absichten und Wünschen. Ich halte die Gebäudesteuer für genau so ungerecht wie die Grundsteuer, ich bekämpfe beide Steuern, nicht weil die Vermögenslage einmal geschädigt ist und ohne analoge Ungerechtigkeit nicht wieder gut gemacht werden kann, ich bekämpfe sie nur als Grundlage und Maßstab für Zuschläge, weil sie mehr als das Vermögen trifft, und die Schulden nicht abgezogen werden. Es ist genau so auch bei der Gebäudesteuer; da ist aber eine Erhöhungsklausel im ursprünglichen Gesetze, die ausgebeutet wird in fiskalischer Richtung, und ich bitte Sie, helfen Sie mir, zu verhindern, daß eine solche Erhöhung nicht wieder stattfindet. Ich halte die Steuer an sich für eine ungerecht veranlagte, gerade wie die Mietssteuer und die Grundsteuer, welche auf das wirkliche Vermögen keine Rücksicht nimmt und die Schulden davon nicht abzieht. Deshalb teile ich das Bedauern darüber vollständig.

Der Herr Abgeordnete hat ferner gesagt, nach meinem Systeme würden die Städte über 25 Millionen — es ist das wohl ein Druckfehler, es soll 25 Tausend heißen — Einwohner nur 6 Millionen erhalten. Da hat es sich der Herr Abgeordnete sehr leicht gemacht, indem er meine gestrige Äußerung nur teilweise zitiert, aber worauf ich den Hauptakzent gelegt, und was ich ganz *expressis verbis* in Voraussicht der Entstellungen, denen ich ausgesetzt sein würde, gesagt habe, hat der Herr Abgeordnete verschwiegen und fallen gelassen. Ich habe, wie die Herren sich erinnern werden, hinzugefügt, für die großen Städte, welche in größerem Maße gezwungen sind, staatliche Bedürfnisse zu erfüllen, werde nachher mit Bewilligung des Landtages besondere Berücksichtigung stattfinden müssen. Hat der Herr Abgeordnete sich nicht erinnert, hat er nicht zugehört? Jedenfalls wird er sonst die Ungerechtigkeit wieder gut machen wollen, die er mir dadurch zugefügt hat, daß er mich in seiner Rede angeklagt, ich hätte diese Ungleichheit nicht bemerkt oder nicht beachtet.

„Denn vor kurzem hat noch der Herr Reichskanzler für die einzelnen Städte die Schlachtsteuer wieder einführen wollen.“ Das ist mir nicht erinnerlich. Ich habe es als Fehler behandelt, daß man die Schlachtsteuer überhaupt aufgehoben hat, und wenn sie wieder eingeführt würde, so wäre ich der Meinung, sie sollte allgemein wieder eingeführt werden. Wenn ich eine solche Überzeugung habe, so komme ich jeder einzelnen Bewegung, die sich im Detail in der Richtung meiner eigenen Überzeugung bewegt, bereitwillig entgegen, und in dieser Beziehung bitte ich auch die Vertreter der Stadt Berlin, zu erwägen, daß sie diese Möglichkeit, eine Schlachtsteuer wieder einzuführen durch den Schlachtzwang, die sie schon verspielt hatte, nicht gehabt hätte, wenn ich nicht als preußischer Handelsminister fest auf ihre Seite getreten wäre in der damaligen Sitzung des Preußischen Landtages; einer der wenigen Fälle, wo ich dort überhaupt das Wort ergriffen, ist der gewesen, wobei es sich handelte, der Stadt Berlin die Möglichkeit, für die Schlachtsteuer sich Ersatz zu verschaffen, wiederzugeben. Aber was ich in der Richtung tue — ich bin ja daran gewöhnt, daß das vergessen, ignoriert, niedergeschwiegen wird, und ich muß mir das gefallen lassen. Ich bin auch gegen das, was man gegen mich denkt, ziemlich abgestumpft, das werden Sie mir glauben nach der langen Zeit, wo ich demselben übelwollenden Regime nun schon ausgesetzt gewesen bin, unter dem ich jetzt Resignation lernen könnte, wenn ich sie nicht schon hätte, da werden Sie mir das wohl glauben.

Ich bitte um Entschuldigung, wenn ich lang werde und wiederum heute zuviel rede, aber der Herr Abgeordnete Richter ist auch lang gewesen, und ich kann die einzelnen Angriffe nicht in das Land laufen lassen. Ich habe zwar nicht die Mittel, an demselben Tage noch die Antwort auf den Herrn Abgeordneten Richter an die Provinzialpresse zu telegraphieren, denn ich habe keinen Einfluß auf die provinziale Presse, nicht einmal auf die konservativen Blätter. *(Heiterkeit links.)* Meine Herren! Ist dieses Lachen wirklich ein Argument? Ich habe gefunden, wenn ich eine Sache sage, gegen die Sie nichts einwenden können, so lacht einer der Chorführer laut, und dann lachen alle mit. Das ist das Signal, darauf folgt ein unartikulierter Ton, der so viel heißen soll: Der Kanzler sagt etwas Lächerliches, ich gebe das Signal — Tambourmajor! *(Große Heiterkeit.)*

Meine Herren, der Herr Abgeordnete Richter sagt, der Wähler würde es lieber sehen, ohne neue Steuer entlastet zu werden. Das glaube ich auch; aber hat der Herr Abgeordnete Richter das Geheimnis dazu erfunden? Wo will er entlasten, wo will er die Ausgaben sparen oder die Einnahmen hernehmen? Wenn jeder Versuch, den die Regierung macht, neue Quellen zu öffnen, nicht etwa als Anknüpfung zu Gegenvorschlägen benutzt wird, wenn er jederzeit an und für sich angebrachtermaßen abgewiesen wird, weil er nicht gefällt, so kann der Herr Abgeordnete Entlastung nur durch Verminderung der Ausgaben meinen. Nun hat er einen Luxus zitiert, das ist der bauliche Luxus. Meine Herren, darauf habe ich wenig Einfluß, das müssen Sie an einer anderen Stelle vorbringen. Ich billige Luxusbauten auch nicht, ich bin für das haushälterische System, das Friedrich Wilhelm I. bei uns in Preußen eingeführt hat, und meintwegen führen Sie bei uns Regierungskasernen ein mit der strengsten spartanischen Einfachheit. Sie können sich da mit dem Herrn Abgeordneten Reichensperger auseinandersetzen, ob er die ornamentale Baukunst in den Hintergrund schieben will. Ich habe dafür kein Interesse, mein Sinn ist auf das rein Praktische gerichtet, ich bin für das Ästhetische ein schlechter Beurteiler.

Im Hintergrunde steht bei Ersparungen schließlich immer die Verminderung des großen Militärbudgets. Ja, meine Herren, glauben Sie denn, daß es uns in der Regierung Vergnügen macht, eine so große Armee zu halten? Ich weiß nicht, ob es den anderen Ländern, die an uns grenzen und von denen unsere beiden großen Nachbarn, Frankreich und Rußland, jeder an sich mehr Truppen unterhält als das Deutsche Reich, ob es denen eine besondere Freude macht, oder was sie für Zwecke damit verbinden. Das habe ich nicht zu untersuchen, sondern nur die Tatsache, daß diese Millionen Bajonette ihre polare Richtung doch im ganzen in der Hauptsache nach dem Zentrum Europas haben, daß wir im Zentrum Europas stehen und schon infolge unserer geographischen Lage, außerdem infolge der ganzen europäischen Geschichte den Koalitionen anderer Mächte vorzugsweise ausgesetzt sind. Unsere Schwäche hat früher diese Koalition gefühlt, die Koalition der drei größten Kontinentalmächte der Zeit, Rußland, Frankreich, Österreich und das Deutsche Reich gegen Friedrich den Großen — die Kaunitzsche Politik ist Ihnen ja bekannt. Warum kann dergleichen sich nicht wieder erzeugen? Wir haben die Objekte, die Gegenstände der Begehrlichkeit für jeden unserer Nachbarn sein können, nach den verschiedensten Seiten, und wenn ich mir in der auswärtigen Politik irgendein Verdienst beilegen kann, so ist es die Verhinderung einer übermächtigen Koalition gegen Deutschland seit dem Jahre 1871. Meine ganze politische Kunst aber wäre daran vollständig gescheitert ohne Hinblick auf die deutsche Militärorganisation, ohne den leider heute nicht anwesenden Marschall [11] hier, und ohne den Respekt, den wir einflößen, ohne die Abneigung, die man hat, mit unseren wohlgeschulten, intelligenten und wohlgeführten Bajonetten anzubinden. *(Bravo rechts.)* Tun Sie diesen Respekt aus der Welt, und Sie sind genau in der ohnmächtigen Lage von früher, so daß Deutschland für die anderen Mächte eine Art von Polen für die Teilung sein würde, was fruchtbare Grenzprovinzen enthält, die jedermann brauchen kann, und bei dem wenig ausgebildeten nationalen Sinn der Deutschen *(Oho! links)* — warten Sie das Beispiel ab — gibt auch

---

[11] Den Grafen Moltke, Abgeordneter für Memel-Heydekrug.

keine fremde Macht die Hoffnung auf, daß es mit anderen deutschen Landschaften gerade so gut gelingen werde, wie es Frankreich mit Elsaß gelungen ist, sich deutsch sprechende, deutsch abstammende Leute so zu assimilieren, daß sie lieber die Livree Frankreichs tragen mögen, als den Rock des freien deutschen Bauern. *(Bravo! rechts.)*

Also an die Armee, meine Herren, rühren Sie nicht! Da sage ich Ihnen auch nicht bloß meine Meinung, sondern die Meinung der Majorität der Nation, da hört die Gemütlichkeit auf. *(Unruhe links.)* Probieren Sie's, Sie werden sehen, was daraus folgt.

Also ich weiß nicht, wo der Herr Abgeordnete die Entlastung ohne neue Mittel eigentlich suchen will. Daß der Steuerpflichtige am liebsten gar keine Steuern bezahlte und doch gut regiert und sicher beschützt und vor Fremdherrschaft behütet werden will, das glaube ich gerne; aber wenn man einer solchen Theorie das Wort redet, dann sollte man überhaupt nicht Politik treiben.

Der Herr Abgeordnete sagt ferner in Bezug auf das Schulgeld, schon sein Parteiprogramm von 1878 verlange dasselbe wie ich, seine Februarrede im Abgeordnetenhause habe zuerst die Forderung der Aufhebung gestellt und „unmittelbar nach dieser Rede schloß sich der Kanzler mir an". Ich glaube, in unserem weiteren Benehmen ist doch ein erheblicher Unterschied. Der Herr Abgeordnete hat für die Abschaffung des Schulgeldes geredet und ich habe dafür gehandelt. Ich habe mich bemüht, wirklich der Aufgabe praktisch näher zu treten, die der Herr Abgeordnete so als theoretisch wünschenswert hingestellt hat. Er kann dann später sagen: Ich habe davon geredet, damit war alles geschehen. Es ist gerade wie mit der Herstellung des Deutschen Reiches — alle die Herren, die jemals dafür geredet haben *(Heiterkeit rechts)*, die es als frommen Wunsch in die Welt geschickt haben, die sagen heut: Wir haben es eigentlich gemacht. Gehandelt haben sie nicht dafür. Ich komme vielleicht auf das Thema noch einmal zurück, und es ist ja möglich, daß nachher, wenn wir endlich dahin gelangen, den Lehrer anständiger zu stellen und den Armen von den Kosten für die Schule zu entlasten, daß dann ebenso, wie jetzt die Herren, die in der Konfliktszeit in der Fortschrittspartei waren, sagen: Wir haben das Deutsche Reich gemacht, denn wir haben es in unserem Herzen getragen, daß ebenso der Herr Abgeordnete Richter sagt: Ich habe den Lehrern dies verschafft, denn ich habe schon damals im Jahre 1878 das hingeschrieben: So muß es kommen; ohne meine Anregung wäre das nicht geschehen; der Kanzler hat sich Jahre hindurch die Lunge aus dem Leibe gesprochen und sich bemüht darum, das hat aber nichts geholfen; meine Rede *(Heiterkeit rechts)* war die Hauptsache.

Der Herr Abgeordnete spricht ferner von einem Steuerzuschlag auf die Kapitalrente. Da überrascht mich nur das „Hört, hört!" daneben. Es ist ganz natürlich, daß wir darauf zurückkommen können und, in Ermangelung anderer Mittel, zurückkommen müssen, denn das ist die einzige direkte Steuer, die wir überhaupt noch auflegen können, daß wir das fundierte Einkommen, welches bloß durch Kuponsschneiden erworben wird, höher besteuern, als das mit der Arbeit des Geistes, der Hände und der Feder oder des Kapitals durch Gefahr und Risiko mühsam verdiente und unsichere. *(Sehr richtig! rechts.)* Also verstehe ich nur das „Hört!" nicht. Der Herr Abgeordnete sagt ferner, unser ganzes gegenwärtiges Finanzsystem sei eine Folge des großen Staatseisenbahnsystems und der Vermehrung der indirekten Steuern. Ich weiß wirklich nicht, was das Staatseisenbahnsystem damit zu tun hat. Einzig und allein doch vielleicht das, daß wir seitdem in dem preußischen Budget einen Einnahmetitel haben, den wir früher zwar kannten, aber niemals in der Höhe, mit der Sicherheit, daß wir eine große Vereinfachung unseres Eisenbahnsystems überall haben und, soviel ich höre, nach Anerkennung aller beteiligten Interessen und des Publikums, eine wohlgeschultere und höflichere Verwaltung als früher. Das ist freilich zum großen Teile das Verdienst der ausgezeichneten Persönlichkeit[12], die an der Spitze der preußischen Eisenbahnverwaltung steht und die wir nicht immer zu haben rechnen dürfen, die wir aber deshalb schonen und deren Verbrauch durch Arbeit wir nicht steigern sollten dadurch, daß die empfindliche Ehrliebe, die jedermann von Verdienst hat, bei jeder Gelegenheit in irgendeiner Form gekränkt wird. *(Bravo! rechts.)*

Die Verstaatlichung der Eisenbahnen ist eine der richtigsten Maßregeln gewesen, die wir überhaupt ergriffen haben. Es war eine — der Herr Abgeordnete hat das Thema angeschlagen, ich muß also auch darauf eingehen — es war das früher eine Einrichtung, ursprünglich hervorgehend aus dem Mißtrauen gegen den Wert der Eisenbahnen, welches mir noch erinnerlich ist aus den Zeiten des Ministers von Bodelschwingh, ich meine nicht des letzten, Ihnen bekannten Finanzministers, sondern des älteren Bodelschwingh. Wie die Anhalter Bahn gebaut werden sollte, da waren gleichzeitig drei Projekte, eins nach Magdeburg, eins auf Leipzig, eins auf Dresden vorliegend, und die damalige preußische Regierung erklärte: Wir haben die sichersten Beweise durch unsere Kenntnis des Güterverkehrs, daß kaum eine einzige Bahn in diesen drei Richtungen überhaupt not-

[12] Minister Maybach.

dürftig das Leben haben wird, und die wird auch Bankerott machen, wenn der Herzog von Anhalt nicht die Elbbrücke baut. Wir zwangen also diese drei Linien, sich zu diesem unförmlichen Ding, was damals in Roßlau mündete, zu fusionieren, und wir sind lange Zeit auf demselben Anhalter Bahnhof nach Magdeburg und nach Leipzig und auf dem ungeheuerlichen Umwege nach Dresden gefahren. Infolge solcher Anschauungen hat Preußen damals das ebenfalls dem absoluten, ja dem französischen Feudalstaate angehörige System, die Eisenbahnprivatmonopole, aufkommen lassen. Jede Eisenbahn ist in ihrem Bezirke, sobald sie praktisch eingerichtet, ein Monopol, es kann niemand gegen sie aufkommen, jede andere Verkehrsanstalt muß eingehen, dann ist sie Generalpächterin der ganzen Verkehrsinteressen der ganzen Landschaft, um die es sich handelt, eine geradeso schlimme Institution, wie sie unter dem alten französischen Regime stattfand, daß den Generalpächtern, die eine gehörige Pacht dafür gezahlt hatten — während unsere Bahnen die Ausbeutung gratis privilegiert erhielten —, daß denen die Ausbeutung einer Provinz mit dem Gesetze in der Hand überlassen wurde, und je nach ihren Privatinteressen ihnen die Berechtigung zuerkannt wurde, ihre Dividende so hoch als möglich zu schrauben, ohne Rücksicht auf das Volk und seinen Verkehr. Das war das System der Privatbahnen, und durch die Verstaatlichung haben wir dem Staate wiedergegeben, was ihm gebührt. Ich gebe die Hoffnung nicht auf, in Anknüpfung an das, was ich vorgestern sagte, daß wir auch die Privataktiengesellschaften in der Politik dazu bewegen werden, die Hand dazu zu bieten, daß auch die Politik des Deutschen Reiches wieder verstaatlicht wird. *(Heiterkeit.)*

Der Abgeordnete hat nachher, wie der Abgeordnete Bamberger in seiner vorgestrigen Rede, schließlich gegen das Monopol, namentlich unter dem Druck der Autorität seines Freundes und Gesinnungsgenossen Leroy-Beaulieu, eine gewisse Weichheit gegen das Monopol dokumentiert; es sagt auch der Abgeordnete Richter: Auf ewige Zeiten verwahrt sich der Abgeordnete nicht gegen neue Steuern, und das ist nur wieder ein anderer Ausdruck für das Wort: „Diesem Ministerium keinen Erfolg", oder „Diesem Ministerium bewilligen wir kein Geld — wenn wir davon kommen werden — und darauf rechnen doch die Herren — würden wir neue Steuern einführen, wir wollen uns das nicht entgegenhalten lassen, wir hätten dies auf ewige Zeiten abgesagt. Wir wollen das abwarten." Es tut mir leid, daß ich nicht in der Lage bin, darüber zu verfügen. Wenn ich das Unglück hätte, mit der höchsten Autorität in diesem Lande bekleidet zu sein, hätte ich Sie schon vor drei Jahren zur Regierung gerufen, um Sie operieren zu sehen. *(Heiterkeit.)* Also: „Nicht auf ewige Zeiten" — das ist doch schon etwas. Wie lange der Herr Abgeordnete rechnet, etwa bis zum nächsten Jahre, das weiß ich nicht.

Dann ist der Vorwurf wieder gemacht worden, daß das Verwendungsgesetz zu spät vorgelegt wurde. Indem der Herr Abgeordnete die Verteidigung des meines Erachtens gar nicht zu verteidigenden Preußischen Landtages übernimmt, sagte er: „Erst am 14. März, zwei Monate nach dem Zusammentritt, ist dem Landtage das Verwendungsgesetz zugegangen, und die Regierung hat volle vierzehn Monate gebraucht, um es auszuarbeiten." Ja, meine Herren, die Regierung, das geht schon aus dem Namen hervor, die hat doch auch noch einige andere Geschäfte, außer Gesetzvorlagen zu machen, und sie hat auch ab und zu, da sie auch aus Fleisch und Blut besteht, ein gewisses Bedürfnis der Erholung. Die Unmöglichkeit, Sachen rasch zustande zu bringen, geht in Preußen schon aus dem Zustande hervor, den Sie als Palladium der Freiheit betrachten, daß das Staatsministerium ein *per majora* abstimmendes Kollegium ist, welches unter gegenseitigen Repliken, Dupliken und Quadrupliken, unter gelegentlicher Einwirkung Seiner Majestät sehr allmählich und schwierig mit seinen Entschlüssen zustande kommt. Der Ministerpräsident hat nichts zu befehlen in Preußen, er hat nur zu bitten und zu vermitteln. Im Reich ist es anders, da habe ich schließlich die Berechtigung, wenn die Gründe der Ressortchefs mich nicht überzeugen, so, wie der Ministerpräsident in England sie hat, wie sie bei uns ein Staatskanzler hatte: das Recht der Entscheidung, da werden auch solche Verschleppungen nicht vorkommen. Aber es kommt bei preußischen Vorlagen vor, daß, wenn man glaubt, die Sache wäre fertig, ein Separatvotum eingeht mit einem untergeordneten oder einem prinzipiellen Bedenken. Das muß erledigt werden, wir können die Herren nicht ab und zur Ruhe verweisen; das zirkuliert, da wird gegenvotiert, und die preußische Maschine arbeitet so notwendigerweise langsamer als die Reichsmaschine. Ich bestreite aber, daß am 14. März die Herren nicht volle Zeit gehabt hätten, doch wenigstens einer Prüfung näherzutreten. Die Reichstagssitzungen haben *in pleno* doch erst nach Pfingsten begonnen, ich weiß nicht mehr das Datum, ich glaube 21. oder 26. Mai. *(Zuruf.)* Also 6. Juni. *(Zuruf: Ja, nach Pfingsten.)* Nun, sollte vom 14. März bis 6. Juni dennoch Zeit gewesen sein für den Preußischen Landtag, wenigstens einige Sitzungen der Prüfung des wirklich sehr bedeutenden Materials zu widmen, welches die Regierung ihm vorgelegt hatte? Wenn nicht andere Gründe obgewaltet hätten, als bloß der äußerlich vorgewandte der Entrüstung über „Verletzung der Würde" und die Parallelsitzung, ich glaube, sachlich hätte man vollständig Zeit gehabt, und ich muß also die Behauptung des Zuspätvorgelegtwerdens bestreiten. Ich erinnere die Herren daran, daß wir in früherer Zeit im Juli, August und September gesessen haben — diejenigen, die alt genug sind, um mit mir noch des Vereinigten Landtags zu gedenken — wir waren im Sommer beisammen. In der Zeit von 1848 bis in die ersten fünfziger Jahre wurde nach der Jahreszeit nicht gefragt, und wir haben im August hier gesessen, im September und auch im Juli, und das war die Verpflichtung, die wir mit der Wahl übernommen hatten.

Nun aber wird schon am 14. März auf „Nicht beschließen" hingearbeitet und gesagt, wir haben nicht mehr Zeit, wir können nicht mehr, und man läßt die Zeit verfließen, bis es wirklich recht warm und recht hübsches Wetter und die Unlust außerordentlich groß geworden ist, wenn namentlich alle Landwirte Freude am Wachsen ihrer Ernte zu Hause haben — gerade das Datum des 14. März, das der Herr Abgeordnete anführt, ist ein recht selbstmörderisch schlagendes Argument gegen ihn und seine Freunde, daß noch vollständig Zeit war.

Dann sagt der Herr Abgeordnete, wir hätten das Gesetz selbst zurückgezogen; „der Reichskanzler hat auf die §§ 1 und 2 eine Antwort bekommen!" Der Reichskanzler ist in Preußen gar nicht vorhanden, und es ist das wieder darauf berechnet, daß die meisten Herren das Verwendungsgesetz nicht kennen und das Publikum nicht weiß, daß die §§ 1 und 2 überhaupt das ganze Verwendungsgesetz sind, welches damit abgelehnt worden war. Was ist das für eine *Laterna magica,* Schatten an der Wand erscheinen zu lassen, dem Publikum zu sagen: zwei Paragraphen haben wir abgelehnt, dann hat die Regierung die Vorlage selbst zurückgezogen! Diese zwei Paragraphen waren eben das Essentielle des ganzen Gesetzes, und die Beratung über die andern Paragraphen wäre eine frivole Zeitverschwendung gewesen, über die Sie sich wirklich hätten beschweren können. Also hier zeigt sich nur die Absicht, einen unrichtigen Eindruck auf die Wähler zu machen. Das Bedürfnis zu beraten, lag auf seiten der Regierung, das Bedürfnis, die Sache totzuschweigen, lag auf Seite derjenigen, die es für nützlich halten, daß steuerlich weiter exekutiert und die Unzufriedenheit nach Möglichkeit gesteigert werde. Unsere Aufgabe ist es, diese Tendenz nach Kräften zu bekämpfen.

Der Herr Abgeordnete sagt: „Es zeigt sich, daß es dem Reichskanzler immer schwerer wird, überhaupt noch mit einem Parlament zu regieren." *(Sehr richtig! links.)*

Ja, meine Herren, trifft das bloß mich? Sehen Sie nach England, ist es dort etwa leichter geworden in diesem Musterstaat, mit dem Parlament zu regieren? Sehen Sie, was mein verehrter Kollege, Herr Gladstone, für Schwierigkeiten hat, und sehen Sie, wie in jenem Lande die parlamentarischen Schwierigkeiten sich in Mordtaten, in Gewehr- und Pistolenschüsse und Verstümmelungen von Pächtern übersetzen. So schwierig ist es bei uns noch nicht geworden, wir leben noch in Ruhe und Frieden, und ich glaube, wir können, wenn wir die Verhältnisse rundum in Europa vergleichen, mit dem, was die deutsche und preußische Regierung, der ich seit zwanzig Jahren angehöre, geleistet hat, immer noch zufrieden sein.

Sehen Sie nach England! Ist es dort leichter geworden, mit dem Parlament zu regieren, als es früher war? Früher war das in England kinderleicht, so lange nur zwei Parteien dort waren, die Whigs und die Torys, beide interessiert an der Erhaltung der Maschine, die stimmten und zählten untereinander ab — wer die Majorität hatte, regierte. Ich habe schon auf dem Vereinigten Landtag im Jahre 1847 das Gefühl gehabt, daß diese Einrichtung schwierig werden würde, sobald es mehr als zwei Parteien, wenn es auch nur drei Parteien sind. Jetzt sind es vier Parteien in England, es wird also notwendig sein, ein Koalitionsministerium zu bilden, das zu einer einheitlichen Politik aus dem Grunde niemals imstande sein wird, sondern die Parteien, die in demselben vertreten sind, werden sich gegenseitig Konzessionen machen müssen. Die Torypolitik hatte die Majorität nicht mehr, die Whigs hatten sie an sich auch nicht, wie sie dieselbe sonst den Torys gegenüber früher öfter gehabt hatten ohne Zustimmung der dritten Partei, der Radikalen, und der vierten Partei: der irischen Katholiken. Ich weiß nicht, ob diese Herren mehr Irländer oder mehr Katholiken sind, ich habe nicht unter ihnen gelebt — ich glaube aber das erstere, daß sie eben aus nationalen Gründen widerstreben. Jetzt ist eine Regierung in England schwer zu führen, die nicht die über hundert Köpfe zählenden irischen Deputierten für sich hat; infolgedessen ist der parlamentarische Mechanismus in England auch nicht mehr imstande, in seiner ursprünglichen Reinheit — *le jeu de nos institutions*, wie der Franzose mit Stolz sagt — zu fungieren.

Von Frankreich will ich nicht sprechen, da ich keinen Beruf habe, dort Anlaß zu Empfindlichkeiten zu geben; in England fürchte ich dergleichen nicht, man kennt meine Gesinnung für England, und ich habe auch nichts gesagt, was nicht frei auszusprechen wäre.

Sehen Sie sich doch weiter um, bei dem uns so eng befreundeten Österreich-Ungarn — ist es denn da leichter geworden, mit den Parlamenten zu regieren? Die sogenannten „Herbstzeitlosen“ [13] unter den Deutschen in

---

[13] Die vom Abg. Herbst geführte bürgerlich-liberale Verfassungspartei Österreichs.

Österreich haben der Regierung die Möglichkeit, mit den Deutschen zu gehen, ruiniert, aus denselben Gründen, aus denen ich vorgestern behauptete, daß eine Parteiregierung bei uns unmöglich ist: einmal, weil auch dort die Partei nicht stark genug war, und dann, weil jede Partei stets unter dem Eindruck der Fortentwicklung ihrer Parteirichtung steht. Diese Fortentwicklung findet notwendig in der Richtung ihres Extrems statt, das weitere Fortschreiten erfolgt in der Richtung, der die Partei überhaupt angehört. Eine konservative Partei wird der Gefahr der Reaktion immer unterworfen sein, wenn sie länger regiert; es wird sich immer einer finden, der noch in konservativerer Richtung weitergehende Theorien aufstellt und für die er, wie für alle Extreme, leicht die Menge der Parteiwähler gewinnt. Dasselbe ist in der liberalen Partei der Fall, da wird immer einer den anderen überbieten in Liberalismus — so ist es in Frankreich gegangen seit 1789, so ist es England gegangen seit der Reform — und der Überbotene wird immer Unrecht bekommen, und die Neuwahlen brauchen gar nicht mit Kaukus bearbeitet zu werden, wie bei uns und in England, sie werden von selbst sich schon dem, der mehr als der Frühere auf die Regierung schimpft, zuwenden, und auf diese Weise wird jede Partei — und so ist es auch der deutschen Partei in Österreich, in Cisleithanien ergangen — durch die Maßlosigkeit doktrinärer Forderungen der extremen Parteigenossen schließlich in die bedauerliche Lage kommen, daß sie die Dynastie nötigt, sich mehr an andere Parteien und Elemente anzulehnen im Interesse ihrer Erhaltung — eine Dynastie, die in Österreich nach ihren ganzen Traditionen, ohne irgendeine Nationalität zu bevorzugen, ursprünglich doch in den Deutschen das ihr zunächst zur Hand liegende Instrument zur Regierung des gesamten Reiches sehen mußte.

Ich bitte Sie, meine Herren, sich das Beispiel der Herbstschen Partei in Österreich — der „Herbstzeitlosen" nenne ich sie, weil sie nie etwas zur rechten Zeit getan — *(Heiterkeit)* sich doch einigermaßen zu Herzen zu nehmen, wohin eine Parteitaktik führt, in der jeder Führer von morgen den Führer von heute überbietet, nachdem der Führer von heute den Führer von gestern durch Übergebot schon ruiniert hat. — Deshalb sage ich, ist eine Parteiregierung bei uns ganz unmöglich, und wenn sie angefangen hat, so wird sie sich in kürzester Zeit in der Maßlosigkeit der Doktrin, die den Deutschen noch mehr als anderen eigentümlich ist, und in dem Druck der Wahldämpfe, die künstlich geschürt werden oder von unten aufsteigen, ruinieren. Bei uns kann nur parteilos regiert werden.

Aber so viel über die Schwierigkeiten, mit einem Parlament zu regieren. Der Vorwurf trifft mich einigermaßen ungerecht. Wo haben Sie denn einen Minister, der zwanzig Jahre lang am Ruder geblieben ist? Bei uns ist er nicht vorgekommen, im Auslande noch viel weniger. Wenn ich so beschaffen wäre, daß ich überhaupt mit einem Parlament nicht regieren und leben könnte, daß mit mir nicht auszukommen wäre — ich habe Parlament und Verfassung vorgefunden, als ich in den Dienst eintrat — so darf ich wohl kühn behaupten, ich hätte es auf eine so lange Zeit nicht gebracht. So ganz untraitable kann ich also nicht sein; und ich glaube auch hier durch das einfache Faktum, daß ich so lange an der Spitze der Geschäfte des Vaterlandes gestanden habe, nachgewiesen zu haben, daß der Abgeordnete Richter mir Unrecht getan hat, indem er sagte, ich könnte mit einem Parlament nicht regieren. Mit einem Parlament von Richtern, mit einem Parlament, in welchem der Abgeordnete Richter eine Majorität hat, würde ich allerdings nicht regieren können, damit kann überhaupt kein Mensch regieren. *(Heiterkeit.)*

„Auch die Spur einer Selbständigkeit, einer selbständigen geschäftlichen Behandlung verträgt er nicht!" Vertrage ich nicht jede Ablehnung? Wie viel Ablehnungen habe ich mir schon geholt! Der Abgeordnete Bamberger hat gesagt, das Feld wäre mit Trümmern abgelehnter Vorlagen bedeckt — gegen wen spricht das? Es ist die Frage: Waren die Vorlagen vernünftig, so ist es eine Niederlage für denjenigen, der sie abgelehnt hat, waren sie unvernünftig, so ist es gut, daß durch die Ablehnung der unrichtige Weg, auf dem die Staatsregierung gegangen ist, mit einem Schlagbaum geschlossen ist. Darüber sollten Sie doch schweigen. Es ist das natürliche Ergebnis konstitutionellen Lebens. Sie schlagen ja Ihrerseits gar nichts vor, Sie haben die Initiative der Gesetzgebung, warum haben Sie nie ernsthaft davon Gebrauch gemacht? Die Fälle sind gegenüber den tausend Vorlagen der Regierung zu zählen. Es ist aber außerordentlich bequem, die Regierung immer sozusagen herauskommen zu lassen, sich in die Hinterhand zu setzen und alles anzugreifen, herunterzureißen und zu bekritteln mit Weglassung von notwendigen Argumenten, die für die Regierung sprechen, von dem, was die Regierung irgend vorgebracht hat, nach dem Prinzip: Ich habe keine Meinung, so lange die Regierung keine ausspricht; sobald sie sich ausspricht, werde ich eine haben und werde ihr dann widersprechen. Wozu haben Sie die Initiative? Wie können Sie es vor Ihren Wählern verantworten, daß Sie von Ihrer Initiative niemals Gebrauch machen, sondern sich bloß aufs Abwarten, aufs Vigilieren, auf die Hinterhand legen, um zu warten, welche Farbe die Regierung ausspielt, um dann das Gegenspiel zu ergreifen. Damit können Sie eine Regierung ermüden, und dadurch würde jemand, der weniger von der Hingabe für vaterländische Zwecke getragen wird als die jetzige Regierung, ermüdet werden, zunächst schon einfach mit dieser Zwickmühle, die der

Abgeordnete Richter wieder angeführt hat: „Niemand sollte Verwendungszwecke festsetzen, ehe die zu verwendenden Summen vorhanden seien", und auf der anderen Seite: „Man hat sich geweigert, das Fell des Bären zu teilen, der noch nicht geschossen ist, und wir weigern uns, im Reichstage den Bären zu schießen." Ja, dann mögen Sie doch ein anderes Jagdobjekt vorschlagen, oder Sie bestreiten, daß wir überhaupt eine Vorlage brauchen.

Das ist also die Frage, die uns künftig beschäftigen wird: die Frage des Bedürfnisses, und auf dem Felde erwarte ich Sie; es wird immer das dem Herrn Abgeordneten Richter so unangenehme Gespenst des preußischen Exekutors sein, welches uns auf diesem Felde immer wieder begegnen wird. Aber ich mache nur darauf aufmerksam: Wäre es nicht wirklich des Preußischen Landtags und des Reichstags würdig, daß, wenn Sie der jetzigen Regierung, die sich quält, Ihnen Vorlagen zu machen, jede Konzession verweigern, Sie endlich Ihrerseits einmal eine Andeutung machen, wohin Sie wollen? Geben Sie uns in dieser Richtung etwas, daß wir es tun, oder daß Sie sich vor dem Lande mit der Erklärung von der Verantwortlichkeit hinstellen: Wir halten die jetzigen Zustände so vortrefflich, wie Candide [14] die Zustände der Welt hielt, und wollen sie in Ewigkeit beibehalten und werden diesem Ministerium, so lange es regiert, nicht gestatten, daß es auf der erstrebten Bahn einen Schritt vorwärtskommt. Das wollen wir nur vor der Bevölkerung klarstellen. Der Wähler ist ja bisher über die Frage, wen er wählt und wofür, vollständig im Dunkel, er erfährt ja gar nicht, was hier verhandelt wird; er liest nur seine Presse, und da gibt jeder nur das, was seine Partei gesprochen hat, da herrscht die Agitation der Fraktionen, deren Interessen stehen voran, die Gründe der Regierung bleiben unerwähnt.

Der Herr Abgeordnete hat ferner mir eine Intention untergeschoben, die ich nicht habe und auch nicht kundgegeben, nämlich den Mißbrauch der Auflösung. Er hat gesagt, ich würde so lange auflösen, bis der Landtag zu Kreuze kriecht. Meine Forderung an den Landtag ist viel konstitutioneller; ich sage: Der König hat das Recht und wird von diesem Rechte so lange Gebrauch machen, ihn aufzulösen, bis der Landtag auf die Frage, die vom Könige vorliegt, eine Antwort mit Ja oder Nein gibt. Fällt diese Antwort mit Nein aus, so wird der König sich vor der Verfassung beugen und sagen: Sie haben das Recht, abzulehnen, und die Verantwortung für Ihre Ablehnung. Sie haben das Recht, abzulehnen oder zu bewilligen, ich

[14] Romanfigur Voltaires.

bedaure Ihre Ablehnung; aber wegen solcher wird man nicht wiederholt auflösen. Aber den Landtag, der Streik macht, wird man mit dem Beifall der ganzen Bevölkerung dauernd auflösen, und die Regierung hat ein Recht, die Meinung des Landes durch dessen Vertreter zu erfahren, und eine parlamentarische Versammlung, die aus Parteirücksichten, weil ihr die Besprechung der Sache unangenehm ist, weil sie fühlt, daß ihre Sache, die sie dabei vertritt, eine schwache ist, die deshalb die Diskussion totschweigen und verhindern will, die wird fünfzigmal aufgelöst werden können, ohne daß man konstitutionelle Prinzipien verletzt. Ein Recht auf Äußerung, auf „Ja" oder „Nein" haben wir; wir verlangen nur, daß geprüft wird. Sobald der Preußische Landtag seinerseits auch ablehnt, das habe ich ja schon gesagt, dann ist die Sache fertig, dann haben wir weiter nichts zu tun, und ich habe noch hinzuzufügen, daß mir persönlich das nicht unangenehm sein wird.

Der Abgeordnete hat ferner gesagt: „Woraus ist denn in Preußen der Konflikt entstanden? Aus der Schwäche einer liberalen Mittelpartei, die auf die Herresorganisation nicht eine direkte Antwort gegeben hat."

Das bestreite ich; der Konflikt ist entstanden dadurch, daß eine Mehrheit des Abgeordnetenhauses sich ihrerseits in Konflikt setzte mit dem Geist und Beruf der preußischen und deutschen Nation. *(Sehr richtig! rechts.)*

Die Tatsache war, daß der König mit seinen Vorlagen die nationale Sache vertrat, der König mit seiner Armeeorganisation, und daß der König lediglich aus parlamentarischer Machtlust, aus Parteitaktik bekämpft wurde. Dieselben Herren sagen, sie wären von Anfang an für das Deutsche Reich tätig gewesen, und sie hätten eigentlich das Verdienst, daß es überhaupt zustande gekommen, und sie hätten den Gedanken zuerst gehabt. Das letztere, die Priorität, ist einmal nicht da. Wer hat 1813 und 1815, in der ganzen Zeit seither, das Deutsche Reich nicht gewünscht? Vielleicht kaum ein reaktionärer Heißsporn, wie mir kaum einer bekannt ist; denn selbst ich, ehe ich durch die Erbitterung über die Barrikade aus 1848 beeinflußt wurde, kann doch viele Zeugnisse aus meinem früheren Leben dafür anführen, daß mir eine nationale Neubildung Deutschlands immer vorgeschwebt hat. Diejenigen Herren, die jetzt behaupten, sie hätten die bestehende Gestaltung gemacht, die haben stets fromme Wünsche in ihrem Herzen gehabt, ich habe mich praktisch ans Werk gelegt, diesem Wunsche Folge und Erfüllung zu bieten; Sie haben gerade das Gegenteil von dem, was für jeden praktischen und klaren Kopf notwendig war, getan, um die Neubildung des Deutschen Reichs herbeizuführen. Wer auch nur die Anfangsgründe der Politik je berührt hat, der mußte sich sagen, daß ohne die preußische Armee, und eine starke preußische Armee, der deutschnationale Gedanke sich gar nicht verwirklichen ließ, und ohne daß der König von Preußen ihn sich aneignete; und die Aufgabe lag nicht darin, Reden auf der Tribüne zu halten und zu überzeugten Leuten zu sprechen, sondern sie lag darin, die Zustimmung des Königs von Preußen zu den allein praktischen und durchschlagenden Maßregeln zu gewinnen und dem König von Preußen eine hinreichend starke Armee in die Hand zu geben, daß er sich zum Vollstrecker der nationalen Bedürfnisse machen konnte. Auf diesen Gedanken, meine Herren, ist keiner von Ihnen gekommen; jeder von Ihnen hätte 1862 an meiner Stelle Minister werden und beim Könige vielleicht noch bessere Aufnahme finden können, als ich, da damals der Herr mich für zu reaktionär hielt, um mir das volle Vertrauen sofort in die Hand zu geben. Aber wer von Ihnen hat überhaupt irgend nur einen Gedanken in der Richtung geäußert? Wer hat den Wunsch ausgesprochen, Preußen soll eine starke Armee haben? Sie haben gesucht, diese Armee zu zerbröckeln, zu untergraben *(Widerspruch links)*, zu einer Miliz zu machen, mit einer zweijährigen Dienstzeit und einer noch kürzeren; wenn wir forschen in den damaligen Reden, werden wir die Berufung auf amerikanische Zustände finden, auf die Miliz. Glauben Sie denn wirklich, daß man damit das hätte machen können? Sie sind damit auf dem Holzwege gewesen und haben gerade am unrechten Ende die Sache angefangen; das, was Ihnen helfen konnte, die preußische Armee, haben Sie bekämpft und unterdrückt, Sie haben den Offizier gehaßt und angefeindet. Ich erinnere an die Zeit von Sobbe und Putzki und dergleichen Erscheinungen, wie die Presse dergleichen Sachen eifrig aufnahm, wie sie die Vergehen einzelner dem Stande zur Last legte. Lesen Sie die Presse von damals; wie ist die Armee verhöhnt worden, die allein der Träger des nationalen Gedankens schließlich geworden und geblieben ist! Es war damals immer die Rede vom Professor und Presse auf der einen Seite und Armee auf der anderen Seite, und das erste, was man bei meinem ersten Auftreten als Minister von mir sagte, was mir sehr schmeichelhaft war, man sagte mir: dem sieht man auf den ersten Blick an, der ist nichts wie ein preußischer Offizier in Zivil. Ich habe das Anerkenntnis dankend angenommen, und das Gefühl als preußischer Offizier, wenn ich auch nur die äußerlichen Kennzeichen davon habe, trägt mich noch höher auf der Woge der nationalen Bestrebungen, der Vaterlandsliebe, als irgendeine parlamentarische Attribution, die ich hier ausübe. *(Bravo! rechts.)*

Ich muß nach der Reihenfolge des Leitfadens gehen, den ich hier habe.

Da wird gesagt: „der Reichskanzler war nicht immer gegen die Fraktionen.“ Ja, meine Herren, das kommt sehr auf die Fraktionen an. Gegen

die Fortschrittsfraktion, das Zeugnis muß mir doch der Herr Abgeordnete geben, bin ich seit zwanzig Jahren so stetig wie eine Magnetnadel immer gewesen, und die Gefahr, die uns von seiten der Fortschrittspartei, von seiten dieser in ihrem Herzen streng royalistisch-republikanischen, unbewußt republikanischen ... *(Oho! links.)* Ja, meine Herren, Sie kennen sich selbst nicht, das ist aber doch die erste politische Regel. *(Heiterkeit.)*
Sie kommen notwendig dahin. Die Leute zur Zeit Mirabeaus haben auch nicht geglaubt, zur Republik zu kommen, und ich weiß noch mehr fremde Staaten, wo die Machthaber der Radikalen es heute noch nicht glauben und den Gedanken mit Entrüstung zurückweisen; Sie werden es vielleicht noch erleben, daß auch in anderen Ländern das noch vorkommt. Was die geschichtliche Entwicklung und Beobachtung anlangt, können Sie meinem Urteile immer einigen Glauben schenken, wenn ich auch hier in Deutschland nie auf das Maß von Vertrauen Anspruch machen werde, was man mir im Auslande schenkt.
Also es kommt immer auf die Fraktionen an. Ich bin nur gegen den Gedanken, daß die Fraktion etwas anderes sei als das Instrument und der Weg, sein patriotisches Interesse für die Gesamtheit zu betätigen, und daß die Fraktion jemals Selbstzweck wird, und ich habe die Befürchtung ausgesprochen, daß wir auf dem Wege sind, daß der Fraktionsgedanke den Reichsgedanken verdunkelt, daß wir die allgemeinen Gesichtspunkte aus den Augen verlieren, hauptsächlich wegen der deutschen Eigenschaft: der Korpsgeist, wie wir ihn auf den Universitäten haben, daß der Kampfeszorn zwischen den verschiedenen rivalisierenden Parteien zu heftig geworden ist. Gerade so, wie wir in Deutschland sehr viel Schwierigkeiten haben, Zwistigkeiten zwischen den Regimentern einer Garnison zu verhindern, die verschiedene Uniform oder nur verschiedenes Lederzeug tragen — wer Soldat gewesen ist, weiß, daß der Deutsche sofort bereit ist, *bande à part* zu machen und mit großer Erbitterung gegen den Partei zu nehmen, der nicht dieselben Knöpfe an der Uniform trägt, der dem Vaterlande auf eine andere Weise zu dienen glaubt, wie er selbst. Die Zwecke der Fraktionen bekämpfe ich ja gar nicht, nur die zornigen Auslassungen, die es nicht zulassen, eine Verständigung untereinander herzustellen — ich kann eine Verständigung nicht zustande bringen.
Der Herr Vorredner sagt ferner:

„Wir sind fest und einig, weil unsere Wähler es sind; die Mehrheit in den Fraktionen ist nicht bestimmend, wenn der Wahlkreis anders denkt."

Ja, meine Herren, wie denkt der Wahlkreis? Das ist sehr schwer zu bestimmen, dann müßte der ganze Kaukus — diese ganze Kaukuserfindung ist es ja, was jetzt die englischen Wahlen beherrscht und in unseren Wahlen mehr und mehr herrschend wird: da bildet sich eine Assoziation, die die Fäden der Presse, des Vereinswesens und der Korrespondenz dergestalt in den Händen hat, daß es in jedem Wahlzentrum eine Anzahl von Vertrauensmännern und Organen gibt, die von demselben Hauptzentrum bedient und geleitet werden, und wo sofort per Telegraph die Parole ausgegeben werden kann, und wenn in irgendeiner Stadt — ich will jetzt einmal von England sprechen — also von dreißig bis vierzig Kaukusassozierten eine Parole, ein Name ausgegeben wird und jeder für einen Einfaltspinsel und Feind gehalten wird, der etwas anderes will, dann sind vierzig Menschen, wo außer ihnen sich keine drei gegenseitig verständigt haben, ein ganz kompaktes Bataillon, die ergreifen nun Besitz von der Position, mehren sich schnell, und man getraut sich schwer, gegen sie aufzukommen; es ist gewissermaßen eine Besatzungstruppe, die in jeder Wahlfestung von einer bestimmten Partei unterhalten wird und mit der man durch Telegraph und Presse in Verbindung steht, und die sofort imstande ist, sobald der Wahlkriegszustand in diesen Wahlorten erklärt wird, vierzig oder hundert Mann stark geschlossen, nach einem bestimmten Befehl laut und sicher aufzutreten. Mit diesen Kaukusstimmen — wer das kennt, der lacht darüber, wenn er nachher von dem Willen der Nation, von den Stimmungen in den Wahlkreisen hört: nur ein Kaukusassocié wird unter Umständen den anderen aus dem Sattel heben, und dieses Ausdemsattelheben des Gemäßigten durch den Weitergehenden liegt in der natürlichen Entwicklung der Zukunft.

Also, wenn der Herr Abgeordnete Bamberger zum Beispiel hier im Namen der Nation sprach, wenn der Herr Abgeordnete Richter sagte, das Volk selber schließt sich immer mehr zusammen zu einem Ring, so möchte ich doch die Frage stellen: Was hat denn der Herr Abgeordnete Bamberger für ein Recht, im Namen der deutschen Nation zu sprechen, und was hat der Herr Abgeordnete Richter mehr Recht als ich, im Namen der deutschen Nation zu sprechen? Den Herrn Abgeordneten Bamberger möchte ich bitten, einmal einen Rückblick auf unsere Vergangenheit zu werfen. Wir sind beide — ich im Jahre 1847 und er im Jahre 1848 in die Öffentlichkeit der Politik getreten. Ich will die Tür, durch die wir eintraten, hier ganz außer Betracht lassen, ich rechte mit der Vergangenheit nicht. Seitdem hat der Herr Abgeordnete einen erheblichen Teil seiner Vergangenheit in Paris zugebracht. Soviel ich weiß, liegt seine Auffassungsweise noch mehr domiziliert in jener großen Hauptstadt an der Seine, als bei uns; der Herr Abgeordnete Bamberger würde, wenn das in Frankreich zulässig wäre, jedenfalls *sujet mixte* sein. Und was hat der Herr Abgeordnete Bamberger in der Zeit praktisch zur Förderung unseres

Nationallebens überhaupt getan? Blicken wir auf die dreißig Jahre zurück, was der Herr Abgeordnete Bamberger seitdem gesprochen und geschrieben hat, und was ich seitdem geleistet habe, und dann glaube ich, werden Sie finden, ich bin berechtigt zu der Behauptung, daß ich, der deutsche Reichskanzler, der ich nach dem Willen des Kaisers bin, mehr Recht habe, im Namen der deutschen Nation zu sprechen, als Herr Bamberger. Wenn ich nicht durch meine Eigenschaft als Mitglied des Bundesrats behindert wäre, so zweifle ich nicht, daß mir ein Wahlkreis in diesem Lande eröffnet würde, und daß ich dann gerade im Namen der deutschen Nation und des Wahlkreises sprechen könnte. *(Sehr richtig! rechts.)*

Jetzt, wo ich bloß den Kaiser, meinen Herrn, und die verbündeten Regierungen und, wie ich glaube, eine gewisse Sympathie habe, deren Teilnehmer nach Köpfen noch stärker ist, als die Majorität, die der Herr Abgeordnete Bamberger bei der Wahl gehabt hat: wenn wir alle die auszählen könnten, die ich für mich hätte, so glaube ich doch, daß ich mehr Anspruch darauf habe, mich für einen Vertreter, ich will nicht sagen, für den Vertreter der deutschen Nation zu halten, als jemand, der mit einer schwachen Majorität aus irgendeinem Wahlkreis hervorgegangen ist. Wenn ich der deutschen Nation widerstrebte, dann wäre ich nicht so lange in dieser Stellung, es würde mich wie der Sturmwind hinweggefegt haben; also diesen meinen Anhalt am deutschen Volke wird mir der Herr Abgeordnete Bamberger nicht nehmen, und sein Baum auf dem Boden wächst nicht an die erste Zweigteilung des meinigen heran.

Der Herr Abgeordnete Richter hat ferner gesagt: „Uns fesselt wahrlich nicht Ehrgeiz an diesen Platz; es gibt viele, die in ihrem Berufe schwere Opfer bringen." Findet das nun Anwendung auf alle diejenigen, deren Beruf hauptsächlich in der Tätigkeit in der Presse besteht? Von denen bestreite ich, daß sie irgendein Opfer bringen, im Gegenteil, je länger die Sitzung dauert und je lebhafter sie daran beteiligt sind, desto mehr sind sie in der Lage, sich zugleich mit ihrem Beruf zu befassen und ihn mit mehr Erfolg, mit verdoppelten Kräften und verstärktem Kapital zu betreiben. Allerdings für eine große Anzahl unter uns, für alle diejenigen, die auch dann noch, wenn sie aufhören, Abgeordnete zu sein, Geschäfte haben, die ihnen am Herzen liegen, die zur Erhaltung ihres Lebensstandes erforderlich sind — für die ist es außerordentlich hart, ist es ein großes Opfer, und ich bedauere, daß wir genötigt sind, das zu fordern. Wir würden es in viel geringerem Maße fordern, wenn wir etwas mehr — ich will nicht sagen Entgegenkommen, sondern etwas mehr Offenheit, Aufrichtigkeit und Schnelligkeit im Arbeiten fänden, daß man uns einfach Ja oder Nein sagt, zu früherer Zeit, daß man uns nicht hinhalten möge durch die Tatsache, daß man statt der Vorlagen immer das Ministerium persönlich bekämpft, ohne es vor einer großen Anzahl der Wähler offen eingestehen zu wollen. Es wird keine Rede gehalten, auch selbst von dem Herrn Abgeordneten Bamberger nicht, wo nicht am Schluß eine Anerkennung für mich kommt über meine außerordentlichen Verdienste; das glaubt er seinen Wählern schuldig zu sein. *(Heiterkeit.)* Aber dann kann er um so schärfer und mit um so giftigeren Pfeilen mich angreifen; denn er ist ja mein Freund, mein Bewunderer. Er hat ein Buch über mich geschrieben im Jahre 1867, auf das ich stolz bin. Also er ist viel mehr in der Lage, von dieser Stellung aus mich herabzusetzen in der Öffentlichkeit, indem er immer sagen kann: Ich erkenne ja seine Verdienste an. Aber hier findet wirklich das statt, was der Herr Abgeordnete Richter an irgendeiner Stelle, die ich nicht finde. gesagt hat, ich sollte einmal behauptet haben, daß man wahnsinnig sein müsse, um das Geld ... *(Zuruf links: Minister Lucius)* oder Minister Lucius, nun gut, das ist mein Kollege. Aber vergegenwärtigen sich denn die Herren nicht, daß, wenn Sie das *au pied la lettre* nehmen, da die Zustimmung der Abgeordneten zur geschehenen Verwendung vorliegt, daß Sie damit denselben Vorwurf der Geisteskrankheit auf die Majorität werfen, die dieser Verwendung zugestimmt hat? Das kann unmöglich in Ihrer Absicht liegen. Herr Lucius kann nur Verwendungen gemeint haben, die willkürlich gemacht würden, ohne Zustimmung gemacht würden. Bloße Vorschläge, bloße Einwilligung in die Beschlüsse des Abgeordnetenhauses über die Verwendung der Gelder können mit dem Worte unmöglich gemeint sein.

Der Herr Abgeordnete Richter hat ferner gesagt, ich hätte die Sprache des Absolutismus gesprochen. Ja, meine Herren, das ist nicht zutreffend; aber ich würde, wie ich schon bei früheren Gelegenheiten gesagt habe, keinen Augenblick anstehen, die Sprache des Absolutismus zu reden, wenn ich mich überzeugen müßte — wovon ich bisher nicht überzeugt bin — daß Absolutismus und Patriotismus übereinstimmend sind, daß die deutsche Nationalität, die deutsche Unabhängigkeit nach außen und nach innen Schutz und Würdigung nur bei den Dynastien findet, und namentlich bei meinem Herrn, dem König von Preußen. Kurz und gut, wenn ich optieren müßte zwischen meinem Vaterlande und der parlamentarischen Majorität, so kann meine Wahl niemals zweifelhaft sein. Ganz abgesehen davon — soweit ich es hier ausspreche, glaube ich es jedem zum Muster empfehlen zu können, daß er zwischen Patriotismus und Liberalismus nie zweifelhaft sein sollte in der Wahl — wenn ich in meinem innersten Gefühl unter Umständen noch weiter gehe und wenn ich entschlossen bin, selbst mit einem Unrecht habenden Monarchen, wenn er mein angestammter Herr ist, auch dann zugrundezugehen, wenn er im Unrecht ist — das

ist meine ganz persönliche Liebhaberei, die will ich niemand empfehlen. Ich vertrete auch amtlich die Sache nur soweit, daß ich sage, es ist traurig genug, wenn in der Überzeugung eines Mannes, der so in Geschäften steckt wie ich, und der, wie ich glaube, ein ruhiges Urteil darüber sich bewahrt hat, schließlich die Worte „Absolutismus" und „Patriotismus" näher verwandt werden, als verfassungsmäßig wünschenswert ist.
Der Herr Abgeordnete sagte schließlich: „Da war es die Nation, da waren es Männer auf der liberalen Seite zumeist, die im Widerspruch mit den Dynastien den deutschen Gedanken lebendig erhielten." Ja, meine Herren, lebendig erhielten wie im Käfig, wie man einen Vogel, einen Spatz im Käfig hält oder einen Papagei. Man hat darüber gesungen, Schützen- und Turnfeste gehalten, so war der Gedanke lebendig. Wer aber hat für den Gedanken gewirkt und gearbeitet, wer hat den Entschluß gehabt so wie ich — ich habe es schon einmal auf dieser Stelle gesagt — so wie ich es im Jahre 1862 getan habe, daß ich meine ganze Lebensexistenz und nach den Behauptungen der damaligen fortschrittlichen Blätter vielleicht meinen Kopf — es gingen die Redensarten von Strafford und Polignac — einsetzte, um die Möglichkeit zu haben, die Zustimmung des Königs von Preußen zu einer nationalen deutschen Politik zu gewinnen? Und auf der anderen Seite wollte ich meinem Herrn, der sagte: Ich weiß niemand, wollen Sie mir auf jede Gefahr hin dienen? — meine Dienste nicht versagen. Ich habe damals Mitwirkung gesucht, ich habe Vertreter gesucht, ich fand keine. Warum haben die Herren, die den deutschen Gedanken so tief im Herzen tragen und von Geburt an gepflegt und gehegt haben, aber heimlich, recht heimlich, ohne etwas dafür zu riskieren *(Zuruf links)*, warum sind Sie damals nicht hervorgetreten? Was haben Sie riskiert? *(Ruf: Gefängnis, alles!)* Das war wohl nicht für den nationalen Gedanken, das wird wohl andere Gründe gehabt haben. *(Heiterkeit.)* Ich will niemand unrecht tun, ich weiß solche, die wirklich für den nationalen Gedanken gelitten haben; man braucht nur an die Burschenschaft zu denken, und an einige, die in irrtümlicher Auffassung der Mittel, weil ihnen das Verständnis für die politische Situation fehlte, anstatt zu suchen, eine hinreichende Armee in Deutschland zu schaffen, dieses Mittel in ihrer schwachen Faust und auf der Barrikade suchten. Das kann jedem passieren, und für die habe ich keine Ranküne, die habe ich nicht nennen wollen; ich bedaure, daß ihnen das Unglück passiert ist. Aber ich habe eine sehr angenehme Stellung vollständig aufs Spiel gesetzt, und wenn beispielsweise die innere Kampagne gegenüber der Fortschrittspartei mißglückt wäre, wenn man mich fallen ließ, ich weißt nicht, was aus mir geworden wäre. Das hatte man mir jedenfalls zugesichert, daß von meinem Vermögen nichts übrigbleiben

würde; man hatte sogar mit Zuchthausstrafe gedroht. Das ist die Aussicht, die mir in fortschrittlichen Blättern gestellt wurde. Aber nehmen Sie bloß an: Wenn wir im Kriege Unglück gehabt hätten; außer mir hat niemand riskiert, einen Krieg zu fördern, und aus dem er nicht kommen durfte, wenn der Krieg fehlschlug; und das hing nicht von mir ab, ob er fehlschlug.

Ich bin sehr selten geneigt gewesen, eine *oratio pro domo* zu halten; aber wenn der Herr Abgeordnete Richter mir gegenüber als Rivale in den Verdiensten für Schaffung des Deutschen Reichs und des nationalen Gedankens auftreten will, da muß auch ich in dem Sinne sprechen und ihm einfach sagen: Da kommen Sie nicht mit mir mit. *(Lebhaftes, andauerndes Bravo! rechts. Zischen links.)*

Nach der Erklärung des Abg. Bamberger, er trete nur deshalb in Opposition zum Kanzler, weil er befürchte, daß dieser alles von ihm selbst Erreichte mit seiner Politik wieder zerstöre, fährt Bismarck fort:

Ich will zuerst gegenüber der Behauptung des Herrn Abgeordneten Richter, daß in Amerika kein Kornzoll existierte, anführen, daß ich mir inzwischen den amerikanischen Tarif habe geben lassen, und derselbe enthält unter Roggen den Satz: per Bushel 15 Cent; das ist etwa am Roggen berechnet meiner Annahme nach 50 Pfund, das macht also auf den Zentner 30 Cent, 30 Cent sind etwa ein Drittel eines Dollars, der hat 4 Mark und etwas darüber, also es ist der Schutzzoll, der auf Roggen in Amerika lastet, mehr wie 1 Mark per Zentner gegen unsere halbe Mark, und der Abgeordnete Richter wird mir danach zugeben, daß er irrtümlich seine Behauptung aufgestellt hat.

Dann unter Weizen steht: per Bushel 20 Cent; das macht nach meiner Rechnung auf den Doppelzentner Weizen etwa 3,25 Mark, also auf den einfachen 1,62 Mark. Ich habe also vollständig recht gehabt, zu behaupten, daß in Amerika der Schutzzoll erheblich höher ist als bei uns, und der Abgeordnete Richter wird vielleicht selbst Neigung haben, seine Angabe zu berichtigen.

Der Abgeordnete Bamberger nötigt mich, auf einige Angriffe, die doch auch wiederum den Gegenstand viel weniger treffen als meine Person, zu antworten. Da muß ich ihm zuerst allerdings zugeben, daß mir mitunter die Zeit fehlt, alles zu hören und auf alles zu antworten. Auch selbst, wenn ich ganz gesund wäre, würde sie mir fehlen, denn ich habe nicht nur Nebengeschäfte außer den parlamentarischen, sondern mein eigentlicher Beruf ist gar nicht der parlamentarische. Wenn ich als Reichskanzler hier erscheine, so ist meine Legitimation ziemlich zweifelhaft. Ich habe als preußischer Bevollmächtigter ein Recht, hier zu erscheinen, aber doch durchaus nicht die Pflicht; es ist ein freiwilliger Dienst, den ich der gegenseitigen Verständigung leiste, wenn ich überhaupt hierher komme und mit Ihnen diskutiere; ich habe eine verfassungsmäßige Verpflichtung dazu nicht; und wenn der König von Preußen sein Gewicht von dem Reichsboden mehr als bisher zurückziehen wollte, dann brauchte er bloß seinen Vertretern im Bundesrate zu empfehlen, im Reichstage nicht mehr zu erscheinen und nicht mehr zu diskutieren. Das wäre nicht verfassungswidrig, denn wir haben keine Verpflichtung. Ich vertrete hier auch nicht meine Ansichten, sondern die Beschlüsse des Bundesrats, der *per majora* beschließt. Ich prästiere also *diligentiam* recht erheblich, wenn ich diese Lücke der Verfassung überhaupt decke mit meiner Bereitwilligkeit, hier einzutreten; aber es wird auch der Anspruch, der an mich gestellt wird, dadurch übertrieben, daß viel zu wenig sachlich diskutiert wird *(Lachen links)*, sondern jede Einwendung damit anfängt: „Der Herr Reichskanzler hat gesagt." Hätte er nun die größte Torheit gesagt, so ändert dies, wie ich schon öfters bemerkt habe, in der Sache gar nichts; man greift immer viel mehr meine Person an, meine Tendenz, meine Politik, man bleibt nicht bei der Sache; meine Person wird also künstlich herangeholt, weit über das Maß hinaus, was berechtigt ist, und dem Rede zu stehen ich verpflichtet bin. Es handelt sich hier darum, ob Vorlagen, die ich bringe, zweckmäßig sind, aber nicht darum, ob ich überhaupt ein brauchbarer oder wünschenswerter Minister bin oder nicht. Die Herren weichen immer ab von der Sache *(Lachen links)*, ebenso wie früher ein Preußischer Landtag. Es tönt mir die Stimme des Herrn Abgeordneten Virchow noch in den Ohren: „Der Herr Ministerpräsident hat gesagt"; anders hat er nie einen Satz angefangen. Was ich gesagt habe, war unter Umständen ganz gleichgültig. Wenn er gesagt hätte: die Vorlage, dann hätte ich das zugegeben. Es ist erstaunlich, wie oft mein Name angeführt ist; er ist ganz gleichgültig, es ist hier von keiner Politik des Reichskanzlers die Rede, sondern ich vertrete die Beschlüsse des Bundesrats, und wenn Sie sachlich bleiben wollten, müßten Sie sagen: Die verbündeten Regierungen haben die Vorlage gemacht — so müßten Sie mich aus dem Spiel lassen. Aber meine Person reizt Sie, meine Art zu sprechen reizt Sie, ich bleibe Ihnen zu lange an dieser Stelle. Das begreife ich ja, andere wollen ja auch einmal heran; aber lassen Sie mich doch Ihre Verstimmung nicht entgelten, denn ich habe Ihnen ja ausdrücklich gesagt: Es ist nicht mit meinem Willen, daß ich bleibe. Ich würde Ihnen sehr gern Platz machen, ich würde mich außerordentlich freuen, Sie operieren zu sehen. Wenn Sie meine Person mehr aus dem Spiele ließen, dann würden Sie dieser Häkeleien, auf die ich genötigt bin zu reagieren, überhoben sein, würden außerordentlich viel

Zeit gewinnen, und die Sachen würden dadurch nur gewinnen. Ich muß schließlich lediglich im Interesse des Geschäftsganges mich damit vertraut machen, daß ich überhaupt hier wegbleibe; denn ich wirke gewissermaßen, wie das rote Tuch — ich will den Vergleich nicht fortsetzen — *(Heiterkeit)* ich habe früher gesagt, wie der Auff, der Uhu in der Krähenhütte: sowie ich komme ist etwas los. Der Herr Abgeordnete Lasker hat gesagt: „Der Reichskanzler wird eine große Aktion machen." Ich hasse große Aktionen und bin vergnügt, wenn ich dessen überhoben bin.

Der Herr Abgeordnete Bamberger hat gesagt, mein ganzes System sei falsch. Ja, diese Überzeugung ist vollständig gegenseitig, es ist eine *petitio principii*; ich halte das System des Herrn Abgeordneten Bamberger von Grund aus falsch und das der ganzen Fortschrittspartei; ich halte den ganzen Freihandel für falsch. Also mit dieser allgemeinen Behauptung, daß wir unser System gegenseitig für falsch halten, kommen wir nicht weiter, das ist eine ganz selbstverständliche Sache. Ich glaube, Sie sind im Irrtum, und Sie glauben, ich bin im Irrtum, und wir plädieren jeder für seine Sache vor der Nation, nicht vor der Nation, die der Herr Abgeordnete Bamberger meint zu vertreten, sondern vor der Nation, wie sie in den nächsten zehn Jahren schließlich wählen wird. Meine Politik reicht weiter als bis zu den nächsten Wahlen; wenn ich mich darauf hätte beschränken sollen, wenn ich die nächsten Wahlen hätte befürchten sollen, hätte ich mich auf Politik nicht eingelassen. Ich bin gewohnt, mit weiteren Perioden in der Politik zu rechnen, als mit der einer Reichstagssession.

Der Herr Abgeordnete Bamberger hat behauptet, ich hätte das Schutzzollsystem und das Monopol aus Frankreich genommen. Es ist nicht unsere Schuld, sondern die Schuld der Geschichte, daß uns Frankreich, weil es früher zu einem einheitlichen Staat gekommen ist, weil es früher seine Unabhängigkeit gehabt hat und eine freiere Anwendung und Bewegung seiner Gesetzgebung auf eine große Nation, was uns ja bis vor kurzem vollständig gefehlt hat, daß Frankreich uns in manchen Beziehungen in der geschickten und wohltuenden Behandlung einer Nation durch die Gesetzgebung einen Vortritt abgewonnen hat. Wollen wir uns nun deshalb, weil Frankreich das Monopol hat, auf den Standpunkt des Herrn Bamberger stellen, daß wir von dergleichen nichts wissen wollen? Ich lerne sehr gerne, ich lerne auch vom Herrn Abgeordneten Bamberger sehr gerne, ich behaupte nicht, ausgelernt zu haben, aber den Schutzzoll haben wir von daher nicht geholt. Wir haben ihn unter Friedrich dem Großen in sehr hohem Maße gehabt, wir haben ihn zur Zeit des alten Zollvereins — der Tradition, auf die man sich so gerne beruft — in dreifach höherem Maße gehabt, und der Versuch, uns davon loszusagen, ist ein ganz neues

Experiment, was vor 15 oder 20 Jahren seinen Anfang genommen hat, und was sich nicht bewährt hat, weil es uns nahe an den Hungertod und an die Auszehrung gebracht hat. Alle Nationen, die Schutzzölle haben, befinden sich in einer gewissen Wohlhabenheit, und auch Frankreich, was an dieser angeblich aushungernden Krankheit seit Jahrhunderten und länger, seit Colbert, leidet — wir finden, daß es prosperiert, daß es trotz seiner ungeheuren Verwüstungen, die durch innere Revolutionen und Kriege entstanden sind, doch eine sehr reiche Nation ist, von der es schon im vorigen Jahrhundert zweifelhaft war, zur Zeit des Siebenjährigen Krieges, ob Frankreich oder England reicher wäre, und die noch heute die ungeheuren Kosten ihrer Revolutionen und Kriege mit einer Sicherheit ertragen kann, wie sie die, die unserige weit übersteigende, Militärlast mit einer Freudigkeit trägt, die uns zum Beispiele dienen sollte.

Was hat Amerika für große Geschäfte gemacht finanziell und wirtschaftlich von dem Augenblick an, wo es den doppelten, fünffachen, zehnfachen unserer Schutzzölle eingeführt hat, wo es überhaupt das Prinzip verfolgt, seine Gesetzgebung nur für den Schutz der Amerikaner zu machen! Amerika ist reich geworden, bezahlt seine großen Schulden von den inneren Kriegen in einem Maße ab, dessen Ziffern auf uns einen unwahrscheinlichen Eindruck machen, aber doch richtig sind.

Unsere übrigen Nachbarn steigern ihre Zölle; Rußland würde ohne seinen Schutzzoll schon lange nicht in der Lage sein, seine Finanzen in der bisherigen Höhe zu halten, und es ist eine große Ungerechtigkeit, wenn uns die Tatsache immer vorgehalten wird, daß England seinen Schutzzoll abgeschafft hat, nachdem er ihm die hinreichenden Dienste getan hat. England hat die stärksten Schutzzölle gehabt, bis es unter deren Schutz so erstarkt war, daß es nun als herkulischer Kämpfer heraustrat und jeden herausforderte: Tretet mit mir in die Schranken! Es ist der stärkste Faustkämpfer auf der Arena der Konkurrenz, es wird immer bereit sein, das Recht des Stärkeren im Handel gelten zu lassen. Das Recht des Stärkeren gibt aber der Freihandel, und England ist durch sein Kapital und durch die Lager von Eisen und Kohlen, durch seine Häfen der Stärkste im Freihandelsfaustrecht geworden; aber doch nicht allein durch seine günstige geographische Lage, sondern nur dadurch, daß es so lange, bis seine Industrie vollständig erstarkt war, ganz exorbitante Schutzzölle dem Auslande gegenüber hatte. Nun ist es stark genug und sagt zu den anderen: „Nun kommt her, mit uns frei zu streiten; Ihr werdet doch nicht so töricht sein, Ihr werdet doch Euer Geld unseren Produkten opfern." Das zauberische Wort „Freiheit" wird als Kampfruf an die englische Überlegenheit geknüpft, und mit dieser Maske werden unsere Freiheitsschwärmer an die

Aushungerung und Ausbeutung durch den ausländischen Handel gekirrt. Ich hatte lange Zeit nicht die Möglichkeit gehabt, dieser Frage näher zu treten, und ich habe nicht mehr Einsicht wie andere Leute; ich hatte früher anderes zu tun und habe anderen nachgebetet, bis ich durch das Austreten des Herrn Ministers Delbrück gezwungen wurde, mich selbst um die Sache zu bekümmern; da habe ich gefunden, daß ich im Irrtum war. Das war ja auch nicht mein Hauptgeschäft.

Der Herr Abgeordnete Bamberger hat ferner die rhetorische Form gebraucht, mich und meine sachlichen Motive abzuwehren, indem er mich einer ungerechten persönlichen Verletzung — er hat sogar das Wort „Verdächtigung" gebraucht — angeklagt. Es ist ja das leicht, sich in den Mantel der gekränkten Unschuld zu hüllen, wenn man sachlich nichts zu sagen weiß. Ich bestreite aber, daß ich mit irgendeinem Wort den Herrn Abgeordneten verdächtigt habe, daß ich behauptete, er habe persönliche Motive — den Ausdruck hat er gebraucht; es hat mir vorgeschwebt, daß das vielleicht eine Reminiszenz von vor einigen Tagen gewesen ist, die ihm gekommen ist, wobei ihm die Rede des Herrn v. Ludwig und die meinige in einer Verschwommenheit vorgeschwebt haben, die sonst eigentlich nicht berechtigt ist, und ich bestreite, daß Herr Bamberger irgendwie von mir einen Anlaß bekommen hat, die Dürftigkeit seiner sachlichen Gründe mit dem Mantel der sittlichen Entrüstung, des persönlichen Gekränktseins zu decken. Ich habe ihn nicht gekränkt und nicht die Absicht gehabt, ihn zu kränken, es hat mir das sehr ferngelegen. Ich habe nur behauptet, daß, wenn er, wie er es getan hat, im Sinne der deutschen Nation zu mir spricht als Vertreter eines Wahlkreises mit, ich weiß nicht, welcher Majorität, wo eine Menge andersdenkender Leute daneben stehen, daß das keine berechtigte Position ist, auf Grund deren er mir, wenn er nicht sachlich widerlegt, widersprechen kann; daß ich die Nation ebensogut vertrete, wie er, meiner Meinung nach, was er mir *implicite* auch zugegeben hat. Eine persönliche Kränkung liegt darin nicht. Ich habe ihm nicht, wie er behauptet, die persönliche Achtung versagt, ich habe nur die Tatsache angeführt, daß er vermöge seiner langen ausländischen Beziehungen vielleicht noch weniger verwachsen und vertraut ist mit den deutschen Verhältnissen, wie ich, der ich von Kindheit an nie im Auslande gelebt habe. *Sujet mixte* — darin liegt auch gar keine Kränkung; wir haben eine erhebliche Anzahl von *Sujets mixtes* zwischen uns und Österreich, die zu den angesehensten Leuten gehören. Ich habe nur gesagt, wenn Frankreich überhaupt *Sujet mixtes* zugäbe, so würde Herr Bamberger, so viel ich seine sonstigen Verhältnisse kenne, vielleicht vorgezogen haben, die Annehmlichkeiten, auch in Paris Bürgerrecht zu haben, sich zu wahren. Darin liegt kein Vorwurf; wenn ich in seiner Lage wäre, würde ich vielleicht dasselbe tun.

Der Herr Abgeordnete hat immer nachher im Sinne der Majorität gesprochen, die mir gegenübersteht. Meine Herren, wo ist denn die Majorität? *(Heiterkeit rechts. — Zurufe links! Tabakmonopol! Zollnovelle!)* Die Majorität, die zuletzt eine entscheidende Einwirkung hier geübt hat, hat in der Zollfrage gesprochen, und unter den Beschlüssen dieser Majorität leben Sie, und wenn Sie die anfechten, so treiben Sie Reaktion gegen *rite* gefaßte Beschlüsse des Reichstages, so sind Sie die Reaktionäre, die unsere jetzige Zollgesetzgebung anfechten. Sie wollen zu dem früheren Auszehrungs- und Schwindsuchtssystem zurückkehren. Aber jetzt, wo haben Sie denn eine Majorität, hat sie Herr Bamberger oder der Fortschritt? *(Zuruf links.)* — Sie wird schon kommen, sagen Sie? Ja, meine Herren, da würde ich mich herzlich darüber freuen, und dann werde ich mit voller Überzeugung und freudigem Abwarten das Heft in Ihre Hände zu legen dem Könige raten; dann wollen wir einmal sehen, was Sie können. *(Heiterkeit.)* Dann werden sich also die Verhältnisse der „Neuen Ära" und von 1848 wiederholen; es fragt sich nur, wie lange es dauert, wie viel Unglück wir in der Zeit erleben werden. Ich verstehe den Zuruf: „Es wird schon kommen", so; nun, da erwarte ich Sie.

Der Herr Abgeordnete hat mir vorgeworfen, als ob ich Zwietracht zwischen den Fraktionen stifte. Wie sollte ich das anfangen? Ich habe immer nur meine Überzeugung vertreten; ich habe manchmal bei der einen Fraktion, manchmal bei der anderen Unterstützung gefunden. Sollte ich etwa mein Bestreben für die Einigkeit unter den Fraktionen dadurch betätigen, daß ich die Sezession verhinderte, und die alte große Partei erhielt? Dazu bin ich nicht mächtig genug. Hätte Herr Bamberger mich persönlich gefragt, so hätte ich ihm schon früher geraten, auszutreten, und hätte im Interesse der Einigkeit der nationalliberalen Partei empfohlen, diejenigen, die vorher austraten, die jetzt keine Fraktion gebildet haben, zu resorbieren; ich würde im Interesse der Einigkeit tätig gewesen sein. Ich hätte ferner dem Herrn Abgeordneten im Interesse der Konsolidierung der Parteien geraten, nicht eine Mittelpartei zu bilden, sondern einfach der Fortschrittspartei beizutreten, der er meiner Überzeugung nach angehört. Die Unterschiede, die Sie von dort trennen, sind so minimal, daß schon im Interesse der vielen überwiegenden Punkte, die Ihnen gemeinschaftlich sind, meines Erachtens Sie dieselben vergessen könnten. Wir werden vielleicht mit der Zeit dahin kommen, immer kleinere Fraktionen zu bilden, weil ein jeder, dem eine Fraktion zu groß ist für seine Geltung darin, gleich Sezession macht, weil er lieber mit Caesar der erste in Korfinium (glaube ich) sein will, als in Rom der zweite. Im Interesse der Einigkeit gebe ich den Herren noch heute den Rat, sich mit der Fortschrittspartei zu vereinigen; dann ist die Mannigfaltigkeit der Strahlenbrechung wenigstens um eine vermindert.

Der Herr Abgeordnete hat ferner den Ausdruck „Moloch" bemängelt. Moloch ist ein Götze, der mit einem gewissen Fanatismus angebetet wird; das muß man aber nicht buchstäblich nehmen. Ich nenne „Moloch" heutzutage in der Politik den Dienst einer bestimmten schädlichen Richtung, die mit einem gewissen Fanatismus betrieben wird, so wie vom Cobdenklub ein jeder als Feind oder Narr behandelt wird, der nicht beistimmt. Weiter habe ich nichts sagen wollen. Eine kränkende Beimessung habe ich nicht beabsichtigt, und der Herr Abgeordnete Bamberger ist in der kämpfenden Dialektik so bewandert, daß ich nicht habe vermuten können, daß er diesen uralten Ausdruck übel empfinden werde. Der Herr Abgeordnete hat ferner an eine Ansicht des Herrn von Blanckenburg erinnert: In Pommern wäre man der Meinung, wenn einer grob würde, müsse man doppelt so grob sein. Meine Herren, ich bin kein Pommer, ich bin ein Altmärker und teile diese Ansicht nicht; ich bin der Meinung, man soll, wenn einen der Zorn übermannt, höflich bleiben. Ich bemühe mich und erkenne die Verpflichtung an, ich ziehe auch gern zurück, wenn ich im Zorn mich übereilt habe, aber die Grobheit erkenne ich nicht als berechtigt an. Der Herr Abgeordnete Bamberger vermeidet auch seinerseits diese Klippe; ich kann ihm die Anerkennung nicht versagen, daß er mit sehr gewandter Dialektik immer die Formen der guten Gesellschaft seinerseits beobachtet. Es sollte das geschehen von allen Seiten. *(Heiterkeit.)*

Aber im übrigen, in Bezug auf das dadurch betätigte Wohlwollen, kann ich nur mit dem Sprichwort antworten: *Le diable n'y perd rien.* Seine Pfeile, die er mit seinem Wohlwollen unter dem wohltuenden Mantel der Sanftmut und der leidenschaftslosen Sprache abfeuert, sitzen um so fester. Er hat mir ferner vorgeworfen, daß ich die Massen verachte. Das ist doch ein unberechtigter Vorwurf in dem Momente, wo ich gerade gegenüber der Minorität der Bevölkerung für die Massen kämpfe sowohl in der Besteuerung, als auch in dem Hauptvorwurfe, den mir der Abgeordnete machte — des Sozialismus. Ich erinnere mich nicht genau der Worte, die er sagte; aber der Gedanke, wenn ich nicht irre, war der, es genüge zu meiner Verurteilung, daß ich gesagt hätte, der Staat müsse aktiv einschreiten für die hilfsbedürftigen Klassen. Bei dieser Lage der Sache bin ich doch derjenige, der die Massen vertritt, und der Abgeordnete derjenige, der auch nicht einmal das Kapital mir gegenüber vertritt; denn ich bin kein Feind des Kapitals in den Ansprüchen, auf die es berechtigt ist. Ich bin weit entfernt, dagegen eine feindliche Fahne zu schwingen, aber ich bin der Meinung, daß die Massen auch ein Recht haben, berücksichtigt zu werden, und ich kann die Masse in den Wahlmännern in der Majorität des Herrn Abgeordneten in seinem Wahlkreise nicht vertreten finden; ich glaube im Gegenteil, daß der Herr Abgeordnete mit seiner Politik eine Minorität im Lande vertritt, höchstens die Minorität, die in der Beratung der Zollgesetze sich herausstellte, und die Massen viel mehr auf meiner Seite sind.

Er hat dann meine Erörterung über den Getreidezoll, ich kann kaum sagen angefochten, sondern verurteilt. Nach dem Präambel müßte man glauben, daß eine vernichtende Kritik kommen würde; am Ende hat er weiter nichts gesagt, als daß der Kornzoll den Landwirten, wenn sie keinen Vorteil davon hätten, auch nichts nützt. Ich habe schon damals gesagt, wie ich ihn befürwortete, der Zoll könne Ordnung in unseren Getreidemarkt bringen, daß nicht alles auf den deutschen Markt geworfen wird und dort lagert, bis es zu unmöglichen Preisen verschleudert wird, ehe man sich gezwungen sieht, es wieder zurückzunehmen. Außerdem ist die Not des Landwirts so groß, daß er auch den kleinen Vorteil, den dieser Zoll etwa bringt, nicht verschmäht. Der Zoll, wenn er 14 Millionen beträgt, und zwar auf 200 Millionen Zentner unseres Getreideverbrauchs überhaupt sich verteilt, beträgt etwa meiner oberflächlichen Berechnung nach 7 Pfennige pro Zentner. Auch diese 7 Pfennige pro Zentner sind schon ein Vorteil, den die Landwirtschaft kein Recht hat von sich zu weisen, wenn sie auch ihrerseits noch immer für den Zentner, im Inlande erbaut, 1 Mark direkter Abgaben zu zahlen hat, und auf diese Weise noch immer im ausländischen Interesse und im Interesse des beweglichen Handels, des Zwischenhandels, ausgeschlachtet wird. Für den eigentlichen Kaufmann, für den Zwischenhandel wäre es ja das Erwünschteste, wenn alles, was bei uns gebraucht wird, vom Auslande gekauft, und wenn alles, was bei uns im Inlande produziert wird, nach dem Auslande ausgeführt würde. Da müßte alles durch seine Hände gehen. Deshalb kann ich auf die Wünsche dieser Kreise einen entscheidenden Wert nicht legen, namentlich weil ihre Kopfzahl außerordentlich gering ist und mit dem Einflusse, den sie auf unsere Gesetzgebung üben, nicht im Verhältnisse steht. Ich bin ein Anhänger der Majorität, aber die Majorität im Deutschen Reiche besteht aus Landwirten, Ackerbauern, und für diese Majorität trete ich, wenn ich das Majoritätsprinzip allein für maßgebend halte, in erster Linie ein. Ich erkenne aber daneben das Prinzip der Intelligenz, der vernünftigen Erwägung der Steuergesetze und das Prinzip des monarchischen Einflusses an, und wenn nach meiner Überzeugung die Vernünftigkeit einer Vorlage mit der monarchischen Autorisation übereinstimmt, dann bringe ich sie, dann kämpfe ich für sie. Sie haben das Recht, sie abzulehnen, und wenn Sie sie ablehnen, so ist es Sache der Taktik, ob und wann wir sie wiederbringen.

Aber was die Anfechtung des Systems betrifft, was durch die Zollgesetzgebung von 1879 mit Majorität inauguriert worden ist, so ist die auch versucht worden in neuester Zeit, und man hat einen großen Sieg darüber verkünden wollen, daß einige neue Anträge auf Schutz der inländischen Produktion in der Minderheit geblieben sind. Nun, meine Herren, wir können ohne Zustimmung der Majorität keine neuen Anträge durchbringen; aber man hat damit den Gedanken verknüpft, als könne man durch Resolutionen und Anträge die verbündeten Regierungen in der Stellung, die sie in der Zollgesetzgebung eingenommen haben, erschüttern oder irgendwie irre machen. Meine Herren, da könnte uns die stärkste Majorität dieses Hauses gegenüberstehen, wir werden in der Beziehung an dem, was wir an Schutzzöllen für die vaterländische Arbeit bisher gewonnen haben, unbedingt festhalten. Das ist die Überzeugung nicht bloß der preußischen, sondern der sämtlichen verbündeten Regierungen ganz unerschütterlich, und keine Resolution und kein Antrag kann uns darin irremachen, und wenn Sie alle diese Resolutionen mit überwältigender Majorität zur Annahme bringen, so wird uns die Überzeugung von dem, was dem Reiche und Deutschland von Nutzen ist, doch höher stehen, als die Majorität. *(Bravo! rechts.)*

Das Tabakmonopol wird am Ende dieser Sitzung vom Reichstag mit 276 gegen 46 Stimmen abgelehnt.

221. Immediatbericht: Zum Rücktritt des Finanzministers Bitter (Ausfertigung[15])
W 6 c, 257 f., Nr. 252.

Berlin, den 19. Juni 1882.

Ew. Kais. und Kgl. M. lege ich das Schreiben des Finanzministers vom 17. unter Beifügung einer Abschrift des mir gleichzeitig zugegangenen Schreibens des Ministers von demselben Tage ehrf. wieder vor.

Ew. M. haben meine Aeußerung zu befehlen geruht, und ich habe meine

[15] Reinkonzept nach einem 14 Seiten langen eigenhändigen Konzept Bismarcks.

Kollegen in der gestrigen Sitzung über ihre Meinung befragt, obschon ich über die Antwort, die ich von ihnen erhalten würde, nicht zweifelhaft war. Die Meinung, daß im geschäftlichen Interesse eine Aenderung in der Besetzung des Finanzministeriums zu wünschen sei, ist seit Jahren nur durch meinen Widerspruch verhindert worden, Ew. M. gegenüber im Namen des Staatsministeriums zum amtlichen Ausdruck zu gelangen. Ich teilte zwar auch früher die Ansicht meiner sämtlichen Kollegen dahin, daß der Mangel an politischem Urteil und an Befähigung zur parlamentarischen Diskussion uns allen, und mir als verantwortlichem Leiter am meisten, unsere Aufgaben wesentlich erschweren. Ich habe aber den amtlichen Ausdruck unserer Verstimmung hierüber bisher zurückgehalten, weil ich Ew. M. Abneigung gegen Wechsel der Personen kenne.

Nachdem aber der Minister Bitter selbst Ew. M. in die Notwendigkeit einer Entschließung auf diesem Gebiete gesetzt hat, kann ich auch nicht länger mit der ehrf. Bitte zurückhalten, die ich im Auftrage des gesamten und einstimmigen Staatsministeriums ausspreche, Ew. M. wollen die Gnade haben, das Entlassungsgesuch des Finanzministers anzunehmen und demselben einen Nachfolger zu geben, welcher uns in unseren schwierigen Arbeiten wirksam beizustehen vermag. Ich habe an dem jetzigen Finanzminister jederzeit seinen Diensteifer, seinen Mut und andre persönliche Eigenschaften geschätzt und ihn deshalb andern Kollegen gegenüber gedeckt und vertreten und ihre Streitigkeiten mit ihm vermittelt; aber bei der Gestaltung, welche der Kampf gegen die Parlamente gewonnen hat, bedarf ich und bedarf Ew. M. Staatsministerium in der hervorragenden Stellung des Finanzministeriums einer stärkeren Kraft, eines politischen Kopfes und eines geschickteren Redners, wenn wir die Hoffnung auf Erfolg nicht aufgeben sollen. Wir haben die Schwäche unseres Kollegen bisher übertragen, und ich besonders, weil die schwebenden politischen Fragen, für die ich kämpfe, der Art sind, daß ich gerade von seiten des Finanzministers einer starken und geschickten Unterstützung bedarf, wenn ich imstande bleiben soll, die mir obliegende Last weiter zu tragen.

Ew. M. sprechen in dem Marginalerlaß vom 17. allerh. Zufriedenheit mit unsern finanziellen Ergebnissen aus. Dieselben stellen aber kein Verdienst des Finanzministers dar, sondern würden im Gegenteil größer sein, wenn derselbe nicht die Maßregeln, welche Geld einbringen, lange bekämpft und teilweise gehindert hätte. Die Finanzerträge kommen aus der vom Minister Maybach in mühsamen Kämpfen gegen das Finanzministerium durchgesetzten Verstaatlichung der Eisenbahnen und würden größer sein, wenn der Minister Bitter rechtzeitig und bereitwillig auf die Pläne des Ministers Maybach eingegangen wäre; wir hätten dann wesentlich wohlfeiler und mehr verstaatlicht und ermüdende Kämpfe im Ministerium sowie schwere finanzielle Opfer vermieden. Die weiteren Ueberschüsse stammen aus der Zollreform, welche 1879, vor Bitters Eintritt und gegen den Einfluß des damaligen Finanzministers Hobrecht stattfand.

Wenn Ew. M. das Verdienst für den Aufschwung der Finanzen dem Finanzminister Bitter zuschreiben, so ist das schmerzlich für die, welche es unter Kämpfen, zum Teil sogar gegen Bitter sich erworben zu haben glauben.

Für die politische Unklarheit des Finanzministers liefert die Motivierung seines Abschiedsgesuchs und die Einreichung desselben an sich den neuesten Beweis. Er hat offenbar den Zweck und die Tragweite der allerh. Ordre vom 16. nicht verstanden. Er könnte sonst, namentlich angesichts des Erlasses Ew. M. vom 4. Januar cr., Allerhöchstdenselben unmöglich das Recht bestreiten, auch o h n e Zustimmung des konstitutionellen Finanzministers Informationen über die Vorkommnisse in jedem Ressort zu fordern; ein Weiteres verlangt die Ordre vom 16. aber nicht. Außerdem weist der Finanzminister mir als Ministerpräsidenten eine Grenze an, auf die ich mich in meinen Vorträgen bei Ew. M. nicht beschränken kann, wenn ich für das Gesamtergebnis unserer Politik verantwortlich bleiben soll. Abgesehen von der Ueberhebung, die hierin bei einem Kollegen liegt, der schon früher politischen Schiffbruch gelitten haben würde, wenn ich nicht sein Steuermann gewesen wäre, seine Aufgaben meinerseits vertreten hätte, ersehe ich auch aus der Energie seines Widerspruchs gegen die Ordre vom 16., daß er entweder mit der von mir nach Ew. M. Willen geführten Reichs- und Finanzpolitik innerlich n i c h t e i n v e r s t a n d e n ist, oder nicht einsieht, daß die von Ew. M. am 16. befohlenen Informationen keinen anderen Zweck haben, als den, den Erfolg von Ew. M. Reformpolitik nach Möglichkeit zu fördern und zu sichern.

Ew. M. wollen huldr. erwägen, daß ich selbst in meiner Arbeitskraft erschöpft bin und Gehilfen brauche, die mich unterstützen, aber nicht meine Schwierigkeiten vermehren helfen. Ich diene unter Schmerzen und Leiden Ew. M., soweit ich es noch kann, und bin durch die Anstrengungen der letzten Tage in den Zustand geraten, daß mir die Sprache versagt und ich die Konzepte selbst schreiben muß, weil ich nicht diktieren kann.

Wenn Ew. M. in dieser Lage nicht die Gnade haben, mir w i r k s a m e und f ä h i g e Beistände zu bewilligen, so würde meine schon vorhandene Untüchtigkeit noch durch die Wirkung der Entmutigung gesteigert werden. Ich bitte Ew. M. ehrf., jeden meiner sieben Kollegen im Ministerium einzeln fragen zu wollen, und Ew. M. werden von jedem obiges Urteil und die Tatsache bestätigt finden, daß bisher nur ich durch meinen Einfluß auf das Ministerium verhindert habe, daß Ew. M. diese unerwünschte Frage nicht schon früher und häufiger unterbreitet worden ist. Jeder von uns hat persönliches Wohlwollen für den Minister Bitter, aber jeder wünscht an seiner Stelle einen begabteren und hilfreicheren Kollegen, als der jetzige Finanzminister ist. Ein solcher ist vorhanden und allen genehm in der Person des Staatssekretärs Scholz [16] in Ew. M. Reichsschatzamt.

Ich erlaube mir daher, im Auftrage des gesamten Staatsministeriums, Ew. M. um huldr. Genehmigung des Entlassungsgesuchs vom 17. ehrf. zu bitten.

222. Schreiben an Staatsminister von Scholz: Reichsverfassung und Steuerfragen
(Eigenhändig) W 14/II, 937 f., Nr. 1693.

Varzin, 18. August 1882.

Verehrter Freund und College!

Es ist ein Symptom des Rückganges meiner Geschäftsfähigkeit, daß ich während unserer Besprechung den Text der Reichsverfassung mit keinem Auge angesehen habe. Heute finde ich nun in Artikel 35 den Wortlaut: das Reich ausschließlich hat die Gesetzgebung über die Besteuerung des Tabaks, Branntweins und Bieres. Gegen diese so allgemeine Fassung ist m. E. nicht aufzukommen. (Auch wenn Artikel 36 den Artikel 35 nicht ausdrücklich dahin declarirte, Zeile 1 und 2, daß er die „Verbrauchssteuer" generell umfaßt.)

Ich hatte gestern, statt mir die Sache klar zu machen, der irrthümlichen Voraussetzung Raum gegeben, daß nur die „Bereitung" der Steuerobjecte den Reichssteuern vorbehalten sei. Nach der Verfassung aber ist es jede Art von Besteuerung der Gegenstände selbst; ich bin aber nicht zweifelhaft darüber, daß es eine „Besteuerung des Branntweins" im Sinne der Verfassung ist, wenn jemandem von dem Branntwein, den er einlegt oder verpfropft, eine nach dem Quantum der behandelten oder consumierten Flüssigkeit genau bemessene Abgabe auferlegt wird. Der Begriff der Gewerbesteuer hört m. E. da auf, wo an Stelle der Classification des Betrie-

[16] Scholz wurde am 28. Juni 1882 zum Nachfolger Bitters ernannt.

bes und der Betriebsstätten die Bemessung der Quantität und Qualität des Steuerobjects als ausschließlicher Maßstab eintritt. Wenn die mecklenburgische Regirung eine andere Auffassung beim Bundesrath durchgesetzt hat, so halte ich nach Artikel 17 der Reichsverfassung für meine Pflicht als Kanzler, diese particularistische Beeinträchtigung der Rechte des Reichs auch jetzt noch als verfassungswidrig zu bekämpfen, soweit ich Mittel dazu finde. Wenn wir in Preußen ebenfalls den mecklenburgischen Weg betreten und dadurch sanctioniren, so machen wir uns wehrlos für den Fall, daß auch Bayern, Würtemberg, Sachsen zur Selbsthülfe schreiten und die Reichspolitik nicht nur lahm legen in der ferneren Entwickelung, sondern sie von ihrem bisherigen Standpunkte auf unbestimmte Entfernung zurückdrängen. Ich werde deshalb die Verhandlungen über den mecklenburgischen Vorgang einfordern, um zu erwägen, was etwa für Remedur thunlich sein wird. Die Vertretung analoger Maßregeln für Preußen, der ich gestern glaubte zustimmen zu können, wird mir nach dem Wortlaut der Verfassung mit gutem Gewissen nicht möglich sein, und ich wiederhole deshalb meinen ersten Vorschlag der Rückkehr zu dem System unserer Vorlage von 1879, wenn ich auch einsehe, daß damit die Ausdehnung des Planes auf den größeren, ganzen Bedarf in P r e u ß i s c h e n Wegen unthunlich wird, vielmehr die Beschränkung auf den stricten Satz des Klassensteuerbedürfnisses angezeigt ist.

Was die Bemessung der Höhe betrifft, zu welcher jedes der vier Steuerobjecte herangezogen werden soll, so wird bei der Klasseneinteilung nach Art der Gewerbesteuer das Verhältniß der Belastung zum Werthe des Objects nicht zum unmittelbaren Ausdruck gelangen, und möchte ich zunächst vorschlagen, für jedes der vier Steuerobjecte die Erlaubniß der Feilhaltung desselben bei gleicher Oertlichkeit gleich hoch zu bemessen, so daß die Erlaubniß, mit Wein oder Branntwein, Tabak oder Bier zu handeln, jede für sich in gleicher Höhe zu bemessen sein würde, mit Abstufungen nach der Localität und der Dichtigkeit der Bevölkerung.

Unzweifelhaft ist dieses System viel roher, und für die Uebertragung auf das Reich nicht geeignet, aber die Verfassung bildet grade für mich als Kanzler und nach meiner Vergangenheit ein unübersteigliches Hinderniß, und selbst da, wo Zweifel und zweierlei Meinungen möglich wären, ist es für mich nicht wohl thunlich, meine Initiative zur particularistischen Auslegung der Reichsverfassung in Preußen zu ergreifen oder doch zu vertreten. Ich bitte zunächst um Euerer Excellenz Meinung bezüglich des Vorstehenden, und um Ihre Verzeihung wegen der intempestiven Verspätung, mit der ich meine Verfassungsbedenken vorbringe. Der Ihrige.

223. Schreiben an den Kronprinzen Friedrich Wilhelm: Deutschland und die englische Politik (Konzept) GP 4, 32 ff., Nr. 727.

Varzin, den 7. September 1882.

Aus Euerer pp. gnädigem Handschreiben vom 4. d. Mts. habe ich zu meiner Freude ersehn, daß die Politik, welche wir vom Beginn des englischen Eingreifens in die ägyptische Frage an verfolgt haben, auch in den politischen Kreisen Englands Anklang zu finden beginnt. Ich nehme an, daß Ew. pp. bei Höchstdero Heimkehr von der Alpenreise die Instruktionen vorgelegt sein werden, welche bezüglich unsrer Politik an einige der deutschen Botschafter, namentlich nach Wien[17], ergangen sind, nachdem das generelle Programm dazu im Wortlaut die allerhöchste Genehmigung erhalten hatte.

Bei dem Mangel direkter deutscher Interessen an der Gestaltung der Zukunft Ägyptens, bei der Gewißheit, mit der wir Frankreich, bei der Wahrscheinlichkeit, mit der wir Rußland unter Umständen zu Gegnern haben werden, habe ich bei Seiner Majestät die Notwendigkeit vertreten, unabhängig von der jeweiligen englischen Regierung und ihrer mitunter wunderlichen Politik, mit der englischen Nation und der öffentlichen Meinung derselben jeden Konflikt zu vermeiden, der das englische Nationalgefühl gegen uns verstimmen könnte, ohne daß wir durch überwiegende deutsche Interessen dazu gezwungen sind. Selbst wenn der Ehrgeiz einer englischen Regierung bezüglich Ägyptens die Grenzen überschritte, welche eine besonnene englische Politik meines Erachtens einhalten sollte, würden wir keinen Beruf haben, uns darüber andern Mächten zuliebe mit England zu erzürnen.

Die deutsche Stimme hat sich deshalb in der Konferenz[18] an den antienglischen Schachzügen andrer Mächte nicht beteiligt, sondern die Opposition den direkt interessierten Mächten überlassen. Positive Unterstützung können wir englischen Wünschen nur mit Innehaltung ziemlich enger Grenzen gewähren, wenn wir uns nicht gegen Rußland feindlicher als nötig ist, stellen und nicht bloß bei den Franzosen, sondern auch bei einem großen Teile der Engländer dem übelwollenden Verdacht Vorschub leisten wollen, als sei unsere Politik darauf gerichtet, die beiden

---

[17] Siehe GP 4, 30 f., Nr. 725.

[18] Botschafterkonferenz in Konstantinopel seit dem 21. Juni 1882 zur Beratung der ägyptischen Frage.

großen Westmächte zu entzweien und in einen gegenseitigen Krieg hineinzumanövrieren, den beide fürchten, schon weil er sehr kostspielig sein würde. Auf Schwierigkeiten bin ich in dem Bestreben, unsre Politik freundlich für England zu gestalten, bei Seiner Majestät dem Kaiser in keiner Weise gestoßen; bei jedem einzigen Schritte aber habe ich in Wien anfänglich Widerspruch zu überwinden gehabt, teils als Nachwirkung der unmotivierten früheren Drohungen Gladstones gegen Österreich[19], teils aus Türkenfreundlichkeit auf dem Gebiete nicht allein der Politik, sondern auch der Eisenbahngründungen, teils auch aus Mangel an Gewohnheit, weitre politische Gesichtspunkte, als die der laufenden Woche ins Auge zu fassen.

Nicht ganz aufgeklärt bin ich über die Ursachen der heftigen Parteinahme eines großen Teils der deutschen Presse gegen England; soweit dabei nicht die deutsche Neigung zum Tadeln und Besserwissen einwirkt, möchte ich auf finanzielle Schmerzen einiger den großen Blättern nahestehenden großen Bankiers schließen und teilweise auch die Einwirkung der großen französischen und namentlich der unbegrenzten russischen Preßfonds für möglich halten.

Die größte Schwierigkeit, unsrer Beziehung und Neigung für England praktischen Ausdruck zu geben, liegt in der Unmöglichkeit jeder vertraulichen Besprechung wegen der Indiskretionen der Minister dem Parlament gegenüber und in dem Mangel an Sicherheit eines Bündnisses, für welches in England nicht die Krone, sondern nur eines der wechselnden Kabinette haftbar bleiben würde. Es ist schwer, zuverlässige Verständigungen mit England anders als in voller Öffentlichkeit vor ganz Europa einzuleiten und sicherzustellen. Solche öffentlichen Verhandlungen aber wirken dann schon in ihren ersten Einleitungen und auch ohne, daß etwas zustande kommt, nachteilig auf die meisten unsrer übrigen europäischen Beziehungen. Diese Schwierigkeiten dürfen nicht hindern, daß wir die Befestigung unsrer und der österreichischen Freundschaft mit England unwandelbar pflegen und jedes Entgegenkommen bereitwillig akzeptieren. pp.

---

[19] In dessen Wahlkampagne im März 1880.

224. Immediatschreiben: Dank an Wilhelm I. (Konzept Graf zu Rantzau)
W 6 c, 261, Nr. 255.

Varzin, den 23. September 1882.

Ew. M. danke ich ehrf. für die huldvolle telegraphische Begrüßung am heutigen Tage[20] und freue mich, daß Gott mir vergönnt hat, Ew. M. in meiner jetzigen Vertrauensstellung so lange zu dienen und mir die Allerhöchste Gnade, welche mich vor 20 Jahren zu derselben berief, bis heute zu erhalten. Wenn meine Befriedigung hierüber eine Trübung erleidet, so entsteht sie aus dem Bewußtsein, daß meine Gesundheit mir nicht mehr gestattet, Ew. M. so zu dienen, wie mein Pflichtgefühl es verlangt. Für das unzureichende Maß von Kräften, welches mir verbleibt, habe ich keine andere Verwendung, als die in Ew. M. Diensten, solange Allerhöchstdieselben sie mit derselben Nachsicht wie bisher entgegenzunehmen geruhen.

225. Schreiben an Staatssekretär von Boetticher: Gegen Eigenmächtigkeit des Chefs der Admiralität (Konzept Rottenburg) W 6 c, 261 f., Nr. 256.

Varzin, den 24. September 1882.

Vertraulich.

Ich habe in verschiedenen Zeitungen Korrespondenzen gefunden, welche davon sprechen, daß beabsichtigt wäre, in das nächste Budget eine Mehrforderung für Marinezwecke einzustellen. Mir ist davon nichts bekannt, aber nach der in früheren Jahren mitunter vorgekommenen Praxis ist das kein Grund für mich, von der Unrichtigkeit jener Zeitungsnachrichten überzeugt zu sein. Es kann geschehen, daß der Herr Chef der Admiralität ohne mein Wissen nicht nur Kommando-, sondern auch finanzielle Angelegenheiten der Marine bei Sr. M. dem Kaiser zum Vortrage bringt, und erst nach erlangter allerh. Gutheißung [a] der Finanzverwaltung die Geltendmachung etwaiger Bedenken möglich wird. Der Aufgabe, allerh. Entschließungen, wenn sie einmal getroffen sind, auf theilweis militärischem Gebiete zu bekämpfen, fühle ich mich nicht mehr gewachsen.[a] Das

---

[20] Am 23. September 1862 hatte Bismarck die preußische Regierung übernommen.

[a–a] Eigenhändige Korrektur Bismarcks.

ist aber eine Art des Geschäftsbetriebes, welche ich fernerhin nicht gesonnen bin, mir gefallen zu lassen.
Ich bitte deshalb Ew. pp. ganz erg., durch Rücksprache mit dem Herrn Staatssekretär Burchard gefl. feststellen zu wollen, ob in der Tat seitens der Admiralität Mehrforderungen beabsichtigt oder bereits angemeldet sind, und eventuell den Schluß des Budget-Entwurfs herbeizuführen.
Sollten Ew. pp. dabei die Ueberzeugung gewinnen, daß jene Zeitungsnachrichten Grund haben, so bitte ich, dem Herrn Chef der Admiralität vertraulich in meinem Namen sagen zu wollen, [b] daß die Stellung, welche mir verbleiben würde, wenn Anträge u. Vorarbeiten bezüglich des Budgets auf andrem Wege als durch mich oder meine verfassungsmäßige Vertretung zur allerh. Kenntniß gelangten, für mich nicht annehmbar wäre. Erfolgte dennoch ein Eingriff in das verfassungsmäßige Recht der finanziellen Berathung S. M. des Kaisers, so wäre es mir unmöglich, mit dem Urheber desselben gleichzeitig im Reichsdienste zu verbleiben, u. würde ich dies u. den ursächlichen Hergang Sr. M. u. dem Reichstage erklären. [b]

226. Schreiben an Staatsminister von Scholz W 14/II, 939 f., Nr. 1698.

Vertraulich.

Varzin, den 31. October 1882.

Verehrter Freund und College,
ich habe den Eindruck, daß die deutschen Zollbeamten zu einem erheblichen Theile Anhänger des Freihandels sind und zu der Wirthschaftspolitik der Regirung in principiellem Gegensatze stehen.
Der Schaden liegt auf der Hand, der dem Staate erwächst, wenn diejenigen Beamten, denen die technische Ausführung der bestehenden Zollgesetze obliegt, ihren amtlichen Pflichten nur mit Widerwillen und gegen ihre Ueberzeugung nachkommen.
In Preußen werden Eure Excellenz hierin Remedur zu schaffen wissen; ich bin aber nicht sicher, daß dieß auch in anderen Bundesstaaten geschehen wird. Ich möchte deshalb Ihrer Erwägung anheimstellen, ob es nicht angezeigt sein dürfte, mit den einzelnen verbündeten Regirungen in vertrauliche Besprechungen über diesen Punkt zu treten und den Versuch zu machen, wenigstens das zu erreichen, daß die höheren Stellen im

b–b Eigenhändige Korrektur Bismarcks.

Zolldienst in Zukunft nur solchen Beamten übertragen werden, welche aus Ueberzeugung Anhänger des Wirthschaftssystems der Regirung sind. Die Grundsätze desselben liegen jetzt in festen Bahnen, und eine Aenderung des Systems und eine Erneuerung der verhängnißvollen Experimente von 1865 u. f. ist in absehbarer Zeit nicht zu erwarten. Die Frage, ob ein Zollbeamter den Freihandel oder unser Zollsystem für richtig hält, ist keine politische, sondern eine solche der richtigen Vorbildung und darauf beruhenden technischen Befähigung. Dem Beamten, welcher als Freihändler den Schutz deutscher Arbeit als verderblich für das Wohl des Staates ansieht, fehlt ein fundamentales Erforderniß seiner technischen Brauchbarkeit, weil seine wissenschaftliche Ausbildung eine fehlerhafte und irrthümliche ist, und dieser Mangel macht ihn zur Bekleidung einer verantwortlichen Stellung nicht minder ungeeignet, als wenn er ein ihm auferlegtes Examen schlecht bestanden hätte. Er genügt den Vorbedingungen für sein Amt nicht, ganz ohne Rücksicht auf seine politische Gesinnung.

Die Gefahr, daß durch die höheren Beamten des Ressorts Deutschland in Zukunft neuen Schädigungen seines Wohlstandes ausgesetzt sein könnte, läßt mich mit einiger Sorge auf den Umstand blicken, daß gedankenlose und fanatische Freihändler die Mehrzahl der höheren Stellen im Zollfache innehaben. Ich würde Euerer Excellenz deshalb sehr dankbar sein, wenn Sie die Güte haben wollten, mir Ihre Ansicht über diese Frage vertraulich mitzutheilen und zu erwägen, ob und wie man auf die verbündeten Regirungen einwirken kann. Der Ihrige.

227. Schreiben an Staatsminister Maybach W 14/II, 940, Nr. 1699.

Varzin, 15. November 1882.

Der Kaiserlich Russische Minister des Auswärtigen Baron Giers reist morgen von Petersburg zunächst hierher und wird also voraussichtlich übermorgen unsere Grenze passieren. Eure Excellenz bitte ich ganz ergebenst, Baron Giers der Aufmerksamkeit der Bahnverwaltung empfehlen zu wollen, wie dieß in früheren Zeiten mit dem Fürsten Gortschakow der Fall war.

Um Herrn von Giers nicht in Stolp unnöthig warten, resp. ihn nicht den Umweg über Schlawe machen zu lassen, wünsche ich ihm von Stolp nach Hammermühle einen Extrazug zu stellen, dessen Kosten ich gern auf auswärtige Fonds übernehmen werde. Ich weiß nicht gewiß, ob mein russischer College practisch genug sein wird, mir unterwegs Stunde und Zug seines Eintreffens in Danzig resp. Stolp zu telegraphieren. Ich möchte deshalb der Sicherheit wegen Euerer Excellenz Güte auch dafür in Anspruch nehmen, daß die Station Eydtkuhnen angewiesen werde, telegraphisch nach Stolp und hierher zu melden, sobald der russische Minister dort eintrifft. Ich vermute, daß derselbe ohne Aufenthalt wird reisen wollen, bin aber doch nicht sicher, ob er nach Lage des Zuges, den er benutzt, nicht ein Nachtquartier in Danzig angezeigt findet.

Euerer Excellenz werde ich dankbar sein, wenn, einstweilen, da der Besuch des russischen Staatsmannes in Varzin bei unseren Gegnern in Rußland und anderswo ohnehin Aufsehen machen wird, den Beamten, welche durch Ihre Freundlichkeit Nachricht davon erhalten, Geheimhaltung anempfohlen wird. —

Soeben erhalte ich aus Petersburg die Nachricht, daß Herr von Giers am Freitag abend in Danzig einzutreffen und dort im russischen Generalconsulat zu übernachten gedenkt; am Sonnabend beabsichtigt er um 11½ Uhr vormittags nach Varzin weiterzureisen. Euer Excellenz würde ich danach dankbar sein, wenn Sie die Güte haben wollten, für Sonnabend um 3 Uhr nachmittags in Stolp einen Extrazug nach Hammermühle bereitstellen zu lassen.

228. Schreiben an Staatsminister von Scholz W 14/II, 940 f., Nr. 1700.

Varzin 24. November 1882.

Verehrter Freund und College,

Meine Anregung wegen Theilung des Klassensteuergesetzes hatte in der That nur taktische Motive, und war ich auf dieselbe nur durch den Eindruck gekommen, daß ein Theil des Landtages vielleicht mit der Aufhebung einverstanden ist, den Ersatz aber in andrer Form wünscht, als wir vorschlagen. Bei der Entschiedenheit, mit welcher Seine Majestät für die Aufhebung der vier Steuerstufen Sich eingesetzt hat, wäre dringend zu wünschen, daß wir die Aufhebung jedenfalls durchsetzen und unabhängig von der Art des Ersatzes. Indessen wird sich dasselbe Ziel, wenn wir eine Majorität zwar für Aufhebung, aber nicht für Deckung der Lücke gewinnen können, auch auf dem Wege der Amendirung erstreben lassen. Ob wir unser Ziel überhaupt erreichen, ist mir nach der mäkelnden und besser wissenden Art, mit welcher die Conservativen an die Sache herantreten, zweifelhaft geworden. Ich kann aber größere Sicherheit des Erfolgs auch auf dem von mir telegraphisch vorgeschlagenen Wege nicht vorhersehn, und war es mehr meine Absicht, die Frage gewissenshalber nochmals zur Erwägung zu stellen, als eine eigene abweichende Ueberzeugung zu vertreten. Die in Euerer Exzellenz Schreiben vom 23. d. M. zusammengefaßten Gegengründe halte ich für volllkommen richtig, übersah nur von hier aus nicht die volle Sachlage. Ich schließe mich Ihrer und der Herren Collegen Ansicht an und hoffe in spätestens acht Tagen in Berlin anwesend zu sein. v. Bismarck.

p. scr. Der Professor Wagner ist offenbar ein brillanter Redner, aber finanziell und politisch mit seiner beweglichen Einkommensteuer doch sehr bedenklich; die Grund- und Häuserbesitzer, welche ihn conservativ gewählt haben, werden ihm schwerlich danken, wenn er ihnen zur Grund- und Häusersteuer noch eine verdoppelte Einkommensteuer besorgt.

229. Immediatschreiben: Strategische Bahnen im Osten Sache der Militärs, nicht der Politiker (Abschrift) W 6 c, 262 f., Nr. 257.

Berlin, den 15. Dezember 1882.

Ew. pp. gn. Handschreiben habe ich gestern Abend erhalten und teile vollständig die allerh. Ueberzeugung, daß wir kein Recht haben, von Rußland Explikationen über seine Festungs- oder Bahnbauten zu verlangen, und daß es nicht politisch sein würde, eine Preß-Polemik zwischen beiden Ländern darüber ins Werk zu setzen. Wenn Graf Hatzfeldt geglaubt hat, darüber Ew. M. einen Antrag stellen zu sollen, so hat er mich oder die Aufforderungen, die mir von den höchsten Militärbehörden amtlich zugegangen sind, nicht richtig verstanden. Der Kriegsminister und Graf Moltke haben seit vorigem Sommer (1881) von mir Schritte verlangt, um Geld zu militärischen Bauten an u n s e r e n Eisenbahnen flüssig zu machen, weil die Russen jetzt schneller an der Grenze konzentrieren könnten wie wir. Ich habe es a b g e l e h n t , dieses Bedürfnis bei Ew. M. und dem Reichstage zu vertreten, obschon ich nicht streite, daß es begründet ist; es ist aber ein rein m i l i t ä r i s c h e s , und muß die Forderung vom Militär, nicht von der politischen Behörde ausgehen. Ich habe aber geraten, bevor man Ew. M. bittet, an den Reichstag zu gehen, um Geld für jene Bauten an unseren Bahnen zu fordern, die öffentliche Meinung b e i u n s , in einer für Rußland schonenden Weise, auf dieses G e l d b e d ü r f n i s vorzubereiten. Das Recht Rußlands, bei sich zu bauen, ist ebenso unbestreitbar wie das Ew. M., Königsberg zu befestigen, und die

Presse gegen Rußland ins Gefecht zu führen, würde meinen Ansichten ganz zuwiderlaufen. Ich hatte mir überhaupt nicht vorgenommen, Ew. M. oder dem Parlament gegenüber diese, rein militärische Frage zu vertreten, da ich zu viel andere Geschäfte habe, und die Sache politisch gefärbt würde, wenn ich sie betriebe. Warum Graf Hatzfeldt sie in meinem Namen zur Sprache gebracht hat, werde ich erst melden können, wenn ich ihn gesprochen habe.

230. Diktat[21]: zu den Steuerverhandlungen im Landtag (Kanzleikonzept)

W 6 c, 263 ff., Nr. 258.

17. Dezember 1882.

Die zweitägige Debatte über den Gesetzentwurf, betr. den Erlaß der vier untersten Stufen der Klassensteuer und die Besteuerung des Vertriebes von geistigen Getränken und Tabaksfabrikaten, läßt befürchten, daß auch dieser Versuch der Regierung, den seit Jahren von ihr erstrebten Steuerreformen einen praktischen Anfang zu geben, ein erfolgloser sein wird. Bei fast allgemeiner Anerkenntnis des Bedürfnisses der Reformen wurde bisher jeder Versuch der Regierung, dieselben ins Leben zu führen, angebrachtermaßen abgewiesen, und nach dem Bilde, welches Diskussion und Presse geben, steht der jüngsten Vorlage das Gleiche bevor. Die Motive der Ablehnung sind sehr verschiedenartige, in der Gesamtheit aber begründen sie eine Majorität.

Die Parteien, welche prinzipiell der jetzigen Regierung gegenüberstehen, bekämpfen die Reformbestrebungen in der, wie ich glaube, trügerischen Hoffnung, demnächst selbst vom Regierungsstandpunkte aus die notwendigen Reformen, so wie sie dem Parteiinteresse entsprechen, ins Leben zu rufen. Unter den Abgeordneten aber, welche ihren Wählern gegenüber mehr oder minder dieselben Grundsätze vertreten haben, welche das Regierungs-Programm bilden, die zum großen Teil gerade deshalb gewählt worden sind, wird die Einigung untereinander und die Verständigung mit der Regierung durch die Nichtachtung des Satzes verhindert, daß das Beste des Guten Feind ist. Dazu tritt der Umstand, daß Einigkeit über das, was das Beste sei, ebenfalls nicht vorhanden ist. Es ist kaum wahr-

[21] Anscheinend für einen Presseartikel bestimmt.

scheinlich, daß beide konservativen und die nationalliberale Fraktion oder auch nur die beiden ersteren, wenn sie allein die Entscheidung hätten, imstande sein würden, mit einem einheitlichen Gesetzesvorschlag vor die Oeffentlichkeit zu treten. Die Mannigfaltigkeit der Ueberzeugungen, von denen jeder die seine festhält, wird um so größer, je weiter das Gebiet der Entschlüsse ist, welche gefaßt werden sollen, um mit Reformen auch nur in den ersten Anfängen zu beginnen.

Es ist die hergebrachte Taktik der Oppositionen, jede einzelne Vorlage, die sich im Prinzip nicht bekämpfen läßt, dadurch zu beseitigen, daß man sofortige systematische Gesamtreformen dieser Gebiete verlangt. Würde solche versucht, so würde sie nur eine um so breitere Fläche für die Opposition und für die Aufstellung abweichender Ansichten darbieten und noch weniger zustande kommen. Reformen, wie die beabsichtigten, auch wenn unsere Verfassungslage im Reiche und den Staaten eine viel weniger komplizierte wäre, sind bei ruhigen Zuständen ein Arbeitsthema für mehrere legislative Perioden. Plötzlich und ruckweise kommen sie nur in bewegten Zeiten zustande. Wir werden zur Reform überhaupt nicht kommen, so lange wir uns scheuen, solche Fragmente derselben, über welche Einigkeit vorhanden ist, fragmentarisch ins Leben zu rufen, wie beispielsweise die Aufhebung der unteren Klassensteuerstufen. Die Frage, ob die beizubehaltenden Stufen demnächst in ihrem Minimum und in ihrer Progression zu ändern sind, wird die Aufgabe einer nächsten Session bilden können, ohne die Annahme des jetzigen Bruchstücks der Reform deshalb versagen zu müssen.

Wenn Prof. Wagner in seiner ausgezeichneten Rede vom 16. d. M. schließlich die Forderung stellt, daß ohne Deckungsmittel kein Nachlaß stattfinde, so wird der Nachlaß im Mangel der Einigung über die Deckungsmittel eben nicht stattfinden. Diese Einigung wird nicht erreichbar sein, sobald man das von der Regierung gebotene Provisorium *a limine* ablehnt. Für andere Deckungsmittel fehlen die Vorbereitungen und sind kurzer Hand nicht zu leisten, auch wenn man über die Prinzipien, auf denen sie beruhen sollen, einig wäre. Aber auch diese Einigung fehlt.

Die Regierungsvorlage für die Deckung ist ein Provisorium für den Fall, daß es gelingt, das System der Lizenzsteuern im Reiche einzuführen. Wenn dies nicht gelingt, so müssen die notleidenden Einzelstaaten, wie dies z. B. in Mecklenburg schon geschehen und vom Bundesrat gegen Preußens Stimme gut geheißen worden, ihr eigenes Steuersystem in Staat und Gemeinde bis an die äußerste verfassungsmäßig zulässige Grenze gegenüber dem Reiche ausdehnen, und muß auch Preußen analoge Einnahmequellen dauernd und definitiv erstreben. Daß dieses Ergebnis für die

Reichseinheit nicht nützlich ist, liegt auf der Hand. Aber Not kennt kein Gebot.

Es ist nicht recht ersichtlich, warum Herr Prof. Wagner ein so großes Gewicht auf die Frage legt, ob die Schankwirte ihre Steuer auf den Konsumenten abwälzen können oder nicht. Einmal ist das Gewerbe vollständig *tanti*, so mäßige Abgaben ohne Abbürdung zu leisten. Das Liter Branntwein zu 40 % kostet roh in der Regel 20 Pfg. und wird in Gläsern *à* 1/15 Liter zu 80—120 Pfg., mit geringen und wertlosen Zutaten in Gläsern von 1/36 Liter zu 150 Pfg. zu bis 9 Mark an den Mann gebracht. Das Bier, dessen Hektoliter, wenn er 16—18 Mark beträgt, für Aktienbrauereien befriedigend ist, wird auf dem Lande in 3/8 Flaschen *à* 15 Pfg. zu 40 Mark das Hektoliter verwertet. In der Stadt entzieht sich die Seidel-Einteilung und Füllung einer sicheren Berechnung. Im Tabak wird die Zigarre, von welcher der Fabrikant das 1000 zu 18 Mark liefert, im Kleinhandel zu 5 Pfg. per Stück, das 1000 also zu 50 Mark verkauft. Bei diesem Spielraum der Preise und der Geringfügigkeit der vorgeschlagenen Abgabe möchte die Abbürdung auf die Konsumenten immerhin unmöglich sein; der Zwischenhändler könnte sich diese geringe Besteuerung seines hohen Gewinns sehr wohl gefallen lassen.

Die Frage der Abbürdung auf den Konsumenten liegt so einfach nicht, daß sie für alle Konsumtionsgegenstände gleichmäßig beantwortet werden könnte. Die Exemplifikationen des Herrn Abgeordneten Wagner auf die Belastung der ärmeren Klassen durch die indirekten Steuern, welche ihm den Beifall der Linken erwarben, können wir nicht für zutreffend halten. Daß beispielsweise die Abbürdung des Petroleum- oder Kornzolles auf den Lampenbesitzer bezw. Brotesser nicht stattfindet, geht auf das schlagendste aus den jüngsten Bekanntmachungen über die Bildung des Detailpreises hervor. Bei leicht transportablen Weltprodukten sind die Preise neben der Willkür und der Geschicklichkeit des Detailverkäufers vom Weltmarkte abhängig, auf den mäßige Lokal-Steuern einzelner Länder keinen Einfluß üben. Bei ihnen kann deshalb der Produzent oder Importeur seine Auslagen nicht immer abwälzen. Anders liegt es für den Verkehr, welcher durch nahe örtliche Nachbarschaft des Verkäufers und Konsumenten bedingt und beschränkt ist. Es gibt viele Artikel, für welche der Konsument in der Wahl seiner Quelle lokal beschränkt ist. Er wird zum Früh- und Nachmittagsschoppen keine weite Reise machen, ebensowenig wird die Mehrzahl der Einwohner in der Lage sein, ihren täglichen Bedarf an Erzeugnissen des Handwerks, beispielsweise durch einen nicht an demselben Ort wohnenden Schneider oder Schuster, Schmied oder Stellmacher zu befriedigen. In allen solchen Fällen wird der Verkäufer ohne allgemeine Konkurrenz in der Lage sein, von dem Käufer und Verbraucher seine vollen Herstellungs- und Einkaufskosten einschließlich aller Abgaben und Auslagen wieder einzuziehen. Aehnliches würde bei jedem Verbrauch stattfinden, der durch Konkurrenzen auf beliebige Entfernungen nicht geregelt werden kann oder doch erfahrungsmäßig nicht geregelt wird.

Für den Unterschied zwischen direkten und indirekten Steuern ist übrigens die Frage nicht entscheidend, ob die Steuer auf den Konsumenten abgebürdet werden kann. Selbst die Grund- und Einkommensteuer kann abgebürdet werden, wenn die Produktion des Besteuerten vor Konkurrenz geschützt ist. Unzweifelhaft werden Spiritus- oder Zuckerfabriken, private oder auf Aktien, bemüht sein, und in den meisten Fällen mit Erfolg, auch die Grundeinkommen- und Gewerbesteuer, welche sie zu bezahlen haben, bevor sie Zucker oder Spiritus herstellen und verkaufen können, auf den Preis ihres Produktes aufzuschlagen, also auf den Konsumenten abzuwälzen. Wenn ihnen das dauernd nicht gelänge, so würden sie natürlich ihren Betrieb einstellen und auf ein Gewerbe und einen Grundbesitz, welche die Kosten nicht decken, schließlich verzichten. Sie werden nicht auf die Dauer mit Schaden wirtschaften, wie dies bei den Landwirten vorübergehend wohl der Fall ist, die, ohne Industrie zu betreiben, mit steigendem Defizit wirtschaften und schließlich den Besitz aufgeben. Bei einem hohen prohibitiv wirkenden Kornzoll würde auch der Landwirt imstande sein, die von ihm ausgelegte Grundsteuer von Konsumenten wieder einzuziehen, wenn die Produktion nicht den Bedarf übersteigt. Bei geringem Zoll ist er das nicht, der Zoll vielmehr, wie die erwähnten Bekanntmachungen über die Bildung des Detailpreises nachweisen, auf die Bildung der Detailpreise für Mehl resp. Brot ganz einflußlos.

Wir hätten gewünscht, daß der Herr Abgeordnete Wagner durch seine Aeußerungen über diese Frage nicht zu dem Irrtum Anlaß gegeben hätte, als glaube er an die freihändlerischen Theorien über den Druck der indirekten Steuern auf die ärmeren Klassen. Wir möchten den Herrn Abgeordneten bitten, praktisch zu versuchen, ob sein Schuhmacher oder Schneider zu Preisen für ihn arbeiten werden, bei denen sie vollen Ersatz für ihre Gewerbesteuer und selbst für die übertrieben hohe Berliner Mietsteuer und für ihren verzollten oder unverzollten Petroleum- und Brotgebrauch nicht finden. Der Unterschied der Preise für Stiefel und Kleider zwischen heute und vor 30, 40 Jahren beweist dies auf das schlagendste. Es macht eben niemand Stiefel, wenn er sie nicht so bezahlt bekommt, daß er verzollt und versteuert davon wohnen und leben kann.

Wenn Herr Wagner von der Mitbelastung durch die Lizenzsteuer für die Personen spricht, welche durch die Aufhebung der Klassensteuer befreit werden sollen, so ist bei dieser Gleichstellung doch darauf Rücksicht zu nehmen, daß die Konsumtion und Bezahlung von Bier und Branntwein keinem Menschen, dem dazu die Mittel fehlen, durch den Exekutor aufgenötigt wird, während die Klassensteuer am Verfalltage gezahlt werden muß oder exequiert wird. Wir halten hiernach das „sehr richtig", was der Herr Redner bei seiner Bezugnahme auf die Belastung der unteren Klassen durch Schanksteuer von der Linken zu hören bekam, für ein unverdientes.

Wir möchten kaum so weit gehen, wie der Herr Redner, wenn er sagt, daß die Gerechtigkeit einer Steuer immer erst in zweiter Linie stehe. Wir stellen sie höher, glauben aber nicht, daß sie auf seinem Wege erreicht wird. Die direkten Steuern sind nicht nur drückender, sondern auch ungerechter verteilt, als die indirekten, besonders in den untersten Stufen. Es gibt kaum zwei benachbarte landrätliche Kreise unter den einfachen Verhältnissen der östlichen Provinzen, in denen die Vorbedingungen der Veranlagung zur 1. Klassensteuerstufe dieselben wären, und zwischen den verschiedenen Provinzen, wie zwischen Land und Stadt, wechseln die Kriterien der Veranlagung häufig und umso mehr, als die Bedeutung von zwei Stufen beträgt. Dabei machen Gesundheit, Hausstand an Kindern, Eltern und sonstigen Angehörigen, Arbeitsfähigkeit und andere Eigenschaften einen Unterschied, der jeder Möglichkeit spottet, so kleine Beträge in gerechter Abstufung auf Millionen zu verteilen. Nichtsdestoweniger wird diese Ungerechtigkeit beibehalten werden, wenn der Landtag, wie vorauszusehen, sich über den Ersatz nicht einigt.

Die Deckung durch die Erhöhung anderer direkter Steuern hat zunächst die Zustimmung der Regierung nicht, und ist infolge dieses Mangels kein geprüfter Entwurf zum Beschlusse reif. Wenn das Mißverhältnis der direkten zu den indirekten Steuern und die aus demselben hervorgehende teilweise Ueberbürdung mit direkten Steuern für die Regierung das Motiv zur Reform bildet, so wird sie diese Reform schwerlich mit einer Erhöhung der direkten Steuern ohne irgendein Aequivalent an indirekten beginnen wollen.

Um den Ausfall zu decken, würde beispielsweise eine Verdoppelung der Einkommensteuer von der 11. Stufe exkl. aufwärts noch nicht ausreichen. Ohne sorgfältige Vorarbeit läßt sich nicht ermitteln, wie viele von diesen also über 14 400 Mark geschätzten Zensiten bereits in der Form von Grund- und Häusersteuer einen sehr viel höheren Satz als die 3 % oder 6 % Einkommensteuer von ihrem Vermögen entrichten; in vielen Fällen bei mäßiger Verschuldung 10—20 % von ihrer Reineinnahme. Soll nun nach dem Plane des Herrn Abgeordneten Wagner das einstweilige Resultat der Steuerreform, die einstweilige Erleichterung der direkten Steuerzahler darin bestehen, daß den schon so hoch belasteten Grund- und Häuserbesitzern zur Realsteuer in noch unbekannter Progression eine neue direkte Einkommensteuer auferlegt wird? Es wäre dies eine Ungerechtigkeit, zu welcher, wenn sie im Abgeordnetenhause durchginge, die Sanktion der anderen beiden Faktoren der Gesetzgebung schwerlich in Aussicht stände. Sollen aber Grund- und Häusersteuer bei Berechnung der zu erhöhenden Einkommensteuer mit in Ansatz gebracht werden, so läßt sich ein Plan hierzu, auch wenn er die Zustimmung der Regierung fände, nicht in kurzer Zeit herstellen, und weiß heut niemand, welcher Ertrag erreicht werden würde.

Der Geschlagene bei jeder Erhöhung direkter Steuern wird immer der Steuerzahler mit festem Einkommen sein, wie der Beamte, und demnächst der Grund- und Häuserbesitzer, dessen Einkommen durchsichtig vor Augen liegt. Den Kapitalisten, auf den es vorzugsweise gemünzt scheint, wird man ohne Selbsteinschätzung schwer treffen. Die Selbsteinschätzung ist aber bisher am Widerstande früherer Finanzminister jeder Zeit gescheitert, so oft sie auch seit Jahren in Anregung gekommen ist. Es ist eben schwer, in unserer Finanzpolitik auf die altpreußische Tradition zu verzichten, daß jeder Steuerzahler der Unredlichkeit von Geburt an verdächtig ist und dieser Verdacht durch keine Art von sonst erworbenem Vertrauen zerstört werden kann.

Eine höhere Besteuerung des Kapitalvermögens allein erscheint nach Analogie der Grund- und Häusersteuer allerdings gerecht, und zwar in höherem Maße als Grund- und Häusersteuer es waren, weil Wertpapiere in der Regel nicht mit eingetragenen Schulden behaftet sind. Nur muß man, bevor man dazu schreitet, sich die Fragen beantworten, ob der Staat seine eigenen Schuldscheine besteuern oder wie die französische Mobiliarsteuer tut, freilassen soll, ob eingetragene Hypotheken, ohne Rücksicht auf die mit Notwendigkeit daraus resultierende Erhöhung des Zinsfußes, also Besteuerung nicht des Gläubigers, sondern des Schuldners, heranzuziehen sind, ob und zu welchem Betrage die Besteuerung industrieller Aktien, Bergwerke und dergl. ohne zu schweren Rückschlag für die Industrie effektuiert werden kann. Frei von diesen Bedenken würde man allerdings den Besitz ausländischer Wertpapiere mit dem Satze belegen können, welcher der Gerechtigkeit entspricht.

231. Bericht an den Kronprinzen: Über das Verhältnis zwischen Staat und katholischer Kirche (Kanzleikonzept) W 6 c, 266 ff., Nr. 259.

Berlin, den 19. Dezember 1882.

Graf Hatzfeldt hat mir das Privatschreiben aus Rom mitgeteilt, welches Ew. Kais. und Kgl. Hoheit die Gnade gehabt haben ihm zu übersenden. Ich halte die darin gegebene Charakteristik des jetzigen Papstes für vollkommen zutreffend, aber sie hat weniger einen politischen Wert als den einer naturgeschichtlichen Beobachtung. Wir können weder den Charakter des Papstes noch die geschichtlich gegebene Lage der Dinge durch eine politische Maßregel oder durch Verhandlungen mit Rom verändern. Das Ergebnis solcher Verhandlungen, wenn sie wider alle Wahrscheinlichkeit ein solches haben, würde immer die Natur eines Konkordates annehmen; es würde in die Preußische Gesetzgebung ein fremdes, der Souveränität Preußens nicht unterworfenes Element einführen, eine Art Staatsvertrag oder eine moralische Ehrenpflicht, die nur mit Zustimmung des Papstes gelöst werden könnte. Wer von solchen Verhandlungen einen Abschluß des tausendjährigen Streites zwischen Kaiser und Papst erwartet, täuscht sich. Ich habe persönlich diese Verhandlungen geführt, weil sie von päpstlicher Seite gewünscht wurden und es nicht nützlich schien, durch Versagung den Schein der Unversöhnlichkeit auf uns zu nehmen. Ein Ergebnis habe ich niemals davon erwartet und erwarte es nicht. Herr v. Schlözer war mit einer den Kirchenstreit abschließenden friedlichen Verhandlung von mir niemals beauftragt, erreichte er die Etappe, welche durch die Zusage der Anzeigepflicht gebildet wird, so überträfe er meine Erwartungen und würde das versöhnende Werk der Zeit und des Einlebens wesentlich erleichtern, aber von einer Erledigung des uralten Streits zwischen Königtum und Priestertum bleiben wir stets gleich weit entfernt. Der Schreiber des römischen Briefes täuscht sich vollständig über die Möglichkeit einer abschließenden und dauernden Verständigung des protestantischen Kaisertums mit der römischen Kurie, deshalb überschätzt er auch die Bedeutung des Abbruchs und der Wiederherstellung der gesandtschaftlichen Beziehungen. Der Abbruch war seinerzeit ein Bedürfnis nicht der Politik, sondern des Anstandes gegenüber der unerhört groben Sprache des Papstes gegen S. M. den Kaiser. Nicht wir haben Rom, sondern Rom hat uns damals *„de haut en bas"* behandelt. Wenn der Schreiber des Briefes annimmt, daß erst durch falsche Maßregeln und Mangel an Informationen aus kleinen Bächen „ein Strom angewachsen sei", so kennt er die Tatsachen nicht und täuscht sich über die bewegenden Prinzipien der

Geschichte. Mit den kleinen Mitteln der Diplomatie und der Bearbeitung römischer Prälaten kann man vielleicht zu Konkordaten kommen, die für Preußen nicht annehmbar sind, aber nicht zur Heilung des alten Schadens, daß ein beträchtlicher Teil der deutschen Bevölkerung auch der politischen Führung seiner Priester mehr Glauben schenkt wie der des Königs [a]und daß diese Priester von einem ausländischen absoluten Monarchen [abhängen], der aber wieder von den Jesuiten und ihrem Geld abhängt, darin liegt eine Krankheit, die nur die Zeit und vor allen Dingen die Schule heilen kann, wenn auch vielleicht niemals vollständig[a]. Verständigung mit den Jesuiten ist unmöglich und mit dem jeweiligen Papste persönlich kann sie nur palliative Hilfen gewähren. Unser Einverständnis mit der Kurie war, soweit es überhaupt möglich, vorhanden bis 1870. Die katholische Fraktion unter Reichensperger, damals 40—60 Köpfe stark, hat dennoch konsequent jede Regierung bekämpft. [b]Es war natürlich, daß sich ihr die Polen, Welfen, Dänen, Sozialdemokraten alle anschlossen, die sich in einem intransigenten Gegensatz zu den Grundgedanken der Preußischen Monarchie und des deutschen Kaisertums befanden. Dieser angeblich durch Fehler der Regierung entstandene, in der Tat aber nach der Logik der Geschichte begründete und seit 1000 Jahren bestehende „Strom" der antideutschen Elemente, Papst, Welfen, Slawen usw., wird niemals ganz schwinden. Das hierarchische Element in demselben, die Priesterherrschaft, hat seine Ebbe und Flut in der Geschichte[b]. Das religiöse Gefühlsleben hat Zeiten, wo es schwächer pulsiert, in anderen tritt es wieder stärker hervor. Die den Fanatismus tragenden Kräfte laufen in der Uebertreibung sich selbst tot, ebenso wie die Uebertreibung der Skepsis jederzeit wiederum zum Gegenstoß des Glaubens- und Gefühlseifers führt. Darin werden kleine diplomatische Erfolge nur vorübergehend etwas ändern.

Heute ist in allen katholischen Ländern, Frankreich, Italien, Portugal, Belgien, selbst Spanien, die Macht der römischen Kirche rückläufig, in Deutschland, in England erhält sie ihre Lebenskraft in der Friktion mit evangelischen Regierungen und ihrer Gesetzgebung. Ich habe bei der Proklamation der Unfehlbarkeit den Eindruck gehabt, daß die darin liegende Uebertreibung der Priesteransprüche diesen selbst auf die Dauer gefährlich sein und der Rückschlag in natürlicher Entwicklung auf die Uebertreibung folgen werde. Ich glaube dies auch noch und würde für meine Per-

---

a–a Eigenhändige Korrektur Bismarcks.

b–b Eigenhändige Korrektur Bismarcks.

son in den Kirchenstreit gar nicht eingetreten sein, wenn nicht die katholische Abteilung unserer Regierung unter Radziwillschem Einfluß bis zur Polonisierung deutscher Bevölkerungen staatsfeindlich geworden wäre. Zur Aufhebung dieser Abteilung wurde mein persönliches Hervortreten notwendig, und von dem Augenblick an, war die aggressive Opposition gegen mich gerichtet. Ich habe auf dem Gebiete der Maigesetze nur die erfolgten Verfassungsänderungen und diese in ausgedehnterem Maße verlangt, als meine darin ängstlichen Kollegen sie bewilligen mochten; die ganze juristische Detailgesetzgebung habe ich im Gegenteil meinen Kollegen von der juristischen Richtung zugestanden. In ihr liegt m. E. das Einzige, was der römische Korrespondent als „falsche Maßregel" mit Recht bezeichnen darf, und ich würde in bezug auf diesen mehr juristischen als politischen Teil der Maigesetze auf dem Gebiete deutscher Zunge nachgiebiger sein können, als meine heutigen Kollegen es sind[c]; auf dem Gebiete polnischer Zunge aber würde alles, was wir den Priestern konzedieren, zum Hebel nationaler Revolutionen benutzt werden.

Der römische Briefsteller sieht die Dinge durch ein Mikroskop, welches ihm den kleinen im Vatikan sichtbaren Teil des geschichtlichen und politischen Feldes in übertriebener Größe und Wichtigkeit erscheinen läßt und sein Tadel des Geschehenen ist der eines Dilettanten, der praktischen Geschäften fern steht. Mir bietet er eine willkommene Gelegenheit, Ew. pp. von neuem die Ueberzeugung auszusprechen, daß mit diplomatischen Verhandlungen in der Kirchenfrage nichts erreicht werden wird als Konkordate oder konkordatähnliche moralische und doch bindende Ehrenpflichten, und dieses ganze Gebiet ist m. E. für Preußen unannehmbar. Ich habe mir alle Mühe gegeben, H. v. Schlözer von Haus aus die Hoffnung zu benehmen, daß seine Mission ein annehmbares Abkommen über Frieden oder Waffenstillstand oder dauernden *modus vivendi* herbeiführen könne; ich glaube, daß es mir schließlich gelungen ist, ihn darüber zu enttäuschen[d] und ihn zu überzeugen, daß unser größter Fehler wäre, in Rom Eifer oder Bedürfnis nach Aenderung unserer Lage zu zeigen. Der Staat hält den status quo länger aus als die Kirche, und der Kampf muß *cunctando* geführt werden. Ich sehe in der Herstellung der Gesandtschaft und in ihrem Verkehr nichts anderes als eine Erleichterung des geduldigen Fortlebens im status quo, bis sich aus der Eingewöhnung ein faktischer

c Der Satz beruht auf eigenhändiger Korrektur Bismarcks.

d–d Mit eigenhändigen Korrekturen Bismarcks.

modus vivendi vielleicht ergibt. Dazu können Generationen konsequenter Politiker nötig sein, die ihren Erfolg nicht von diplomatischen Künsten, sondern von konsequenter Durchführung staatlicher Schulpolitik erwarten. Die Priester werden wir nie gewinnen, sie bleiben immer vereidete Offiziere der Armee eines nichtpreußischen Souveräns. Die Laienerziehung ist m. E. die einzige wirksame Waffe des Staates und könnte vielleicht noch schneidiger gehandhabt werden, als bisher geschehen. Das Objektiv unserer Operationen kann nicht in Rom und im Papste, selbst nicht bei unseren Bischöfen liegen, sondern in der katholischen Laienbevölkerung Deutschlands und ihren Meinungen über Staat, Kirche und Priester.[d]

232. Gespräch mit dem Journalisten Moritz Busch am 20. Dezember 1882 in Berlin W 8, 460 ff., Nr. 342 = Busch III, 134 f.

Ich ging zur angegebenen Stunde ins Palais, fand den Fürsten mit weißem Vollbart hinter seinem Schreibtische und blieb etwa dreiviertel Stunden bei ihm. Nachdem er mir die Hand gereicht hatte, sagte er: „Sie kommen wohl mit großen Erwartungen, denken, daß ich Ihnen was zu sagen habe wegen des Artikels in der Kölnischen Zeitung? Ich meine den über die russischen Rüstungen." — *Ich fragte: „Ist der von hier ausgegangen?"* — *Er:* „Nein, nicht von mir, aber von den Militärs." — *Ich: „Und der Inhalt ist richtig?"* — *Er:* „Gewiß. Sie bauen viel mehr Eisenbahnen, als sie für Handel und Verkehr brauchen, und die Garnisonen in den westlichen Städten und Festungen sind fast auf Kriegsfuß gebracht. Es sollte mich nicht wundern, wenn es schon das nächste Jahr mit denen einen Krieg gäbe. Die Börse hat sichs übrigens sehr zu Herzen genommen; ich glaube aber, wenn die Kurse fallen, so ists mehr Besorgnis vor Frankreich. ... Aber," *fuhr er fort,* „Sie sind ja indiskret gewesen, in den Grenzboten, die Notiz über unser Bündnis mit Oesterreich[22]. Das ist denen dort sehr unbequem gewesen; denn jetzt kann der ungarische Landtag kommen und Aufschluß verlangen." — *Ich erwiderte: „Ich hielt die Sache für allmählich bekannt geworden, und vor drei oder vier Monaten sagte mir jemand — ich weiß nicht mehr, wer —, jedermann wisse, daß ein förmliches Bündnis und nicht bloß eine Denkschrift existiere. Vielleicht hatte ers aus Wien. So meinte ich, es könne nichts schaden, vielleicht nützen, wenn ichs gelegentlich anbrächte, ganz beiläufig, wie in dem Grenzbotenartikel, und als dann alle Zeitungen darüber leitartikelten, war ich ganz erstaunt*

[22] Der Text des Vertrages wurde offiziell erst am 3. Februar 1888 veröffentlicht.

über den Lärm. Ich müßte mich sehr irren, wenn ich Aehnliches nicht schon anderswo gelesen hätte." — „Ja," *sagte er,* „es war aber ein Staatsgeheimnis, und wenn Sie sich besännen, wer Ihnen das gesagt hat, so könnten wohl Recherchen angestellt werden. Es ist sehr möglich, daß etwas der Art anderswo schon gesagt worden ist, und wenn Ihre Zeilen in einem anderen Blatte gestanden hätten, so würde vielleicht kein Hahn darüber gekräht haben. Aber Sie haben den Grenzboten einen Nimbus gegeben, daß sie wie der Staatsanzeiger angesehen werden, und das ist nicht gut für Sie als Schriftsteller: Sie gelten als hochoffiziös." — *Ich: „Das ist mir gleich, es weckt nur Haß und Neid, und ich habe niemals mit den hiesigen Zeitungsschreibern verkehrt.*" — „Na," *versetzte er lächelnd,* „Sie könnten diesen Nimbus zerstören, wenn Sie einmal was recht Dummes schreiben." — *Ich: „Und wenn Sie mich dann recht kräftig dementieren ließen.*" —*Er:* „Aber im Ernste: Sie könnten den Satz, wo Sie sich verschnappt haben, einigermaßen redressieren, wenn Sie sagten, Sie glaubten damit nur Bekanntes wiederholt zu haben; daran ließen sich verschiedene nützliche Bemerkungen knüpfen, zum Beispiel wenn das Bündnis nicht in aller Form bestünde, so müßte es so gemacht werden, da es von großem Vorteil sein würde und den Bedürfnissen zweier friedliebender Mächte entspräche. Ferner: Wir würden es sehr bedauern, wenn die Kölnische Zeitung mit ihrer Behauptung recht hätte, daß es nur auf fünf Jahre abgeschlossen wäre; es sollte dann auf längere Zeit ausgedehnt werden. Endlich: Die Interessen beider Reiche würden es gestatten, daß sie ihre guten politischen Beziehungen durch nähere wirtschaftliche Beziehung vertragsmäßig unterstützten und befestigten."

Er kam dann nochmals auf die russischen Rüstungen zu sprechen und sagte unter anderem: „Nun soll ich helfen. Sie mögen's aber selbst machen. Ich habe ihnen vor drei Jahren Vorschläge gemacht, auf die sie nicht eingegangen sind. Jetzt mögen s i e sehen."

Er besann sich eine Weile, dann fragte er plötzlich: „Können Sie uns Geld schaffen, daß wir den Steuerexekutor los werden? ... Die im Abgeordnetenhause wollen nicht dran mit der Lizenzsteuer, auch die Konservativen nicht, wo jeder immer klüger als der andere und alle klüger als die Regierung sind. Alles ist hier uneinig, und die meisten sind Dummköpfe. Was nutzt ihr Konservatismus, wenn Sie uns nicht unterstützen? ... Eine progressive Einkommensteuer ist ungerecht und hilft nicht viel; eine gerechte Einkommensteuer aber wäre gut und nützlich. Die kann man erlangen durch Selbsteinschätzung, und sie würde bald den Ausfall der vier Klassen decken. ... Die oberen Klassen, vierzehntausend, geben etwa sieben Millionen Mark, und wenn man die verdoppelte, käme es zur Bedrückung, zu sechsundzwanzig Prozent Steuer ... Der Kapitalist ist entweder Hypothekengläubiger, und wird seine Steuer erhöht, so hält er sich an seinen Schuldner und verlangt, statt vier, fünf oder fünfeinhalb Prozent Zinsen — oder Pfandbriefsinstitut, dann verlieren die Briefe soviel, als die Steuer beträgt — oder Industriepapiere, da kann die Steuer der Exportfähigkeit der Fabrikate schaden oder sie unmöglich machen ... von inländischen Papieren kann der Staat keine Steuer verlangen, und so bleiben zur Besteuerung nur die ausländischen Staatspapiere und Eisenbahnwerte ... den Kapitalisten fürchtet man nicht, wohl aber den Tabaksmann, den Kneipenwirt und den Bierbrauer. Vom Kapitalisten heißt es:

I prithee take thy fingers from my throat,
For though I am not splenetive and rash,
Yet have I something in me dangerous
Which let thy wiseness fear! [23]

„Wenn die Konservativen mit der Regierung einig wären, so stünde alles gut. So aber — wir werden zum Februar wohl wieder auflösen müssen; dann aber werden nicht so viele Konservative wiederkommen. Der König hat sich so engagiert, daß er mit dem Exekutor nicht weiter regieren kann; ihn berührt es aufs schmerzlichste, und er wird schließlich den Wähler wiederholt befragen, ob es sein Wille ist, den Exekutor beizubehalten."

Er ging danach auf Wedell-Malchows Antrag wegen Besteuerung der Zeitgeschäfte an den Börsen über und meinte, er sei nicht übel, nur müsse der Begriff „Zeitgeschäfte" definiert und nicht so gefaßt werden, daß er auch reelle Geschäfte in Roggen und Spiritus und Bargeschäfte einschlösse. Man solle ferner nicht mit zwei pro Mille, sondern, wie die Regierung gewollt, mit eins pro Mille anfangen. Das würde gehen und könnte ja, wenn erst ein Anfang mit der Sache gemacht wäre, erhöht werden. Der Fehler wäre hier, daß man die Schwindelgeschäfte treffen und eine moralische Steuer einführen wolle, während jene doch nicht zu definieren und zu fassen wären. So ungefähr, denn ich verstand nicht alle diese finanziellen Auseinandersetzungen, bei denen er mir wohl mehr Sachkenntnis und Fähigkeit zu ergänzen zutraute als ich hatte.

Er hatte im Laufe seiner Rede Bleichröders Namen genannt, und ich fragte jetzt, ob er wohl etwas davon gelesen habe, daß irgendwo angedeutet worden sei, Bleichröders Absichten auf die Tabakregie und die Eisenbahnen der Türkei würden von der deutschen Diplomatie unterstützt. Er leugnete die Tatsache. In der rumänischen Angelegenheit allerdings habe man Bleichröder beigestanden, weil da außer großen Herren auch viele kleine Leute beteiligt gewesen seien. Er nannte von jenen Ujest[24]*. Da habe sich Bleichröder wirkliche Verdienste erworben und tapfer sein Geld gewagt, und dafür habe ihn der König in den Adelstand erhoben. Von der österreichischen Regierung bemerkte er, sie habe sich mehr als gut mit Hirsch eingelassen.*

Wir sprachen schließlich über seine Neuralgie, die ihm viel Schmerzen verursacht. Ich meinte, es seien wohl schlimme Zähne. Er: „Das haben andere auch schon gedacht. Der Arzt aber hat mir alle Zähne behämmert, und er sagt, sie sind gut. Nein, es ist nervös, Muskelschmerz, besonders wenn ich mich ärgere und aufrege. Deswegen gehe ich auch nicht in die Parlamente; denn wie würden da gewisse Leute sich freuen, wenn ich spräche und auf einmal den Mund verzöge und nicht

---

[23] Shakespeare, Hamlet, V. Akt, 1. Szene.
[24] Fürst Hugo von Hohenlohe-Oehringen, Herzog von Ujest.

weiter reden könnte." *Er entließ mich zuletzt mit:* „Adieu, Büschchen, auf Wiedersehen. Aber sich vor weiteren Indiskretionen in acht nehmen."

233. Erlaß an den Gesandten beim Vatikan von Schlözer: Windthorst erschwert Entgegenkommen gegenüber der Kurie W 6 c, 269 ff., Nr. 261.

Berlin, den 22. Dezember 1882.

Ew. pp. übersende ich hiermit einen stenographischen Bericht über die Sitzung des Reichstages vom 13. d. M., in welcher die Interpellation des Abgeordneten Windthorst, betr. das Reichsgesetz vom 4. Mai 1874 verhandelt wurde, und bitte, dieselbe nach Anleitung des folgenden mit dem Kardinal-Staatssekretär besprechen zu wollen.

In der Unterredung, über welche Ew. pp. unterm 5. Juni d. J. Nr. 51 berichtet haben, haben Sie dem Kardinal auseinandergesetzt, wie Ledochowski die kirchlichen Interessen als Deckmantel und zugleich als Ferment für die polnischen revolutionären Bestrebungen genutzt. Der Inhalt früherer Erlasse, namentlich des d. d. Varzin, den 19. August 1881, werden Ew. pp. den Stoff liefern, um in analoger Weise den Welfenführer Windthorst zu beleuchten. Ew. pp. wollen sodann, nach Anleitung des zuletzt genannten Erlasses, noch einmal die beiden Elemente charakterisieren, aus denen das Zentrum besteht, das wirklich kirchlich und konservativ Gesinnte und das von politischen und zwar revolutionären Motiven Bewegte. Windthorst gehöre zu dem Letzteren, übe aber einen viel größeren Einfluß aus, als er in seiner Eigenschaft als Welfenführer jemals hätte gewinnen können, weil er vermöge seiner Geschicklichkeit sich bisher als Führer des ganzen Zentrums, auch des kirchlichen Elementes, zu behaupten gewußt habe. Natürlich werde der Regierung dadurch die Annäherung und Verständigung mit dem letzteren Element erschwert.

Wenn Windthorst im Namen des Zentrums einen Antrag stelle, so könne die Regierung sich nicht darauf beschränken, das Meritorische des Antrages zu prüfen, wie sie tun würde, wenn derselbe von Männern käme, bei denen man nicht staatsfeindliche, sondern kirchenfreundliche Motive voraussetzen könnte; wir müßten vielmehr einen Windthorstschen Antrag auf kirchlichem Gebiet, namentlich wenn er mit verabredeter Unterstützung der fortschrittlichen Partei uns entgegentritt, in erster Linie als einen Schachzug auf dem politischen betrachten und behandeln. Deshalb habe schon Windthorsts Antrag in der vorigen Reichstags-Session, das

Gesetz vom 4. Mai 1874 aufzuheben, obgleich oder vielmehr gerade deshalb, weil er von einer regierungsfeindlichen, aus allen Oppositionen einschließlich der republikanischen, gebildeten Majorität unter Drohungen und Vorwürfen gestellt wurde, [a] mit Berechnung das Werk der Verständigung durchkreuzt. Diese Wirkung sei durch seine Interpellation vom 13. d. M. erneuert und gesteigert worden. Eine Regierung, die sich solcher Partei-Pression füge, verliere das Ansehen im Lande; das wisse Windthorst und deshalb fordere er das, was die Regierung freiwillig zu tun geneigt sei, in verletzender Form und mit Drohung, um zu hindern, daß es geschehe. Er brauche den Kampf und fürchte den Frieden. [a]
Der Kardinal wisse sehr wohl, durch welche Mittel Windthorst den Schein erregt habe und erhalte, daß er die wahren Intentionen des päpstlichen Stuhles kenne und seine wahren Interessen vertrete, werde sich z. B. der falschen Meldung der „Germania" erinnern, daß der Papst im Juni d. J. einem der deutschen Pilger einen besonderen Gruß an Windthorst aufgetragen habe. Es würde leicht gewesen sein, diese Reklame in wirksamer Weise zu dementieren, um so leichter, als die Sr. Heiligkeit in den Mund gelegten Worte *„mi lo saluti in maniera speciali"* nach der päpstlichen Etikette gar nicht gesprochen sein konnten.
[b] Ew. pp. wollen schließlich dem Kardinal wiederholen, daß die Angriffe des Zentrums unter Windthorsts Führung der Regierung in berechneter Weise auch solche Zugeständnisse erschweren, welche sie zu machen geneigt wäre, nur nicht unter dem Druck der Feindschaft einer parlamentarischen Koalition. Wenn eine solche auch nur einmal den Erfolg hätte, der Regierung eine Nachgiebigkeit abzudrücken, welche dieselbe freiwillig nicht gemacht haben würde, so würde dieser Erfolg fortzeugend neue Ansprüche und Einschüchterungsversuche provozieren. Wir wüßten nicht, ob der päpstliche Stuhl Neigung habe, einen Einfluß auf das Verhalten dieser Opposition zu üben; sei das nicht tunlich, so würden die Dinge bleiben, wie sie sind, und müsse die Regierung sich damit einleben. Sie werde das auf die Dauer eher vermögen als die Kirche, sie werde nur etwas „liberaler" werden müssen. [b] Aus dieser Andeutung ergeben sich Betrachtungen vorwärts und rückwärts, die vielleicht eher einen Eindruck auf den Kardinal machen, als die Gegenüberstellung der Metternichschen Zeit und des deutschen Reiches mit einem evangelischen Kaiserhause. Ich möchte glauben, daß die Erinnerung an Metternich bei der Kurie ge-

---

a–a Eigenhändiger Zusatz Bismarcks im ersten Entwurf.
b–b Eigenhändiger Zusatz Bismarcks im ersten Entwurf.

mischte Empfindungen hervorrufen muß. Wenn er auch die Hierarchie für sein politisches System nicht entbehren konnte und benutzte und immer bereit war, in ihrem Interesse in anderen Staaten zu wirken, so wußte er doch in Oesterreich die *jura majestatica circa sacra* wohl zu wahren, war nicht sparsam mit der Exclusive und würde das Konkordat von 1855 nicht abgeschlossen haben. Die Aeußerung des Kardinals über die große Veränderung, die in Europa vorgegangen sei, würde ich mit oder ohne Einverständnis des Kardinals auf die veränderte Lage der römischen Kirche in den katholischen Ländern deuten. [c] Die Betrachtung derselben ist sehr lehrreich und legt die Frage nahe, ob nicht Deutschland durch das Kontagium französischer Umwälzungen auf kirchlichem Gebiete ebenso wie auf weltlichem berührt werden und in breiteren Schichten als im vorigen Jahrhundert die Invasion Voltairescher Gedanken erleben wird. [c] Eine Wendung der deutschen Regierung nach der liberalen Seite kann durch Ereignisse beschleunigt und gesteigert werden, deren Zeitpunkt außer Berechnung liegt; Ew. pp. wissen, daß die Ansichten Sr. M. des Kaisers und Königs und Allerhöchst Seiner Gemahlin über kirchliche Einrichtungen der Erhaltung derselben günstiger sind als die Sr. Kais. Hoheit des Kronprinzen. Möchte nun dereinst, was ich nicht für wahrscheinlich halte, die radikale Richtung der Kirche gegenüber vorherrschen, oder möchte es bei dem gemäßigten Liberalismus bleiben, der die Staatsgewalt benutzt, um auch auf kirchlichem Gebiete seine Postulate durchzusetzen, so würde es vielleicht die Kurie in beiden Fällen bedauern, die gegenwärtige Situation zu einer Verständigung nicht benutzt zu haben. An der Abwechslung von Ebbe und Flut in den katholischen Interessen, die seit der großen Bewegung der Geister im 16. und 17. Jahrhundert zu beobachten ist, dürfte sich nachweisen lassen, daß der Staat auch in den überwiegend katholischen Ländern mehr für den Katholizismus zu tun vermag als dessen Priester für den Staat. [d] Das katholische Priestertum bedarf der staatlichen Stütze mehr, als es in Reziprozität erfahrungsmäßig vergelten kann. Es hat weder Napoleon III. noch Karl X. gehalten und sich selbst die Stellung nicht zu bewahren vermocht, welche diese beiden Monarchen ihm während ihrer Regierung gewährt und geschützt hatten. Die katholische Kirche vermag die Staatsgewalt zu stärken, aber nicht zu entbehren. Ihre Macht befindet sich heute nicht im Zeichen eines aufsteigenden Gestirns; ihr Ansehen hat sich seit dem Vaticanum in allen

c–c Eigenhändiger Zusatz Bismarcks.

d–d Eigenhändige Korrektur bzw. Zusatz Bismarcks.

katholischen Ländern vermindert, und in den katholischen Staaten stützt sie sich auf die irische, polnische und deutsche Revolution, mit deren Beistand sie die Verlegenheiten der Regierungen ausnutzt. Dadurch verstärkt sie aber das Gewicht der Umsturzparteien und hilft Zustände herbeiführen, in denen erfahrungsmäßig auch die römischen Priester ihr Ansehen einbüßen. Das Wort Meglias „nur die Revolution kann uns helfen" ist ein grober Irrtum. Der Vatikan wird sich zu fragen haben, ob er die Gunst der Gegenwart benutzen oder eine noch günstigere Konstellation erwarten will; er ist gewohnt, mit langen Zeiträumen zu rechnen, aber der Staat kann das auch. [d]